MATHÉMATIQUES 11e

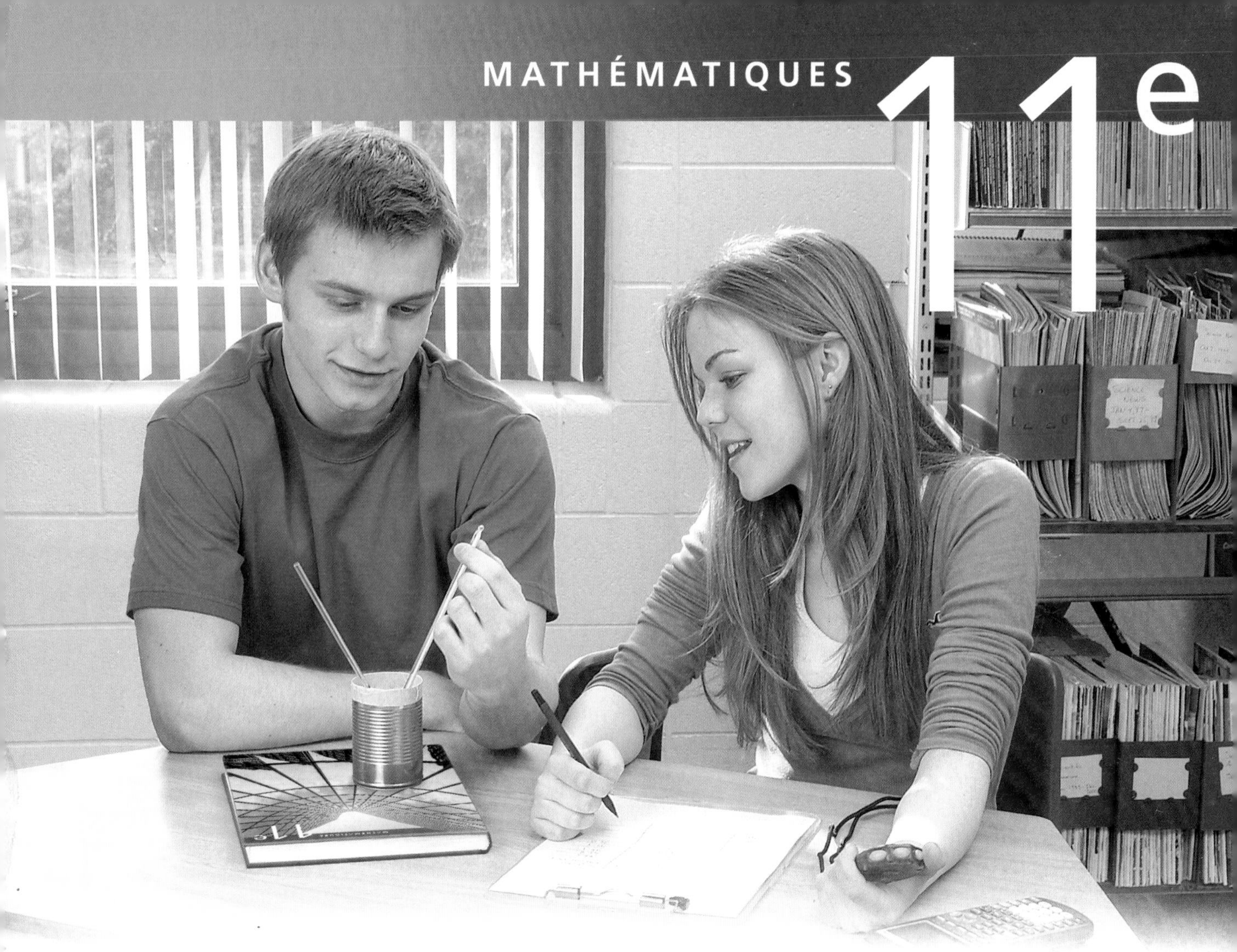

Gordon Cooke
Jan Crofoot
Bonnie Edwards
Paul Gautreau
Catherine Heideman
Carolyn Kieran
Duncan LeBlanc
Ken O'Connor
Robert Sherk

Chad Coene
Glenn Gadsby
Andrew Reeves
Frank Torti

PEARSON
ERPI

5757, RUE CYPIHOT, SAINT-LAURENT (QUÉBEC) H4S 1R3
TÉLÉPHONE : 514 334-2690 TÉLÉCOPIEUR : 514 334-4720
erpidlm@erpi.com

POUR L'ÉDITION FRANÇAISE

Directrice de l'édition
Monique Daigle

Traducteurs
Michèle Boileau
Guy Bonin

Réviseures linguistiques
Jocelyne Bisaillon
Monique Daigle
Valérie Lanctôt

Indexeur
Jean-François Vigneault

Correctrice d'épreuves
Isabelle Rolland

Directrice artistique
Hélène Cousineau

Coordonnatrice aux réalisations graphiques
Sylvie Piotte

Couverture
Philippe Morin

Édition électronique
Serge Proulx, Édiflex Inc.

Cette ressource est disponible grâce à l'appui financier de Patrimoine canadien / Canadian Heritage, sous la gestion du ministère de l'Éducation de l'Ontario.

Mathématiques 11ᵉ, Manuel de l'élève, édition française publiée par ERPI (ÉDITIONS DU RENOUVEAU PÉDAGOGIQUE INC.)

Dépôt légal — Bibliothèque et Archives nationales du Québec, 2009
Dépôt légal — Bibliothèque et Archives Canada, 2009
IMPRIMÉ AU CANADA 1234567890 FR 14 13 12 11 10 09
ISBN 978-2-7613-2634-6 11062 StUM12

POUR L'ÉDITION ORIGINALE

Éditrice
Claire Burnett

Équipe éditoriale
Lynda Cowan, Lesley Haynes,
Sarah Mawson, Nirmala Nutakki,
Stephanie Kleven, Jon Maxfield,
Cristina Getson, Sam Kaufman,
Ioana Gagea, Ellen Davidson,
Cheri Westra, Judy Wilson

Chef d'équipe, division des mathématiques
Diane Wyman

Directrice, développement de produits
Kathleen Crosbie

Collaborateur à l'édition
Bob Berglind

Recherchiste (photos)
Karen Hunter

Conception graphique
World & Image Design Studio Inc.

Mathématiques 11ᵉ, Manuel de l'élève, French language edition, published by ERPI (ÉDITIONS DU RENOUVEAU PÉDAGOGIQUE INC.)

Consultants et conseillers

POUR L'ÉDITION ORIGINALE

Consultant en évaluation
Ken O'Connor

Consultants en technologie
Carolyn Kieran
Duncan LeBlanc

Consultant en littératie
Jan Crofoot

Consultant en édition
Robert Alexander

Conseillers
Alex Belloni
Charlotte Cutajar
Mary Fiore
Antonietta Lenjosek
Peggy Leroux
Amy Lin
Sandra McCarthy
Riaz Saloojee
Dwight Stead
Karen Timson

POUR L'ÉDITION FRANÇAISE

Adaptation et révision scientifique
Robert Laliberté
Patrick Lamon
Jacques Moncion

Remerciements

Pour l'édition originale anglaise

L'Éditeur Pearson Canada tient à remercier les enseignants et enseignantes ainsi que les élèves qui ont expérimenté ce manuel avant sa publication. Leurs commentaires judicieux ont été des plus appréciés.

Tina Bawa
London District Catholic School Board

Gerry Bossy
Lambton-Kent District School Board

Chad Coene
St. Clair Catholic District School Board

Debbie Dale
Thames Valley District School Board

Claire N. DeFreitas
Peel District School Board

Roxanne Evans
Algonquin and Lakeshore Catholic District School Board

A. Tariq Fahimi
Toronto District School Board

Rahmatullah Fahimi
Toronto District School Board

Chris Forrest
District School Board of Niagara

Glenn Gadsby
Peel District School Board

Tina Grandy
Peel District School Board

Patrick Grew
Limestone District School Board

W. B. Hammond
Toronto District School Board

Terry Hinan
Peel District School Board

Christine Houthuyzen
University of Waterloo student

E. Ann Jacobson
Thames Valley District School Board

Lyle Johnston
Hastings and Prince Edward District School Board

Ferial Khan
Peel District School Board

Shaun Knowles
Peel District School Board

Atul Kotecha
Limestone District School Board

Thuy Leu
Waterloo Region District School Board

Frieda Leung
Peel District School Board

Mark Mamo
Halton District School Board

Simona Matei
Peel District School Board

Mykola Matviyenko
Toronto District School Board

Donald Mountain
Thames Valley District School Board

Tony Ricci
Toronto Catholic District School Board

Catherine Roberts
Peel District School Board

Margaret Sinclair
York University

Frank Torti
St. Clair Catholic District School Board

Angela Van Kralingen
Niagara Catholic District School Board

Marian Vickers
Waterloo Region District School Board

J. Veiga
Toronto Catholic District School Board

James Vincent
Peel District School Board

Michael Zahra
Algonquin and Lakeshore Catholic District School Board

Table des matières

Chapitre 1 La trigonométrie

Chapitre 2 La géométrie

Chapitre 3 Les fonctions du second degré

Chapitre 4 Les fonctions exponentielles

Chapitre 5 Épargner et investir

Chapitre 6 Bien gérer son argent

Chapitre 7 Les données à une variable

Chapitre 8 La probabilité

Bienvenue

dans ton manuel *Mathématiques 11ᵉ*

Voici comment utiliser ton manuel. Bien comprendre la structure de ton manuel t'aidera à mieux réussir.

Chaque chapitre commence par une page d'ouverture comme celle-ci :

Ce que tu vas apprendre et **Pourquoi ?** Une courte présentation de l'apprentissage que tu feras dans le chapitre et de son utilité dans la vie de tous les jours.

1 La trigonométrie

Ce que tu vas apprendre

Déterminer les mesures des côtés et des angles de triangles rectangles et de triangles acutangles, et résoudre des problèmes portant sur ces mesures.

Pourquoi ?

En architecture, en arpentage, en construction, en menuiserie, en navigation ou en dessin, certaines situations demandent qu'on détermine les mesures des côtés et des angles de triangles.

Mots clés

- Hypoténuse
- Côté adjacent
- Côté opposé
- Triangle rectangle
- Sinus
- Cosinus
- Tangente
- Rapports trigonométriques primaires
- Angle aigu
- Angle d'élévation
- Angle d'inclinaison
- Angle de dépression
- Loi des sinus
- Loi du cosinus

Les **mots clés** t'indiquent les apprentissages essentiels que tu feras dans le chapitre. Tu en trouveras aussi la définition dans le glossaire, à la fin du manuel.

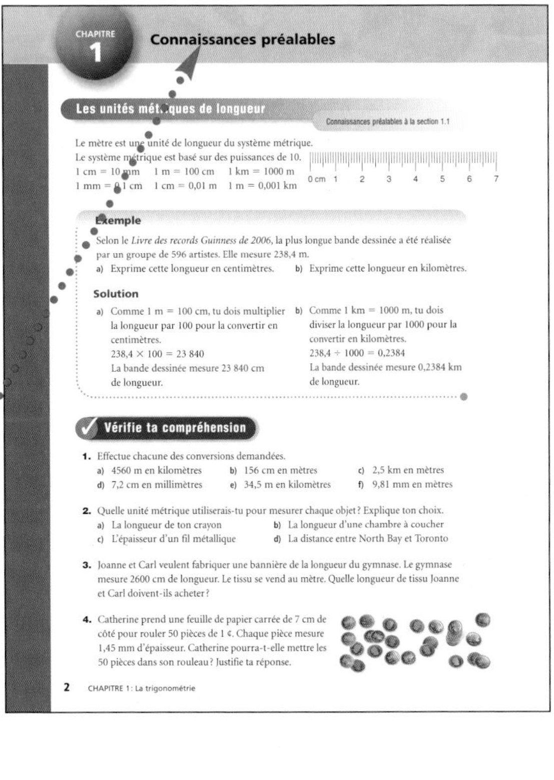
CHAPITRE 1 Connaissances préalables

Les unités métriques de longueur

Connaissances préalables à la section 1.1

Le mètre est une unité de longueur du système métrique.
Le système métrique est basé sur des puissances de 10.
1 cm = 10 mm   1 m = 100 cm   1 km = 1000 m
1 mm = 0,1 cm   1 cm = 0,01 m   1 m = 0,001 km

Exemple

Selon le *Livre des records Guinness de 2006*, la plus longue bande dessinée a été réalisée par un groupe de 596 artistes. Elle mesure 238,4 m.

a) Exprime cette longueur en centimètres.
b) Exprime cette longueur en kilomètres.

Solution

a) Comme 1 m = 100 cm, tu dois multiplier la longueur par 100 pour la convertir en centimètres.
$238{,}4 \times 100 = 23\,840$
La bande dessinée mesure 23 840 cm de longueur.

b) Comme 1 km = 1000 m, tu dois diviser la longueur par 1000 pour la convertir en kilomètres.
$238{,}4 \div 1000 = 0{,}2384$
La bande dessinée mesure 0,2384 km de longueur.

Vérifie ta compréhension

1. Effectue chacune des conversions demandées.
   a) 4560 m en kilomètres
   b) 156 cm en mètres
   c) 2,5 km en mètres
   d) 7,2 cm en millimètres
   e) 34,5 m en kilomètres
   f) 9,81 mm en mètres
2. Quelle unité métrique utiliserais-tu pour mesurer chaque objet ? Explique ton choix.
   a) La longueur de ton crayon
   b) La longueur d'une chambre à coucher
   c) L'épaisseur d'un fil métallique
   d) La distance entre North Bay et Toronto
3. Joanne et Carl veulent fabriquer une bannière de la longueur du gymnase. Le gymnase mesure 2600 cm de longueur. Le tissu se vend au mètre. Quelle longueur de tissu Joanne et Carl doivent-ils acheter ?
4. Catherine prend une feuille de papier carrée de 7 cm de côté pour rouler 50 pièces de 1 ¢. Chaque pièce mesure 1,45 mm d'épaisseur. Catherine pourra-t-elle mettre les 50 pièces dans son rouleau ? Justifie ta réponse.

2 CHAPITRE 1 : La trigonométrie

La rubrique **Connaissances préalables** te permet de revoir et de consolider les connaissances que tu as acquises au cours des années antérieures.

Voici ce que tu trouveras dans une section.

La rubrique **Explore** te permet d'analyser un problème en vue d'approfondir une nouvelle notion.

La rubrique **Réfléchis** t'invite à réfléchir aux stratégies que tu utilises et à analyser tes résultats avec tes camarades.

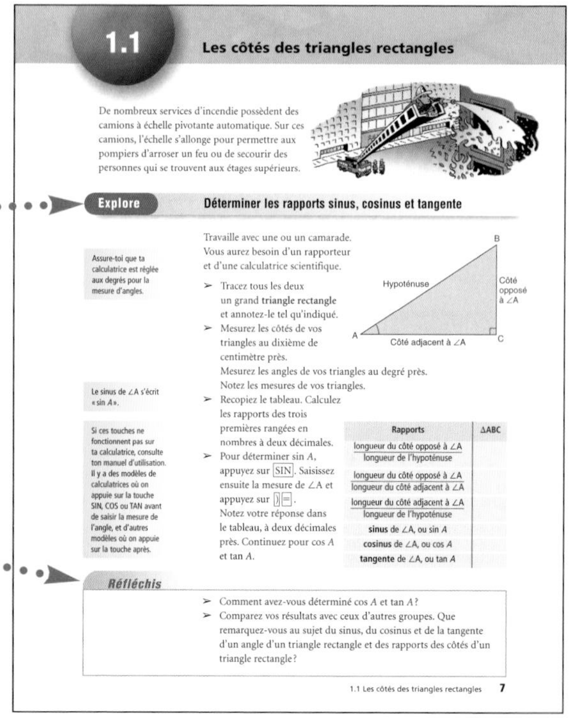

1.1 Les côtés des triangles rectangles

De nombreux services d'incendie possèdent des camions à échelle pivotante automatique. Sur ces camions, l'échelle s'allonge pour permettre aux pompiers d'arroser un feu ou de secourir des personnes qui se trouvent aux étages supérieurs.

Explore — **Déterminer les rapports sinus, cosinus et tangente**

Assure-toi que ta calculatrice est réglée aux degrés pour la mesure d'angles.

Travaille avec une ou un camarade. Vous aurez besoin d'un rapporteur et d'une calculatrice scientifique.

➢ Tracez tous les deux un grand **triangle rectangle** et annotez-le tel qu'indiqué.

➢ Mesurez les côtés de vos triangles au dixième de centimètre près. Mesurez les angles de vos triangles au degré près. Notez les mesures de vos triangles.

Le sinus de ∠A s'écrit « sin *A* ».

➢ Recopiez le tableau. Calculez les rapports des trois premières rangées en nombres à deux décimales.

Si ces touches ne fonctionnent pas sur ta calculatrice, consulte ton manuel d'utilisation. Il y a des modèles de calculatrices où on appuie sur la touche SIN, COS ou TAN avant de saisir la mesure de l'angle, et d'autres modèles où on appuie sur la touche après.

➢ Pour déterminer sin *A*, appuyez sur [SIN]. Saisissez ensuite la mesure de ∠A et appuyez sur [)] [=]. Notez votre réponse dans le tableau, à deux décimales près. Continuez pour cos *A* et tan *A*.

Rapports	ΔABC
longueur du côté opposé à ∠A / longueur de l'hypoténuse	
longueur du côté opposé à ∠A / longueur du côté adjacent à ∠A	
longueur du côté adjacent à ∠A / longueur de l'hypoténuse	
sinus de ∠A, ou sin *A*	
cosinus de ∠A, ou cos *A*	
tangente de ∠A, ou tan *A*	

Réfléchis

➢ Comment avez-vous déterminé cos *A* et tan *A* ?

➢ Comparez vos résultats avec ceux d'autres groupes. Que remarquez-vous au sujet du sinus, du cosinus et de la tangente d'un angle d'un triangle rectangle et des rapports des côtés d'un triangle rectangle?

1.1 Les côtés des triangles rectangles **7**

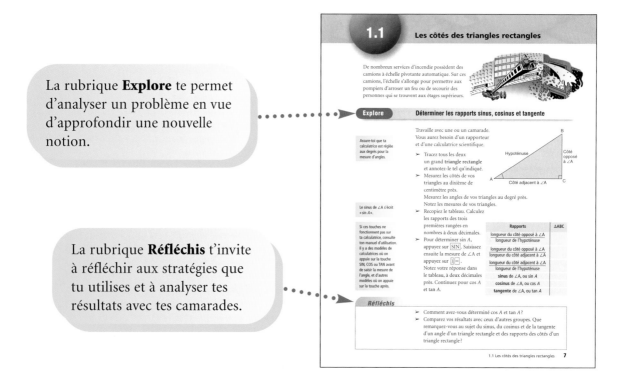

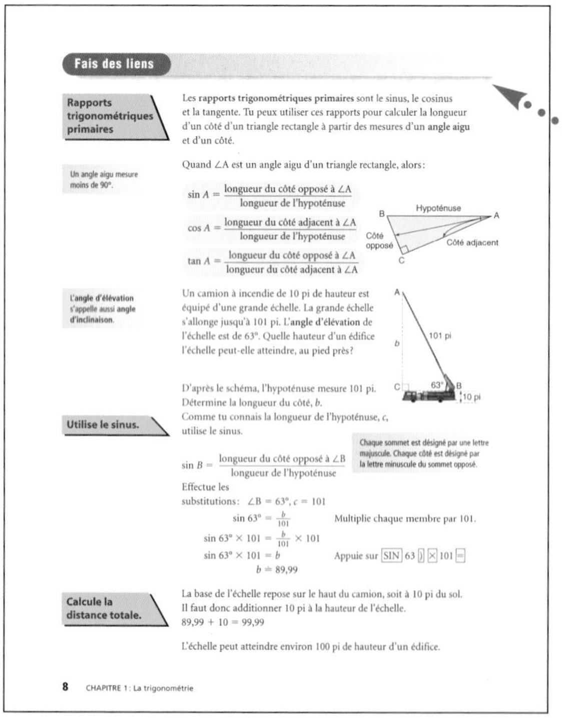

Fais des liens

Rapports trigonométriques primaires

Les **rapports trigonométriques primaires** sont le sinus, le cosinus et la tangente. Tu peux utiliser ces rapports pour calculer la longueur d'un côté d'un triangle rectangle à partir des mesures d'un **angle aigu** et d'un côté.

Un angle aigu mesure moins de 90°.

Quand ∠A est un angle aigu d'un triangle rectangle, alors :

$$\sin A = \frac{\text{longueur du côté opposé à } \angle A}{\text{longueur de l'hypoténuse}}$$

$$\cos A = \frac{\text{longueur du côté adjacent à } \angle A}{\text{longueur de l'hypoténuse}}$$

$$\tan A = \frac{\text{longueur du côté opposé à } \angle A}{\text{longueur du côté adjacent à } \angle A}$$

L'angle d'élévation s'appelle aussi angle d'inclinaison.

Un camion à incendie de 10 pi de hauteur est équipé d'une grande échelle. La grande échelle s'allonge jusqu'à 101 pi. L'**angle d'élévation** de l'échelle est de 63°. Quelle hauteur d'un édifice l'échelle peut-elle atteindre, au pied près?

D'après le schéma, l'hypoténuse mesure 101 pi. Détermine la longueur du côté, *b*.

Utilise le sinus.

Comme tu connais la longueur de l'hypoténuse, *c*, utilise le sinus.

Chaque sommet est désigné par une lettre majuscule. Chaque côté est désigné par la lettre minuscule du sommet opposé.

$$\sin B = \frac{\text{longueur du côté opposé à } \angle B}{\text{longueur de l'hypoténuse}}$$

Effectue les substitutions : $\angle B = 63°, c = 101$

$\sin 63° = \frac{b}{101}$ Multiplie chaque membre par 101.

$\sin 63° \times 101 = \frac{b}{101} \times 101$

$\sin 63° \times 101 = b$ Appuie sur [SIN] 63 [)] [×] 101 [=]

$b \doteq 89{,}99$

Calcule la distance totale.

La base de l'échelle repose sur le haut du camion, soit à 10 pi du sol. Il faut donc additionner 10 pi à la hauteur de l'échelle.
$89{,}99 + 10 = 99{,}99$

L'échelle peut atteindre environ 100 pi de hauteur d'un édifice.

8 CHAPITRE 1 : La trigonométrie

La rubrique **Fais des liens** t'aide à consolider tes apprentissages. Tu établis des liens et tu modélises des situations afin d'analyser des résultats possibles.

La partie **Exercices** te permet de mettre en application les connaissances mathématiques acquises. Tu résous divers problèmes et tu vérifies ta compréhension du contenu.

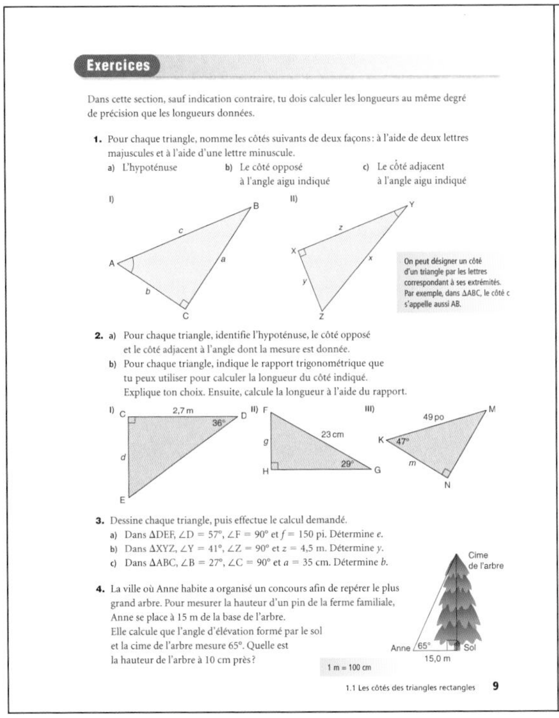

Exercices

Dans cette section, sauf indication contraire, tu dois calculer les longueurs au même degré de précision que les longueurs données.

1. Pour chaque triangle, nomme les côtés suivants de deux façons : à l'aide de deux lettres majuscules et à l'aide d'une lettre minuscule.

a) L'hypoténuse
b) Le côté opposé à l'angle aigu indiqué
c) Le côté adjacent à l'angle aigu indiqué

On peut désigner un côté d'un triangle par les lettres correspondant à ses extrémités. Par exemple, dans ΔABC, le côté c s'appelle aussi AB.

2. a) Pour chaque triangle, identifie l'hypoténuse, le côté opposé et le côté adjacent à l'angle dont la mesure est donnée.
b) Pour chaque triangle, indique le rapport trigonométrique que tu peux utiliser pour calculer la longueur du côté indiqué. Explique ton choix. Ensuite, calcule la longueur à l'aide du rapport.

3. Dessine chaque triangle, puis effectue le calcul demandé.
a) Dans ΔDEF, ∠D = 57°, ∠F = 90° et f = 150 pi. Détermine e.
b) Dans ΔXYZ, ∠Y = 41°, ∠Z = 90° et z = 4,5 m. Détermine y.
c) Dans ΔABC, ∠B = 27°, ∠C = 90° et a = 35 cm. Détermine b.

4. La ville où Anne habite a organisé un concours afin de repérer le plus grand arbre. Pour mesurer la hauteur d'un pin de la ferme familiale, Anne se place à 15 m de la base de l'arbre. Elle calcule que l'angle d'élévation formé par le sol et la cime de l'arbre mesure 65°. Quelle est la hauteur de l'arbre à 10 cm près ?

1 m = 100 cm

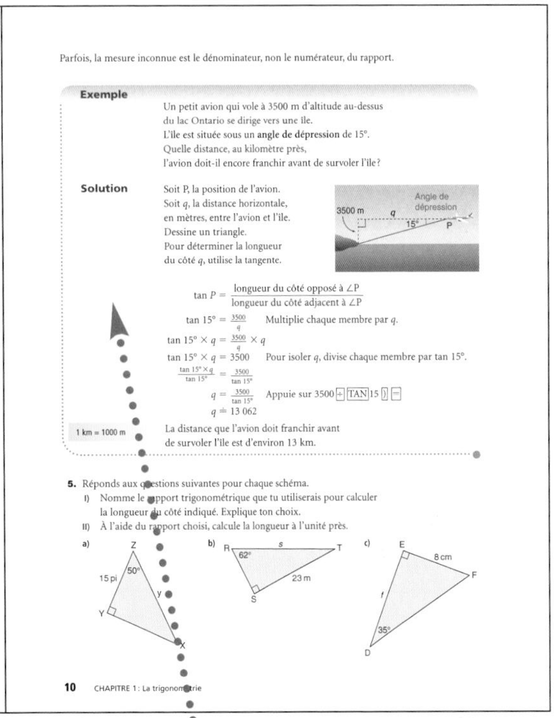

Parfois, la mesure inconnue est le dénominateur, non le numérateur, du rapport.

Exemple

Un petit avion qui vole à 3500 m d'altitude au-dessus du lac Ontario se dirige vers une île. L'île est située sous un **angle de dépression** de 15°. Quelle distance, au kilomètre près, l'avion doit-il encore franchir avant de survoler l'île ?

Solution

Soit P, la position de l'avion. Soit q, la distance horizontale, en mètres, entre l'avion et l'île. Dessine un triangle. Pour déterminer la longueur du côté q, utilise la tangente.

$$\tan P = \frac{\text{longueur du côté opposé à } \angle P}{\text{longueur du côté adjacent à } \angle P}$$

$$\tan 15° = \frac{3500}{q}$$ Multiplie chaque membre par q.

$$\tan 15° \times q = \frac{3500}{q} \times q$$

$$\tan 15° \times q = 3500$$ Pour isoler q, divise chaque membre par tan 15°.

$$\frac{\tan 15° \times q}{\tan 15°} = \frac{3500}{\tan 15°}$$

$$q = \frac{3500}{\tan 15°}$$ Appuie sur 3500 [÷] [TAN] 15 [)] [=]

$$q \doteq 13\,062$$

1 km = 1000 m

La distance que l'avion doit franchir avant de survoler l'île est d'environ 13 km.

5. Réponds aux questions suivantes pour chaque schéma.
I) Nomme le rapport trigonométrique que tu utiliserais pour calculer la longueur du côté indiqué. Explique ton choix.
II) À l'aide du rapport choisi, calcule la longueur à l'unité près.

L'***exemple dirigé*** te sert de modèle pour résoudre de nouveaux problèmes.

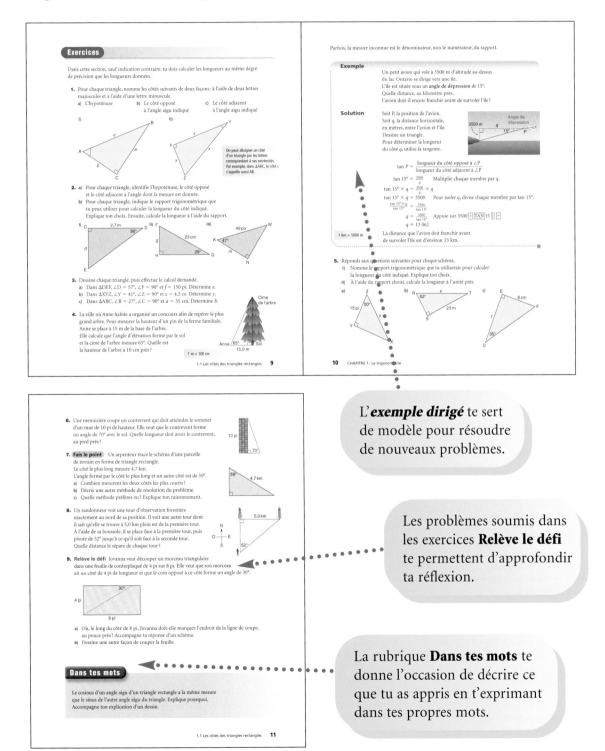

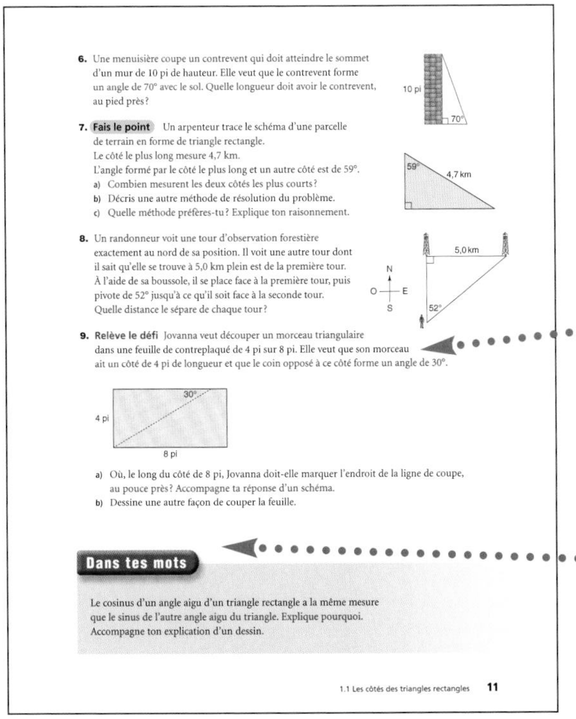

6. Une menuisière coupe un contrevent qui doit atteindre le sommet d'un mur de 10 pi de hauteur. Elle veut que le contrevent forme un angle de 70° avec le sol. Quelle longueur doit avoir le contrevent, au pied près ?

7. **Fais le point** Un arpenteur trace le schéma d'une parcelle de terrain en forme de triangle rectangle. Le côté le plus long mesure 4,7 km. L'angle formé par le côté le plus long et un autre côté est de 59°.
a) Combien mesurent les deux côtés les plus courts ?
b) Décris une autre méthode de résolution du problème.
c) Quelle méthode préfères-tu ? Explique ton raisonnement.

8. Un randonneur voit une tour d'observation forestière exactement au nord de sa position. Il voit une autre tour dont il sait qu'elle se trouve à 5,0 km plein est de la première tour. À l'aide de sa boussole, il se place face à la première tour, puis pivote de 52° jusqu'à ce qu'il soit face à la seconde tour. Quelle distance le sépare de chaque tour ?

9. **Relève le défi** Jovanna veut découper un morceau triangulaire dans une feuille de contreplaqué de 4 pi sur 8 pi. Elle veut que son morceau ait un côté de 4 pi de longueur et que le coin opposé à ce côté forme un angle de 30°.

a) Où, le long du côté de 8 pi, Jovanna doit-elle marquer l'endroit de la ligne de coupe, au pouce près ? Accompagne ta réponse d'un schéma.
b) Dessine une autre façon de couper la feuille.

Dans tes mots

Le cosinus d'un angle aigu d'un triangle rectangle a la même mesure que le sinus de l'autre angle aigu du triangle. Explique pourquoi. Accompagne ton explication d'un dessin.

Les problèmes soumis dans les exercices **Relève le défi** te permettent d'approfondir ta réflexion.

La rubrique **Dans tes mots** te donne l'occasion de décrire ce que tu as appris en t'exprimant dans tes propres mots.

Certaines sections te permettent d'approfondir la matière étudiée.

2.3 Représenter des objets à l'aide d'outils technologiques

Grâce à des logiciels d'animation électronique, les conceptrices et les concepteurs de jeux électroniques et de l'industrie cinématographique créent l'illusion des trois dimensions. Les ingénieures et les ingénieurs, les outilleuses-ajusteuses et les outilleurs-ajusteurs ainsi que les technologues en dessin représentent les trois dimensions à l'aide de logiciels de conception assistée par ordinateur (CAO).

Examine — Utiliser Cybergéomètre ou Microsoft Word

Tu auras besoin de cubes, tels que des cubes emboîtables ou des dés, d'un cylindre, tel qu'une boîte de conserve, de Cybergéomètre ou de Microsoft Word et d'une imprimante.

Construis le prisme rectangulaire ci-contre à l'aide de cubes.

Choisis entre les activités « Utiliser Cybergéomètre » et « Utiliser Microsoft Word ».

Utiliser Cybergéomètre

Dessin isométrique

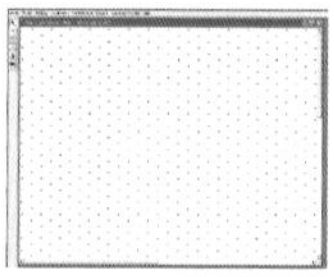

Ouvre le fichier *Papier_isométrique.gsp*.
Une feuille de papier pointé isométrique s'affiche.
Supposons que la distance entre les paires de points adjacents représente la longueur de l'arête d'un cube emboîtable.

1. Dépose sur la table le prisme que tu as construit à l'aide de cubes emboîtables.
Observe-le. Dessine les arêtes que tu vois.
   - Utilise l'outil **Rectiligne**.
   - Sélectionne le point à partir duquel tu désires réaliser ton dessin. Il te serait utile de tracer d'abord un segment de droite vertical. Pour dessiner un segment de droite, enfonce le bouton de la souris et fais glisser le curseur à l'écran. Relâche le bouton lorsque le segment est de la longueur désirée et en surbrillance.

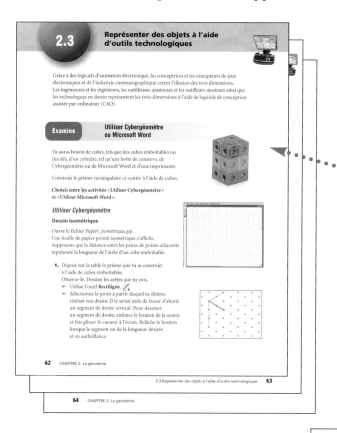

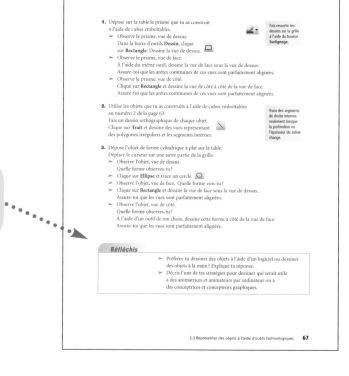

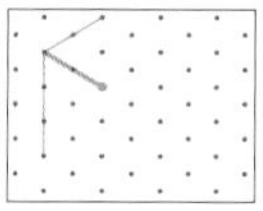

62 CHAPITRE 2 : La géométrie

2.3 Représenter des objets à l'aide d'outils technologiques 63

64 CHAPITRE 2 : La géométrie

Dans la rubrique **Examine**, tu emploies des outils technologiques pour étudier des relations, chercher de l'information ou réaliser une expérience au sujet d'un problème.

1. Dépose sur la table le prisme que tu as construit à l'aide de cubes emboîtables.
   - Observe le prisme, vue de dessus.
   Dans la barre d'outils **Dessin**, clique sur **Rectangle**. Dessine la vue de dessus.
   - Observe le prisme, vue de face.
   À l'aide du même outil, dessine la vue de face sous la vue de dessus.
   Assure-toi que les arêtes communes de ces vues sont parfaitement alignées.
   - Observe le prisme, vue de côté.
   Clique sur **Rectangle** et dessine la vue de côté à côté de la vue de face.
   Assure-toi que les arêtes communes de ces vues sont parfaitement alignées.

Fais ressortir tes dessins sur la grille à l'aide du bouton **Surlignage**.

2. Utilise les objets que tu as construits à l'aide de cubes emboîtables au numéro 2 de la page 63.
Fais un dessin orthographique de chaque objet.
Clique sur **Trait** et dessine des vues représentant des polygones irréguliers et les segments internes.

Trace des segments de droite internes seulement lorsque la profondeur ou l'épaisseur du solide change.

3. Dépose l'objet de forme cylindrique à plat sur la table.
Déplace le curseur sur une autre partie de la grille.
   - Observe l'objet, vue de dessus.
   Quelle forme observes-tu ?
   - Clique sur **Ellipse** et trace un cercle.
   - Observe l'objet, vue de face. Quelle forme vois-tu ?
   - Clique sur **Rectangle** et dessine la vue de face sous la vue de dessus.
   Assure-toi que les vues sont parfaitement alignées.
   - Observe l'objet, vue de côté.
   Quelle forme observes-tu ?
   À l'aide d'un outil de ton choix, dessine cette forme à côté de la vue de face.
   Assure-toi que les vues sont parfaitement alignées.

Réfléchis

- Préfères-tu dessiner des objets à l'aide d'un logiciel ou dessiner des objets à la main ? Explique ta réponse.
- Décris l'une de tes stratégies pour dessiner qui serait utile à des animatrices et animateurs par ordinateur ou à des conceptrices et concepteurs graphiques.

2.3 Représenter des objets à l'aide d'outils technologiques 67

La rubrique **Réfléchis** t'invite à réfléchir aux stratégies que tu utilises et à analyser tes résultats avec tes camarades.

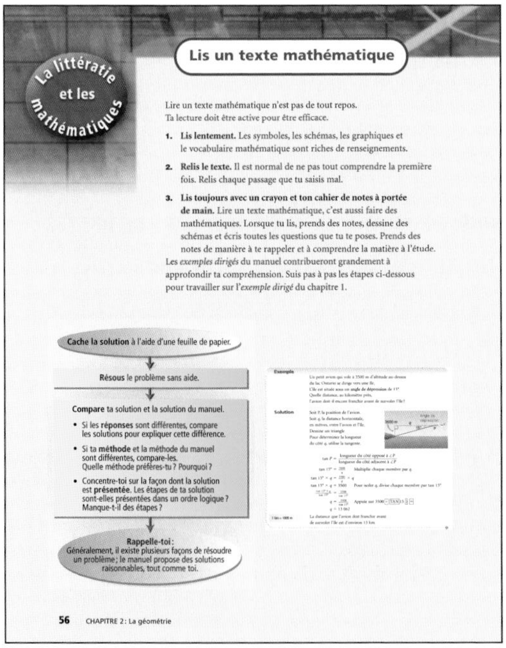

Lis un texte mathématique

La littératie et les mathématiques

Lire un texte mathématique n'est pas de tout repos.
Ta lecture doit être active pour être efficace.

1. **Lis lentement.** Les symboles, les schémas, les graphiques et le vocabulaire mathématique sont riches de renseignements.
2. **Relis le texte.** Il est normal de ne pas tout comprendre la première fois. Relis chaque passage que tu saisis mal.
3. **Lis toujours avec un crayon et ton cahier de notes à portée de main.** Lire un texte mathématique, c'est aussi faire des mathématiques. Lorsque tu lis, prends des notes, dessine des schémas et écris toutes les questions que tu te poses. Prends des notes de manière à te rappeler et à comprendre la matière à l'étude.

Les *exemples dirigés* du manuel contribueront grandement à approfondir ta compréhension. Suis pas à pas les étapes ci-dessous pour travailler sur l'*exemple dirigé* du chapitre 1.

Cache la solution à l'aide d'une feuille de papier.

Résous le problème sans aide.

Compare ta solution et la solution du manuel.
- Si les **réponses** sont différentes, compare les solutions pour expliquer cette différence.
- Si ta **méthode** et la méthode du manuel sont différentes, compare-les. Quelle méthode préfères-tu? Pourquoi?
- Concentre-toi sur la façon dont la solution est **présentée**. Les étapes de la solution sont-elles présentées dans un ordre logique? Manque-t-il des étapes?

Rappelle-toi : Généralement, il existe plusieurs façons de résoudre un problème; le manuel propose des solutions raisonnables, tout comme toi.

56 CHAPITRE 2 : La géométrie

Dans chaque chapitre, une rubrique **La littératie et les mathématiques** te donne des moyens pour utiliser des concepts mathématiques et mieux communiquer ton raisonnement. On y développe certaines idées visant à élargir ton vocabulaire et à améliorer tes techniques d'apprentissage au moyen de stratégies utiles.

Dans chaque chapitre, un **jeu** ou un **casse-tête** à faire en collaboration avec d'autres élèves te permet de mettre en œuvre tes habiletés en mathématiques.

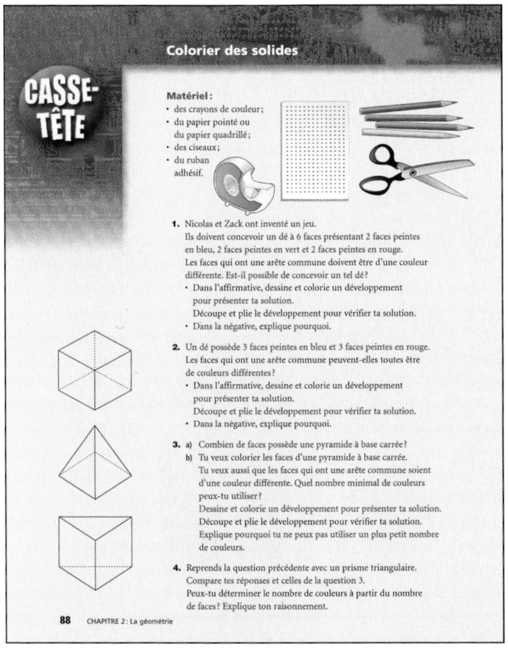

Colorier des solides

CASSE-TÊTE

Matériel :
- des crayons de couleur;
- du papier pointé ou du papier quadrillé;
- des ciseaux;
- du ruban adhésif.

1. Nicolas et Zack ont inventé un jeu. Ils doivent concevoir un dé à 6 faces présentant 2 faces peintes en bleu, 2 faces peintes en vert et 2 faces peintes en rouge. Les faces qui ont une arête commune doivent être d'une couleur différente. Est-il possible de concevoir un tel dé?
   - Dans l'affirmative, dessine et colorie un développement pour présenter ta solution. Découpe et plie le développement pour vérifier ta solution.
   - Dans la négative, explique pourquoi.
2. Un dé possède 3 faces peintes en bleu et 3 faces peintes en rouge. Les faces qui ont une arête commune peuvent-elles toutes être de couleurs différentes?
   - Dans l'affirmative, dessine et colorie un développement pour présenter ta solution. Découpe et plie le développement pour vérifier ta solution.
   - Dans la négative, explique pourquoi.
3. a) Combien de faces possède une pyramide à base carrée?
   b) Tu veux colorier les faces d'une pyramide à base carrée. Tu veux aussi que les faces qui ont une arête commune soient d'une couleur différente. Quel nombre minimal de couleurs peux-tu utiliser? Dessine et colorie un développement pour présenter ta solution. Découpe et plie le développement pour vérifier ta solution. Explique pourquoi tu ne peux pas utiliser un plus petit nombre de couleurs.
4. Reprends la question précédente avec un prisme triangulaire. Compare tes réponses et celles de la question 3. Peux-tu déterminer le nombre de couleurs à partir du nombre de faces? Explique ton raisonnement.

88 CHAPITRE 2 : La géométrie

Révision de mi-chapitre : Des exercices qui te permettent de vérifier ta compréhension des apprentissages essentiels.

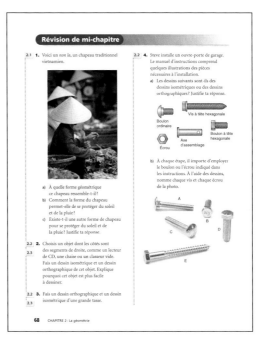

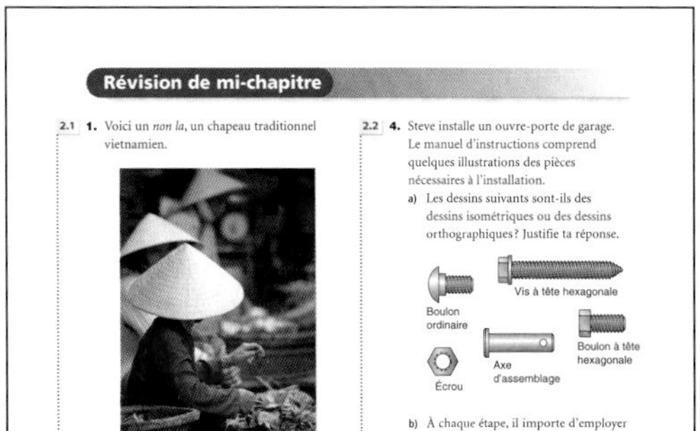

Révision de mi-chapitre

2.1 1. Voici un *non la*, un chapeau traditionnel vietnamien.
   a) À quelle forme géométrique ce chapeau ressemble-t-il?
   b) Comment la forme du chapeau permet-elle de se protéger du soleil et de la pluie?
   c) Existe-t-il une autre forme de chapeau pour se protéger du soleil et de la pluie? Justifie ta réponse.

2.2 2.3 2. Choisis un objet dont les côtés sont des segments de droite, comme un lecteur de CD, une chaise ou un classeur vide. Fais un dessin isométrique et un dessin orthographique de cet objet. Explique pourquoi cet objet est plus facile à dessiner.

2.2 2.3 3. Fais un dessin orthographique et un dessin isométrique d'une grande tasse.

2.2 4. Steve installe un ouvre-porte de garage. Le manuel d'instructions comprend quelques illustrations des pièces nécessaires à l'installation.
   a) Les dessins suivants sont-ils des dessins isométriques ou des dessins orthographiques? Justifie ta réponse.
   b) À chaque étape, il importe d'employer le boulon ou l'écrou indiqué dans les instructions. À l'aide des dessins, nomme chaque vis et chaque écrou de la photo.

68 CHAPITRE 2 : La géométrie

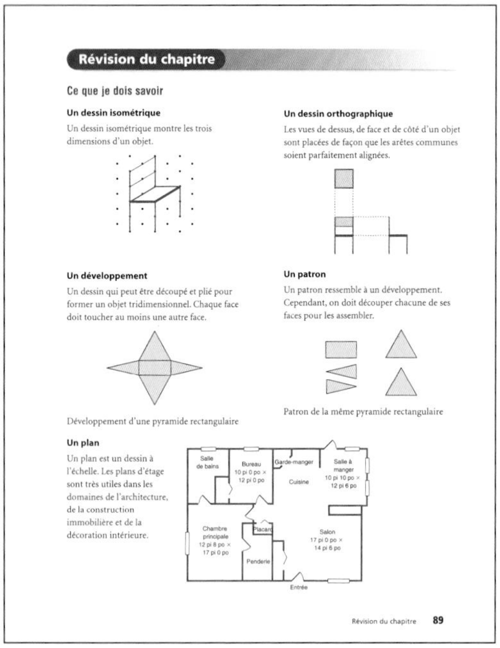

Révision du chapitre

Ce que je dois savoir

Un dessin isométrique
Un dessin isométrique montre les trois dimensions d'un objet.

Un dessin orthographique
Les vues de dessus, de face et de côté d'un objet sont placées de façon que les arêtes communes soient parfaitement alignées.

Un développement
Un dessin qui peut être découpé et plié pour former un objet tridimensionnel. Chaque face doit toucher au moins une autre face.

Développement d'une pyramide rectangulaire

Un patron
Un patron ressemble à un développement. Cependant, on doit découper chacune de ses faces pour les assembler.

Patron de la même pyramide rectangulaire

Un plan
Un plan est un dessin à l'échelle. Les plans d'étage sont très utiles dans les domaines de l'architecture, de la construction immobilière et de la décoration intérieure.

Salle de bains
Bureau 10 pi 0 po × 12 pi 0 po
Garde-manger
Cuisine
Salle à manger 10 pi 10 po × 12 pi 6 po
Chambre principale 12 pi 8 po × 17 pi 0 po
Placard
Penderie
Salon 17 pi 0 po × 14 pi 6 po
Entrée

Révision du chapitre 89

Ce que je dois savoir : Un résumé des notions principales du chapitre.

Le **test** présente des exercices concrets qui te préparent aux problèmes que ton enseignante ou ton enseignant peut te soumettre dans le cadre d'un test.

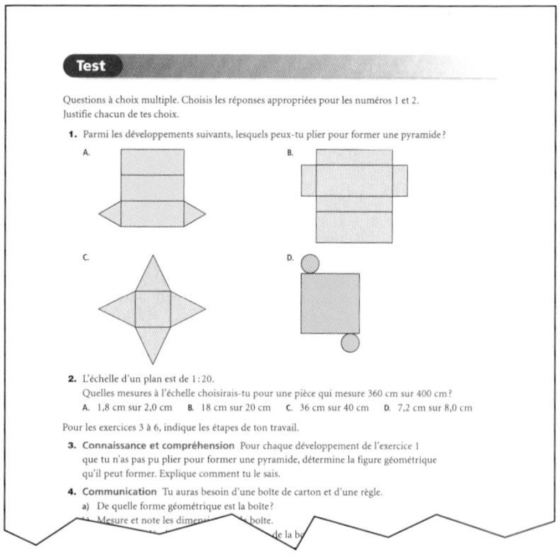

Test

Questions à choix multiple. Choisis les réponses appropriées pour les numéros 1 et 2. Justifie chacun de tes choix.

1. Parmi les développements suivants, lesquels peux-tu plier pour former une pyramide?
A. B. C. D.

2. L'échelle d'un plan est de 1:20.
Quelles mesures à l'échelle choisirais-tu pour une pièce qui mesure 360 cm sur 400 cm?
A. 1,8 cm sur 2,0 cm B. 18 cm sur 20 cm C. 36 cm sur 40 cm D. 7,2 cm sur 8,0 cm

Pour les exercices 3 à 6, indique les étapes de ton travail.

3. Connaissance et compréhension Pour chaque développement de l'exercice 1 que tu n'as pas pu plier pour former une pyramide, détermine la figure géométrique qu'il peut former. Explique comment tu le sais.

4. Communication Tu auras besoin d'une boîte de carton et d'une règle.
a) De quelle forme géométrique est la boîte?
b) Mesure et note les dimen... boîte.
... de la b...

Ce que je dois savoir faire : Des exercices qui te permettent de faire un retour sur tous les apprentissages faits dans le chapitre.

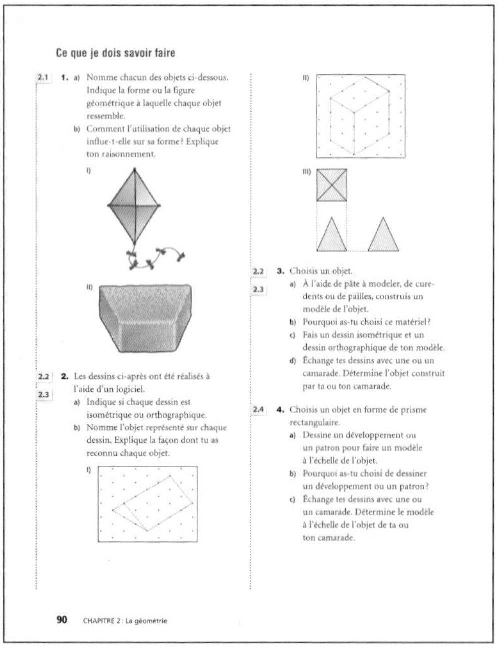

Ce que je dois savoir faire

2.1 **1.** a) Nomme chacun des objets ci-dessous. Indique la forme ou la figure géométrique à laquelle chaque objet ressemble.
b) Comment l'utilisation de chaque objet influe-t-elle sur sa forme? Explique ton raisonnement.
i) ii)

2.2 2.3 **2.** Les dessins ci-après ont été réalisés à l'aide d'un logiciel.
a) Indique si chaque dessin est isométrique ou orthographique.
b) Nomme l'objet représenté sur chaque dessin. Explique la façon dont tu as reconnu chaque objet.
i) ii) iii)

2.2 2.3 **3.** Choisis un objet.
a) À l'aide de pâte à modeler, de cure-dents ou de pailles, construis un modèle de l'objet.
b) Pourquoi as-tu choisi ce matériel?
c) Fais un dessin isométrique et un dessin orthographique de ton modèle.
d) Échange tes dessins avec une ou un camarade. Détermine l'objet construit par ta ou ton camarade.

2.4 **4.** Choisis un objet en forme de prisme rectangulaire.
a) Dessine un développement ou un patron pour faire un modèle à l'échelle de l'objet.
b) Pourquoi as-tu choisi de dessiner un développement ou un patron?
c) Échange tes dessins avec une ou un camarade. Détermine le modèle à l'échelle de l'objet de ta ou ton camarade.

90 CHAPITRE 2 : La géométrie

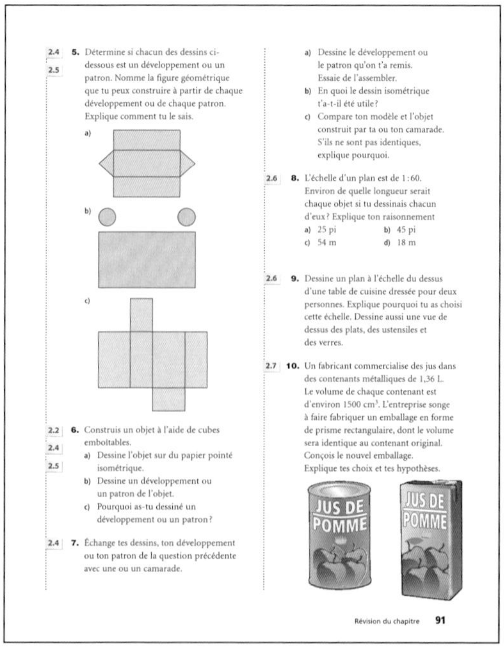

2.4 2.5 **5.** Détermine si chacun des dessins ci-dessous est un développement ou un patron. Nomme la figure géométrique que tu peux construire à partir de chaque développement ou de chaque patron. Explique comment tu le sais.
a) b) c)

2.2 2.4 2.5 **6.** Construis un objet à l'aide de cubes emboîtables.
a) Dessine l'objet sur du papier pointé isométrique.
b) Dessine un développement ou un patron de l'objet.
c) Pourquoi as-tu dessiné un développement ou un patron?

2.4 **7.** Échange tes dessins, ton développement ou ton patron de la question précédente avec une ou un camarade.
a) Dessine le développement ou le patron qu'on t'a remis. Essaie de l'assembler.
b) En quoi le dessin isométrique t'a-t-il été utile?
c) Compare ton modèle et l'objet construit par ta ou ton camarade. S'ils ne sont pas identiques, explique pourquoi.

2.6 **8.** L'échelle d'un plan est de 1:60. Environ de quelle longueur serait chaque objet si tu dessinais chacun d'eux? Explique ton raisonnement.
a) 25 pi b) 45 pi
c) 54 m d) 18 m

2.6 **9.** Dessine un plan à l'échelle du dessus d'une table de cuisine dressée pour deux personnes. Explique pourquoi tu as choisi cette échelle. Dessine aussi une vue de dessus des plats, des ustensiles et des verres.

2.7 **10.** Un fabricant commercialise des jus dans des contenants métalliques de 1,36 L. Le volume de chaque contenant est d'environ 1500 cm^3. L'entreprise songe à faire fabriquer un emballage en forme de prisme rectangulaire, dont le volume sera identique au contenant original. Conçois le nouvel emballage. Explique tes choix et tes hypothèses.

Révision du chapitre 91

Chaque **projet** te donne l'occasion d'employer concrètement et de différentes façons les concepts étudiés.

PROJET B

Le ballon qui rebondit

Les balles et les ballons sont conçus pour des sports précis. Imagine utiliser une balle de softball pour jouer au basket-ball !

Avec le temps, les balles et les ballons de sport ont évolué. Autrefois, les balles de golf étaient massives; aujourd'hui, elles sont composées de plusieurs couches de matériaux différents, ce qui améliore la performance des joueurs.

Quand une balle ou un ballon rebondit, la hauteur de chaque rebond est inférieure à la hauteur du rebond précédent. En changeant le rebondissement d'une balle ou d'un ballon, on peut transformer le jeu.

Supposons que tu fasses partie de l'équipe qu'une entreprise d'informatique a engagée pour explorer la nature d'un ballon rebondissant. Les résultats de votre étude permettront de créer un nouveau jeu utilisant des ballons rebondissants.

Vous aurez besoin de différents ballons. En groupes ou tous ensemble, discutez des questions suivantes.

1. Les ballons rebondissent-ils de la même façon ? Sinon, quelles différences observez-vous ?
2. Qu'est-ce qui influe sur le rebondissement d'un ballon ?
3. Croyez-vous qu'il y a une relation entre les rebonds successifs d'un ballon ? Sinon, expliquez pourquoi. Si oui, décrivez la relation.
4. Choisissez quelques sports. Comment décideriez-vous du rebondissement que doit avoir le ballon de chaque sport ?

206

CARRIÈRES

- Conceptrice industrielle ou concepteur industriel
- Technicienne ou technicien au contrôle de la qualité
- Acheteuse ou acheteur pour une association sportive
- Conceptrice ou concepteur de logiciels

Contenus mathématiques

- Produire des représentations numériques et graphiques de fonctions exponentielles et du second degré.
- Résoudre des problèmes de la vie courante. (Chapitre 3 : Les fonctions du second degré ; Chapitre 4 : Les fonctions exponentielles)

207

Ton enseignante ou ton enseignant te remettra des fiches reproductibles pour la réalisation des projets. Tu trouveras des idées concernant les projets sur le cédérom qui accompagne ton manuel.

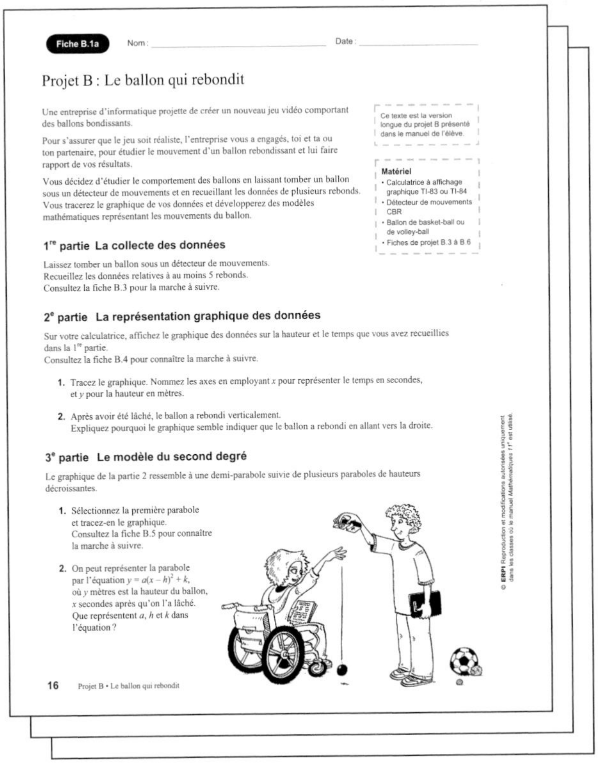

Fiche B.1a Nom : ______ Date : ______

Projet B : Le ballon qui rebondit

Une entreprise d'informatique projette de créer un nouveau jeu vidéo comportant des ballons bondissants.

Pour s'assurer que le jeu soit réaliste, l'entreprise vous a engagés, toi et ta ou ton partenaire, pour étudier le mouvement d'un ballon rebondissant et lui faire rapport de vos résultats.

Vous décidez d'étudier le comportement des ballons en laissant tomber un ballon sous un détecteur de mouvements et en recueillant les données de plusieurs rebonds. Vous tracerez le graphique de vos données et développerez des modèles mathématiques représentant les mouvements du ballon.

Ce texte est la version longue du projet B présenté dans le manuel de l'élève.

Matériel
- Calculatrice à affichage graphique TI-83 ou TI-84
- Détecteur de mouvements CBR
- Ballon de basket-ball ou de volley-ball
- Fiches de projet B.3 à B.6

1re partie La collecte des données

Laissez tomber un ballon sous un détecteur de mouvements.
Recueillez les données relatives à au moins 5 rebonds.
Consultez la fiche B.3 pour la marche à suivre.

2e partie La représentation graphique des données

Sur votre calculatrice, affichez le graphique des données sur la hauteur et le temps que vous avez recueillies dans la 1re partie.
Consultez la fiche B.4 pour connaître la marche à suivre.

1. Tracez le graphique. Nommez les axes en employant x pour représenter le temps en secondes, et y pour la hauteur en mètres.
2. Après avoir été lâché, le ballon a rebondi verticalement. Expliquez pourquoi le graphique semble indiquer que le ballon a rebondi en allant vers la droite.

3e partie Le modèle du second degré

Le graphique de la partie 2 ressemble à une demi-parabole suivie de plusieurs paraboles de hauteurs décroissantes.

1. Sélectionnez la première parabole et tracez-en le graphique. Consultez la fiche B.5 pour connaître la marche à suivre.
2. On peut représenter la parabole par l'équation $y = a(x - h)^2 + k$, où y mètres est la hauteur du ballon, x secondes après qu'on l'a lâché. Que représentent a, h et k dans l'équation ?

16 Projet B • Le ballon qui rebondit

© ERPI Reproduction et modifications autorisées uniquement dans les classes où le manuel *Mathématiques 11e* est utilisé.

Dans le **glossaire**, tu trouves la définition des termes mathématiques, accompagnée d'exemples, pour t'aider à mieux comprendre les notions clés.

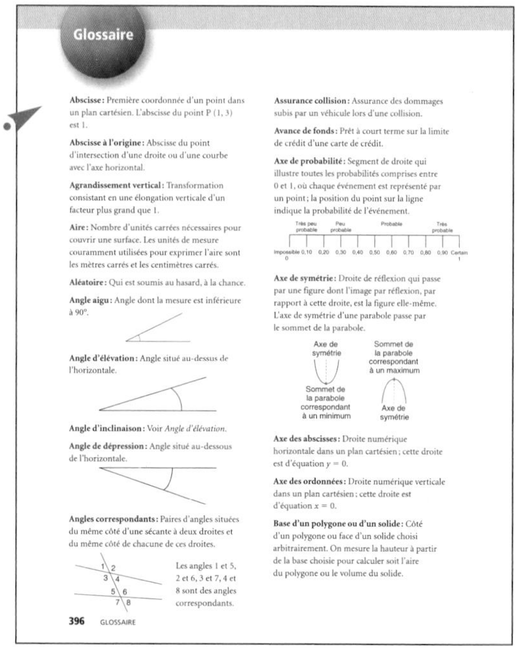

Glossaire

Abscisse : Première coordonnée d'un point dans un plan cartésien. L'abscisse du point P (1, 3) est 1.

Abscisse à l'origine : Abscisse du point d'intersection d'une droite ou d'une courbe avec l'axe horizontal.

Agrandissement vertical : Transformation consistant en une élongation verticale d'un facteur plus grand que 1.

Aire : Nombre d'unités carrées nécessaires pour couvrir une surface. Les unités de mesure couramment utilisées pour exprimer l'aire sont les mètres carrés et les centimètres carrés.

Aléatoire : Qui est soumis au hasard, à la chance.

Angle aigu : Angle dont la mesure est inférieure à 90°.

Angle d'élévation : Angle situé au-dessus de l'horizontale.

Angle d'inclinaison : Voir *Angle d'élévation*.

Angle de dépression : Angle situé au-dessous de l'horizontale.

Angles correspondants : Paires d'angles situées du même côté d'une sécante à deux droites et du même côté de chacune de ces droites.

Les angles 1 et 5, 2 et 6, 3 et 7, 4 et 8 sont des angles correspondants.

Assurance collision : Assurance des dommages subis par un véhicule lors d'une collision.

Avance de fonds : Prêt à court terme sur la limite de crédit d'une carte de crédit.

Axe de probabilité : Segment de droite qui illustre toutes les probabilités comprises entre 0 et 1, où chaque événement est représenté par un point ; la position du point sur la ligne indique la probabilité de l'événement.

Axe de symétrie : Droite de réflexion qui passe par une figure dont l'image par réflexion, par rapport à cette droite, est la figure elle-même. L'axe de symétrie d'une parabole passe par le sommet de la parabole.

Axe des abscisses : Droite numérique horizontale dans un plan cartésien ; cette droite est d'équation $y = 0$.

Axe des ordonnées : Droite numérique verticale dans un plan cartésien ; cette droite est d'équation $x = 0$.

Base d'un polygone ou d'un solide : Côté d'un polygone ou face d'un solide choisi arbitrairement. On mesure la hauteur à partir de la base choisie pour calculer soit l'aire du polygone ou le volume du solide.

396 GLOSSAIRE

Consulte le **corrigé** pour vérifier tes réponses sous la rubrique **Vérifie ta compréhension** et pour la partie **Exercices**.

En utilisant le **corrigé** de façon responsable, tu peux améliorer tes performances et développer de bonnes techniques d'apprentissage.

Le cédérom qui accompagne ton manuel comprend :

- des activités préparées pour le travail dans Cybergéomètre ;
- du papier pointé isométrique pour le travail dans Cybergéomètre et Microsoft Word ;
- des ensembles de données pour le travail dans Microsoft Excel et Quattro Pro ;
- des fiches de travail sélectionnées incluant du papier quadrillé, des tableaux et des organigrammes ;
- des exercices supplémentaires pour chaque chapitre ainsi que le corrigé ;
- le contenu de ce manuel en format PDF ;
- la version longue et les fiches reproductibles des projets.

1 La trigonométrie

Ce que tu vas apprendre

Déterminer les mesures des côtés et des angles de triangles rectangles et de triangles acutangles, et résoudre des problèmes portant sur ces mesures.

Pourquoi ?

En architecture, en arpentage, en construction, en menuiserie, en navigation ou en dessin, certaines situations demandent qu'on détermine les mesures des côtés et des angles de triangles.

Mots clés

- Hypoténuse
- Côté adjacent
- Côté opposé
- Triangle rectangle
- Sinus
- Cosinus
- Tangente
- Rapports trigonométriques primaires
- Angle aigu
- Angle d'élévation
- Angle d'inclinaison
- Angle de dépression
- Loi des sinus
- Loi du cosinus

Connaissances préalables

Les unités métriques de longueur

Connaissances préalables à la section 1.1

Le mètre est une unité de longueur du système métrique.
Le système métrique est basé sur des puissances de 10.

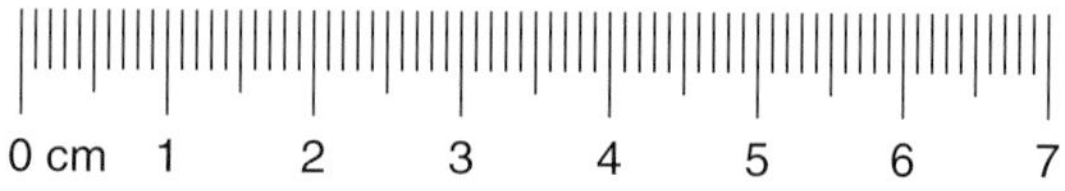

1 cm = 10 mm   1 m = 100 cm   1 km = 1000 m
1 mm = 0,1 cm   1 cm = 0,01 m   1 m = 0,001 km

Exemple

Selon le *Livre des records Guinness de 2006*, la plus longue bande dessinée a été réalisée par un groupe de 596 artistes. Elle mesure 238,4 m.

a) Exprime cette longueur en centimètres.
b) Exprime cette longueur en kilomètres.

Solution

a) Comme 1 m = 100 cm, tu dois multiplier la longueur par 100 pour la convertir en centimètres.
$238,4 \times 100 = 23\ 840$
La bande dessinée mesure 23 840 cm de longueur.

b) Comme 1 km = 1000 m, tu dois diviser la longueur par 1000 pour la convertir en kilomètres.
$238,4 \div 1000 = 0,2384$
La bande dessinée mesure 0,2384 km de longueur.

Vérifie ta compréhension

1. Effectue chacune des conversions demandées.
a) 4560 m en kilomètres
b) 156 cm en mètres
c) 2,5 km en mètres
d) 7,2 cm en millimètres
e) 34,5 m en kilomètres
f) 9,81 mm en mètres

2. Quelle unité métrique utiliserais-tu pour mesurer chaque objet? Explique ton choix.
a) La longueur de ton crayon
b) La longueur d'une chambre à coucher
c) L'épaisseur d'un fil métallique
d) La distance entre North Bay et Toronto

3. Joanne et Carl veulent fabriquer une bannière de la longueur du gymnase. Le gymnase mesure 2600 cm de longueur. Le tissu se vend au mètre. Quelle longueur de tissu Joanne et Carl doivent-ils acheter?

4. Catherine prend une feuille de papier carrée de 7 cm de côté pour rouler 50 pièces de 1 ¢. Chaque pièce mesure 1,45 mm d'épaisseur. Catherine pourra-t-elle mettre les 50 pièces dans son rouleau? Justifie ta réponse.

Les unités impériales de longueur

Connaissances préalables à la section 1.1

De nombreuses industries utilisent toujours les unités impériales de longueur. Le pouce (po), le pied (pi), la verge (vg) et le mille (mi) sont des unités de longueur du système impérial.

1 pi = 12 po 1 vg = 3 pi

1 mi = 1760 vg 1 mi = 5280 pi

Exemple

D'après un plan appelé « bleu », un menuisier calcule la longueur de la moulure à installer autour d'une pièce. Le périmètre de la pièce, excluant l'entrée de porte, est de 532 po. Quelle longueur de moulure le menuisier doit-il acheter ? La moulure se vend au pied.

Solution

Comme 1 pi = 12 po, il faut diviser 532 par 12 pour convertir la mesure en pieds.

532 ÷ 12 = 44 R4

Donc, 532 po = 44 pi 4 po

Le menuisier doit acheter 45 pi de moulure.

On arrondit la longueur à 45 pi pour éviter que la moulure mesure moins que 44 pi 4 po.

Vérifie ta compréhension

1. Effectue chaque conversion.

a) 6 pi en pouces
b) 96 vg en pieds
c) 7 mi en pieds
d) 36 pi en verges
e) 8 pi 4 po en pouces
f) 3 vg 1 pi en pieds
g) 7040 vg en milles
h) 192 po en pieds
i) 5 mi en verges

2. Quelle unité impériale utiliserais-tu pour chaque mesure ? Explique ton choix.

a) La longueur de ta salle de classe
b) La longueur d'un sandwich sous-marin
c) La distance d'un tir de pénalité au soccer
d) La longueur de la voie maritime du Saint-Laurent

3. Pierre doit remplacer le doublage d'une cheminée. Il a besoin d'un doublage de 33 pi de longueur. Pierre dispose de 400 po de conduit en acier inoxydable pour fabriquer le doublage. Est-ce suffisant ? Justifie ta réponse.

4. Marlène utilise un plateau rectangulaire de 2 pi sur 1 pi pour contenir ses plantes en pot. Il y a des pots de 4 po de diamètre et des pots de 6 po de diamètre.

a) Combien de pots de 4 po le plateau peut-il contenir ? Combien de pots de 6 po peut-il contenir ?

b) Marlène met cinq pots de 4 po sur un plateau. Combien de pots de 6 po peut-elle mettre dans l'espace qui reste ? Représente les étapes de ton travail dans un schéma.

Les rapports

Connaissances préalables à la section 1.1

Un **rapport** compare deux quantités.

Exemple

ΔABC et ΔDEF sont des **triangles semblables.**
Dans ΔABC, $a = 16$ cm, $b = 12$ cm et $c = 20$ cm.
Dans ΔDEF, $d = 12$ cm, $e = 9$ cm et $f = 15$ cm.
Détermine le rapport pour chaque paire de **côtés correspondants.**
Les rapports sont-ils équivalents ?
Justifie ta réponse.

a) $a:d$ b) $b:e$ c) $c:f$

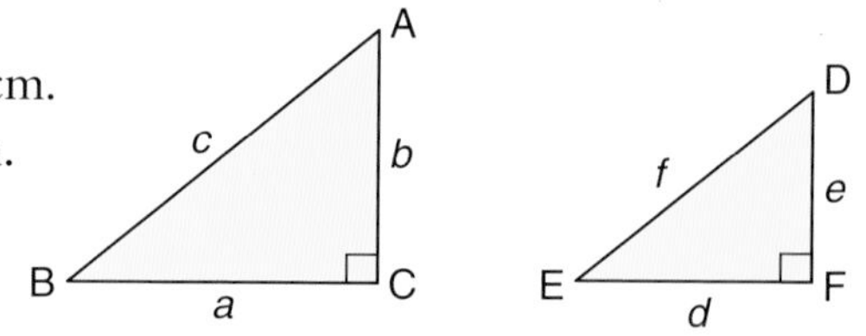

Chaque sommet est désigné par une lettre majuscule. Chaque côté est désigné par la lettre minuscule du sommet opposé.

Solution

a) $a:d = 16:12 = 4:3$ b) $b:e = 12:9 = 4:3$ c) $c:f = 20:15 = 4:3$

Les rapports sont équivalents parce que chaque rapport égale 4 : 3.

Vérifie ta compréhension

1. ΔRST et ΔWXY sont des triangles semblables.
Détermine chaque rapport.

a) $r:w$ b) $s:x$ c) $t:y$

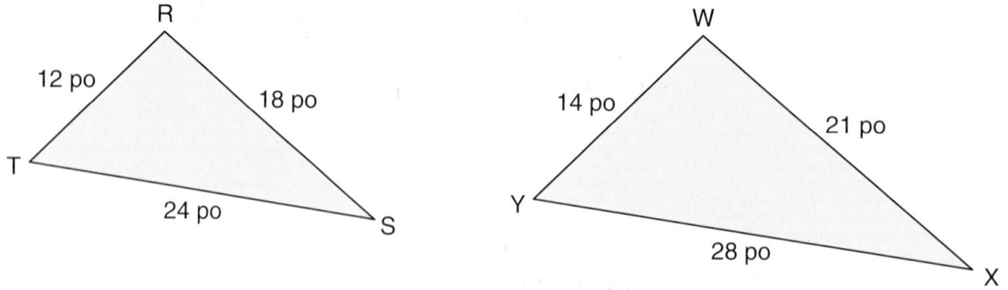

2. a) Que remarques-tu au sujet des rapports des côtés correspondants de l'exercice 1 ?
b) Fais une prédiction concernant les rapports des côtés correspondants de triangles semblables. Justifie ta prédiction.

3. Dans le drapeau canadien, le rapport de la largeur à la longueur est de 1 : 2. Quel est le périmètre d'un drapeau canadien qui mesure 12 pi de longueur ? Est-ce que tous les drapeaux canadiens sont des figures semblables ? Explique ta réponse à l'aide d'un schéma.

La résolution d'équations

Connaissances préalables à la section 1.1

Pour résoudre une équation, tu dois isoler la variable en effectuant la même opération sur chaque membre de l'équation.

Exemple

Détermine la valeur de x dans chaque équation.

a) $6x = 12$ b) $\frac{x}{5} = 12$ c) $4{,}2 = 3{,}5x$

Solution

a) $6x = 12$ Divise chaque membre par 6.

$$\frac{6x}{6} = \frac{12}{6}$$
$$x = 2$$

b) $\frac{x}{5} = 12$ Multiplie chaque membre par 5.

$$\frac{x}{5} \times 5 = 12 \times 5$$
$$x = 60$$

c) $4{,}2 = 3{,}5x$ Divise chaque membre par 3,5.

$$\frac{4{,}2}{3{,}5} = \frac{3{,}5x}{3{,}5}$$
$$1{,}2 = x$$

Vérifie ta compréhension

1. Détermine la valeur de x dans chaque équation.

a) $20 = 8x$ b) $9 = \frac{x}{6}$ c) $39 = 0{,}75x$

2. Jamie a dépensé 18,72 $ pour photocopier une histoire qu'il a écrite.
La photocopie coûte 0,08 $ par page.
Combien y a-t-il de pages dans l'histoire de Jamie ?
Résous ce problème à l'aide d'une équation.

3. Rachad a reçu deux offres de travail.
Chaque travail a une durée de 24 semaines.
Un travail paie 3440 $ toutes les huit semaines.
L'autre travail paie 2700 $ toutes les six semaines.
Rachad veut accepter le travail qui paie le plus par semaine.
Montre comment utiliser des équations pour aider Rachad à faire son choix.

4. Nicolas paie 5,85 $ de taxes sur le prix d'une paire de souliers de 45 $.
Au même magasin, son amie Zoé achète une paire de souliers en solde à 25 $.
Quel montant de taxes Zoé paiera-t-elle ? Résous le problème de deux façons.
Indique les étapes de ton travail. Quelles suppositions as-tu faites ?

Le théorème de Pythagore

Connaissances préalables à la section 1.1

Selon le théorème de Pythagore, dans un triangle rectangle, le carré de l'hypoténuse égale la somme des carrés des deux autres côtés. Puisque les côtés du triangle rectangle ci-contre sont représentés par les variables a, b et c, cette relation s'écrit $a^2 + b^2 = c^2$, où c représente la longueur de l'hypoténuse et a et b représentent les longueurs des deux autres côtés.

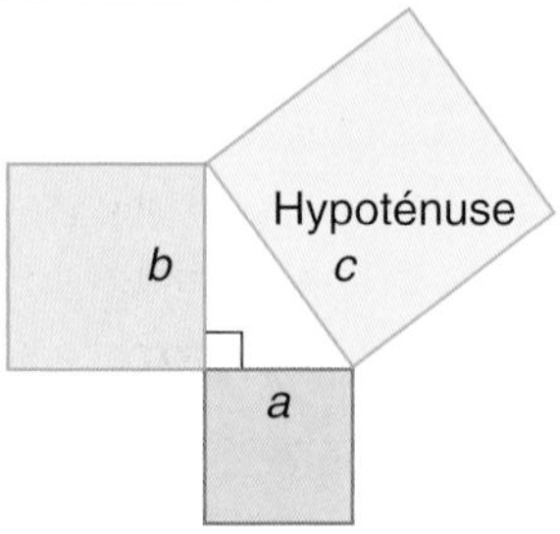

Exemple

Un constructeur veut acheter le matériel nécessaire pour fabriquer les câbles métalliques de soutien d'une tour de 56 m de hauteur. Chaque câble sera ancré au sol à 20 m de la base de la tour. Le matériel se vend au mètre. Quelle longueur faudra-t-il pour chaque câble?

Solution

Dessine un schéma. Soit c, la longueur d'un câble. Utilise $c^2 = a^2 + b^2$.
Effectue les substitutions suivantes: $a = 20$ et $b = 56$.

$c^2 = 20^2 + 56^2$
$c^2 = 3536$
$c = \sqrt{3536}$
$c \doteq 59{,}46$

Il faudra 60 m de matériel pour chaque câble.

On arrondit 59,46 m à 60 m plutôt qu'à 59 m pour s'assurer d'avoir assez de matériel pour chaque câble.

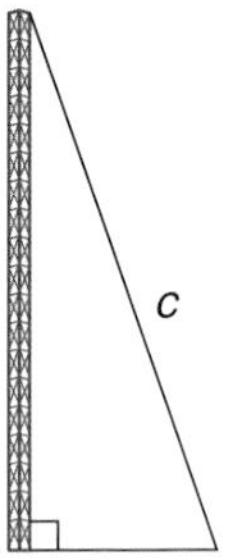

Vérifie ta compréhension

1. Détermine chaque longueur inconnue.

a)

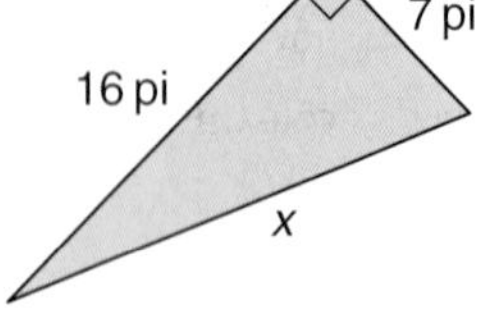

b)

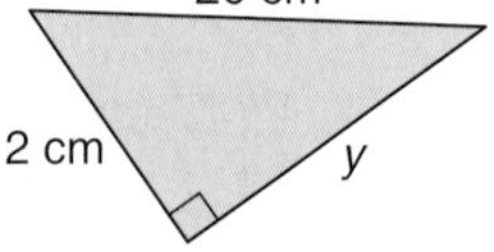

2. Jade utilise une échelle de 18 pi pour atteindre la fenêtre de l'étage de sa maison. Elle place la base de l'échelle à 4 pi 6 po de la maison pour donner un angle sécuritaire à l'échelle. À quelle hauteur du mur de la maison se trouve la fenêtre?

La largeur des écrans plats est déterminée par la longueur de leur diagonale.

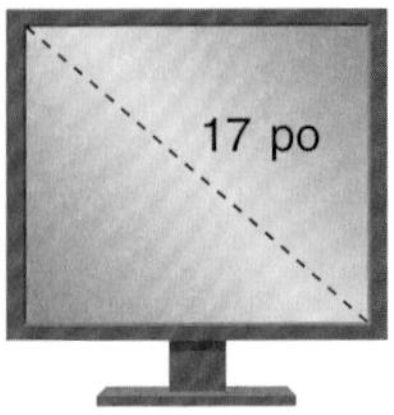

3. Corey a acheté un écran plat de 17 po pour son ordinateur. L'écran mesure 11 po de hauteur. Détermine sa largeur. Pourrait-on insérer l'écran dans un espace de 14 po de largeur? Explique ton raisonnement.

4. Un terrain de baseball est un carré de 90 pi de côté. Quelle distance y a-t-il entre le premier but et le troisième but? Explique ton raisonnement.

1.1 Les côtés des triangles rectangles

De nombreux services d'incendie possèdent des camions à échelle pivotante automatique. Sur ces camions, l'échelle s'allonge pour permettre aux pompiers d'arroser un feu ou de secourir des personnes qui se trouvent aux étages supérieurs.

Explore — Déterminer les rapports sinus, cosinus et tangente

Assure-toi que ta calculatrice est réglée aux degrés pour la mesure d'angles.

Travaille avec une ou un camarade. Vous aurez besoin d'un rapporteur et d'une calculatrice scientifique.

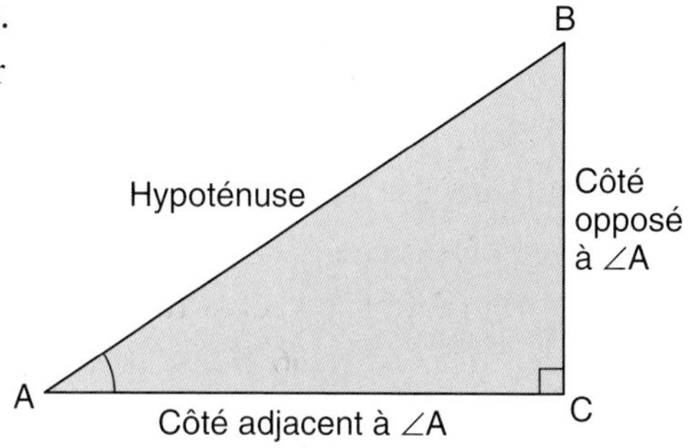

- Tracez tous les deux un grand **triangle rectangle** et annotez-le tel qu'indiqué.
- Mesurez les côtés de vos triangles au dixième de centimètre près.
  Mesurez les angles de vos triangles au degré près.
  Notez les mesures de vos triangles.
- Recopiez le tableau. Calculez les rapports des trois premières rangées en nombres à deux décimales.
- Pour déterminer sin *A*, appuyez sur [SIN]. Saisissez ensuite la mesure de ∠A et appuyez sur [)] [=].
  Notez votre réponse dans le tableau, à deux décimales près. Continuez pour cos *A* et tan *A*.

Le sinus de ∠A s'écrit « sin *A* ».

Si ces touches ne fonctionnent pas sur ta calculatrice, consulte ton manuel d'utilisation. Il y a des modèles de calculatrices où on appuie sur la touche SIN, COS ou TAN avant de saisir la mesure de l'angle, et d'autres modèles où on appuie sur la touche après.

Rapports	ΔABC
$\frac{\text{longueur du côté opposé à } \angle A}{\text{longueur de l'hypoténuse}}$	
$\frac{\text{longueur du côté opposé à } \angle A}{\text{longueur du côté adjacent à } \angle A}$	
$\frac{\text{longueur du côté adjacent à } \angle A}{\text{longueur de l'hypoténuse}}$	
sinus de ∠A, ou sin *A*	
cosinus de ∠A, ou cos *A*	
tangente de ∠A, ou tan *A*	

Réfléchis

- Comment avez-vous déterminé cos *A* et tan *A* ?
- Comparez vos résultats avec ceux d'autres groupes. Que remarquez-vous au sujet du sinus, du cosinus et de la tangente d'un angle d'un triangle rectangle et des rapports des côtés d'un triangle rectangle ?

Fais des liens

Rapports trigonométriques primaires

Les **rapports trigonométriques primaires** sont le sinus, le cosinus et la tangente. Tu peux utiliser ces rapports pour calculer la longueur d'un côté d'un triangle rectangle à partir des mesures d'un **angle aigu** et d'un côté.

Un angle aigu mesure moins de 90°.

Quand ∠A est un angle aigu d'un triangle rectangle, alors :

$$\sin A = \frac{\text{longueur du côté opposé à } \angle A}{\text{longueur de l'hypoténuse}}$$

$$\cos A = \frac{\text{longueur du côté adjacent à } \angle A}{\text{longueur de l'hypoténuse}}$$

$$\tan A = \frac{\text{longueur du côté opposé à } \angle A}{\text{longueur du côté adjacent à } \angle A}$$

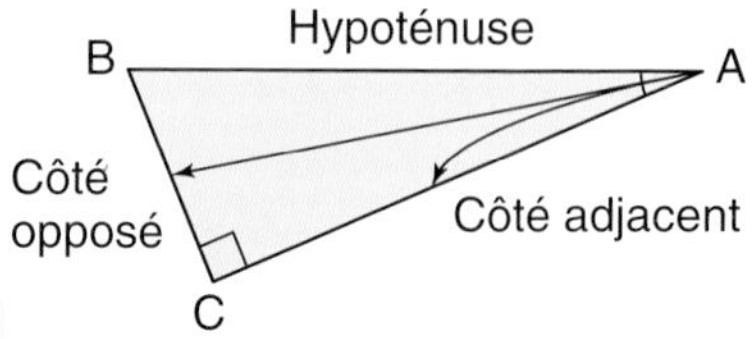

L'**angle d'élévation** s'appelle aussi **angle d'inclinaison**.

Un camion à incendie de 10 pi de hauteur est équipé d'une grande échelle. La grande échelle s'allonge jusqu'à 101 pi. L'**angle d'élévation** de l'échelle est de 63°. Quelle hauteur d'un édifice l'échelle peut-elle atteindre, au pied près ?

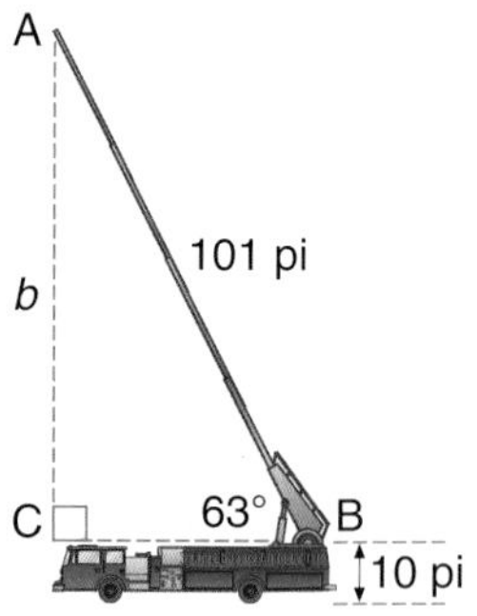

D'après le schéma, l'hypoténuse mesure 101 pi. Détermine la longueur du côté, *b*.

Utilise le sinus.

Comme tu connais la longueur de l'hypoténuse, *c*, utilise le sinus.

Chaque sommet est désigné par une lettre majuscule. Chaque côté est désigné par la lettre minuscule du sommet opposé.

$$\sin B = \frac{\text{longueur du côté opposé à } \angle B}{\text{longueur de l'hypoténuse}}$$

Effectue les substitutions : $\angle B = 63°$, $c = 101$

$\sin 63° = \frac{b}{101}$ — Multiplie chaque membre par 101.

$\sin 63° \times 101 = \frac{b}{101} \times 101$

$\sin 63° \times 101 = b$ — Appuie sur [SIN] 63 [)] [×] 101 [=]

$b \doteq 89{,}99$

Calcule la distance totale.

La base de l'échelle repose sur le haut du camion, soit à 10 pi du sol. Il faut donc additionner 10 pi à la hauteur de l'échelle.
89,99 + 10 = 99,99

L'échelle peut atteindre environ 100 pi de hauteur d'un édifice.

Exercices

Dans cette section, sauf indication contraire, tu dois calculer les longueurs au même degré de précision que les longueurs données.

1. Pour chaque triangle, nomme les côtés suivants de deux façons : à l'aide de deux lettres majuscules et à l'aide d'une lettre minuscule.

a) L'hypoténuse

b) Le côté opposé à l'angle aigu indiqué

c) Le côté adjacent à l'angle aigu indiqué

I)

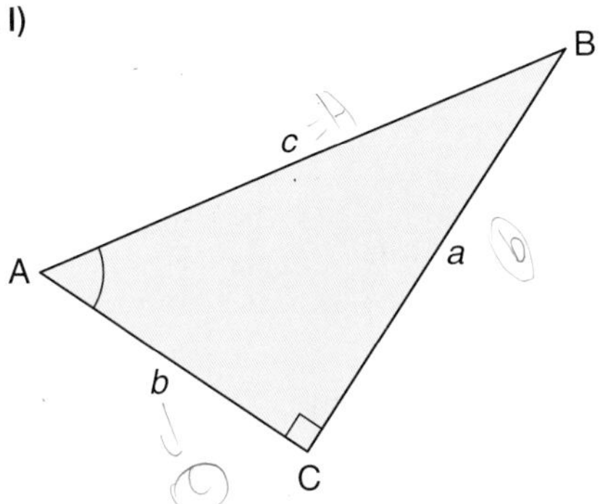

II)

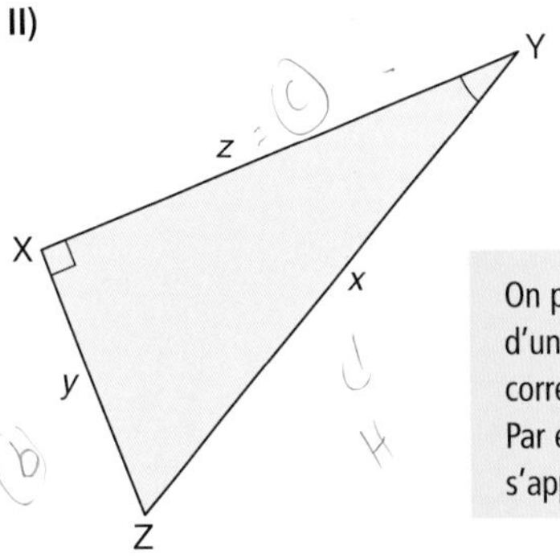

On peut désigner un côté d'un triangle par les lettres correspondant à ses extrémités. Par exemple, dans ΔABC, le côté c s'appelle aussi AB.

2. a) Pour chaque triangle, identifie l'hypoténuse, le côté opposé et le côté adjacent à l'angle dont la mesure est donnée.

b) Pour chaque triangle, indique le rapport trigonométrique que tu peux utiliser pour calculer la longueur du côté indiqué. Explique ton choix. Ensuite, calcule la longueur à l'aide du rapport.

I)

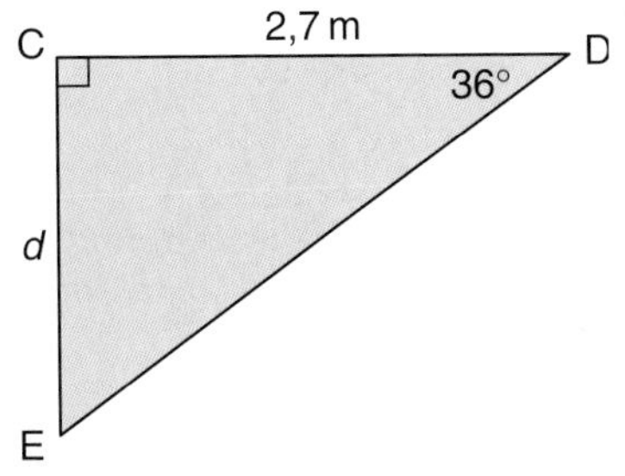

II)

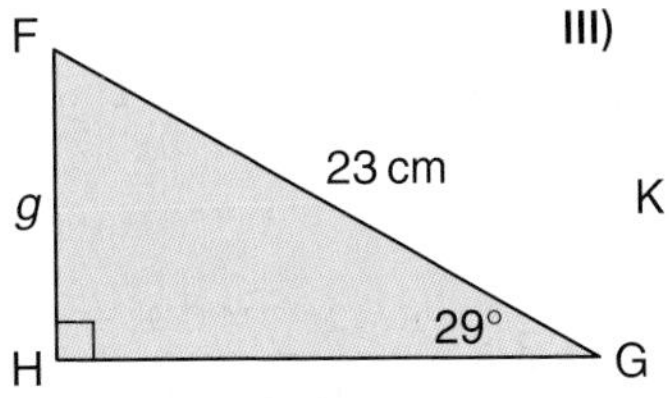

III)

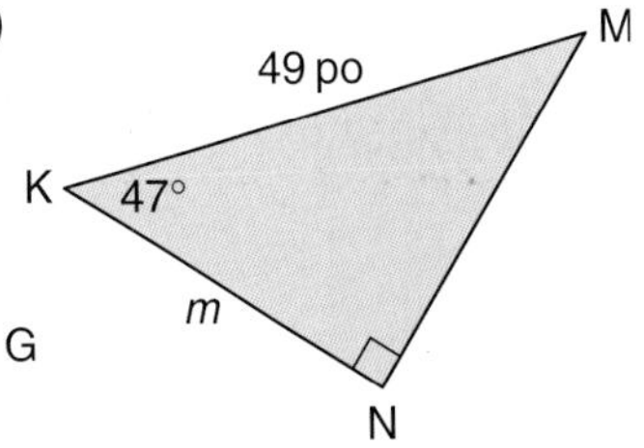

3. Dessine chaque triangle, puis effectue le calcul demandé.

a) Dans ΔDEF, ∠D = 57°, ∠F = 90° et f = 150 pi. Détermine e.

b) Dans ΔXYZ, ∠Y = 41°, ∠Z = 90° et z = 4,5 m. Détermine y.

c) Dans ΔABC, ∠B = 27°, ∠C = 90° et a = 35 cm. Détermine b.

4. La ville où Anne habite a organisé un concours afin de repérer le plus grand arbre. Pour mesurer la hauteur d'un pin de la ferme familiale, Anne se place à 15 m de la base de l'arbre. Elle calcule que l'angle d'élévation formé par le sol et la cime de l'arbre mesure 65°. Quelle est la hauteur de l'arbre à 10 cm près ?

1 m = 100 cm

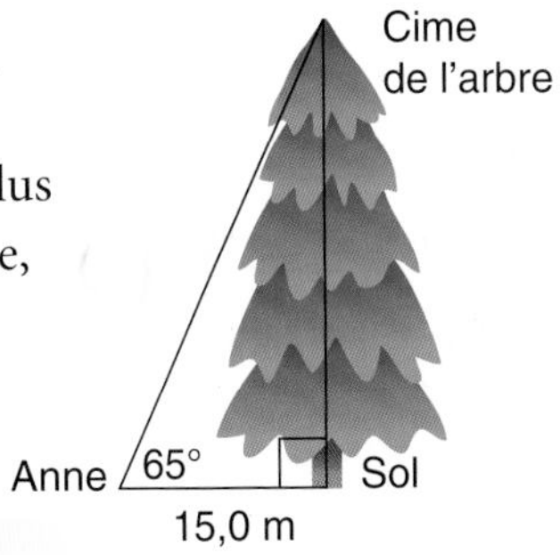

Parfois, la mesure inconnue est le dénominateur, non le numérateur, du rapport.

Exemple

Un petit avion qui vole à 3500 m d'altitude au-dessus du lac Ontario se dirige vers une île.
L'île est située sous un **angle de dépression** de 15°.
Quelle distance, au kilomètre près, l'avion doit-il encore franchir avant de survoler l'île ?

Solution

Soit P, la position de l'avion.
Soit q, la distance horizontale, en mètres, entre l'avion et l'île.
Dessine un triangle.
Pour déterminer la longueur du côté q, utilise la tangente.

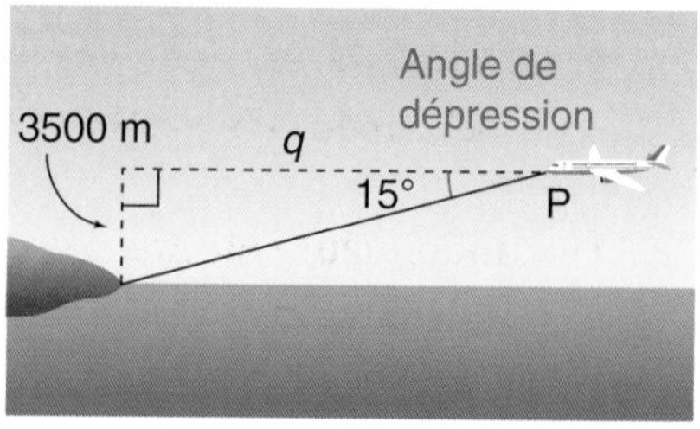

$$\tan P = \frac{\text{longueur du côté opposé à } \angle P}{\text{longueur du côté adjacent à } \angle P}$$

$$\tan 15° = \frac{3500}{q}$$ Multiplie chaque membre par q.

$$\tan 15° \times q = \frac{3500}{q} \times q$$

$$\tan 15° \times q = 3500$$ Pour isoler q, divise chaque membre par tan 15°.

$$\frac{\tan 15° \times q}{\tan 15°} = \frac{3500}{\tan 15°}$$

$$q = \frac{3500}{\tan 15°}$$ Appuie sur 3500 [÷] [TAN] 15 [)] [=]

$$q \doteq 13\ 062$$

1 km = 1000 m

La distance que l'avion doit franchir avant de survoler l'île est d'environ 13 km.

5. Réponds aux questions suivantes pour chaque schéma.

I) Nomme le rapport trigonométrique que tu utiliserais pour calculer la longueur du côté indiqué. Explique ton choix.

II) À l'aide du rapport choisi, calcule la longueur à l'unité près.

a)

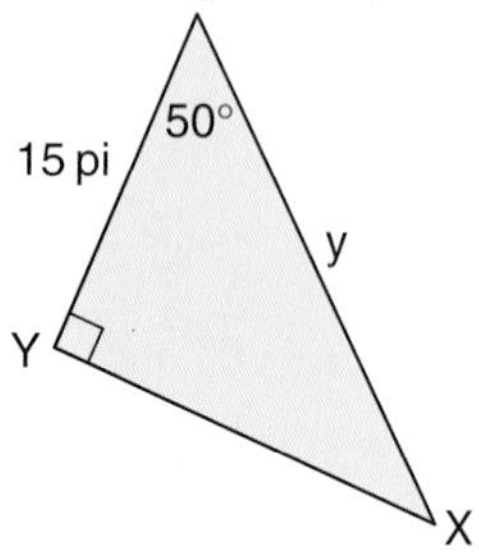

b)

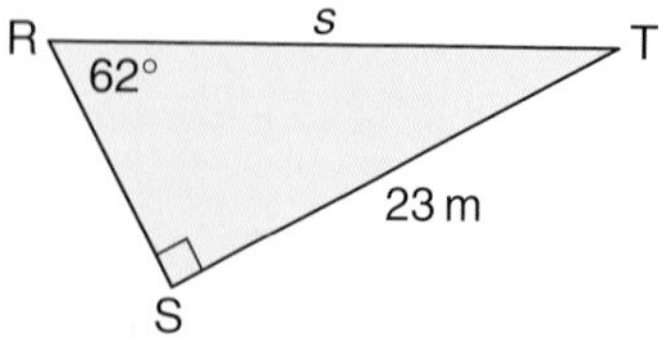

c)

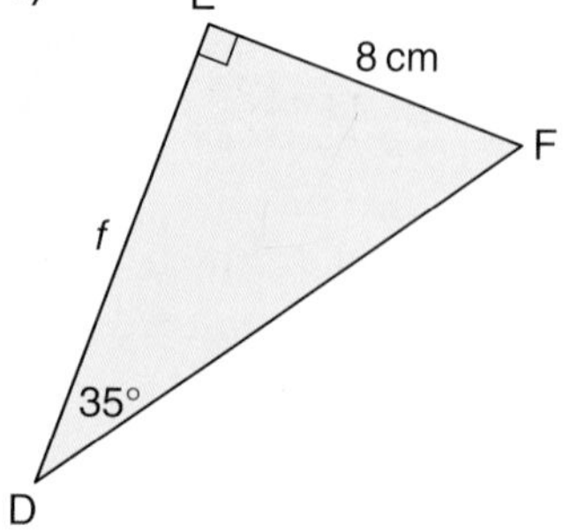

6. Une menuisière coupe un contrevent qui doit atteindre le sommet d'un mur de 10 pi de hauteur. Elle veut que le contrevent forme un angle de 70° avec le sol. Quelle longueur doit avoir le contrevent, au pied près?

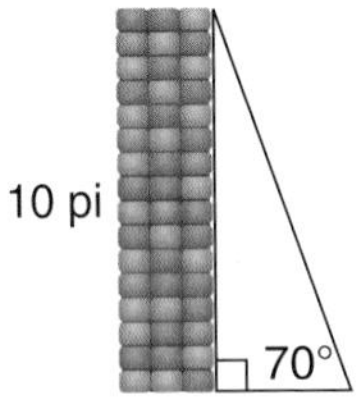

7. Fais le point Un arpenteur trace le schéma d'une parcelle de terrain en forme de triangle rectangle.
Le côté le plus long mesure 4,7 km.
L'angle formé par le côté le plus long et un autre côté est de 59°.

a) Combien mesurent les deux côtés les plus courts?

b) Décris une autre méthode de résolution du problème.

c) Quelle méthode préfères-tu? Explique ton raisonnement.

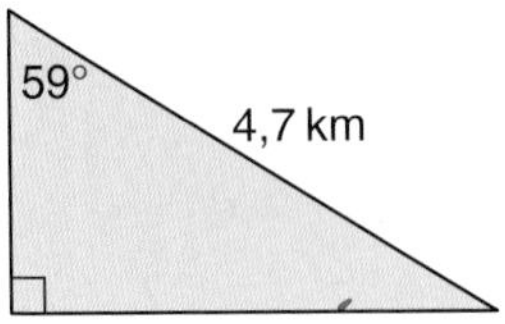

8. Un randonneur voit une tour d'observation forestière exactement au nord de sa position. Il voit une autre tour dont il sait qu'elle se trouve à 5,0 km plein est de la première tour. À l'aide de sa boussole, il se place face à la première tour, puis pivote de 52° jusqu'à ce qu'il soit face à la seconde tour. Quelle distance le sépare de chaque tour?

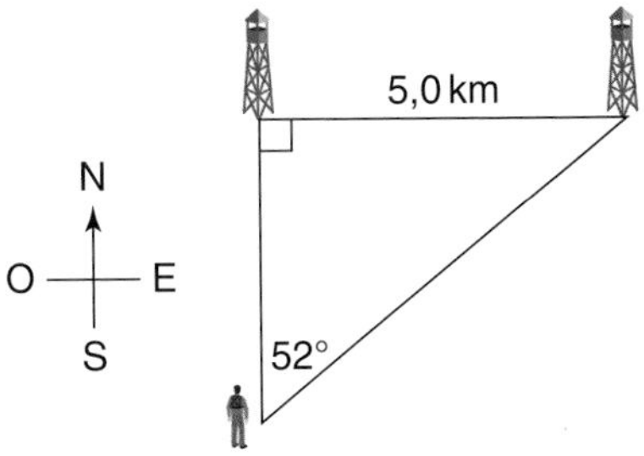

9. Relève le défi Jovanna veut découper un morceau triangulaire dans une feuille de contreplaqué de 4 pi sur 8 pi. Elle veut que son morceau ait un côté de 4 pi de longueur et que le coin opposé à ce côté forme un angle de 30°.

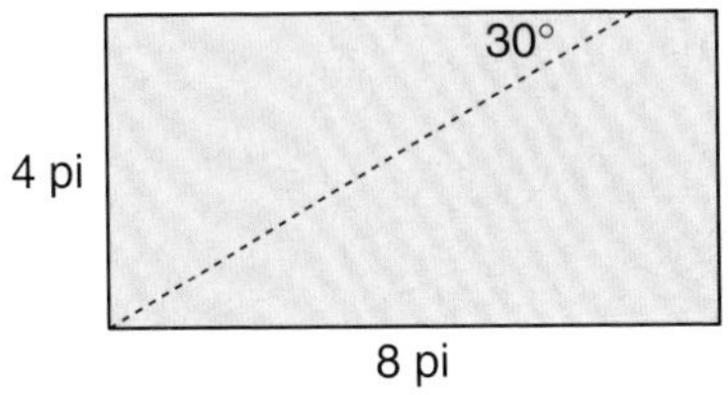

a) Où, le long du côté de 8 pi, Jovanna doit-elle marquer l'endroit de la ligne de coupe, au pouce près? Accompagne ta réponse d'un schéma.

b) Dessine une autre façon de couper la feuille.

Dans tes mots

Le cosinus d'un angle aigu d'un triangle rectangle a la même mesure que le sinus de l'autre angle aigu du triangle. Explique pourquoi. Accompagne ton explication d'un dessin.

La littératie et les mathématiques

Examine ton manuel

- Recopie le tableau suivant et remplis-le. Indique si tu es d'accord ou non avec chaque énoncé en cochant l'une ou l'autre des colonnes de gauche.

Maintenant		Énoncé	Plus tard	
D'accord	Pas d'accord		D'accord	Pas d'accord
		Les manuels de mathématiques contiennent surtout des questions qu'on nous donne comme devoirs.		
		Les manuels de mathématiques se lisent comme n'importe quel autre livre.		
		J'ouvre mon manuel de mathématiques seulement quand mon enseignante ou mon enseignant me le demande.		

- Compare tes opinions sur les énoncés avec celles d'une ou d'un camarade. Discutez ensemble de vos différences d'opinions.

Avec ta ou ton camarade, réponds au questionnaire suivant.

Questionnaire sur le manuel

1. Regarde la première page de quelques chapitres. Énumère les éléments de ces premières pages.
2. Ce manuel comprend deux index. Que sont ces index? Quelle est l'utilité de chacun?
3. Nomme trois types de technologie présentés dans ce manuel.
4. Chaque chapitre comprend une rubrique *La littératie et les mathématiques* sur un sujet différent. Nomme trois sujets de rubrique qui, à ton avis, te seront utiles.
5. Regarde la rubrique *Fais des liens* de quelques sections. À quoi servent les trapèzes?
6. Dans les pages *Révision de mi-chapitre* et *Ce que je dois savoir faire*, il y a des nombres en rouge dans la marge. Que représentent ces nombres?
7. Choisis un autre élément du manuel qui pourrait t'être utile. Explique en quoi il pourrait t'être utile.

- Remplis les colonnes de droite du tableau.
- Tes réponses ont-elles changé? Explique pourquoi.

1.2 Les angles des triangles rectangles

Mira marche plein sud à partir de l'entrée d'un parc.
Elle sait qu'il y a une aire de camping exactement à l'est de l'entrée.

Pour se rendre directement à l'aire de camping,
Mira doit déterminer la direction dans laquelle régler sa boussole.
Pour cela, elle doit déterminer un angle d'un triangle rectangle.

Explore Déterminer les angles de triangles rectangles

Travaille avec une ou un camarade.
Vous aurez besoin d'un rapporteur
et d'une calculatrice scientifique.

On appelle **cathète** chacun des deux côtés qui forment l'angle droit d'un triangle rectangle. Ce sont les côtés les plus courts.

- Dessinez chacun un triangle rectangle dont le rapport d'une cathète à l'autre est de 3 à 5.
  Par exemple : pour un triangle, dessinez un angle droit formé par un segment de droite de 6 cm et un segment de 10 cm. Reliez les extrémités pour tracer l'hypoténuse. Indiquez les dimensions.
  Pour l'autre triangle, dessinez un angle droit formé par un segment de 9 cm et un segment de 15 cm.
- Mesurez chaque angle aigu de votre triangle. Comparez les mesures des **angles correspondants** des triangles. Que remarquez-vous ?
- Appuyez sur [2nd] [TAN]. Saisissez un rapport tangente pour vos triangles en appuyant sur 3 [÷] 5. Appuyez sur [)] [=].
  Que remarquez-vous ?
- Appuyez sur [2nd] [TAN]. Saisissez l'autre rapport tangente pour vos triangles en appuyant sur 5 [÷] 3. Appuyez sur [)] [=].
  Que remarquez-vous ?
- Répétez l'activité en utilisant n'importe quel rapport pour les longueurs des cathètes afin d'obtenir une autre paire de triangles. Les mêmes relations sont-elles vraies ?

Si ces touches ne fonctionnent pas sur ta calculatrice, consulte ton manuel d'utilisation.

Réfléchis

- Qu'est-ce qui vous indique que le rapport d'une cathète à l'autre de votre première paire de triangles est de 3 à 5 ?
- Expliquez comment vous avez déterminé les longueurs des côtés de votre seconde paire de triangles.
- Comparez vos résultats avec ceux d'autres groupes. Quel lien semble-t-il y avoir entre la tangente d'un angle et les longueurs des côtés d'un triangle rectangle ?

Fais des liens

Détermine la mesure d'un angle.

Quand tu appuies sur [2nd] [SIN], la calculatrice affiche la mesure de l'angle dont le sinus est le nombre saisi.

Par exemple, si tu appuies sur [2nd] [SIN] 0.75 [)] [=], la calculatrice affichera 48.59. Cela signifie que sin 48,59° ≐ 0,75.

Les touches [2nd] [COS] et [2nd] [TAN] fonctionnent de la même façon. Ces touches de fonction [2nd] représentent des **opérations réciproques.**

Selon les calculatrices, les opérations réciproques sont parfois notées par un exposant −1 ou par le mot « arc » devant la fonction trigonométrique, par exemple COS^{-1} ou *arcsin*.

Mira se fait déposer à 1,4 km plein sud de l'entrée du parc. L'aire de camping est à 3,5 km à l'est de l'entrée. Pour se rendre directement à l'aire de camping, dans quelle direction Mira doit-elle régler sa boussole ?

Sur la boussole de Mira, les divisions sont à intervalles de deux degrés ; tu dois donc arrondir la réponse à deux degrés.
∠P est un angle droit parce que les directions nord et est se coupent à 90°.

Fais un schéma.

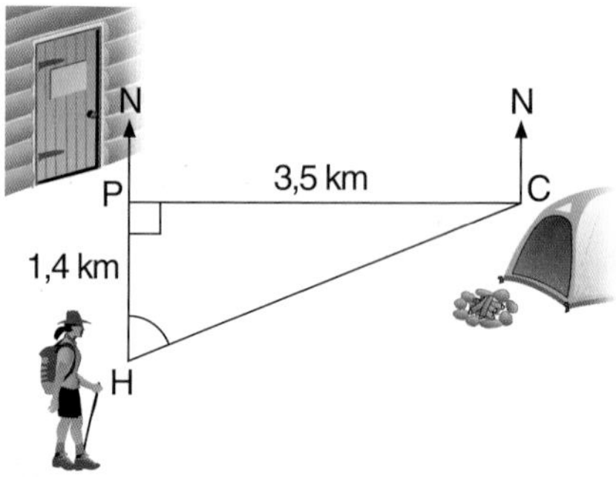

Détermine la mesure de ∠H.

Le côté opposé à ∠H mesure 3,5 km.
Le côté adjacent à ∠H mesure 1,4 km.

Utilise la tangente.

Comme tu connais les côtés opposé et adjacent, utilise la tangente.

$$\tan H = \frac{\text{longueur du côté opposé à } \angle H}{\text{longueur du côté adjacent à } \angle H}$$

Effectue les substitutions : longueur du côté opposé à ∠H = 3,5 ; longueur du côté adjacent à ∠H = 1,4.

$\tan H = \frac{3,5}{1,4}$ — Appuie sur [2nd] [TAN] 3.5 [÷] 1.4 [)] [=]

$\angle H \doteq 68,2°$

Mira doit régler sa boussole à 68° ou marcher en suivant une ligne formant un angle d'environ 68° mesuré dans le sens des aiguilles d'une montre à partir du nord.

Exercices

Dans cette section, sauf indication contraire, tu dois calculer la mesure des angles au degré près.

1. Pour chaque triangle, détermine tan *A*. Ensuite, détermine la mesure de ∠A.

a)

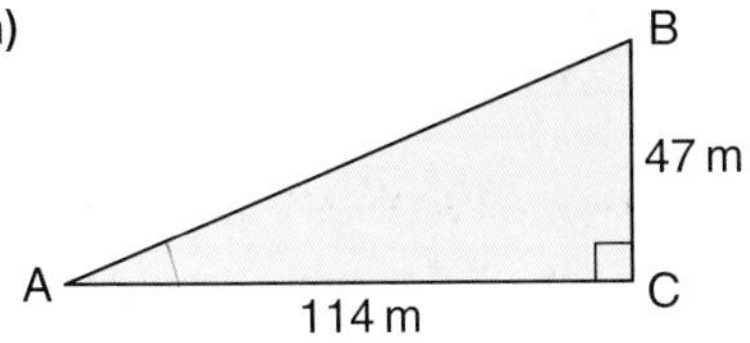

b)

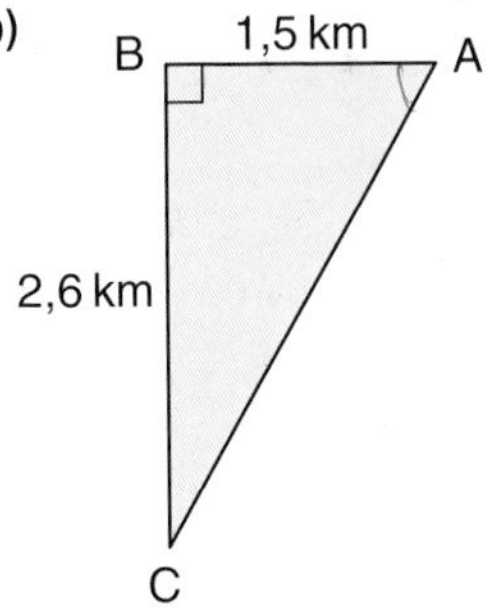

c)

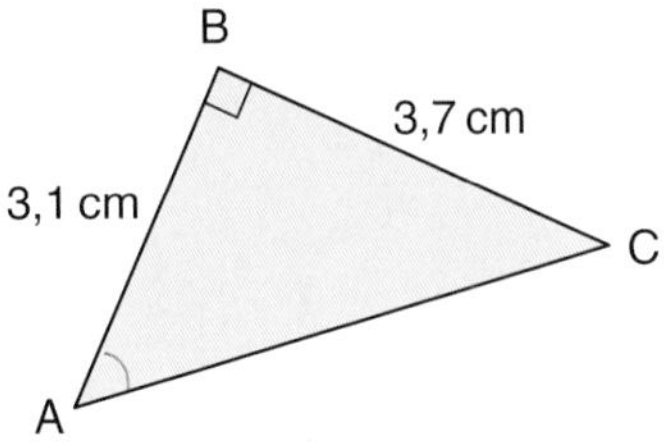

2. Pour chaque triangle, quel angle peut-on calculer à l'aide du sinus? Détermine la mesure de cet angle.

a)

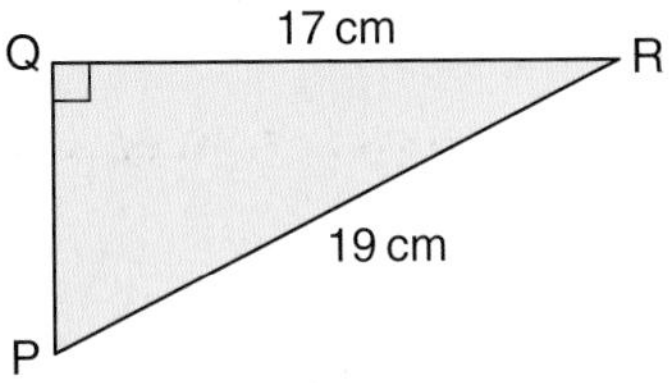

b)

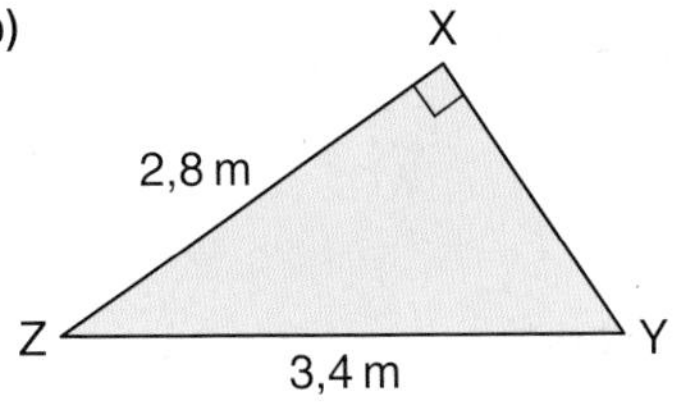

c)

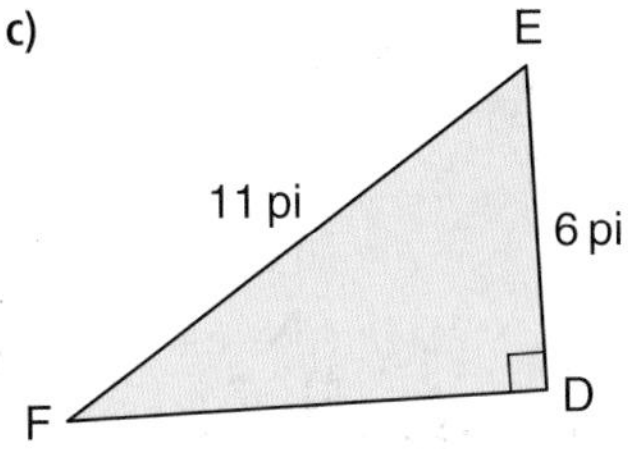

3. Indique le rapport trigonométrique qui peut servir à déterminer la mesure de l'angle indiqué sur chaque schéma. Explique chacun de tes choix. Détermine ensuite la mesure de l'angle à l'aide du rapport de ton choix.

a)

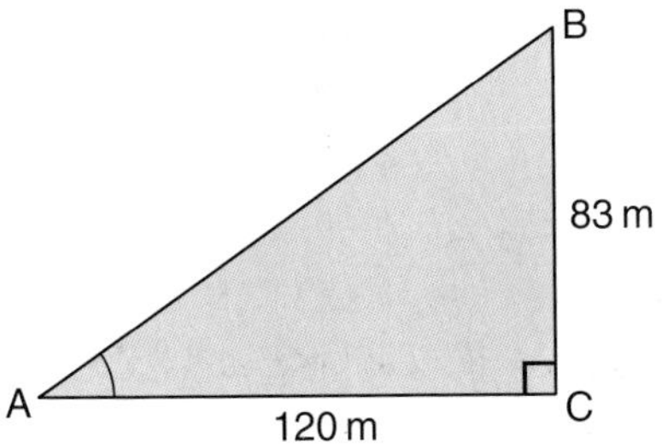

b)

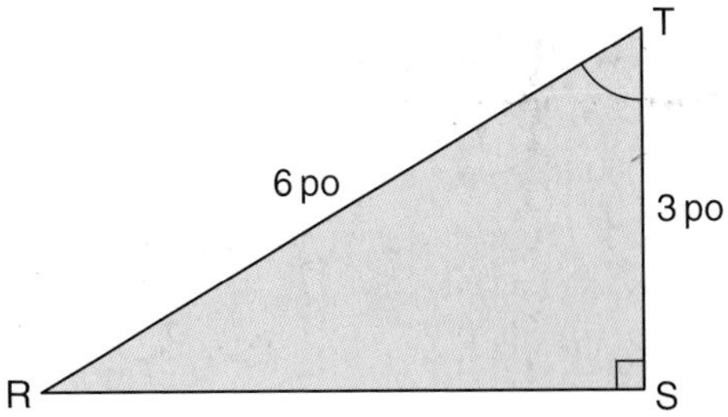

c)

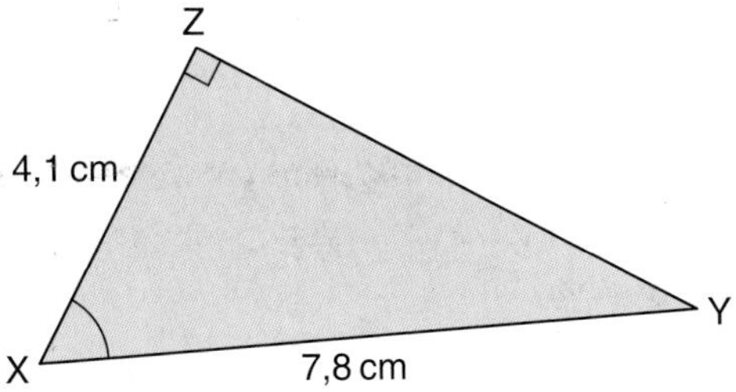

d)

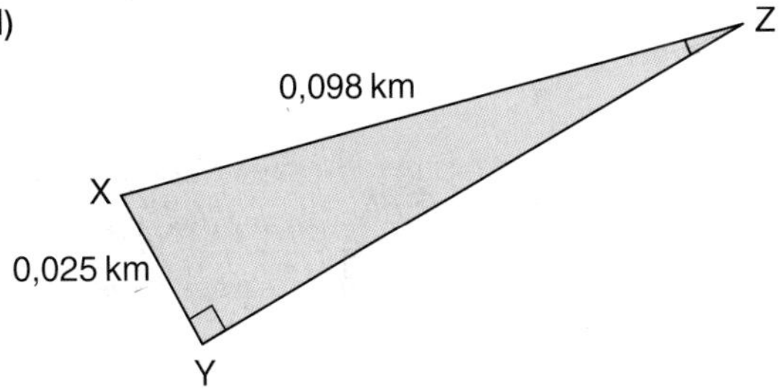

4. Un bateau se trouve à 100 m du pied d'une falaise de 75 m de hauteur.

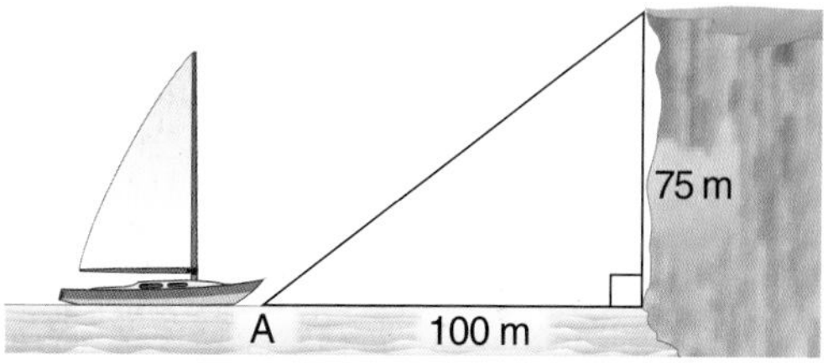

Calcule l'angle d'élévation, ∠A, du bateau au sommet de la falaise.

5. Le *Royal Gorge Bridge Incline Railway* du Colorado est le chemin de fer le plus abrupt du monde. Sur une pente de 1550 pi de longueur, l'élévation augmente de 1096 pi. Calcule l'angle d'inclinaison du chemin de fer.

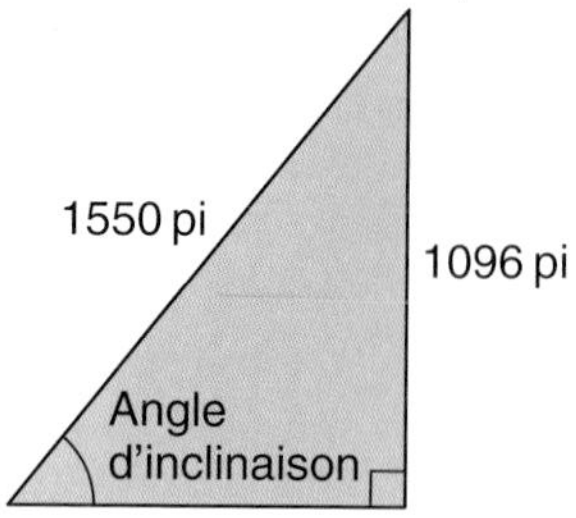

6. Dessine chaque triangle, puis calcule ses angles.

a) Soit ΔABC, où a = 1,2 cm, b = 4,5 cm et ∠C = 90°. Détermine la mesure de ∠B.

b) Soit ΔDEF, où d = 43 vg, f = 92 vg et ∠F = 90°. Détermine la mesure de ∠D.

c) Soit ΔNPQ, où p = 49 m, q = 25 m et ∠P = 90°. Détermine la mesure de ∠N.

Tu n'as pas à faire un dessin à l'échelle.

7. Un canoéiste utilise une boussole pour naviguer du point d'entrée d'un lac à l'aire de camping d'une petite île. L'aire de camping est à 2,4 km plein nord et à 3,2 km exactement à l'ouest du point d'entrée du lac. Dans quelle direction le canoéiste doit-il mettre le cap pour se rendre directement à l'aire de camping? Donne ta réponse en degrés mesurés dans le sens des aiguilles d'une montre à partir du nord, arrondie à deux degrés.

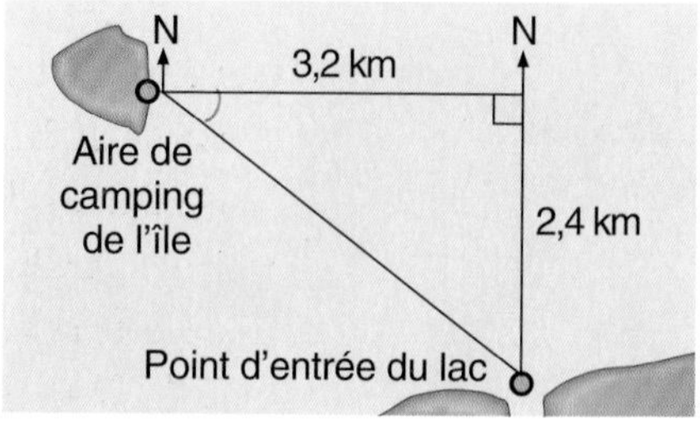

8. Une menuisière coupe une planche de 14,0 cm de largeur. Elle se sert d'une scie radiale qu'elle peut régler pour couper à n'importe quel angle. Pour s'insérer sous un escalier, la planche doit mesurer 17,8 cm de moins d'un côté que de l'autre. À quel angle la menuisière doit-elle faire la coupe, au degré près?

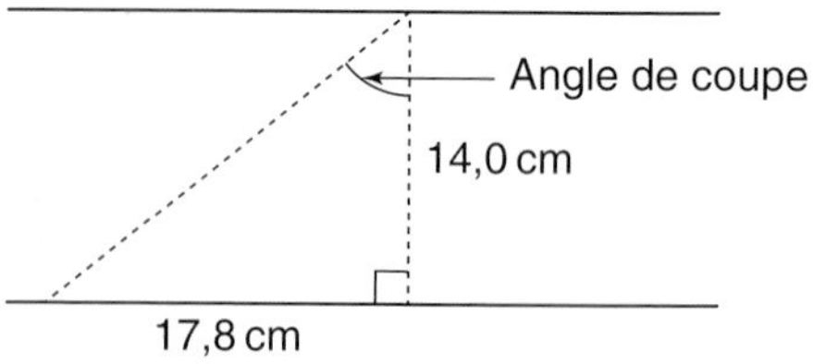

Avant de pouvoir résoudre un problème à l'aide d'un rapport trigonométrique, on doit parfois déterminer la longueur d'un côté ou convertir une longueur en unités différentes.

Exemple

Un clinomètre peut servir à mesurer l'angle d'élévation ou l'angle de dépression.

Enrico vérifie la précision de son clinomètre.
Le mât porte-drapeau de l'école mesure 6,0 m de hauteur. Enrico marche 5,0 m à partir de la base du mât et tient son clinomètre à la hauteur de son œil, à 120 cm au-dessus du sol. Le clinomètre indique un angle d'élévation de 45° entre l'œil d'Enrico et le sommet du mât.
Quelle est la précision du clinomètre, au dixième de degré près?

Solution

Dessine un schéma.

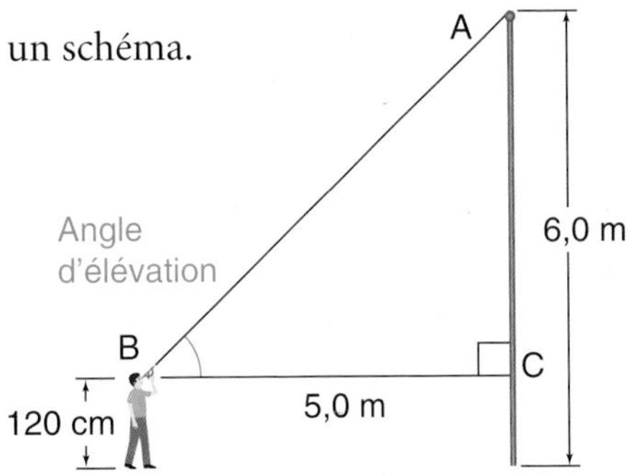

100 cm = 1 m, donc, 120 cm = 1,2 m.

Le mât est perpendiculaire au sol, et le sol est parallèle à la ligne visuelle horizontale.
ΔABC est donc un triangle rectangle dont $\angle$C = 90°.
Dans ΔABC, la longueur du côté opposé à $\angle$B est: 6,0 m − 1,2 m = 4,8 m.
Le côté adjacent à $\angle$B mesure 5,0 m.
Calcule l'angle d'élévation à l'aide de la tangente:

$$\tan B = \frac{\text{longueur du côté opposé à } \angle B}{\text{longueur du côté adjacent à } \angle B}$$

Substitue 4,8 et 5,0 aux termes.

$\tan B = \frac{4,8}{5,0}$ Appuie sur [2nd] [TAN] 4.8 [÷] 5 [)] [=]

$\angle B \doteq 43,8°$

La lecture du clinomètre était de 45°.
45° − 43,8° = 1,2°
L'instrument est précis à environ 1,2°.

9. Une rampe d'accès pour fauteuils roulants mesure 3,2 m de longueur. Elle s'élève jusqu'à un porche situé à 35 cm au-dessus du sol. Par mesure de sécurité, il y a des angles par rapport au sol que les rampes d'accès ne doivent pas dépasser. Cette rampe respecte-t-elle l'une ou l'autre des règles suivantes? Justifie chaque réponse et accompagne-la d'un schéma.

a) Pour les fauteuils motorisés, l'angle maximal est de 7,1°.

b) Pour les fauteuils non motorisés, l'angle maximal est de 4,8°.

10. Fais le point Un chemin de fer longe une rivière au fond d'une vallée. Il s'élève d'une hauteur verticale de 600 m sur une distance horizontale de 25 km.

a) Quel est l'angle d'inclinaison de ce tronçon du chemin de fer, au dixième de degré près?

b) Crée un autre problème correspondant au schéma. Résous ton problème.

c) Explique le raisonnement que tu as suivi en créant ton problème.

d) Échange ton problème avec une ou un camarade et résous le problème reçu. Comparez vos solutions.

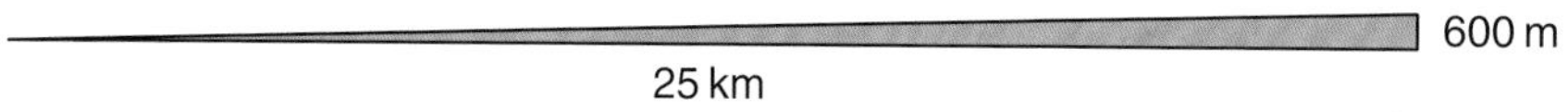

11. Relève le défi Deux câbles métalliques de soutien sont installés d'un côté d'un poteau de distribution d'électricité de 15,0 m. Les deux câbles sont ancrés au sol à 3,5 m de la base du poteau. Un câble atteint le sommet du poteau. L'autre se rend au milieu du poteau. Quel angle forment les deux câbles là où ils se rejoignent au sol?

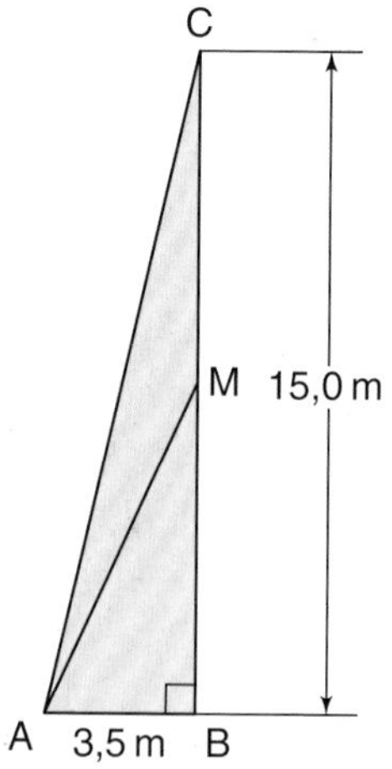

Dans tes mots

Appuie sur [2nd] [COS] 12 [÷] 13 [)] [=].
Que représente le nombre affiché?
Accompagne ta réponse d'un schéma.

1.3 La loi des sinus

Beaucoup de situations de la vie courante comportent des triangles qui ne contiennent pas d'angles droits.

Les rapports trigonométriques primaires ne concernent que les triangles rectangles. Il existe cependant d'autres relations entre les côtés et les angles des triangles.

Examine — Les relations entre les côtés et les angles des triangles

Choisis entre les activités « Utiliser Cybergéomètre » et « Dresser un tableau ».

Utiliser Cybergéomètre

Tu as besoin du logiciel Cybergéomètre.

- ➢ Si tu utilises le fichier *Triangle.gsp*, ouvre-le et commence à l'étape 9. Un triangle comme le suivant devrait s'afficher sur ton écran.
- ➢ Si tu n'utilises pas le fichier *Triangle.gsp*, fais toutes les étapes.

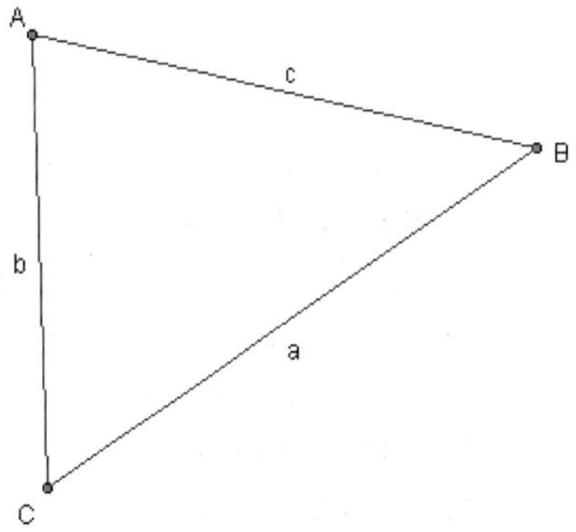

1. Lance le programme.
Dans le menu **Édition**, sélectionne **Préférences**.
Dans la zone **Angle**, règle la mesure en degrés à l'unité près.
Dans la zone **Distance**, règle la mesure en centimètres au centième près.

2. Utilise l'outil **Point**. 
Clique sur l'écran en trois endroits pour construire trois points.
Utilise l'outil **Texte**. 
Clique sur chaque point pour désigner les points A, B et C.

3. Avec l'outil **Flèche de sélection**, sélectionne les points A et B. 
Dans le menu **Construction**, sélectionne **Segment**.
Utilise l'outil **Texte**.
Double-clique sur le segment de droite BC et appelle-le *a*.
Double-clique sur le segment de droite AC et appelle-le *b*.
Double-clique sur le segment de droite AB et appelle-le *c*.

4. Avec l'outil **Flèche de sélection**, sélectionne le côté *a*.
Dans le menu **Mesures**, sélectionne **Longueur**.
La valeur de *a* est affichée. Quelle est la valeur de *a*?

5. Désélectionne les objets. Répète l'étape 4 pour les côtés *b* et *c*.

Pour désélectionner des objets, utilise l'outil **Flèche de sélection** et clique dans un espace vide.

6. Avec l'outil **Flèche de sélection**, sélectionne les points B, A et C dans cet ordre.
Dans le menu **Mesures**, sélectionne **Angle**.
La mesure de ∠A sera affichée et nommée m∠BAC=.
Pour changer ce nom, double-clique dessus à l'aide de l'outil **Texte**.
Saisis A comme nouveau nom. Ensuite, clique sur **OK**.

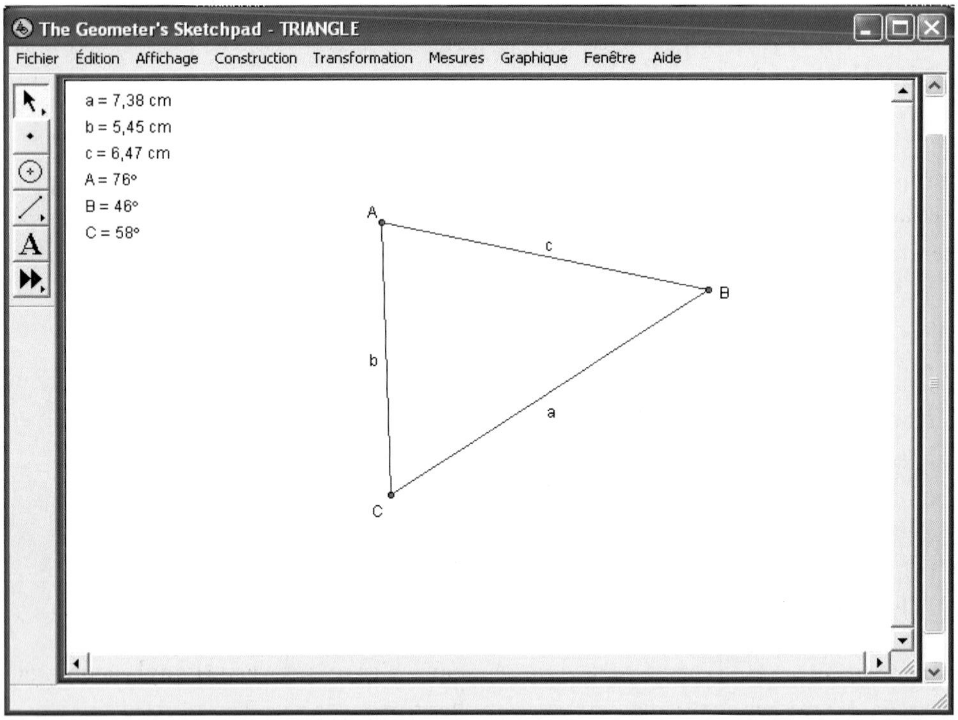

7. Avec l'outil **Flèche de sélection**, sélectionne les points A, B et C dans cet ordre.
Répète l'étape 6 pour la mesure de ∠B.

8. Sélectionne les points B, C et A dans cet ordre.
Répète l'étape 6 pour la mesure de ∠C.
Avec l'outil **Flèche de sélection**, fais glisser les points jusqu'à ce que tous les angles du triangle soient aigus.

9. Quelles sont les longueurs des côtés et les mesures des angles du ΔABC?

Ton écran devrait ressembler à l'écran ci-dessus, mais présenter des mesures différentes de côtés et d'angles.

10. Le **rapport** $\frac{a}{\tan A}$ compare la valeur de a à la tangente de l'angle opposé à a.
Que comparent les rapports $\frac{b}{\tan B}$ et $\frac{c}{\tan C}$?

11. Dans le menu **Mesures**, sélectionne **Calcul.**
Clique sur la valeur de a, clique sur la touche $\boxed{\div}$,
sélectionne **tan** dans la liste **Fonctions**,
et clique sur la mesure de ∠A. Clique sur **OK.**
La valeur de $\frac{a}{\tan A}$ est affichée.
Répète cette marche à suivre pour afficher $\frac{b}{\tan B}$ et $\frac{c}{\tan C}$.

12. Compare les rapports $\frac{a}{\cos A}$, $\frac{b}{\cos B}$ et $\frac{c}{\cos C}$.
Répète l'étape 11 pour afficher ces rapports.

13. Compare les rapports $\frac{a}{\sin A}$, $\frac{b}{\sin B}$ et $\frac{c}{\sin C}$.
Répète l'étape 11 pour afficher ces rapports.

14. Pour quels rapports les valeurs sont-elles équivalentes?

15. Fais glisser au moins un des sommets du triangle pour créer un nouveau triangle acutangle (chaque angle doit donc mesurer moins de 90°).
Tes observations concernant les rapports équivalents du premier triangle sont-elles toujours vraies?
Répète cette marche à suivre au moins cinq autres fois.

16. Le rapport $\frac{\sin A}{a}$ compare le sinus de ∠A à la valeur du côté opposé à ∠A.
Que comparent les rapports $\frac{\sin B}{b}$ et $\frac{\sin C}{c}$?
Fais calculer et afficher ces rapports par le programme.
Que remarques-tu?

17. Fais glisser au moins un des sommets du triangle pour créer un nouveau triangle acutangle.
Les observations que tu as faites à l'étape 16 sont-elles toujours vraies?

Dresser un tableau

Tu auras besoin d'un rapporteur et d'une calculatrice scientifique.

1. Dessine un grand triangle dont les trois angles sont aigus.
Désigne les côtés et les angles de ton triangle comme dans la figure ci-contre.

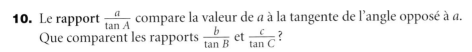

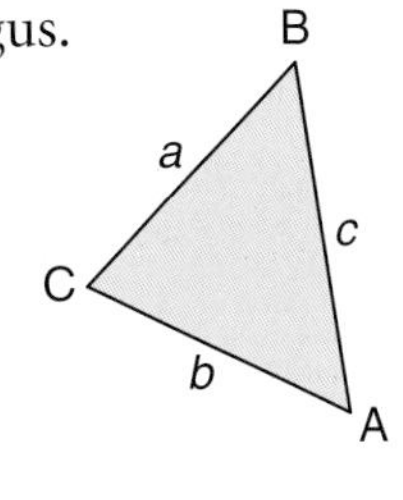

Un angle aigu mesure moins de 90°.

2. Mesure les côtés de ton triangle au dixième de centimètre près. Mesure les angles au degré près.

3. Recopie ce tableau et ajoutes-y six colonnes vides. Écris tes données dans les six premières rangées d'une colonne. Dans les autres colonnes, écris les données de cinq camarades de classe.

Triangle dessiné par :	
Longueur de *a*	
Longueur de *b*	
Longueur de *c*	
Mesure de ∠A	
Mesure de ∠B	
Mesure de ∠C	
$\frac{a}{\tan A}$	
$\frac{b}{\tan B}$	
$\frac{c}{\tan C}$	
$\frac{a}{\cos A}$	
$\frac{b}{\cos B}$	
$\frac{c}{\cos C}$	
$\frac{a}{\sin A}$	
$\frac{b}{\sin B}$	
$\frac{c}{\sin C}$	
$\frac{\sin A}{a}$	
$\frac{\sin B}{b}$	
$\frac{\sin C}{c}$	

4. Le rapport $\frac{a}{\tan A}$ compare la longueur de *a* à la tangente de l'angle opposé à *a*. Que comparent les rapports $\frac{b}{\tan B}$ et $\frac{c}{\tan C}$?

5. Compare les rapports $\frac{a}{\cos A}$, $\frac{b}{\cos B}$ et $\frac{c}{\cos C}$.

6. Compare les rapports $\frac{a}{\sin A}$, $\frac{b}{\sin B}$ et $\frac{c}{\sin C}$.

7. Dans ton tableau, écris les rapports des questions 4, 5 et 6 en nombre à trois décimales.

8. Pour quels rapports les valeurs sont-elles semblables ?

9. Le rapport $\frac{\sin A}{a}$ compare le sinus de ∠A à la valeur de *a*. Que comparent les rapports $\frac{\sin B}{b}$ et $\frac{\sin C}{c}$?

10. Calcule les rapports de la question 9. Écris les données en nombres à trois décimales dans ton tableau. Que remarques-tu au sujet des valeurs ?

Réfléchis

- La loi des sinus établit la relation suivante dans les triangles acutangles :
  $$\frac{a}{\sin A} = \frac{b}{\sin B} = \frac{c}{\sin C} \quad \text{et} \quad \frac{\sin A}{a} = \frac{\sin B}{b} = \frac{\sin C}{c}$$
  En quoi ta recherche vérifie-t-elle la loi des sinus ?
- Ta recherche indique-t-elle une relation concernant les cosinus ou les tangentes ? Justifie ta réponse.
- As-tu utilisé Cybergéomètre ou dressé un tableau ? Nomme un avantage ou un inconvénient de cet outil.

1.4 Appliquer la loi des sinus

La navigation demande de déterminer la position d'un navire ou d'un avion et de tracer sa route. En navigation, on représente souvent la direction par un relèvement. Le relèvement est exprimé par un angle de trois chiffres mesuré dans le sens des aiguilles d'une montre à partir de la direction du nord.

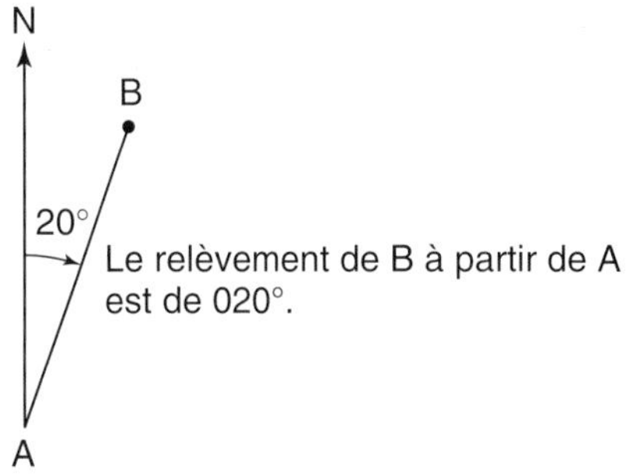

Explore — Résoudre un problème à l'aide de la loi des sinus

Travaille avec une ou un camarade.
Vous aurez besoin d'une calculatrice scientifique.

Carmen pilote un avion ultra-léger de Kingston, A, à Bancroft, B. À cause d'une erreur dans les lectures de la boussole, son avion dérive de 25°. Carmen franchit 50 mi avant de s'apercevoir qu'elle vole dans la mauvaise direction.

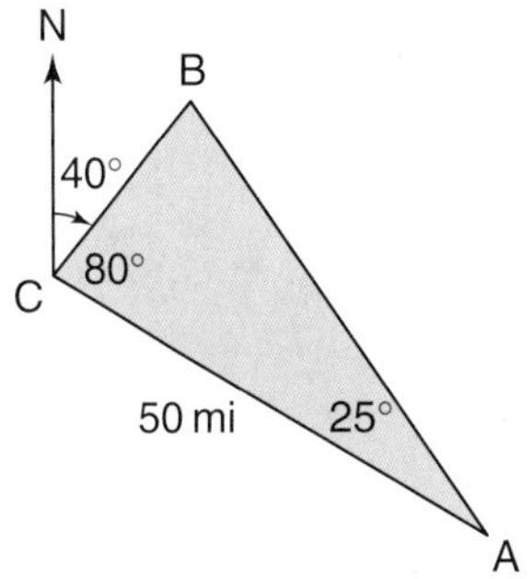

Le relèvement de sa nouvelle route, pour corriger sa trajectoire de vol, est de 040°. Le triangle ci-contre représente la situation.

- Vous savez que $b = 50$ mi. Comment pourriez-vous déterminer la mesure de $\angle$B? Quelle est cette mesure? Calculez $\frac{b}{\sin B}$.
- Vous savez que $\angle A = 25°$. Que savez-vous de $\frac{a}{\sin A}$? Comment pouvez-vous déterminer a? Calculez sa longueur.
- À quelle distance de Bancroft se trouve l'avion, au mille près, lorsque Carmen s'aperçoit de son erreur?

Réfléchis

- Décris la stratégie que tu as utilisée pour résoudre le problème. Était-ce une stratégie efficace? Explique ta réponse.
- Comment pourrais-tu déterminer la distance entre Kingston et Bancroft?

Fais des liens

La loi des sinus

La loi des sinus établit des relations entre les côtés et les angles d'un triangle. Dans tout ΔABC :

$$\frac{a}{\sin A} = \frac{b}{\sin B} = \frac{c}{\sin C}$$

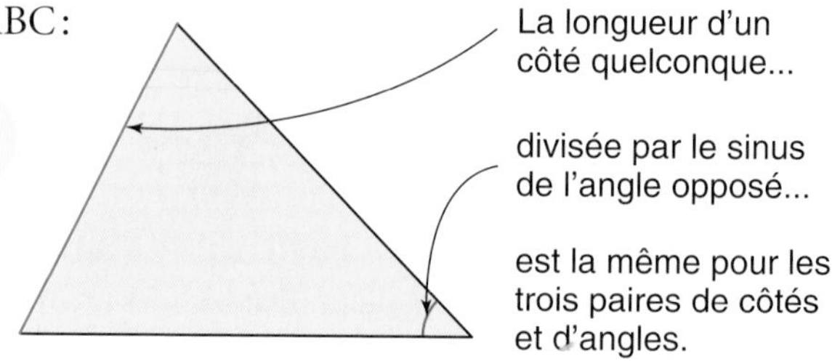

La longueur d'un côté quelconque...
divisée par le sinus de l'angle opposé...
est la même pour les trois paires de côtés et d'angles.

$$\frac{\sin A}{a} = \frac{\sin B}{b} = \frac{\sin C}{c}$$

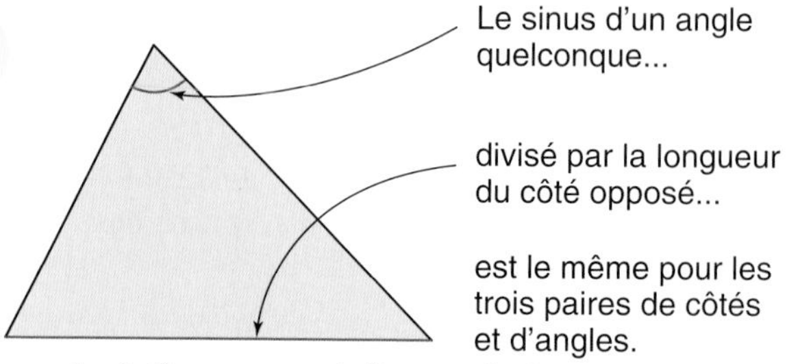

Le sinus d'un angle quelconque...
divisé par la longueur du côté opposé...
est le même pour les trois paires de côtés et d'angles.

Salima est dans un bateau situé directement à l'ouest du bateau de Richard. La distance entre les bateaux est de 150 pi. Chaque personne voit une bouée, B, de son bateau.

Salima voit la bouée à 027° de relèvement. Richard la voit à 342° de relèvement. Quelle distance y a-t-il, au pied près, entre le bateau de Salima et la bouée ?

La bouée indique que l'eau est peu profonde.

Dessine un schéma.

Dessine un triangle. Désigne ses sommets par S, R et B, représentant Salima, Richard et la bouée.

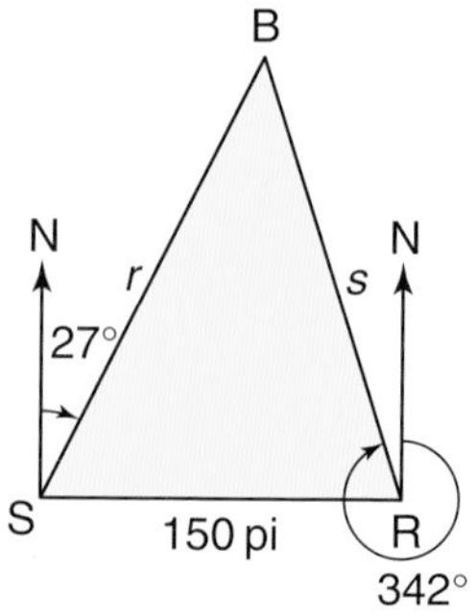

On connaît la valeur de *b*. Détermine ∠B.
Dans ΔSRB, la mesure de ∠S est 90° − 27° = 63°.
Par rapport au nord, l'ouest se trouve à 3 × 90° = 270° dans le sens des aiguilles d'une montre. Tu dois donc soustraire 270° pour déterminer la mesure de ∠R dans ΔSRB : 342° − 270° = 72°.
La mesure de ∠B est 180° − 63° − 72° = 45°.

La somme des mesures des angles d'un triangle est de 180°.

Utilise la loi des sinus.

Pour déterminer la valeur de *r*, écris la loi des sinus pour ΔSRB en utilisant *r* comme numérateur.

$$\frac{r}{\sin R} = \frac{s}{\sin S} = \frac{b}{\sin B}$$

Effectue les substitutions : ∠S = 63°, ∠R = 72°, ∠B = 45° et *b* = 150

$$\frac{r}{\sin 72°} = \frac{s}{\sin 63°} = \frac{150}{\sin 45°}$$

Formule une équation avec les premier et troisième rapports.

Résous l'équation.

$$\frac{r}{\sin 72^\circ} = \frac{150}{\sin 45^\circ}$$

$$\frac{r}{\sin 72^\circ} \times \sin 72^\circ = \frac{150}{\sin 45^\circ} \times \sin 72^\circ$$

$$r = \frac{150 \sin 72^\circ}{\sin 45^\circ}$$

$$r = 201{,}75$$

Multiplie chaque membre par sin 72° pour isoler r.

Appuie sur
150 [×] [SIN] 72 [)] [÷] [SIN] 45 [)] [=]

Le bateau de Salima est à environ 202 pi de la bouée.

Exercices

1. Calcule la valeur de c dans chaque expression.
Arrondis tes réponses au dixième près.

a) $c = \frac{4 \sin 40^\circ}{\sin 65^\circ}$ b) $c = \frac{15 \sin 25^\circ}{\sin 75^\circ}$ c) $c = \frac{6{,}9 \sin 58^\circ}{\sin 34^\circ}$

2. Dans le problème présenté sous *Fais des liens*, quelle distance y a-t-il entre le bateau de Richard et la bouée?

3. Détermine les longueurs des côtés inconnus de chaque triangle.

a)

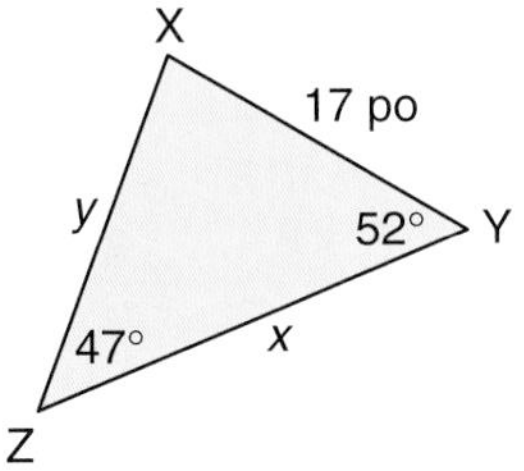

b)

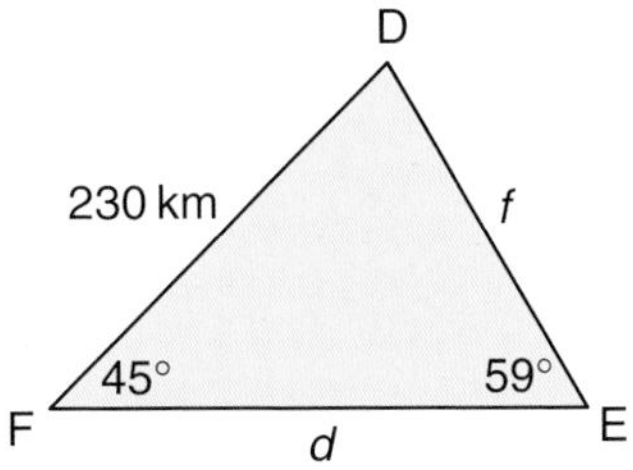

c)

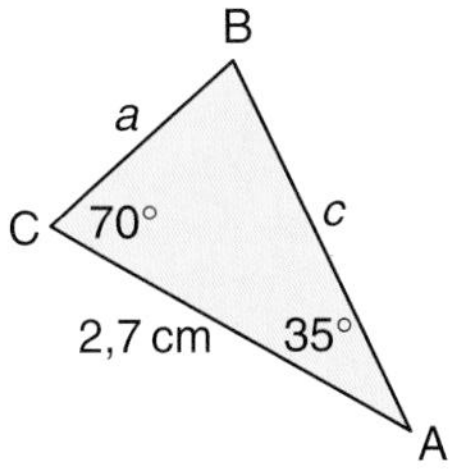

4. Choisis un triangle de l'exercice 3. Explique comment tu as calculé les longueurs des côtés.

5. Une paysagiste planifie un jardin où un pont enjambera un petit étang. Sur la rive, elle marque les points A et B représentant le début et la fin du pont. Elle marque un autre point sur la rive, à 5 m d'une extrémité du pont. Elle mesure les angles entre les lignes de visée reliant les points.

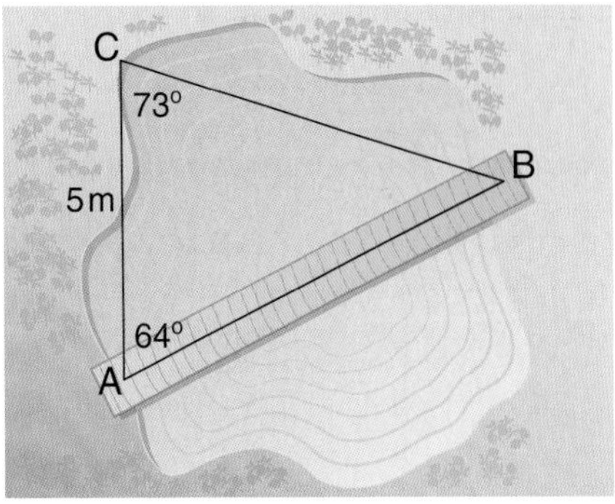

a) Quelle est la largeur AB de l'étang que le pont doit enjamber?

b) La paysagiste peut commander des ponts préfabriqués enjambant des distances de 5,25 m, de 7,25 m ou de 9,25 m.
Quel pont doit-elle commander?
Explique ton raisonnement.

Tu as utilisé la loi des sinus pour déterminer la longueur d'un côté d'un triangle. Tu peux aussi l'utiliser pour déterminer la mesure d'un angle.

Exemple

Quelles sont les mesures des deux autres angles de ce triangle, au degré près?

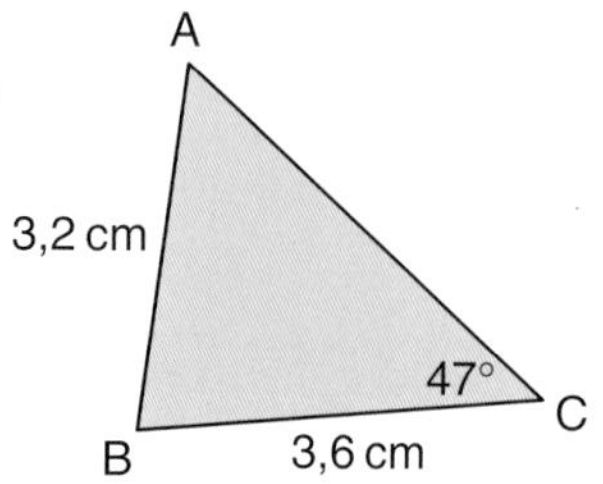

Solution

La mesure d'un angle et les longueurs de deux côtés sont données. Un des côtés donnés est opposé à l'angle donné.
Pour déterminer la valeur de ∠A, écris la loi des sinus pour ΔABC en utilisant sin *A* comme numérateur.

$$\frac{\sin A}{a} = \frac{\sin B}{b} = \frac{\sin C}{c}$$

Effectue les substitutions: $a = 3{,}6$, $c = 3{,}2$, $\angle C = 47°$

$$\frac{\sin A}{3{,}6} = \frac{\sin B}{b} = \frac{\sin 47°}{3{,}2}$$ Formule une équation avec les premier et troisième rapports.

$$\frac{\sin A}{3{,}6} = \frac{\sin 47°}{3{,}2}$$ Multiplie chaque membre par 3,6.

$$\frac{\sin A}{3{,}6} \times 3{,}6 = \frac{\sin 47°}{3{,}2} \times 3{,}6$$

$$\sin A = \frac{\sin 47° \times 3{,}6}{3{,}2}$$ Appuie sur [2nd] [SIN] [SIN] 47 [)] [×] 3.6 [÷] 3.2 [)] [=]

$$\angle A \doteq 55{,}3633°$$

> La somme des angles d'un triangle est de 180°.

$\angle B = 180° - 47° - 55{,}3633°$
$\angle B \doteq 77{,}64°$
Les mesures des deux autres angles sont 55° et 78°, au degré près.

6. Dans chaque expression, quelle est la mesure de ∠C au degré près?

a) $\sin C = \frac{13 \sin 83°}{18}$ **b)** $\sin C = \frac{19 \sin 50°}{21}$ **c)** $\sin C = \frac{8{,}4 \sin 72°}{9{,}5}$

7. Détermine les mesures des angles de chaque triangle au degré près.

a)

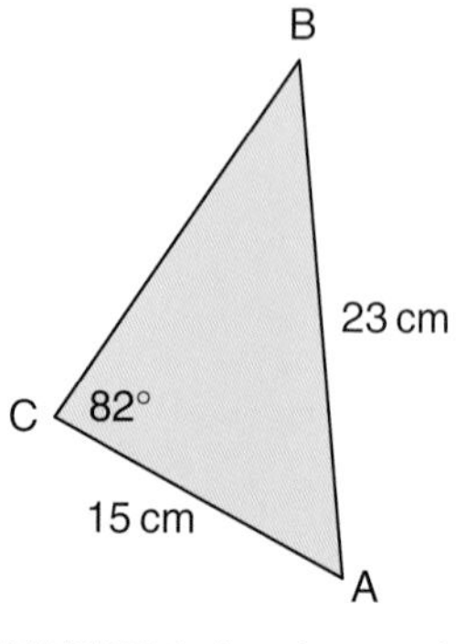

b)

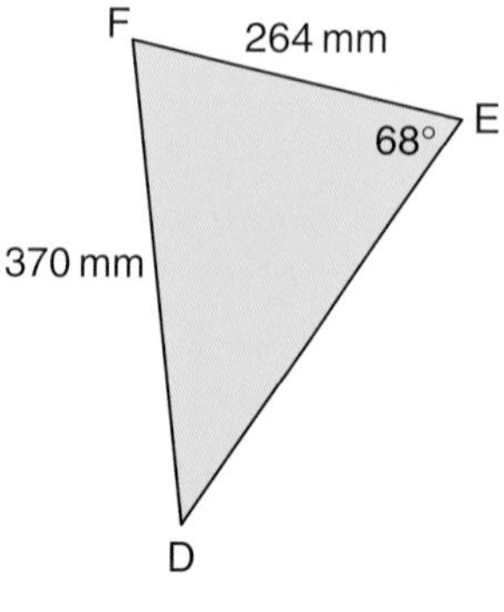

c)

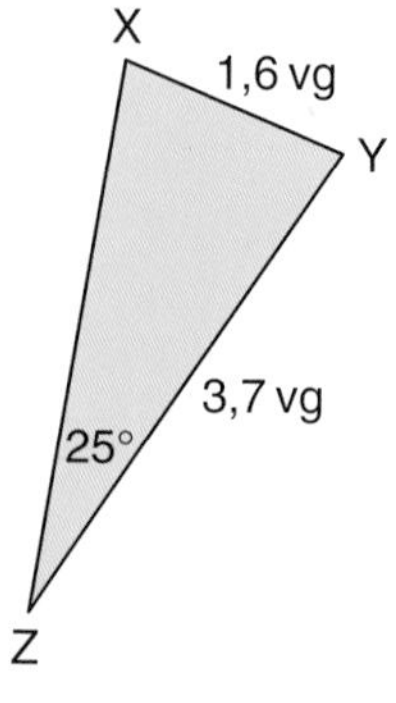

8. Choisis un des triangles de l'exercice 7.
Explique comment tu as calculé les angles.

9. **Fais le point** Un arpenteur a mesuré une parcelle de terrain triangulaire. Un côté de la parcelle longe une route de campagne. Ce côté mesure 400 pi. Un côté adjacent forme un angle de 88° avec le côté qui longe la route. Le côté opposé à cet angle mesure 550 pi.

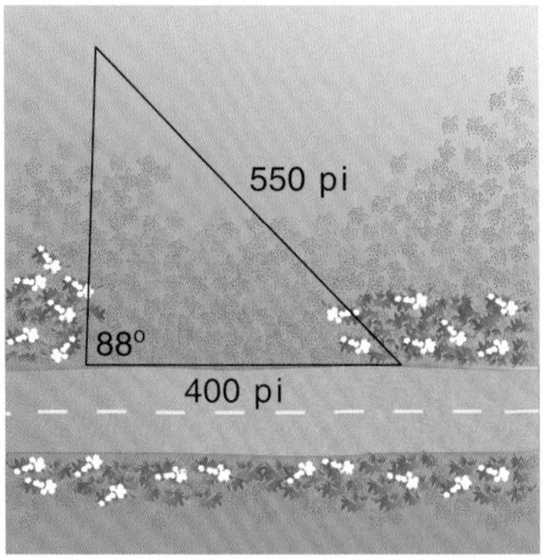

a) Détermine la longueur du troisième côté de la parcelle de terrain, au pied près.

b) Explique comment tu as calculé les angles. Indique si ta méthode était efficace.

10. **Relève le défi** Adaya fait voler un cerf-volant au-dessus d'un champ plat. Elle a déroulé 15 m de ficelle. De sa position, l'angle d'élévation du cerf-volant est de 64°. Stéphanie fait face à Adaya. De la position de Stéphanie, l'angle d'élévation du cerf-volant est de 35°.

a) Dessine un triangle à partir de l'information donnée.

b) Quelle distance sépare les deux filles, au mètre près?

Dans tes mots

Les mesures de deux des angles d'un triangle sont données.
Supposons que tu veuilles déterminer la longueur d'un côté.
De quelle autre information as-tu besoin pour pouvoir utiliser la loi des sinus? Donne un exemple pour illustrer ta réponse.
Nomme trois endroits, après cette section, où tu pourrais te renseigner sur la loi des sinus.

Un défi triangulaire

JEU

Matériel :

- des cartes triangulaires ;
- des calculatrices scientifiques.

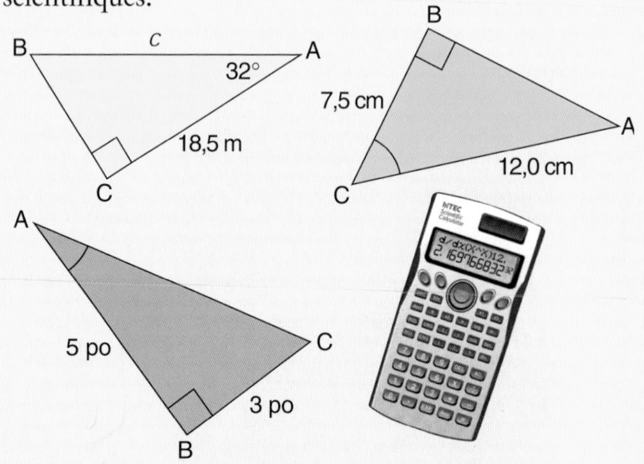

Ce jeu se joue à 2 ou à 3 personnes.

➢ Mêlez les cartes. Déposez le jeu à l'envers sur la table.

➢ Chaque élève prend une carte.
L'élève dont le triangle indique le côté le plus long commence.
Ce sera l'élève 1.

Chaque carte représente un triangle dont certaines mesures sont indiquées, mais où une mesure, de côté ou d'angle, est à déterminer.

➢ Remettez les cartes dans le jeu.
Mêlez les cartes et déposez le jeu à l'envers sur la table.

➢ L'élève 1 prend la carte du dessus et la retourne.
Il ou elle annonce le côté ou l'angle qu'il faut déterminer.

➢ Chaque élève détermine la mesure inconnue.

➢ Les élèves comparent leurs réponses.
Si l'élève 1 (qui a retourné la carte) donne une bonne réponse, il ou elle conserve la carte. Si l'élève 1 donne une mauvaise réponse, il ou elle remet la carte en dessous du jeu.

Avant de commencer à jouer, décidez de la règle à utiliser pour mettre fin à la partie.

➢ À tour de rôle, les élèves retournent une carte.

➢ La partie prend fin quand chaque carte du jeu a été utilisée une fois ou qu'il ne reste plus de carte dans le jeu.
L'élève qui a conservé le plus grand nombre de cartes gagne la partie.

Révision de mi-chapitre

1.1 **1.** Indique le rapport trigonométrique qui peut servir à calculer chaque longueur. Explique chacun de tes choix. Ensuite, calcule les longueurs.

a)

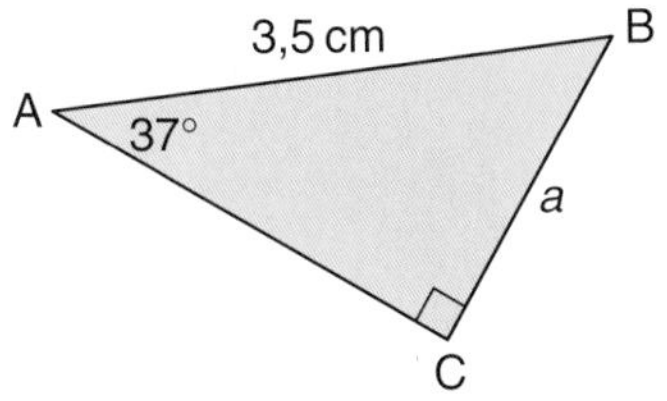

b)

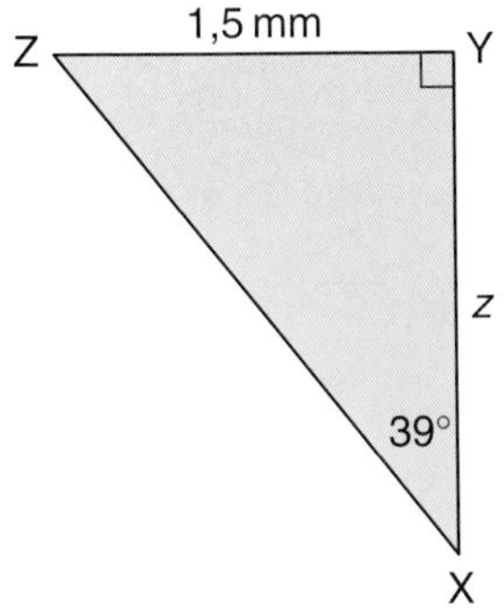

2. Le funiculaire *Falls Incline Railway* des chutes Niagara a été inauguré en 1966. Il transporte les gens des aires de stationnement supérieures au parc Queen Victoria situé plus bas. Son chemin de fer incliné a une longueur de 170 pi et un angle d'inclinaison de 36°. Quelle distance verticale y a-t-il entre la station supérieure et la station inférieure?

1.2 **3.** Détermine la mesure de l'angle indiqué. Explique ton raisonnement.

a) ∠A

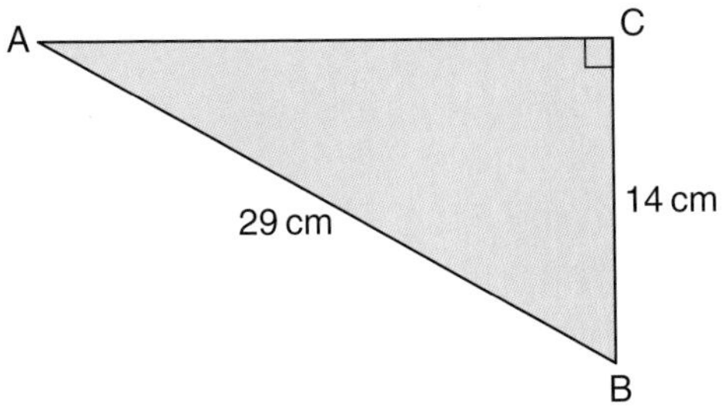

b) ∠X

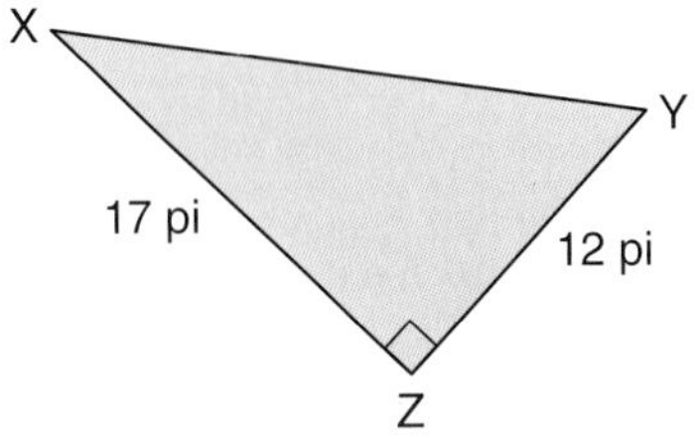

4. Simon mesure l'angle d'élévation depuis le sol jusqu'au sommet d'une éolienne de 18 m de hauteur. Il pose un clinomètre sur le sol, à 25 m du pied de l'éolienne. Quel est l'angle d'élévation?

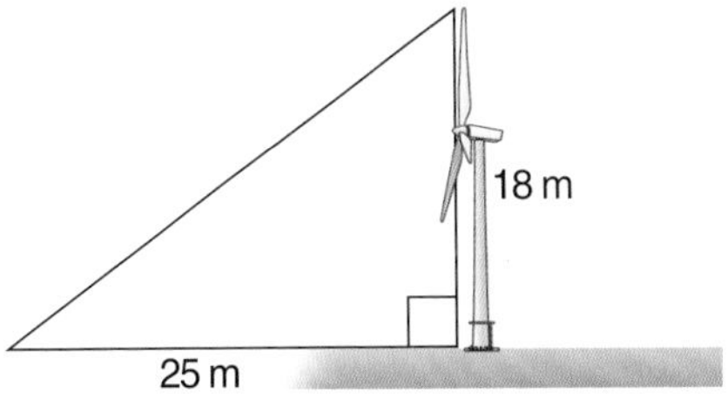

1.3

1.4 **5.** Détermine la mesure de ∠A.

a)

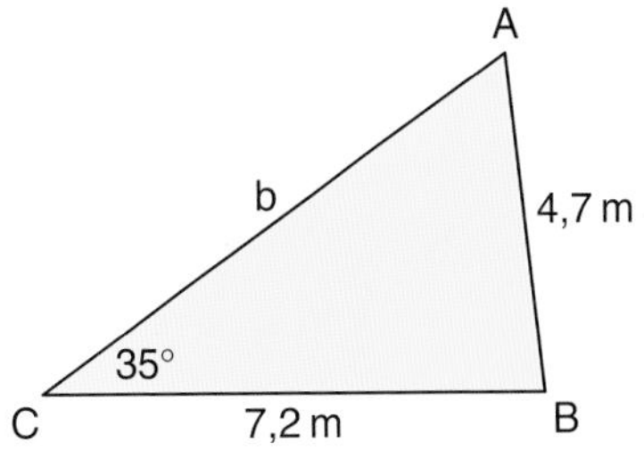

b)

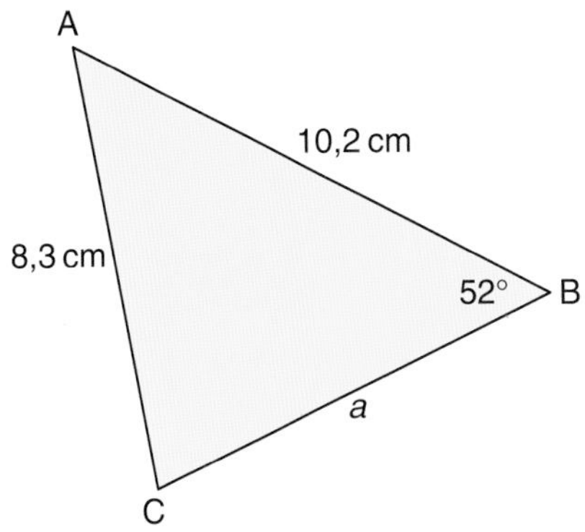

1.5 La loi du cosinus

Un soudeur doit couper un triangle dans une plaque de métal. Il connaît les longueurs des côtés mais pas les mesures des angles. Il a besoin de ces mesures.

On ne peut pas utiliser la loi des sinus si on n'a aucune mesure d'angle. Il faut donc une autre relation entre les côtés et les angles.

Examine — Les relations entre les côtés et les angles des triangles

Choisis entre les activités « Utiliser Cybergéomètre » et « Dresser un tableau ».

Utiliser Cybergéomètre

Tu auras besoin du logiciel Cybergéomètre.

➢ Si tu utilises le fichier *Triangle2.gsp*, ouvre-le et commence à l'étape 7.
➢ Si tu n'utilises pas le fichier *Triangle2.gsp*, fais toutes les étapes.

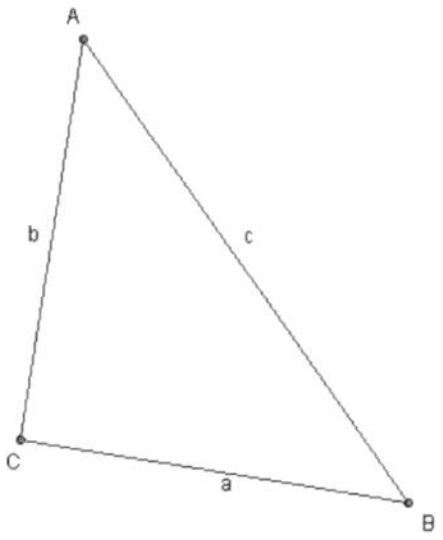

1. Lance le programme.
Dans le menu **Édition**, sélectionne **Préférences**.
Dans la zone **Angle**, règle la mesure en degrés, au dixième près.
Dans la zone **Distance**, règle la mesure en centimètres, au centième près.

2. Utilise l'outil **Point**.
Clique sur l'écran en trois endroits pour construire trois points.
Utilise l'outil **Texte**. **A**
Clique sur chaque point pour désigner les points A, B et C.

3. Avec l'outil **Flèche de sélection**, sélectionne les points A et B.
Dans le menu **Construction**, sélectionne **Segment**.
Utilise l'outil **Texte**.
Double-clique sur le segment de droite BC et appelle-le *a*.
Double-clique sur le segment de droite AC et appelle-le *b*.
Double-clique sur le segment de droite AB et appelle-le *c*.

Utilise l'outil **Flèche de sélection** et clique dans un espace vide pour désélectionner les objets.

4. Avec l'outil **Flèche de sélection**, sélectionne le côté *a*. 
Dans le menu **Mesures**, sélectionne **Longueur**.
La valeur de *a* est affichée.

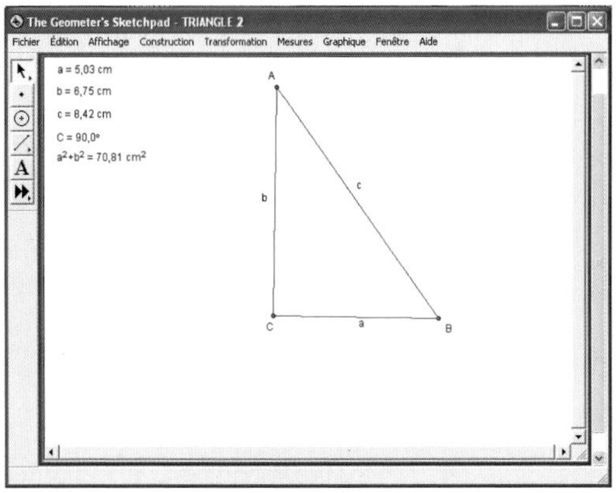

5. Désélectionne les objets. Répète l'étape 4 pour les côtés *b* et *c*.

6. Avec l'outil **Flèche de sélection**, sélectionne les points A, C et B dans cet ordre.
Dans le menu **Mesures**, sélectionne **Angle**.
La mesure de $\angle$C sera affichée et nommée m$\angle$ACB=.
Pour changer ce nom, double-clique dessus à l'aide de l'outil **Texte**. Saisis C comme nouveau nom.
Ensuite, clique sur **OK**.

7. Avec l'outil **Flèche de sélection**, fais glisser le point C afin de donner à $\angle$C une mesure aussi proche que possible de 90°.
Dans le menu **Mesures**, sélectionne **Calcul**.
Clique sur la valeur de *a* puis sur les touches $\boxed{\wedge}$ 2 $\boxed{+}$.
Clique sur la valeur de *b* puis sur les touches $\boxed{\wedge}$ 2. Clique sur **OK**.
Dans le menu **Mesures**, sélectionne **Calcul**.
Clique sur la valeur de *c* puis sur les touches $\boxed{\wedge}$ 2. Clique sur **OK**.

Ton écran devrait ressembler à l'écran ci-dessus, mais présenter des mesures différentes de côtés et d'angles.

8. Le calcul de $a^2 + b^2$ et de c^2 correspond-il au théorème de Pythagore pour ce triangle ? Explique ton raisonnement.

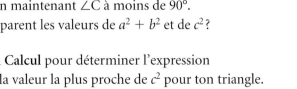

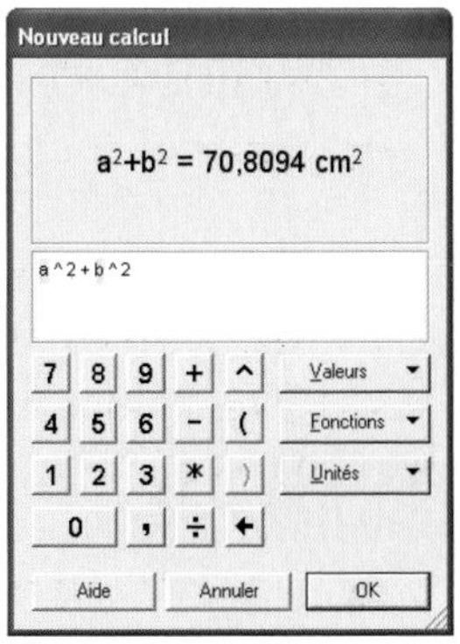

9. Fais glisser un sommet du triangle pour changer les valeurs de *a* et de *b* tout en conservant $\angle C = 90°$.
Le théorème de Pythagore tient-il toujours ?

10. Fais glisser le point C afin que $\angle$C soit inférieur à 90°.
Le théorème de Pythagore tient-il toujours ?
Comment se comparent les valeurs de $a^2 + b^2$ et de c^2 ?

11. Fais glisser un sommet du triangle pour changer les valeurs de *a* et de *b* tout en maintenant $\angle$C à moins de 90°.
Comment se comparent les valeurs de $a^2 + b^2$ et de c^2 ?

12. Utilise la fonction **Calcul** pour déterminer l'expression qui correspond à la valeur la plus proche de c^2 pour ton triangle.
$a^2 + b^2 - 2ab \sin C$ $\quad$ $a^2 + b^2 - 2ab \cos C$ $\quad$ $a^2 + b^2 - 2ab \tan C$

13. Change la taille et la forme de ton triangle tout en maintenant $\angle$C à moins de 90°.
La même expression donne-t-elle le résultat le plus proche de c^2 ?

Dresser un tableau

Tu auras besoin d'un rapporteur et d'une calculatrice scientifique.

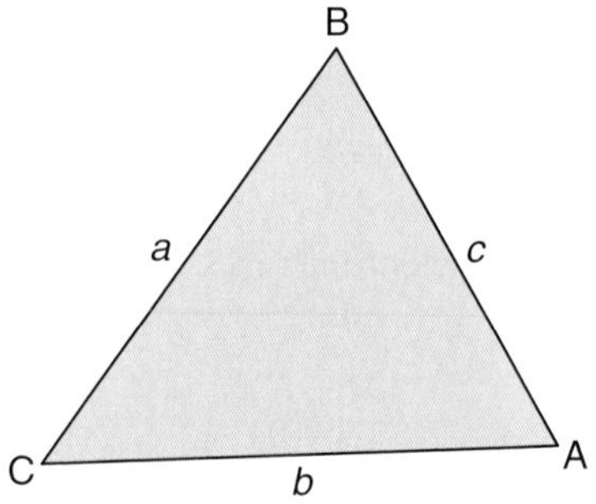

1. Dessine un triangle aussi grand que possible dont les trois angles sont aigus.
   Désigne les côtés et les angles de ton triangle comme dans la figure ci-contre.

2. Mesure les côtés de ton triangle au dixième de centimètre près.
   Mesure $\angle C$ au degré près.

3. Recopie ce tableau et ajoutes-y six colonnes vides.
   Écris tes données dans les quatre premières rangées.
   Dans les colonnes vides, écris les données de cinq camarades de classe.

4. Calcule les valeurs demandées dans les cinq rangées suivantes.

Triangle dessiné par :		
Longueur de a		
Longueur de b		
Longueur de c		
Mesure de $\angle C$		
$a^2 + b^2$		
c^2		
$a^2 + b^2 - 2ab \sin C$		
$a^2 + b^2 - 2ab \cos C$		
$a^2 + b^2 - 2ab \tan C$		

5. Selon le théorème de Pythagore, si $\angle C = 90°$, $a^2 + b^2 = c^2$.
   Dans ton triangle, $\angle C$ est inférieur à 90°.
   Le théorème de Pythagore se vérifie-t-il dans ton triangle ?
   Se vérifie-t-il dans les triangles de tes camarades ?

6. Regarde les autres expressions que tu as calculées.
   Laquelle est proche de la valeur de c^2 pour ton triangle ?
   La même relation est-elle vraie dans les triangles de tes camarades ?

Réfléchis

- La loi du cosinus établit la relation suivante :
  $c^2 = a^2 + b^2 - 2ab \cos C$
  En quoi ta recherche vérifie-t-elle la loi du cosinus ?
- Ta recherche établit-elle une relation entre c^2 et $a^2 + b^2 - 2ab \sin C$ ou entre c^2 et $a^2 + b^2 - 2ab \tan C$?
  Justifie ta réponse.
- As-tu utilisé Cybergéomètre ou dressé un tableau ?
  Nomme un avantage ou un inconvénient de cet outil.

1.6 Appliquer la loi du cosinus

En arpentage, il faut déterminer des distances qu'on ne peut pas mesurer directement.

Explore — Résoudre un problème à l'aide de la loi du cosinus

Tu auras besoin d'une calculatrice scientifique.

Une arpenteuse-géomètre doit déterminer la longueur de la gorge qui sépare deux montagnes.
Elle se tient en un point situé à 2,3 km de l'extrémité nord de la gorge et à 1,9 km de l'extrémité sud.
L'arpenteuse-géomètre utilise un tachéomètre pour établir à 73° la mesure de l'angle formé par les deux lignes de visée.

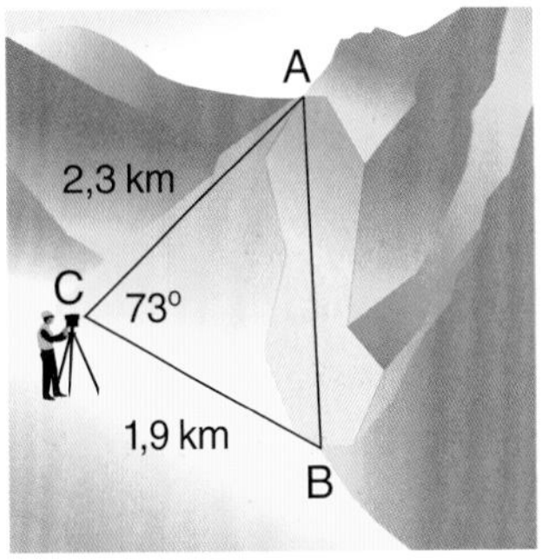

Discute des questions suivantes avec une ou un camarade.

- Quel segment de droite représente la longueur de la gorge?
- Peut-on utiliser la loi des sinus pour déterminer cette longueur? Pourquoi?
- Peut-on utiliser la loi du cosinus pour déterminer la longueur de la gorge? Pourquoi?
- Individuellement, déterminez la longueur de la gorge. Comparez ensuite vos stratégies et vos solutions.

Réfléchis

- Explique la stratégie que tu as utilisée pour résoudre ce problème.
- Tes résultats sont-ils raisonnables? Comment le sais-tu?

Fais des liens

La loi du cosinus

La loi du cosinus établit des relations entre les côtés et les angles d'un triangle.

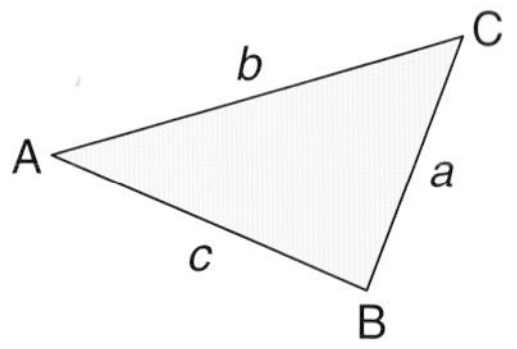

Dans tout ΔABC,

$$c^2 = a^2 + b^2 - 2ab \times \cos C$$

Le carré d'un côté quelconque est égal à la somme des carrés des deux autres côtés moins (deux fois le produit de ces côtés fois le cosinus de l'angle qu'ils forment.)

Les villages de Rockcliff et de Sutton sont séparés par une montagne. Un tunnel ferroviaire rectiligne doit être construit pour relier les villages.

Rockcliff, R, se trouve à 7,1 km de Treyford, T.
Sutton, S, est à 6,9 km de Treyford.
L'angle que forment les droites reliant chaque village à Treyford mesure 40°.

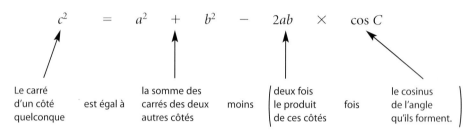

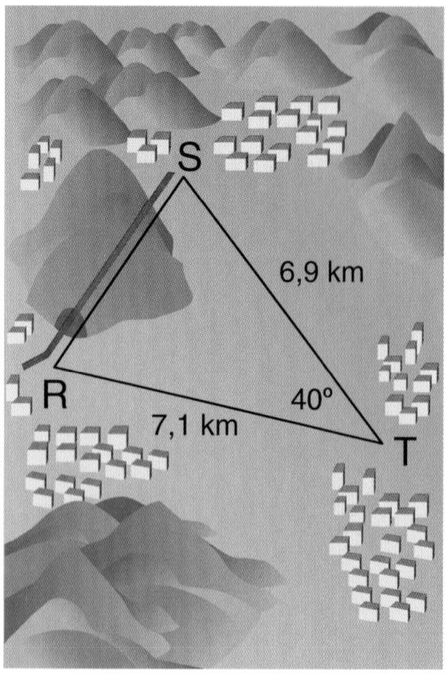

Quelle distance y a-t-il entre Rockcliff et Sutton, au dixième de kilomètre près?

Utilise la loi du cosinus.

Dans le ΔRST, tu connais les valeurs de r et de s et la mesure de l'angle qu'ils forment, $\angle T$.
Détermine la valeur de t.
Écris la loi du cosinus pour r, s, t et $\angle T$.
$t^2 = r^2 + s^2 - 2rs \cos T$

Résous l'équation.

Effectue les substitutions: $r = 6{,}9$, $s = 7{,}1$, $\angle T = 40°$

$t^2 = 6{,}9^2 + 7{,}1^2 - 2 \times 6{,}9 \times 7{,}1 \times \cos 40°$

$t^2 \doteq 22{,}963$ Calcule la racine carrée de chaque membre pour déterminer t.

$\sqrt{t^2} = \sqrt{22{,}963}$

$t \doteq 4{,}79$

Le tunnel mesurera environ 4,8 km de longueur.

Exercices

Dans tes réponses, arrondis tes mesures d'angles au degré près.

1. Parmi les triangles donnés, nomme celui dont la longueur inconnue peut être déterminée à l'aide de chaque formule. Explique pourquoi la formule de ton choix est la bonne.

a) $c^2 = a^2 + b^2 - 2ab \cos C$

b) $b^2 = a^2 + c^2 - 2ac \cos B$

c) $a^2 = b^2 + c^2 - 2bc \cos A$

I)

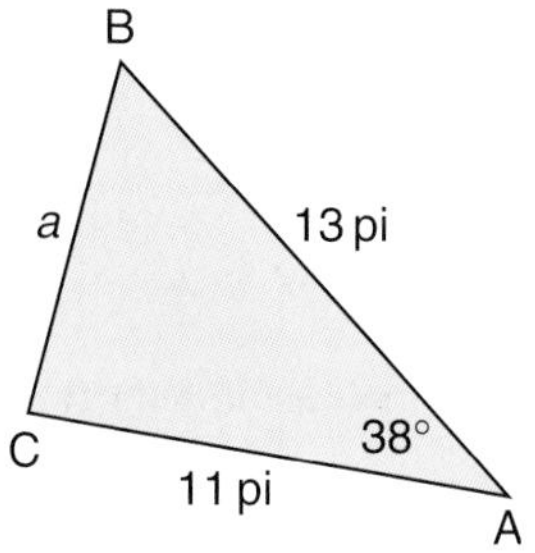

II)

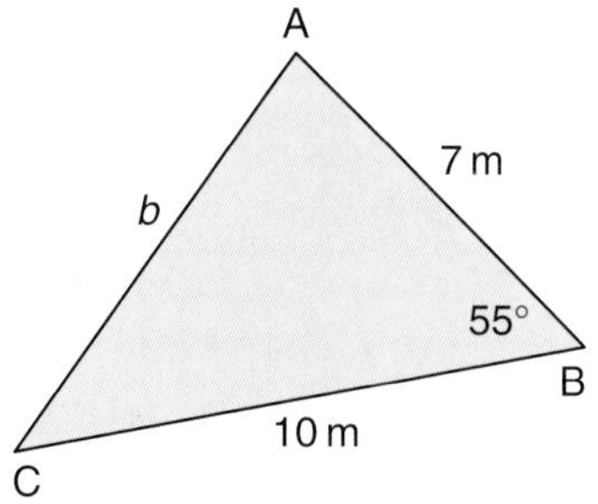

III)

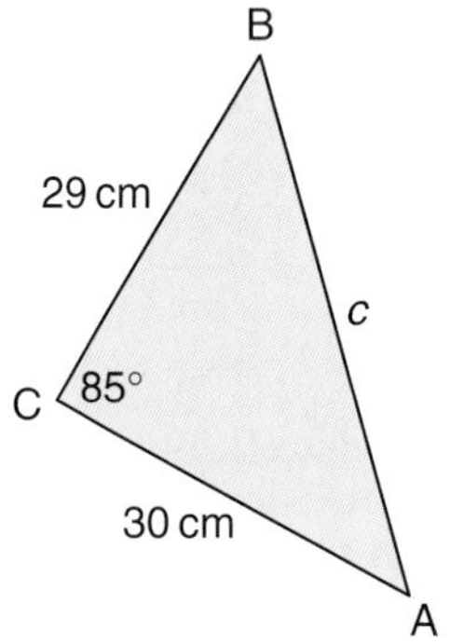

2. Écris la formule que tu utiliserais pour déterminer la longueur du côté inconnu de chaque triangle. Explique pourquoi la formule de ton choix est la bonne.

a)

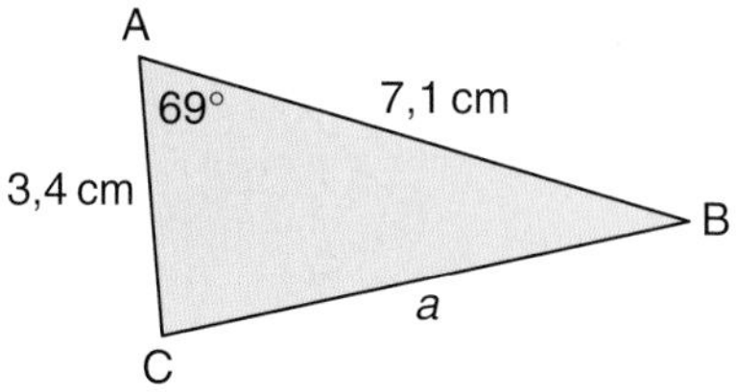

b)

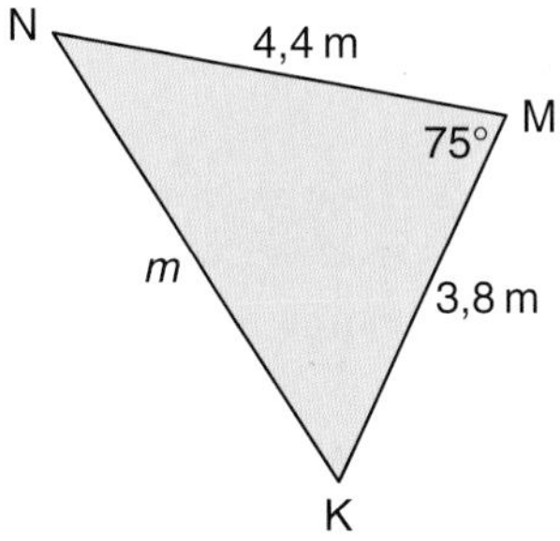

c)

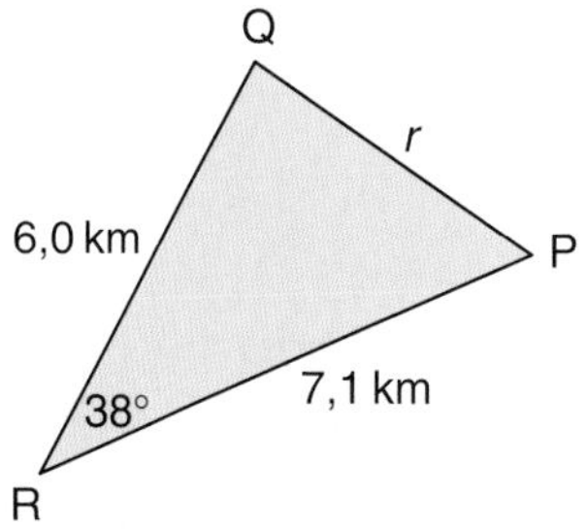

3. Détermine la longueur du côté inconnu de chaque triangle.

a)

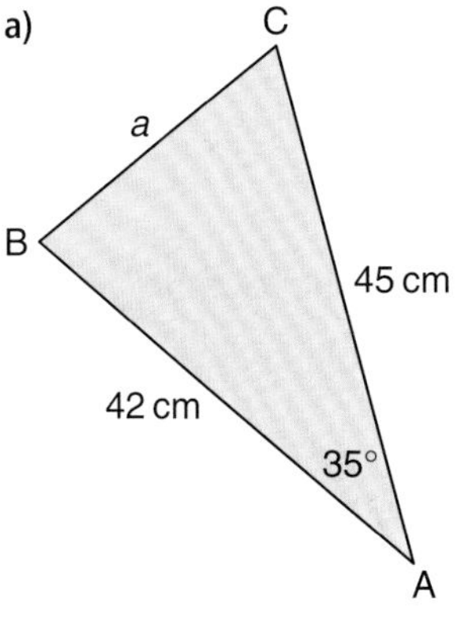

b)

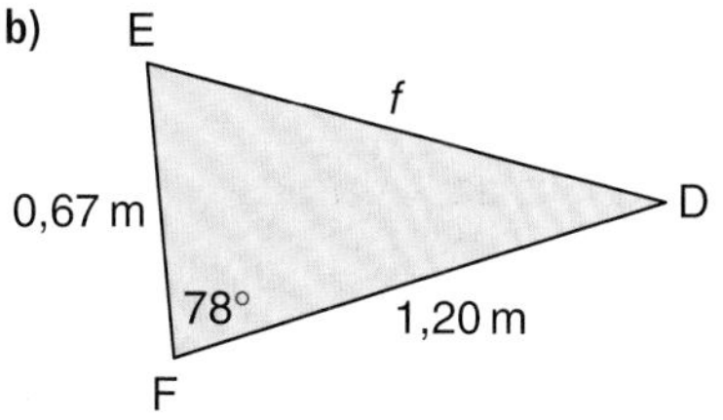

c)

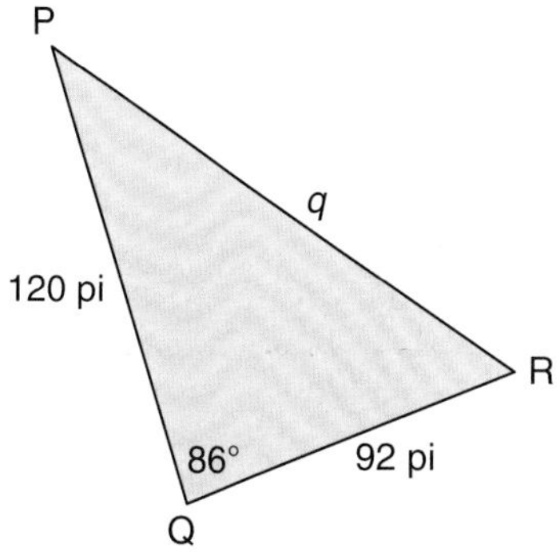

4. Une randonneuse franchit 4,9 km plein nord depuis son aire de camping. Puis, elle franchit 5,8 km à 110° de relèvement. À quelle distance de l'aire de camping se trouve-t-elle maintenant?

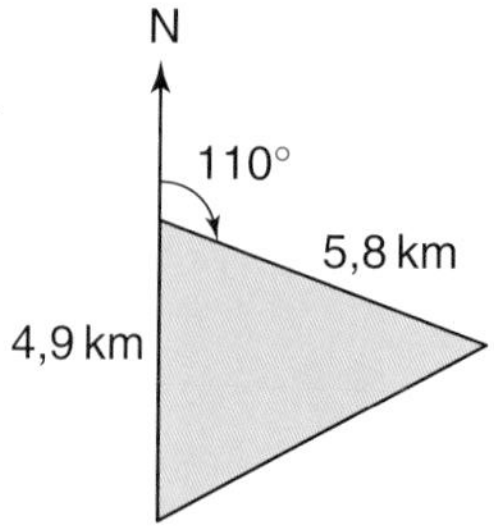

Quand tu connais les longueurs des trois côtés d'un triangle, tu peux utiliser la loi du cosinus pour déterminer la mesure de tout angle du triangle.

Exemple

Détermine la mesure de ∠A du ΔABC au degré près.

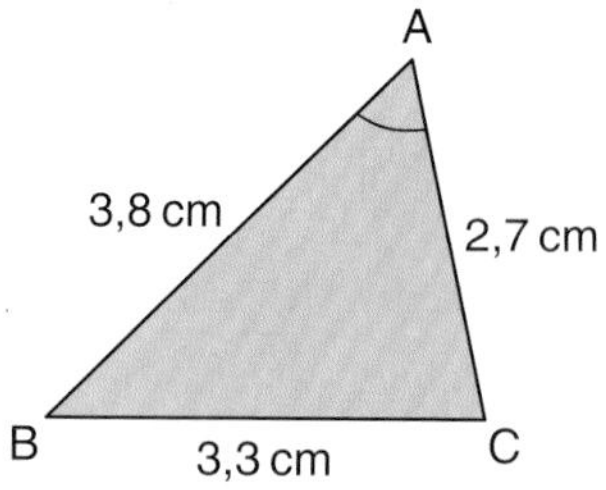

Solution

Utilise la formule de la loi du cosinus avec a^2 à gauche et cos A à droite.

$$a^2 = b^2 + c^2 - 2bc \cos A$$

Effectue les substitutions : $a = 3{,}3$, $b = 2{,}7$, $c = 3{,}8$

Rappelle-toi la priorité des opérations.

$3{,}3^2 = 2{,}7^2 + 3{,}8^2 - (2 \times 2{,}7 \times 3{,}8 \cos A)$

$10{,}89 = 21{,}73 - 28{,}08 \cos A$ Soustrais 21,73 de chaque membre.

$10{,}89 - 21{,}73 = 21{,}73 - 20{,}52 \cos A - 21{,}73$

$-10{,}84 = -20{,}52 \cos A$ Divise chaque membre par –20,52.

$\frac{-10{,}84}{-20{,}52} = \cos A$ Appuie sur [2nd] [COS] 10.84 [÷] 20.52 [)] [=]

$\angle A \doteq 58{,}112°$

∠A mesure environ 58°.

5. Écris la formule que tu utiliserais pour déterminer la mesure de l'angle indiqué dans chaque triangle. Ensuite, détermine cette mesure.

a) $\angle A$

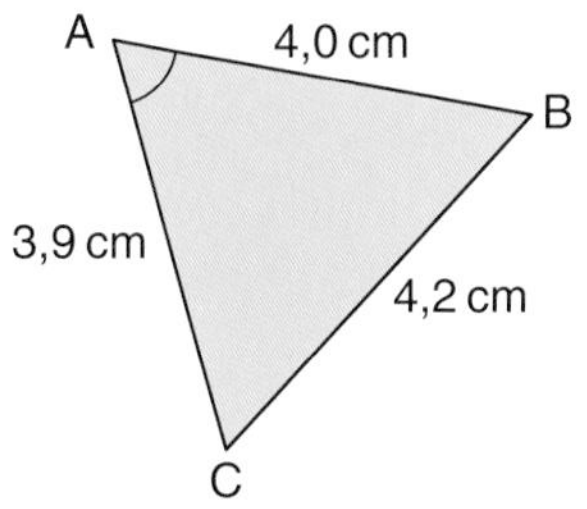

b) $\angle B$

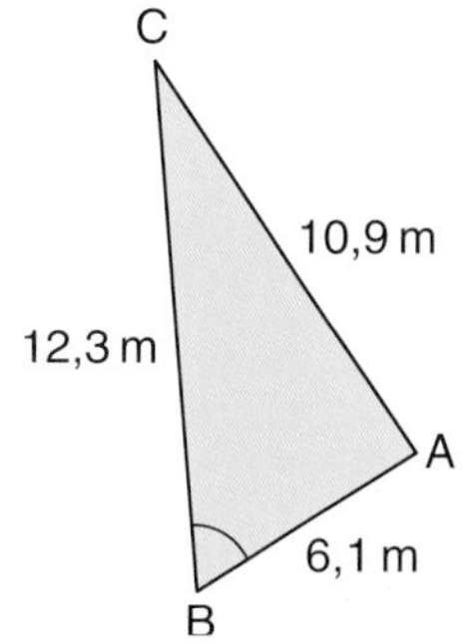

c) $\angle C$

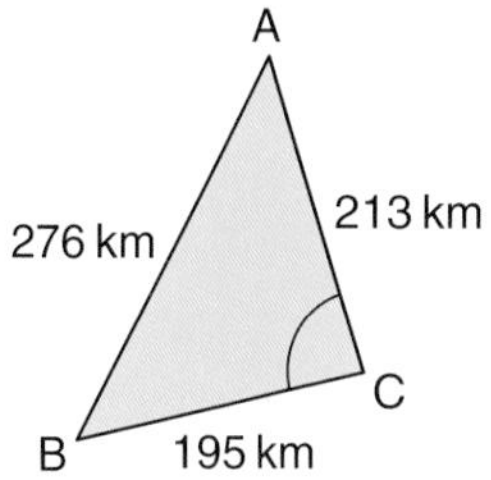

6. Supposons que, sous la rubrique *Explore* de la page 33, tu aies su que la longueur de la gorge était de 2,5 km mais pas que $\angle C = 73°$. Comment aurais-tu déterminé la mesure de $\angle C$?

7. a) Crée un problème au sujet de la gorge de la rubrique *Explore*.
b) Résous ton problème.
c) Explique la méthode que tu as utilisée pour créer ton problème.
d) Échange ton problème avec une ou un camarade. Résous le problème reçu.

8. Fais le point À une distance de 250 verges d'un trou, un golfeur frappe un coup de départ en crochet. La balle atterrit à 225 verges du tertre de départ mais à 33° de la trajectoire souhaitée, comme le montre le schéma.
a) Détermine la distance entre la balle et le trou, à la verge près.
b) Le golfeur frappe son coup suivant en ligne directe vers le trou. La balle franchit 121 verges. Atteindra-t-elle le trou? Si oui, explique comment tu le sais. Sinon, à quelle distance du trou s'arrêtera-t-elle, à la verge près?
c) Justifie ta solution.

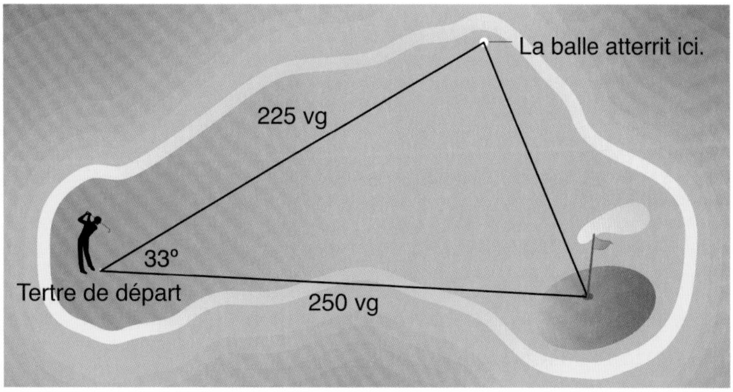

9. Le schéma représente deux avions approchant d'une tour de contrôle.
Le premier avion, A, est à 105 km de la tour, T, à 040° de relèvement.
Le deuxième avion, B, est à 220 km de la tour, à 115° de relèvement.

a) Quelle est la mesure de ∠ATB ?

b) Quelle distance sépare les deux avions ?

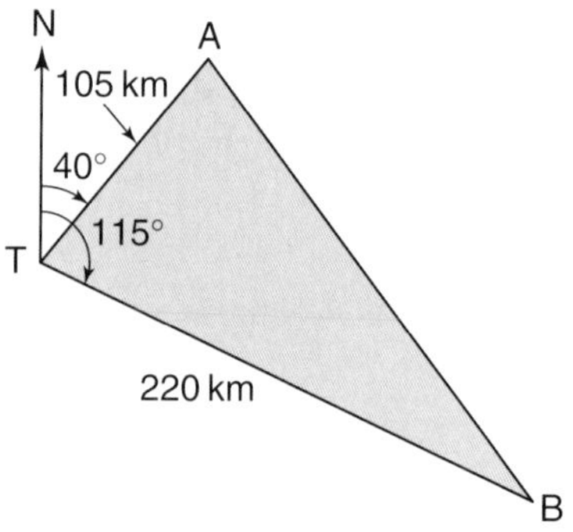

10. Une garde forestière aperçoit un feu de forêt. Le feu, F, se trouve à 4,8 mi de sa tour d'observation, T, à 304° de relèvement. La garde forestière appelle une station du service de la protection des forêts, S. La station se trouve à 8,9 mi de la tour, à 219° de relèvement.

a) Quelle est la mesure de ∠FTS ?

b) À quelle distance de la station, S, se trouve le feu, F ?

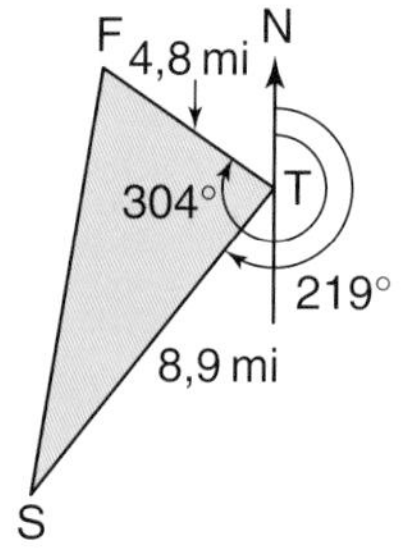

11. **Relève le défi** En quoi la loi du cosinus et le théorème de Pythagore sont-ils semblables ? En quoi sont-ils différents ?
Accompagne ta réponse de schémas.

Dans tes mots

Les longueurs de deux côtés d'un triangle sont connues.
De quelles autres données as-tu besoin pour pouvoir utiliser la loi du cosinus ?
Explique deux solutions possibles.
Décris deux façons d'utiliser ce manuel pour te renseigner sur la loi du cosinus.

1.7 La loi des sinus et la loi du cosinus

Avant de résoudre un problème de triangle acutangle, tu dois parfois choisir entre utiliser la loi des sinus et utiliser la loi du cosinus.

Explore — Choisir entre la loi des sinus et la loi du cosinus

Travaille avec une ou un camarade.
Vous aurez besoin d'une calculatrice scientifique.

Le plan de construction d'un porche qu'Anaïs utilise n'indique que certaines des mesures nécessaires pour les morceaux de bois.

- Anaïs a besoin de la longueur de *b*, dans le ΔABC, de la mesure de ∠D, dans le ΔDEF, de la longueur de *z*, dans le ΔXYZ, et de la mesure de ∠Q, dans le ΔPQR.
- Dites si elle devrait utiliser la loi des sinus ou la loi du cosinus pour déterminer chaque mesure. Pour chaque triangle, écrivez la loi de votre choix et les mesures connues.

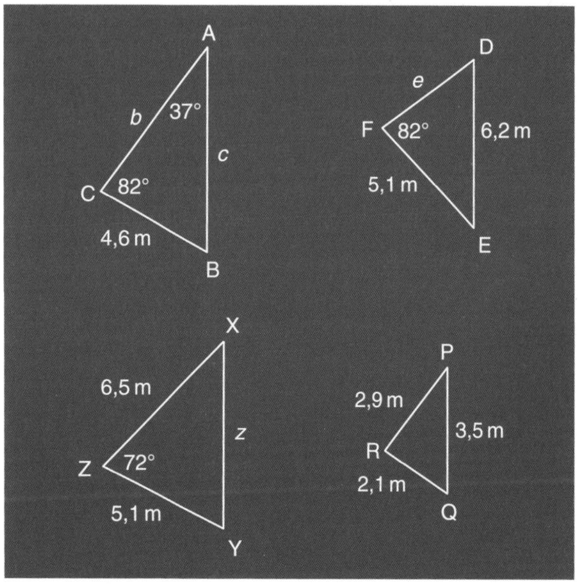

Réfléchis

- Justifie chacun de tes choix concernant la loi à utiliser.
- Est-il nécessaire de trouver la valeur de chaque mesure pour savoir si tu as choisi la bonne loi ? Explique ta réponse.

Fais des liens

La loi des sinus

Pour un ΔABC quelconque
Utilise la loi des sinus lorsque :

➢ tu connais les mesures de deux des angles et la longueur d'un côté quelconque ;

$$\frac{a}{\sin A} = \frac{b}{\sin B} = \frac{c}{\sin C}$$

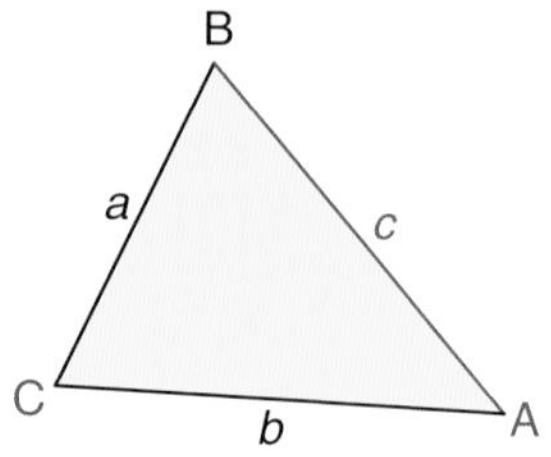

Quand tu connais les mesures de deux des angles d'un triangle, tu peux calculer la mesure du troisième angle. La somme des mesures des angles d'un triangle est de 180°.

➢ tu connais les longueurs de deux des côtés et la mesure d'un angle qui n'est pas formé par ces côtés.

$$\frac{\sin A}{a} = \frac{\sin B}{b} = \frac{\sin C}{c}$$

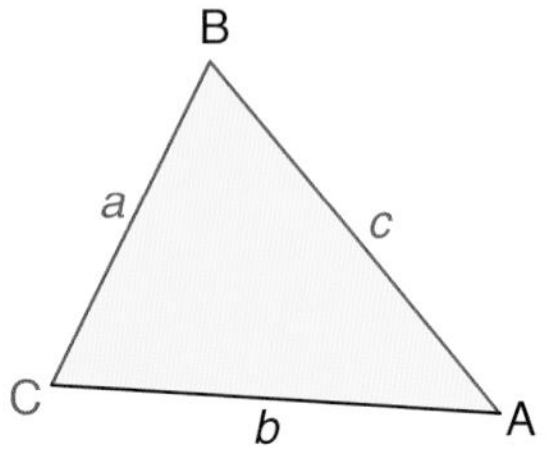

La loi du cosinus

Utilise la loi du cosinus lorsque :

➢ tu connais les longueurs de deux des côtés et la mesure de l'angle qu'ils forment ;

$$b^2 = a^2 + c^2 - 2ac \cos B$$

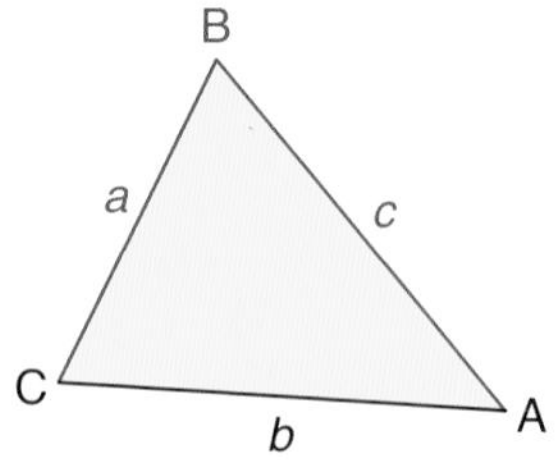

➢ tu ne connais que la longueur des trois côtés.

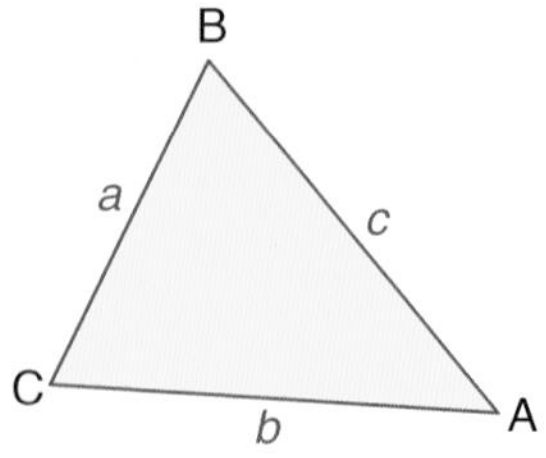

Écris la loi du cosinus d'une autre façon.

Trouve la valeur de cos A dans $a^2 = b^2 + c^2 - 2bc \cos A$.
Détermine ensuite la mesure d'un angle.

$a^2 = b^2 + c^2 - 2bc \cos A$ Additionne $2bc \cos A$ à chaque membre.

$a^2 + 2bc \cos A = b^2 + c^2 - 2bc \cos A + 2bc \cos A$

$a^2 + 2bc \cos A = b^2 + c^2$ Soustrais a^2 de chaque membre.

$a^2 + 2bc \cos A - a^2 = b^2 + c^2 - a^2$

$2bc \cos A = b^2 + c^2 - a^2$ Divise chaque membre par $2bc$.

$$\frac{2bc \cos A}{2bc} = \frac{b^2 + c^2 - a^2}{2bc}$$

$$\cos A = \frac{b^2 + c^2 - a^2}{2bc}$$

Remarque la position de *A* et de *a* dans la formule.

Max conçoit un piédestal en bois à dessus triangulaire. Les côtés du triangle mesurent 45 cm, 60 cm et 70 cm.
Pour fabriquer le triangle,
Max doit connaître les mesures des angles.

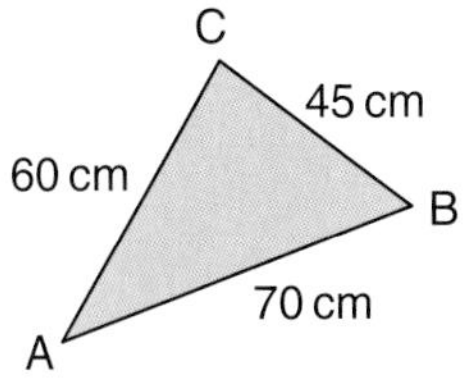

Choisis la loi des sinus ou la loi du cosinus.

Comme il connaît les longueurs des côtés,
il peut utiliser la loi du cosinus pour mesurer les angles.

Pour déterminer la mesure de ∠B,
écris la loi du cosinus :

$$\cos B = \frac{a^2 + c^2 - b^2}{2ac}$$

Effectue les substitutions : $a = 70$, $c = 45$ et $b = 60$

$$\cos B = \frac{70^2 + 45^2 - 60^2}{2 \times 70 \times 45}$$

Appuie sur (70 x^2 + 45 x^2 − 60 x^2) ÷ (2 × 70 × 45) =

$\cos B \doteq 0{,}5278$

$\angle B \doteq 58{,}1$

∠B mesure environ 58°.

Exercices

1. Détermine les mesures inconnues du problème de la rubrique *Explore* de la page 39.

2. Écris l'équation que tu utiliserais pour déterminer le cosinus de chacun des angles de ce triangle.

a) ∠Q

b) ∠R

c) ∠P

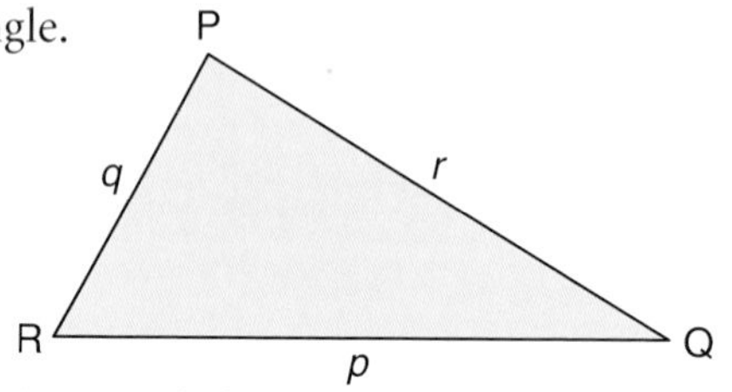

3. Précise si tu utiliserais la loi des sinus ou la loi du cosinus pour déterminer la mesure indiquée dans chaque triangle. Justifie tes choix.

a) *b*

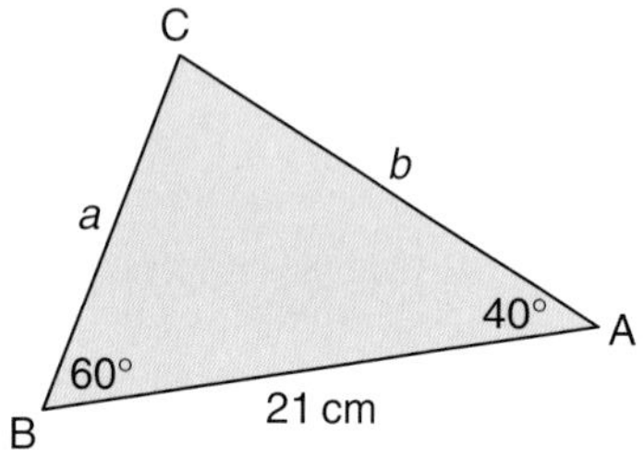

b) ∠X

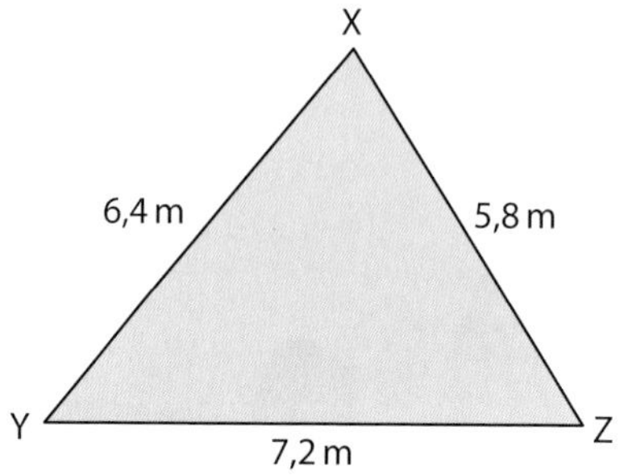

4. Détermine la mesure de ∠A des triangles pour lesquels tu peux utiliser la loi du cosinus. Explique pourquoi tu ne peux pas utiliser la loi du cosinus pour l'autre triangle. Quelle autre stratégie pourrais-tu utiliser pour trouver ∠A de ce triangle ?

a)

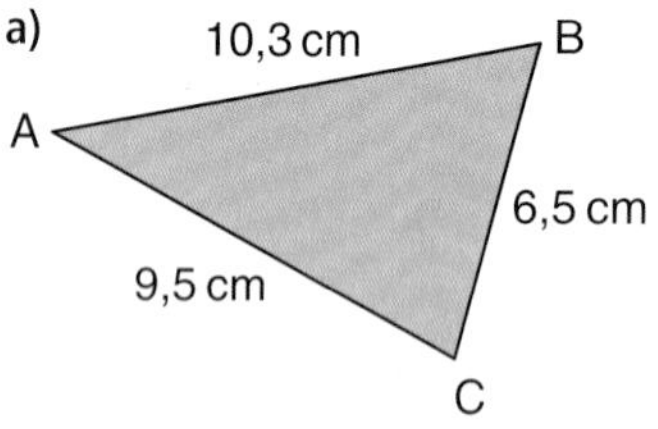

b)

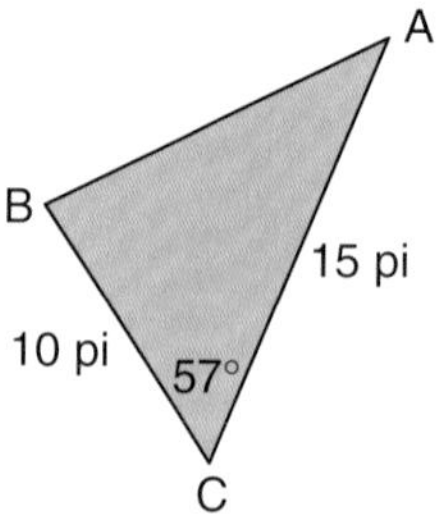

c)

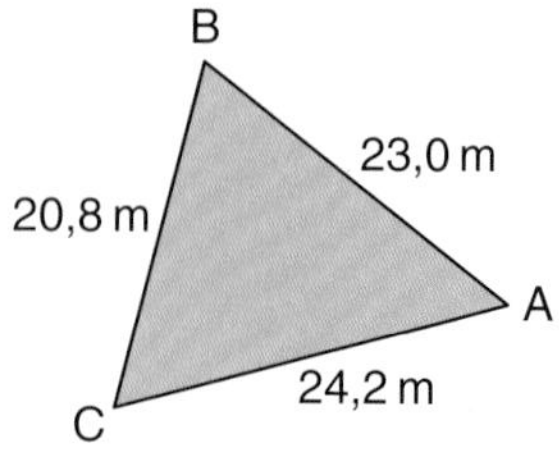

5. Pour chaque schéma, écris une équation qui te permettrait de déterminer la mesure inconnue. Ensuite, calcule cette mesure.

a) ∠B

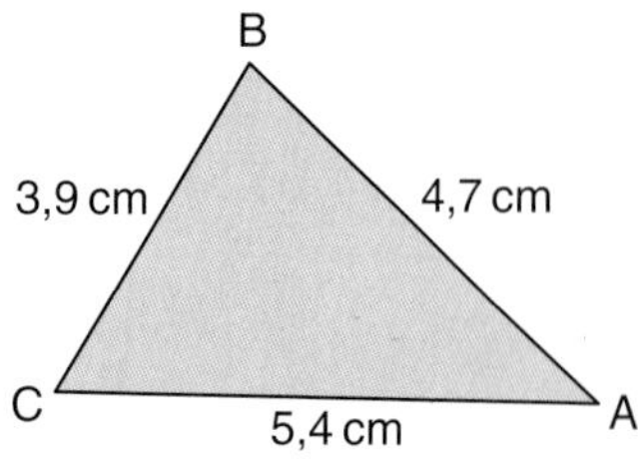

b) ∠C

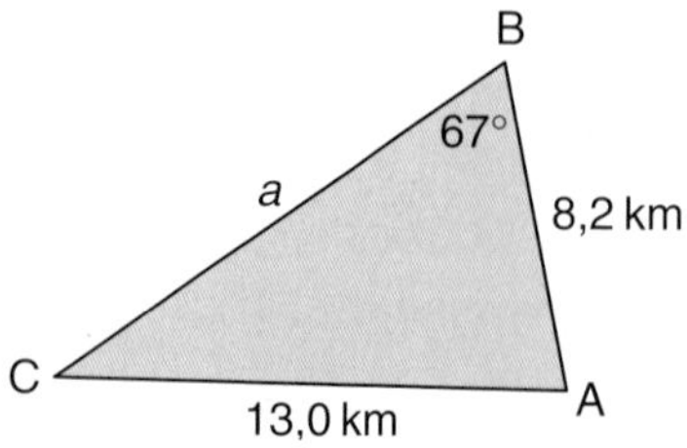

c) *c*

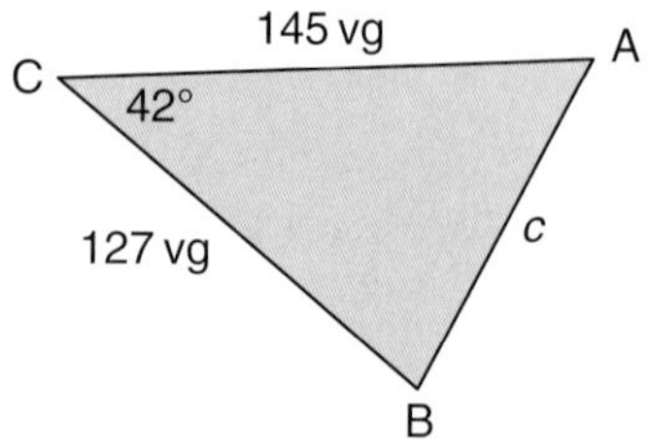

6. Fais le point Un avion, P, se trouve à 320 km de sa destination, D. À cause du mauvais temps, l'avion est dérouté vers un aéroport, A, situé à 250 km de sa destination initiale, D. Le pilote change son relèvement de 060° à 103°. Quelle distance sépare l'avion de l'aéroport, A ? Explique comment tu as déterminé la loi à utiliser.

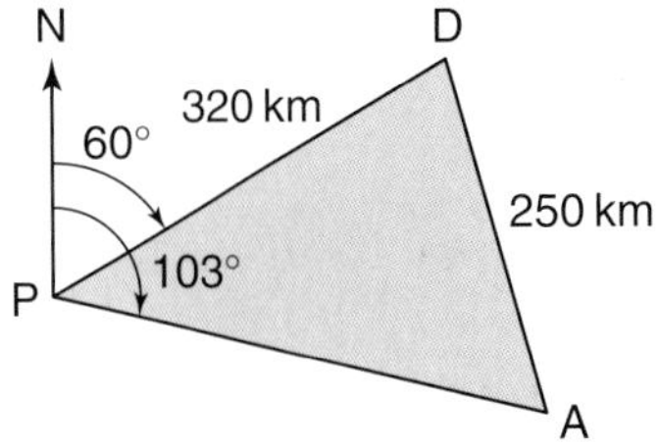

Il faut parfois utiliser plus d'une loi trigonométrique pour résoudre un problème, en particulier quand le problème porte sur deux triangles.

Exemple

Détermine les valeurs de x et de y.

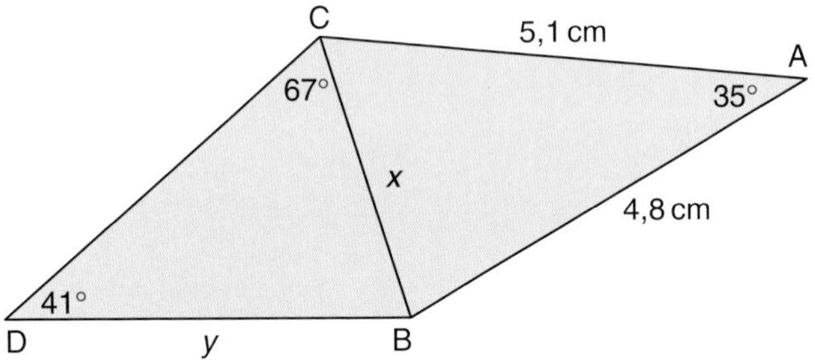

Solution

Utilise la loi du cosinus pour déterminer la valeur de x.

$a^2 = b^2 + c^2 - 2bc \cos A$

Effectue les substitutions : $a = x$, $b = 5{,}1$, $c = 4{,}8$, $\angle A = 35°$

$x^2 = 5{,}1^2 + 4{,}8^2 - 2 \times 5{,}1 \times 4{,}8 \times \cos 35°$

$x^2 \doteq 8{,}9443$ Calcule la racine carrée de chaque membre pour

$\sqrt{x^2} = \sqrt{8{,}9443}$ déterminer x.

$x \doteq 2{,}99070$

Rappelle-toi la priorité des opérations.

Pour déterminer la valeur de y, utilise la loi des sinus.

$$\frac{c}{\sin C} = \frac{d}{\sin D}$$

Effectue les substitutions : $c = y$, $d = x = 2{,}9907$, $\angle C = 67°$, $\angle D = 41°$

$\frac{y}{\sin 67°} = \frac{2{,}9907}{\sin 41°}$ Multiplie chaque membre par sin 67°.

$$\frac{y}{\sin 67°} \times \sin 67° = \frac{2{,}9907}{\sin 41°} \times \sin 67°$$

$$y = \frac{2{,}9907}{\sin 41°} \times \sin 67°$$

$$y \doteq 4{,}196$$

Arrondis la valeur de x à une décimale après l'avoir calculée.

La valeur de x est d'environ 3,0 cm, et la valeur de y est d'environ 4,2 cm.

7. Détermine les mesures de ∠CBD, de ∠CDB, du côté *d* et du côté *b*.

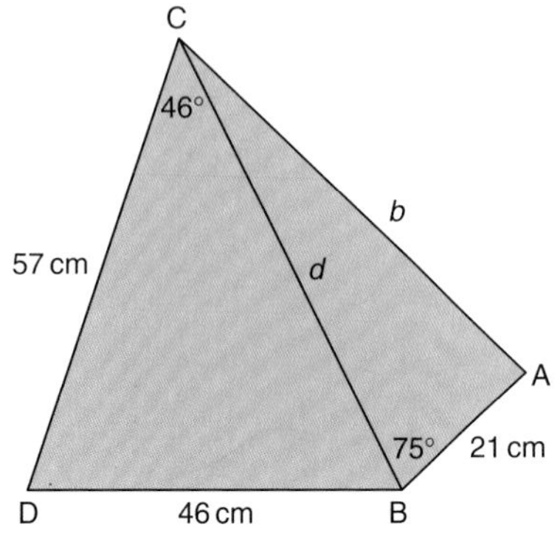

8. Le cerf-volant de Pablo est représenté ci-dessous.

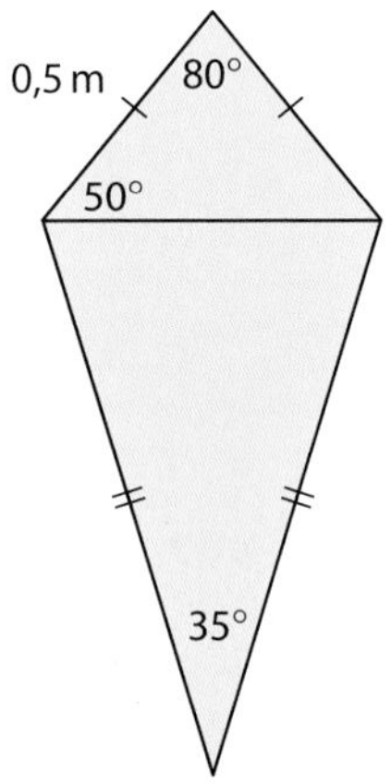

a) Quelle est la largeur du cerf-volant, au centième près ?

b) Les deux bords longs du cerf-volant ont la même longueur. Détermine cette longueur.

9. Relève le défi Benjamin et Chloé se tiennent de part et d'autre de la base d'un phare, à 70 pi de distance l'un de l'autre. L'angle d'élévation entre chaque personne et le sommet du phare est de 37° pour Benjamin et de 56° pour Chloé.

a) Quelle est la hauteur du phare ?

b) Explique la stratégie que tu as utilisée pour résoudre ce problème.

Dans tes mots

Thomas dit qu'il détermine toujours les mesures inconnues à l'aide de la loi des sinus, parce qu'elle est facile à employer. Antonin dit que la loi des sinus ne peut pas servir à résoudre tous les problèmes. Qui dit vrai ? Explique comment tu démontrerais à l'autre personne qu'elle a tort.

Révision du chapitre

Ce que je dois savoir

Les rapports trigonométriques primaires : sinus, cosinus et tangente

Soit ∠A d'un triangle rectangle :

$$\sin A = \frac{\text{longueur du côté opposé à } \angle A}{\text{longueur de l'hypoténuse}}$$

$$\cos A = \frac{\text{longueur du côté adjacent à } \angle A}{\text{longueur de l'hypoténuse}}$$

$$\tan A = \frac{\text{longueur du côté opposé à } \angle A}{\text{longueur du côté adjacent à } \angle A}$$

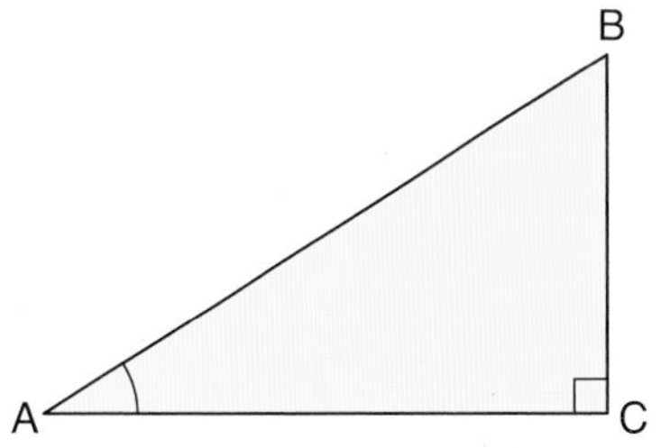

La loi des sinus

Soit un ΔABC acutangle :

$$\frac{a}{\sin A} = \frac{b}{\sin B} = \frac{c}{\sin C}$$

$$\frac{\sin A}{a} = \frac{\sin B}{b} = \frac{\sin C}{c}$$

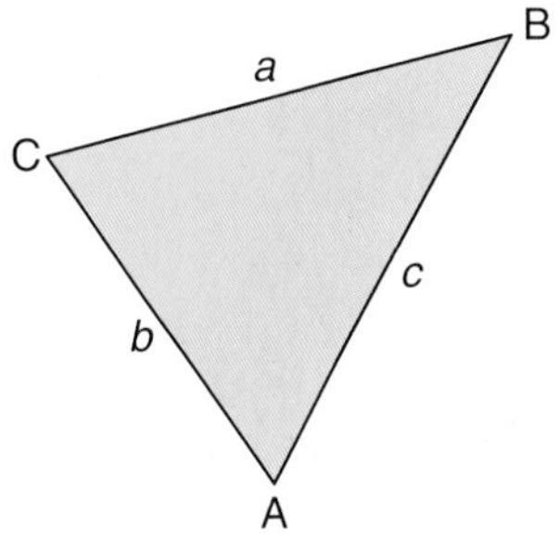

Pour utiliser la loi des sinus, tu dois connaître :

- les longueurs de deux des côtés et la mesure d'un des angles opposés à l'un de ces côtés ;
  ou
- les mesures de deux des angles et la longueur d'un des côtés.

La loi du cosinus

Soit un ΔABC acutangle :

$$c^2 = a^2 + b^2 - 2ab \cos C$$

$$\cos C = \frac{a^2 + b^2 - c^2}{2ab}$$

Pour utiliser la loi du cosinus, tu dois connaître :

- les longueurs de deux des côtés et la mesure de l'angle qu'ils forment ;
  ou
- les longueurs des trois côtés.

Ce que je dois savoir faire

1.1 **1.** Calcule la mesure de chaque côté inconnu. Explique les étapes de ton travail.

a)

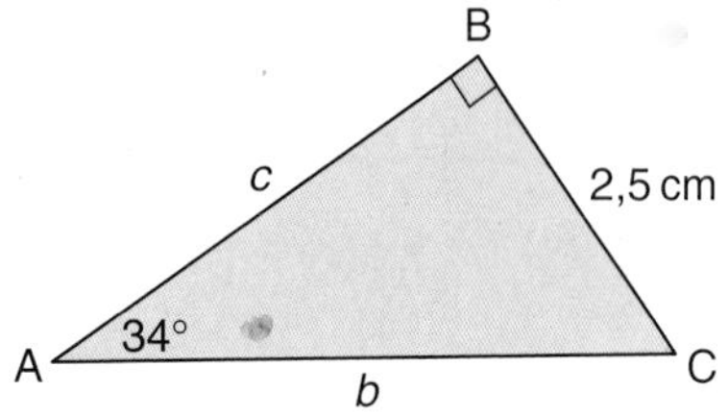

b)

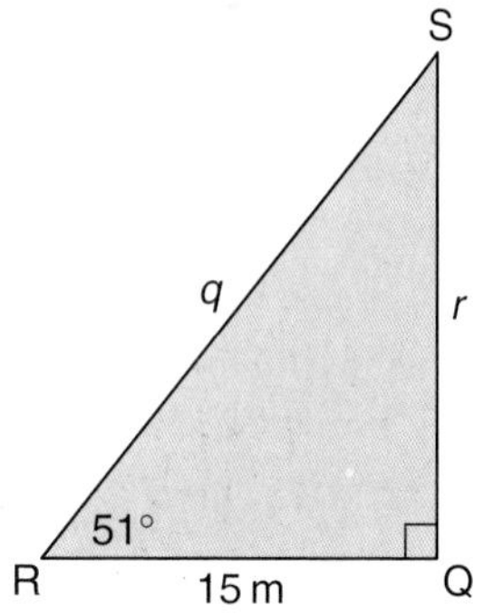

2. Un arbre projette une ombre de 10 m de longueur quand les rayons du soleil forment un angle de 25° avec le sol.

a) Dessine un schéma de la situation.

b) Quelle est la hauteur de l'arbre? Quel rapport trigonométrique as-tu utilisé?

1.2 **3.** Calcule la mesure des angles inconnus. Explique les étapes de ton travail.

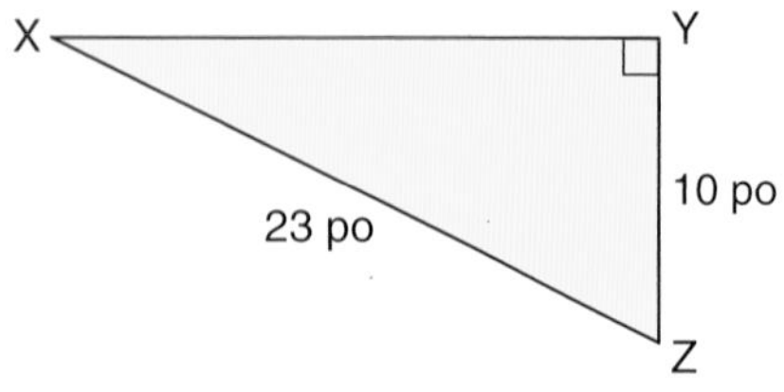

1.3 1.4 **4.** Détermine les mesures des côtés et des angles inconnus.

a)

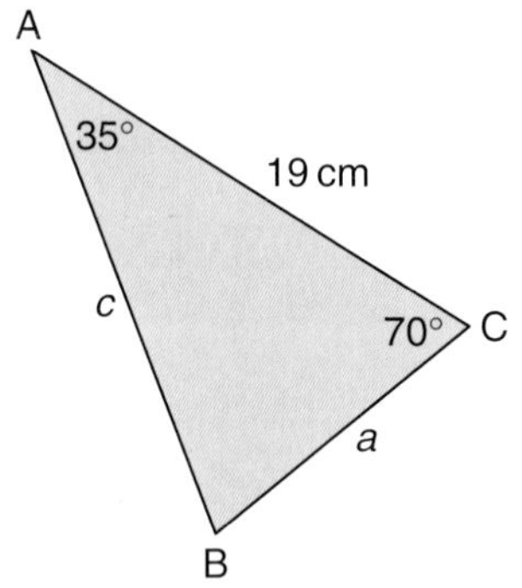

b)

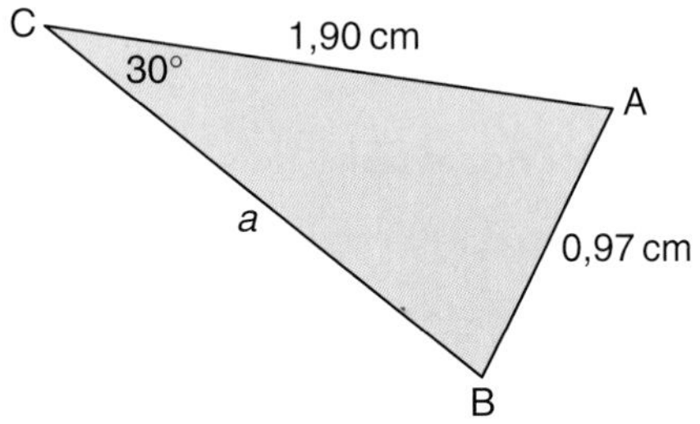

5. Deux gardes forestiers, René et Micheline, observent le même feu de leurs tours respectives. La tour de René est à 19 km exactement à l'est de la tour de Micheline. René voit le feu à 305° de relèvement de sa tour. Micheline voit le feu à 032° de relèvement de sa tour. Quelle distance y a-t-il entre le feu et chaque tour?

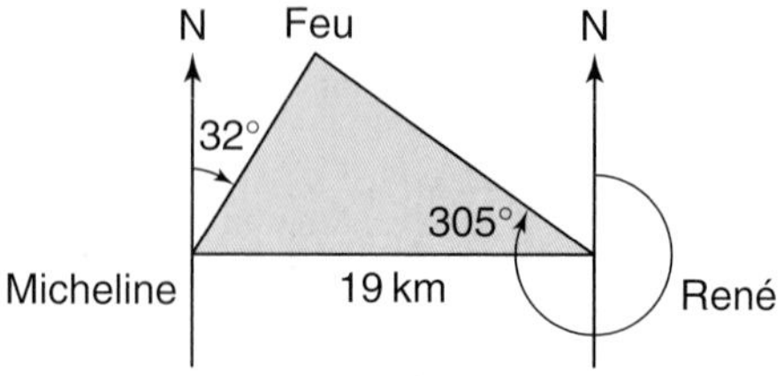

1.5 1.6

6. Détermine les mesures des côtés et des angles inconnus.

a)

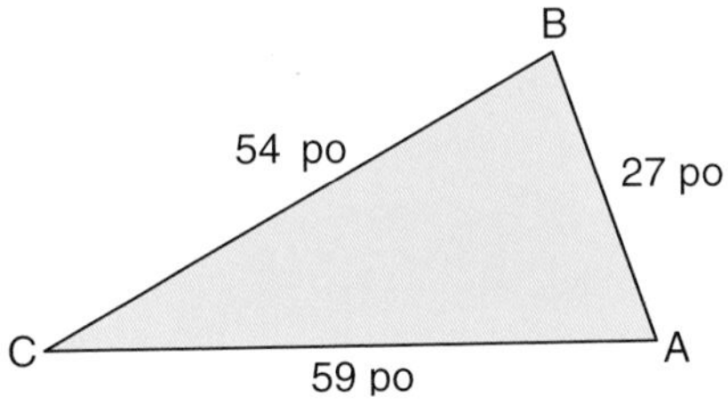

b)

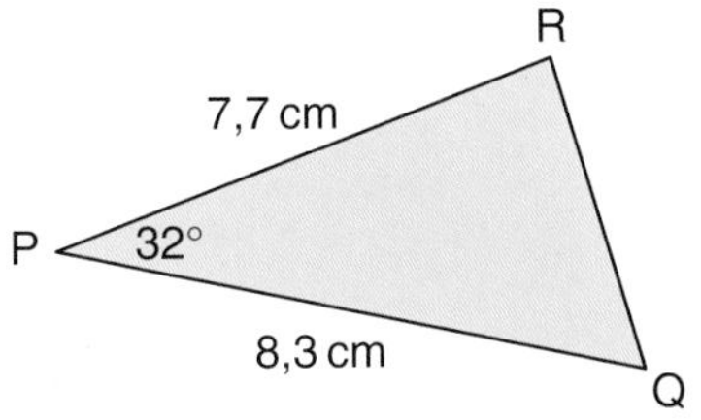

7. Une gare d'autobus se trouve au carrefour de la rue Principale et de la rue King. Les rues forment un angle de 67°. Deux autobus quittent la gare en même temps. Quinze minutes plus tard, un autobus a parcouru 2,5 km sur la rue Principale. L'autre a parcouru 5,0 km sur la rue King. Quelle distance sépare les deux autobus ?

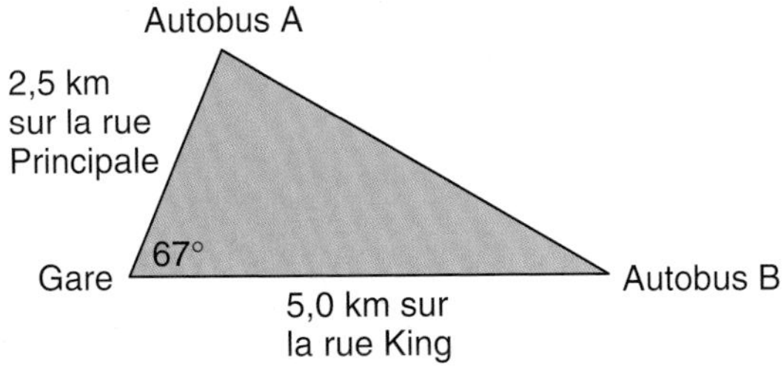

8. Détermine la mesure du plus petit angle d'un triangle dont les côtés mesurent 6 po, 7 po et 9 po.

1.7 Pour chacun des exercices 9 à 11, explique comment tu as déterminé la loi à utiliser.

9. On doit construire un pont, KL, enjambant une rivière. Le point M est à 50 m de L. ∠L mesure 85° et ∠M mesure 35°. Quelle sera la longueur du pont, au mètre près ?

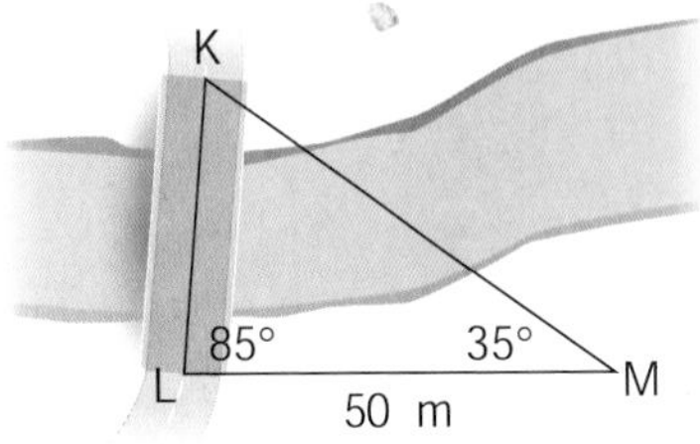

10. Une mine d'or possède deux puits de ventilation partant de la même zone de travail souterraine. Au sol, les évents des puits sont à 3,2 km l'un de l'autre. Un puits mesure 2,1 km de longueur ; l'autre mesure 2,5 km de longueur.

a) Quel est l'angle de dépression de chaque puits ?

b) À quelle profondeur du sol se trouve la zone de travail ?

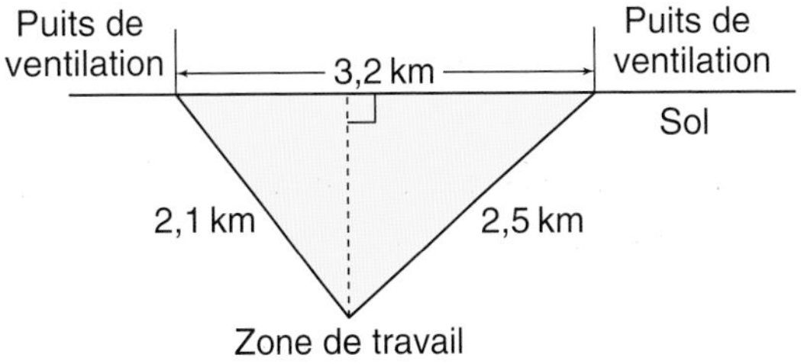

11. Pour mesurer la longueur d'un glacier, une géographe se tient en un point d'où elle voit les deux extrémités du glacier. L'angle formé par les lignes de visée qui vont de la géographe aux extrémités du glacier mesure 62°. La géographe mesure à 250 m et à 215 m les distances qui la séparent des extrémités. Quelle est la longueur du glacier ?

Test

Questions à choix multiple. Choisis les réponses appropriées pour les numéros 1 et 2. Justifie chacun de tes choix.

1. Quel rapport peux-tu utiliser pour déterminer ∠A?

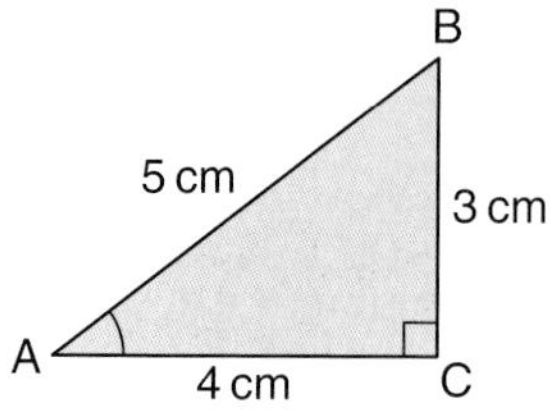

A. $\sin A = \frac{3}{4}$ **B.** $\sin A = \frac{3}{5}$ **C.** $\cos A = \frac{3}{5}$ **D.** $\tan A = \frac{5}{4}$

2. Quel rapport peux-tu utiliser pour déterminer la longueur de a?

A. $\frac{a}{\sin 69°} = \frac{2,9}{\sin 35°}$ **B.** $\frac{a}{\sin 35°} = \frac{2,9}{\sin 69°}$

C. $\frac{a}{\sin 69°} = \frac{2,8}{\sin 35°}$ **D.** $\frac{a}{\sin 35°} = \frac{2,8}{\sin 69°}$

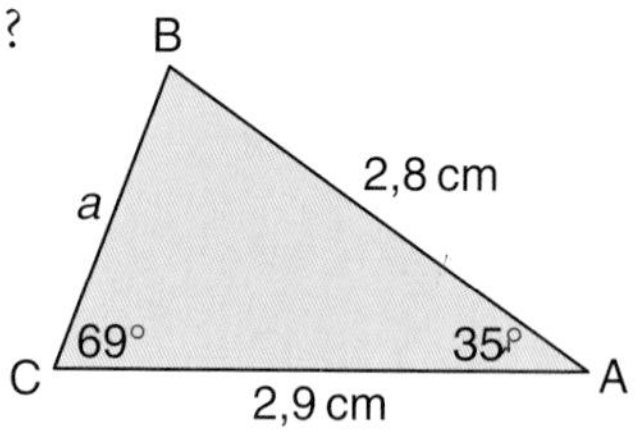

Pour les exercices 3 à 6, indique les étapes de ton travail.

3. Connaissance et compréhension Détermine la mesure du côté b au pied près et les mesures de ∠A et de ∠C au degré près.

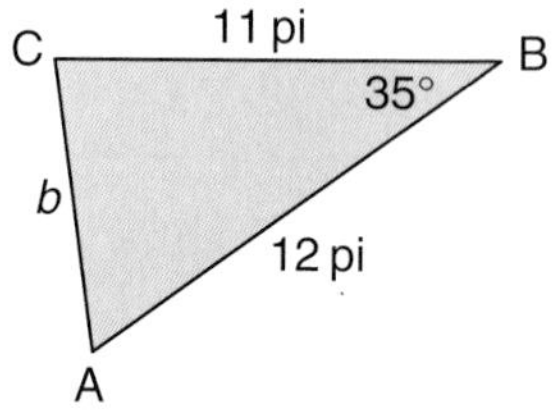

4. Communication Explique ce qui t'indique d'utiliser la loi des sinus ou la loi du cosinus dans un triangle acutangle. Dans ton explication, donne un exemple d'utilisation de chaque loi.

5. Mise en application Un paquebot de croisière aperçoit la balise, A, d'un canal à 041° de relèvement et la balise, B, à 092° de relèvement.
La distance entre le paquebot et la balise A est de 2,0 km.
La distance entre le paquebot et la balise B est de 2,8 km.
Quelle distance sépare les balises?

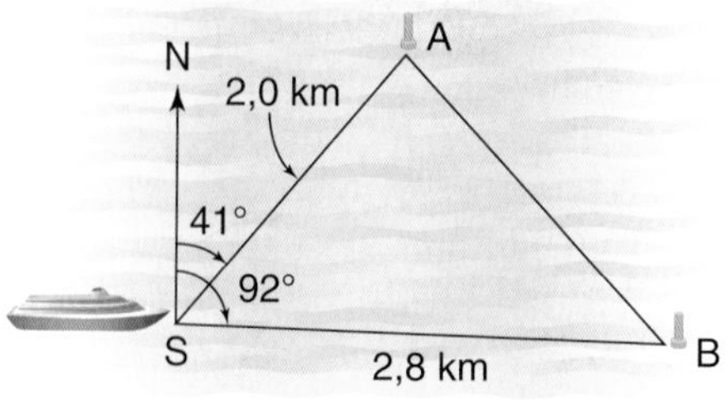

6. Habiletés de la pensée Sur un terrain de golf, un des trous est aménagé comme l'indique le schéma ci-contre.
Quelle distance directe y a-t-il entre le tertre de départ et le trou?

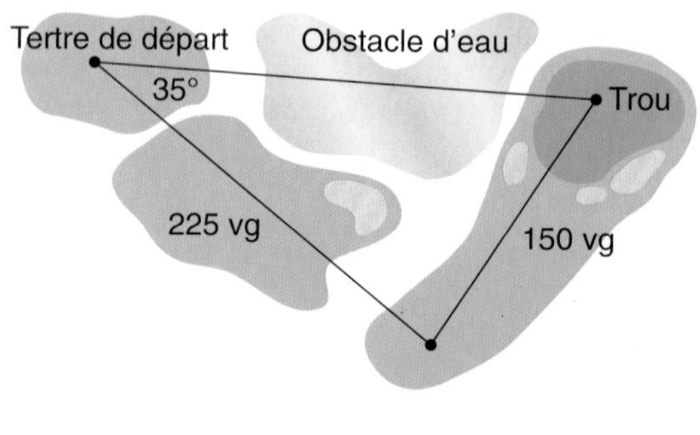

2 La géométrie

Ce que tu vas apprendre

Représenter des formes à deux dimensions et des objets tridimensionnels de diverses façons, et résoudre des problèmes de conception.

Pourquoi ?

Dans de nombreux domaines, entre autres, l'ingénierie, l'architecture, la construction, la décoration intérieure, la mode, on fait appel à du personnel qualifié pour préparer et interpréter des développements, des patrons et des plans.

Mots clés

- Dessin isométrique
- Dessin orthographique
- Développement
- Patron
- Modèle à l'échelle
- Plan

Connaissances préalables

Reconnaître et décrire des formes et des figures

Connaissances préalables à la section 2.1

Les propriétés géométriques des formes à deux dimensions et des objets tridimensionnels sont très importantes pour les conceptrices et les concepteurs.

Exemple

Le schéma ci-contre est un objet tridimensionnel.

a) Nomme cette figure.

b) Détermine le nombre de faces, de sommets et d'arêtes de la figure. De quelle forme est chacune des faces?

c) Où peux-tu trouver cette figure à l'extérieur de la classe?

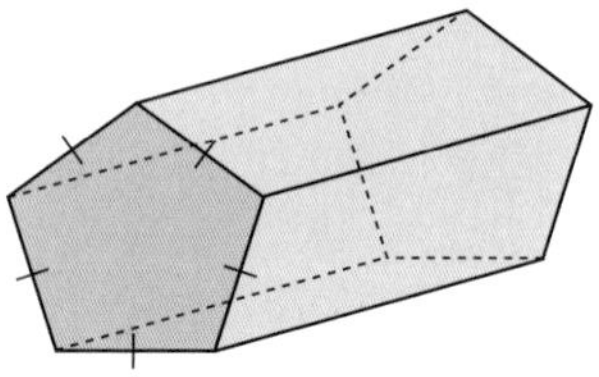

Solution

a) Cette figure est un prisme pentagonal.

b) Un prisme pentagonal possède 7 faces: 2 faces pentagonales régulières et 5 rectangles, 10 sommets et 15 arêtes.

c) Le Pentagone abrite l'état-major des forces armées américaines. Ce bâtiment est en forme de prisme pentagonal.

Vérifie ta compréhension

1. Nomme et décris chaque objet tridimensionnel. Où peux-tu trouver ces objets à l'extérieur de la classe?

a)

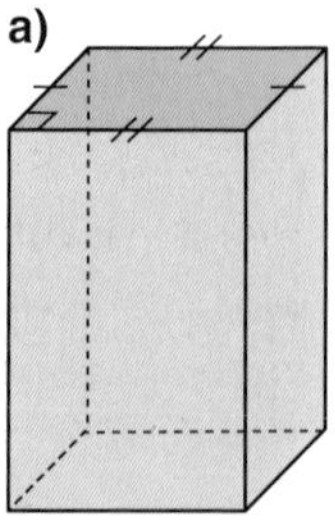

b)

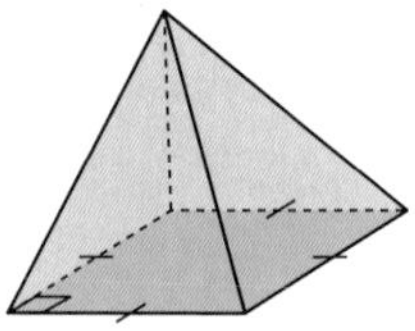

2. Compare les figures suivantes à l'aide du tableau.

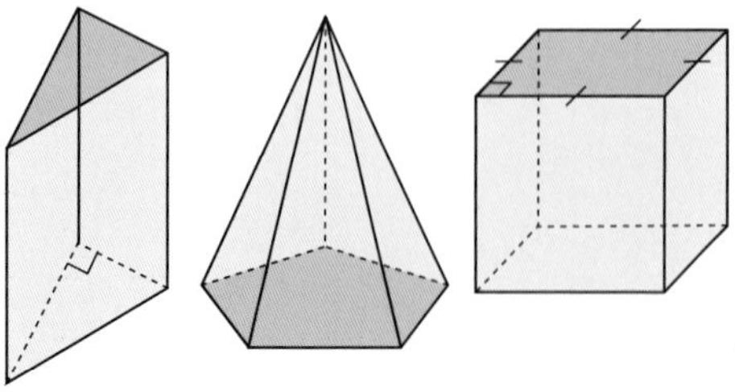

	Prisme triangulaire	Pyramide pentagonale	Cube
Nombre de faces			
Description des faces			
Nombre de sommets			
Nombre d'arêtes			

3. En quoi un cône et une pyramide sont-ils semblables? En quoi sont-ils différents?

Les développements

Connaissances préalables à la section 2.4

Un **développement** est une forme que tu peux plier pour construire un objet tridimensionnel, tel qu'un prisme ou une pyramide. Un développement montre les faces servant à la conception d'un solide.

Exemple

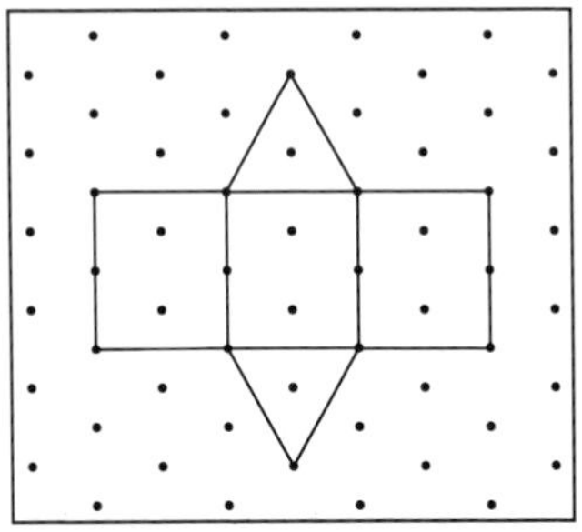

a) Reproduis le développement ci-contre sur du papier pointé isométrique et découpe-le. À l'aide du développement, construis un objet tridimensionnel. Nomme l'objet. Utilise des mots comme « face » et « base » pour le décrire.

b) Dessine un autre développement de la figure.

Solution

a) La figure est un prisme triangulaire.
Ce prisme triangulaire possède 5 faces : 2 bases congruentes qui sont des triangles équilatéraux et 3 faces rectangulaires congruentes.

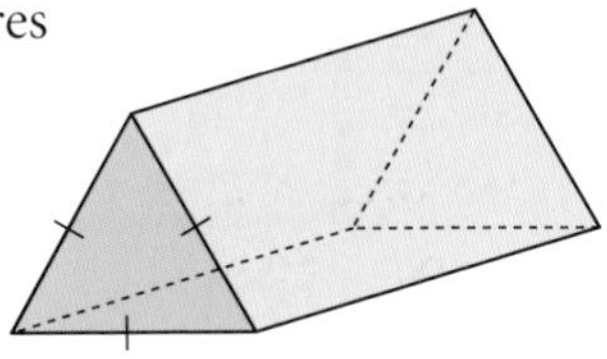

b)

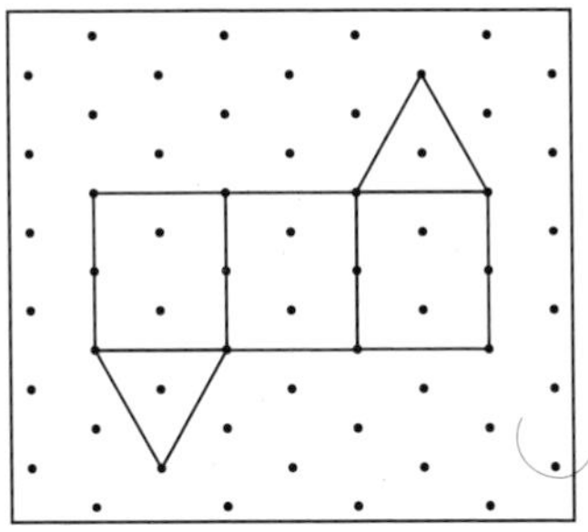

Vérifie ta compréhension

Tu auras besoin de papier pointé carré, de papier pointé triangulaire, de ciseaux et de ruban adhésif.

1. Détermine la figure tridimensionnelle que tu peux construire à partir de chaque développement. Décris la figure. Dessine un développement différent pour chaque figure.

a)

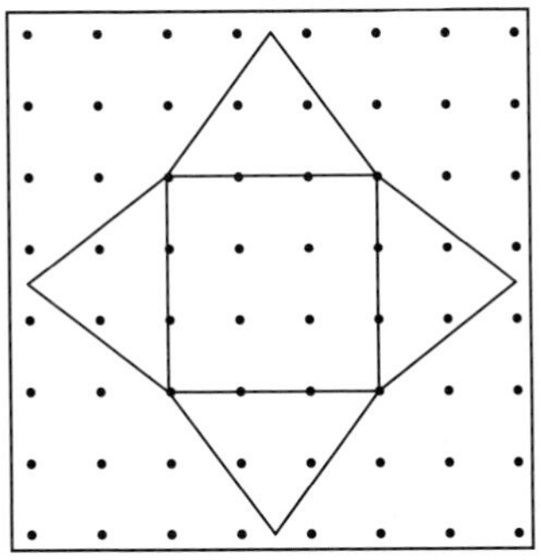

Pour vérifier ta réponse, reproduis et découpe le développement pour construire la figure.

b)

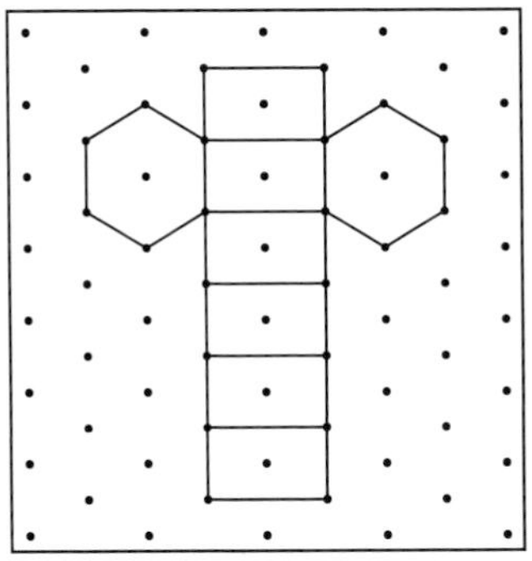

2. Le développement à droite montre une pyramide triangulaire, ou tétraèdre. Sur du papier pointé isométrique, dessine le plus grand nombre possible de développements de ce solide. Combien de développements as-tu dessinés ? Comment sais-tu que tu les as tous dessinés ?

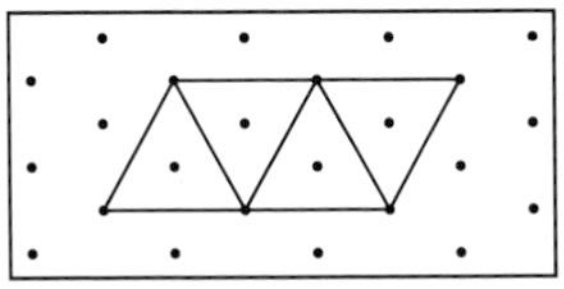

Interpréter des dessins à l'échelle

Connaissances préalables à la section 2.4

Dans les domaines de l'architecture et de la construction, on utilise une **échelle** pour réaliser des dessins précis et représenter les dimensions des pièces, du mobilier et les autres parties d'un bâtiment.

Le premier terme dans une échelle représente la longueur sur le dessin ; le second représente la longueur réelle. Par exemple, une échelle de 1 : 100 000 sur une carte signifie que 1 cm sur la carte représente la distance réelle de 100 000 cm, ou 1 km.

Exemple

Voici un dessin à l'échelle d'un salon réalisé sur du papier quadrillé de 1 cm.

a) Quelle est la longueur du sofa ?

b) Quelle est l'aire du plancher couverte par le sofa ?

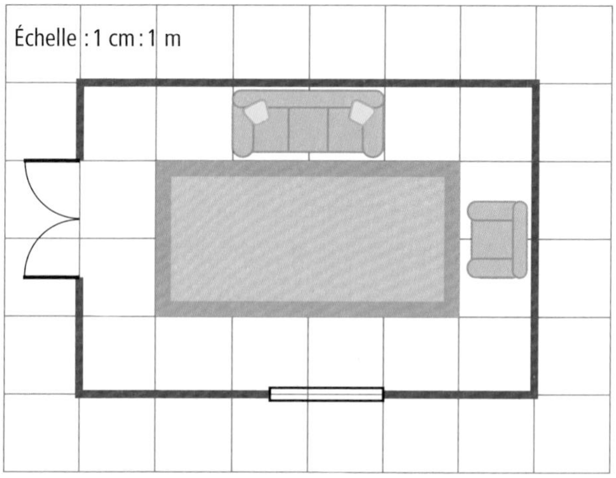

Solution

a) Sur le dessin, le sofa mesure 2 cm de longueur. Comme 1 cm sur le dessin représente 1 m, le sofa mesure 2 m de longueur.

b) Le sofa couvre une aire de 2 cm sur 1 cm, ou 2 cm^2.
Comme 1 cm sur le dessin représente 1 m, 1 cm^2 sur le dessin représente une aire de 1 m^2.
Donc, l'aire du plancher couverte par le sofa est de 2 m^2.

Vérifie ta compréhension

1. À l'aide du dessin présenté dans l'*exemple dirigé*, réponds aux questions suivantes.

a) Quelles sont les dimensions du salon ?

b) Quelle est l'aire totale du salon ?

c) Quelle est l'aire totale du tapis ?

2. Sur une feuille de papier de 21 cm sur 27 cm, supposons que tu dois dessiner une roue à l'échelle. Le diamètre de la roue est de 60 cm. Quelle échelle choisiras-tu ? Explique ton choix.

3. Sur un dessin à l'échelle, une fourmi mesure 5 cm de longueur. Explique pourquoi l'échelle de ce dessin diffère des échelles des questions précédentes.

2.1 La géométrie et toi

Des conceptrices et des concepteurs travaillent dans la plupart des industries. Grâce à leur esprit de créativité, ils conçoivent des produits de consommation et des produits industriels.

Pour concevoir un sac à dos, un emballage alimentaire ou une pièce d'automobile, la connaissance de la géométrie est primordiale pour ces spécialistes.

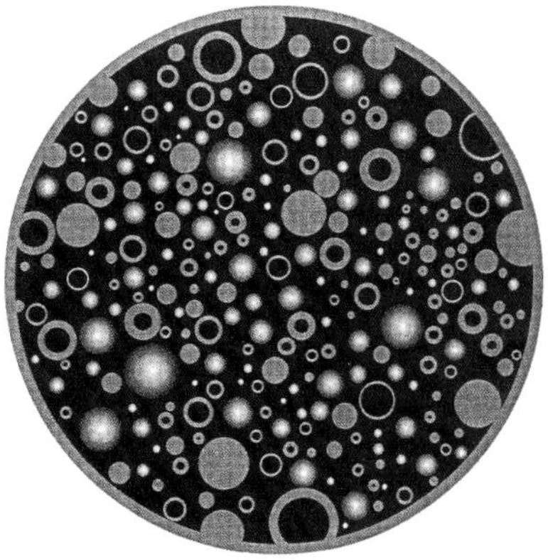

Gagnants d'un concours de conception de couvercles d'égout, tenu à Vancouver en 2004.

Examine — Explorer la fonction et la forme d'un objet

La *fonction* (utilisation) influe sur la *forme* d'un objet (conception). Pourquoi, par exemple, un couvercle d'égout est-il de forme circulaire? On retire les couvercles d'égout pour explorer des conduits souterrains. Ces couvercles très lourds sont conçus pour ne pas tomber dans le trou.

Travaille avec une ou un camarade. Vous aurez besoin de grandes feuilles de papier, d'un objet circulaire, d'un compas, d'un rapporteur, de ciseaux et de carton.

1. Un couvercle d'égout de forme rectangulaire peut-il tomber dans le trou qu'il couvre? Modélisez le problème à l'aide d'un manuel, d'une grande feuille de papier et d'une règle.
- ➢ Tracez le contour du manuel pour représenter le couvercle d'égout. À partir de chaque côté du rectangle, mesurez 1 cm vers l'intérieur de la figure et dessinez un second rectangle. L'espace entre les rectangles représente le rebord sur lequel repose le couvercle. Découpez le rectangle interne.
- ➢ Pouvez-vous insérer le manuel dans le rectangle interne? Si oui, de quelle façon avez-vous placé le manuel?

2. Un couvercle d'égout de forme circulaire peut-il tomber dans le trou qu'il couvre? Tracez un objet circulaire ou dessinez un cercle sur du carton à l'aide d'un compas. Reprenez la question 1 avec un couvercle circulaire. Que remarquez-vous?

3. Choisissez une des formes suivantes.
Vérifiez si la forme de votre couvercle peut tomber dans le trou qu'il couvre. Comparez vos résultats avec ceux des élèves qui ont choisi une autre forme. Quelle forme convient à un couvercle d'égout?

Quels outils utiliseriez-vous pour construire les trois formes ?

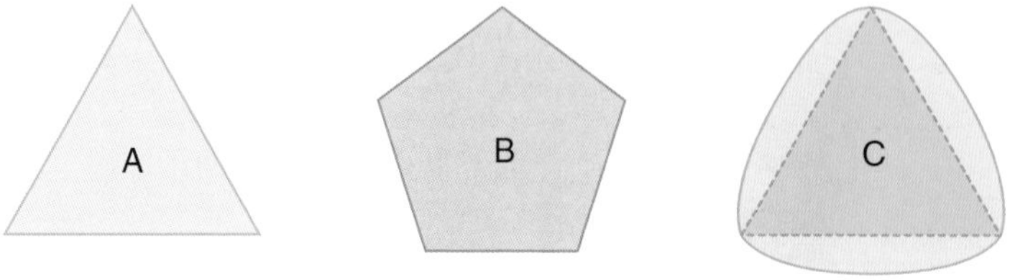

4. Le couvercle d'égout doit être remplacé.
Quel avantage la forme circulaire offre-t-elle par rapport aux autres formes?

5. Pour quelles autres raisons des couvercles d'égout de forme circulaire seraient-ils avantageux?

Exercices

Tu peux voir des formes géométriques dans de nombreux objets.

1. a) Comment la forme d'une roue assure-t-elle son propre fonctionnement?
b) Une roue peut-elle avoir une forme différente et toujours obéir au même principe de fonctionnement? Explique ton point de vue.

2. Les abeilles construisent des alvéoles de cire pour y stocker le miel qu'elles produisent. Ces alvéoles sont des hexagones réguliers.

a) Dessine une alvéole.
Dessine ensuite une alvéole en forme de triangle équilatéral.
Enfin, dessine une alvéole en forme de carré.
b) Imagine que tu es une abeille qui construit et remplit des alvéoles de miel. Quels sont les avantages et les inconvénients des formes d'alvéoles décrites en a)?

3. a) Nomme quelques produits qui sont emballés dans un prisme rectangulaire.
Pourquoi trouve-t-on autant de produits sous cette forme d'emballage?
b) Nomme quelques produits qui sont emballés dans un cylindre.
Pourquoi ces produits sont-ils présentés dans cette forme d'emballage?

c) Seuls quelques produits sont présentés dans des emballages aux formes peu communes. Pourquoi une entreprise choisirait-elle un tel emballage? Pourquoi y a-t-il aussi peu de produits présentés dans ce type d'emballage?

4. Chacune des chaises ci-dessous possède une particularité. Associe chaque chaise à sa description. Justifie ta réponse. Nomme ensuite quelques formes et figures géométriques que présente chaque modèle. Comment ces formes et ces figures aident-elles la chaise à remplir sa fonction?

a) On peut empiler 40 de ces chaises dans un espace de 4 pieds de hauteur.
b) On peut plier cette chaise pour l'entreposer.
c) On peut démonter cette chaise et emboîter ses pièces.

I)

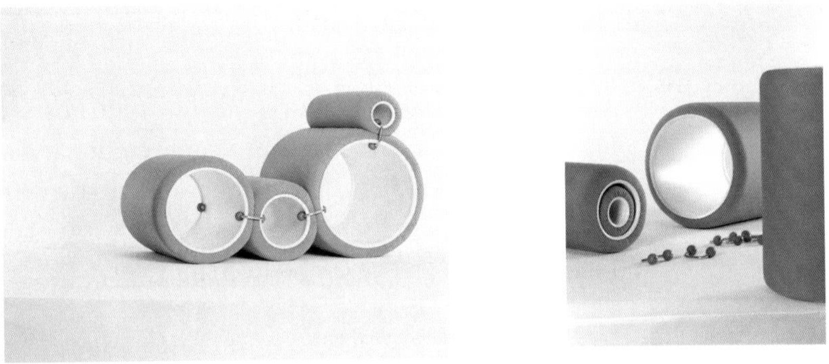

II)

III)

Réfléchis

- ➢ Décris une stratégie que tu as utilisée dans la partie *Examine*. Comment cette stratégie a-t-elle répondu à tes attentes?
- ➢ Choisis un objet. Décris l'objet, ainsi que les formes et les figures qu'il présente. Comment la fonction de l'objet influe-t-elle sur sa forme? Justifie ta réponse.

La littératie et les mathématiques

Lis un texte mathématique

Lire un texte mathématique n'est pas de tout repos.
Ta lecture doit être active pour être efficace.

1. **Lis lentement.** Les symboles, les schémas, les graphiques et le vocabulaire mathématique sont riches de renseignements.
2. **Relis le texte.** Il est normal de ne pas tout comprendre la première fois. Relis chaque passage que tu saisis mal.
3. **Lis toujours avec un crayon et ton cahier de notes à portée de main.** Lire un texte mathématique, c'est aussi faire des mathématiques. Lorsque tu lis, prends des notes, dessine des schémas et écris toutes les questions que tu te poses. Prends des notes de manière à te rappeler et à comprendre la matière à l'étude.

Les *exemples dirigés* du manuel contribueront grandement à approfondir ta compréhension. Suis pas à pas les étapes ci-dessous pour travailler sur l'*exemple dirigé* du chapitre 1.

Cache la solution à l'aide d'une feuille de papier.

↓

Résous le problème sans aide.

↓

Compare ta solution et la solution du manuel.

- Si les **réponses** sont différentes, compare les solutions pour expliquer cette différence.
- Si ta **méthode** et la méthode du manuel sont différentes, compare-les. Quelle méthode préfères-tu ? Pourquoi ?
- Concentre-toi sur la façon dont la solution est **présentée**. Les étapes de ta solution sont-elles présentées dans un ordre logique ? Manque-t-il des étapes ?

↓

Rappelle-toi :
Généralement, il existe plusieurs façons de résoudre un problème ; le manuel propose des solutions raisonnables, tout comme toi.

Exemple

Un petit avion qui vole à 3500 m d'altitude au-dessus du lac Ontario se dirige vers une île.
L'île est située sous un **angle de dépression** de 15°.
Quelle distance, au kilomètre près, l'avion doit-il encore franchir avant de survoler l'île ?

Solution

Soit P, la position de l'avion.
Soit q, la distance horizontale, en mètres, entre l'avion et l'île.
Dessine un triangle.
Pour déterminer la longueur du côté q, utilise la tangente.

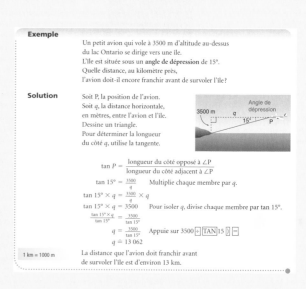

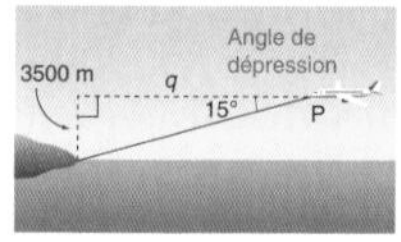

$$\tan P = \frac{\text{longueur du côté opposé à } \angle P}{\text{longueur du côté adjacent à } \angle P}$$

$\tan 15° = \frac{3500}{q}$ Multiplie chaque membre par q.

$\tan 15° \times q = \frac{3500}{q} \times q$

$\tan 15° \times q = 3500$ Pour isoler q, divise chaque membre par tan 15°.

$\frac{\tan 15° \times q}{\tan 15°} = \frac{3500}{\tan 15°}$

$q = \frac{3500}{\tan 15°}$ Appuie sur 3500 [÷] [TAN] 15 [)] [=]

$q \doteq 13\,062$

1 km = 1000 m

La distance que l'avion doit franchir avant de survoler l'île est d'environ 13 km.

2.2 Représenter des objets bidimensionnels

Les techniciennes et les techniciens travaillent de concert avec des architectes et avec des ingénieures et des ingénieurs pour concevoir des bâtiments, des structures et de la machinerie. Une large part de leur travail consiste à représenter graphiquement des objets tridimensionnels.

Explore — Représenter des objets

Sur du papier pointé isométrique, les segments de droite reliés par des paires de points sont de la même longueur.

Il n'est pas nécessaire que tes dessins soient à l'échelle.

Tu auras besoin de papier pointé isométrique, de papier pointé ou de papier quadrillé. Choisis un objet de la classe dont les côtés forment un angle droit, par exemple un bureau, une table, un classeur ou une bibliothèque.

➢ Représente cet objet tel qu'il serait en trois dimensions. Du papier pointé isométrique serait utile.
➢ Représente et indique les vues de dessus, de face et de côté.
Du papier pointé ou du papier quadrillé serait utile.
➢ Échange tes dessins avec une ou un camarade.
Essaie de reconnaître l'objet dessiné par ta ou ton camarade.

Réfléchis

Travaille avec la ou le même camarade.
Comparez vos stratégies pour représenter l'objet tel qu'il serait en trois dimensions et celles pour dessiner les vues de dessus, de face et de côté.
Discutez des questions suivantes.
➢ Quel dessin avez-vous préféré faire?
Expliquez vos choix respectifs.
➢ Quel dessin a été le plus utile pour déterminer l'objet dessiné par votre camarade?
Expliquez votre raisonnement.

Fais des liens

Un **dessin isométrique** permet de montrer les trois dimensions d'un objet sur une feuille de papier.

Selon la position de l'objet, il est possible de créer divers dessins orthographiques.

Ensemble, les vues de dessus, de face et de côté d'un objet forment un **dessin orthographique**. Chaque vue est alignée parfaitement avec les arêtes des autres vues.

Les manuels, les brevets et autres documents techniques contiennent de nombreux dessins orthographiques et dessins isométriques. Dans les deux types de dessins, les arêtes de même longueur sont dessinées selon la même échelle. Les arêtes parallèles, quant à elles, sont présentées sous forme de segments de droite parallèles.

Voici comment tu peux réaliser un dessin isométrique et un dessin orthographique de la bibliothèque ci-dessous.

Un dessin isométrique

Utilise du papier pointé isométrique. Observe la bibliothèque et trace chaque côté dans l'ordre indiqué :

- les lignes verticales (en vert) ;
- les lignes horizontales qui pointent à droite et vers le bas (en rouge) ;
- les lignes horizontales qui pointent à droite et vers le haut (en bleu) ;
- les derniers détails, comme les pattes (en gris).

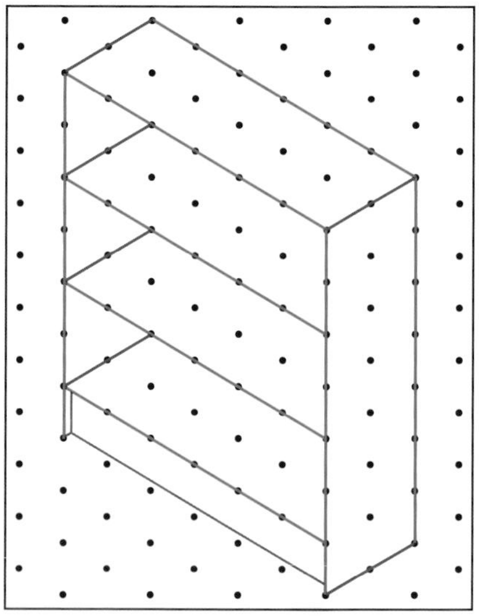

Un dessin orthographique

Observe la bibliothèque selon les vues suivantes : vue de dessus, vue de face et vue de côté.

- Dessine ce que tu vois chaque fois.
- Oriente les vues de manière à aligner les arêtes communes.
- Trace des lignes pointillées pour montrer que les arêtes sont alignées.

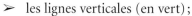

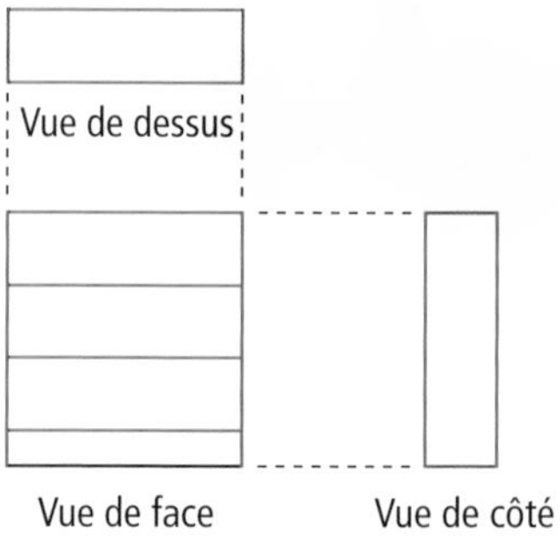

Exercices

1. Observe les objets ci-dessous. Détermine les dessins qui représentent une vue de l'objet. Justifie tes réponses.

a) 

b) 

c) 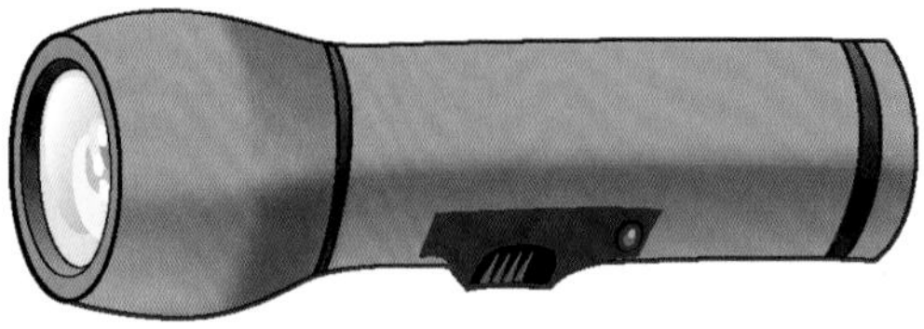

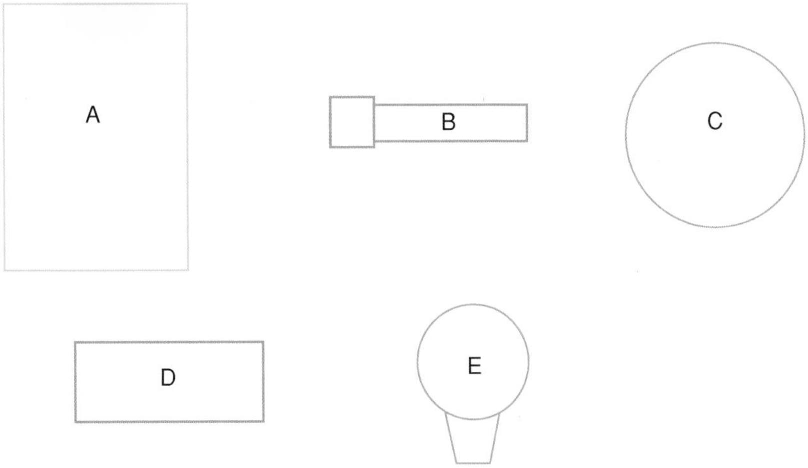

2. a) Construis un modèle simple d'un bâtiment à l'aide de cubes emboîtables, ou de pâte à modeler et de cure-dents, ou encore de pailles.

Tu auras besoin de matériel concret.

b) Pourquoi as-tu choisi ce matériel pour construire ton modèle ?

c) Fais un dessin isométrique et un dessin orthographique de ton modèle. Expose ton modèle avec ceux de tes camarades.

b) Échange tes dessins avec une ou un camarade. Essaie de reconnaître le bâtiment dessiné par ta ou ton camarade. Décris les indices que tu as utilisés.

Tes dessins jusqu'ici ne comprenaient que des segments de droite. Cependant, tu devras parfois dessiner des objets aux lignes courbes.

Exemple

Claude réalise un dessin isométrique et un dessin orthographique du vase ci-contre.

Solution

Dans un dessin isométrique, une forme circulaire est représentée par un ovale.

Claude procède comme suit :

- Il représente la partie circulaire du haut à l'aide d'un ovale.
- Il représente les lignes courbes à l'aide de segments de droite.
  Les segments de la partie inférieure sont plus rapprochés que ceux de la partie supérieure, parce que le vase est plus étroit à cet endroit.
- Il représente la base circulaire à l'aide d'un demi-ovale. Ce demi-ovale est plus petit, parce que le vase est plus étroit à cet endroit.

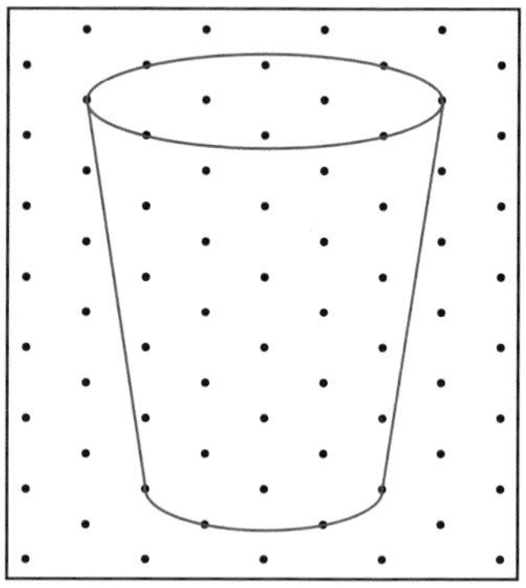

En ce qui concerne le dessin orthographique, Claude examine le vase du dessus, de face et de côté. Il dessine tout ce qu'il observe chaque fois et aligne les arêtes.

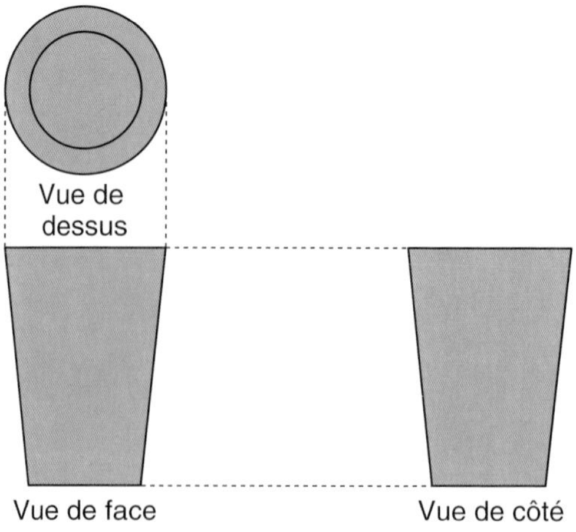

Les vues de face et de côté sont identiques.

3. Utilise une canette ou une boîte de jus.
Fais un dessin orthographique de la canette ou de la boîte de jus. Quelles vues du dessin orthographique semblent identiques ?

4. a) Construis un modèle simple d'une voiture, d'un vaisseau spatial ou d'un autre type de véhicule à l'aide de cubes emboîtables, ou de pâte à modeler, ou encore de feuilles de papier et de ruban adhésif.

Tu auras besoin de matériel concret.

b) Pourquoi as-tu choisi ce matériel?

c) Fais un dessin isométrique et un dessin orthographique de ton modèle. Expose ton modèle avec ceux de tes camarades.

d) Échange tes dessins avec une ou un camarade. Essaie de reconnaître le véhicule dessiné par ta ou ton camarade. Décris les indices que tu as utilisés.

5. **Fais le point** Choisis un objet de la classe ou de la maison.

a) Fais un dessin isométrique et un dessin orthographique de cet objet.

b) Explique de quelle façon tes dessins pourraient aider une personne à reconnaître l'objet.

c) Montre tes dessins à quelques camarades. Reconnaissent-ils l'objet?

d) Peut-on construire un modèle de l'objet à partir de tes dessins ou faudrait-il d'autres informations? Explique ta réponse.

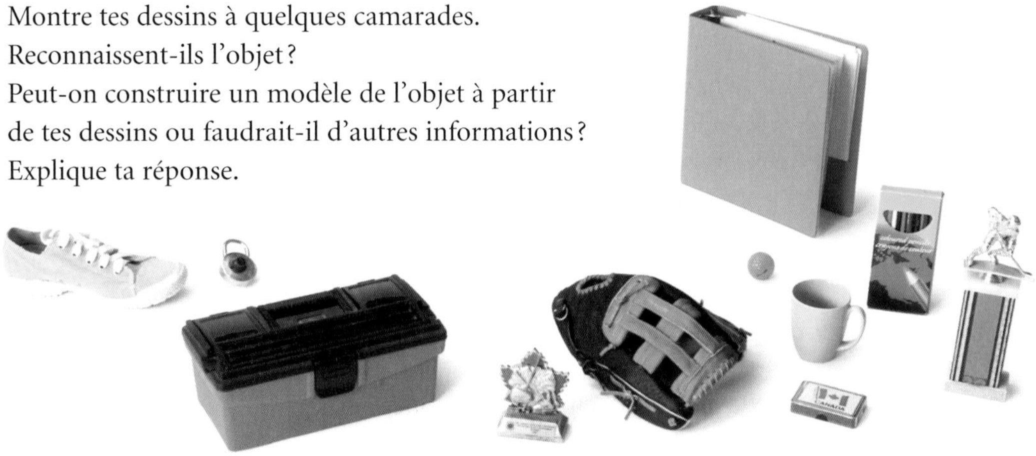

6. **Relève le défi** Voici un exemple de dessin *isométrique éclaté.*

a) Ce nom est-il approprié pour ce type de dessin? Explique ton raisonnement.

b) Que représente ce dessin? Comment peux-tu le savoir?

c) Décris quelques situations où ce dessin peut être utile.

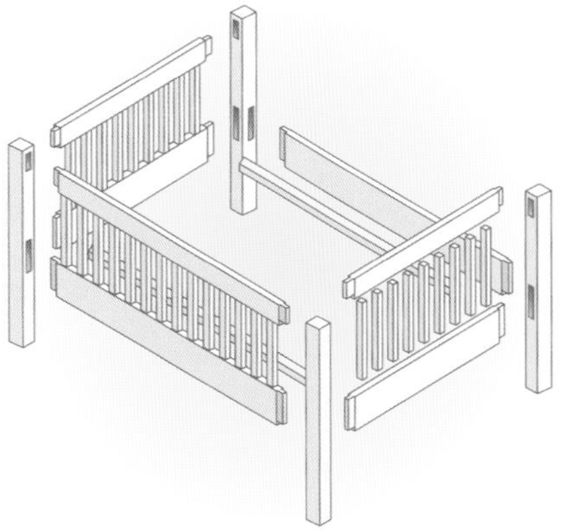

Dans tes mots

Supposons que tu dois illustrer un objet à l'aide d'un seul dessin. Feras-tu un dessin orthographique ou un dessin isométrique? Explique ton choix. Ajoute un exemple dans ton explication.

2.3 Représenter des objets à l'aide d'outils technologiques

Grâce à des logiciels d'animation électronique, les conceptrices et les concepteurs de jeux électroniques et de l'industrie cinématographique créent l'illusion des trois dimensions. Les ingénieures et les ingénieurs, les outilleuses-ajusteuses et les outilleurs-ajusteurs ainsi que les technologues en dessin représentent les trois dimensions à l'aide de logiciels de conception assistée par ordinateur (CAO).

Examine — Utiliser Cybergéomètre ou Microsoft Word

Tu auras besoin de cubes, tels que des cubes emboîtables ou des dés, d'un cylindre, tel qu'une boîte de conserve, de Cybergéomètre ou de Microsoft Word et d'une imprimante.

Construis le prisme rectangulaire ci-contre à l'aide de cubes.

Choisis entre les activités « Utiliser Cybergéomètre » et « Utiliser Microsoft Word ».

Utiliser Cybergéomètre

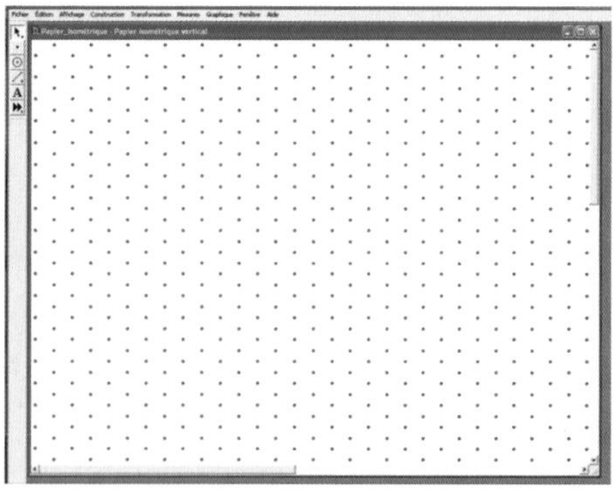

Dessin isométrique

Ouvre le fichier *Papier_isométrique.gsp*.
Une feuille de papier pointé isométrique s'affiche.
Supposons que la distance entre les paires de points adjacents représente la longueur de l'arête d'un cube emboîtable.

1. Dépose sur la table le prisme que tu as construit à l'aide de cubes emboîtables.
Observe-le. Dessine les arêtes que tu vois.
➢ Utilise l'outil **Rectiligne**.
➢ Sélectionne le point à partir duquel tu désires réaliser ton dessin. Il te serait utile de tracer d'abord un segment de droite vertical. Pour dessiner un segment de droite, enfonce le bouton de la souris et fais glisser le curseur à l'écran. Relâche le bouton lorsque le segment est de la longueur désirée et en surbrillance.

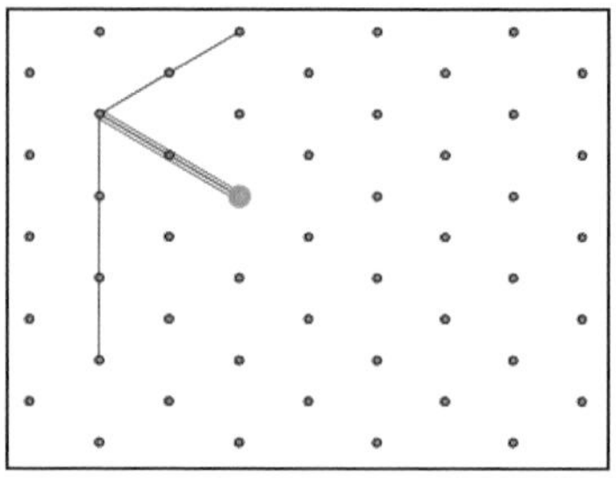

Trace des segments de droite internes seulement lorsque la profondeur ou l'épaisseur du solide change.

- Dessine tous les autres segments.
- Pour supprimer le dernier segment, sélectionne **Annuler la construction du segment** dans le menu **Édition**.
  Pour supprimer tout autre segment, clique sur le segment à supprimer à l'aide de l'outil **Flèche de sélection**, 
  puis appuie sur la touche **Supprimer**.

2. Construis chaque objet à l'aide de cubes emboîtables. Fais ensuite un dessin isométrique de chaque objet.

a)

b)

3. Dépose le cylindre à plat sur la table. Observe-le.

- Déplace le curseur sur une autre partie de la page.
- À l'aide de l'outil **Point**, clique sur un point. 
  Enfonce la touche **Majuscules**. Clique ensuite sur un point situé au-dessus et à droite du premier point, puis sur un autre point situé au-dessous et à droite du second point, tel qu'illustré ci-contre.
  Dans le menu **Construction**, clique sur **L'arc par 3 points**.

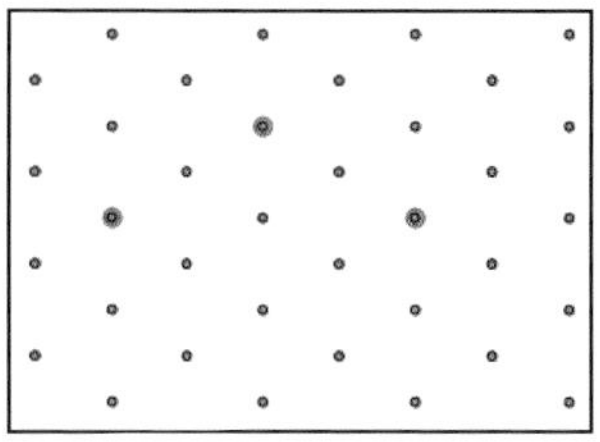

- À l'aide de l'outil **Point**, clique de nouveau sur le premier point.
  Enfonce la touche **Majuscules** et clique sur un point situé au-dessous et à droite du premier point, puis sur le troisième point tel qu'illustré ici.
  Dans le menu **Construction**, clique sur **L'arc par 3 points**.
  Pour représenter le dessus de la boîte de conserve, tu as dessiné une forme qui ressemble à un ovale.
- À l'aide de l'outil **Rectiligne**, trace des segments de droite verticaux pour les côtés du rectangle qui représente la vue de face du cylindre. Les segments doivent être assez longs pour que les proportions du cylindre ressemblent à ton cylindre.
- Trace un arc pour représenter la base du cylindre. Comment détermines-tu les trois points sur lesquels tu dois cliquer ?

Rappelle-toi : Dans un dessin isométrique, une forme circulaire est représentée par un ovale.

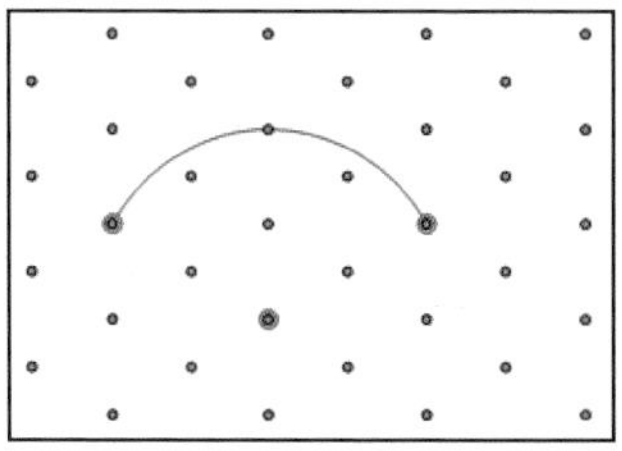

4. Dépose le cylindre à plat sur la table. Observe-le. Fais un dessin isométrique du cylindre à l'aide de la méthode utilisée au numéro 3. Ton dessin doit ressembler à l'un des dessins ci-contre.

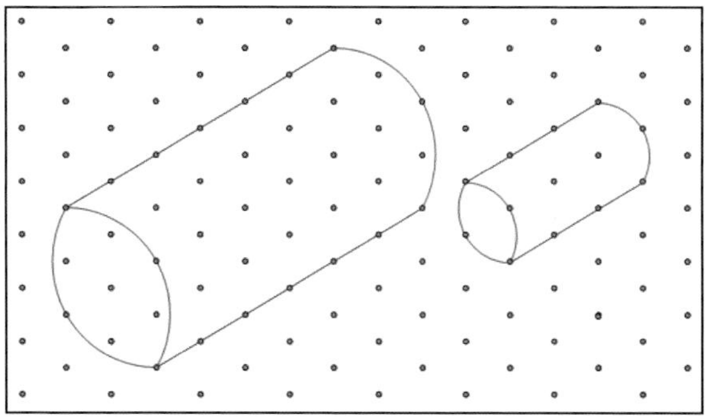

Dessin orthographique

Ouvre une nouvelle esquisse.

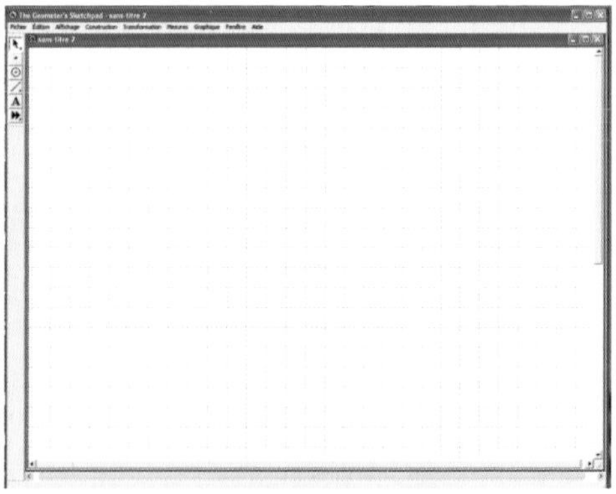

- Dans le menu **Édition**, sélectionne **Préférences**.
  Dans la zone **Distance**, vérifie si l'unité de mesure **cm** est sélectionnée. Clique sur **OK**.
- Dans le menu **Graphique**, clique sur **Créer un plan cartésien.** Clique aussi sur chacun des axes et sur les deux points rouges de l'axe horizontal.
  Dans le menu **Affichage**, clique sur **Masquer les objets**.

Tu as maintenant une feuille de papier quadrillé en centimètres. Soit un cube dont l'arête mesure 1 cm.

1. Dépose sur la table le prisme que tu as construit à l'aide de cubes emboîtables.
- Observe le prisme, vue de dessus.
  À l'aide de l'outil **Rectiligne**, dessine la vue de dessus.
- Observe le prisme, vue de face. À l'aide de l'outil **Rectiligne**, dessine la vue de face sous la vue de dessus.
  Assure-toi que les arêtes communes de ces vues sont parfaitement alignées.
- Observe le prisme, vue de côté.
  À l'aide de l'outil **Rectiligne**, dessine la vue de côté à côté de la vue de face.
  Assure-toi que les arêtes communes de ces vues sont parfaitement alignées.

Assure-toi que la commande **Accrocher les points** du menu **Graphique** est sélectionnée.

2. Utilise les objets que tu as construits à l'aide de cubes emboîtables, au numéro 2 de la page 63 de ton manuel. Fais un dessin orthographique de chaque objet.

Trace des segments de droite internes seulement lorsque la profondeur ou l'épaisseur du solide change.

3. Dépose l'objet de forme cylindrique à plat sur la table. Déplace le curseur sur une autre partie de la grille.
- Observe l'objet, vue de dessus. Quelle forme observes-tu ?
- À l'aide de l'outil **Compas**, clique sur un point d'intersection de la grille. Ce point sera le centre de ton cercle. Fais glisser le curseur jusqu'à ce que le cercle soit de la taille désirée, puis clique à nouveau sur le bouton de la souris pour tracer le cercle.

- Observe l'objet, vue de face. Quelle forme observes-tu ?
- À l'aide de l'outil **Rectiligne**, dessine la vue de face sous la vue de dessus. Assure-toi que les vues sont parfaitement alignées.
- Observe l'objet, vue de côté. Quelle forme observes-tu ?
  Clique sur un outil de ton choix pour dessiner cette forme à côté de la vue de face. Assure-toi que les vues sont parfaitement alignées.

Utiliser Microsoft Word

> Si la barre d'outils **Dessin** n'est pas visible à l'écran, clique sur le menu **Affichage**. Sélectionne ensuite **Barre d'outils** et **Dessin**.

Dessin isométrique

Ouvre le fichier *Papier isométrique.doc*.
Une feuille de papier pointé isométrique s'affiche.

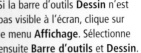

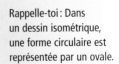

1. Dépose sur la table le prisme que tu as construit à l'aide de cubes emboîtables. Observe-le.

➢ Dans la barre d'outils **Dessin**, clique sur **Trait**.  Double-cliquer sur l'outil te permet d'utiliser le même outil jusqu'à ce que tu en sélectionnes un nouveau.

➢ Sélectionne le point à partir duquel tu désires réaliser ton dessin. Il te serait utile de tracer d'abord un segment de droite vertical. Pour dessiner un segment de droite, enfonce le bouton de la souris et fais glisser le curseur à l'écran. Relâche le bouton lorsque le segment est de la longueur désirée.

➢ Dessine tous les autres segments.

➢ Pour supprimer le dernier segment, sélectionne **Annuler Insérer un trait** dans le menu **Édition**. Pour supprimer tout autre segment, clique sur le segment à supprimer à l'aide de l'outil **Sélectionner les objets**,  puis appuie sur la touche **Supprimer**.

> Trace des segments de droite internes seulement lorsque la profondeur ou l'épaisseur du solide change.

2. Construis chaque objet à l'aide de cubes emboîtables. Fais ensuite un dessin isométrique de chaque objet.

a)

b)

3. Dépose le cylindre sur la table. Observe-le.

➢ Déplace le curseur sur une autre partie de la page.

➢ Dans la barre d'outils **Dessin**, clique sur **Ellipse**.  Dessine un ovale pour représenter la partie circulaire du haut du cylindre. Positionne l'ovale de manière à pouvoir tracer les segments de droite le long des colonnes de points, comme sur la figure ci-contre.

> Rappelle-toi : Dans un dessin isométrique, une forme circulaire est représentée par un ovale.

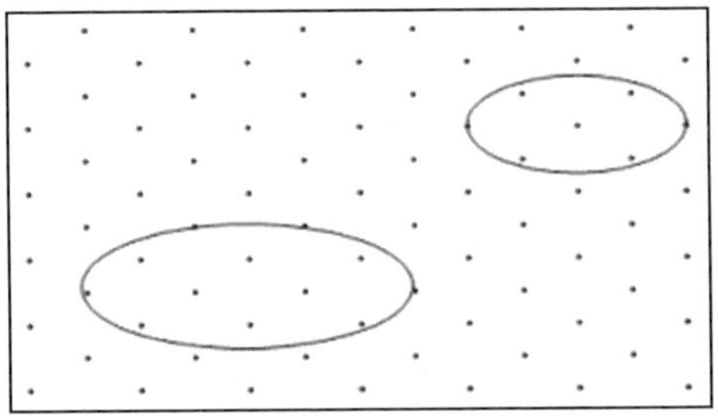

➢ Clique sur **Trait** et trace un côté du rectangle qui représente la vue de face du cylindre. Trace un segment de droite de la même longueur pour représenter l'autre côté du rectangle.

➢ Utilise l'outil **Courbe.** Pour ce faire, clique sur le bouton **Formes automatiques** au bas de l'écran, puis sélectionne **Lignes** et **Courbe.**
Clique sur la partie inférieure du segment de droite vertical à gauche de l'écran.
Fais glisser le curseur vers la droite et légèrement vers le bas, à mi-chemin entre les deux segments.
Clique encore une fois.
Fais ensuite glisser le curseur en bas du segment de droite vertical à droite de l'écran, puis double-clique.
Une ligne courbe s'affiche, reliant les segments de droite verticaux.
Tu devras peut-être répéter cette étape quelques fois pour obtenir un bon résultat.

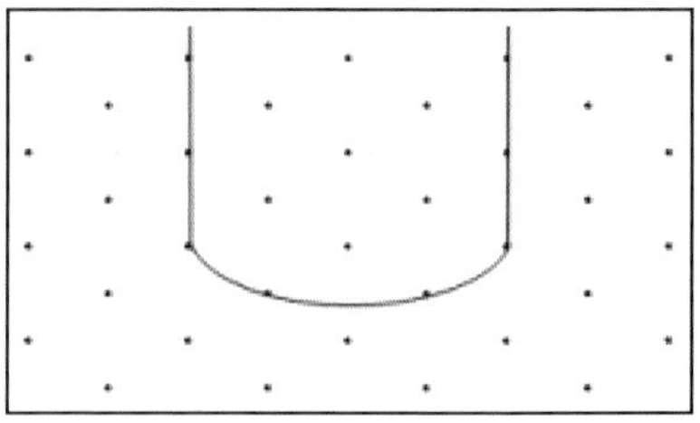

Dessin orthographique

Ouvre un nouveau document.

Si tu utilises un ordinateur Macintosh, assure-toi que la commande **Révéler la mise en forme** du menu **Affichage** est sélectionnée.

➢ Assure-toi que la commande **Page** du menu **Affichage** est sélectionnée.

➢ Dans le menu **Outils**, clique sur **Options** et sur l'onglet **Général**. Dans la zone **Unités de mesure**, clique sur **Centimètres**, puis sur **OK**.

➢ Dans la barre d'outils **Dessin** (ou l'icône correspondante), clique sur **Grille.**
Une boîte de dialogue s'affiche. Dans les zones Espacement **horizontal** et Espacement **vertical**, clique sur 1 cm. Vérifie que les cases à cocher **Aligner les objets sur la grille**, **Aligner les objets sur les autres objets** et **Afficher la grille à l'écran** sont activées. Clique sur **OK**.

Tu as maintenant une feuille de papier quadrillé de 1 cm.
Soit un cube emboîtable dont les faces mesurent 1 cm.

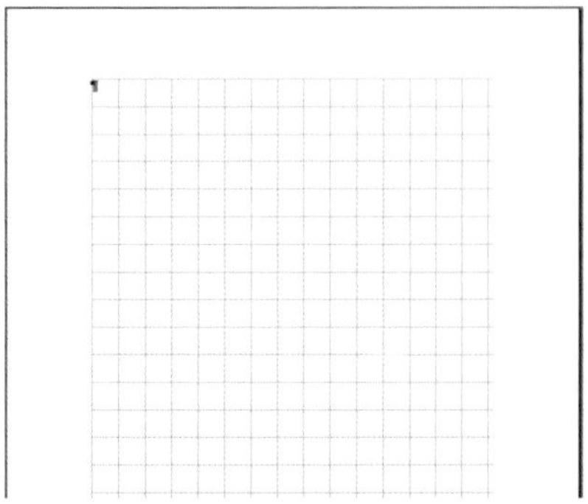

1. Dépose sur la table le prisme que tu as construit à l'aide de cubes emboîtables.

- ➢ Observe le prisme, vue de dessus.
  Dans la barre d'outils **Dessin**, clique sur **Rectangle**. Dessine la vue de dessus.
- ➢ Observe le prisme, vue de face.
  À l'aide du même outil, dessine la vue de face sous la vue de dessus.
  Assure-toi que les arêtes communes de ces vues sont parfaitement alignées.
- ➢ Observe le prisme, vue de côté.
  Clique sur **Rectangle** et dessine la vue de côté à côté de la vue de face.
  Assure-toi que les arêtes communes de ces vues sont parfaitement alignées.

Fais ressortir tes dessins sur la grille à l'aide du bouton **Surlignage**.

2. Utilise les objets que tu as construits à l'aide de cubes emboîtables au numéro 2 de la page 63.
Fais un dessin orthographique de chaque objet.
Clique sur **Trait** et dessine des vues représentant des polygones irréguliers et les segments internes.

Trace des segments de droite internes seulement lorsque la profondeur ou l'épaisseur du solide change.

3. Dépose l'objet de forme cylindrique à plat sur la table.
Déplace le curseur sur une autre partie de la grille.

- ➢ Observe l'objet, vue de dessus.
  Quelle forme observes-tu ?
- ➢ Clique sur **Ellipse** et trace un cercle.
- ➢ Observe l'objet, vue de face. Quelle forme vois-tu ?
- ➢ Clique sur **Rectangle** et dessine la vue de face sous la vue de dessus.
  Assure-toi que les vues sont parfaitement alignées.
- ➢ Observe l'objet, vue de côté.
  Quelle forme observes-tu ?
  À l'aide d'un outil de ton choix, dessine cette forme à côté de la vue de face.
  Assure-toi que les vues sont parfaitement alignées.

Réfléchis

- ➢ Préfères-tu dessiner des objets à l'aide d'un logiciel ou dessiner des objets à la main ? Explique ta réponse.
- ➢ Décris l'une de tes stratégies pour dessiner qui serait utile à des animatrices et animateurs par ordinateur ou à des conceptrices et concepteurs graphiques.

Révision de mi-chapitre

2.1 **1.** Voici un *non la*, un chapeau traditionnel vietnamien.

a) À quelle forme géométrique ce chapeau ressemble-t-il?

b) Comment la forme du chapeau permet-elle de se protéger du soleil et de la pluie?

c) Existe-t-il une autre forme de chapeau pour se protéger du soleil et de la pluie? Justifie ta réponse.

2.2 2.3 **2.** Choisis un objet dont les côtés sont des segments de droite, comme un lecteur de CD, une chaise ou un classeur vide. Fais un dessin isométrique et un dessin orthographique de cet objet. Explique pourquoi cet objet est plus facile à dessiner.

2.2 2.3 **3.** Fais un dessin orthographique et un dessin isométrique d'une grande tasse.

2.2 **4.** Steve installe un ouvre-porte de garage. Le manuel d'instructions comprend quelques illustrations des pièces nécessaires à l'installation.

a) Les dessins suivants sont-ils des dessins isométriques ou des dessins orthographiques? Justifie ta réponse.

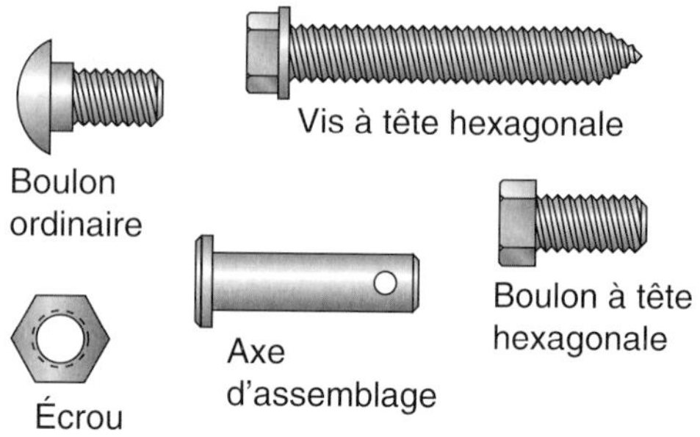

b) À chaque étape, il importe d'employer le boulon ou l'écrou indiqué dans les instructions. À l'aide des dessins, nomme chaque vis et chaque écrou de la photo.

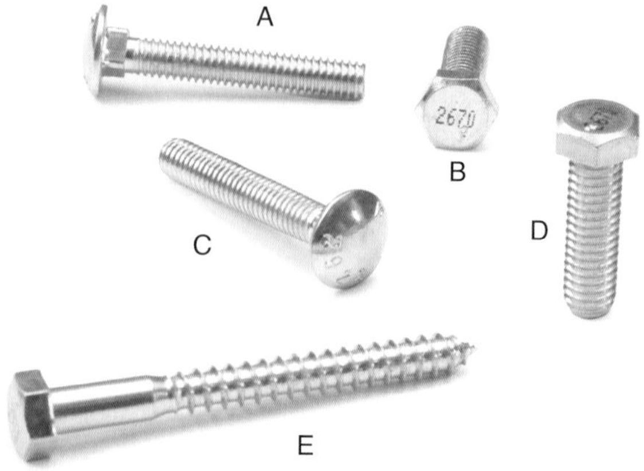

2.4 Construire des modèles à l'aide de développements et de patrons

Un patronnier ou une patronnière est une personne qui réalise et qui trace des patrons à découper, en particulier des patrons de vêtements. Ces personnes conçoivent un vêtement à partir des croquis de designers. Pour ce faire, elles prépareront un patron qui sera coupé et qui servira à coudre le vêtement.

Les patronnières et les patronniers participent à la conception de vêtements haute couture, d'uniformes, de costumes de scène et de prêt-à-porter.

Explore — Construire un modèle

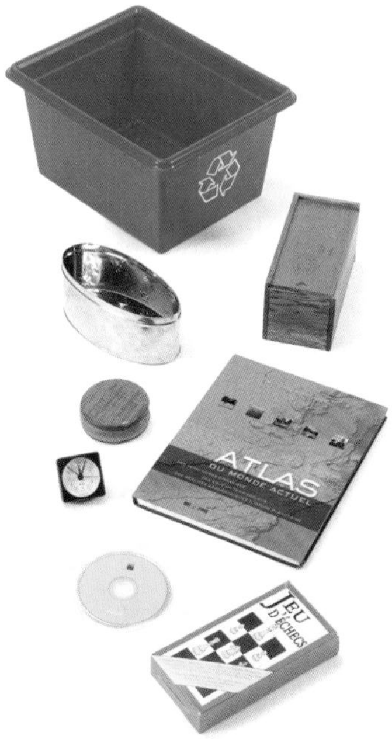

Travaille avec une ou un camarade ou en équipe.
Choisissez un objet simple dans la classe, tel qu'un prisme, une pyramide, un cylindre ou un cône, ou apportez un objet de la maison.
Vous aurez besoin de feuilles de papier ou de carton léger, d'un rapporteur, de ciseaux, de ruban adhésif et peut-être d'un compas.

Construisez un modèle de l'objet.
Voici la marche à suivre pour le construire.

- Observez l'objet sous divers angles pour voir toutes ses faces. Pour ce faire, vous pouvez déplacer l'objet.
- Dessinez sommairement les faces de l'objet. Pensez à une façon d'assembler les côtés.
- Choisissez entre dessiner un développement de l'objet ou dessiner chacune de ses faces séparément.
- Mesurez les côtés de chaque face à l'aide du système impérial ou du système métrique.
- Dessinez le développement ou les faces de l'objet.
- Construisez votre modèle.

Des détails, tels que la poignée et la serrure d'une boîte à outils, peuvent être dessinés sur certaines faces de l'objet.

Réfléchis

- Pourquoi avez-vous choisi de dessiner un développement ou de dessiner chacune des faces de l'objet ? Auriez-vous pu dessiner les deux ? Expliquez votre réponse.
- De quelle façon avez-vous déterminé le nombre de faces à dessiner ?
- De quelle façon avez-vous déterminé la dimension de chacune des faces de l'objet ?
- Comment avez-vous déterminé les faces qui ont une arête commune sur votre développement ou celles qui devaient être jointes en construisant votre solide ?

Fais des liens

Un **développement** est une représentation que tu peux découper et plier pour former un objet à trois dimensions. Chaque face doit toucher au moins une autre face.

Un **patron** peut ressembler à un développement. Cependant, tu dois découper chacune de ses faces pour les assembler.

Dessins à l'échelle

Pour les objets plus complexes, il est plus simple de dessiner un patron que de déterminer une façon d'assembler les faces d'un développement. Tu peux réduire les dimensions d'un objet de grande taille lorsque tu dessines un développement ou un patron.
À l'inverse, tu peux agrandir les dimensions d'un objet de très petite taille lorsque tu dessines un développement ou un patron.
L'objet construit à l'aide du développement ou du patron sera alors un **modèle à l'échelle** de l'objet original.

Tu dois diviser ou multiplier chaque dimension par le même nombre.

Manuela fabrique une boîte de boucles d'oreilles. Pour concevoir sa boîte, elle s'inspire d'un presse-papiers en forme de pyramide à base carrée.

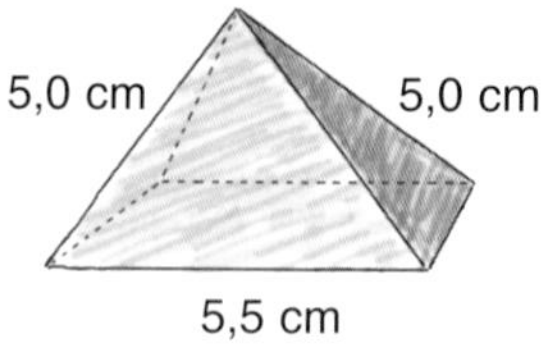

Prépare le développement.

Manuela mesure le presse-papiers et dessine un croquis de la boîte.
Elle pliera la boîte. Elle fait donc un développement.
Le développement aura quatre faces triangulaires congruentes et une base carrée.

Dessine les faces.

Manuela dessine d'abord la base carrée. Chaque côté mesure 5,5 cm. Pour dessiner une face triangulaire, Manuela utilise un côté du carré pour la base.
À l'aide d'un compas, elle trace un point à 5,0 cm à partir de chaque extrémité de la base.

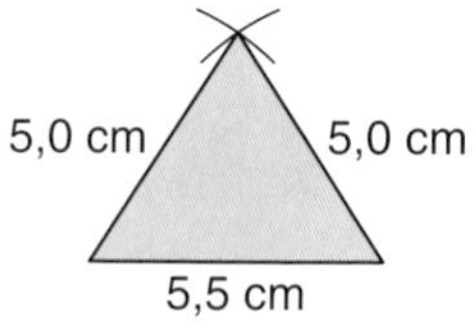

Pour compléter le triangle, Manuela relie ce point aux extrémités de la base.

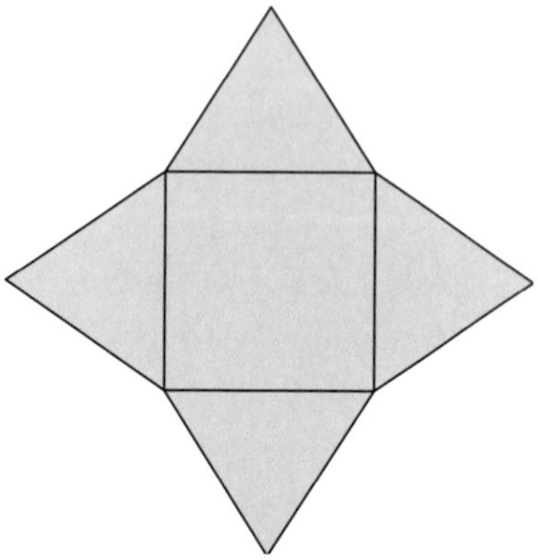

Elle fait cette étape trois fois pour dessiner les autres faces triangulaires. Ensuite, elle découpe et plie le développement, dépose les boucles d'oreilles dans la boîte, puis en colle les côtés avec du ruban adhésif.

Exercices

Pour certains exercices, tu auras besoin de feuilles de carton léger, de ciseaux, d'un compas, d'un rapporteur et de ruban adhésif.

1. Quels développements peux-tu plier pour former un cube? Explique comment tu le sais.

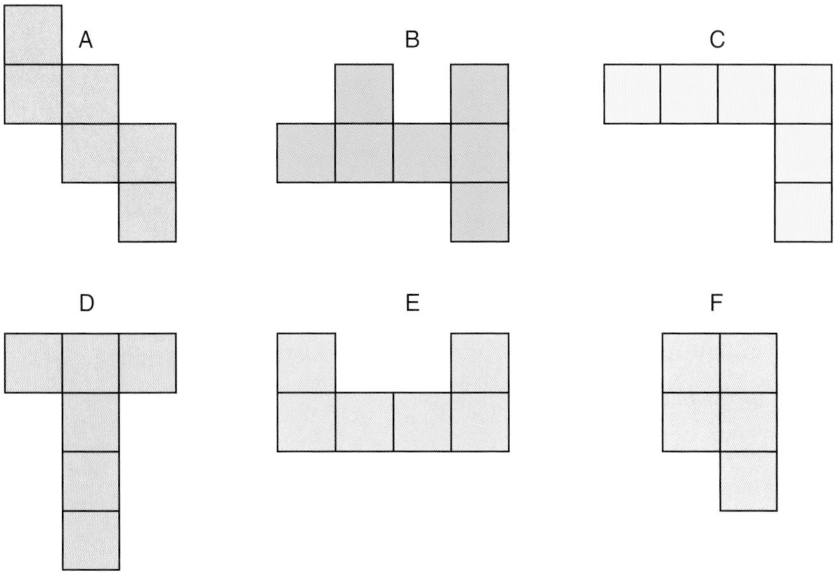

2. Réfère-toi à la marche à suivre de la partie *Fais des liens*, à la page précédente, pour construire une boîte en forme de pyramide. Utilise les dimensions indiquées ou détermine toi-même la longueur et la largeur de la base et des côtés.

3. Réfère-toi à la partie *Explore*, à la page 69. Aurait-il été possible de dessiner un autre développement ou patron de ton solide? Explique ta réponse.

Certains matériaux, comme les tissus, le métal et le bois, sont trop mous ou trop durs pour être pliés. Si tu travailles avec ces matériaux, utilise un patron plutôt qu'un développement.

Exemple

Grégoire construit une niche.
Il a d'abord dessiné un croquis de son modèle, tout en y inscrivant les dimensions.
La niche n'a pas de plancher.
Dessine un patron. Grégoire se servira de ce patron pour scier les panneaux de bois.

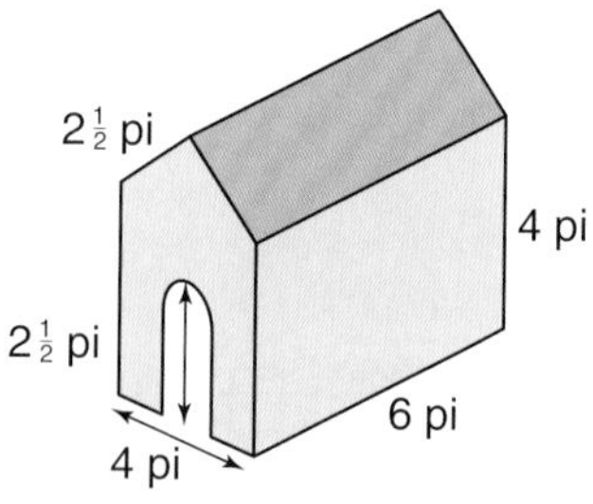

Solution

Grégoire utilise l'échelle 1 : 2, où 1 po représente 2 pi.
Il divise par 2 chaque dimension en pieds pour déterminer la dimension correspondante en pouces.

Donc, le modèle mesurera 3 po de longueur sur 2 po de largeur.
Les coins seront à 2 po de hauteur.
Les panneaux du toit mesureront $1\frac{1}{4}$ po de largeur et 3 po de longueur.

Grégoire découpera six faces.
Il dessine les côtés latéraux. Chaque rectangle mesure 3 po sur 2 po.

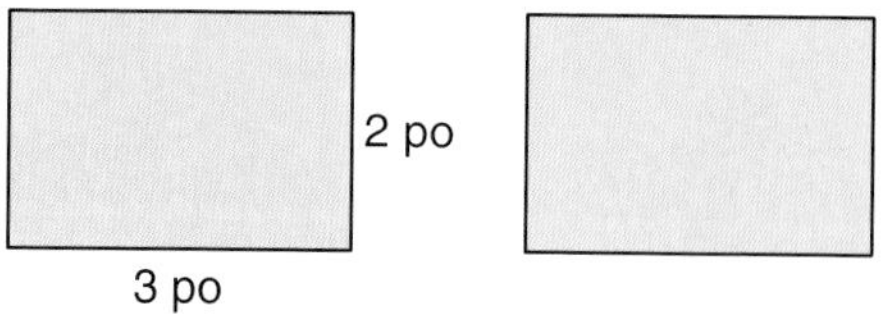

Il dessine les panneaux du toit. Chaque rectangle mesure 3 po sur $1\frac{1}{4}$ po.

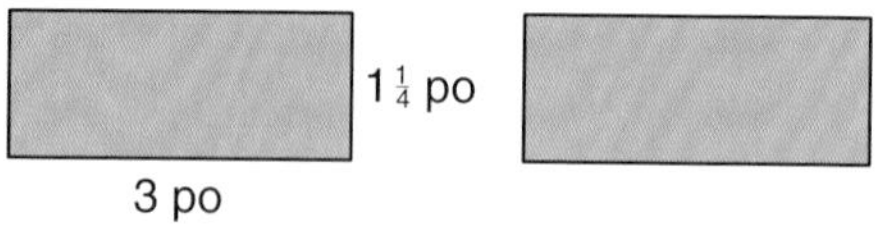

Pour dessiner le devant et l'arrière de la niche, Grégoire trace d'abord un carré de 2 po.
À l'aide d'un compas, il trace sur le dessus un triangle isocèle dont les côtés égaux mesurent $1\frac{1}{4}$ po.

Pour la partie frontale, Grégoire découpe une porte arrondie dans le haut et d'une hauteur de $1\frac{1}{4}$ po.

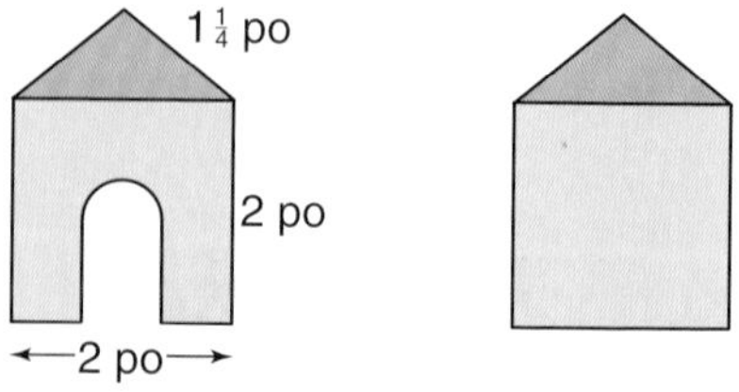

Il découpe et assemble les pièces de son patron pour construire son modèle.

4. Tu auras besoin d'un objet en bois, tel qu'une planche, une boîte, un pupitre, une table ou un tabouret.

a) Décris les formes de l'objet.

b) Mesure les dimensions de chacune de ses faces.

c) Sur une feuille de carton léger, dessine un patron pour concevoir un modèle à l'échelle de l'objet. Explique pourquoi tu choisis cette échelle.

d) Découpe ton modèle et assemble-le.

5. Fais le point Une boîte de conserve est un récipient fait de trois pièces de métal préalablement coupées et assemblées.

a) Mesure une boîte de conserve.

b) Décris la forme des trois pièces.

c) Dessine un patron ou un développement grandeur nature de la boîte de conserve. Explique ton choix.

d) Dessine un patron ou un développement d'un modèle de petite taille de la boîte de conserve qui pourrait être utilisé dans une boutique de jouets. Quelle échelle as-tu choisie ?

6. Relève le défi Une dessinatrice de vêtements conçoit divers styles de manches. Les patronniers doivent déterminer le patron qui convient à chaque style. Décris chacune des manches. Attribue à chaque manche le patron qui lui correspond. Explique ta stratégie.

a) Mancheron

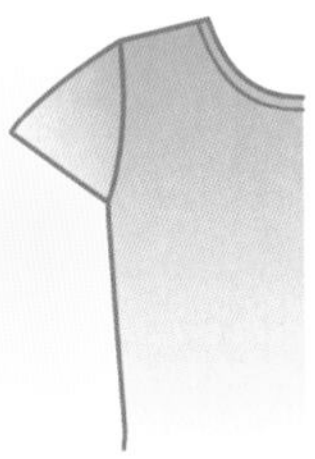

b) Manche montée

c) Manche raglan

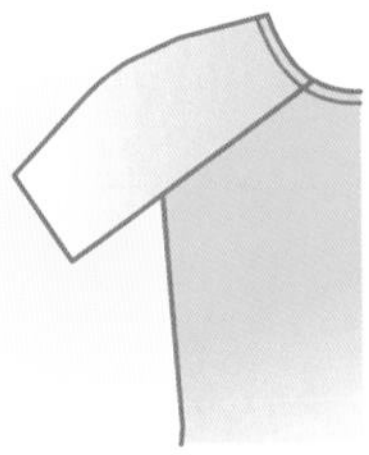

Pour visualiser et concevoir les manches, dessine les patrons sur du papier-calque. Découpe les patrons et plie-les.

I)

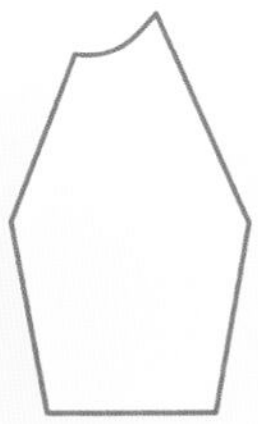

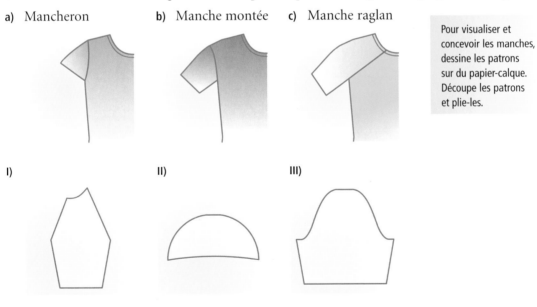

II)

III)

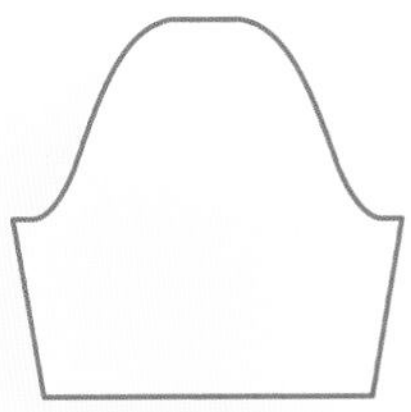

Dans tes mots

On te demande de construire un modèle à l'échelle d'un objet. Dans quels cas dessinerais-tu un développement ? Dans quels cas dessinerais-tu un patron ? Explique tes choix.

2.5 Dessiner des patrons et des développements à l'aide d'outils technologiques

Les conceptrices et les concepteurs d'emballages doivent savoir se servir des développements et des patrons.

Ils doivent savoir aussi où imprimer exactement les éléments textuels et graphiques sur l'emballage fini.

Examine — Utiliser Cybergéomètre ou Microsoft Word pour dessiner des patrons et des développements

Tu auras besoin d'un cylindre et d'un prisme rectangulaire.
Mesure et note les dimensions de chaque objet.
Ces données te seront utiles dans la présente partie.

Tu auras besoin aussi de ciseaux et de ruban adhésif pour assembler les patrons et les développements que tu as imprimés.

Détermine les dimensions des objets en mesures métriques ou impériales.

Choisis entre les activités « Utiliser Cybergéomètre » et « Utiliser Microsoft Word ».

Utiliser Cybergéomètre

Ouvre une nouvelle esquisse.

- Dans le menu **Édition**, sélectionne **Préférences**. Dans la zone **Distance**, vérifie si l'unité de mesure **cm** est sélectionnée. Dans le menu **Précision**, vérifie si l'option **centième** est sélectionnée. Clique sur **OK**.
- Dans le menu **Graphique**, clique sur **Créer un plan cartésien.** Clique sur chacun des axes et sur les deux points rouges de l'axe horizontal. Dans le menu **Affichage**, clique sur **Masquer les objets.**
- Assure-toi que la commande **Accrocher les points** du menu **Graphique** est désélectionnée pour dessiner des objets dont les mesures sont exactes.

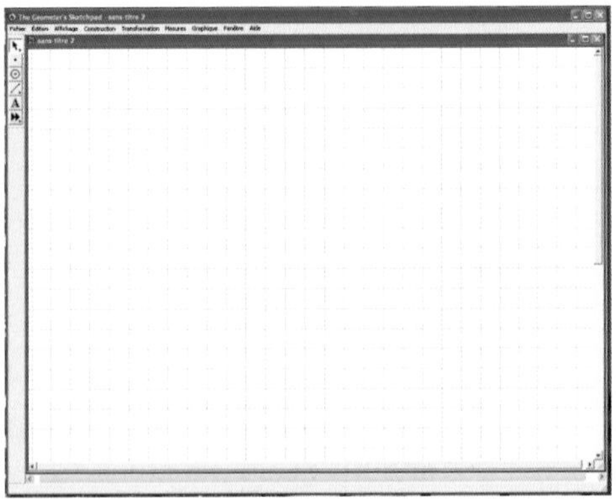

Tu as maintenant une feuille de papier quadrillé en centimètres.

Crée une seconde feuille de papier quadrillé. Dans le menu **Fichier**, clique sur **Options du document.** Une boîte de dialogue s'affiche. Clique sur **Ajouter une page ▼**, puis sur **Double** et **1**. Clique sur **OK**.

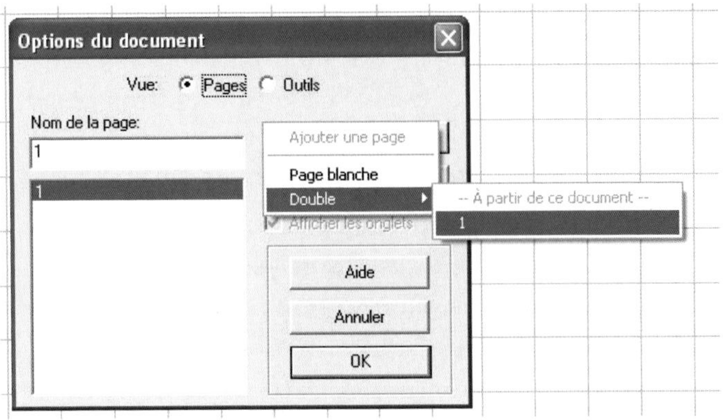

Dessiner des patrons et des développements d'un cylindre

Clique sur l'onglet de la page 1.

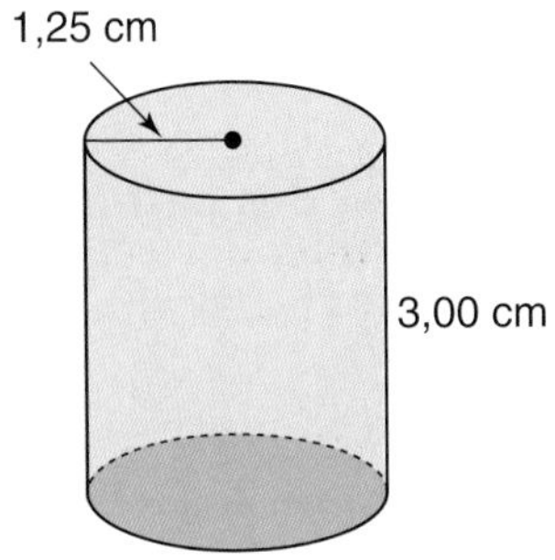

1. Pour dessiner un patron du cylindre ci-contre, tu as besoin d'une paire de cercles congruents et d'un rectangle.

a) Quelle est la circonférence de chaque cercle? Comment le sais-tu?

b) Quelle est la base du rectangle? Quelle est la hauteur du rectangle? Explique comment tu le sais.

c) À l'aide de l'outil **Rectiligne**, dessine un segment de droite.  Dans le menu **Mesures**, clique sur **Longueur**. À l'aide de l'outil **Flèche de sélection**, fais glisser une extrémité du segment jusqu'à ce que sa longueur se rapproche le plus de la réponse en a).  Clique sur une extrémité du segment. Dans le menu **Construction**, clique sur **Cercle par centre+rayon.** Pour copier le cercle, clique sur **Copier**, puis sur **Coller** dans le menu **Édition.** Fais glisser le second cercle pour le garder à distance du premier.

d) À l'aide de l'outil **Rectiligne**, dessine un segment de droite vertical de 3 cm. Sers-toi de la grille pour te guider. À l'aide de l'outil **Rectiligne**, dessine un segment de droite horizontal. Dans le menu **Mesures**, clique sur **Longueur.** À l'aide de l'outil **Flèche de sélection**, fais glisser une extrémité du segment jusqu'à ce que sa longueur se rapproche le plus de la réponse en b).

e) Copie, colle et positionne les segments de la partie d) pour former un rectangle.

f) Imprime le patron.

2. a) Comment peux-tu modifier le patron du numéro 1 de façon à construire un modèle du prisme rectangulaire que tu as mesuré? Fais quelques essais. Si le prisme est trop grand, fais un dessin à l'échelle.

b) Forme un développement du cylindre à l'aide de ses faces.
Si ton développement ne tient pas sur une page, fais pivoter les faces du développement.
Pour ce faire, clique sur un point et sur **Définir le centre** dans le menu **Transformation**.
Clique sur chacune des faces du développement pour les sélectionner.
Clique sur l'outil **Flèche de sélection** et maintiens le bouton de la souris enfoncé pour sélectionner **Rotation**.
Fais glisser le développement à l'endroit désiré.
Imprime le développement.

Si tu as choisi les unités impériales, clique sur le menu **Édition** et sur **Préférences**. Dans la zone **Distance**, sélectionne **pouces**.

Dessiner des patrons et des développements d'un prisme rectangulaire

Clique sur l'onglet de la page 2.

1. Pour construire un patron du prisme rectangulaire ci-contre, tu as besoin de trois paires de rectangles congruents.

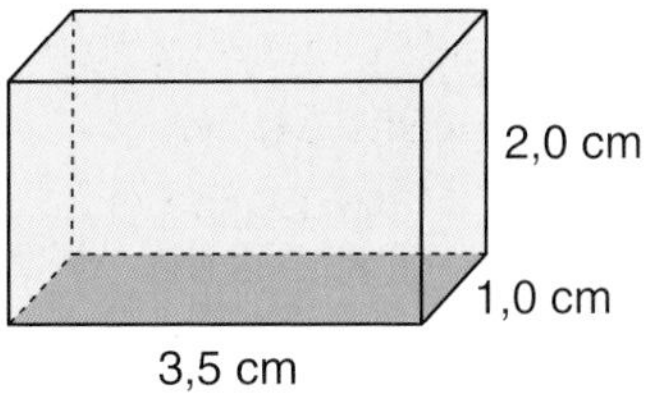

a) Quelles sont les dimensions de chaque rectangle? Explique comment tu le sais.

b) À l'aide de l'outil **Rectiligne**, dessine un segment de droite vertical et un segment de droite horizontal, puis mesure-les.
Avec l'outil **Flèche de sélection**, fais glisser l'extrémité d'un des segments pour que sa longueur se rapproche le plus possible de la longueur d'un des rectangles de la partie a).
L'autre segment doit être de la même largeur que le rectangle.

c) Copie, colle et positionne les segments de la partie b) pour former un rectangle.
Sélectionne le rectangle, puis copie-le.
Fais glisser le second rectangle à l'endroit désiré.

d) Reprends les parties b) et c) avec les autres paires de rectangles.

e) Imprime le patron.

Si tu as défini le pouce comme unité de mesure, reviens maintenant aux centimètres.

2. a) Comment peux-tu modifier le patron du numéro 1 de façon à construire un modèle du prisme rectangulaire que tu as mesuré? Fais quelques essais. Si le prisme est trop grand, fais un dessin à l'échelle.

b) Forme un développement du prisme à l'aide de ses faces. Lorsque tu déplaces un rectangle, assure-toi de sélectionner les quatre côtés. Imprime le développement.

Pour utiliser les unités impériales, sélectionne le pouce comme unité de mesure.

Utiliser Microsoft Word

Lance Microsoft Word et ouvre un nouveau document.

➢ Assure-toi que la commande **Page** du menu **Affichage** est sélectionnée.

➢ Dans le menu **Outils**, clique sur **Options** et sur l'onglet **Général**. Dans la zone **Unités de mesure**, clique sur **Centimètres**, puis sur **OK**.

➢ Dans la barre d'outils **Dessin** (ou l'icône correspondante), clique sur **Grille**. Une boîte de dialogue s'affiche. Dans les zones Espacement **horizontal** et Espacement **vertical**, clique sur 0,5 cm. Désactive la case à cocher **Aligner les objets sur la grille**. Vérifie que les cases à cocher **Aligner les objets sur les autres objets** et **Afficher la grille à l'écran** sont activées. Clique sur **OK**.

Tu as maintenant une feuille de papier quadrillé de 0,5 cm.

Dessiner des patrons et des développements d'un cylindre

1. Pour dessiner un patron du cylindre ci-contre, tu as besoin d'une paire de cercles congruents et d'un rectangle.

a) Quel est le diamètre de chaque cercle? Explique comment tu le sais.

b) Quelle est la base du rectangle? Quelle est la hauteur du rectangle? Explique comment tu le sais.

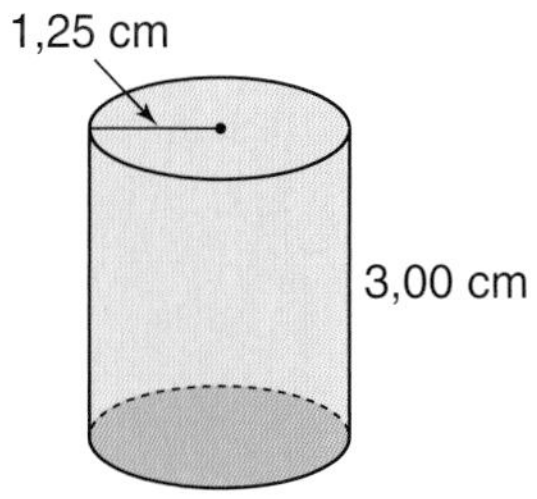

c) Dans la barre d'outils **Dessin**, clique sur **Ellipse**.
Enfonce la touche **Majuscules** lorsque tu traces un cercle dont le diamètre se rapproche de la réponse en a).
Double-clique sur le cercle.
Une boîte de dialogue s'affiche.
Clique sur l'onglet **Taille** pour déterminer la hauteur et la largeur désirées.
Clique sur **OK**.
Pour copier le cercle, clique sur celui-ci.
Dans le menu **Édition,** clique sur **Copier**, puis sur **Coller**.
Fais glisser le second cercle pour le garder à distance du premier.

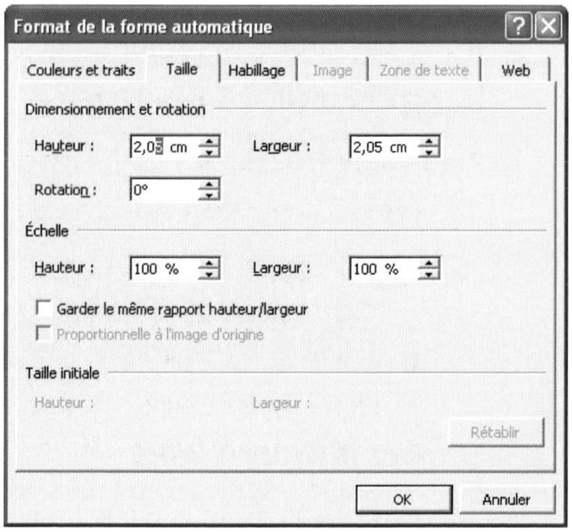

d) Dans la barre d'outils **Dessin**, clique sur **Rectangle**.
Sers-toi de la grille pour te guider.
Dessine un rectangle dont la base et la hauteur se rapprochent des mesures de la partie b).
Double-clique sur le rectangle pour t'assurer de l'exactitude des mesures.

e) Imprime le patron.

Dans Microsoft Word, la longueur de la base d'un rectangle est désignée sous le nom largeur.

2. a) Comment peux-tu modifier le patron du numéro 1 de façon à construire un modèle du cylindre que tu as mesuré?
Fais quelques essais.
Si le cylindre est trop grand, fais un dessin à l'échelle.

b) Forme un développement du cylindre à l'aide de ses faces.
Si le développement est trop grand, fais pivoter les éléments.
Pour ce faire, clique sur **Rotation ou retournement** dans la barre d'outils **Dessin**.
Enfonce la touche **Majuscules** lorsque tu sélectionnes le développement.
Dans la barre d'outils **Dessin**, clique sur **Grouper** pour grouper les éléments.
Imprime le développement.

Si tu as choisi les unités impériales, clique sur le menu **Outils** et sur **Options**. Dans la zone **Unités de mesure**, sélectionne **Pouces**. Dans les zones Espacement **horizontal** et Espacement **vertical**, tape 0,25.

Dessiner des patrons et des développements d'un prisme rectangulaire

Pour insérer un saut de page dans ton document, clique sur l'emplacement désiré, mais à l'extérieur de la zone de dessin.

➢ Dans le menu **Insertion**, clique sur **Saut**.
➢ Clique sur **Saut de page** et sur **OK**.

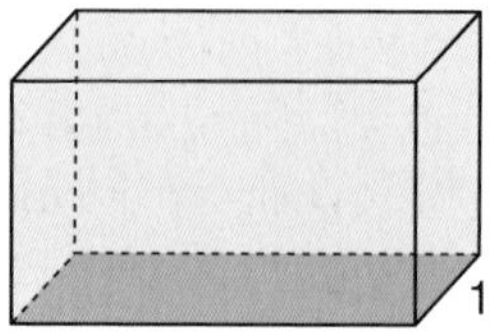

1. Pour construire un patron du prisme rectangulaire ci-contre, tu as besoin de trois paires de rectangles semblables.

a) Quelles sont les dimensions de chaque rectangle? Explique comment tu le sais.

b) Dans la barre d'outils **Dessin**, clique sur **Rectangle**. Sers-toi de la grille pour te guider. Dessine un rectangle dont la base et la hauteur se rapprochent des mesures de la partie a). Double-clique sur le rectangle et modifie ses dimensions au besoin. Copie le rectangle.

c) Reprends la partie b) pour les autres paires de rectangles.

d) Imprime le patron.

Si tu as défini le pouce comme unité de mesure, reviens maintenant aux centimètres. Dans les zones Espacement **horizontal** et Espacement **vertical**, tape 0,5.

2. a) Comment peux-tu modifier le patron du numéro 1 de façon à construire un modèle du prisme rectangulaire que tu as mesuré? Fais quelques essais. Si le prisme est trop grand, fais un dessin à l'échelle.

b) Forme un développement du prisme à l'aide de ses faces. Si le développement est trop grand, fais pivoter les faces. Pour ce faire, clique sur **Rotation ou retournement** dans la barre d'outils **Dessin**. Enfonce la touche **Majuscules** lorsque tu sélectionnes le développement. Dans la barre d'outils **Dessin**, clique sur **Grouper** pour grouper les éléments. Imprime le développement.

Si tu as choisi les unités impériales, clique sur le menu **Outils** et sur **Options**. Dans la zone **Unités de mesure**, sélectionne **Pouces**. Dans les zones Espacement **horizontal** et Espacement **vertical**, tape 0,25.

Réfléchis

Découpe et assemble les patrons et les développements que tu as imprimés.

➢ Décris les objets que tu as assemblés. Ont-ils la forme attendue? Sinon, en quoi sont-ils différents?
➢ Tu dois construire un développement d'un prisme rectangulaire de 7 cm sur 4 cm sur 3 cm, à l'aide de Cybergéomètre ou de Microsoft Word. Décris la marche à suivre pour dessiner le développement. Ajoute des schémas, au besoin.

2.6 Dessiner et construire des plans

Grâce à la télévision, nous connaissons maintenant mieux le travail des expertes et experts en criminalistique et des techniciennes et techniciens en scène de crime. L'emploi du temps de ces spécialistes consiste en partie à reconstituer la scène d'un crime, d'un accident ou d'un incendie. Généralement, une reconstitution commence par un plan des lieux mêmes de l'enquête.

Explore — Dessiner un plan d'étage

Un **plan d'étage** est un dessin à l'échelle d'une pièce ou d'un bâtiment. Travaillez en équipe pour faire un plan d'étage de la classe.

Vous aurez besoin d'un ruban à mesurer, de papier quadrillé de 0,5 cm ou de $\frac{1}{4}$ po, ou d'un logiciel de dessin ou de conception et d'une imprimante.

Travaillez en unités métriques ou en unités impériales.

- Faites un croquis de la classe.
  Indiquez de façon approximative l'emplacement des portes et des fenêtres, ainsi que des pupitres des élèves de votre équipe.
  Choisissez au moins deux autres objets dans la classe, par exemple, un bureau, une étagère et une table, et représentez-les sur votre croquis.
- Mesurez et notez la superficie de la classe.
  Mesurez aussi la largeur des portes et des fenêtres.
  Prenez des mesures qui indiquent leur emplacement exact.
- Mesurez et notez la longueur et la largeur des objets ajoutés sur votre croquis.
  Prenez également des mesures qui vous permettront de bien placer chaque objet.

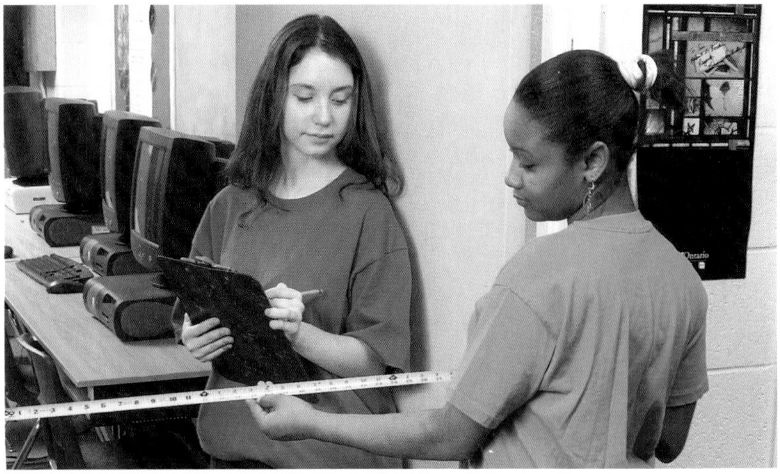

N'oubliez pas d'inclure une échelle sur votre plan d'étage.

➢ Choisissez une échelle. Concevez un plan d'étage précis à l'aide de votre croquis et de vos mesures.
Dessinez votre plan à l'aide d'un logiciel de conception ou de dessin ou encore sur du papier quadrillé.
Si vous travaillez avec Microsoft Word et en unités impériales, observez la marche à suivre ci-dessous.
Lancez Microsoft Word et ouvrez un nouveau document.

- Dans le menu **Outils**, cliquez sur **Options** et sur l'onglet **Général**.
- Dans la zone **Unités de mesure**, cliquez sur **Pouces**, puis sur **OK**.
- Dans la barre d'outils **Dessin**, cliquez sur **Grille**. Une boîte de dialogue s'affiche. Dans les zones Espacement **horizontal** et Espacement **vertical**, tapez 0,25 cm. Désactivez la case à cocher **Aligner les objets sur la grille**. Vérifiez que les cases à cocher **Aligner les objets sur les autres objets** et **Afficher la grille à l'écran** sont activées. Cliquez sur **OK**.
- Vous avez maintenant une feuille de papier quadrillé de $\frac{1}{4}$ po.
- Utilisez l'outil **Trait** pour dessiner. 

Si vous travaillez en mesures métriques, observez la même marche à suivre. Choisissez cependant les **centimètres** comme unité de mesure. Définissez l'espacement **horizontal** et l'espacement **vertical** à 0,5 cm. Vous avez maintenant une feuille de papier quadrillé de 0,5 cm. Utilisez l'outil **Trait** pour dessiner.

Réfléchis

➢ Pourquoi avez-vous choisi cette échelle?
➢ À l'aide du plan d'étage, déterminez la distance approximative qui sépare votre pupitre de la porte de la classe.
Expliquez votre méthode. Que pensez-vous de votre méthode?
➢ Supposons que des vandales ont saccagé votre classe.
En quoi un plan comme le vôtre serait-il utile à des détectives?

Fais des liens

Dessine un croquis.

Fannie suit un cours intitulé « Enquête sur les lieux d'un crime ». Comme devoir, elle doit examiner une scène de crime fictive et noter le plus d'indices possible. Elle a déjà dessiné le croquis de la pièce ci-dessous et noté les mesures. Il ne reste plus qu'à y ajouter les meubles et à y indiquer tous les indices qu'elle a trouvés. Elle construira aussi un plan d'étage à l'échelle.

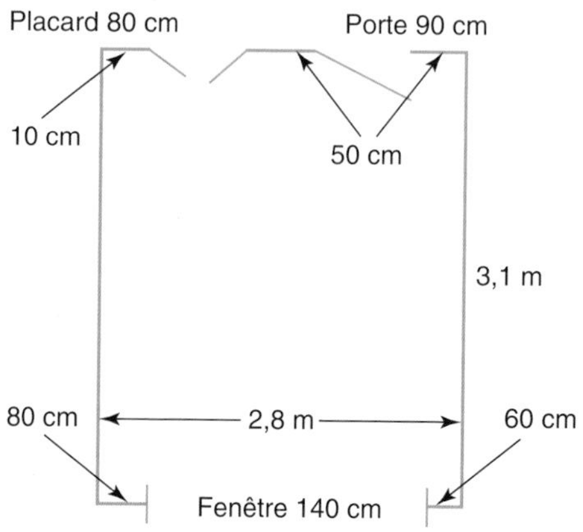

Fannie présentera son plan d'étage sur une feuille de papier quadrillé de 0,5 cm. La feuille mesure 23 cm sur 16 cm. La pièce, quant à elle, mesure 3,1 m sur 2,8 m.

Choisis une échelle.

Fannie détermine les rapports des dimensions correspondantes.

longueur feuille : longueur pièce
= 23 cm : 3,1 m
= 23 cm : 310 cm

largeur feuille : largeur pièce
= 16 cm : 2,8 m
= 16 cm : 280 cm

Pour déterminer un rapport équivalent dont le premier terme est 1, divise chaque terme du rapport par le premier terme.

Pour convertir des mètres en centimètres, multiplie par 100.

Divise chaque terme par 23 cm.
$\doteq$ 1 : 13,478
La pièce est plus de 13 fois plus longue que la feuille.

Divise chaque terme par 16 cm.
= 1 : 17,5
La pièce est plus de 17 fois plus large que la feuille.

Fannie doit donc utiliser une échelle d'au moins 1 : 17,5.
Elle remarque que les mesures de la pièce sont toutes des multiples de 10. Donc, Fannie veut que le second terme de l'échelle soit aussi un multiple de 10.
Elle choisit l'échelle 1 : 20, où 1 cm représente 20 cm.

Utilise l'échelle.

Pour déterminer la longueur et la largeur du plan, Fannie divise les dimensions réelles par 20.
La longueur sera : $310 \div 20 = 15{,}5$, ou 15,5 cm.
La largeur sera : $280 \div 20 = 14$, ou 14 cm.

Fannie détermine la largeur de la porte, de la fenêtre, du placard et des pans de mur qui séparent ceux-ci, à l'aide de la même méthode.

Partie de la pièce	Calcul	Longueur sur le plan (cm)
Porte	$90 \div 20$	4,5
Fenêtre	$140 \div 20$	7,0
Placard	$80 \div 20$	4,0
Mur situé à droite de la fenêtre	$80 \div 20$	4,0
Mur situé à gauche de la fenêtre	$60 \div 20$	3,0
Mur situé à gauche du placard	$10 \div 20$	0,5
Murs situés de chaque côté de la porte	$50 \div 20$	2,5

Dessine le plan d'étage.

Pour tenir sur la page, le plan d'étage est représenté à 50 % de sa taille réelle.

Sur du papier quadrillé de 1 cm, Fannie dessine un rectangle de 15,5 cm de longueur et de 14,0 cm de largeur.
Elle complète son plan à l'aide des données du tableau.

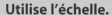

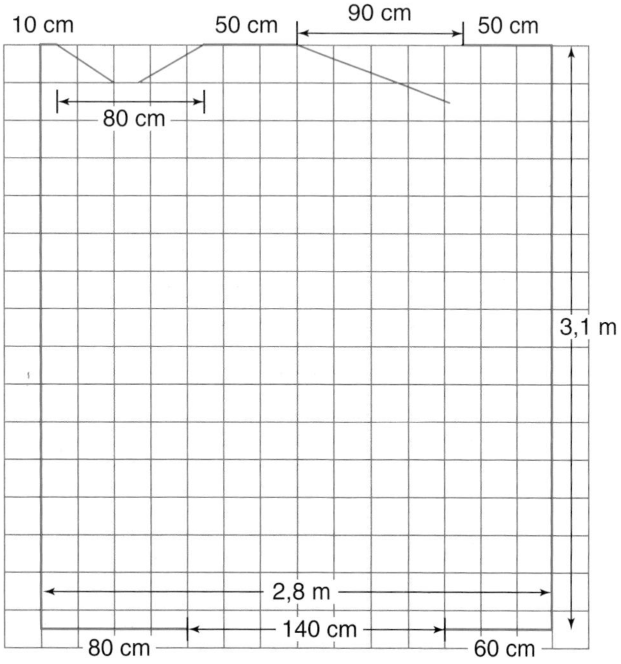

Exercices

Pour faire certains exercices, tu auras besoin de papier quadrillé, d'un logiciel de dessin ou d'un logiciel de conception.

1. Une carte est une sorte de plan.
Supposons que tu dessines une carte dont l'échelle est de 1:20, où 1 cm représente 20 km.
Environ quelle distance séparera chaque ville représentée sur la carte?
a) 100 km **b)** 10 km **c)** 170 km

2. Une pièce mesure 16 pi sur 22 pi.
a) Quelle échelle choisiras-tu pour dessiner la pièce sur une feuille de papier quadrillé de $\frac{1}{4}$ po? La feuille mesure 6 po sur 8 po.
b) Quelles sont les dimensions à l'échelle de la pièce?

3. Une pièce mesure 3,5 m sur 5,2 m.
a) Quelle échelle choisiras-tu pour dessiner la pièce sur une feuille de papier quadrillé de 0,5 cm? La feuille mesure 16 cm sur 20 cm.
b) Quelles sont les dimensions à l'échelle de la pièce?

4. Mesure le dessus de ton pupitre. Dessine un plan de ton pupitre à l'aide d'une échelle. Pense à au moins deux objets qui se trouvent souvent sur ton pupitre. Mesure ces objets, puis dessine-les sur ton plan aux endroits appropriés.

Les plans sont très utiles dans les domaines de l'architecture et de la décoration intérieure.

Exemple

Laura désire placer ses meubles dans la chambre qu'elle occupe.
En quoi un plan lui serait-il utile?

Solution

La chambre de Laura mesure 126 po sur 144 po.
Laura construit un plan d'étage à l'ordinateur.
Elle choisit l'échelle $\frac{1}{4}$:6, où $\frac{1}{4}$ po représente 6 po.
Donc, Laura divise chaque dimension par 6 pour déterminer le nombre de carrés de $\frac{1}{4}$ po.

Largeur en carrés de $\frac{1}{4}$ po: $\frac{126 \text{ po}}{6 \text{ po}} = 21$

Longueur en carrés de $\frac{1}{4}$ po: $\frac{144 \text{ po}}{6 \text{ po}} = 24$

Laura mesure ses meubles. Elle fait un dessin à l'échelle pour représenter la vue de dessus de chacun.
Par exemple, sa commode mesure 42 po sur 24 po.

Longueur en carrés de $\frac{1}{4}$ po: $\frac{42 \text{ po}}{6 \text{ po}} = 7$

Largeur en carrés de $\frac{1}{4}$ po: $\frac{24 \text{ po}}{6 \text{ po}} = 4$

Sur un plan d'étage, les meubles et les appareils d'éclairage sont représentés en vue de dessus.

Pour tenir sur la page, le plan d'étage a été réduit.

Laura positionne les formes sur son dessin à l'échelle. Elle s'assure qu'aucun meuble ne gêne ni les fenêtres ni les portes. Elle déplace les formes plusieurs fois. Si Laura ne s'était pas servie de son ordinateur, elle aurait pu dessiner et découper les formes de chaque meuble.

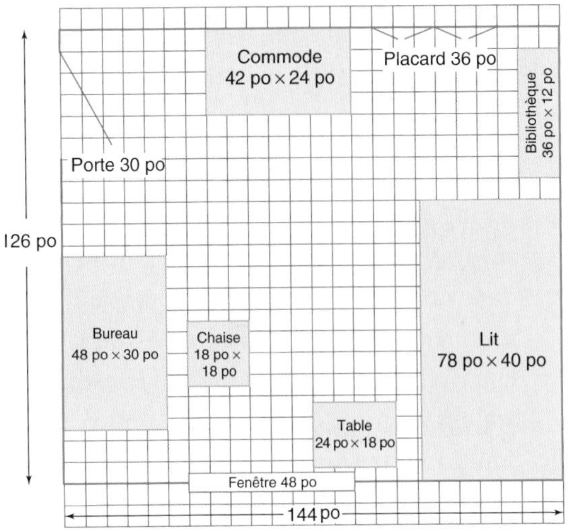

5. Fais le point Si tu travailles en unités impériales, utilise du papier quadrillé de $\frac{1}{4}$ po; si tu travailles en unités métriques, utilise du papier quadrillé de 0,5 cm.

a) Choisis au moins trois meubles. Dessine la vue de dessus de chacun. Estime la taille de chacun ou prends tes mesures à partir de vrais meubles.

b) Si tu as travaillé en unités impériales, dessine un plan d'étage de la pièce de l'exercice 2. Ajoutes-y une porte, une fenêtre et les formes découpées des meubles que tu as choisis. Explique comment tu as déterminé l'emplacement de chaque meuble.

c) Si tu as travaillé en unités métriques, dessine un plan d'étage de la pièce de l'exercice 3. Ajoutes-y une porte, une fenêtre et les formes découpées des meubles que tu as choisis. Explique comment tu as déterminé l'emplacement de chaque meuble.

6. Relève le défi

a) Quelle est la longueur du segment de droite représentant le dérapage de la voiture A?

b) Lors de l'accident, la voiture A a dérapé sur une distance de 13 m avant de percuter la voiture B. Détermine l'échelle du dessin à l'aide de cette information et de ta réponse en a). Explique ta méthode.

c) I) Détermine la distance de dérapage de la voiture B à l'aide de l'échelle en b).

II) Détermine la distance parcourue par chaque voiture après la collision.

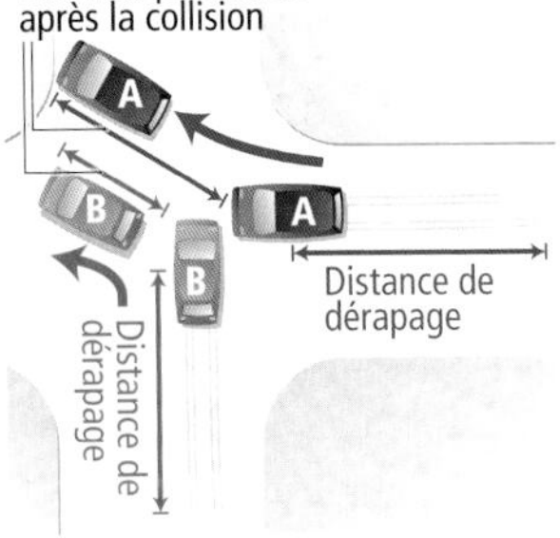

Dans tes mots

Une pièce mesure 300 cm sur 450 cm. Tu dois dessiner un plan d'étage de la pièce sur du papier quadrillé de 0,5 cm. Indique les étapes de ton travail.

2.7 Résoudre des problèmes de conception respectant certaines contraintes

Au cours de la mission Apollo 13, en 1970, les ingénieures et les ingénieurs de la NASA ont dû trouver une façon d'installer un filtre de forme carrée dans un conduit de forme circulaire, à l'aide uniquement du matériel qui se trouvait à bord de la navette. Avec beaucoup d'ingéniosité et... de ruban adhésif en toile, ces spécialistes ont proposé une solution qui a sauvé la vie des membres de l'équipage.

Par définition, une **contrainte** est limitative. Lors de la mission Apollo 13, les ingénieures et les ingénieurs étaient aux prises avec une contrainte de matériel.
La détermination des contraintes est une composante importante du processus de conception.

Un filtre de forme carrée a dû être installé dans un conduit de forme circulaire, à l'aide de ruban adhésif en toile.

Examine — Relever des défis de conception

Travaillez en équipe de trois ou de cinq.

Vous aurez besoin de papier quadrillé, de carton, de ciseaux et de ruban adhésif.

Vous aurez besoin de matériel concret.

1. Une entreprise vend du macaroni au fromage dans des boîtes de 200 g. Les boîtes ont la forme d'un prisme rectangulaire et mesurent chacune 18,0 cm sur 9,0 cm sur 3,5 cm.
L'entreprise désire vendre le même produit dans un emballage de 400 g.
- a) Quel est le volume de la boîte de 200 g?
- b) Quel devrait être le volume de la boîte de 400 g, à votre avis? Décrivez vos hypothèses. Expliquez pourquoi vos hypothèses vous semblent raisonnables.
- c) Quelle forme aura le nouvel emballage? Cette forme est-elle appropriée? Expliquez votre raisonnement.
- d) Quelles dimensions choisiriez-vous pour cet emballage? Y a-t-il d'autres dimensions possibles? Expliquez vos suggestions.
- e) Décrivez quelques contraintes qui influeront sur la conception du nouvel emballage.

2. Relevez trois des défis suivants.
Décrivez les contraintes de conception.
- Concevoir une boîte de rangement pour les calculatrices de la classe.
- Concevoir un plan d'étage, y compris le mobilier, d'une salle de jeu d'environ 50 m^2.
- Concevoir un emballage de jus de 300 ml.
- Concevoir une courtepointe de 36 po $\times$ 48 po pour un enfant malade.
- Concevoir une structure faite de pâte à modeler et de cure-dents ou de pailles, ou encore de carton léger pouvant supporter le poids de votre manuel.

3. Relevez un défi de la question précédente ou présentez votre propre défi.
Concevez un plan qui comprendra les éléments suivants, s'il y a lieu :
- une liste du matériel ;
- une marche à suivre détaillée ;
- un développement, un patron ou un plan ;
- un modèle grandeur nature ou un modèle à l'échelle ;
- un dessin isométrique ou un dessin orthographique.

Si possible, utilisez un logiciel de conception ou un logiciel de dessin.

4. Construisez votre modèle.

5. Pourquoi avez-vous choisi de relever ce défi ?

Réfléchis

- ➢ Présentez votre plan aux élèves de la classe ou à un autre groupe. Décrivez les contraintes et les difficultés que vous avez dû résoudre. Expliquez pourquoi vous avez choisi ce matériel. Répondez à toutes les questions.
- ➢ Décrivez vos hypothèses. Expliquez pourquoi elles vous semblent raisonnables, ou expliquez pourquoi votre plan ne présente aucune hypothèse.
- ➢ Si le matériel avait été différent, la conception aurait-elle été différente ? Dans l'affirmative, de quelle façon ?

CASSE-TÊTE

Colorier des solides

Matériel :
- des crayons de couleur ;
- du papier pointé ou du papier quadrillé ;
- des ciseaux ;
- du ruban adhésif.

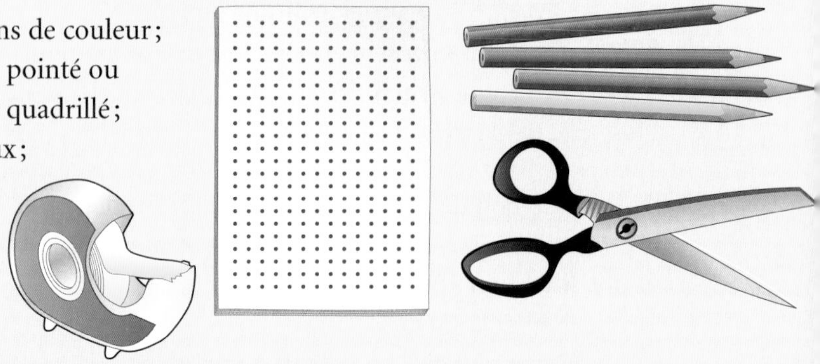

1. Nicolas et Zack ont inventé un jeu.
Ils doivent concevoir un dé à 6 faces présentant 2 faces peintes en bleu, 2 faces peintes en vert et 2 faces peintes en rouge.
Les faces qui ont une arête commune doivent être d'une couleur différente. Est-il possible de concevoir un tel dé ?
- Dans l'affirmative, dessine et colorie un développement pour présenter ta solution.
  Découpe et plie le développement pour vérifier ta solution.
- Dans la négative, explique pourquoi.

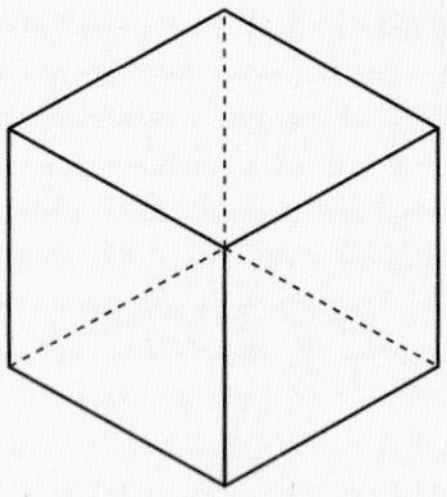

2. Un dé possède 3 faces peintes en bleu et 3 faces peintes en rouge.
Les faces qui ont une arête commune peuvent-elles toutes être de couleurs différentes ?
- Dans l'affirmative, dessine et colorie un développement pour présenter ta solution.
  Découpe et plie le développement pour vérifier ta solution.
- Dans la négative, explique pourquoi.

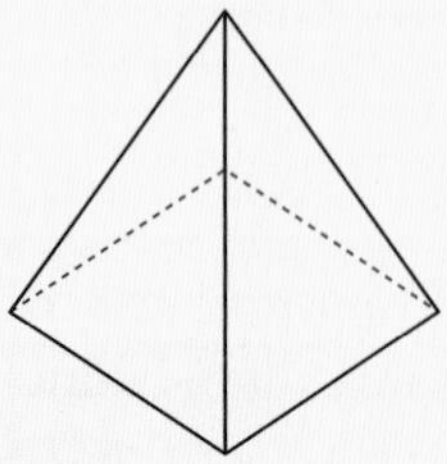

3. **a)** Combien de faces possède une pyramide à base carrée ?

b) Tu veux colorier les faces d'une pyramide à base carrée.
Tu veux aussi que les faces qui ont une arête commune soient d'une couleur différente. Quel nombre minimal de couleurs peux-tu utiliser ?
Dessine et colorie un développement pour présenter ta solution.
Découpe et plie le développement pour vérifier ta solution.
Explique pourquoi tu ne peux pas utiliser un plus petit nombre de couleurs.

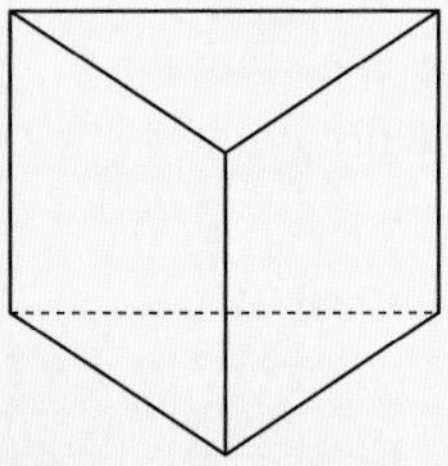

4. Reprends la question précédente avec un prisme triangulaire.
Compare tes réponses et celles de la question 3.
Peux-tu déterminer le nombre de couleurs à partir du nombre de faces ? Explique ton raisonnement.

Révision du chapitre

Ce que je dois savoir

Un dessin isométrique

Un dessin isométrique montre les trois dimensions d'un objet.

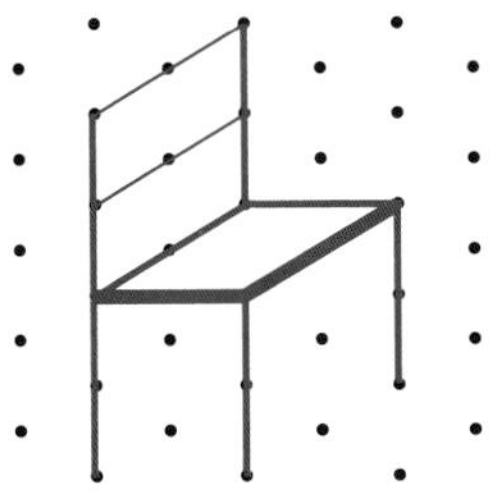

Un dessin orthographique

Les vues de dessus, de face et de côté d'un objet sont placées de façon que les arêtes communes soient parfaitement alignées.

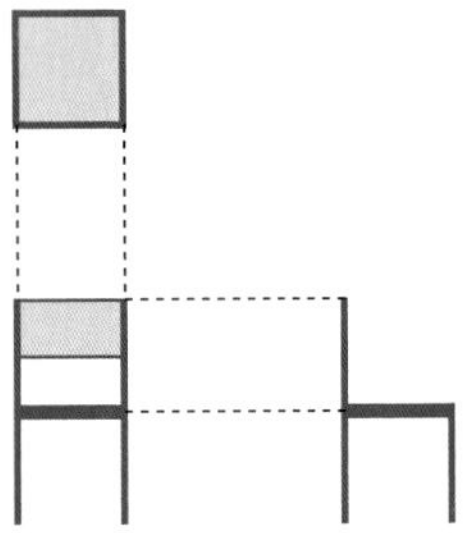

Un développement

Un dessin qui peut être découpé et plié pour former un objet tridimensionnel. Chaque face doit toucher au moins une autre face.

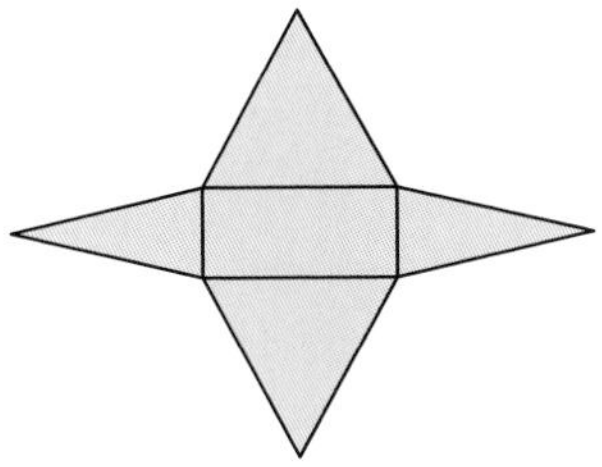

Développement d'une pyramide rectangulaire

Un patron

Un patron ressemble à un développement. Cependant, on doit découper chacune de ses faces pour les assembler.

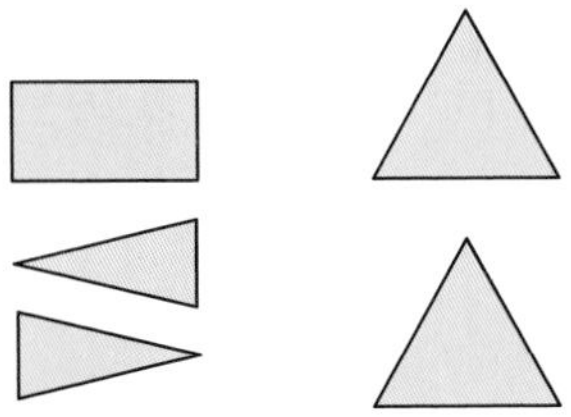

Patron de la même pyramide rectangulaire

Un plan

Un plan est un dessin à l'échelle. Les plans d'étage sont très utiles dans les domaines de l'architecture, de la construction immobilière et de la décoration intérieure.

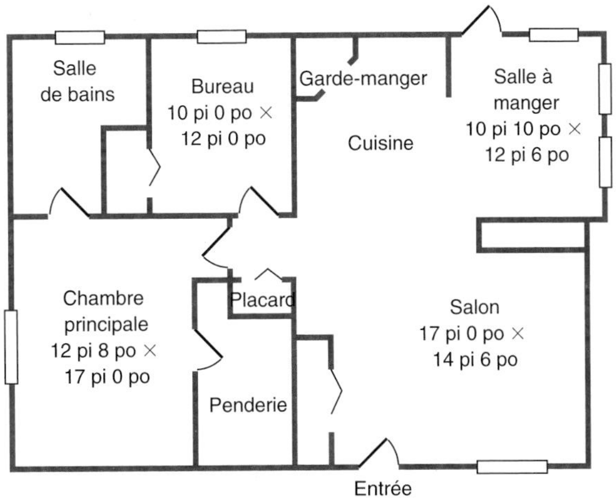

Ce que je dois savoir faire

2.1 **1.** a) Nomme chacun des objets ci-dessous. Indique la forme ou la figure géométrique à laquelle chaque objet ressemble.

b) Comment l'utilisation de chaque objet influe-t-elle sur sa forme? Explique ton raisonnement.

I)

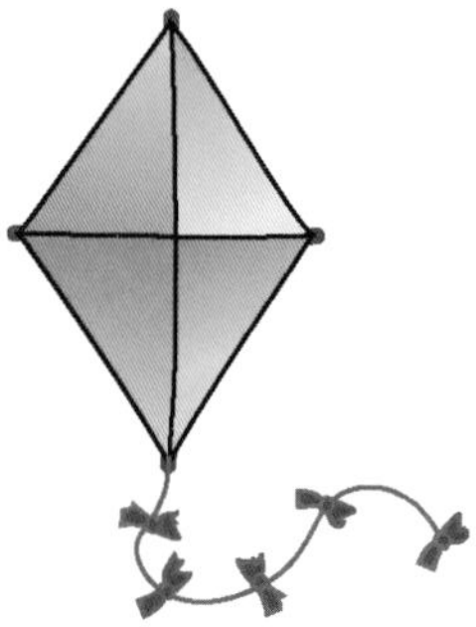

II)

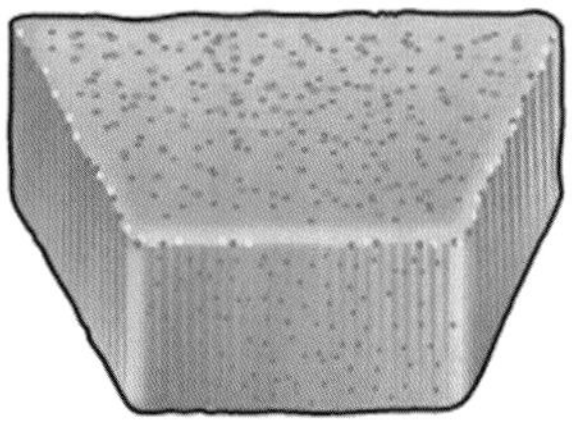

2.2 2.3 **2.** Les dessins ci-après ont été réalisés à l'aide d'un logiciel.

a) Indique si chaque dessin est isométrique ou orthographique.

b) Nomme l'objet représenté sur chaque dessin. Explique la façon dont tu as reconnu chaque objet.

I)

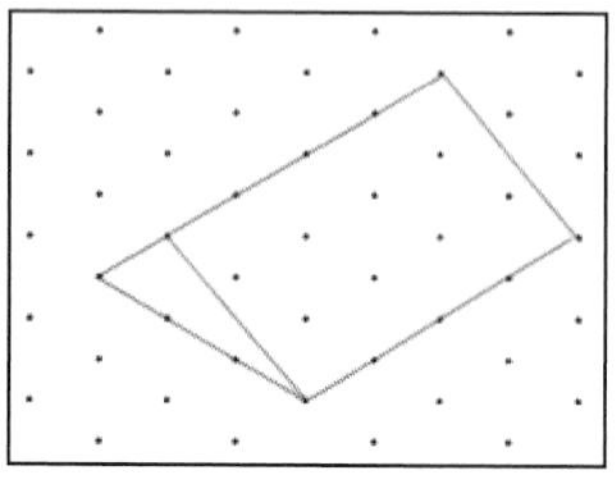

II)

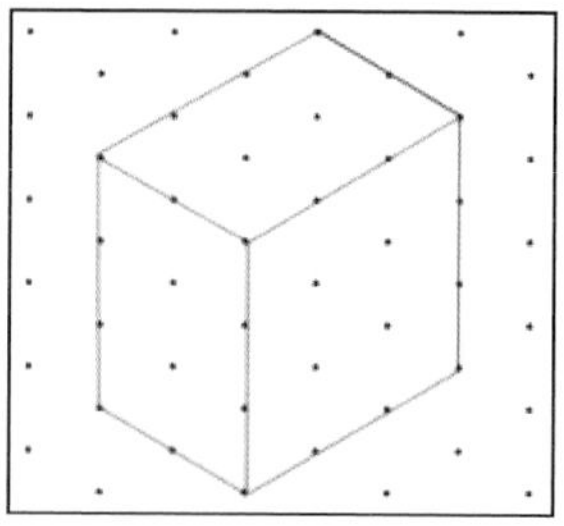

III)

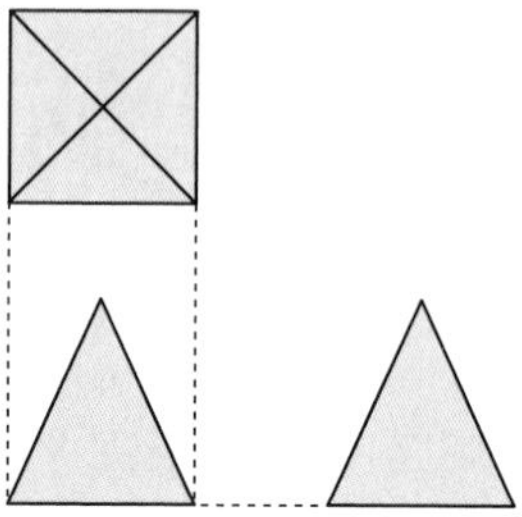

2.2 2.3 **3.** Choisis un objet.

a) À l'aide de pâte à modeler, de cure-dents ou de pailles, construis un modèle de l'objet.

b) Pourquoi as-tu choisi ce matériel?

c) Fais un dessin isométrique et un dessin orthographique de ton modèle.

d) Échange tes dessins avec une ou un camarade. Détermine l'objet construit par ta ou ton camarade.

2.4 **4.** Choisis un objet en forme de prisme rectangulaire.

a) Dessine un développement ou un patron pour faire un modèle à l'échelle de l'objet.

b) Pourquoi as-tu choisi de dessiner un développement ou un patron?

c) Échange tes dessins avec une ou un camarade. Détermine le modèle à l'échelle de l'objet de ta ou ton camarade.

2.4 2.5 **5.** Détermine si chacun des dessins ci-dessous est un développement ou un patron. Nomme la figure géométrique que tu peux construire à partir de chaque développement ou de chaque patron. Explique comment tu le sais.

a)

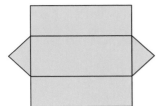

b)

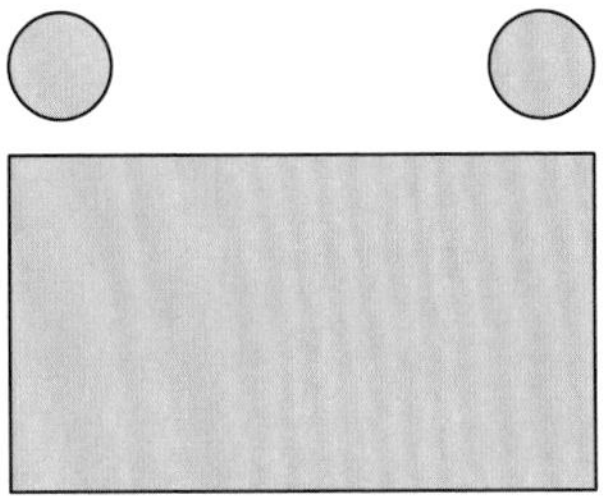

c)

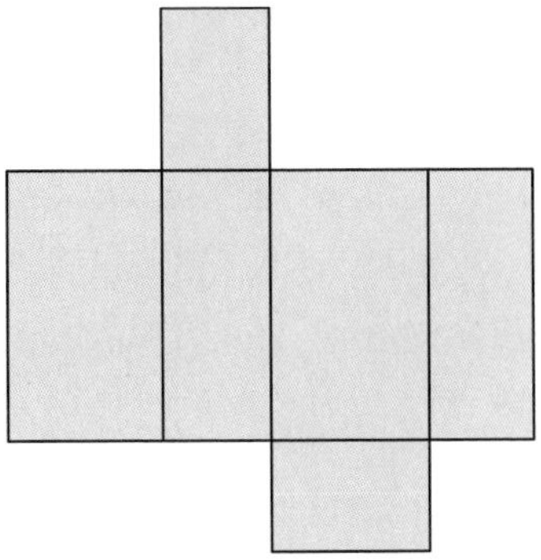

2.2 2.4 2.5 **6.** Construis un objet à l'aide de cubes emboîtables.

a) Dessine l'objet sur du papier pointé isométrique.

b) Dessine un développement ou un patron de l'objet.

c) Pourquoi as-tu dessiné un développement ou un patron?

2.4 **7.** Échange tes dessins, ton développement ou ton patron de la question précédente avec une ou un camarade.

a) Dessine le développement ou le patron qu'on t'a remis. Essaie de l'assembler.

b) En quoi le dessin isométrique t'a-t-il été utile?

c) Compare ton modèle et l'objet construit par ta ou ton camarade. S'ils ne sont pas identiques, explique pourquoi.

2.6 **8.** L'échelle d'un plan est de 1:60. Environ de quelle longueur serait chaque objet si tu dessinais chacun d'eux? Explique ton raisonnement

a) 25 pi   b) 45 pi

c) 54 m   d) 18 m

2.6 **9.** Dessine un plan à l'échelle du dessus d'une table de cuisine dressée pour deux personnes. Explique pourquoi tu as choisi cette échelle. Dessine aussi une vue de dessus des plats, des ustensiles et des verres.

2.7 **10.** Un fabricant commercialise des jus dans des contenants métalliques de 1,36 L. Le volume de chaque contenant est d'environ 1500 cm^3. L'entreprise songe à faire fabriquer un emballage en forme de prisme rectangulaire, dont le volume sera identique au contenant original. Conçois le nouvel emballage. Explique tes choix et tes hypothèses.

Test

Questions à choix multiple. Choisis les réponses appropriées pour les numéros 1 et 2. Justifie chacun de tes choix.

1. Parmi les développements suivants, lesquels peux-tu plier pour former une pyramide?

A.

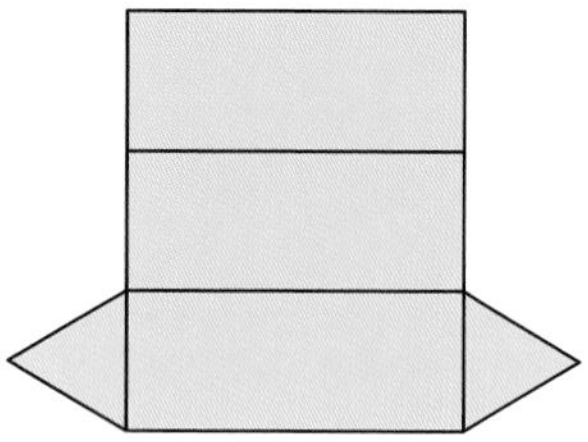

B.

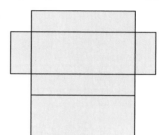

C.

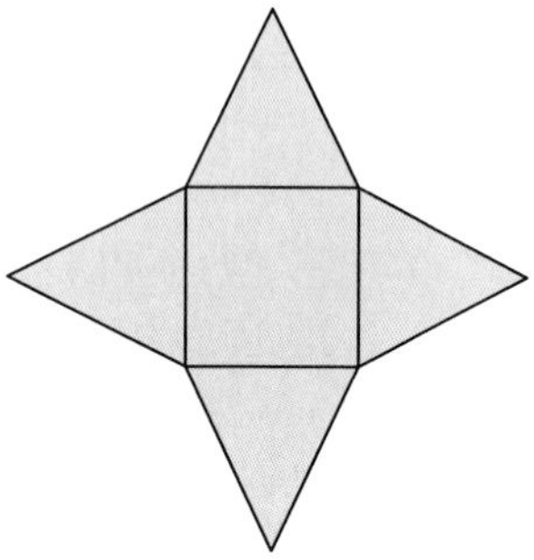

D.

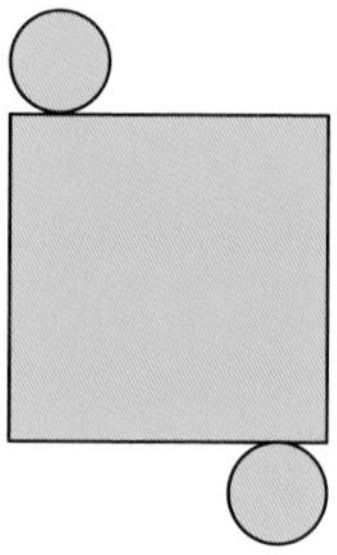

2. L'échelle d'un plan est de 1:20.
Quelles mesures à l'échelle choisirais-tu pour une pièce qui mesure 360 cm sur 400 cm?
A. 1,8 cm sur 2,0 cm **B.** 18 cm sur 20 cm **C.** 36 cm sur 40 cm **D.** 7,2 cm sur 8,0 cm

Pour les exercices 3 à 6, indique les étapes de ton travail.

3. Connaissance et compréhension Pour chaque développement de l'exercice 1 que tu n'as pas pu plier pour former une pyramide, détermine la figure géométrique qu'il peut former. Explique comment tu le sais.

4. Communication Tu auras besoin d'une boîte de carton et d'une règle.

a) De quelle forme géométrique est la boîte?

b) Mesure et note les dimensions de la boîte.

c) Dessine un développement ou un patron de la boîte.
Explique pourquoi tu as dessiné un développement ou un patron.

5. Habiletés de la pensée Une famille s'installe dans une nouvelle maison. La cour rectangulaire mesure 50 pi sur 75 pi. La famille souhaite y construire une terrasse d'au moins 200 pi^2. Elle compte aussi y cultiver un jardin de fleurs de tout au plus 200 pi^2 et un jardin potager d'environ 150 pi^2. Le reste du terrain sera couvert de gazon. Dessine le plan de la cour, tout en y indiquant les dimensions.

6. Mise en application Une entreprise commercialise des raisins dans des emballages de forme cylindrique d'une masse de 680 g. Le volume de chaque emballage est de 750 cm^3. Conçois une boîte qui aura la forme d'un prisme rectangulaire et le même volume. Explique tes hypothèses et tes choix.

3 Les fonctions du second degré

Mots clés

- Parabole
- Axe de symétrie
- Sommet
- Transformation
- Translation
- Réflexion
- Agrandissement vertical
- Rétrécissement vertical
- Forme générale
- Forme canonique
- Forme factorisée

Ce que tu vas apprendre

Reconnaître des fonctions du second degré dans des tables de valeurs, des graphiques et des équations, et les utiliser pour représenter et résoudre des problèmes.

Pourquoi ?

On utilise les fonctions du second degré dans de nombreux domaines ; par exemple : en physique, pour représenter la trajectoire d'un projectile ; en affaires, pour représenter les revenus projetés ; en sciences de l'environnement, pour représenter les écosystèmes ; et en ingénierie, pour représenter la vue transversale d'un pont ou d'une antenne parabolique.

CHAPITRE 3 Connaissances préalables

Les opérations sur les nombres entiers

Connaissances préalables à la section 3.1

Les **nombres entiers** sont les nombres {..., -4, -3, -2, -1, 0, 1, 2, 3, 4, ...}. Ils s'ordonnent de gauche à droite sur une droite numérique. Ainsi, $-4 < 2$.

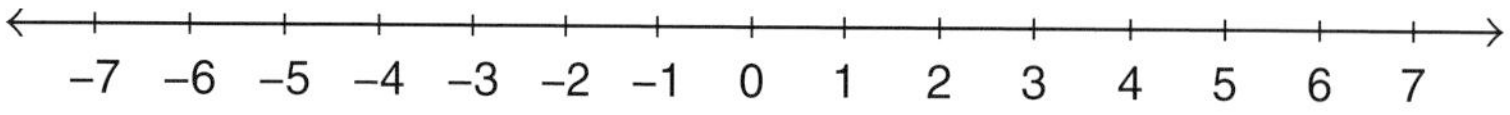

Les nombres entiers positifs s'écrivent généralement sans le signe +.

Tu peux additionner ou soustraire des nombres entiers à l'aide d'une droite numérique. Le produit ou le quotient de deux nombres entiers de même signe est positif; il est négatif quand les nombres sont de signes différents.

Évalue les expressions.

Exemple

a) $1 + (-3)$ b) $-4 - 3$ c) $4 \times (-5)$ d) $-15 \div (-3)$

Solution

a) Pars de 1. Trace une flèche représentant l'addition de -3. La flèche s'arrête à -2. Donc, $1 + (-3) = -2$.

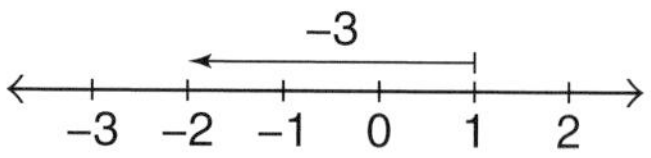

b) Pars de -4. Trace une flèche représentant la soustraction de 3. La flèche s'arrête à -7. Donc, $-4 - 3 = -7$.

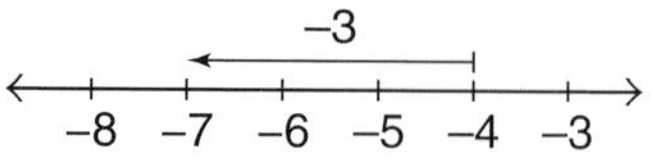

c) Comme 4 et -5 sont de signes opposés, leur produit est négatif. Donc, $4 \times (-5) = -20$.

d) Comme -15 et -3 sont de même signe, leur quotient est positif. Donc, $-15 \div (-3) = 5$.

Vérifie ta compréhension

1. Évalue les expressions.

a) $6 + (-1)$ b) $-7 + 5$ c) $-7 - 5$ d) $-2 - (-3)$

e) 11×3 f) $(-5) \times 8$ g) $32 \div (-2)$ h) $-27 \div (-9)$

2. Détermine toutes les multiplications possibles de deux nombres entiers pour chaque produit.

a) 8 b) 12 c) -8 d) -12

3. Évalue $(-4)(-2)(-5)$ et $(9)(-1)(7)$.
Comment peux-tu déterminer le signe de chaque produit sans effectuer la multiplication?

Le développement et la factorisation d'une expression

Connaissances préalables à la section 3.1

Pour **développer** une expression, on utilise la distributivité.
Pour **factoriser** une expression, on détermine le **plus grand facteur commun**.

Exemple

a) Développe $4x(3x - 6)$. b) Factorise $6x^2 + 18$.

Solution

a) $4x(3x - 6)$

$= 4x(3x - 6)$	Utilise la distributivité. Multiplie chaque terme par $4x$.
$= 4x(3x) + 4x(-6)$	Multiplie les nombres et les variables.
$= 12x^2 - 24x$	Détermine les signes.

b) $6x^2 + 18$

$= 6(x^2) + 6(3)$	Écris chaque terme sous la forme d'un produit de 6 et d'un autre facteur.
$= 6(x^2 + 3)$	Écris le facteur commun à l'extérieur des parenthèses.

Le plus grand facteur commun est 6.

Développe pour vérifier la solution : $6(x^2 + 3) = 6(x^2) + 6(3) = 6x^2 + 18$

Vérifie ta compréhension

1. Développe les expressions.

a) $3(x - 7)$ b) $7x(8x + 9)$ c) $-3x(9 - 4x)$
d) $-(2x^2 - 8)$ e) $2x(x + 5)$ f) $-5(6x^2 + 1)$

2. Trouve le plus grand facteur commun dans chaque expression.

a) $5x + 15$ b) $12x^2 - 4$ c) $12x^2 + 16x + 20$

3. Factorise chaque expression.

a) $5x + 15$ b) $12x^2 - 4$ c) $12x^2 + 16x + 20$

4. Factorise chaque expression.

a) $3x - 21$ b) $56x + 63$ c) $-27x + 12x^2$
d) $8x^2 - 10$ e) $9x - 36$ f) $2x^2 - 4x + 6$

5. Compare les résultats des parties a) à c) de l'exercice 1 aux résultats des parties a) à c) de l'exercice 4. Quel lien peux-tu établir entre le développement et la factorisation des expressions ?

La représentation graphique des fonctions sur un plan cartésien

Connaissances préalables à la section 3.1

Un point sur un plan cartésien est désigné par les **coordonnées** du couple (x, y).
L'**abscisse** est la première coordonnée (x) qui représente la distance horizontale et la direction de déplacement à partir de l'origine au point (x, y).
L'**ordonnée** est la deuxième coordonnée (y) qui représente la distance verticale et la direction de déplacement à partir de l'origine au point (x, y).

Pour représenter une fonction graphiquement, tu peux créer une table des valeurs de x et de y, puis placer les points.

Exemple

a) Représente $y = 2x^2 - 4$ sous la forme d'une table de valeurs en attribuant à x les valeurs de -3 à 3.

b) Représente la fonction sur un plan cartésien.

Solution

a) Substitue chaque valeur à x. Calcule y.

x	y	(x, y)
-3	$2(-3)^2 - 4 = 14$	$(-3, 14)$
-2	$2(-2)^2 - 4 = 4$	$(-2, 4)$
-1	-2	$(-1, -2)$
0	-4	$(0, -4)$
1	-2	$(1, -2)$
2	4	$(2, 4)$
3	14	$(3, 14)$

b) Place les points et relie-les par une courbe régulière.

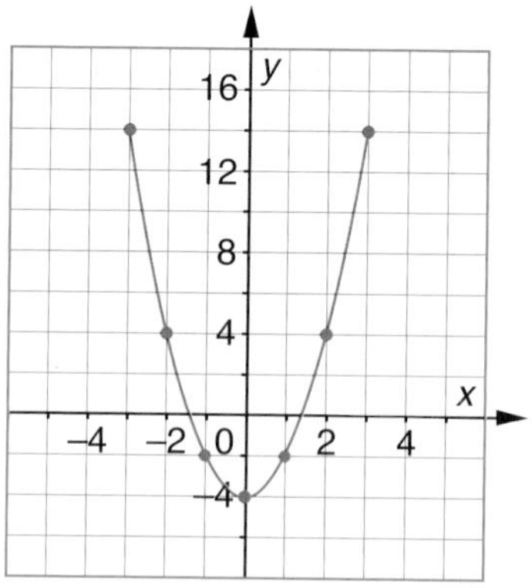

Vérifie ta compréhension

1. Représente chacune des équations suivantes sous la forme d'une table de valeurs en attribuant à x les valeurs de -3 à 3, puis trace le graphique de chaque fonction.

a) $y = 2x$ b) $y = x - 1$ c) $y = -x + 3$

d) $y = 2x^2$ e) $y = (x - 1)^2$ f) $y = -x^2 + 3$

2. À l'exercice 1, certaines représentations graphiques de fonctions sont des droites et d'autres sont des courbes. Explique comment tu peux prédire si la représentation graphique d'une fonction sera une droite ou une courbe.

3. Le prix du terreau s'établit ainsi : 40 \$ pour la livraison et 18 \$ la verge cube de terreau.

a) Représente le prix du terreau jusqu'à 5 verges cubes par une table de valeurs.

b) Trace le graphique de la relation entre le prix et le volume de terreau commandé.

Les translations

Connaissances préalables à la section 3.3

Quand on fait subir une **translation** à une figure, on la fait glisser le long d'une droite. L'**image par translation** d'une figure a la même **orientation** que la figure initiale. La figure initiale et son image par translation sont **congruentes**. Une translation s'appelle aussi un *glissement*.

Exemple

Trace les points suivants sur un plan cartésien: A(−5, 3), B(−3, 1), C(−6, −4), et D(−7, 2).
Relie les points pour former le quadrilatère ABCD.
Applique à ABCD une translation de 7 unités vers la droite et de 4 unités vers le haut. Décris les étapes. Écris les coordonnées des sommets de l'image.

Solution

Fais subir à chaque point une translation de 7 unités vers la droite et de 4 unités vers le haut.
Trace et nomme les points-images A′(2, 7), B′(4, 5), C′(1, 0) et D′(0, 6).
Relie A′, B′, C′ et D′ pour former le quadrilatère-image.

A′se lit « A prime ».

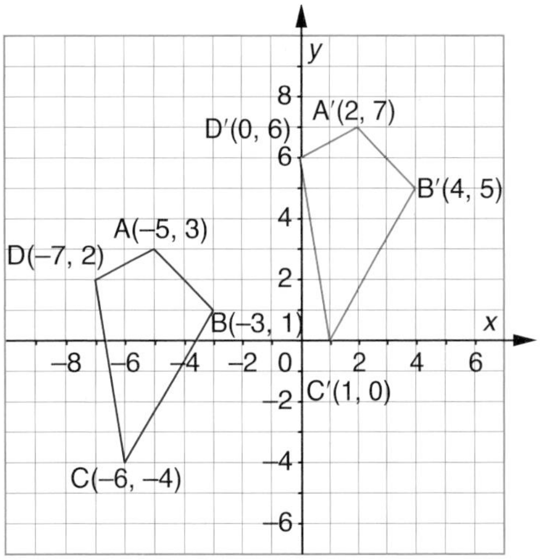

Vérifie ta compréhension

1. Sur un plan cartésien, trace le quadrilatère dont les sommets sont les suivants: A(−3, 3), B(4, 5), C(5, −1) et D(−2, −3).

a) Fais subir au quadrilatère ABCD une translation de 5 unités vers la gauche et de 3 unités vers le bas.

b) Écris les coordonnées des sommets de l'image du quadrilatère. Compare ces coordonnées avec celles du quadrilatère initial. Que remarques-tu?

c) Détermine les coordonnées de l'image du point E(3, 2) après une translation de 5 unités vers la gauche et de 3 unités vers le bas. Comment as-tu déterminé ces coordonnées?

2. Comment tes représentations montrent-elles que l'image par translation et la figure initiale sont congruentes?

Les réflexions

Connaissances préalables à la section 3.4

Quand une figure subit une **réflexion,** son image se trouve à la même distance qu'elle de l'axe de réflexion.
L'**image par réflexion** d'une figure a une orientation contraire à celle de la figure initiale.
La figure initiale et son image par réflexion sont **congruentes**.

Exemple

Trace les points suivants sur un plan cartésien : A(1, 5), B(2, 1) et C(−2, 3).
Relie les points pour former ΔABC.
Fais subir au ΔABC une réflexion par rapport à l'axe des *x*. Décris les étapes.
Nomme les coordonnées des sommets de l'image.

Solution

L'axe de réflexion est l'axe des *x*.
Le point A se trouve 5 unités au-dessus de l'axe des *x*.
Trace son image par réflexion 5 unités au-dessous de l'axe des *x*.
Nomme-le A′(1, −5).
Répète la réflexion pour les points B et C.
Nomme les images B′(2, −1) et C′(−2, −3).
Relie A′, B′ et C′ pour former le triangle-image.

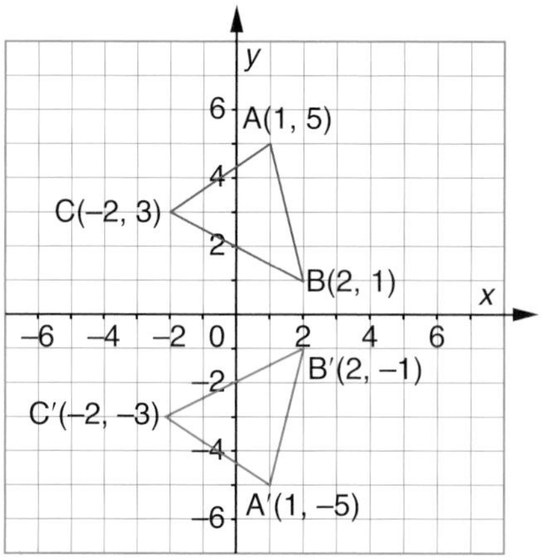

✓ Vérifie ta compréhension

1. Sur un plan cartésien, trace le quadrilatère dont les sommets sont P(−3, 3), Q(4, 5), R(5, −1) et S(−2, −3).

a) Fais subir à PQRS une réflexion par rapport à l'axe des *x*.

b) Écris les coordonnées des sommets du quadrilatère-image. Compare les coordonnées de l'image avec celles du quadrilatère initial. Que remarques-tu ?

c) Détermine les coordonnées de l'image quand le point T(3, 2) est réfléchi par rapport à l'axe des *x*. Comment as-tu déterminé ces coordonnées ?

2. Comment tes représentations montrent-elles que l'image par réflexion et la figure initiale sont congruentes ?

3.1 Modéliser les fonctions du second degré

Pendant un spectacle donné à l'aquarium, un dauphin bondit hors de l'eau pour passer dans le cerceau que tient l'entraîneuse. La hauteur du dauphin au-dessus de l'eau pendant ce saut peut être représentée par un modèle mathématique appelé « fonction du second degré ».

Explore — La maximisation de l'aire

Travaille avec une ou un camarade.
Vous aurez besoin de papier quadrillé.

Un lieu de baignade rectangulaire est délimité par 16 m de corde. Comme un côté du lieu longe la rive, la corde ne sert à délimiter que les trois autres côtés. Voici un lieu de baignade possible.

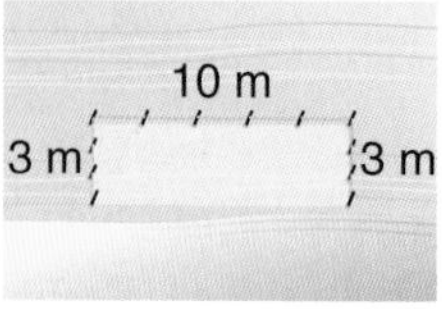

Les côtés de 3 m sont perpendiculaires à la rive.

➢ Dessinez le plus grand nombre possible de lieux de baignade et annotez vos dessins. Indiquez la longueur et l'aire de chaque lieu.

➢ Représentez vos résultats dans une table de valeurs.

Longueur du côté perpendiculaire à la rive (m)	Longueur de l'autre côté (m)	Aire du lieu de baignade (m^2)
3	10	$3 \times 10 = 30$

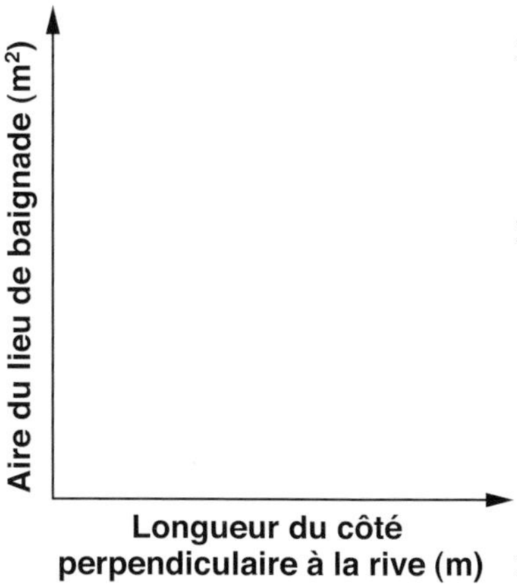

➢ Tracez le graphique de l'*aire du lieu de baignade* en fonction de la *longueur du côté perpendiculaire à la rive*. Décrivez le graphique.

➢ Quelle longueur perpendiculaire à la rive donne le plus grand lieu de baignade? Quelle est l'aire de ce lieu?

Réfléchis

➢ Devrais-tu relier les points du graphique? Explique ta réponse.

➢ Quel point du graphique représente le plus grand lieu de baignade? Que représentent les coordonnées de ce point?

➢ En quoi la table de valeurs et le graphique indiquent-ils qu'il s'agit du lieu le plus grand?

Fais des liens

Chiara a 12 m de matériel à clôture pour construire un enclos rectangulaire pour des chiens.
Un côté de l'enclos longe un ruisseau mais doit quand même être clôturé. Voici quelques dimensions et aires possibles de l'enclos.

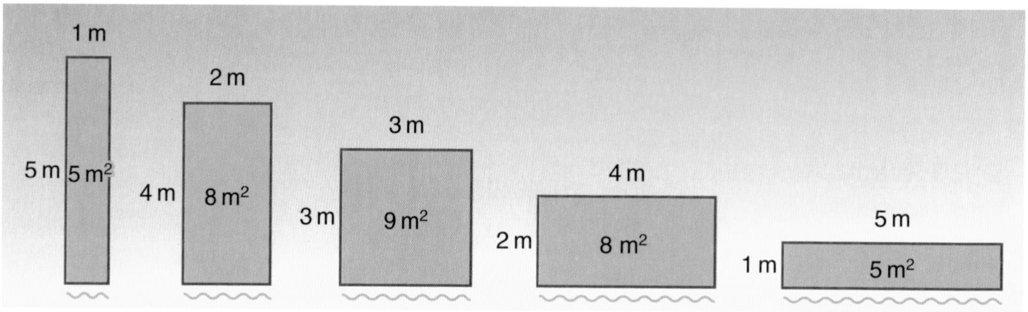

On peut représenter la relation entre la longueur du côté qui longe le ruisseau et l'aire de l'enclos de différentes façons.

À l'aide d'une équation

La longueur de la clôture formant les quatre côtés de l'enclos est de 12 m. Donc, comme le montrent les schémas ci-dessus, il faut 6 m de clôture pour former deux côtés adjacents quelconques.

Dans une équation du second degré, la puissance la plus élevée de x est x^2, ou x au carré.

Soit x mètres, la longueur du côté longeant le ruisseau. Donc, la longueur du côté adjacent est $6 - x$ mètres. L'aire de l'enclos, A mètres carrés, est le produit de ces dimensions :

$$A = x(6 - x)$$

ou $$A = 6x - x^2$$

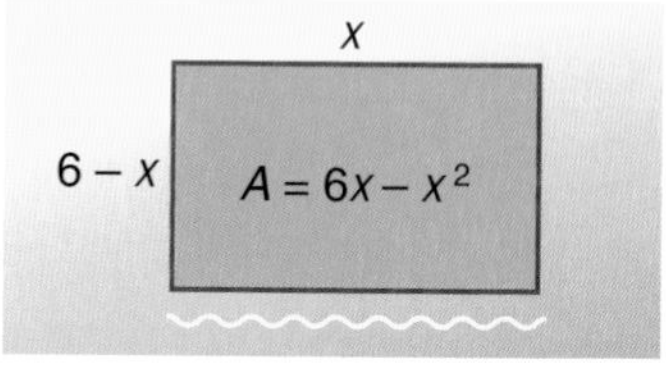

À l'aide d'une table de valeurs

On peut énumérer les longueurs possibles dans une table de valeurs.
À mesure que la longueur du côté longeant le ruisseau augmente, l'aire augmente jusqu'à un maximum, puis diminue.

L'aire maximale, 9 m², s'obtient quand l'enclos est un carré de 3 m de côté.

Longueur du côté longeant le ruisseau (m) x	Longueur du côté adjacent (m)	Aire de l'enclos (m²) A
0	6	$0 \times 6 = 0$
1	5	$1 \times 5 = 5$
2	4	$2 \times 4 = 8$
3	3	$3 \times 3 = 9$
4	2	$4 \times 2 = 8$
5	1	$5 \times 1 = 5$
6	0	$6 \times 0 = 0$

À l'aide d'un graphique

Comme on peut avoir des longueurs qui ne sont pas des nombres entiers, on relie les points à l'aide d'une courbe régulière.

Le point au sommet du graphique représente l'enclos dont l'aire est la plus grande. Les coordonnées du point, (3, 9), indiquent que l'aire maximale, 9 m^2, s'obtient quand le côté mesure 3 m de longueur.

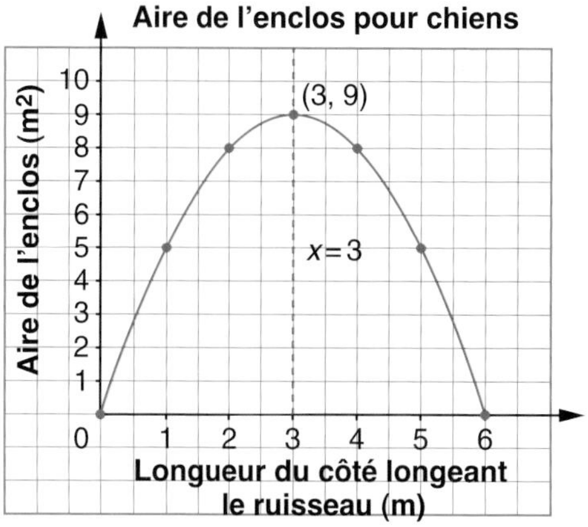

La droite $x = 3$ est un axe de symétrie. À chaque point du graphique situé à gauche de l'axe correspond un point situé à droite de l'axe.

La relation entre la longueur du côté qui longe le ruisseau et l'aire de l'enclos est un exemple de **fonction du second degré**.

Les propriétés des fonctions du second degré

Équation

Dans sa **forme générale**, une fonction du second degré s'écrit $y = ax^2 + bx + c$, où a, b et c sont des constantes et $a \neq 0$.

Table de valeurs

Les deuxièmes différences d'une fonction du second degré sont constantes.

x	y	Premières différences	Deuxièmes différences
0	0		
1	5	$5 - 0 = 5$	
2	8	$8 - 5 = 3$	$3 - 5 = -2$
3	9	$9 - 8 = 1$	$1 - 3 = -2$
4	8	$8 - 9 = -1$	$-1 - 1 = -2$
5	5	$5 - 8 = -3$	$-3 - (-1) = -2$
6	0	$0 - 5 = -5$	$-5 - (-3) = -2$

Graphique

Le graphique d'une fonction du second degré est une **parabole**. Toute parabole possède un **axe de symétrie.** Le point où la parabole coupe l'axe de symétrie est le **sommet**. L'ouverture du graphique d'une fonction du second degré peut être vers le haut ou vers le bas. La direction de l'ouverture indique si le sommet correspond à une valeur maximale ou minimale de la fonction.

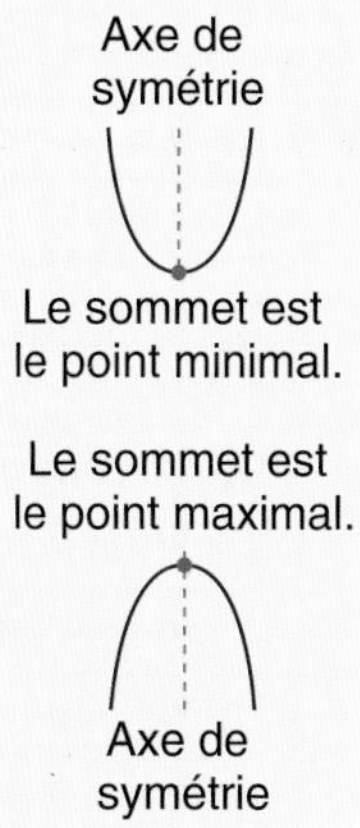

Exercices

1. Émilie a 16 m de bordure pour entourer un jardin rectangulaire. Un côté du jardin longe le patio, mais il faut quand même le border.

a) Fais les dessins annotés de quelques rectangles possibles. Le schéma ci-contre représente un rectangle possible.

b) Note tes résultats dans une table de valeurs.

Longueur du côté longeant le patio (m)	Longueur du côté adjacent (m)	Aire du jardin (m^2)
5	3	$5 \times 3 = 15$

c) Représente graphiquement les données des première et troisième colonnes de la table de valeurs.

d) Quelles sont les dimensions et l'aire du jardin le plus grand? Comment trouverais-tu la réponse dans la table de valeurs? dans le graphique?

2. Un goéland laisse tomber une moule du haut des airs. Le schéma à droite représente la hauteur de la moule au-dessus du sol toutes les 0,5 s.

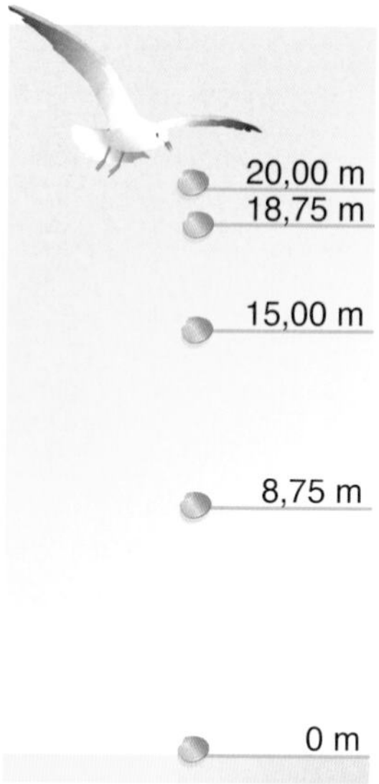

a) Recopie la table de valeurs et remplis-la.

Temps (s)	Hauteur (m)
0	20

b) Utilise les deuxièmes différences pour montrer que la relation entre la hauteur et le temps est une fonction du second degré.

c) Trace le graphique de la *hauteur* en fonction du *temps*.

d) De quelle hauteur le goéland a-t-il laissé tomber la moule? Explique comment tu as utilisé la table de valeurs et le graphique pour déterminer la réponse.

e) À quel moment la moule touche-t-elle le sol? Explique comment utiliser la table de valeurs et le graphique pour déterminer la réponse.

3. Un dauphin bondit hors de l'eau. Le diagramme représente la trajectoire du dauphin pendant son saut.

a) Quelle hauteur maximale le dauphin atteint-il?

b) Quelle distance horizontale le dauphin franchit-il?

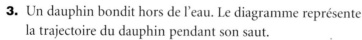

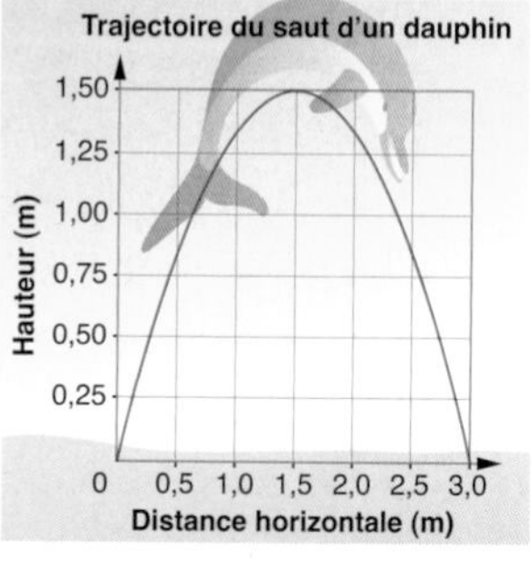

En affaires, le revenu de la vente d'un article augmente à mesure que le prix de l'article augmente. Cependant, le revenu peut finir par baisser si le prix monte au point de faire diminuer le nombre de ventes.

Exemple

Jérôme est propriétaire d'une boutique de vêtements. L'an dernier, il a vendu 1200 t-shirts de 10 $ chacun. Une étude de marché indique que, pour chaque augmentation de prix de 5 $, 200 t-shirts de moins seront vendus.

a) Recopie et remplis la table de valeurs jusqu'à ce que le prix soit de 40 $.

b) Trace le graphique du *revenu* en fonction du *prix*.

c) À quel prix correspond le revenu maximal ?

Prix ($)	Nombre de t-shirts vendus	Revenu ($)
10	1200	12 000
15	1000	

Solution

a) Le revenu est égal au produit du prix et du nombre de t-shirts vendus.

Prix ($)	Nombre de t-shirts vendus	Revenu ($)
10	1200	12 000
15	1000	15 000
20	800	16 000
25	600	15 000
30	400	12 000
35	200	7 000
40	0	0

b)

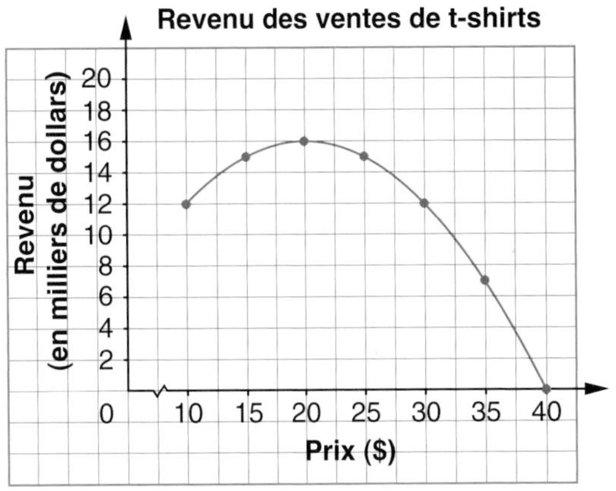

c) Le prix de 20 $ donne le revenu maximal.

4. Une boutique d'artisanat a vendu 800 ornements de 2 $ chacun. Une étude indique que, pour chaque augmentation de prix de 1 $, la boutique vendra 100 ornements de moins.

a) Recopie et remplis la table de valeurs jusqu'à ce que le nombre d'ornements vendus soit de zéro.

b) Trace le graphique du *revenu* en fonction du *prix*.

c) À quel prix correspond le revenu maximal ?

Prix ($)	Nombre d'ornements vendus	Revenu ($)
2	800	1600
3	700	

5. Lors d'un spectacle pyrotechnique, une étincelle a jailli d'une des fusées. Le graphique à droite représente la trajectoire de l'étincelle.

a) Estime la hauteur de l'étincelle au moment où elle a jailli de la fusée.

b) Quelle était la hauteur de l'étincelle après avoir franchi une distance horizontale de 10 m ?

c) Quelle hauteur maximale l'étincelle a-t-elle atteinte ?

d) Quelle distance horizontale l'étincelle avait-elle franchie quand elle a touché le sol ?

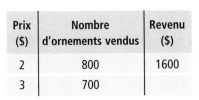

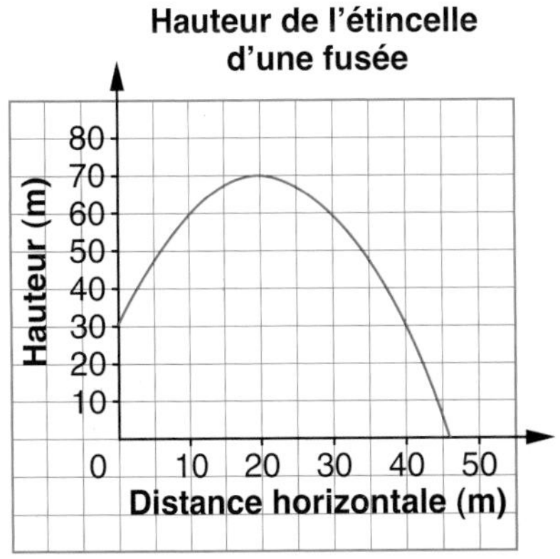

6. Une plongeuse s'élance dans l'eau depuis un tremplin. Ce graphique représente sa hauteur au-dessus de l'eau pendant le plongeon. Quatre points du graphique sont annotés. À l'aide de ces points, décris le mouvement de la plongeuse.

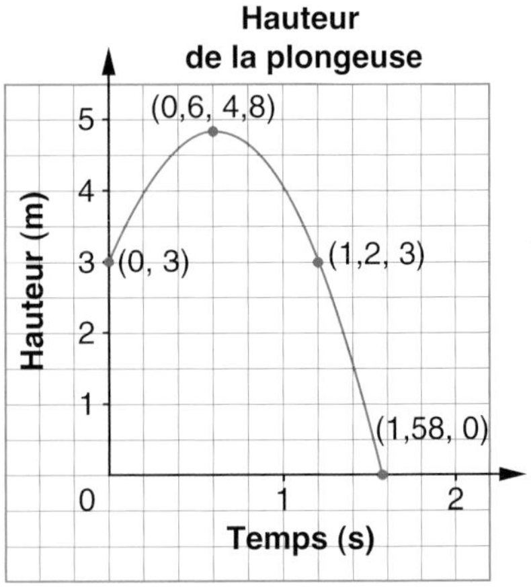

7. **Fais le point** Chaque face d'un cube est un carré. L'aire totale du cube est égale à la somme des aires des six faces.

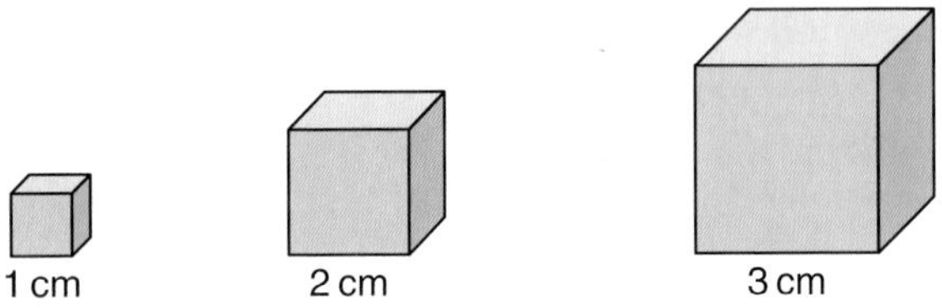

a) Recopie la table de valeurs suivante et remplis-la jusqu'à 6 cm de longueur de côté.

Longueur de côté (cm)	Aire de chaque face (cm^2)	Aire totale du cube (cm^2)
1	$1^2 = 1$	$6 \times 1 = 6$
2	$2^2 = 4$	$6 \times 4 = 24$

b) Trace le graphique de l'*aire totale* en fonction de la *longueur de côté.*

c) La relation entre la longueur de côté d'un cube et son aire totale est-elle une fonction du second degré? Justifie ta réponse à l'aide de la table de valeurs et du graphique.

8. **Relève le défi** Une architecte-paysagiste veut créer un jardin rectangulaire dans un espace de 36 m^2.

a) Dresse une table de valeurs énumérant quelques dimensions et les périmètres possibles du jardin.

b) Quelles dimensions donnent le périmètre le plus petit?

c) Montre que la relation entre la largeur et le périmètre n'est pas une fonction du second degré.

Dans tes mots

Trouves-tu utile d'employer à la fois une table de valeurs et un graphique pour modéliser une fonction du second degré? Explique ta réponse.

3.2 Représenter graphiquement des fonctions du second degré

Sophie organise un feu d'artifice pour la fête du Canada. Comme le spectacle se déroulera sur une musique, il faudra que les fusées du feu d'artifice soient lancées à des moments précis.

Sophie utilise une fonction du second degré pour modéliser la hauteur du feu d'artifice en fonction du temps.

En général, la hauteur, h mètres, d'un objet t secondes après qu'on l'aura lâché ou projeté en l'air verticalement est représentée par la formule $h = -4{,}9\ t^2 + vt + s$, où v représente la vitesse initiale, en mètres par seconde, et s représente la hauteur initiale, en mètres.

Examine — L'analyse de fonctions du second degré

Tu auras besoin d'une calculatrice à affichage graphique TI-83 ou TI-84, ou l'équivalent.

L'équation $h = -4{,}9t^2 + 39{,}3t + 2$ représente la hauteur, h mètres, d'une fusée de feu d'artifice t secondes après le lancement. On peut représenter l'équation graphiquement et analyser le mouvement de la fusée à l'aide du graphique.

Les séquences de touches indiquées concernent les calculatrices TI-83 et TI-84. Si tu utilises une autre calculatrice, consulte ton manuel d'utilisation.

1. Représenter l'équation graphiquement

➢ Saisis l'équation et affiche le graphique.

Appuie sur [Y=] pour accéder à l'éditeur d'équations. Saisis l'équation de la hauteur de la fusée. Appuie sur [(-)] 4.9 [X,T,Θ,n] [x^2] [+] 39.2 [X,T,Θ,n] [+] 2.

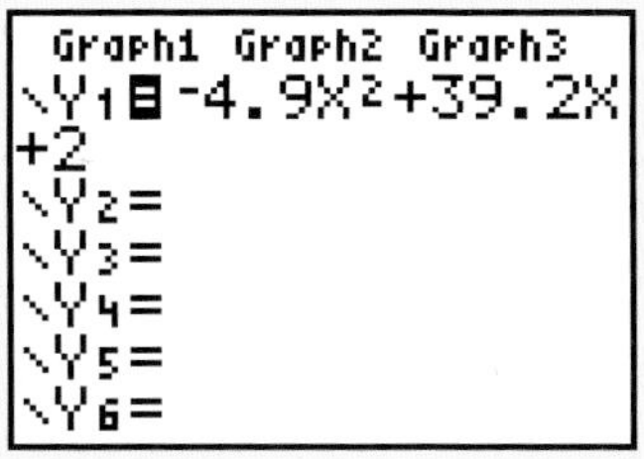

Pour effacer toute équation qui se trouverait dans la liste, utilise la touche de la flèche descendante jusqu'à l'équation. Appuie sur [CLEAR]. Ramène ensuite le curseur à Y_1=.

Appuie sur [GRAPH]. Affiche le graphique de la fonction dans une fenêtre standard. Appuie sur [ZOOM] 6.

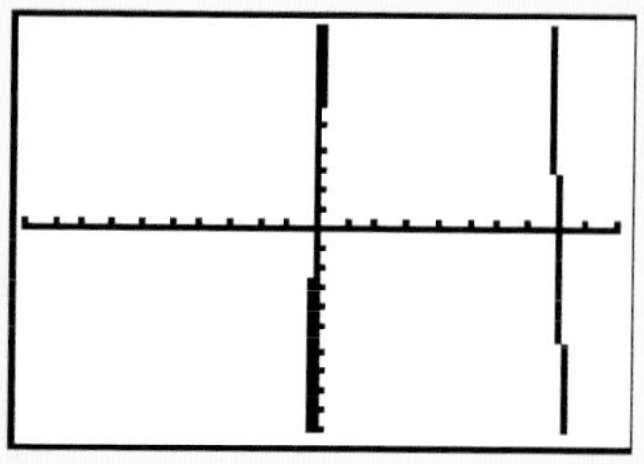

Une partie seulement du graphique apparaît dans la fenêtre.

➢ Règle les paramètres de la fenêtre.

Appuie sur [WINDOW]. Règle les paramètres de la fenêtre tel qu'illustré ci-contre.

```
FENETRE
 Xmin=0
 Xmax=10
 Xgrad=1
 Ymin=0
 Ymax=100
 Ygrad=10
 Xres=1
```

Comme la hauteur et le temps ne sont pertinents que lorsqu'ils sont positifs, tu ne t'intéresseras qu'à la partie du graphique qui apparaît dans le premier quadrant.

Appuie sur [GRAPH].

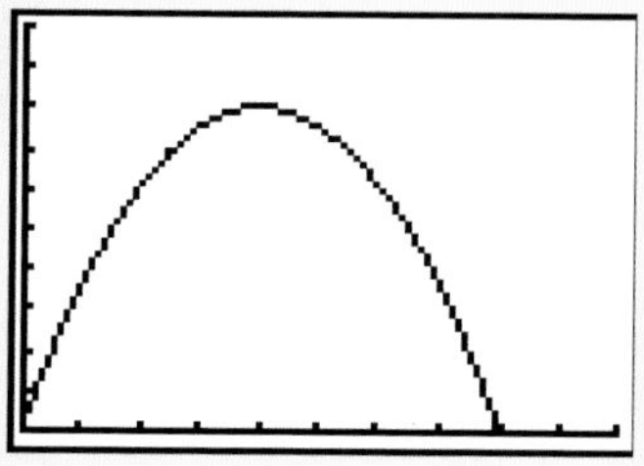

Trace le graphique.

Nomme les axes et la courbe.

2. Déterminer les coordonnées des points importants de la parabole

➢ Détermine l'ordonnée à l'origine.

L'ordonnée à l'origine est l'ordonnée du point où le graphique coupe l'axe des *y*.

Utilise la fonction TRACE. À l'ordonnée à l'origine, $x = 0$. Appuie sur [TRACE] 0 [ENTER].

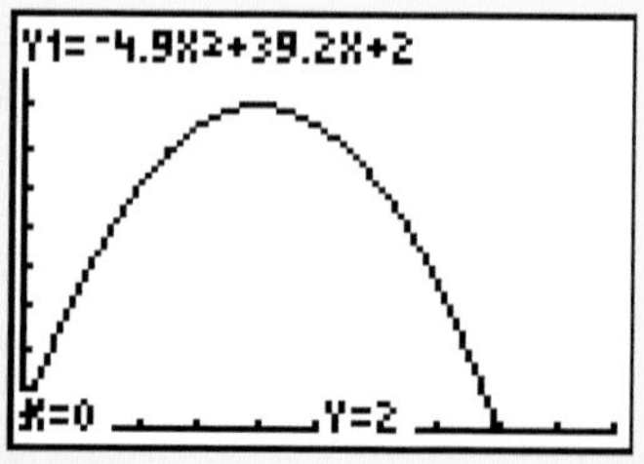

Note l'ordonnée à l'origine sur ton dessin. Que t'indique cette valeur au sujet de la fusée? Comment aurais-tu pu trouver l'ordonnée à l'origine d'après l'équation $y = -4{,}9x^2 + 39{,}2x + 2$?

➢ Détermine les coordonnées du sommet.

Utilise la fonction MAXIMUM du menu CALC.
Appuie sur [2nd] [TRACE] 4.

Pour répondre au message « Left bound? » (Borne inférieure?), place le curseur à gauche du maximum et appuie sur [ENTER]. Le message « Right bound? » (Borne supérieure?) apparaîtra. Place le curseur à droite du maximum et appuie sur [ENTER]. Le message « Guess? » (Valeur approximative?) apparaîtra; appuie sur [ENTER].

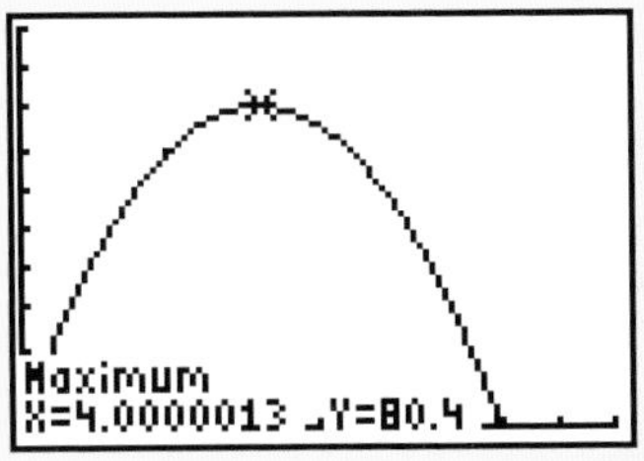

Note les coordonnées du maximum sur ton dessin. Que t'indiquent ces coordonnées au sujet de la fusée?

➢ Détermine l'abscisse à l'origine.

L'abscisse à l'origine est l'abscisse d'un point où le graphique coupe l'axe des *x*. On l'appelle aussi « zéro ».

Utilise la fonction ZERO du menu CALC. Appuie sur [2nd] [TRACE] 2.

Pour répondre au message « Left bound? » (Borne inférieure?), place le curseur à gauche de l'abscisse à l'origine et appuie sur [ENTER]. Le message « Right bound? » (Borne supérieure?) apparaîtra. Place le curseur à droite de l'abscisse à l'origine. Appuie sur [ENTER]. Le message « Guess? » (Valeur approximative?) apparaîtra; appuie sur [ENTER].

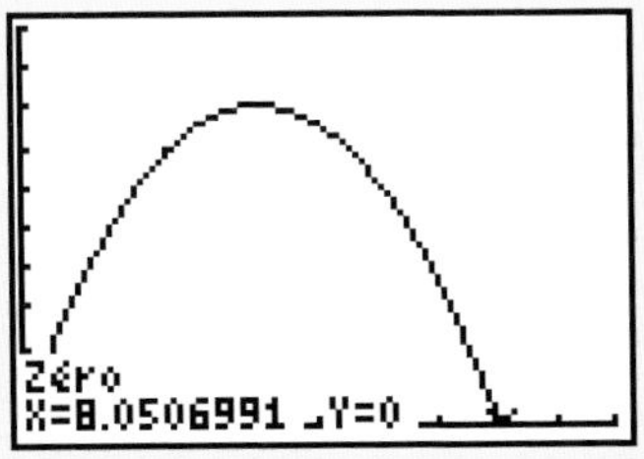

Note l'abscisse à l'origine sur ton dessin.
Que t'indique cette valeur au sujet de la fusée?

3. Utiliser le diagramme pour répondre à des questions sur le mouvement de la fusée

➢ Quelle est la hauteur de la fusée après 2 s?

Appuie sur [TRACE] 2 [ENTER].

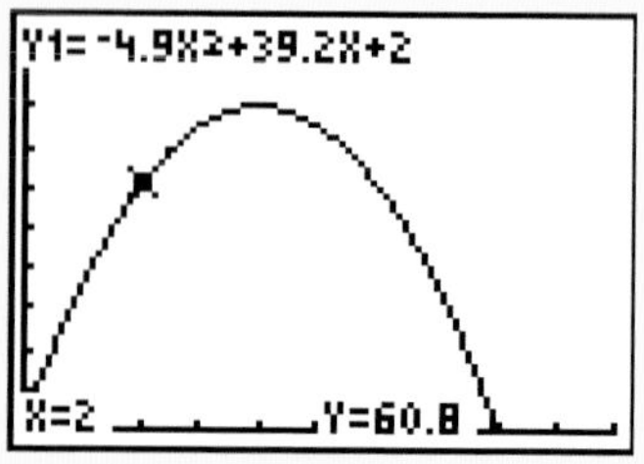

Note les coordonnées du point sur ton dessin. Écris un énoncé au sujet de la hauteur de la fusée après 2 s.

➢ À quel moment la fusée se trouve-t-elle à 50 m au-dessus du sol?

➢ Trace une droite horizontale à $y = 50$.

Appuie sur [Y=] pour accéder à l'éditeur d'équations.

Place le curseur sur Y_2.
Appuie sur 50 [GRAPH].

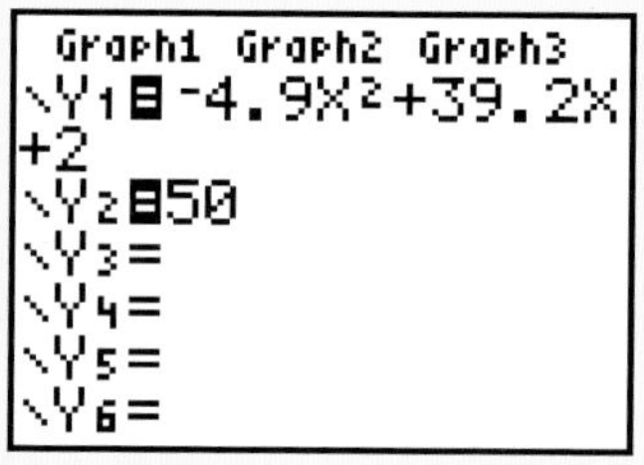

➢ Détermine les coordonnées des points d'intersection des deux équations.

Utilise la fonction INTERSECT du menu CALC. Appuie sur [2nd] [TRACE] 5. Le message « First curve? » (Courbe 1?) et l'équation en Y_1 s'affichent. Place le curseur sur le graphique de la première fonction près du premier point d'intersection. Appuie sur [ENTER]. Le message « Second curve? » (Courbe 2?) et l'équation en Y_2 s'affichent.
Appuie sur [ENTER].
Le message « Guess? » (Valeur approximative?) apparaît; appuie sur [ENTER].

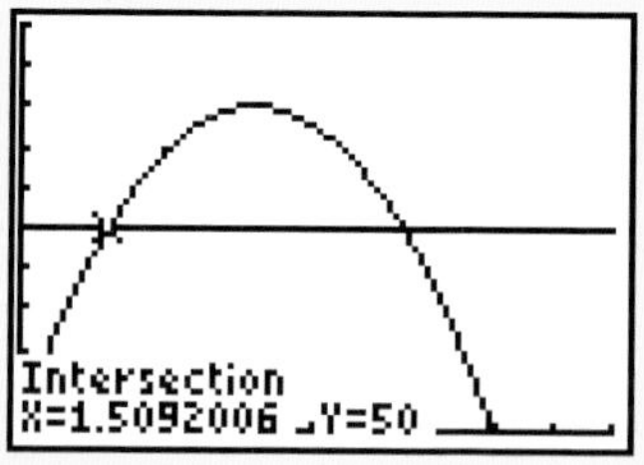

Trace la droite $y = 50$ sur ton dessin.

Note les coordonnées du point d'intersection.

Place le curseur près du second point d'intersection. Répète l'étape précédente pour déterminer les coordonnées de ce point.

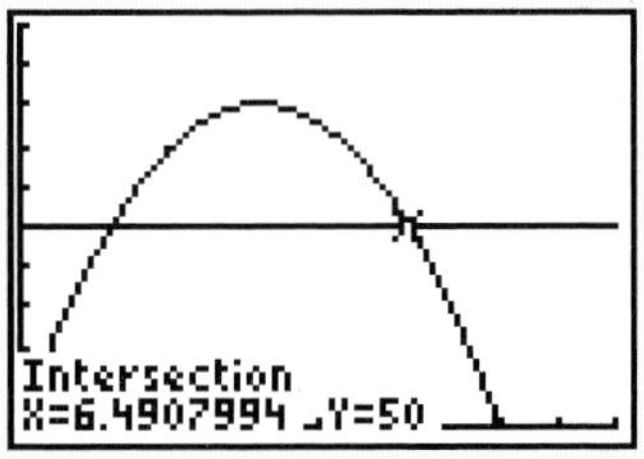

Note les coordonnées du second point d'intersection sur ton dessin.

Écris un énoncé au sujet des moments où la hauteur de la fusée est de 50 m.

Exercices

Utilise une calculatrice à affichage graphique.
Ajoute un dessin représentant l'écran de ta calculatrice pour appuyer chacune de tes réponses.

1. Au soccer, Michèle frappe le ballon avec la tête. La trajectoire du ballon est représentée par l'équation $h = -0{,}2d^2 + 0{,}8d + 2$, où h est la hauteur du ballon, en mètres, et d est la distance horizontale, en mètres, qu'il a franchie depuis le coup de tête donné par Michèle.

a) Trace le graphique de la fonction. Pourquoi utilise-t-on seulement des valeurs non négatives de h et de d?

b) Quelle est la hauteur du ballon au moment où Michèle le frappe?

c) Quelle est la hauteur maximale atteinte par le ballon? Quelle distance horizontale le ballon a-t-il franchie lorsqu'il atteint cette hauteur maximale?

d) Lorsque le ballon touche le sol, quelle distance horizontale a-t-il franchie depuis sa position initiale? Quelles suppositions as-tu faites?

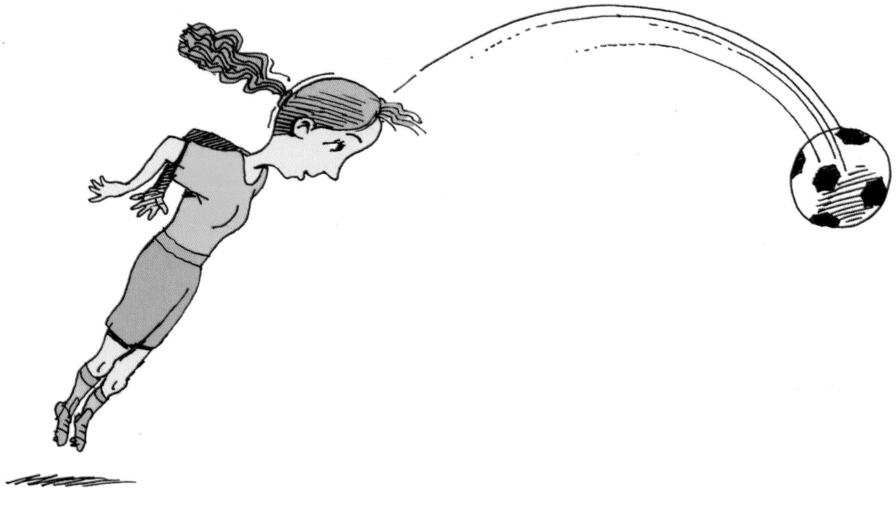

2. Une entreprise fabrique et vend des jeux d'ordinateur.
Ses profits journaliers, P dollars, sont donnés par l'équation
$P = -10x^2 + 750x - 9000$,
où x dollars représente le prix de chaque jeu.

a) Trace le graphique de la fonction.
Les valeurs négatives de x sont-elles pertinentes dans cette situation ? Explique ta réponse.

b) Quelle étendue de prix permet à l'entreprise de réaliser des profits ? Explique ta réponse.

c) Quel prix rapporte les profits les plus élevés ?
À combien s'élèvent ces profits ?

Le point auquel une entreprise ne fait ni ne perd de l'argent est appelé « seuil de rentabilité ».

3. Un quart-arrière lance un ballon de football.
La hauteur, h mètres, du ballon est donnée par l'équation
$h = -5t^2 + 20t + 2$,
où t est le temps, en secondes, après le lancer du ballon.

a) Trace le graphique de la fonction.
Pourquoi utilise-t-on seulement des valeurs non négatives de h et de t ?

b) À quelle hauteur se trouve le ballon 1 s après avoir été lancé ?

c) Quelle est la hauteur maximale atteinte par le ballon ? En combien de temps le ballon atteint-il cette hauteur maximale ?

d) Pendant combien de temps le ballon est-il à plus de 10 m au-dessus du sol ?

Réfléchis

➢ Les coordonnées à l'origine et le sommet sont des points importants du graphique d'une parabole. Que représentent ces points dans des situations de la vie courante ? Explique ta réponse à l'aide de deux exemples.

➢ Quels points importants peux-tu identifier d'après l'équation de forme générale ? Explique ta réponse à l'aide d'un exemple.

3.3 Le rôle de *h* et de *k* dans $y = (x - h)^2 + k$

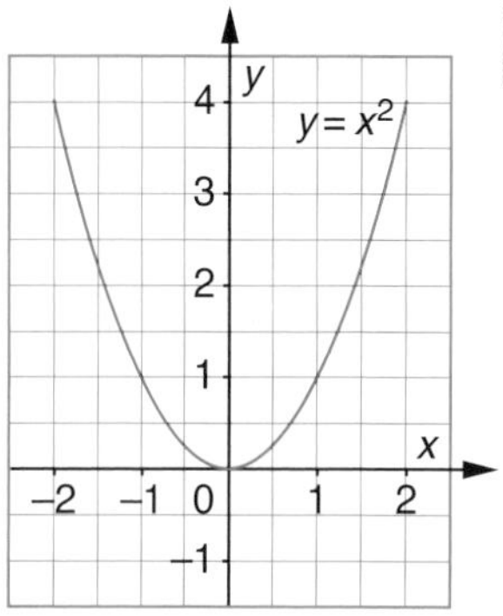

Voici le graphique de la fonction du second degré $y = x^2$. Les graphiques de toutes les autres fonctions du second degré sont des transformations de cette parabole.

Explore — La représentation graphique de $y = x^2 + k$ et de $y = (x - h)^2$

```
FENETRE
 Xmin=-7
 Xmax=7
 Xgrad=1
 Ymin=-4
 Ymax=9
 Ygrad=1
 Xres=1
```

Travaille avec une ou un camarade. Vous aurez besoin d'une calculatrice à affichage graphique TI-83 ou TI-84.

Partie A : Comparer $y = x^2$ et $y = x^2 + k$

- Chacun de vous affiche les graphiques d'un de ces deux ensembles d'équations sur le même écran.

$y = x^2$	$y = x^2$
$y = x^2 + 2$	$y = x^2 - 2$
$y = x^2 + 4$	$y = x^2 - 4$

- Faites le dessin de chaque écran. Nommez chaque graphique par son équation. Notez les coordonnées du sommet de chaque graphique.
- Décrivez la relation entre chaque graphique et le graphique de $y = x^2$.
- Prédisez la forme et la position des graphiques de $y = x^2 + 3$ et de $y = x^2 - 5$ en les comparant avec le graphique de $y = x^2$. Justifiez vos prédictions. Vérifiez vos prédictions à l'aide de la calculatrice.

Partie B : Comparer $y = x^2$ et $y = (x - h)^2$

- Répétez la marche à suivre de la partie A avec les ensembles d'équations suivants :

$y = x^2$	$y = x^2$
$y = (x + 2)^2$	$y = (x - 2)^2$
$y = (x + 4)^2$	$y = (x - 4)^2$

- Prédisez la forme et la position des graphiques de $y = (x + 3)^2$ et de $y = (x - 5)^2$ en les comparant avec le graphique de $y = x^2$. Justifiez vos prédictions et vérifiez-les.

Réfléchis

- Quelle relation existe-t-il entre les graphiques de $y = x^2 + k$ et le graphique de $y = x^2$? Comment vos dessins montrent-ils cette relation ?
- Quelle relation existe-t-il entre les graphiques de $y = (x - h)^2$ et le graphique de $y = x^2$? Comment vos dessins montrent-ils cette relation ?

Fais des liens

Le graphique de $y = x^2 + k$

La translation est un type de **transformation.**

Voici les graphiques de $y = x^2$, de $y = x^2 + 3$ et de $y = x^2 - 5$.

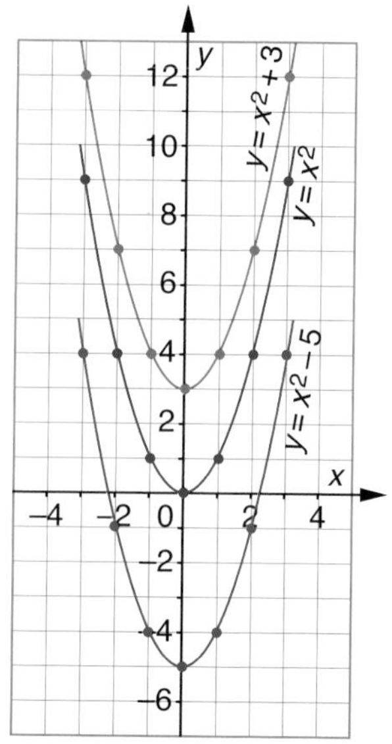

Chaque point du graphique de $y = x^2 + 3$ se situe 3 unités au-dessus d'un point du graphique de $y = x^2$.
Ainsi, le graphique de $y = x^2 + 3$ est congruent à celui de $y = x^2$ et résulte d'une translation de 3 unités vers le haut.

De même, chaque point du graphique de $y = x^2 - 5$ se situe 5 unités au-dessous d'un point du graphique de $y = x^2$. Ainsi, le graphique de $y = x^2 - 5$ est congruent à celui de $y = x^2$ et résulte d'une translation de 5 unités vers le bas.

Le rôle de k dans le graphique de $y = x^2 + k$
Le graphique de $y = x^2 + k$ résulte d'une translation verticale du graphique de $y = x^2$.
Lorsque k est positif, le graphique subit une translation vers le haut.
Lorsque k est négatif, le graphique subit une translation vers le bas.
Les coordonnées du sommet du graphique sont $(0, k)$.
L'équation de l'axe de symétrie est $x = 0$.

Le graphique de $y = (x - h)^2$

Voici les graphiques de $y = x^2$, de $y = (x - 3)^2$ et de $y = (x + 5)^2$.

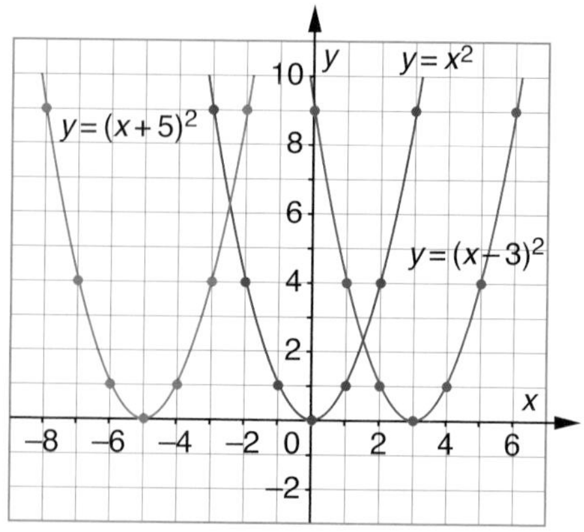

Le graphique de $y = (x - 3)^2$ est congruent à celui de $y = x^2$ et résulte d'une translation de 3 unités vers la droite. Ainsi, chaque point du graphique de $y = (x - 3)^2$ se situe 3 unités à droite d'un point du graphique de $y = x^2$.

Le graphique de $y = (x + 5)^2$ est congruent à celui de $y = x^2$ et résulte d'une translation de 5 unités vers la gauche. Ainsi, chaque point du graphique de $y = (x + 5)^2$ se situe 5 unités à gauche d'un point du graphique de $y = x^2$.

Remarque qu'on écrit $y = (x - h)^2$ avec le signe −. Comme $(x - [-5])^2 = (x + 5)^2$, $y = (x + 5)^2$ est une translation vers la gauche.

Le rôle de *h* dans le graphique de $y = (x - h)^2$
Le graphique de $y = (x - h)^2$ résulte d'une translation horizontale du graphique de $y = x^2$.
Lorsque *h* est positif, le graphique subit une translation vers la droite.
Lorsque *h* est négatif, le graphique subit une translation vers la gauche.
Les coordonnées du sommet du graphique sont $(h, 0)$.
L'équation de l'axe de symétrie est $x = h$.

La régularité des premières différences

Tu as remarqué que, même si les premières différences ne sont pas constantes, elles varient de façon constante. Ainsi, il y a une régularité dans les premières différences de la relation $y = x^2$. Sur le graphique de $y = x^2$, les premières différences augmentent toujours de 2 pour chaque changement de 1 unité en *x*.

À partir du sommet, effectue un déplacement
de 1 unité vers la droite et de 1 unité vers le haut,
de 1 unité vers la droite et de 3 unités vers le haut,
de 1 unité vers la droite et de 5 unités vers le haut,
de 1 unité vers la droite et de 7 unités vers le haut, et ainsi de suite.

Dans la table de valeurs, les premières différences illustrent une régularité.

$y = x^2$		Premières différences
x	*y*	
−4	16	
		−7
−3	9	
		−5
−2	4	
		−3
−1	1	
		−1
0	0	
		1
1	1	
		3
2	4	
		5
3	9	
		7
4	16	

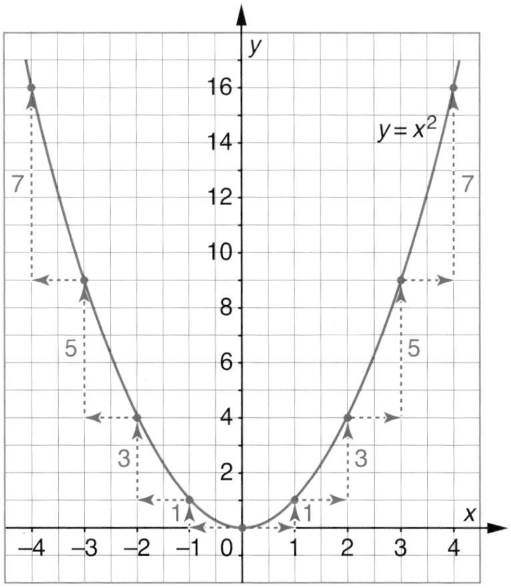

Comme les paraboles $y = (x - h)^2$ et $y = x^2 + k$ sont congruentes à la parabole $y = x^2$, elles présentent la même régularité.

Exercices

1. Décris la transformation qu'il faut appliquer au graphique de $y = x^2$ pour obtenir le graphique de chaque fonction.

a) $y = (x - 4)^2$ b) $y = x^2 + 4$ c) $y = (x + 4)^2$ d) $y = x^2 - 4$

2. Dans chaque cas, la parabole $y = x^2$ subit la transformation décrite. Écris l'équation de la parabole transformée dans la forme $y = x^2 + k$ ou $y = (x - h)^2$.

a) La parabole subit une translation de 6 unités vers le haut.
b) La parabole subit une translation de 2 unités vers la droite.
c) La parabole subit une translation de 1 unité vers le bas.
d) La parabole subit une translation de 3 unités vers la gauche.

3. a) Détermine les coordonnées du sommet de chaque parabole de l'exercice 2.
b) Choisis une parabole de l'exercice 2.
Décris la stratégie que tu as employée pour écrire l'équation.

4. Les équations de certaines fonctions du second degré sont données ci-dessous. En quoi leurs graphiques sont-ils semblables ? En quoi sont-ils différents ?

$y = (x - 12)^2$ $y = x^2 + 12$ $y = (x + 12)^2$ $y = x^2 - 12$

5. La parabole $y = (x - h)^2 + k$ a subi une translation horizontale et verticale. Décris la transformation à appliquer au graphique de $y = x^2$ pour obtenir le graphique de chaque fonction.
Vérifie tes réponses à l'aide d'une calculatrice à affichage graphique.

a) $y = (x - 3)^2 + 4$ b) $y = (x - 6)^2 - 4$
c) $y = (x + 3)^2 - 4$ d) $y = (x + 1)^2 + 3$

On peut tracer le graphique d'une parabole à l'aide de la régularité.

Exemple

Trace le graphique de $y = (x + 2)^2 - 1$
sans dresser de table de valeurs
ni utiliser de calculatrice à affichage graphique.

Solution Le graphique de $y = (x + 2)^2 - 1$ est congruent à celui de $y = x^2$. Le graphique de $y = (x + 2)^2 - 1$ résulte d'une translation de 2 unités vers la gauche et de 1 unité vers le bas de $y = x^2$.
Alors, les coordonnées du sommet sont $(-2, -1)$. Trace ce point.
Partant de $(-2, -1)$, déplace-toi de 1 unité vers la droite et de 1 unité vers le haut, de 1 unité vers la droite et de 3 unités vers le haut, de 1 unité vers la droite et de 5 unités vers le haut.
Retourne au sommet et répète les déplacements vers la gauche. Partant de $(-2, -1)$, déplace-toi de 1 unité vers la gauche et de 1 unité vers le haut, de 1 unité vers la gauche et de 3 unités vers le haut, de 1 unité vers la gauche et de 5 unités vers le haut. Trace une courbe régulière passant par les points.

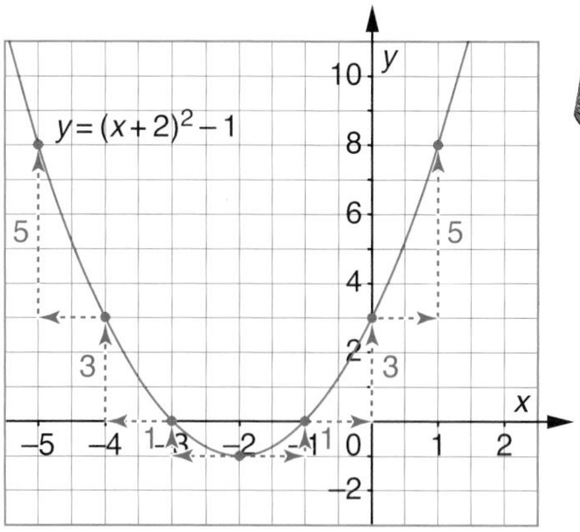

6. Trace un graphique de chaque parabole sans dresser de table de valeurs ni utiliser de calculatrice à affichage graphique.

a) $y = (x - 5)^2$ b) $y = x^2 + 4$ c) $y = (x - 4)^2 + 7$

7. Explique ce que l'*exemple dirigé* t'a appris et comment il t'a aidé à faire l'exercice 6.

8. **Fais le point** Décris ce qui arrive au graphique de chaque fonction du second degré.

a) $y = (x - h)^2 + 2$, à mesure que h varie.

b) $y = (x + 3)^2 + k$, à mesure que k varie.

9. **Relève le défi** Une lampe éclaire un mur. À cause de l'ombre de l'abat-jour, la lumière forme une parabole sur le mur. Écris une équation de la parabole. Détermine les valeurs de h et de k à partir du graphique ci-contre.

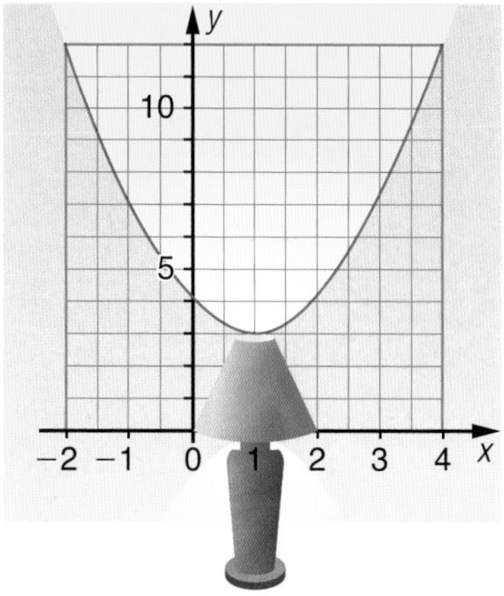

Dans tes mots

Explique les changements à apporter à l'équation de $y = x^2$ pour faire subir au graphique des translations vers le haut, le bas, la gauche ou la droite.
Accompagne ton explication d'exemples et de graphiques.

La littératie et les mathématiques

Établis des liens entre les idées

Tu trouveras plus facile de comprendre et de retenir les nouveaux concepts de mathématiques si tu peux les relier à des concepts que tu connais déjà.
Les représentations graphiques comme le modèle Frayer et les cartes conceptuelles servent à établir des liens entre les concepts de mathématiques.

Le modèle Frayer

Un modèle Frayer peut t'aider à comprendre la signification d'un terme ou d'un concept. Discute de ce modèle Frayer avec une ou un camarade.

- Par quel mot devrait-on remplacer le point d'interrogation?
- Y a-t-il des éléments d'information qui sont nouveaux pour toi? Explique ta réponse.
- Ajouterais-tu quelque chose pour compléter l'image du mot? Explique ta réponse.

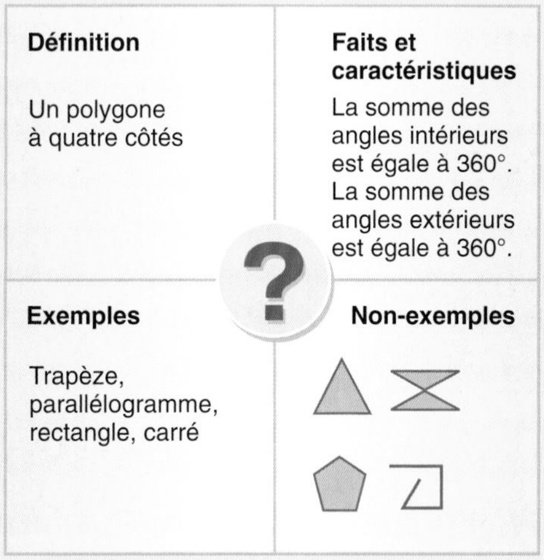
Définition
Un polygone à quatre côtés
Faits et caractéristiques
La somme des angles intérieurs est égale à 360°.
La somme des angles extérieurs est égale à 360°.
?
Exemples
Trapèze, parallélogramme, rectangle, carré
Non-exemples

La carte conceptuelle

Une carte conceptuelle peut résumer visuellement les liens qui existent entre plusieurs termes ou concepts. Discute de la carte conceptuelle à droite avec une ou un camarade.

- Quel titre donnerais-tu à cette carte conceptuelle?
- Quelles caractéristiques les rectangles, les losanges et les carrés ont-ils en commun?
- Les carrés sont-ils tous des rectangles? Explique ta réponse.

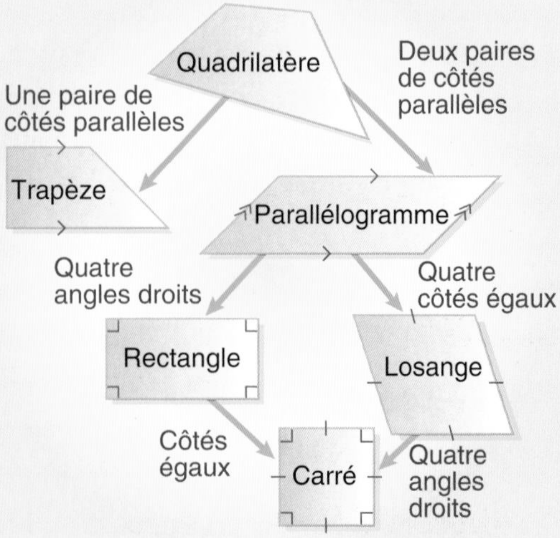

- Crée un modèle Frayer ou une carte conceptuelle au sujet du terme *fonction du second degré*. Commence par ce que tu as appris.
- Tu compléteras ton modèle ou ta carte en avançant dans l'étude du chapitre.

3.4 Le rôle de *a* dans $y = ax^2$

L'équation $y = -5x^2$ peut servir à estimer la distance, *y* mètres, parcourue par un objet en chute *x* secondes après que l'objet aura été lâché.
Le graphique de $y = -5x^2$ est une transformation du graphique de $y = x^2$.

Explore — La représentation graphique de $y = ax^2$

Travaille avec une ou un camarade. Vous aurez besoin d'une calculatrice à affichage graphique TI-83 ou TI-84.

Partie A : Le graphique de $y = ax^2$ pour des valeurs positives de *a*

```
FENETRE
 Xmin=-4.7
 Xmax=4.7
 Xgrad=1
 Ymin=-2
 Ymax=15
 Ygrad=1
 Xres=1
```

- Chacun de vous affiche les graphiques d'un de ces deux ensembles d'équations sur le même écran.

$y = x^2$	$y = x^2$
$y = 2x^2$	$y = 0{,}3x^2$
$y = 3x^2$	$y = 0{,}5x^2$

- Dessinez ce que vous voyez sur chaque écran. Nommez chaque graphique par son équation. Décrivez la relation entre chaque graphique et le graphique de $y = x^2$.
- Prédisez la forme et la position des graphiques de $y = 6x^2$ et de $y = 0{,}6x^2$ en les comparant avec le graphique de $y = x^2$. Justifiez vos prédictions. Vérifiez vos prédictions à l'aide de la calculatrice.

Partie B : Le graphique de $y = ax^2$ pour des valeurs négatives de *a*

```
FENETRE
 Xmin=-4.7
 Xmax=4.7
 Xgrad=1
 Ymin=-15
 Ymax=2
 Ygrad=1
 Xres=1
```

- Répétez la marche à suivre de la partie A avec les ensembles d'équations suivants.

$y = -x^2$	$y = -x^2$
$y = -2x^2$	$y = -0{,}3x^2$
$y = -3x^2$	$y = -0{,}5x^2$

- Prédisez la forme et la position des graphiques de $y = -6x^2$ et de $y = -0{,}6x^2$ en les comparant avec le graphique de $y = x^2$. Justifiez vos prédictions et vérifiez-les.

Réfléchis

- De quelle façon le graphique de $y = ax^2$ change-t-il à mesure que la valeur de *a* change ? Comment tes dessins illustrent-ils ce changement ?

Fais des liens

Le graphique de $y = ax^2, a > 0$

Voici les graphiques de $y = x^2$, de $y = 2x^2$ et de $y = 0{,}5x^2$. L'ouverture de chaque graphique est vers le haut et son sommet est à l'origine.

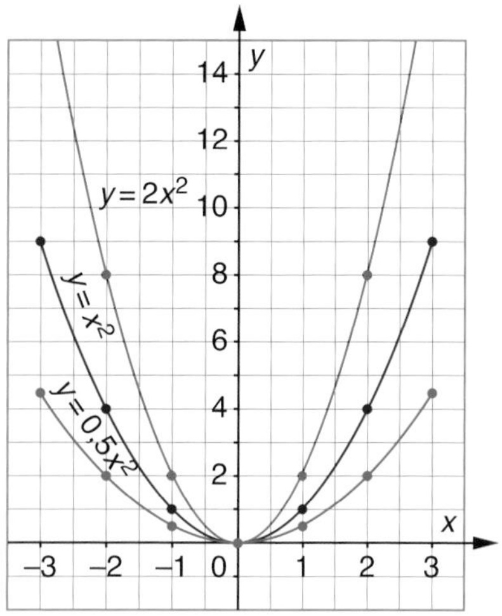

Le graphique de $y = 2x^2$ est plus étroit que celui de $y = x^2$. Pour toute abscisse, le point du graphique de $y = 2x^2$ a une ordonnée égale à deux fois l'ordonnée du point du graphique de $y = x^2$. On dit que le graphique de $y = 2x^2$ est une transformation du graphique de $y = x^2$ par un **agrandissement vertical** de facteur 2.

Le graphique de $y = 0{,}5x^2$ est plus large que le graphique de $y = x^2$. Pour toute abscisse, le point du graphique de $y = 0{,}5x^2$ a une ordonnée égale à la moitié de l'ordonnée du point du graphique de $y = x^2$.
On dit que le graphique de $y = 0{,}5x^2$ est une transformation du graphique de $y = x^2$ par un **rétrécissement vertical** de facteur 0,5.

Le graphique de $y = ax^2, a < 0$

Voici les graphiques de $y = -x^2$, de $y = -2x^2$ et de $y = -0{,}5x^2$. L'ouverture de chaque graphique est vers le bas et son sommet est à l'origine.

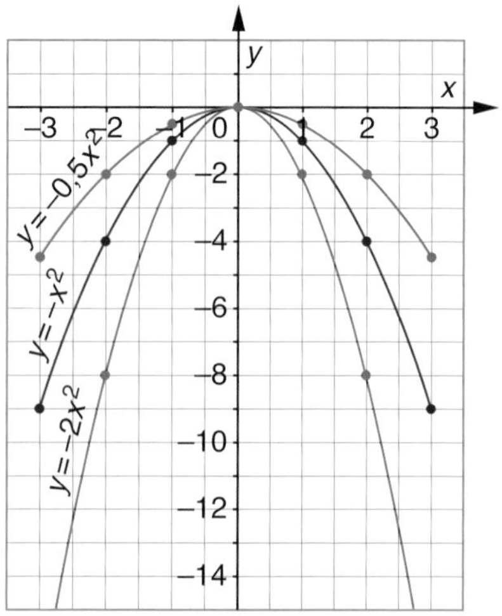

Le graphique de $y = -x^2$ est congruent à celui de $y = x^2$ et résulte d'une réflexion par rapport à l'axe des x. Pour toute abscisse, le point du graphique de $y = -x^2$ a une ordonnée qui est l'opposée de l'ordonnée du point du graphique de $y = x^2$.

Cette relation se vérifie aussi dans les graphiques de $y = -2x^2$ et de $y = 2x^2$ et les graphiques de $y = -0{,}5x^2$ et de $y = 0{,}5x^2$.

La réflexion est une transformation.

Le rôle de *a* dans le graphique de $y = ax^2$
Le graphique de $y = ax^2$ est un agrandissement vertical ou un rétrécissement vertical du graphique de $y = x^2$.
Si $a < 0$, le graphique subit aussi une réflexion par rapport à l'axe des x.

Le graphique représente un agrandissement vertical lorsque $a > 1$ ou $a < -1$.

Le graphique représente un rétrécissement vertical lorsque $-1 < a < 1, a \neq 0$.

Exercices

1. Explique comment transformer le graphique de $y = x^2$ pour obtenir le graphique de chaque fonction.

a) $y = 8x^2$ **b)** $y = -8x^2$ **c)** $y = 5x^2$ **d)** $y = -5x^2$

2. Dans chaque cas, la parabole $y = x^2$ subit la transformation décrite. Écris l'équation de la parabole transformée dans la forme $y = ax^2$.

a) La parabole subit un agrandissement vertical de facteur 5.

b) La parabole subit une réflexion par rapport à l'axe des x.

c) La parabole subit un rétrécissement vertical de facteur 0,25.

d) La parabole subit un agrandissement vertical de facteur 2, puis une réflexion par rapport à l'axe des x.

3. Pour chaque fonction :

I) $y = 4x^2$ **II)** $y = -6x^2$ **III)** $y = 0{,}25x^2$

a) décris les transformations appliquées au graphique de $y = x^2$ pour obtenir le graphique de cette fonction ;

b) trace le graphique de $y = x^2$ et celui de la fonction sur le même plan ;

c) à l'aide d'une calculatrice à affichage graphique, vérifie les graphiques que tu as tracés en b).

Pour tracer le graphique de $y = ax^2$ sans d'abord tracer celui de $y = x^2$, on peut utiliser la régularité des premières différences.

Exemple

Utilise les premières différences pour tracer le graphique de $y = 2x^2$.

Solution

Pour le graphique de $y = x^2$, les premières différences sont 1, 3, 5, ... Pour toute abscisse, l'ordonnée du point du graphique de $y = 2x^2$ est égale à deux fois l'ordonnée du point du graphique de $y = x^2$. Donc, dans le graphique de $y = 2x^2$, les premières différences seront doublées : $1 \times 2 = 2$, $3 \times 2 = 6$, $5 \times 2 = 10$, ...

Trace le sommet (0, 0).

Déplace-toi de 1 unité vers la droite et de 2 vers le haut, de 1 unité vers la droite et de 6 vers le haut, de 1 unité vers la droite et de 10 vers le haut, et ainsi de suite.

Ensuite, en partant du sommet, déplace-toi de 1 unité vers la gauche et de 2 vers le haut, de 1 unité vers la gauche et de 6 vers le haut, de 1 unité vers la gauche et de 10 vers le haut, et ainsi de suite.

Trace une courbe régulière passant par les points.

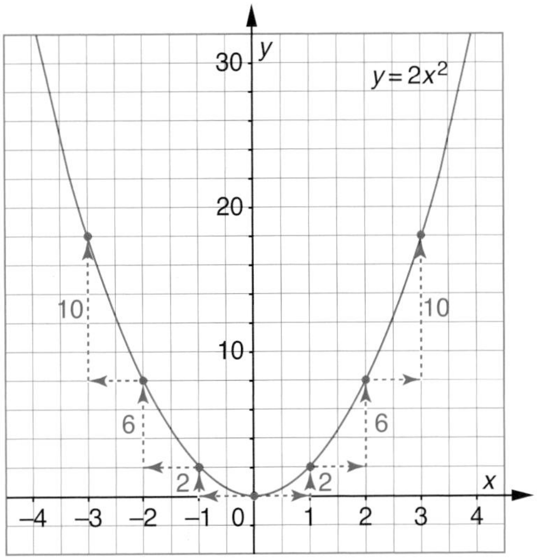

L'intervalle entre les valeurs de *x* est toujours de 1. Seul l'intervalle entre les valeurs de *y* change.

4. Trace le graphique de chaque fonction à l'aide de la régularité des premières différences.

a) $y = -4x^2$ b) $y = -0{,}5x^2$ c) $y = 3x^2$ d) $1{,}5x^2$

5. **Fais le point** Sans tracer de graphique, indique si l'ouverture de chaque graphique est vers le haut ou vers le bas, et s'il est plus étroit ou plus large que le graphique de $y = x^2$. Justifie tes réponses.
Ensuite, vérifie tes réponses à l'aide d'une calculatrice à affichage graphique.
Dessine ce que tu vois sur chaque écran.

a) $y = -3x^2$ b) $y = -2x^2$ c) $y = 0{,}5x^2$

6. Audrey dit que le sommet d'une parabole dont l'équation est de la forme $y = ax^2$ se situe toujours à l'origine. Es-tu d'accord? Explique ta réponse.

7. **Relève le défi** L'arc-en-ciel ci-dessous a la forme d'une parabole. À l'aide des axes et d'une échelle convenable de ton choix, détermine l'équation de cette parabole. Explique ta réponse. Vérifie ta réponse à l'aide d'une calculatrice à affichage graphique.

Dans tes mots

Le graphique de $y = ax^2$ est une parabole.
Qu'arrive-t-il à la parabole à mesure que a augmente de 0 à 1?
Qu'arrive-t-il à la parabole à mesure que a diminue de 0 à -1?
Accompagne ton explication de graphiques.

3.5 La forme canonique d'une fonction du second degré

Quand un joueur de basket-ball effectue un lancer franc, la trajectoire du ballon est une parabole. On peut modéliser cette trajectoire à l'aide d'une équation de la forme $y = a(x - h)^2 + k$.

Explore — La représentation graphique de $y = a(x - h)^2 + k$

Tu peux utiliser la fonction TABLE pour déterminer la régularité des premières différences.

Travaille avec une ou un camarade. Vous aurez besoin d'une calculatrice à affichage graphique TI-83 ou TI-84.

Affichez le graphique de chaque fonction sur la calculatrice. Recopiez le tableau suivant et remplissez-le.

Fonction	Valeur de a	Valeur de h	Valeur de k	Sommet	Axe de symétrie	Direction de l'ouverture	Régularité des premières différences
$y = x^2$	1	0	0	(0, 0)	$x = 0$	Haut	1, 3, 5, 7, ...
$y = 2(x - 1)^2 + 3$							
$y = -(x + 2)^2 + 1$							
$y = 3(x - 2)^2 - 3$							
$y = -1,5(x + 3)^2 - 1$							

Réfléchis

Dans ton tableau, est-ce a, h ou k qui détermine :

- la direction de l'ouverture de la parabole $y = a(x - h)^2 + k$?
- l'abscisse du sommet de la parabole $y = a(x - h)^2 + k$?
- l'ordonnée du sommet de la parabole $y = a(x - h)^2 + k$?
- la régularité des premières différences?

Explique le raisonnement qui appuie chacune de tes réponses.

Fais des liens

La forme canonique d'une fonction du second degré

La valeur numérique de *a* est la valeur de *a* quand on omet le signe.

L'équation d'une fonction du second degré de **forme canonique** est $y = a(x - h)^2 + k$.
Le graphique possède les propriétés suivantes.

- C'est une parabole.
- Le sommet est situé à (h, k).
- L'équation de l'axe de symétrie est $x = h$.
- Le facteur d'agrandissement ou de rétrécissement vertical correspond à la valeur numérique de a.
- Si la valeur de a est positive, l'ouverture de la parabole est vers le haut et le sommet est un point minimum.
- Si la valeur de a est négative, l'ouverture de la parabole est vers le bas et le sommet est un point maximum.
- La régularité des premières différences de la parabole est a, $3a$, $5a$, ...

Le graphique d'une équation de forme canonique

Tu peux utiliser ces propriétés pour tracer le graphique de la parabole $y = -2(x - 1)^2 + 3$. Compare $y = -2(x - 1)^2 + 3$ à l'équation $y = a(x - h)^2 + k$ afin de trouver les valeurs de a, de h et de k.
Ainsi, $a = -2$, $h = 1$ et $k = 3$.

$a = -2$; donc, la valeur numérique de *a* est 2.

Trace le graphique de la fonction.
L'ouverture de la parabole est vers le bas et son sommet, situé à (1, 3), est un point maximum.

Le facteur d'agrandissement vertical est de 2 ; les intervalles depuis le sommet sont donc : $1 \times (-2) = -2$, $3 \times (-2) = -6$, $5 \times (-2) = -10$, et ainsi de suite.

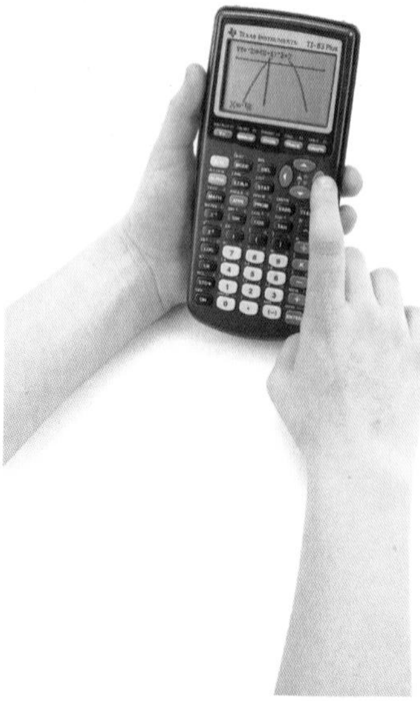

Pars du point (1, 3).
Trace les points à droite puis à gauche en suivant ces étapes : déplacement horizontal de 1 unité et déplacement vers le bas de 2 unités, déplacement horizontal de 1 unité et déplacement vers le bas de 6 unités, déplacement horizontal de 1 unité et déplacement vers le bas de 10 unités.

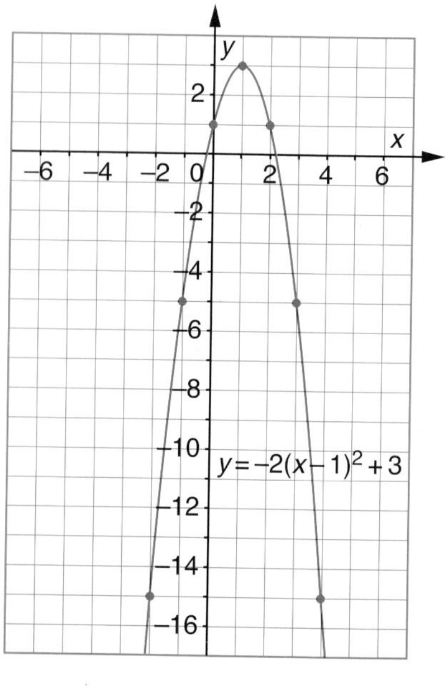

Détermine une équation à partir de son graphique.

On peut aussi déterminer l'équation d'une parabole étant donné son graphique.

L'équation canonique d'une parabole est $y = a(x - h)^2 + k$.

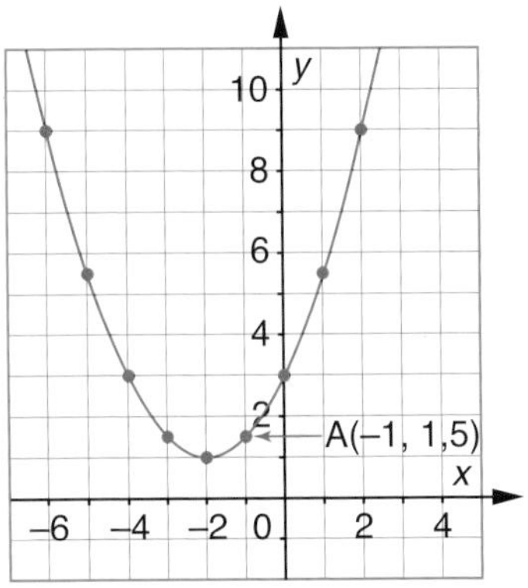

Dans le graphique, le sommet se situe à $(-2, 1)$. Donc, $h = -2$ et $k = 1$.

Puisque l'ouverture de la parabole est vers le haut, la valeur de a est positive et le sommet est un point minimum.
Sur le graphique de $y = a(x - h)^2 + k$, à partir du sommet, déplace-toi de 1 unité vers la droite et de a unité vers le haut.

Sur le graphique, le point A se situe à $(-1, 1{,}5)$.
À partir du sommet, cela représente un déplacement de 1 unité vers la droite et de 0,5 unité vers le haut. Donc, $a = 0{,}5$.

Substitue leurs valeurs à a, à h et à k dans $y = a(x - h)^2 + k$.
L'équation de la parabole est $y = 0{,}5(x + 2)^2 + 1$.

Exercices

1. Pour chaque parabole, détermine :
- I) les valeurs de a, de h et de k ;
- II) les coordonnées du sommet ;
- III) la direction de l'ouverture ;
- IV) l'équation de l'axe de symétrie ;
- V) les trois premiers termes de la régularité des premières différences.

a) $y = 15(x - 12)^2 + 11$
b) $y = -6(x - 8)^2 - 9$
c) $y = 7(x + 6)^2 - 4$
d) $y = -x^2 + 1$
e) $y = 0{,}35(x - 1{,}5)^2 - 2{,}5$
f) $y = -0{,}45(x - 4{,}2)^2$

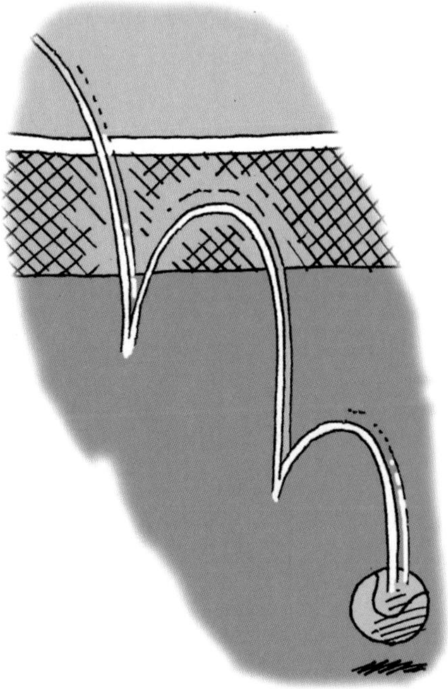

2. Trace le graphique de chaque fonction sans dresser de table de valeurs.

a) $y = \frac{1}{2}(x - 6)^2 - 4$
b) $y = 3(x + 7)^2 - 6$
c) $y = -2(x - 5)^2 + 3$
d) $y = -0{,}5(x + 8)^2 + 2$

3. Détermine l'équation canonique de chacune des paraboles suivantes.

a) Le sommet est à $(-11, 12)$; le facteur d'agrandissement vertical est de 3.

b) Le sommet est à $(5, 0)$; le facteur de rétrécissement vertical est de $-\frac{1}{3}$.

c) Le sommet est à l'origine ; le facteur d'agrandissement vertical est de 4.

d) La valeur minimale est de 3 ; l'équation de l'axe de symétrie est $x = 2$; congruente à $y = x^2$.

4. Le câble de suspension du pont photographié ci-dessous forme une parabole.
Estime les valeurs de a, de h et de k, et écris l'équation de la parabole.

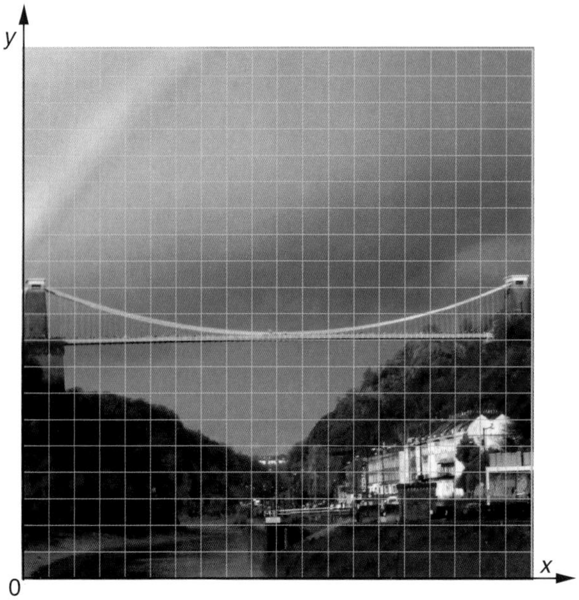

Utilise l'échelle
1 unité = 10 m.

Pour résoudre des problèmes, on utilise les propriétés du graphique d'une équation du second degré écrite sous la forme canonique $y = a(x - h)^2 + k$.

Exemple

Le profit, P dollars, réalisé par un vendeur de parapluies un jour de pluie peut être modélisé par l'équation $P = -30(x - 10)^2 + 300$, où x dollars représente le prix d'un parapluie.

a) À combien doit-on fixer le prix pour maximiser le profit de la journée ?

b) Quel est le profit maximal ?

Solution

Puisque la valeur de a est négative, l'ouverture de la parabole est vers le bas et le sommet est un point maximum.
C'est donc au sommet que le prix est maximisé.
Puisque $h = 10$ et que $k = 300$, le sommet se situe à $(10, 300)$.

a) Puisque l'abscisse du sommet est 10, on devrait fixer le prix à 10 $.

b) Puisque l'ordonnée du sommet est 300, le profit maximal est de 300 $.

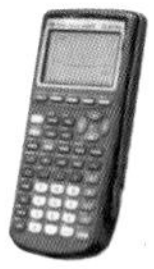

5. Le profit, P dollars, réalisé par une vendeuse de maïs soufflé un jour ensoleillé est modélisé par l'équation $P = -60(x - 4)^2 + 120$, où x représente le prix d'un sac de maïs soufflé.

a) À combien doit-on fixer le prix pour maximiser le profit de la journée?

b) Quel est le profit maximal de la journée?

6. Fais le point Pour chaque fonction, détermine chacun des éléments suivants. Ensuite, explique la différence entre les stratégies que tu as employées en a) et en b).

I) Les valeurs de a, de h et de k.

II) Les coordonnées du sommet.

III) L'équation de l'axe de symétrie.

IV) La direction de l'ouverture.

V) L'ordonnée à l'origine.

VI) Les trois premiers termes de la régularité des premières différences.

a) $y = -3(x + 4)^2 - 5$

b)

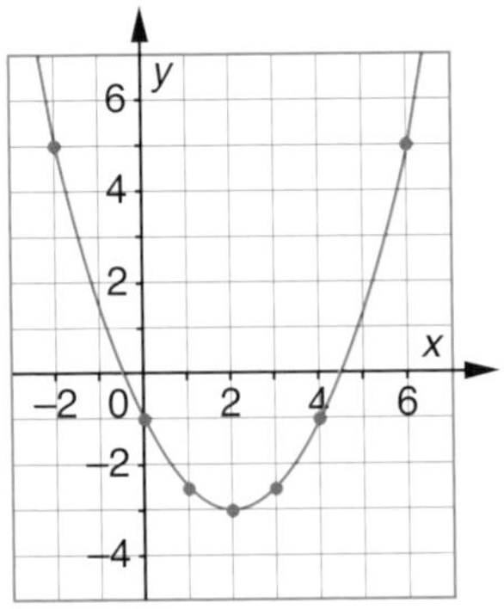

7. Relève le défi Sur une calculatrice à affichage graphique, affiche les graphiques des fonctions du second degré $y_1 = -\frac{1}{4}x^2 + 2x - 2$ et $y_2 = -\frac{1}{4}(x - 4)^2 + 2$ sur le même écran. Que remarques-tu? Explique ta réponse.

Dans tes mots

Explique comment utiliser une équation de la forme $y = a(x - h)^2 + k$ pour déterminer chacun des éléments suivants: les coordonnées du sommet, la direction de l'ouverture et le facteur d'agrandissement ou de rétrécissement vertical d'une parabole. Accompagne ton explication d'exemples et de graphiques.

Révision de mi-chapitre

3.1 **1.** On a 60 m de corde pour délimiter un lieu de baignade rectangulaire. Comme un des côtés du lieu longe la plage, la corde ne servira que sur trois côtés. Le graphique représente la relation entre l'aire du lieu de baignade et la longueur du côté perpendiculaire à la plage.

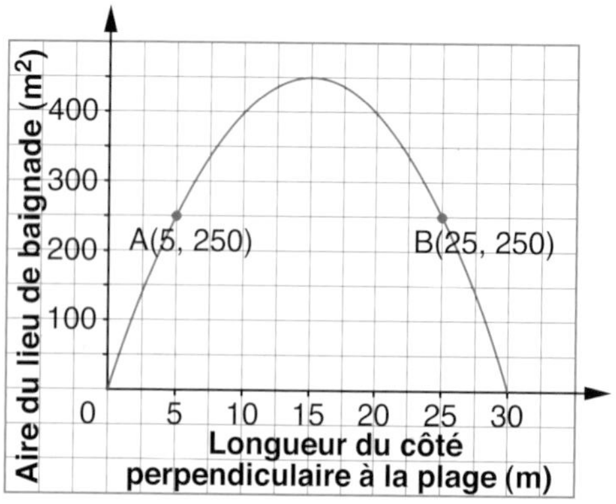

a) Quelles sont les dimensions du lieu de baignade le plus grand ? Dessine ce lieu et annote ton dessin.

b) Dessine les lieux de baignade qui correspondent aux points A et B, et indique leurs dimensions. En quoi ces lieux sont-ils semblables ? Quel lieu préférerais-tu ? Pourquoi ?

3.2 **2.** On enlève le bouchon d'une baignoire, et l'eau commence à s'évacuer. Le volume d'eau, V litres, dans la baignoire t minutes après le retrait du bouchon est donné par l'équation $V = -5t^2 - 8t + 120$.

a) Affiche le graphique de l'équation sur une calculatrice à affichage graphique. Pourquoi n'a-t-on besoin que du premier quadrant ?

b) Combien de litres d'eau la baignoire contient-elle au moment où elle commence à se vider ?

c) En combien de temps l'eau s'évacue-t-elle complètement ?

3.3 3.4 **3.** a) Décris les transformations qu'on doit appliquer au graphique de $y = x^2$ pour tracer le graphique de chaque parabole.

I) $y = (x - 2)^2$ II) $y = x^2 - 2$
III) $y = -2x^2$ IV) $y = -x^2 + 2$

b) Trace le graphique de chaque parabole en a).

c) En quoi les graphiques sont-ils semblables ?

d) En quoi sont-ils différents ?

3.5 **4.** Dans chaque cas, la parabole $y = x^2$ subit la transformation décrite. Écris l'équation de la nouvelle parabole dans la forme $y = a(x - h)^2 + k$.

a) La parabole subit une translation de 2 unités vers le haut et de 5 unités vers la droite.

b) La parabole subit un agrandissement vertical de facteur 4.

c) La parabole subit une translation de 2 unités vers la droite, puis une réflexion par rapport à l'axe des x.

d) La parabole subit un rétrécissement vertical de facteur 0,5.

5. Associe chaque parabole à son équation. Explique tes réponses.

a) $y = 2(x - 3)^2 - 7$ b) $y = 3x^2 - 7$

I)

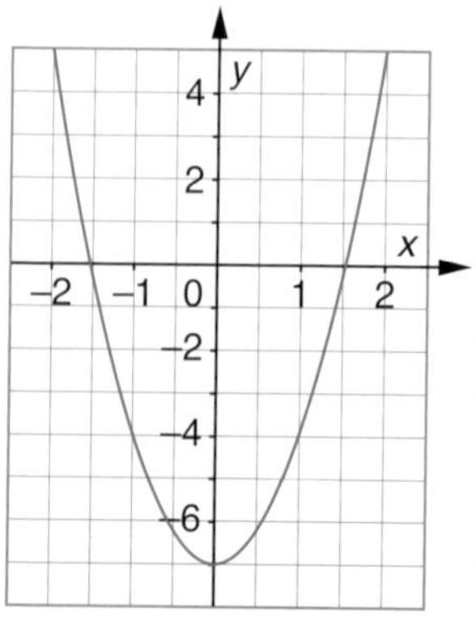

II)

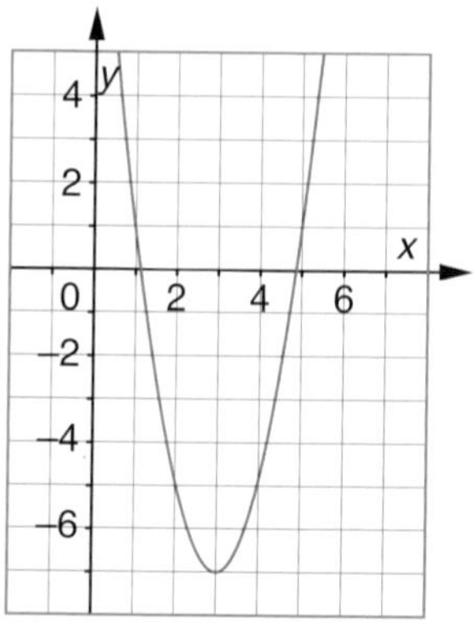

3.6 La multiplication de polynômes

Le graphique de la parabole $y = x^2 - 6x + 5$ est montré à droite. On peut utiliser le graphique pour écrire l'équation canonique de la parabole, soit $y = (x - 3)^2 - 4$. Comme les deux équations représentent la même parabole, il s'agit de formes différentes de la même équation.
Donc, $(x - 3)^2 - 4$ est égal à $x^2 - 6x + 5$.

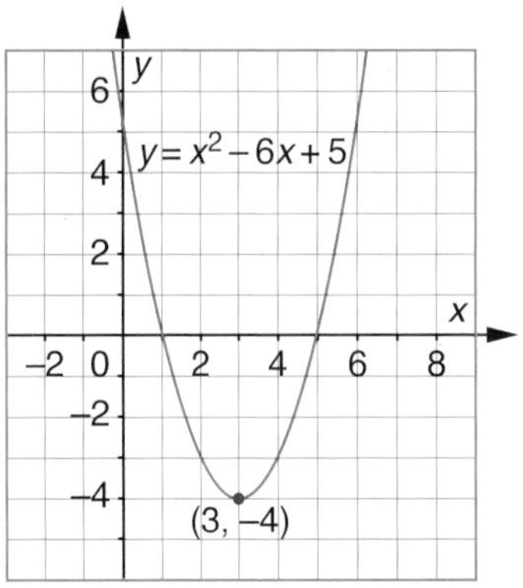

Explore — La multiplication à l'aide de tuiles algébriques

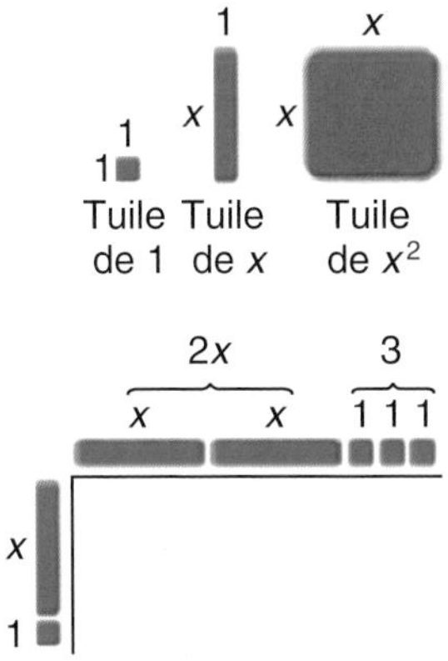

Travaille avec une ou un camarade. Vous aurez besoin de tuiles algébriques.

Partie A : L'utilisation de tuiles algébriques

➢ Les tuiles à utiliser pour multiplier $(2x + 3)(x + 1)$ sont montrées.
Construisez un rectangle dont la longueur et la largeur sont représentées par ces tuiles. Tracez ce rectangle.
Quelle est la somme des aires des tuiles du rectangle ?
Servez-vous du résultat pour développer et simplifier $(2x + 3)(x + 1)$.

➢ Construisez un second rectangle de longueur $2x + 3$ et de largeur $x + 1$.

➢ Expliquez comment les rectangles représentent le produit $2(2x + 3)(x + 1)$.
Quelle est la somme des aires des tuiles des deux rectangles ?
Développez et simplifiez $2(2x + 3)(x + 1)$.

➢ Simplifiez $3(2x + 3)(x + 1)$ et $4(2x + 3)(x + 1)$.

Partie B : L'explication des étapes

➢ Expliquez comment simplifier chaque produit à l'aide de tuiles algébriques.
$(2x + 3)^2$ $2(2x + 3)^2$ $3(2x + 3)^2$ $4(2x + 3)^2$

➢ Simplifiez chaque produit.

Réfléchis

➢ Quelles régularités remarques-tu dans chaque ensemble de produits ?

➢ Utilise ces régularités pour simplifier $5(2x + 3)(x + 1)$ et $5(2x + 3)^2$. Explique ton raisonnement.

Fais des liens

Les expressions telles que 3, $5x + 3$ et $2x^2 + 5x + 3$ sont des **polynômes**.
L'expression 3 est un **monôme** parce qu'elle contient un seul terme.
L'expression $5x + 3$ est un **binôme** parce qu'elle contient deux termes.
L'expression $2x^2 + 5x + 3$ est un **trinôme** parce qu'elle contient trois termes.

L'expression $(3x + 1)(x + 2)$ est le produit de deux binômes.
Voici trois façons de déterminer ce produit.

Utilise des tuiles algébriques.

Construis un rectangle de $3x + 1$ de longueur et de $x + 2$ de largeur.
L'aire du rectangle est $(3x + 1)(x + 2)$.
Construis le rectangle de tuiles.
La somme des aires des tuiles est $3x^2 + 7x + 2$.
Donc, $(3x + 1)(x + 2) = 3x^2 + 7x + 2$.

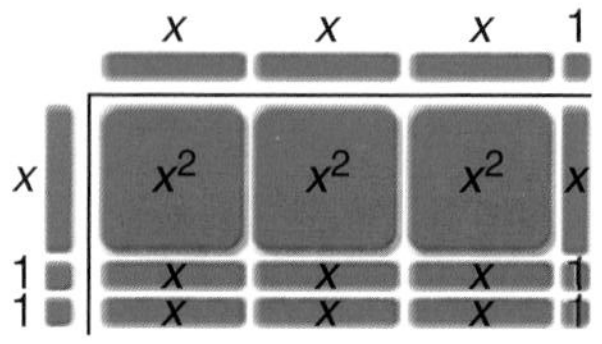

Utilise des rectangles.

Trace un rectangle de $3x + 1$ de longueur et de $x + 2$ de largeur.
L'aire du rectangle est $(3x + 1)(x + 2)$.
Divise le rectangle en quatre petits rectangles.
La somme de leurs aires est $3x^2 + 6x + x + 2$, ou, après avoir réuni les termes semblables, $3x^2 + 7x + 2$.
Donc, $(3x + 1)(x + 2) = 3x^2 + 7x + 2$.

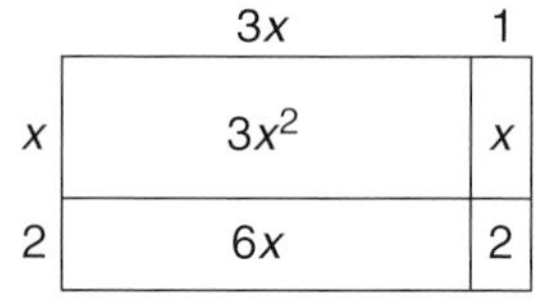

Développe.

Multiplie chaque terme du premier binôme par chaque terme du second binôme. Trace des flèches indiquant les termes multipliés. Rappelle-toi que cette méthode est celle du développement.

$$\begin{aligned}&(3x + 1)(x + 2)\\ &= 3x(x) + 3x(2) + 1(x) + 1(2)\\ &= 3x^2 + 6x + x + 2\\ &= 3x^2 + 7x + 2\end{aligned}$$

Le produit d'un nombre et de deux binômes

L'expression $3(3x + 1)(x + 2)$ est le produit de 3 et de deux binômes.
Pour déterminer le produit des binômes, imagine deux rectangles de $3x + 1$ de longueur et de $x + 2$ de largeur.
Chaque rectangle a une aire de $3x^2 + 7x + 2$.
La somme des aires est donc $3(3x^2 + 7x + 2)$, ou $9x^2 + 21x + 6$.

On écrit :

$$\begin{aligned}&3(3x + 1)(x + 2)\\ &= 3(3x^2 + 7x + 2)\\ &= 9x^2 + 21x + 6\end{aligned}$$

Exercices

1. Développe et simplifie chacune des expressions.

a) $(x + 7)(x + 2)$ b) $(x - 3)(x + 3)$ c) $(x - 5)^2$

d) $(\frac{1}{2}x + 10)(x + 9)$ e) $(3x + 1)(x - 5)$ f) $(2x + 3)^2$

Quels outils peux-tu employer ?

2. Développe et simplifie chaque expression.

a) $4(x - 1)(x + 3)$ b) $2(x + 7)^2$ c) $6(x + 2)(x - 2)$

d) $\frac{1}{2}(x + 4)(x + 12)$ e) $-(x + 2)(\frac{1}{2}x - 5)$ f) $-3(x - 1)^2$

3. Développe chaque ensemble de binômes. Quelles régularités remarques-tu ? Écris et développe les deux prochains binômes de la suite.

a) $(x - 1)(x + 2)$
$(x - 1)(x + 3)$
$(x - 1)(x + 4)$
$(x - 1)(x + 5)$

b) $(x + 1)^2$
$(x + 2)^2$
$(x + 3)^2$
$(x + 4)^2$

c) $2(x - 1)(x + 1)$
$4(x - 2)(x + 2)$
$6(x - 3)(x + 3)$
$8(x - 4)(x + 4)$

On ne peut pas utiliser de modèle d'aire pour multiplier des binômes au coefficient négatif. On doit développer chaque produit.

Lorsque tu sais comment multiplier des binômes, tu peux transformer l'équation canonique d'une fonction du second degré en équation de forme générale.

Exemple

Écris l'équation $y = 2(x - 3)^2 - 5$ dans la forme générale.
Vérifie ta réponse à l'aide d'une calculatrice à affichage graphique.

Solution

$$\begin{aligned} y &= 2(x - 3)^2 - 5 \\ &= 2(x - 3)(x - 3) - 5 \\ &= 2(x^2 - 3x - 3x + 9) - 5 \\ &= 2(x^2 - 6x + 9) - 5 \\ &= 2x^2 - 12x + 18 - 5 \\ &= 2x^2 - 12x + 13 \end{aligned}$$

	x	-3
x	x^2	$-3x$
-3	$-3x$	9

Un tableau peut t'aider à suivre les quatre produits lors du développement de $(x - 3)^2$.

Appuie sur [Y=]. Saisis $2(x - 3)^2 - 5$ dans Y_1 et $2x^2 - 12x + 13$ dans Y_2.
Appuie sur [ZOOM] 6 pour afficher le graphique des équations dans une fenêtre standard.

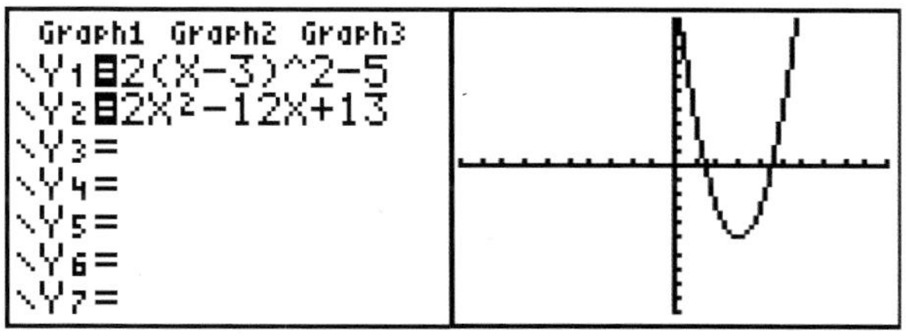

Deux équations ont été saisies, mais il semble que leurs graphiques coïncident. Cela indique que le même graphique représente $y = 2(x - 3)^2 - 5$ et $y = 2x^2 - 12x + 13$.
Les équations sont donc équivalentes.

4. Écris chaque équation dans la forme générale. Vérifie ta réponse en affichant les graphiques de l'équation initiale et de ta réponse sur une calculatrice à affichage graphique.

a) $y = (x + 2)^2 + 3$ b) $y = 2(x - 1)^2$ c) $y = -(x + 4)^2 - 1$

5. Détermine si les équations de chaque ensemble sont équivalentes. Justifie chacune de tes réponses.

a) $y = (x + 2)^2$
$y = x^2 + 4$

b) $y = -(x + 1)^2 + 3$
$y = -x^2 - 2x - 4$

c) $y = 3(x - 2)^2 - 4$
$y = 3x^2 - 12x + 8$

6. L'équation $h = -5(t - 1)^2 + 7{,}5$ modélise la hauteur, h mètres, d'une balle de baseball t secondes après qu'on l'a lancée.

a) Quelle est la hauteur maximale atteinte par la balle?

b) En combien de temps la balle atteint-elle cette hauteur maximale?

c) Écris une équation équivalente dans la forme générale.

d) De quelle hauteur a-t-on lancé la balle? Justifie ta réponse.

e) Quelle forme de l'équation trouves-tu la plus facile à utiliser? Pourquoi?

7. Fais le point

a) Quelle fonction donne le même graphique que $y = 2x^2 - 12x + 19$?

I) $y = 2(x - 2)^2 + 17$

II) $y = 2(x - 2)^2 + 11$

III) $y = 2(x - 3)^2 + 1$

Justifie ta réponse.

b) Détermine les coordonnées du sommet de la parabole $y = 2x^2 - 12x + 19$. Explique comment tu as déterminé ces coordonnées.

8. Relève le défi Le graphique de la parabole $y = x^2 - 2x - 3$ est donné à droite.

a) Quelles sont les coordonnées du sommet?

b) Écris l'équation canonique de la parabole.

c) Vérifie l'exactitude de ton équation en b) en la transformant dans la forme générale.

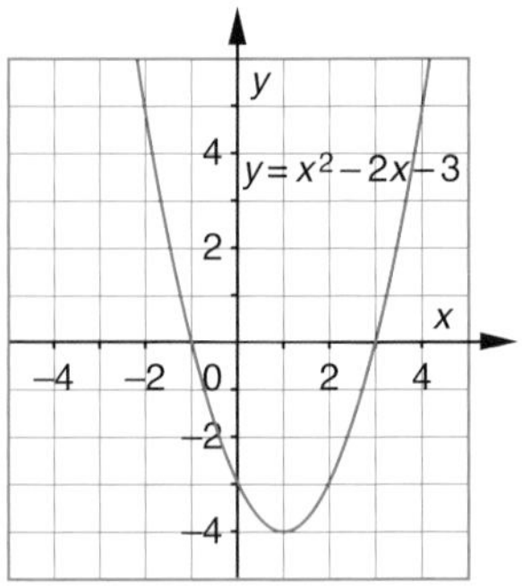

Dans tes mots

Pour développer le produit de deux binômes, tu peux utiliser différents outils et stratégies. Utilises-tu la même méthode pour développer tous les produits de binômes, ou choisis-tu différentes méthodes selon les binômes à multiplier? Explique ta réponse.

Des motifs de paraboles

CASSE-TÊTE

Matériel :

- des calculatrices à affichage graphique TI-83 ou TI-84.

➢ Le motif affiché sur chaque écran de calculatrice est composé de paraboles.
Crée le même motif sur ta calculatrice.
Explique ton raisonnement.

Motif 1

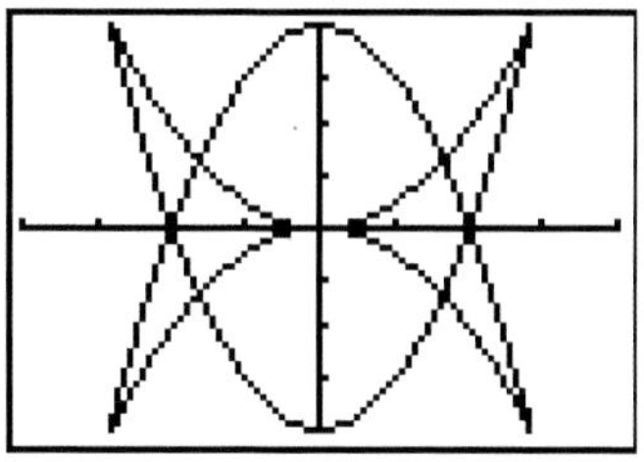

Motif 2

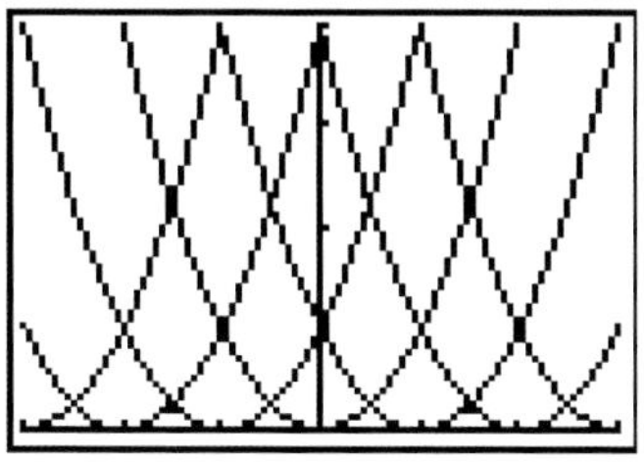

➢ Crée ton propre motif.
Échange ton motif avec une ou un camarade.
Décris les transformations de la parabole $y = x^2$ que ta ou ton camarade a utilisées.
Détermine l'équation de chaque parabole du motif de ta ou de ton camarade.

3.7 La factorisation de trinômes à l'aide de modèles et de la technologie

La factorisation est l'inverse du développement.
On développe $(x + 2)(x + 3)$ pour obtenir $x^2 + 5x + 6$.
On factorise $x^2 + 5x + 6$ pour obtenir $(x + 2)(x + 3)$.

Examine — La factorisation à l'aide de modèles et de la technologie

Travaille avec une ou un camarade.
Vous aurez besoin de tuiles algébriques et d'une calculatrice TI-89 ou équivalente.

Partie A : Factoriser des trinômes de la forme $ax^2 + bx + c$, où $a = 1$

1. On peut factoriser $x^2 + 2x + 1$ à l'aide de tuiles algébriques.

- Utilisez une tuile de x^2, deux tuiles de x et une tuile de 1.

- Disposez les tuiles en forme de rectangle.
  Placez d'abord la tuile de x^2 et la tuile de 1.
  Placez ensuite les tuiles de x pour compléter le rectangle.

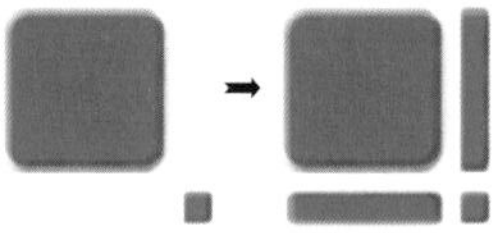

- Exprimez la longueur et la largeur du rectangle en binômes.
- Écrivez l'aire du rectangle sous la forme du produit de la longueur et de la largeur.

2. On peut aussi utiliser un logiciel de calcul formel pour factoriser $x^2 + 2x + 1$.

Si les touches à utiliser ne sont pas les mêmes sur ta calculatrice, consulte ton manuel d'utilisation.

- Effacez l'écran de départ. Appuyez sur [HOME] [F1] 8 [CLEAR].
- Factorisez $x^2 + 2x + 1$. Appuyez sur [F2] 2 [X] [^] 2 [+] 2 [X] [+] 1 [)] [ENTER].

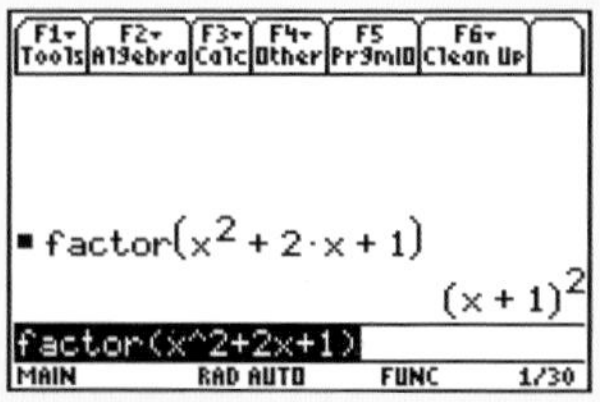

Est-ce le résultat que vous avez obtenu avec les tuiles algébriques ? Expliquez votre réponse.

3. Recopiez le tableau. Servez-vous ensuite de tuiles algébriques et d'un logiciel de calcul formel pour remplir le tableau.

Trinôme	Forme factorisée obtenue avec des tuiles algébriques	Forme factorisée obtenue avec un logiciel de calcul formel
$x^2 + 2x + 1$	 $(x + 1)(x + 1)$	$(x + 1)^2$
$x^2 + 3x + 2$		
$x^2 + 4x + 3$		
$x^2 + 5x + 4$		
$x^2 + 6x + 5$		

4. Décrivez les suites que présente la **forme factorisée** des trinômes.

5. Le prochain trinôme de la suite est $x^2 + 7x + 6$.
- a) Prédisez les facteurs de ce trinôme.
- b) Vérifiez votre prédiction au moyen de tuiles algébriques ou d'une calculatrice à affichage graphique.
- c) Quel moyen avez-vous utilisé ? Pourquoi ?

6. a) Quelles régularités voyez-vous dans les trinômes et les nombres de chaque facteur ?
- b) Utilisez ces régularités pour factoriser les deux prochains trinômes de la suite.
- c) Comment savez-vous que vos réponses sont exactes ?

Partie B : Factoriser des trinômes de la forme $ax^2 + bx + c$, où a est un facteur commun

7. Quel lien y a-t-il entre les trinômes de la première colonne et ceux de la troisième colonne ?

Trinôme	Forme factorisée	Trinôme	Forme factorisée
$x^2 + 2x + 1$		$2x^2 + 4x + 2$	
$x^2 + 3x + 2$		$2x^2 + 6x + 4$	
$x^2 + 4x + 3$		$2x^2 + 8x + 6$	
$x^2 + 5x + 4$		$2x^2 + 10x + 8$	

8. Servez-vous du tableau de la partie A pour remplir la deuxième colonne du tableau ci-dessus. Remplissez la quatrième colonne à l'aide d'un logiciel de calcul formel.

9. Comparez les facteurs des deuxième et quatrième colonnes. Que remarquez-vous ?

10. D'après la suite, le prochain trinôme de la troisième colonne est $2x^2 + 12x + 10$.

a) Prédisez les facteurs de ce trinôme. Justifiez votre prédiction.

b) Vérifiez votre prédiction au moyen d'un logiciel de calcul formel ou de tuiles algébriques. Expliquez votre choix d'outil.

11. Recopiez et remplissez ce tableau sans utiliser d'outil technologique.

Trinôme	Forme factorisée
$3x^2 - 3x - 6$	
$3x^2 - 6x - 9$	
$2x^2 - 8x + 6$	
$3x^2 - 15x + 18$	
$-2x^2 - 6x - 4$	
$-3x^2 + 6x + 9$	

12. Vérifiez vos résultats au moyen d'un logiciel de calcul formel.
Décrivez toutes les erreurs que vous avez commises.
Comment pourriez-vous éviter de commettre ces erreurs à l'avenir ?

Réfléchis

- Comment peux-tu factoriser un trinôme sans l'aide de tuiles algébriques ou d'un logiciel de calcul formel ? Comment saurais-tu si ta réponse est exacte ?
- Comment peux-tu factoriser un trinôme dont les termes ont un facteur commun ?

3.8 La factorisation de polynômes

Alex travaille pour une entreprise d'informatique. Il utilise les fonctions du second degré pour modéliser le revenu des ventes d'ordinateurs de différents modèles. La forme factorisée de chaque fonction peut servir à déterminer les seuils de rentabilité.

Explore — Les stratégies de factorisation

Travaille avec une ou un camarade.
Vous pourriez avoir besoin de tuiles algébriques ou d'une calculatrice TI-89.

Chacune des expressions suivantes peut être récrite sous la forme du produit de trois facteurs. Déterminez les facteurs exacts par l'outil ou la stratégie de votre choix.

Factorisez chaque expression.

- ➢ 30
- ➢ $7x^2 + 14x$
- ➢ $-2x^2 + 6x + 4$
- ➢ $3x^2 + 12x + 12$
- ➢ $5x^2 - 20$

Réfléchis

- ➢ Comparez vos réponses et vos stratégies avec celles d'un autre groupe. Si vos réponses sont différentes, trouvez la raison de la différence.
- ➢ Quels outils ou stratégies avez-vous utilisés ? Pourquoi avez-vous choisi ces outils ou stratégies ?
- ➢ Qu'y a-t-il de semblable entre la factorisation d'une expression algébrique et la factorisation d'un nombre entier ? Qu'y a-t-il de différent entre les deux ?

Fais des liens

Lorsqu'on multiplie deux binômes, on obtient souvent un trinôme.

$$(x + 6)(x - 2) = x^2 + 4x - 12$$

-12 est le produit de $+6$ et -2

4 est la somme de $+6$ et -2.

Ces relations suggèrent une façon de factoriser des trinômes.

> Pour factoriser un trinôme de la forme $x^2 + bx + c$, détermine deux nombres entiers dont le produit est c et la somme, b.

Factorise $x^2 + bx + c$.

Pour factoriser $x^2 - 7x + 12$, détermine deux nombres entiers dont le produit est 12 et la somme, -7.
Le produit est positif et la somme est négative.
Donc, les deux nombres entiers sont négatifs.

Énumère les facteurs de 12 dont la somme est négative. Les nombres entiers -3 et -4 ont un produit de 12 et une somme de -7.
Donc, $x^2 - 7x + 12 = (x - 3)(x - 4)$.

Facteurs de 12	Somme des facteurs
−1, −12	−13 ×
−2, −6	−8 ×
−3, −4	−7 ✓

Pour factoriser $x^2 + 5x - 6$, détermine deux nombres entiers dont le produit est -6 et la somme, 5.
Le produit est négatif; donc, un des nombres entiers est négatif.
La somme est positive; donc, le nombre entier dont la valeur numérique est la plus grande est positif.

Énumère les facteurs de -6 dont la somme est positive. Les nombres entiers -1 et 6 ont un produit de -6 et une somme de 5.
Donc, $x^2 + 5x - 6 = (x - 1)(x + 6)$.

Facteurs de −6	Somme des facteurs
−1, 6	5 ✓
−2, 3	1 ×

Factorise $ax^2 + bx + c$, où a est un facteur commun.

Lorsque les termes d'un trinôme ont un facteur commun, détermine le facteur commun avant de déterminer les facteurs des binômes.

Pour factoriser $-4x^2 + 24x + 108$, détermine d'abord le facteur commun, -4.
Divise par le facteur commun, puis factorise le trinôme restant.

$$\begin{aligned} -4x^2 + 24x + 108 &= -4(x^2 - 6x - 27) \\ &= -4(x + 3)(x - 9) \end{aligned}$$

Facteurs de −27	Somme des facteurs
1, −27	−26 ×
3, −9	−6 ✓

Vérifie les résultats.

Tu peux vérifier la factorisation par le développement.

$$\begin{aligned} -4(x+3)(x-9) &= -4(x^2 - 9x + 3x - 27) \\ &= -4(x^2 - 6x - 27) \\ &= -4x^2 + 24x + 108 \end{aligned}$$

Comme il s'agit du trinôme initial, les facteurs sont exacts.

Exercices

1. Factorise chaque trinôme. Représente le produit à l'aide de tuiles algébriques ou d'un schéma rectangulaire.

a) $x^2 + 3x + 2$ b) $x^2 + 6x + 8$ c) $x^2 + 8x + 15$ d) $x^2 + 6x + 9$

2. a) Factorise chaque trinôme.

I) $x^2 + 7x + 6$ II) $x^2 + 8x + 7$ III) $x^2 + 9x + 8$ IV) $x^2 + 10x + 9$

b) Décris la suite que forment les trinômes en a).

c) Prolonge la suite de trois trinômes. Factorise ces trois nouveaux trinômes.

3. a) Factorise chaque trinôme.

I) $x^2 - 6x + 9$ II) $x^2 + 12x + 36$ III) $x^2 - 10x + 25$

b) Pourquoi appelle-t-on chaque trinôme en a) un *trinôme carré parfait*?

4. a) Factorise chaque polynôme. Quel est le coefficient de x dans chaque polynôme?

I) $x^2 - 16$ II) $x^2 - 64$ III) $x^2 - 1$

b) Pourquoi appelle-t-on chaque binôme en a) une *différence de carrés*?

5. Factorise chaque polynôme par la méthode de ton choix.

a) $5x^2 - 15x$ b) $2x^2 - 18x + 40$ c) $4x^2 - 12x - 40$

d) $2x^2 - 4x - 6$ e) $-6x^2 - 2x$ f) $7x^2 - 42x + 63$

On peut vérifier les factorisations à l'aide d'une calculatrice à affichage graphique.

Exemple

À l'aide d'une calculatrice à affichage graphique, vérifie que la factorisation de $-4x^2 + 24x + 108$ donne $-4(x + 3)(x - 9)$.

Solution

Affiche les graphiques des fonctions correspondant à l'expression initiale et à l'expression factorisée sur le même ensemble d'axes. Si les expressions initiale et factorisée sont équivalentes, les graphiques des fonctions correspondantes coïncideront.

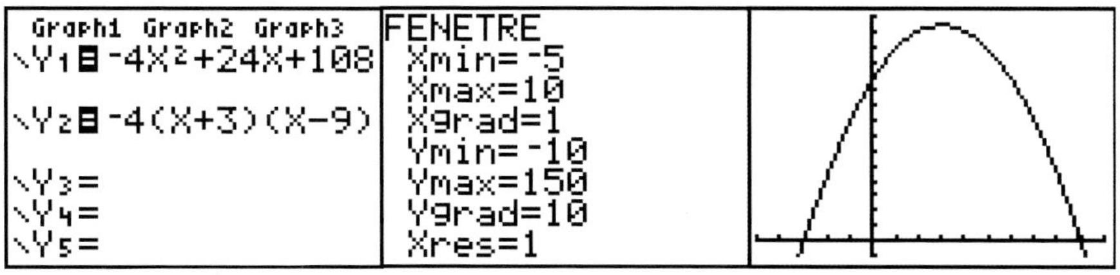

Une seule parabole est affichée. Il semble donc que la factorisation de $-4x^2 + 24x + 108$ donne $-4(x + 3)(x - 9)$.

6. Vérifie la factorisation à l'aide d'une calculatrice à affichage graphique. Dessine ce que tu vois à l'écran et explique en quoi le graphique justifie ta réponse.

a) La factorisation de $3x^2 - 3$ donne-t-elle $3(x^2 - 1)$?

b) La factorisation de $-2x^2 + 4x + 4$ donne-t-elle $-2(x + 2)^2$?

c) La factorisation de $5x^2 + 10x - 15$ donne-t-elle $5(x - 1)(x - 3)$?

d) La factorisation de $-x^2 + 3x + 4$ donne-t-elle $-(x - 4)(x + 1)$?

7. a) Factorise les trinômes suivants.

$2x^2 - 4x + 2$

$3x^2 - 12x + 12$

$4x^2 - 24x + 36$

$5x^2 - 40x + 80$

b) Décris la suite que forment les facteurs.

c) Le trinôme $10x^2 - 180x + 810$ prolonge la suite ci-dessus. Factorise-le, puis vérifie ta réponse par le développement.

8. Fais le point

a) Effectue la factorisation complète de chaque ensemble de polynômes.

$x^2 - x - 2$	$5x^2 - 10x + 5$	$5x^2 - 5$
$x^2 - 2x - 3$	$5x^2 - 20x + 20$	$5x^2 - 20$
$x^2 - 3x - 4$	$5x^2 - 30x + 45$	$5x^2 - 45$

b) Décris la règle de la suite de chaque ensemble donné et celle de la forme factorisée des polynômes.

9. Relève le défi Un conseil étudiant veut amasser de l'argent en vendant des billets pour un souper. Le revenu, T dollars, dépend du nombre, n, d'élèves qui achètent des billets d'après l'équation $T = \frac{1}{10}n^2 + 10n - 2000$.

a) Trouve le revenu réalisé si 100 élèves achètent des billets.

b) Quel est le revenu réalisé si aucun billet n'est vendu ? Qu'est-ce que cela peut représenter ?

c) Factorise le membre droit de l'équation.

d) Combien de billets le conseil étudiant doit-il vendre pour réaliser un profit ?

Dans tes mots

Que trouves-tu le plus difficile dans la factorisation ?
Quels outils et stratégies peut-on utiliser pour faciliter la factorisation ?
Accompagne ton explication d'exemples.

3.9 La forme factorisée d'une fonction du second degré

Les entreprises utilisent des équations pour modéliser des situations financières. En interprétant les équations et leurs représentations graphiques, les dirigeants d'entreprise peuvent prendre des décisions d'affaires.

Explore — Un lien entre les facteurs et les abscisses à l'origine

Travaille avec une ou un camarade. Vous aurez besoin d'une calculatrice à affichage graphique TI-83 ou TI-84.

Chaque équation du tableau est donnée dans sa forme factorisée.

➢ Recopiez le tableau suivant.

Équation	Abscisses à l'origine	
$y = (x + 4)(x - 2)$		
$y = (x + 1)(x - 3)$		
$y = 3(x - 3)(x - 5)$		
$y = -0{,}5(x - 4)(x + 4)$		
$y = 2x(x + 6)$		
$y = (15 - x)(10 + x)$		

Les abscisses à l'origine sont les abscisses des points où le graphique coupe l'axe des *x*.

➢ Affichez le graphique de chaque équation dans une fenêtre standard et remplissez le tableau.

➢ Comparez les facteurs de chaque équation avec les abscisses à l'origine du graphique de l'équation. Que remarquez-vous?

➢ Pour chaque graphique, choisissez une abscisse à l'origine différente.
Substituez la valeur de l'abscisse à l'origine à la variable dans l'équation et évaluez l'équation.
Comparez vos réponses. Que remarquez-vous?

Réfléchis

➢ Quelle relation y a-t-il entre la forme factorisée de l'équation d'une fonction du second degré et les abscisses à l'origine de son graphique? Justifie ta réponse.

Fais des liens

Le graphique représente la hauteur d'un ballon de football, y mètres, x secondes après le botté du ballon.

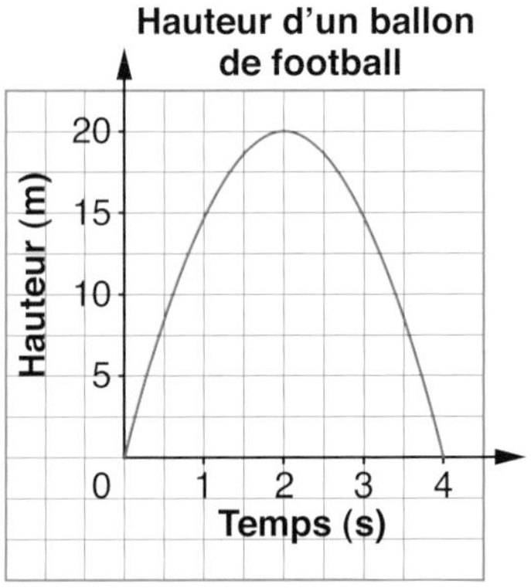

On peut écrire l'équation du graphique de trois façons.

Forme canonique $y = -5(x - 2)^2 + 20$
Forme générale $y = -5x^2 + 20x$
Forme factorisée $y = -5x(x - 4)$
ou $y = -5(x - 0)(x - 4)$

Chaque forme donne des indications différentes sur le graphique.

La forme canonique

La forme canonique nous indique que le graphique de $y = -5(x - 2)^2 + 20$ résulte d'une réflexion du graphique de $y = x^2$ par rapport à l'axe des x, d'un agrandissement vertical de facteur 5 et d'une translation de 2 unités vers la droite et de 20 unités vers le haut. Ainsi, le graphique s'ouvre vers le bas, et son sommet se situe à (2, 20).

La forme générale

La forme générale $y = -5x^2 + 20x$ peut être récrite $y = -5x^2 + 20x + 0$.
Rappelle-toi que le terme constant est l'ordonnée à l'origine.
Cela indique que l'ordonnée à l'origine du graphique est 0.

La forme factorisée

La forme factorisée de l'équation $y = -5(x - 0)(x - 4)$ indique les abscisses à l'origine du graphique.
Aux abscisses à l'origine, $y = 0$.
Donc, aux abscisses à l'origine, $0 = -5(x - 0)(x - 4)$.
Un produit de facteurs est égal à zéro si au moins un des facteurs est zéro.
Une abscisse à l'origine est zéro parce que $x - 0 = 0$ lorsque $x = 0$.
L'autre abscisse à l'origine est 4 parce que $x - 4 = 0$ lorsque $x = 4$.

Certaines fonctions du second degré ne peuvent pas être mises en facteurs à l'aide de nombres entiers. On ne peut donc pas les écrire dans la forme factorisée.

En étudiant le graphique, on peut vérifier les valeurs mises en évidence par chacune des formes de l'équation.

L'équation d'une fonction du second degré de forme factorisée est $y = a(x - r)(x - s)$. Les abscisses à l'origine sont r et s.

Exercices

1. Détermine les abscisses à l'origine du graphique de chaque fonction.

a) $y = (x - 2)(x - 5)$ b) $y = (x - 7)(x + 1)$

c) $y = (x - 4)(x + 4)$ d) $y = x(x - 10)$

2. Écris chaque équation dans sa forme factorisée. Ensuite, détermine les abscisses à l'origine du graphique de la fonction. Justifie tes réponses.

a) $y = x^2 - 10x + 9$ b) $y = x^2 - x - 20$

c) $y = x^2 - 4$ d) $y = x^2 - 4x$

3. Écris l'équation de chaque fonction du second degré dans sa forme factorisée. Chaque graphique est congruent au graphique de $y = x^2$.

a)

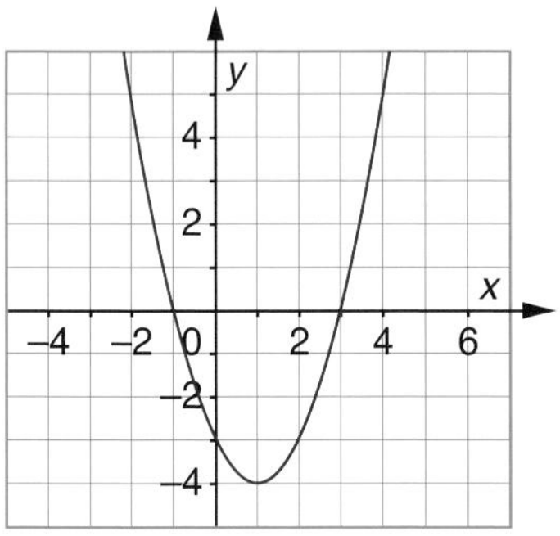

b)

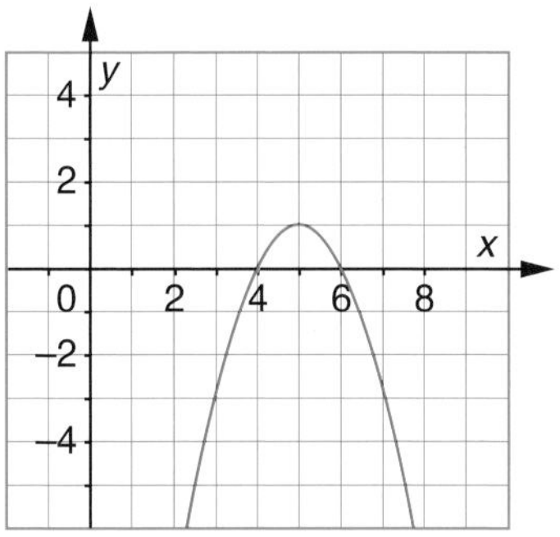

c)

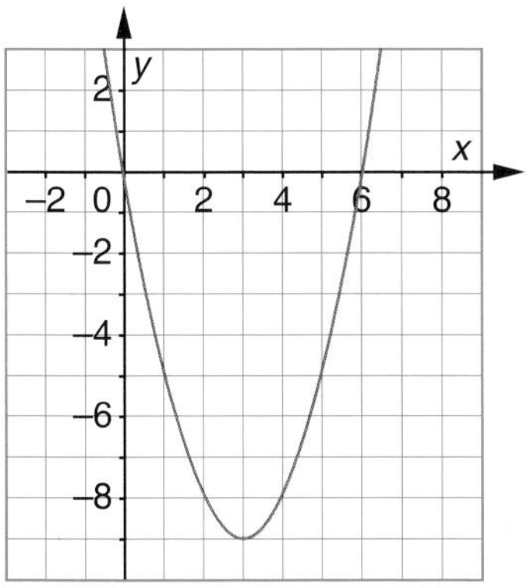

d)

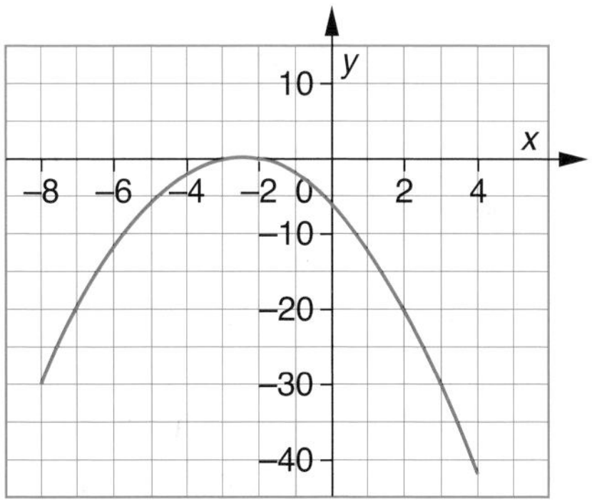

4. a) Trace le graphique de $y = x^2 + 4$ où x se situe de -3 à 3.

b) À l'aide du graphique, explique pourquoi on ne peut pas écrire $y = x^2 + 4$ dans la forme factorisée.

5. **Fais le point** L'équation de forme générale d'une fonction du second degré est $y = 2x^2 - 12x + 18$.

a) À l'aide de la forme factorisée de l'équation, explique pourquoi le graphique de cette fonction n'a qu'une abscisse à l'origine.

b) Quelle est l'abscisse à l'origine ? Comment le graphique la représenterait-il ?

6. Écris chacune des équations suivantes dans la forme factorisée.

a) $y = 3x^2 - 6x - 24$ b) $y = -x^2 + 4$

c) $y = 2(x - 1)^2 - 8$ d) $y = -(x - 3)^2 + 9$

7. Les profits journaliers qu'un fabricant de jeux réalise sont modélisés par l'équation $P = -10(x - 60)(x - 15)$, où P dollars représente les profits et x dollars, le prix de chaque jeu.

a) Détermine les abscisses à l'origine de cette fonction.

b) Que représentent les abscisses à l'origine dans cette situation ? Explique ta réponse.

L'interprétation de fonctions du second degré fournit une stratégie de prise de décisions aux entreprises.

On peut utiliser la forme factorisée d'une fonction du second degré pour résoudre des problèmes.

Exemple

La hauteur, h mètres, d'un ballon de football t secondes après le botté est donnée par l'équation $h = -5t^2 + 30t$. Combien de temps le ballon passe-t-il dans les airs ?

Solution

Détermine les abscisses à l'origine. Écris $h = -5t^2 + 30t$ dans la forme factorisée : $h = -5t(t - 6)$.

Le facteur $-5t$ est égal à 0 quand $t = 0$.

Le facteur $t - 6$ est égal à 0 quand $t = 6$.

Ainsi, le ballon est au sol à $t = 0$ s et à $t = 6$ s.

Donc, le ballon est dans les airs pendant 6 s.

8. L'équation $h = -5t^2 + 20t + 25$ représente la hauteur, h mètres, d'une fusée éclairante t secondes après le lancement. Combien de temps la fusée passe-t-elle dans les airs ?

9. **Relève le défi** Le graphique d'une fonction du second degré est donné ci-contre. Détermine l'équation de la parabole dans sa forme factorisée. Explique ta stratégie.

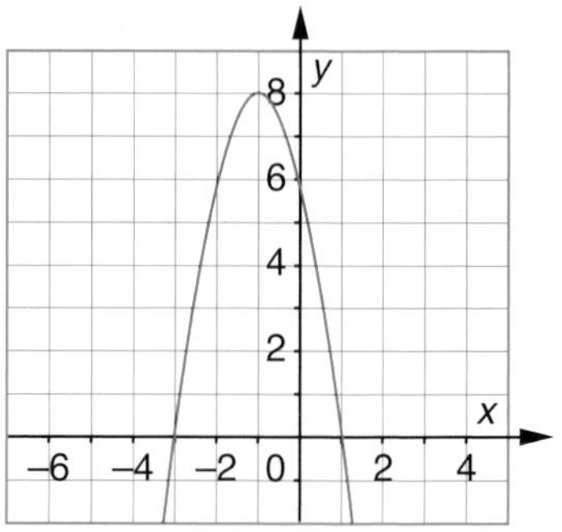

Dans tes mots

Supposons qu'une ou un de tes camarades ait du mal à comprendre les trois formes de l'équation d'une fonction du second degré. Pour chaque forme, crée un modèle Frayer ou une carte conceptuelle qui aiderait ta ou ton camarade à exprimer chaque forme d'une équation et qui présente l'information que tu vois dans chaque forme.

Révision du chapitre

Ce que je dois savoir

Les tables de valeurs, les graphiques et les équations des fonctions du second degré

Une fonction du second degré peut être représentée au moyen d'une table de valeurs, d'un graphique ou d'une équation.

Table de valeurs

x	y	Premières différences	Deuxièmes différences
−2	−7		
		$0 - (-7) = 7$	
−1	0		$5 - 7 = -2$
		$5 - 0 = 5$	
0	5		$3 - 5 = -2$
		$8 - 5 = 3$	
1	8		$1 - 3 = -2$
		$9 - 8 = 1$	
2	9		$-1 - 1 = -2$
		$8 - 9 = -1$	
3	8		$-3 - (-1) = -2$
		$5 - 8 = -3$	
4	5		$-5 - (-3) = -2$
		$0 - 5 = -5$	
5	0		$-7 - (-5) = -2$
		$-7 - 0 = -7$	
6	−7		

Graphique

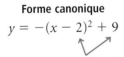

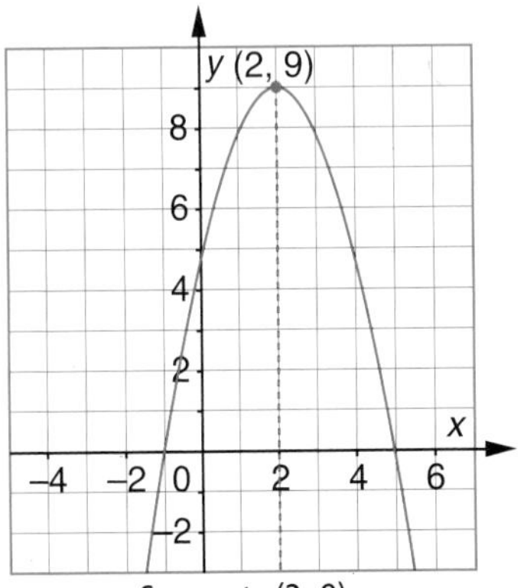

Sommet : (2, 9)
Équation de l'axe de symétrie : $x = 2$
Valeur maximale : 9
Abscisses à l'origine : −1 et 5 ;
Ordonnée à l'origine : 5

Équation L'équation peut être écrite de différentes façons.

Forme canonique
$y = -(x - 2)^2 + 9$
Sommet (2, 9)

Forme générale
$y = -x^2 + 4x + 5$
Ouverte vers le bas — Ordonnée à l'origine

Forme factorisée
$y = -(x + 1)(x - 5)$
Abscisses à l'origine : −1 et 5

Certaines fonctions du second degré n'ont pas de forme factorisée.

Transformer le graphique de $y = x^2$

Pour tracer le graphique de :	Trace le graphique de $y = x^2$ et :
$y = x^2 + 2$	Déplace-le de 2 unités vers le haut
$y = x^2 - 2$	Déplace-le de 2 unités vers le bas
$y = (x + 2)^2$	Déplace-le de 2 unités vers la gauche
$y = (x - 2)^2$	Déplace-le de 2 unités vers la droite
$y = 2x^2$	Fais-lui subir un agrandissement vertical de facteur 2
$y = 0{,}5x^2$	Fais-lui subir un rétrécissement vertical de facteur 0,5
$y = -x^2$	Fais-lui subir une réflexion par rapport à l'axe des x

Développer et factoriser

Multiplier deux binômes

$3(2x + 3)(4x - 1)$
$= 3(8x^2 - 2x + 12x - 3)$
$= 3(8x^2 + 10x - 3)$
$= 24x^2 + 30x - 9$

Factoriser un trinôme

$2x^2 + 6x - 20$
$= 2(x^2 + 3x - 10)$
$= 2(x + 5)(x - 2)$

$(5) + (-2) = 3$
$(5)(-2) = -10$

Ce que je dois savoir faire

3.1 **1.** L'an dernier, 500 personnes ont payé 6 $ chacune pour assister à la pièce de théâtre de l'école. La troupe de théâtre estime qu'elle vendra 50 billets de moins pour chaque augmentation de 1 $ du prix du billet.

a) Recopie cette table de valeurs et remplis-la.

Prix ($)	Nombre de billets vendus	Revenu ($)
6	500	

b) Représente graphiquement le *revenu* en fonction du *prix*.

c) À combien la troupe de théâtre devrait-elle fixer le prix du billet pour s'assurer un revenu maximal? Justifie ta réponse.

2. Le graphique représente la hauteur d'une balle à mesure qu'elle roule vers le bas d'une rampe.

a) Estime la hauteur de la balle après 1,5 s.

b) Estime le temps écoulé au moment où la balle est à 3 m de hauteur.

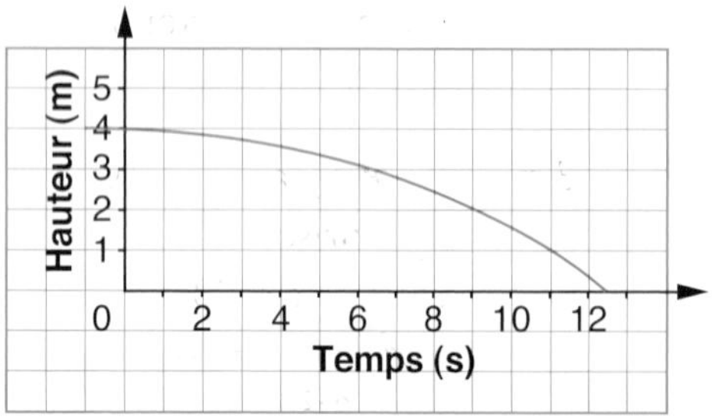

c) Estime le temps que met la balle pour toucher le sol.

3.2 **3.** Un plongeur s'élance dans l'eau depuis un tremplin. L'équation $h = -5t^2 + 8{,}8t + 5$ modélise sa hauteur, h mètres, au-dessus de la surface de l'eau après t secondes.

a) Affiche le graphique de la fonction sur une calculatrice à affichage graphique.

b) Estime la hauteur maximale et le temps qu'il faut pour l'atteindre.

c) Pendant combien de temps le plongeur est-il dans les airs?

d) Estime le temps pendant lequel le plongeur est à une hauteur supérieure à celle du tremplin.

e) Les valeurs négatives de t et de h sont-elles significatives? Explique ta réponse.

3.3 **4.** Associe chaque parabole à son équation. Explique ta réponse.

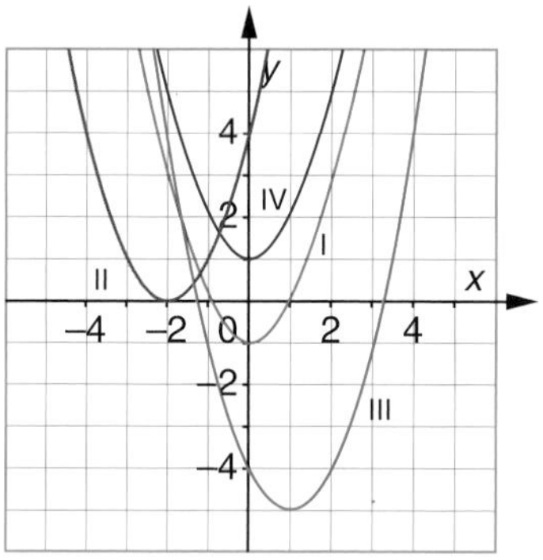

a) $y = x^2 + 1$

b) $y = (x + 2)^2$

c) $y = x^2 - 1$

d) $y = (x - 1)^2 - 5$

5. Écris l'équation de la parabole congruente au graphique de $y = x^2$ selon les données suivantes.

a) Le sommet se situe à (0, 3).

b) Le sommet se situe à (2, 4).

c) Le sommet a subi une translation de 5 unités vers la gauche et de 3 unités vers le bas.

3.4 **6.** Associe chaque parabole à son équation.

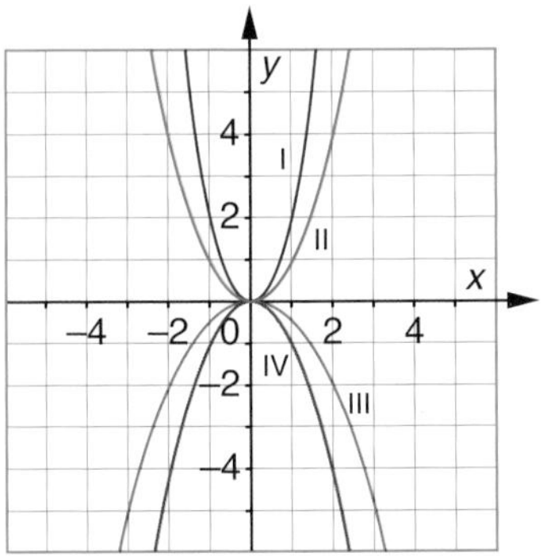

a) $y = 2x^2$
b) $y = -\frac{1}{2}x^2$
c) $y = -x^2$
d) $y = x^2$

7. Explique comment tracer le graphique de $y = -3x^2$.
Suis tes indications.

3.5 **8.** Identifie a, h et k dans chaque fonction et décris la transformation du graphique de $y = x^2$ que chaque fonction représente.
a) $y = -3(x - 2)^2 + 7$
b) $y = (x + 5)^2 - 1$
c) $y = 4x^2 + 2$
d) $y = (x - 10)^2$

9. La parabole $y = x^2$ subit un agrandissement vertical de facteur 4. Elle subit ensuite une translation de 2 unités vers le bas et de 3 unités vers la droite. Écris l'équation de la nouvelle parabole.

3.2 3.5 **10.** Le prix d'un titre inscrit à la Bourse de croissance TSX varie rapidement durant les 25 premiers jours suivant son inscription. Le prix, P cents, au jour D est modélisé par

$$P = -\frac{1}{4}(D - 12)^2 + 80.$$

Affiche le graphique de la fonction sur une calculatrice TI-83 ou TI-84.
a) Décris les tendances du prix du titre au cours des 25 premiers jours.
b) Quel est le prix au moment de l'inscription ?
c) Quelle est la valeur la plus élevée du titre au cours des 25 jours ?
d) Quelle est la valeur la plus basse du titre au cours des 25 jours ?
e) Quel jour le titre revient-il à son prix initial ?

3.6 **11.** Développe et simplifie ces expressions.
a) $2(x - 5)(x + 14)$
b) $-2(x + 6)(\frac{1}{2}x - 12)$
c) $-(\frac{1}{3}x + 5)^2$
d) $-4(x + 8)(x + 5)$

12. Écris ces équations dans la forme générale.
a) $y = -(x + 7)^2 + 20$
b) $y = -2(x - 6)^2 + 1$
c) $y = -(x - 5)(x + 5)$
d) $y = 3(x - 1)(x + 9)$

3.7 3.8 **13.** Factorise chaque expression.
a) $x^2 - 5x - 36$
b) $-3x^2 - 12x$
c) $16 - x^2$
d) $-x^2 - 14x - 49$
e) $2x^2 - 18x + 40$
f) $5x^2 - 45$

14. Explique comment factoriser $4x^2 - 4x - 8$.

3.9 **15.** Écris chaque équation dans la forme factorisée.
a) $y = x^2 + 11x + 28$
b) $y = -x^2 - 5x + 24$
c) $y = (x - 2)^2 - 9$
d) $y = 2(x + 1)^2 - 8$

16. Une fonction du second degré est représentée par l'équation $y = -(x - 2)(x - 8)$. Détermine :
a) ses abscisses à l'origine ;
b) son ordonnée à l'origine.

Test

Questions à choix multiple. Choisis les réponses appropriées pour les numéros 1 et 2. Justifie chacun de tes choix.

1. Quelle est la forme factorisée de $-3x^2 + 6x + 9$?

A. $-3(x - 3)(x + 1)$ **B.** $-3(x + 3)(x + 1)$ **C.** $-3(x + 3)(x - 1)$ **D.** $-3(x - 3)(x - 1)$

2. Quelle équation représente la parabole à droite?

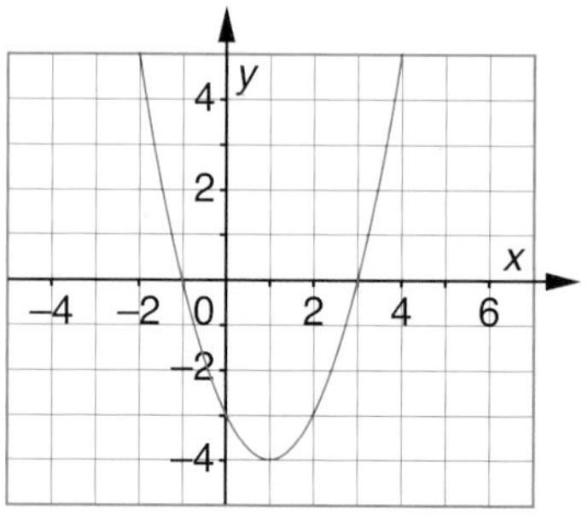

A. $y = (x + 1)^2 - 4$

B. $y = (x - 1)^2 - 4$

C. $y = -(x - 3)(x + 1)$

D. $y = (x + 3)(x - 1)$

Pour les exercices 3 à 6, indique les étapes de ton travail.

3. Connaissance et compréhension

a) Développe ces expressions. I) $(7x - 3)(x + 4)$ II) $-2(x + 3)^2$

b) Factorise ces expressions. I) $-x^2 + 13x - 40$ II) $5x^2 + 5x - 30$

4. Communication Le dessin qui a été retenu comme emblème d'une école comporte trois paraboles. Chaque parabole est une transformation de $y = x^2$.

Parabole A: translation de 2 unités vers le bas.

Parabole B: agrandissement vertical de facteur 2.

Parabole C: agrandissement vertical de facteur 2, réflexion par rapport à l'axe des x et translation de 4 unités vers le haut.

a) Dessine l'emblème sur du papier quadrillé de 1 cm.

b) Explique comment tu as tracé chaque parabole.

5. Mise en application Un groupe d'étudiants en ingénierie construit un canon à pommes de terre. La hauteur, h mètres, d'une pomme de terre t secondes après avoir été lancée par le canon installé sur le toit d'un immeuble est modélisée par l'équation $h = -5(t - 2)^2 + 45$.

a) À quelle hauteur se trouve la pomme de terre après 1 s?

b) À quel moment la pomme de terre atteint-elle sa hauteur maximale? Quelle est cette hauteur?

c) Combien de temps la pomme de terre reste-t-elle dans les airs?

6. Habiletés de la pensée Le tracé d'un manège de montagnes russes décrit plusieurs collines puis entre dans un tunnel. À l'intérieur du tunnel, le parcours du tracé est $h = \frac{1}{72}(d - 12)(d + 12)$, où h mètres est la hauteur par rapport au sol et d mètres est une mesure de distance horizontale par rapport au centre du tunnel.

a) Trouve la distance horizontale entre l'entrée et la sortie du tunnel.

b) Quelle est la profondeur du tunnel? Justifie ta réponse.

4 Les fonctions exponentielles

Mots clés

- Base
- Exposant
- Puissance
- Croissance exponentielle
- Facteur de croissance
- Taux de croissance
- Décroissance exponentielle
- Facteur de décroissance
- Taux de décroissance
- Valeur initiale
- Fonctions exponentielles
- Temps de doublement
- Demi-vie

Ce que tu vas apprendre

Reconnaître des régularités de nature exponentielle dans des tables de valeurs, des graphiques et des équations, et résoudre des problèmes portant sur les notions de croissance et de décroissance exponentielles.

Pourquoi ?

Plusieurs situations de la vie courante, comme la croissance démographique, l'augmentation de la valeur d'une antiquité, la désintégration radioactive et l'absorption de médicaments, peuvent être modélisées à l'aide de la notion de croissance ou de décroissance exponentielle.

Connaissances préalables

Exprimer un nombre sous différentes formes

Connaissances préalables à la section 4.1

Le nombre 125 est écrit ici sous sa **forme générale**. Sous sa **forme exponentielle**, le nombre 125 s'écrit à l'aide d'une base et d'un exposant.

5^3 ← exposant (3) ; ← base (5)

L'expression 5^3 est une puissance de 5. Elle se lit « 5 exposant 3 ».

Sous sa **forme développée**, le nombre apparaît sous la forme d'une multiplication répétée. Par exemple, la forme développée de 125 est $5 \times 5 \times 5$.

Exemple

La longueur des arêtes d'un cube est de 8 unités. Exprime l'aire d'une face du cube et le volume du cube sous leur forme exponentielle, leur forme développée et leur forme générale.

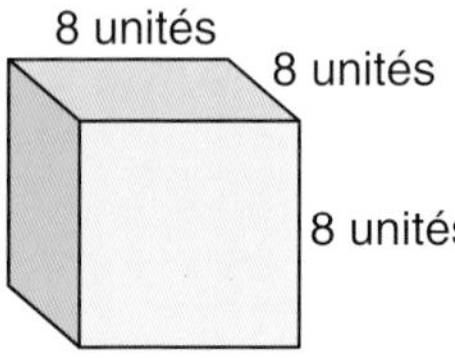

8^2 se lit « huit au carré » et 8^3 se lit « huit au cube ».

Solution

Formule de l'aire d'un carré : $A = c^2$, où c représente la longueur de côté du carré.
Formule du volume d'un cube : $V = c^3$, où c représente la longueur des arêtes du cube.

Aire d'une face (unités carrées) :	$A = 8^2$	$A = 8 \times 8$	$A = 64$
Volume du cube (unités cubes) :	$V = 8^3$	$V = 8 \times 8 \times 8$	$V = 512$
	Forme exponentielle	Forme développée	Forme générale

Vérifie ta compréhension

1. Reproduis ce tableau, puis remplis-le.

Forme exponentielle	Forme développée	Forme générale
3^4		
		49
	$2 \times 2 \times 2$	

2. Dominique a écrit le nombre 81 sous deux formes exponentielles. Les deux formes peuvent-elles être exactes ? Explique ton raisonnement.

3. On vend de la terre en verges cubes. Un contenant d'une verge cube mesure 36 po sur 36 po sur 36 po. Exprime le volume de ce contenant sous la forme exponentielle et dessine le contenant.

Exprimer un pourcentage sous la forme d'un nombre décimal

Connaissances préalables à la section 4.1

Pour cent signifie « par centaine ».
Cette grille de centièmes est composée de 100 petits carrés.
La grille représente un entier. Il y a 65 carrés ombrés.

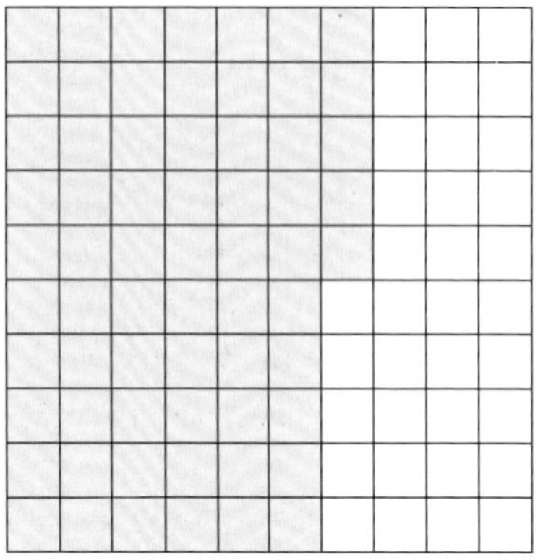

Tu peux exprimer la partie ombrée de la grille de trois façons :
- 65 %, $\frac{65}{100}$ ou 0,65 de la grille est ombrée.

Tu peux exprimer la partie blanche de la grille de trois façons :
- 35 %, $\frac{35}{100}$ ou 0,35 de la grille est blanche.

Exemple

Selon un rapport produit en 2006, le Canada possède environ 60 % des réserves de pétrole exploitables du monde. Écris 60 % sous la forme d'un nombre décimal arrondi au centième près, puis sous la forme d'un nombre décimal arrondi au dixième près.

Solution

Pour écrire 60 % sous la forme d'un nombre décimal, tu dois diviser 60 par 100.
$\frac{60}{100} = 0{,}60$, arrondi au centième près $\qquad$ $\frac{60}{100} = 0{,}6$, arrondi au dixième près

✓ Vérifie ta compréhension

1. Écris chacun de ces pourcentages sous la forme d'un nombre décimal.
a) 8 % b) 80 % c) 88 % d) 108 %

2. Écris chacun de ces pourcentages sous la forme d'un nombre décimal arrondi au centième près, puis arrondi au dixième près.
a) La TPS de 5 % appliquée sur le total des ventes.
b) Une note de 81 % obtenue à un test.
c) Un taux de financement de 5,4 % pour l'achat d'une voiture.
d) Une teneur en protéines de 0,3 %.

3. On dit souvent des athlètes qu'ils « donnent leur 110 % ».
a) Écris 110 % sous la forme d'un nombre décimal.
b) Décris comment tu procéderais pour représenter 110 % à l'aide d'une grille de centièmes.

4. France verse 4,5 % de son salaire annuel au régime de retraite de son entreprise.
a) Exprime ce pourcentage sous la forme d'un nombre décimal.
b) Cette année, le salaire de France est de 30 000 $.
Calcule la somme d'argent qu'elle a versée dans son régime de retraite cette année.
Décris comment tu as procédé pour effectuer ce calcul.

Les fonctions affines

On peut représenter une fonction affine à l'aide d'une table de valeurs, d'un graphique et d'une équation.
Pour l'équation : $y = 3x + 2$

x	y	Premières différences
−2	−4	
		$(-1) - (-4) = 3$
−1	−1	
		$2 - (-1) = 3$
0	2	
		$5 - 2 = 3$
1	5	
		$8 - 5 = 3$
2	8	

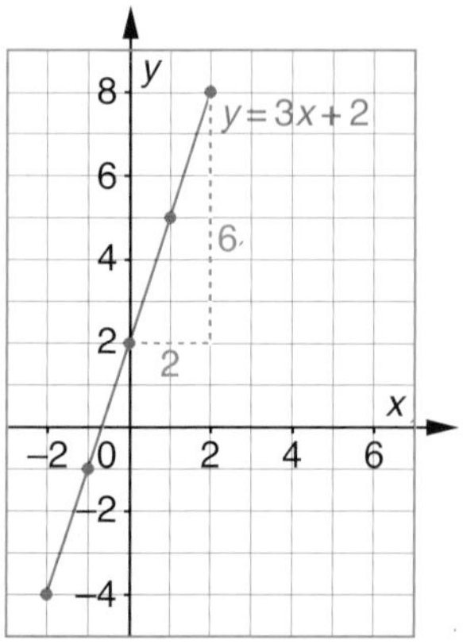

Pente : $\frac{\text{déplacement vertical}}{\text{déplacement horizontal}} = \frac{6}{2}$
$= 3$

Lorsque $x = 0$, $y = 2$; donc, l'ordonnée à l'origine est 2.

La pente de la droite, les premières différences et le coefficient de x dans l'équation sont tous égaux à trois. L'ordonnée à l'origine, 2, est la constante dans l'équation.

Exemple

Un client paie 10 $ pour devenir membre d'un club vidéo, puis il paie 2 $ par film loué le jour même. Cette situation est définie par l'équation $C = 10 + 2n$, où C représente le coût total, en dollars, et n, le nombre de films loués.

a) Construis une table de valeurs représentant le coût de location jusqu'à 5 films. Trace le graphique des données.

b) Quelle est l'ordonnée à l'origine du graphique ? Que représente-t-elle ?

Solution

a)

Films	Coût ($)
1	12
2	14
3	16
4	18
5	20

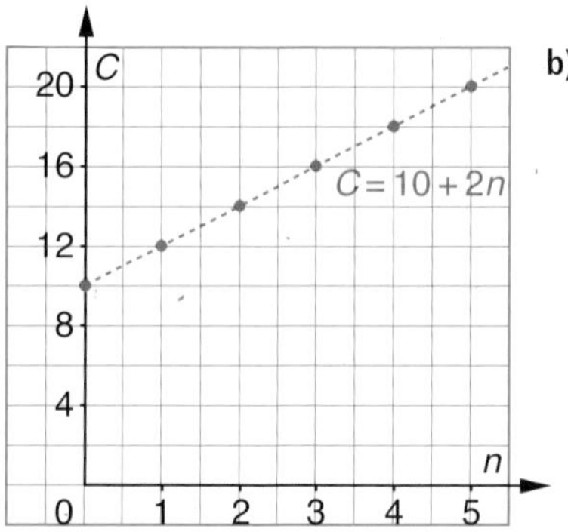

b) À l'aide d'une ligne brisée, indique la tendance, puis détermine l'ordonnée à l'origine. L'ordonnée à l'origine est 10. Il s'agit du coût, en dollars, pour devenir membre du club vidéo.

Vérifie ta compréhension

1. Construis une table de valeurs, incluant les premières différences, puis trace le graphique représentant chacune des équations suivantes.

a) $y = -2x + 4$ **b)** $y = -\frac{1}{2}x - 2$ **c)** $y = 3x - 4$

2. Dans chacune des équations de l'exercice 1, que t'indique le signe négatif à propos du graphique de la fonction ?

4.1 Modéliser la croissance exponentielle

Le millefeuille est une pâtisserie française faite de près de 1000 couches de pâte feuilletée séparées par de la crème pâtissière. Les couches sont créées en roulant la pâte et en la pliant de façon répétée. Chaque fois qu'on plie la pâte, le nombre de couches augmente. On peut modéliser cette augmentation, ou croissance, en pliant une feuille de papier.

Explore — La modélisation de la croissance à l'aide d'une multiplication répétée

Travaille avec une ou un camarade.
Vous aurez besoin d'une feuille de papier et de papier quadrillé.

- Pliez la feuille en deux et comptez le nombre de couches créées. Reproduisez et remplissez la table de valeurs suivante. Notez-y le nombre de couches.

Nombre de plis	Nombre de couches
1	

- Pliez la feuille en deux une autre fois. Dans la table de valeurs, notez le nombre de plis effectués et le nombre de couches créées. Poursuivez ainsi jusqu'à ce qu'il ne soit plus possible de plier la feuille de papier.
- Représentez graphiquement le *nombre de couches* en fonction du *nombre de plis*. Décrivez la croissance du nombre de couches.
- Quelle régularité observez-vous dans la table de valeurs ? À partir de cette régularité, prolongez la table jusqu'à 10 plis.
- Combien de fois la feuille de papier doit-elle être pliée pour créer au moins 1000 couches ? Justifiez votre réponse.

Réfléchis

- Est-il logique de relier les points du graphique ? Explique ton raisonnement.
- Chaque fois que tu plies la feuille en deux, qu'arrive-t-il au nombre de couches ?
- Disons que tu connais le nombre de plis. De quelle façon pourrais-tu procéder pour trouver le nombre de couches ?

Fais des liens

À l'aide de la multiplication, tu peux représenter l'addition répétée d'un même nombre.

$$2 \times 5 = \underbrace{2 + 2 + 2 + 2 + 2}_{\text{5 termes d'une somme}} = 10$$

De la même façon, tu peux représenter la multiplication répétée d'un même nombre à l'aide des exposants.

$$2^5 = \underbrace{2 \times 2 \times 2 \times 2 \times 2}_{\text{5 facteurs d'un produit}} = 32$$

L'expression 2^5 se lit « 2 exposant 5 ».
Le nombre 2 est la **base**, 5 est l'**exposant** et 2^5 est la **puissance**.

Certaines régularités observées dans des situations de croissance impliquent la multiplication répétée par un nombre plus grand que 1. Parce qu'on peut représenter une multiplication répétée à l'aide d'un exposant, ce type de croissance s'appelle **croissance exponentielle**.

Au départ, un éleveur de chevaux a acheté 3 juments.
Il a fait accoupler les juments et a gardé les 2 meilleures pouliches de chaque jument. À leur tour, ces pouliches ont été accouplées et l'éleveur a gardé leurs 2 meilleures pouliches, et ainsi de suite.

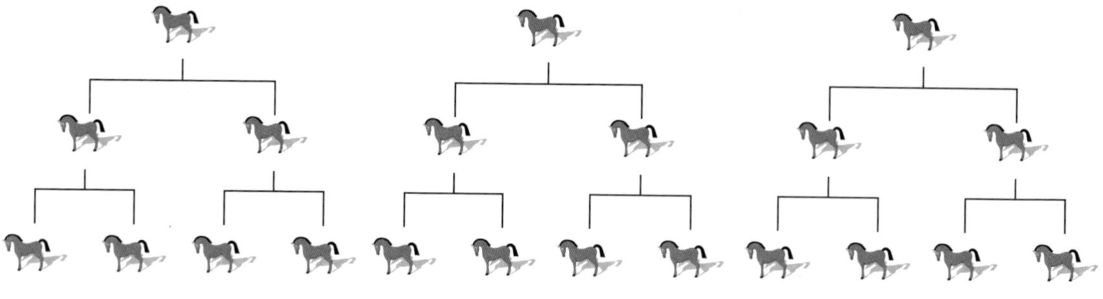

Tu peux modéliser l'augmentation du nombre de juments à chaque génération de différentes façons.

À l'aide d'une table de valeurs

Génération	Régularité		Nombre de juments	
0	3	$= 3$	3	
1	3×2	$= 3 \times 2^1$	6	$\times 2$
2	$3 \times 2 \times 2$	$= 3 \times 2^2$	12	$\times 2$
3	$3 \times 2 \times 2 \times 2$	$= 3 \times 2^3$	24	$\times 2$
4	$3 \times 2 \times 2 \times 2 \times 2$	$= 3 \times 2^4$	48	$\times 2$

La génération 0 représente les 3 juments de départ.

On multiplie le nombre 2 par lui-même de façon répétée. Donc, 2 est le **facteur de croissance**.

À l'aide d'une équation

On observe une régularité dans l'augmentation du nombre de juments. On a commencé avec 3 juments, puis le nombre de juments a été multiplié par 2 à chaque génération.
Par exemple, le nombre de juments de la 4e génération est égal à 3×2^4.

Donc, le nombre de juments, J, de la ne génération est défini par l'équation $J = 3 \times 2^n$.

Pour trouver le nombre de juments de la 6e génération, tu dois remplacer la variable n par 6.

$J = 3 \times 2^6$
$= 3 \times 64$
$= 192$

Entre la séquence de touches suivante sur une calculatrice : 3 [×] 2 [^] 6 [=]

À la 6e génération, il y aura 192 juments.

À l'aide d'un graphique

Le graphique représente le nombre de juments du groupe initial et des 6 générations suivantes.

À chaque génération, la courbe du graphique s'élève un peu plus rapidement.

Puisqu'il est impossible que le nombre de générations soit égal à un nombre fractionnaire, les points du graphique sont reliés par une courbe brisée.

Le nombre initial de juments est représenté par l'ordonnée à l'origine.

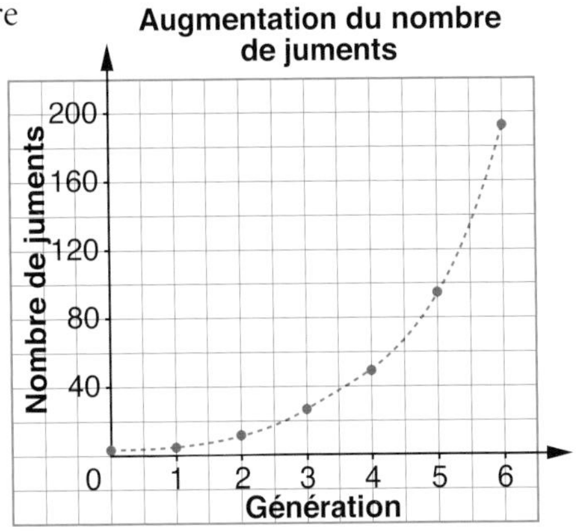

Exercices

1. Évalue chacune des expressions suivantes sans utiliser de calculatrice.

a) 6^2 b) 7^2 c) 4^3 d) 2^5 e) 10^4 f) 8^1

2. Évalue chacune des expressions suivantes.

a) 21^2 b) $1{,}35^3$ c) 3×5^6 d) $(1 + 0{,}06)^3$

3. Alice fabrique des billets de loterie pour une campagne de financement organisée par son école. Elle coupe une feuille de papier en trois parties égales.
Alice empile les trois morceaux de papier les uns sur les autres, puis elle coupe la pile en trois.
Elle répète le même processus plusieurs fois.

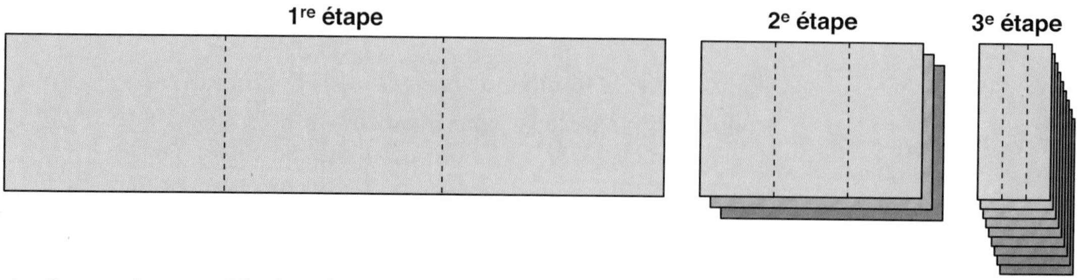

a) Construis une table de valeurs représentant le nombre de morceaux de papier obtenus à la fin de chaque étape, jusqu'à la 5e étape.

b) Trace le graphique des données présentées dans la table de valeurs.

c) Le nombre de morceaux de papier obtenus à chaque étape augmente-t-il de façon exponentielle? Explique ton raisonnement.

d) Disons que tu connais le nombre d'étapes franchies.
Comment pourrais-tu procéder pour trouver le nombre de morceaux de papier obtenus à la fin de cette étape?

4. Sous des conditions idéales, certaines populations d'organismes biologiques connaissent une croissance exponentielle.
Réponds aux questions suivantes à partir de chacune des tables de valeurs:

I) Par quel facteur doit-on multiplier chacun des nombres de la deuxième colonne pour obtenir le nombre suivant?

II) Quel est le facteur de croissance?

a)

Jour	Nombre de drosophiles (mouches du vinaigre)
0	30
1	120
2	480
3	1920

b)

Heure	Nombre de bactéries
0	50
1	150
2	450
3	1350

5. Réfère-toi à la partie a) de l'exercice 4.
À partir d'une table de valeurs, d'une équation ou d'un graphique, prédis le nombre de drosophiles présentes au 6e jour. Justifie ton choix.

Les équations qui représentent des situations de croissance exponentielle sont formées du produit d'un nombre et d'une puissance. Dans la puissance, la base correspond au facteur de croissance. L'exposant est une **variable**.

Exemple

Dans une petite jardinerie, on reproduit des bulbes de tulipes. L'horticultrice commence avec 100 bulbes. Avec chaque bulbe, elle peut produire plusieurs nouveaux bulbes. Elle conserve 3 de ces bulbes pour la prochaine reproduction. Formule l'équation qui définit le nombre de nouveaux bulbes, B, obtenus à la n^e reproduction.

Solution

Commence avec 100, soit le nombre initial de bulbes. Pour chaque reproduction, multiplie ce nombre par le facteur de croissance, 3.

Reproduction	Nombre de nouveaux bulbes
0	$100 = 100$
1	$100 \times 3 = 100 \times 3^1$
2	$100 \times 3 \times 3 = 100 \times 3^2$
3	$100 \times 3 \times 3 \times 3 = 100 \times 3^3$

À chaque reproduction, le nombre de nouveaux bulbes est égal à 100 fois une puissance de 3. L'exposant correspond à la phase de reproduction. Donc, le nombre de nouveaux bulbes, B, obtenus à la n^e reproduction est défini par l'équation suivante : $B = 100 \times 3^n$.

6. **Fais le point** Un botaniste dispose de 3 plants. Pour partir de nouveaux plants, il prélève 5 boutures de chacun des plants. Plus tard, il prélève 5 boutures de chacun des nouveaux plants, et ainsi de suite.

a) Trace un graphique représentant le nombre de nouveaux plants obtenus à chacune des 5 opérations de bouturage.

b) Formule une équation modélisant le nombre de nouveaux plants, P, obtenus lors de la n^e opération de bouturage.

c) En quoi le graphique et l'équation changeraient-ils dans chacun des cas suivants ? Explique ton raisonnement.

I) Le botaniste commence avec 10 plants.

II) À chaque opération de bouturage, le botaniste prélève 2 boutures de chaque plant.

7. **Relève le défi** Pendant plusieurs heures, on note le nombre de bactéries présentes dans une colonie de laboratoire. La croissance observée est-elle exponentielle ? Justifie ta réponse.

Heure	0	1	2	3	4	5	6
Nombre de bactéries	100	141	199	280	395	557	786

Dans tes mots

Crée une régularité numérique qui représente une croissance exponentielle.
Comment sais-tu que la régularité représente une croissance exponentielle ?
Représente la régularité à l'aide d'une table de valeurs, d'une équation et d'un graphique.

La littératie et les mathématiques

Établis des comparaisons

Les organisateurs graphiques sont des outils utiles pour repérer des similitudes et des différences. Ils peuvent t'aider à acquérir une meilleure compréhension de chacun des éléments comparés et de la relation qui existe entre ces éléments.

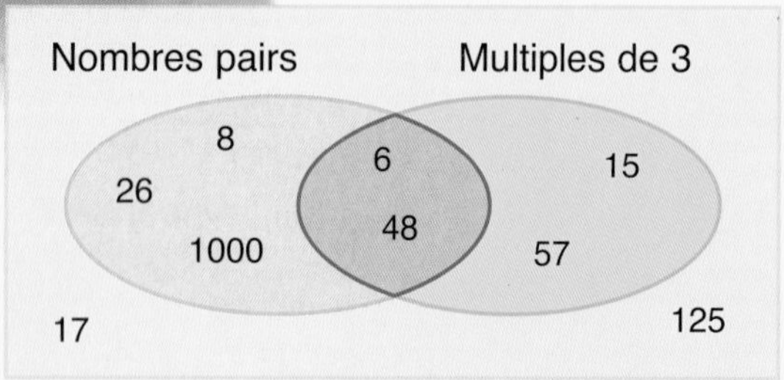

Diagramme de Venn

Chaque boucle représente un ensemble. Place les éléments appartenant à un des ensembles dans la boucle appropriée. Place les éléments appartenant à plus d'un ensemble dans l'intersection des deux boucles. Place les éléments n'appartenant à aucun des ensembles dans le rectangle à l'extérieur des boucles.

	Triangles scalènes	Triangles équilatéraux
Nombre de côtés	3	3
Nombre de côtés égaux	0	3
Nombre d'angles	3	3
Nombre d'angles égaux	0	3

Tableau

Note les éléments comparés dans la partie supérieure du tableau. Dans la colonne de gauche, note les caractéristiques qui permettent de comparer les éléments. Indique les similitudes et les différences entre les éléments en complétant le tableau.

- ➢ Reproduis le diagramme de Venn. Note six autres nombres dans ton diagramme. Décris ta stratégie.
- ➢ Crée un tableau permettant de comparer les prismes à base triangulaire et les pyramides à base triangulaire. Décris ta stratégie.
- ➢ En quoi un diagramme de Venn et un tableau sont-ils semblables ? En quoi sont-ils différents ?
- ➢ À la fin de la section 4.2, tu devras comparer la croissance et la décroissance exponentielles à l'aide d'un diagramme de Venn ou d'un tableau.

  Voici quelques caractéristiques sur lesquelles tu pourras te baser.

  - Facteur de croissance
  - Facteur de décroissance
  - Augmentation ou diminution
  - Façons de reconnaître les cas de croissance ou de décroissance
  - Valeur de base
  - Équation
  - Table de valeurs
  - Graphique
  - Exemples tirés de la vie courante

Complète la dernière partie après avoir terminé la section 4.2.

4.2 Modéliser la décroissance exponentielle

La plupart des voitures subissent une *dépréciation* avec le temps, c'est-à-dire qu'elles perdent de leur valeur. Rashan achète une nouvelle voiture qu'il paye 25 000 $.
Disons que la valeur de la voiture subit une dépréciation de 15 % par année.
Donc, chaque année, la valeur de la voiture est égale à 85 % de sa valeur de l'année précédente.
Tu peux modéliser la décroissance de la valeur de la voiture, soit la dépréciation, par une multiplication répétée.

Explore — La modélisation de la décroissance à l'aide d'une multiplication répétée

Travaillez en équipe de quatre. Vous aurez besoin d'un récipient contenant 100 pièces de monnaie et de papier quadrillé.

Reproduisez la table de valeurs suivante.

Numéro de l'essai	Nombre de pièces de monnaie qui restent
0	100

- Agitez le récipient et videz-le sur un pupitre.
  Retirez les pièces de monnaie qui tombent face vers le haut.
  Dans la table de valeurs, notez le numéro de l'essai ainsi que le nombre de pièces de monnaie qui restent.
- Remettez les pièces de monnaie qui restent dans le récipient.
  Répétez l'étape précédente jusqu'à ce qu'il ne reste plus de pièces de monnaie.
- Représentez graphiquement le *nombre de pièces de monnaie qui restent* en fonction du *numéro de l'essai.*
  Décrivez la décroissance du nombre de pièces de monnaie.

Réfléchis

- Quelle fraction des pièces de monnaie t'attendais-tu à retirer à chaque essai ? Explique ton raisonnement.
- En quoi tes résultats réels se rapprochent-ils des résultats auxquels tu t'attendais ? Explique ton raisonnement.
- Décris comment cette expérience pourrait être modélisée à l'aide d'une multiplication répétée.

Fais des liens

Avec la multiplication répétée par un nombre positif inférieur à 1, on obtient une régularité décroissante appelée **décroissance exponentielle.**
Disons que tu commences avec 64 pièces de monnaie dans l'activité de la rubrique *Explore*.
À chaque essai, tu retires la moitié des pièces.
Cela équivaut à multiplier $\frac{1}{2}$ de façon répétée.

La fraction $\frac{1}{2}$ est multipliée par elle-même de façon répétée. Donc, la fraction $\frac{1}{2}$ est le **facteur de décroissance**.

Tu peux modéliser la décroissance du nombre de pièces de monnaie de différentes façons.

À l'aide d'une table de valeurs

L'essai numéro 0 représente les 64 pièces de monnaie de départ.

Numéro de l'essai	Régularité		Nombre de pièces qui restent	
0	64	$= 64$	64	
1	$64 \times \frac{1}{2}$	$= 64 \times \left(\frac{1}{2}\right)^1$	32	$\times \frac{1}{2}$
2	$64 \times \frac{1}{2} \times \frac{1}{2}$	$= 64 \times \left(\frac{1}{2}\right)^2$	16	$\times \frac{1}{2}$
3	$64 \times \frac{1}{2} \times \frac{1}{2} \times \frac{1}{2}$	$= 64 \times \left(\frac{1}{2}\right)^3$	8	$\times \frac{1}{2}$
4	$64 \times \frac{1}{2} \times \frac{1}{2} \times \frac{1}{2} \times \frac{1}{2}$	$= 64 \times \left(\frac{1}{2}\right)^4$	4	$\times \frac{1}{2}$

À l'aide d'une équation

On observe une régularité dans la diminution du nombre de pièces de monnaie.
On commence à 64 et on multiplie ce nombre par $\frac{1}{2}$ à chaque essai.

Par exemple, après 4 essais, il reste $64 \times \left(\frac{1}{2}\right)^4$ pièces.
Donc, le nombre de pièces de monnaie, P, qui restent après n essais est défini par l'équation $P = 64 \times \left(\frac{1}{2}\right)^n$.

À l'aide d'un graphique

Le graphique représente le nombre de pièces comprises dans l'ensemble de pièces de monnaie initial et après chacun des 6 premiers essais.

À chaque essai, la courbe du graphique descend un peu moins rapidement.

Puisqu'il est impossible d'avoir un nombre d'essais égal à un nombre fractionnaire, les points du graphique sont reliés par une courbe brisée.

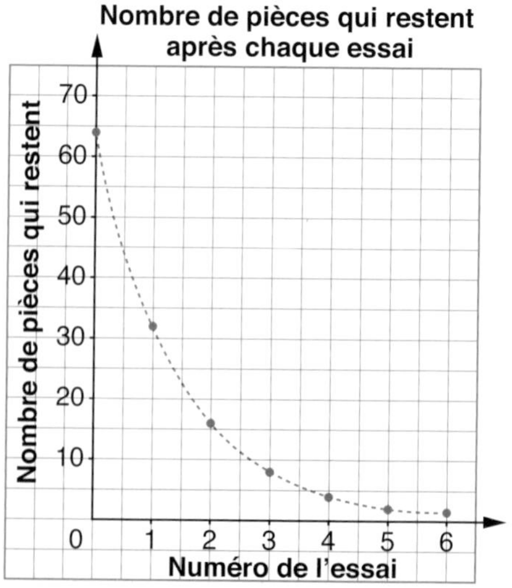

Compare l'équation de croissance exponentielle de la section 4.1 avec l'équation de décroissance exponentielle de la page 158.

Les deux équations sont formées du produit d'un nombre et d'une puissance dont l'exposant est une variable.

Croissance exponentielle	Décroissance exponentielle
$J = 3 \times 2^n$	$P = 64 \times \left(\frac{1}{2}\right)^n$
3 : Valeur initiale; 2 : Facteur de croissance (plus grand que 1)	64 : Valeur initiale; $\frac{1}{2}$: Facteur de décroissance (compris entre 0 et 1)

L'équation $y = ab^x$ modélise à la fois les cas de croissance et de décroissance exponentielles.

La variable a représente la valeur initiale.

La variable b représente le facteur de croissance ou de décroissance ($b > 1$ dans le cas d'une croissance, $0 < b < 1$ dans le cas d'une décroissance).

La variable y représente la valeur obtenue après x périodes de croissance ou de décroissance exponentielle.

Exercices

1. Évalue chacune des expressions suivantes sans utiliser de calculatrice.

a) $\left(\frac{1}{2}\right)^6$ b) $\left(\frac{1}{5}\right)^3$ c) $\left(\frac{1}{7}\right)^2$ d) $\left(\frac{1}{10}\right)^5$

2. Évalue chacune des expressions suivantes. S'il y a lieu, arrondis au centième près.

a) $\left(\frac{3}{4}\right)^7$ b) $0{,}25^8$ c) $296 \times \left(\frac{1}{7}\right)^3$ d) $4{,}9 \times 0{,}79^6$

3. Alice coupe une feuille de papier dont l'aire est de 486 cm^2 en trois parties égales. Elle empile les morceaux de papier les uns sur les autres, puis elle coupe la pile en trois. Elle empile les morceaux de nouveau et répète le même processus plusieurs fois.

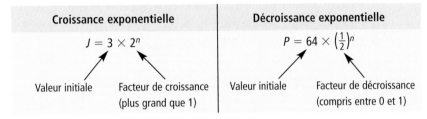

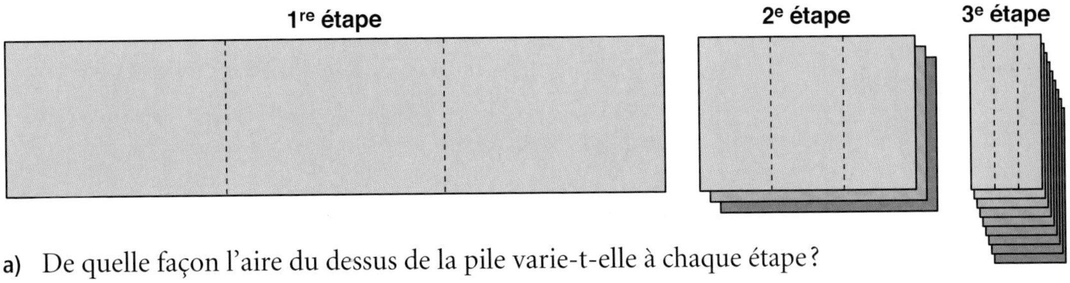

a) De quelle façon l'aire du dessus de la pile varie-t-elle à chaque étape? Explique ton raisonnement.

b) Construis une table de valeurs et trace un graphique représentant l'aire du dessus de la pile à la fin de chaque étape, jusqu'à la 5e étape.

c) Explique pourquoi la diminution de l'aire du dessus de la pile constitue un cas de décroissance exponentielle. Quel est le facteur de décroissance?

d) Compare ce problème avec celui de l'exercice 3 de la page 154. Explique comment la même situation peut être à la fois un cas de croissance exponentielle et un cas de décroissance exponentielle.

4. Examine la table de valeurs ci-contre.

a) Par quel facteur doit-on multiplier chacun des nombres de la deuxième colonne pour obtenir le nombre suivant?

b) Détermine le facteur de décroissance.

c) Calcule l'aire obtenue à la 8e étape. Justifie ta réponse.

Numéro de l'étape	Aire (cm^2)
0	500
1	100
2	20
3	4
4	0,8

On peut exprimer le facteur de décroissance sous la forme d'un pourcentage.

Exemple

Une balle de caoutchouc tombe d'une hauteur de 200 cm et rebondit plusieurs fois.

Après chaque rebond, la balle s'élève à 80 % de sa hauteur précédente.

a) Formule une équation qui définit la hauteur de la balle, H, en centimètres, après le n^e rebond.

b) Calcule la hauteur de la balle après le 5e rebond.

Solution

Sous la forme d'un nombre décimal, 80 % s'écrit 0,8.

Donc, après chaque rebond, la hauteur de la balle est égale à 0,8 multiplié par sa hauteur précédente.

$H = 200(0,8)^n$ signifie la même chose que $H = 200 \times (0,8)^n$.

a) Pour trouver la hauteur de la balle après n'importe quel rebond, tu dois commencer avec le nombre 200 et multiplier ce nombre par 0,8 pour chaque rebond effectué.

Exprime l'équation $y = ab^x$ sous la forme $H = ab^n$.

Comme la hauteur initiale est de 200 cm, $a = 200$.

Comme le facteur de décroissance est 0,8, $b = 0,8$.

L'équation est $H = 200(0,8)^n$.

b) Remplace la variable n dans l'équation $H = 200 \times (0,8)^n$ par la valeur 5.

$H = 200 \times (0,8)^5$

$H \doteq 65,5$

Après le 5e rebond, la hauteur de la balle est d'environ 65,5 cm.

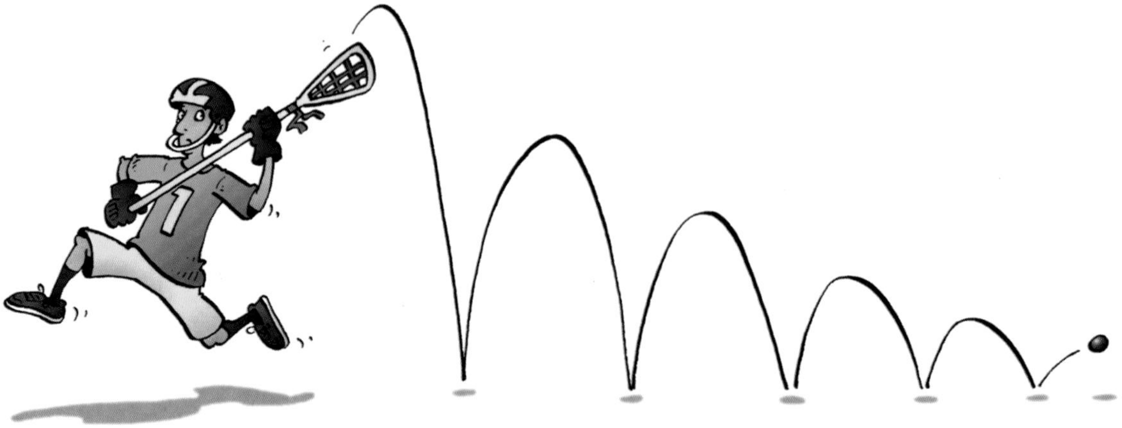

5. Daniel achète une nouvelle voiture au prix de 25 000 $.
Disons que, chaque année, la valeur de la voiture est égale à 85 %
de sa valeur de l'année précédente.

a) Formule une équation qui définit la valeur de la voiture, *V*, en dollars, au bout de *n* années.

b) Quelle est la valeur de la voiture au bout de 5 ans ?

c) Trace un graphique représentant la valeur initiale de la voiture et sa valeur au bout de chacune des 5 premières années.

d) En quoi le graphique et l'équation changeraient-ils dans les deux cas suivants ? Explique ton raisonnement.

I) Daniel paie la voiture 20 000 $.

II) La valeur de la voiture est égale à 75 % de sa valeur de l'année précédente.

6. Fais le point Examine les équations suivantes.

$y = 100 \times (1{,}25)^x$ $\qquad$ $y = 100 \times (0{,}75)^x$

a) Laquelle de ces deux équations modélise une croissance exponentielle ? Laquelle de ces deux équations modélise une décroissance exponentielle ? Comment le sais-tu ?

b) Formule un problème qui pourrait être résolu à l'aide d'une équation de décroissance exponentielle. Résous-le.

7. Relève le défi La torsade de réglisse de Pascale mesure 200 cm de longueur.
Pascale donne $\frac{1}{4}$ de sa torsade à un ami.

Elle donne ensuite $\frac{1}{4}$ de la réglisse qui lui reste à une autre amie.

Pascale répète cette opération avec plusieurs autres amis.
Détermine la longueur de la torsade de réglisse une fois que Pascale l'a partagée avec 10 de ses amis.
Décris la stratégie que tu as appliquée pour résoudre le problème.

Dans tes mots

Crée une régularité numérique qui représente une décroissance exponentielle.
Comment sais-tu que la régularité représente une décroissance exponentielle ?
Représente la régularité à l'aide d'une table de valeurs, d'une équation et d'un graphique.

CASSE-TÊTE

Des équations exponentielles en forme de papillon

Matériel :

- une calculatrice à affichage graphique TI-83 ou TI-84;
- du papier quadrillé.

Ce dessin de papillon est formé de courbes exponentielles.

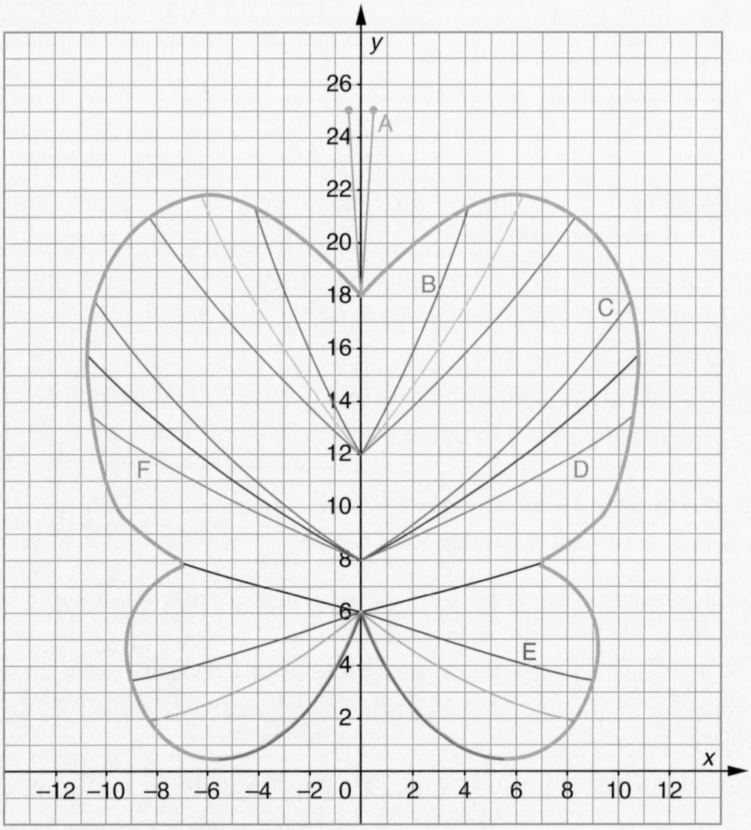

Essaie ce casse-tête après avoir terminé la section 4.5.

Associe chacune des courbes désignées par une lettre dans le papillon à une des équations ci-dessous. Au besoin, utilise ta calculatrice.

$y = 18(2)^x$ $\quad y = 12(1{,}15)^x$ $\quad y = 8(1{,}08)^x$

$y = 8(1{,}05)^x$ $\quad y = 8(0{,}952)^x$ $\quad y = 6(0{,}94)^x$

➢ Sur du papier quadrillé, trace les courbes désignées par une lettre.

➢ Formule les équations des autres courbes formant le papillon.
À l'aide d'une calculatrice à affichage graphique, vérifie tes équations.
Décris ta stratégie.
Trace les graphiques des nouvelles équations sur du papier quadrillé.

Pour associer une courbe à une équation, tu dois remplacer la variable *x* dans l'équation par une valeur spécifique. Trace le graphique de l'équation, puis compare sa forme avec la forme de la courbe.

Tu remarqueras que $0{,}952 \doteq (1{,}05)^{-1}$.

4.3 Les lois des exposants

À l'aide de la multiplication répétée, tu peux simplifier des expressions comportant des exposants.

Explore — La découverte des régularités entre les puissances

Travaille avec une ou un camarade.

➢ Reproduisez chacun des tableaux, puis remplissez-les.

La multiplication de puissances

Expression initiale	Forme développée des puissances	Expression simplifiée
$2^3 \times 2^2$	$(2 \times 2 \times 2) \times (2 \times 2)$	2^5
$3^4 \times 3^1$		
$7^5 \times 7^3$		
$10^7 \times 10^2$		

La puissance d'une puissance

Expression initiale	Forme développée des puissances	Expression simplifiée
$(2^3)^2$	$2^3 \times 2^3 = (2 \times 2 \times 2) \times (2 \times 2 \times 2)$	2^6
$(3^4)^1$		
$(7^5)^3$		
$(10^7)^2$		

Une puissance dont la base est aussi une puissance s'appelle « puissance d'une puissance ».

La division de puissances

Expression initiale	Forme développée des puissances	Expression simplifiée
$2^3 \div 2^2$	$\frac{2 \times 2 \times 2}{2 \times 2} = \frac{\overset{1}{\cancel{2}} \times \overset{1}{\cancel{2}} \times 2}{\underset{1}{\cancel{2}} \times \underset{1}{\cancel{2}}}$	2^1
$3^4 \div 3^1$		
$7^5 \div 7^3$		
$10^7 \div 10^2$		

➢ Comparez les exposants de chacune des expressions initiales avec l'exposant de l'expression simplifiée. Quelle régularité remarquez-vous ?

Réfléchis

➢ Complète chacun des tableaux avec trois exemples supplémentaires. Prédis l'exposant de l'expression simplifiée sans développer l'expression initiale. Décris ta stratégie.

Fais des liens

Ces lois sont vraies seulement lorsque les puissances ont la même base.

Lorsqu'on multiplie ou divise des puissances qui ont la même base, le résultat obtenu est aussi une puissance de cette base.
Dans les comparaisons suivantes, réfère-toi aux puissances de 3 qui apparaissent dans ce tableau.

3^1	3^2	3^3	3^4	3^5	3^6	3^7	3^8
3	9	27	81	243	729	2187	6561

La multiplication de puissances

Par évaluation

$$3^2 \times 3^4 = 9 \times 81$$
$$= 729 \text{ ou } 3^6$$

Par développement

$$3^2 \times 3^4 = \underbrace{3 \times 3}_{\text{2 facteurs}} \times \underbrace{3 \times 3 \times 3 \times 3}_{\text{4 facteurs}}$$
$$= \underbrace{3 \times 3 \times 3 \times 3 \times 3 \times 3}_{\text{(2 + 4) facteurs}}$$
$$= 3^6 \text{ ou } 729$$

La loi de la multiplication
$b^m \times b^n = b^{m+n}$

Pour multiplier des puissances qui ont la même base, tu dois conserver la base et additionner les exposants.

La puissance d'une puissance

Par évaluation

$$(3^2)^4 = 9^4$$
$$= 6561 \text{ ou } 3^8$$

Par développement

$$(3^2)^4 = \underbrace{3^2 \times 3^2 \times 3^2 \times 3^2}_{\text{4 facteurs}}$$
$$= \underbrace{\underbrace{(3 \times 3)}_{\text{2 facteurs}} \times \underbrace{(3 \times 3)}_{\text{2 facteurs}} \times \underbrace{(3 \times 3)}_{\text{2 facteurs}} \times \underbrace{(3 \times 3)}_{\text{2 facteurs}}}_{\text{(4 × 2) facteurs}}$$
$$= 3^8 \text{ ou } 6561$$

La loi de la puissance d'une puissance
$(b^m)^n = b^{m \times n}$

Pour calculer la puissance d'une puissance, tu dois conserver la base et multiplier les exposants.

La division de puissances

Par évaluation

$$3^6 \div 3^4 = 729 \div 81$$
$$= 9 \text{ ou } 3^2$$

Par développement

$$3^6 \div 3^4 = \frac{\overbrace{\cancel{3}^{1} \times \cancel{3}^{1} \times \cancel{3}^{1} \times \cancel{3}^{1} \times 3 \times 3}^{\text{6 facteurs}}}{\underbrace{\cancel{3}_{1} \times \cancel{3}_{1} \times \cancel{3}_{1} \times \cancel{3}_{1}}_{\text{4 facteurs}}}$$
$$= \underbrace{3 \times 3}_{\text{(6 − 4) facteurs}}$$
$$= 3^2 \text{ ou } 9$$

La loi de la division
$b^m \div b^n = b^{m-n}, b \neq 0$

Pour diviser des puissances qui ont la même base, tu dois conserver la base et soustraire les exposants.

Exercices

1. Exprime chacun de ces produits sous la forme d'une puissance simple.

a) $7^4 \times 7^{11}$
b) $2^5 \times 2^2$
c) $10^3 \times 10^2 \times 10$
d) $\left(\frac{3}{5}\right)^{13}\left(\frac{3}{5}\right)^{14}$
e) $(2{,}3)^5\,(2{,}3)^9$
f) $8^{14} \times 8^7$

$\left(\frac{3}{5}\right)^{13}\left(\frac{3}{5}\right)^{14}$ signifie la même chose que $\left(\frac{3}{5}\right)^{13} \times \left(\frac{3}{5}\right)^{14}$.

2. Exprime chacun de ces quotients sous la forme d'une puissance simple.

a) $8^9 \div 8^2$
b) $11^4 \div 11$
c) $\frac{3^{19}}{3^{15}}$
d) $\frac{1{,}5^{11}}{1{,}5^6}$
e) $\left(\frac{2}{3}\right)^{13} \div \left(\frac{2}{3}\right)^2$
f) $5^{14} \div 5^9$

3. Exprime chacune de ces puissances de puissance sous la forme d'une puissance simple.

a) $(5^2)^3$
b) $(8^4)^2$
c) $(79^5)^3$
d) $(0{,}8^4)^6$
e) $\left(\left(\frac{2}{3}\right)^2\right)^{25}$
f) $(4^7)^3$

4. Delphine doit simplifier l'expression $6^8 \times 6^3$.
Elle n'est pas certaine si la solution est 6^{11} ou 6^{24}.
Décris comment Delphine pourrait trouver la solution exacte en se basant sur la définition des exposants.

5. Carlos a commis les erreurs suivantes dans un test.

➢ Il a simplifié l'expression $3^4 \times 3^8$ en 9^{12}.
➢ Il a simplifié l'expression $\frac{8^6}{8^2}$ en 1^4.

a) Quelle erreur Carlos a-t-il commise ?
b) En te basant sur la définition des exposants, décris comment Carlos pourrait obtenir les solutions exactes.

6. Les astronomes estiment qu'il existe environ 10^{11} galaxies dans l'Univers. Ils estiment aussi que chaque galaxie contient environ 10^{11} étoiles. Environ combien d'étoiles y a-t-il dans l'Univers ?

7. Exprime chacune des expressions suivantes sous la forme d'une puissance simple, puis évalue la puissance sans utiliser de calculatrice.

a) $\left(\frac{1}{2}\right)^3 \times \left(\frac{1}{2}\right)^2$
b) $\left(\left(\frac{1}{10}\right)^2\right)^3$
c) $(2{,}3)^4 \div (2{,}3)^3$
d) $\frac{5^{14}}{5^3 \times 5^8}$

8. a) Vérifie si $\frac{3^2 \times 3^5}{3^4} = 3^3$ en évaluant chacun des membres de l'équation.
b) Lequel des deux membres de l'équation est le plus facile à évaluer ? Explique ton raisonnement.

9. **Fais le point**

a) Exprime chacune de ces expressions sous la forme d'une puissance simple.

I) $51^{13} \times 51^{25}$ II) $\frac{1,4^{34}}{1,4^{26}}$

III) $\left(\left(\frac{6}{7}\right)^4\right)^7$ IV) $\frac{17^5 \times 17^3}{17^2}$

V) $\frac{9^{10}}{(9^2)^3}$ VI) $\left(\frac{76^8}{76^3}\right)^4$

b) Choisis trois des expressions présentées en a).
Indique les étapes de ton travail et décris comment tu peux vérifier que ta solution est exacte.

Tu peux utiliser les lois des exposants comme raccourcis.

Exemple

Dans le tableau, on indique les 10 premières puissances de 2.

2^1	2^2	2^3	2^4	2^5	2^6	2^7	2^8	2^9	2^{10}
2	4	8	16	32	64	128	256	512	1024

À partir de ce tableau, évalue l'expression 32×16 sans procéder par multiplication ni division.

Solution

$32 \times 16 = 2^5 \times 2^4$ À partir du tableau, représente chacun des nombres sous la forme d'une puissance de 2.

$= 2^9$ À l'aide des lois des exposants, simplifie l'expression.

$= 512$ À partir du tableau, évalue la puissance.

10. À partir du tableau des puissances de 2 présenté dans l'*exemple dirigé*, évalue chacune des expressions suivantes sans procéder par multiplication ni division.

a) 16×16 b) $\frac{1024}{128}$ c) 4^5

11. **Relève le défi** Simplifie chacune de ces expressions algébriques.

a) $t^3 \times t^{14}$ b) $(a^7)^5$ c) $\frac{s^{12}}{s^5}$

d) $2^5 \times 4^2$ e) $3^3 \times 9^2$

Pour éviter de procéder à une division par 0, on présume que $s \neq 0$.

Dans tes mots

Tu as simplifié des expressions comportant des puissances en procédant à l'addition, à la multiplication ou à la soustraction des exposants.
Crée une expression qui devra être simplifiée en procédant par chacune de ces opérations sur les exposants.
Comment peux-tu savoir que tu as simplifié l'expression de façon appropriée?

4.4 L'exposant nul et les exposants négatifs

Les exposants qui sont des nombres entiers positifs représentent la multiplication répétée d'un même nombre. Cette définition ne s'applique pas aux puissances comme 2^0 ou 2^{-3}. Il n'est pas logique de multiplier le nombre 2 par lui-même 0 fois ou -3 fois.

Explore

La définition de l'exposant nul et des exposants négatifs à l'aide d'une régularité

Travaille avec une ou un camarade. Vous aurez besoin d'une calculatrice scientifique.

Dans le diagramme, chaque rectangle modélise la puissance de 2 qui apparaît à gauche.

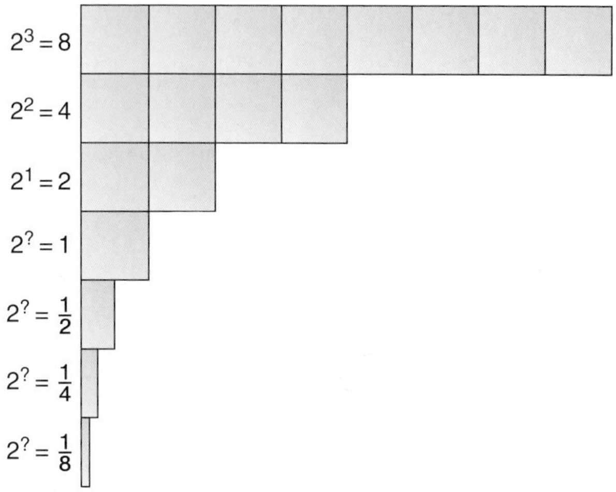

➢ Parcourez la liste des puissances de haut en bas. En quoi les valeurs des puissances changent-elles? En quoi les exposants changent-ils?

➢ À votre avis, quels devraient être les exposants des quatre dernières puissances de la liste? Expliquez votre raisonnement.
Confirmez ensuite vos prédictions à l'aide d'une calculatrice.

Dans chacune des paires, les nombres sont des **nombres inverses**.

➢ Dans chacune des paires de nombres suivantes, écrivez les nombres sous la forme de puissances de 2.

$2, \frac{1}{2}$ $4, \frac{1}{4}$ $8, \frac{1}{8}$

Que remarquez-vous?

Réfléchis

Répète le processus avec les puissances de 3.

➢ Quelle puissance a une valeur de 1? Est-ce logique? Explique ton raisonnement.

➢ Quel rapport peux-tu établir entre les puissances d'un nombre et l'inverse de ce nombre?

Fais des liens

L'exposant nul et les exposants négatifs

Les régularités présentées sous la rubrique *Explore* suggèrent des définitions de l'exposant nul et des exposants négatifs.

L'exposant nul
Pour toute base b qui n'est pas égale à 0, b^0 est égal à 1 ; par conséquent, $b^0 = 1$.

L'exposant négatif
Pour toute base b qui n'est pas égale à 0, b^{-n} est l'inverse de b^n ; par conséquent, $b^{-n} = \frac{1}{b^n}$

Pour évaluer sur papier une puissance ayant un exposant négatif, tu dois récrire la puissance avec un exposant positif.

Exemple : $4^{-3} = \frac{1}{4^3}$

$= \frac{1}{4 \times 4 \times 4}$

$= \frac{1}{64}$

Les exposants négatifs représentent des nombres inverses. Puisque $4^3 = 64$, $4^{-3} = \frac{1}{64}$.

Lorsque tu évalues une puissance dont l'exposant est négatif à l'aide d'une calculatrice, le résultat est donné sous la forme d'un nombre décimal. Sur une calculatrice à affichage graphique TI-83 ou TI-84, tu peux appuyer sur les touches MATH 1 pour convertir le nombre décimal en une fraction.

```
4^-3
           .015625
Rep▸Frac
              1/64
```

L'extension des lois des exposants

La définition donnée à l'exposant nul et aux exposants négatifs nous permet d'étendre l'application des lois des exposants présentées à la section 4.3 à tout exposant égal à un nombre entier.

Exemple : $2^3 \div 2^3 = 2^{3-3}$

$= 2^0$

$= 1$

Cela s'explique parce que $2^3 \div 2^3 = \frac{2 \times 2 \times 2}{2 \times 2 \times 2}$

$= \frac{1}{1}$

$= 1$

Puisque tout nombre autre que 0 divisé par lui-même est égal à 1, on définit 2^0 comme étant égal à 1.

De la même façon,

$2^3 \div 2^5 = 2^{3-5}$

$= 2^{-2}$

$= \frac{1}{2^2}$

$= \frac{1}{4}$

Cela s'explique parce que

$2^3 \div 2^5 = \frac{\overset{1}{\cancel{2}} \times \overset{1}{\cancel{2}} \times \overset{1}{\cancel{2}}}{\underset{1}{\cancel{2}} \times \underset{1}{\cancel{2}} \times \underset{1}{\cancel{2}} \times 2 \times 2}$

$= \frac{1}{2 \times 2}$

$= \frac{1}{4}$

Exercices

1. Exprime les nombres suivants sous la forme d'un nombre entier ou d'une fraction sans exposant.

a) 2^{-3} b) 13^0 c) 6^{-2} d) 10^{-3} e) $2{,}5^0$

2. Évalue chacune des expressions suivantes, puis note le résultat sous la forme d'un nombre décimal. Arrondis le résultat au millième près, au besoin.

a) $2{,}5^{-2}$ b) 8^{-2} c) $12{,}7(1{,}9^{-9})$ d) $(1 + 0{,}08)^{-5}$ e) $0{,}95(1{,}78^0)$

3. a) Évalue les paires de puissances suivantes sans utiliser de calculatrice.

I) 4^2 et 4^{-2} II) 3^4 et 3^{-4} III) 9^1 et 9^{-1} IV) 10^4 et 10^{-4}

b) Décris la régularité observée dans les solutions.

Dans une équation qui définit une régularité de nature exponentielle, on obtient la valeur initiale à l'aide de l'exposant nul. On obtient les valeurs subséquentes à l'aide d'exposants positifs. On obtient les valeurs antérieures à l'aide d'exposants négatifs.

Exemple

Depuis la fin des années 1990, le nombre de voitures hybrides vendues partout dans le monde a presque doublé chaque année. On peut modéliser le nombre de voitures hybrides vendues, V, par l'équation $V = 250\,000(2)^n$, où n représente le nombre d'années écoulées depuis 2005.
Calcule le nombre de voitures vendues en 2005 et en 2001.
Comment sais-tu que tes solutions sont exactes ?

Solution

Applique la formule suivante : $V = 250\,000(2)^n$.

L'année 2005 correspond à l'année 0 depuis 2005.
Remplace la variable n par la valeur 0.

$V = 250\,000(2)^0$
$= 250\,000$

En 2005, on a vendu 250 000 voitures.
La solution est exacte parce qu'elle concorde avec la valeur initiale donnée dans l'équation, soit 250 000.

L'année 2001 correspond à 4 années avant 2005.
Remplace la variable n par la valeur -4.

$V = 250\,000(2)^{-4}$
$= 15\,625$

En 2001, on a vendu 15 625 voitures.
En 2005, on a vendu 250 000 voitures.
Comme le nombre de voitures vendues double chaque année, on peut obtenir le nombre de voitures vendues en 2001 en divisant 250 000 par 2 quatre fois :

$\frac{250\,000}{2^4} = 15\,625$

Donc, la solution est exacte.

4. On peut représenter la valeur du sirop d'érable produit en Ontario, V, en millions de dollars, à l'aide de l'équation $V = 1{,}25(1{,}0866)^t$, où t représente le nombre d'années écoulées depuis 1970.

a) Calcule la valeur du sirop d'érable produit en 1970 et en 2000.

b) Disons que le modèle s'applique aux années précédant 1970. Calcule la valeur du sirop d'érable produit en 1960.

5. En appliquant les lois des exposants, exprime les expressions suivantes sous la forme d'une puissance simple, puis évalue la puissance.

a) $2^{-3} \times 2^8$ b) $3^{-5} \times 3^3$ c) $8^{-4} \times 64^2$ d) $7^5 \div 7^5$

e) $3^2 \div 9^3$ f) $2^{-3} \div 2^2$ g) $(2^{-2})^{-3}$ h) $(8^{-5})^0$

6. a) Pour évaluer $\left(\frac{4}{5}\right)^{-1}$, Myriam a fait le raisonnement suivant :

$\left(\frac{4}{5}\right)^{-1}$ est l'inverse de $\left(\frac{4}{5}\right)^1$.

Comme $\left(\frac{4}{5}\right)^1 = \frac{4}{5}$, $\left(\frac{4}{5}\right)^{-1} = \frac{5}{4}$

Myriam a-t-elle raison ? Justifie ta réponse.

b) Exprime les nombres suivants sous la forme d'un nombre entier ou d'une fraction sans exposant.

I) $\left(\frac{3}{2}\right)^{-1}$ II) $\left(\frac{10}{7}\right)^{-1}$ III) $\left(\frac{1}{5}\right)^{-3}$ IV) $\left(\frac{2}{3}\right)^{-2}$

7. Fais le point

a) Évalue chacune de ces expressions sans utiliser de calculatrice.

I) 2^0 II) 9^{-2} III) $\left(\frac{1}{3}\right)^{-2}$

b) L'équation $B = 1000 \times 2^t$ modélise le nombre de bactéries présentes dans une colonie dans t heures à partir de maintenant.

I) Détermine la valeur de B pour $t = 0$. Que représente cette valeur ?

II) Combien de bactéries y avait-il dans la colonie il y a 3 heures ?

Justifie tes réponses.

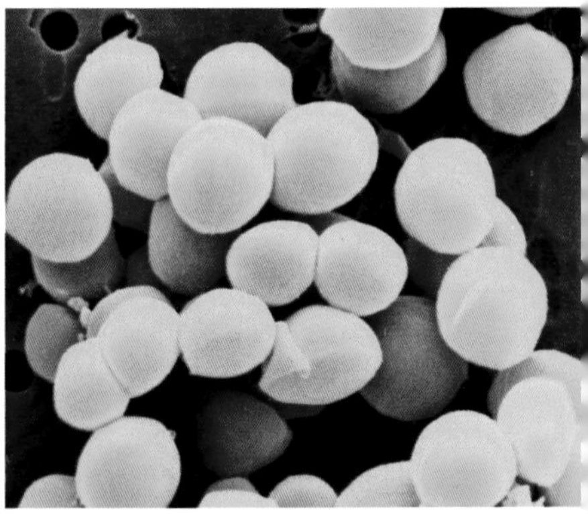

8. Relève le défi Philippe a acheté une voiture d'occasion au prix de 7200 \$. Ce modèle de voiture se déprécie de façon telle que, chaque année, la voiture vaut 82 % de sa valeur de l'année précédente.

a) Quelle sera la valeur de la voiture dans 5 ans ?

b) Lorsque Philippe a acheté la voiture, elle avait 6 ans. Quel était le prix initial de la voiture ?

Dans tes mots

Disons qu'une ou un camarade a de la difficulté à comprendre ce que représente un exposant négatif ou l'exposant nul. Rédige une explication à son intention.

4.5 Les fonctions exponentielles

Les équations de la forme $y = ab^x$ représentent des **fonctions exponentielles.** Lorsque $a = 1$, l'équation $y = ab^x$ devient $y = b^x$.
Tu vas apprendre comment la valeur de b affecte le graphique de $y = b^x$.

Dans l'équation d'une fonction exponentielle, la variable x est un exposant.

Explore — La représentation graphique de l'équation $y = b^x$

Règle les paramètres d'affichage de ta calculatrice tel qu'indiqué ci-dessous.

```
FENETRE
 Xmin=-3
 Xmax=3
 Xgrad=1
 Ymin=-5
 Ymax=10
 Ygrad=1
 Xres=1
```

Travaille avec une ou un camarade. Vous aurez besoin d'une calculatrice à affichage graphique TI-83 ou TI-84.

➢ Affichez les graphiques des équations de l'ensemble A dans le même plan. Esquissez et nommez les graphiques dans votre cahier.

Ensemble A ($b > 1$)	**Ensemble B ($0 < b < 1$)**
$y = 2^x$	$y = \left(\frac{1}{2}\right)^x$
$y = 3^x$	$y = \left(\frac{1}{3}\right)^x$
$y = 4^x$	$y = \left(\frac{1}{4}\right)^x$

➢ Comparez les graphiques.
En quoi sont-ils semblables? En quoi sont-ils différents?

➢ Les graphiques ont un point en commun.
Quelles sont les coordonnées de ce point?

➢ Un des graphiques croise-t-il l'axe des x?
À l'aide de la fonction TRACE et de la touche de déplacement vers la gauche, examinez les changements subis par la valeur de y à mesure que la valeur de x diminue. La variable y a-t-elle parfois une valeur égale à zéro ou une valeur négative? Expliquez votre raisonnement.

➢ Répétez les étapes précédentes avec les équations de l'ensemble B.

Réfléchis

➢ Pour quelles raisons tous les graphiques ont-ils un point en commun?

➢ Décris le graphique de $y = b^x$ où $b > 1$ et où $0 < b < 1$.
Qu'arrive-t-il lorsque $b = 1$?

Fais des liens

Tu peux construire une table de valeurs, puis tracer le graphique de $y = 2^x$ et de $y = \left(\frac{1}{2}\right)^x$.

Le graphique de $y = 2^x$

La courbe du graphique de $y = 2^x$ s'élève d'abord lentement, puis plus rapidement. Toutes les fonctions exponentielles de la forme $y = b^x$, où $b > 1$, ont cet aspect.

x	$y = 2^x$
−3	$2^{-3} = \frac{1}{2^3} = \frac{1}{8}$
−2	$2^{-2} = \frac{1}{2^2} = \frac{1}{4}$
−1	$2^{-1} = \frac{1}{2^1} = \frac{1}{2}$
0	$2^0 = 1$
1	$2^1 = 2$
2	$2^2 = 4$
3	$2^3 = 8$

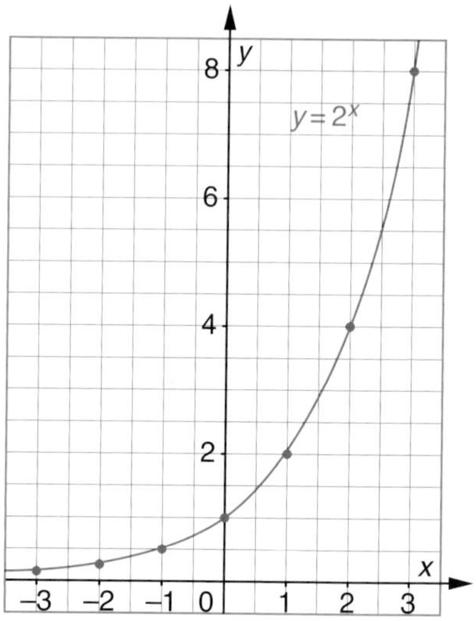

Le graphique de $y = \left(\frac{1}{2}\right)^x$

La courbe du graphique de $y = \left(\frac{1}{2}\right)^x$ descend rapidement d'abord, puis plus lentement. Toutes les fonctions exponentielles de la forme $y = b^x$, où $0 < b < 1$, ont cet aspect.

x	$y = \left(\frac{1}{2}\right)^x$
−3	$\left(\frac{1}{2}\right)^{-3} = 2^3 = 8$
−2	$\left(\frac{1}{2}\right)^{-2} = 2^2 = 4$
−1	$\left(\frac{1}{2}\right)^{-1} = 2^1 = 2$
0	$\left(\frac{1}{2}\right)^0 = 1$
1	$\left(\frac{1}{2}\right)^1 = \frac{1}{2}$
2	$\left(\frac{1}{2}\right)^2 = \frac{1}{4}$
3	$\left(\frac{1}{2}\right)^3 = \frac{1}{8}$

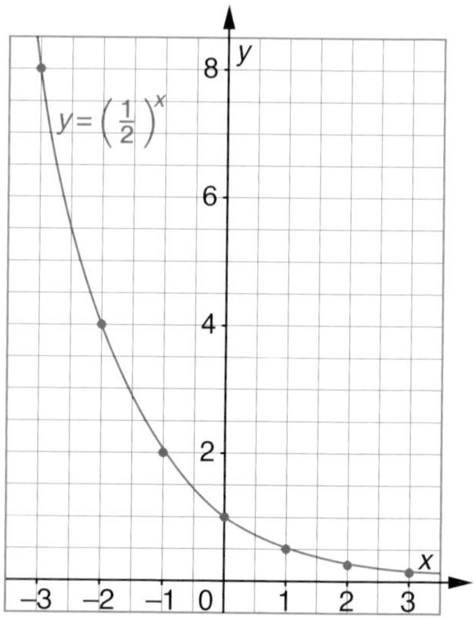

Le graphique de $y = b^x$

Les graphiques de $y = 2^x$ et $y = \left(\frac{1}{2}\right)^x$ représentent les propriétés suivantes du graphique de $y = b^x$, où $b > 0$ et $b \neq 1$.

- ➢ Lorsque $b > 1$, la courbe du graphique monte vers la droite. Donc, le graphique représente une croissance exponentielle.
- ➢ Lorsque $0 < b < 1$, la courbe du graphique descend vers la droite. Donc, le graphique représente une décroissance exponentielle.
- ➢ La courbe du graphique passe par le point (0,1), car lorsque $x = 0$, $y = b^0 = 1$.
  Donc, l'ordonnée à l'origine du graphique est 1.
- ➢ La courbe du graphique se rapproche toujours plus de l'axe des x, mais ne le croise jamais.
- ➢ Le graphique n'a ni valeur maximale ni valeur minimale.

Exercices

1. Associe chacune de ces équations au graphique approprié. Explique comment tu le sais.

a) $y = 4^x$ $y = 1{,}2^x$ $y = 10^x$ **b)** $y = \left(\frac{1}{4}\right)^x$ $y = 0{,}9^x$ $y = \left(\frac{2}{3}\right)^x$

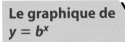

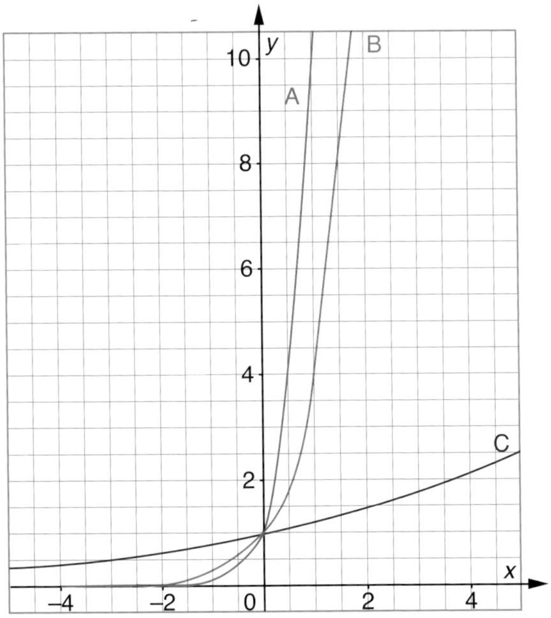

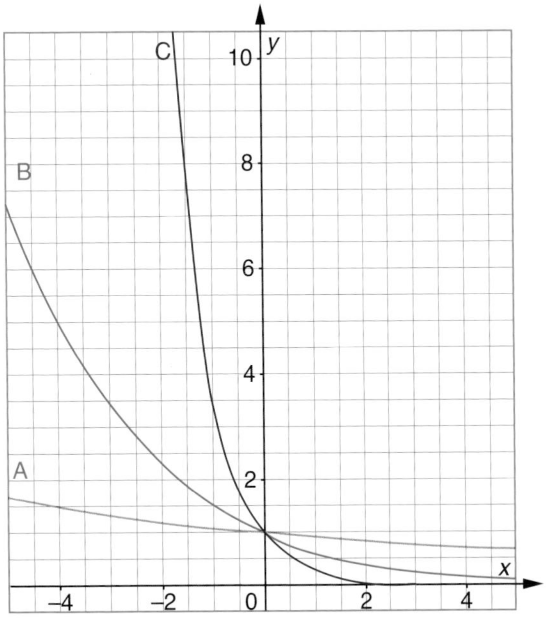

2. a) Détermine si chacune des équations suivantes définit un cas de croissance ou de décroissance exponentielle. Explique comment tu le sais.

I) $y = 3^x$ **II)** $y = 1{,}25^x$ **III)** $y = \left(\frac{1}{5}\right)^x$ **IV)** $y = 0{,}8^x$

b) Construis une table de valeurs représentant les valeurs de x comprises entre -3 et 3, puis trace le graphique de chaque équation.

3. Fais le point

a) Trace les graphiques des équations $y = 4^x$ et $y = \left(\frac{1}{4}\right)^x$ dans le même plan pour les valeurs de x comprises entre -3 et 3.

b) Compare les deux graphiques. En quoi sont-ils semblables ? En quoi sont-ils différents ?

c) À ton avis, en quoi les graphiques de $y = 5^x$ et $y = \left(\frac{1}{5}\right)^x$ seraient-ils comparables aux graphiques tracés en a) ? Justifie ta réponse.

4. Affiche le graphique de l'équation $y = 2^x$ sur une calculatrice à affichage graphique TI-83 ou TI-84.

a) À l'aide de la fonction TRACE et des touches de déplacement, examine les valeurs de y pour de grandes valeurs positives et négatives de x. Que remarques-tu ?

b) Explique pourquoi le graphique de $y = 2^x$ n'a ni valeur maximale ni valeur minimale.

Pour déterminer si une fonction donnée est exponentielle, tu peux construire une table de valeurs et trouver un facteur de croissance ou de décroissance.

Exemple

Détermine si le graphique représente une fonction exponentielle.
Justifie ta réponse.
Si le graphique représente une fonction exponentielle, alors quel est le facteur de croissance ?

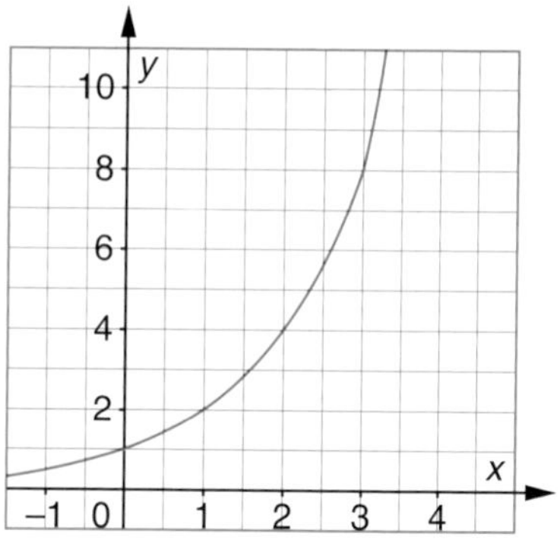

Solution

Choisis au moins quatre points situés à une distance horizontale égale les uns des autres. Les points dont les abscisses sont 0, 1, 2 et 3 apparaissent dans le plan. Cela les rend plus faciles à lire.
À partir de ces points, tu peux construire une table de valeurs.

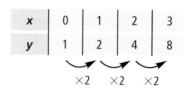

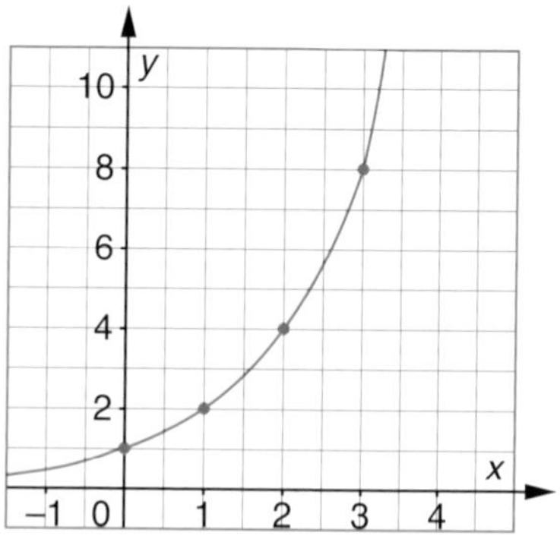

x	0	1	2	3
y	1	2	4	8

×2 ×2 ×2

Les ordonnées de ces points sont multipliées par 2 de façon répétée. La fonction représentée est une fonction exponentielle et le facteur de croissance est 2.

5. Lesquelles des fonctions suivantes sont exponentielles ? Justifie tes réponses.

a)

x	1	2	3	4	5
y	10	20	30	40	50

b)

x	−1	0	1	2	3
y	$\frac{1}{5}$	1	5	25	125

c)

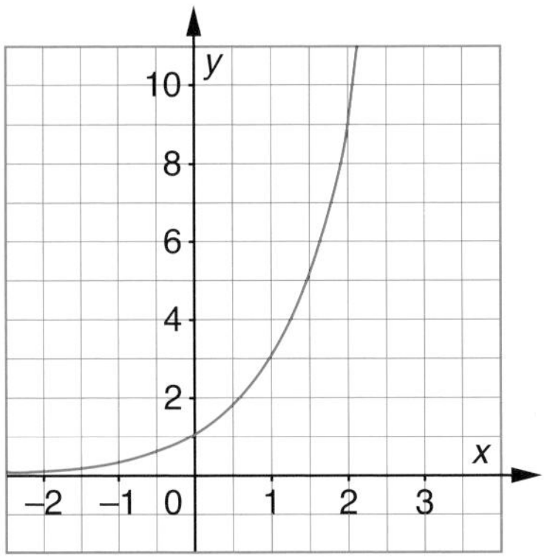

d)

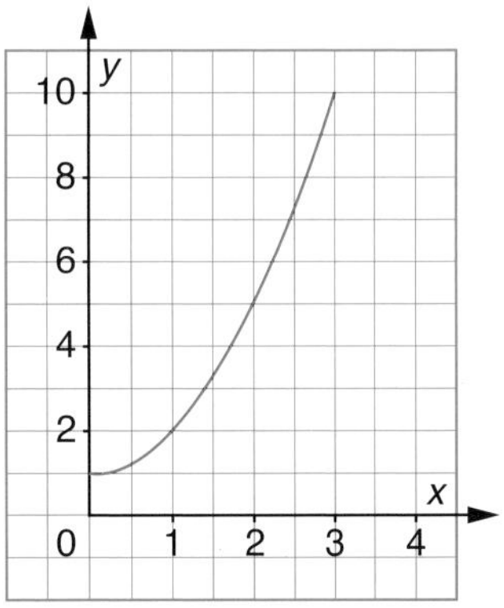

6. Relève le défi Utilise une calculatrice TI-83 ou TI-84.

a) Affiche les graphiques des trois équations suivantes dans un même plan.

$y = 2(2)^x$ $\quad$ $y = 3(2)^x$ $\quad$ $y = 4(2)^x$

Esquisse et nomme les graphiques dans ton cahier de notes.

Règle les paramètres d'affichage de ta calculatrice tel qu'indiqué ci-dessous.

```
FENETRE
 Xmin=-3
 Xmax=3
 Xgrad=1
 Ymin=-5
 Ymax=10
 Ygrad=1
 Xres=1
```

b) Compare les trois graphiques.
En quoi sont-ils semblables ?
En quoi sont-ils différents ? Explique ton raisonnement.

c) Reprends les parties a) et b) avec les équations suivantes.

$y = 2(0,5)^x$ $\quad$ $y = 3(0,5)^x$ $\quad$ $y = 4(0,5)^x$

d) En quoi la valeur de a affecte-t-elle le graphique de $y = ab^x$?
Explique ta réponse.

Dans tes mots

En quoi la valeur de b affecte-t-elle le graphique de $y = b^x$?
Ajoute des exemples dans ton explication.

Révision de mi-chapitre

4.1 **1.** Évalue chacune de ces expressions sans utiliser de calculatrice.

a) 7^3 b) 2^8 c) 12^2

2. Nadine plie une lettre de 5 pages en deux, plusieurs fois.

a) Complète la table de valeurs jusqu'à 5 plis.

Nombre de plis	Nombre de couches
0	5

b) Trace le graphique des données présentées dans la table de valeurs.

c) Formule l'équation qui définit le nombre de couches créées, C, après n plis.

d) Calcule le nombre de couches créées après 8 plis.

4.2 **3.** Évalue chacune de ces expressions sans utiliser de calculatrice.

a) $\left(\frac{1}{6}\right)^2$ b) $\left(\frac{1}{2}\right)^6$ c) $\left(\frac{3}{4}\right)^4$

4. Une balle tombe d'une hauteur de 300 cm. Après chaque rebond, la balle s'élève à 60 % de sa hauteur précédente.

a) Construis une table de valeurs, puis trace un graphique représentant la hauteur atteinte par la balle après chacun des 4 premiers rebonds.

b) Formule l'équation qui définit la hauteur atteinte par la balle, H, en centimètres, après le n^e rebond.

c) Calcule la hauteur de la balle après le 8e rebond.

5. Simplifie les expressions suivantes, puis évalue-les sans utiliser de calculatrice. Décris tes stratégies.

a) $10^2 \times 10^4$ b) $(2^3)^2$ c) $\frac{7^{23}}{7^{21}}$

d) $\left(\frac{3^4}{3^2}\right)^2$ e) $\frac{1{,}5^{19}}{1{,}5^{18}}$ f) $\frac{5^7 \times 5^4}{5^6 \times 5^2}$

4.3 **6.** Les exposants sont équivalents à une multiplication répétée. En te basant sur la définition, vérifie les solutions que tu as obtenues à l'exercice 5.

4.4 **7.** a) Recopie, puis complète les quatre dernières équations de la régularité. Exprime tes solutions sous la forme de fractions.

$$4^3 = 64$$
$$4^2 = 16$$
$$4^1 = 4$$
$$4^0 = ?$$
$$4^{-1} = ?$$
$$4^{-2} = ?$$
$$4^{-3} = ?$$

b) Écris les deux prochaines équations de la régularité. Décris ta stratégie.

8. Évalue les expressions suivantes sans utiliser de calculatrice. Exprime tes solutions sous la forme de fractions.

a) 3^{-2} b) 2^{-6} c) 10^{-4} d) 12^0

9. La présence des élèves aux parties de football de l'école, P, diminue suivant l'équation $P = 1200\left(\frac{9}{10}\right)^n$, où n représente le nombre d'années écoulées depuis 2000.

a) Combien d'élèves étaient présents aux parties en 2000 ? Comment le sais-tu ?

b) Quel est le facteur de décroissance ?

c) Combien d'élèves étaient présents en 1999 ? en 2005 ?

4.5 **10.** a) À partir d'une table de valeurs, trace le graphique des équations suivantes pour les valeurs de x comprises entre -2 et 2.

I) $y = 3^x$ II) $y = \left(\frac{1}{3}\right)^x$

b) Décris chacun des graphiques. En quoi sont-ils semblables ? En quoi sont-ils différents ?

4.6 Des applications de la croissance exponentielle

Martha travaille à temps partiel dans une pizzeria. Une de ses tâches est de faire la pâte à pizza. Une fois que Martha a pétri la pâte, elle doit attendre que la pâte double de volume avant de l'utiliser.

Explore — Le temps que prend la pâte à pizza pour doubler de volume

Le graphique représente la façon dont le volume d'une recette de pâte à pizza augmente de façon exponentielle au fil du temps.

- Quel est le volume initial de la pâte? Quel est le volume de la pâte une fois que le volume initial a doublé? Combien de temps faut-il pour que le volume initial double?
- Combien de temps faut-il pour que le volume de la pâte double de 2 L à 4 L? Comment le sais-tu?

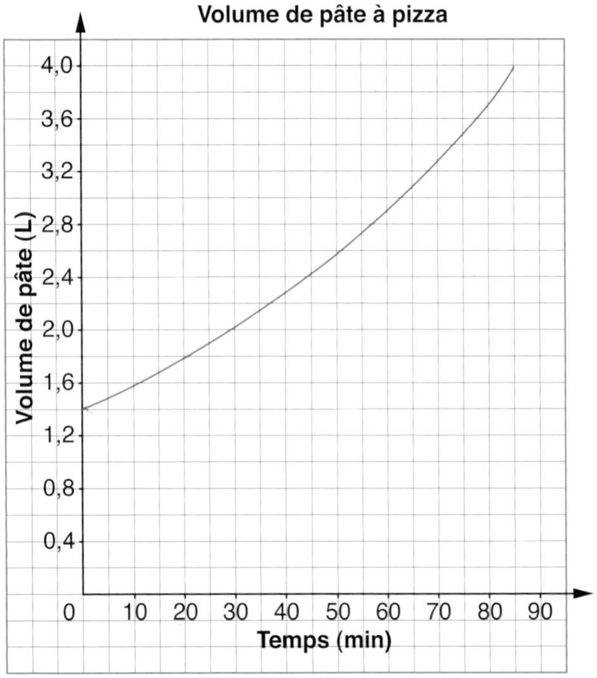

- Compare cette durée à la durée que tu as calculée plus haut. Que remarques-tu? Explique ton raisonnement.
- Quel est le temps de doublement de la pâte à pizza? Explique ta réponse.

Réfléchis

- Compare les solutions que tu as obtenues avec celles d'une ou d'un camarade. Si vos solutions sont différentes, explique pourquoi.
- Le temps pris par la pâte pour doubler de volume dépend-il des points du graphique utilisés? Explique ton raisonnement.

Fais des liens

Le taux de croissance exprimé sous la forme d'un pourcentage

Dans plusieurs situations de croissance exponentielle, on donne le **taux de croissance** plutôt que le facteur de croissance. On peut exprimer le taux de croissance sous la forme d'un pourcentage d'augmentation.

Selon l'article ci-dessous, la population de loups augmente de 20 % par année. Donc, le taux de croissance annuel est de 20 %.

> **Grande réussite d'un programme de réintroduction des loups**
>
> Il y a 5 ans, 25 loups gris du Canada ont été relâchés dans une aire de conservation du Montana, où cette espèce était disparue. Selon le Dr Ed Barton du Service américain de la pêche et de la faune, le programme a enregistré un franc succès. Depuis la réintroduction des loups, la population de loups a augmenté considérablement, suivant un taux de croissance annuel de près de 20 %.

Voici la façon de procéder pour déterminer le facteur de croissance équivalent.

La population entière de loups est égale à 100 % chaque année. L'année suivante, elle augmente de 20 %.
100 % + 20 % = 120 %
Par conséquent, chaque année, la population est égale à 120 % de la population de l'année précédente, soit 1,2 fois la population de l'année précédente. Donc, un taux de croissance annuel de 20 % équivaut à un facteur de croissance de 1,2.

Lorsque le taux de croissance est exprimé sous la forme d'un pourcentage, on obtient le facteur de croissance b à l'aide de l'équation $b = 1 + r$, où r représente le pourcentage exprimé sous la forme d'un nombre décimal.

Dans la table de valeurs, on indique la croissance que la population de loups a connue pendant ces 5 années.

Année	0	1	2	3	4	5
Population	25	30	36	43	52	62

×1,2 ×1,2 ×1,2 ×1,2 ×1,2

La population est arrondie à l'entier le plus près.

Le taux de croissance exprimé en termes de temps de doublement

Le taux de croissance peut aussi être décrit en termes de **temps de doublement**, soit le temps qu'il faut à une quantité pour doubler sa valeur.

Tu peux estimer le temps de doublement à partir de la table de valeurs. La population initiale est de 25 loups. Au cours de la 4e année, la population est de 52 loups, ce qui est égal à un peu plus de $2 \times 25 = 50$. Donc, le temps de doublement est égal à un peu moins de 4 ans.

On obtient une estimation plus précise du temps de doublement à partir d'un graphique. La population initiale est de 25 loups. Trouve le moment où la population est de 2×25 loups, soit 50 loups.

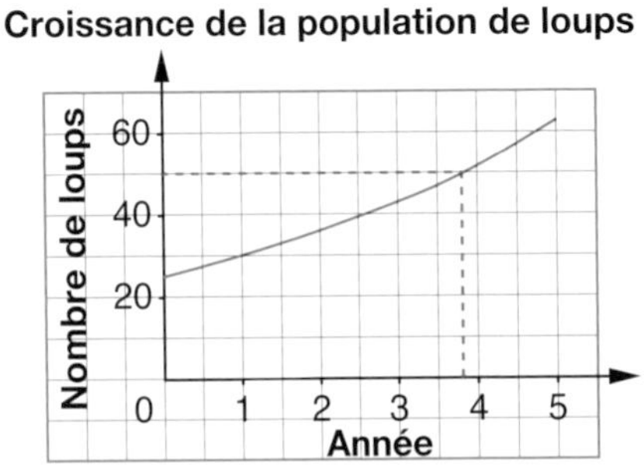

Cela se produit au bout d'environ 3,8 années. Donc, le temps de doublement est égal à environ 3,8 ans.

Sous la rubrique *Explore*, tu as appris que le temps de doublement est le même, peu importe les points du graphique que tu choisis.

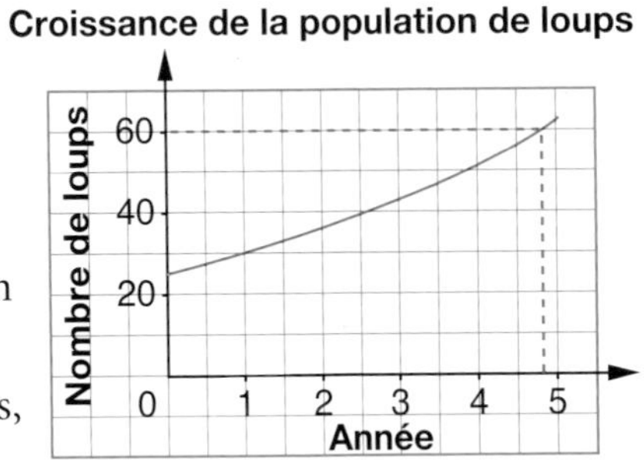

Au cours de la 1re année, la population est de 30 loups. Trouve le moment où la population est de 2×30 loups, soit 60 loups.

Cela se produit au bout d'environ 4,8 années.
4,8 années − 1 année = 3,8 années

Le temps de doublement correspond au temps que prend une quantité qui augmente de façon exponentielle pour doubler de valeur. Le temps de doublement s'applique en tout temps pendant la croissance, et pas seulement à la valeur initiale.

Exercices

1. Reproduis la table de valeurs ci-dessous, puis complète-la.

Taux de croissance	5 %	8 %	1,5 %	50 %		
Facteur de croissance					1,12	1,03

2. Samuel pense que si une quantité augmente de 30 % par année, le facteur de croissance devrait être de 0,3 plutôt que de 1,3. Explique pourquoi Samuel se trompe.

3. Détermine le temps de doublement de chacune des fonctions exponentielles représentées par les graphiques suivants. Peux-tu vérifier tes solutions ? Explique ton raisonnement.

a)

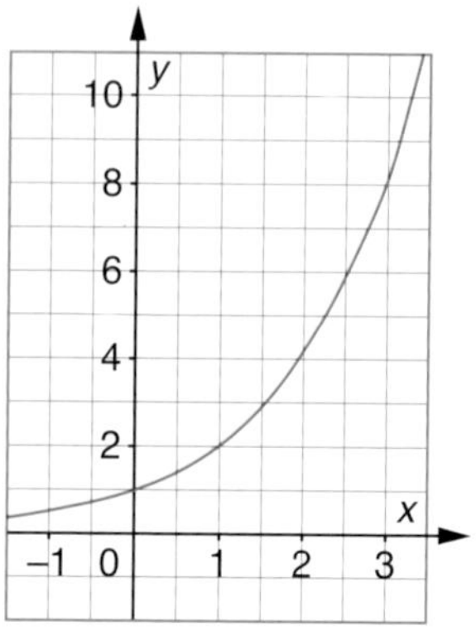

b)

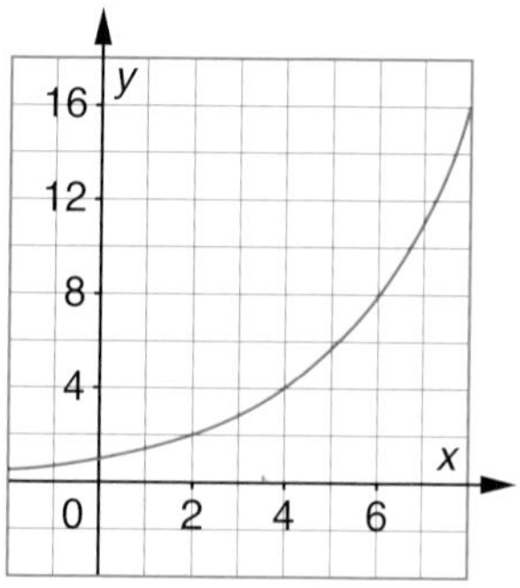

c)

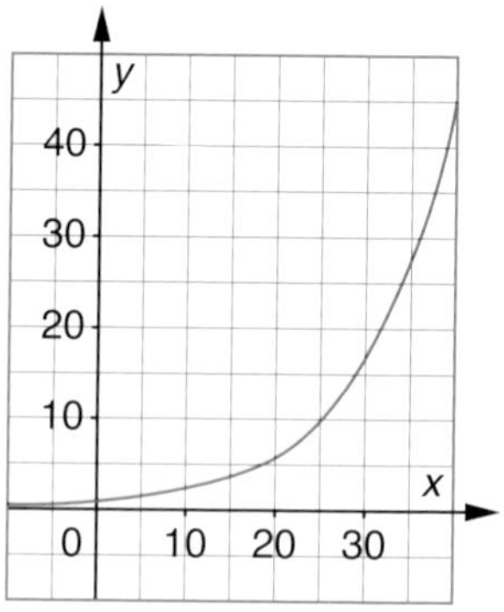

4. Laurence mesure le volume d'une recette de pâte à la cannelle toutes les 30 minutes. Pour trouver le facteur de croissance, elle divise chaque mesure par la mesure précédente.

a) Reproduis le tableau indiquant les mesures prises par Laurence, puis complète-le.

Temps (min)	0	30	60	90	120
Volume (L)	1,4	2,0	2,9	4,2	6,0
Facteur de croissance	$\frac{2,0}{1,4} \doteq 1,43$	$\frac{2,9}{2,0} \doteq 1,45$			

b) Laurence dit que le volume n'augmente pas de façon exponentielle, parce que les valeurs du facteur de croissance qu'elle obtient ne sont pas toutes égales. Es-tu d'accord avec Laurence ? Explique ton raisonnement.

c) La pâte doit doubler de volume avant que Laurence puisse l'utiliser. Combien de temps cela prendra-t-il approximativement ?

Tu peux déterminer le temps de doublement à l'aide d'un outil technologique.

Exemple

Une antiquité coûte 600 $ et sa valeur augmente de 12 % par année.

a) Formule l'équation qui définit la valeur de l'antiquité, V, en dollars, au bout de n années.

b) Estime la valeur de l'antiquité au bout de 5 ans.

c) Estime le temps qu'il faut pour que la valeur de l'antiquité double.

Solution

a) Applique l'équation $V = ab^n$.
Comme la valeur initiale est égale à 600, $a = 600$. Le facteur de croissance b est de 100 % + 12 % = 112 %.
Donc, l'équation est $V = 600(1{,}12)^n$.

La valeur augmente d'un facteur de 1,2 chaque année.

b) Remplace la variable n dans l'équation par la valeur 5.
$V = 600(1{,}12)^n$
$V = 600(1{,}12)^5$
$V \doteq 1057{,}41$
Au bout de 5 ans, la valeur de l'antiquité sera d'environ 1060 $.

c) Tu peux afficher le graphique sur une calculatrice à affichage graphique.

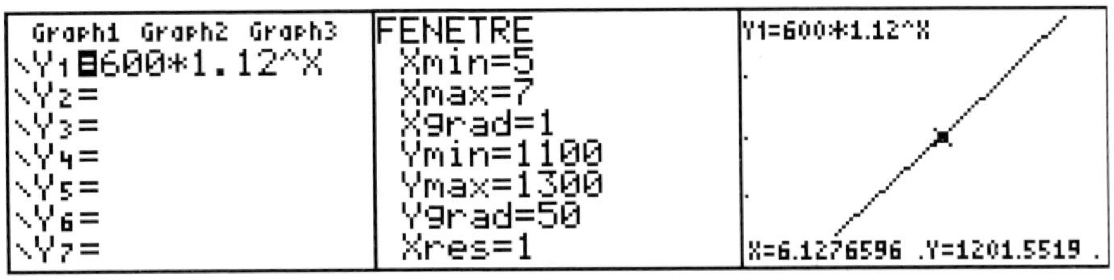

Appuie sur [TRACE]. Déplace le curseur le plus près possible de $y = 1200$.
Lis la valeur de x correspondante : $x \doteq 6{,}1$.
Donc, le temps de doublement est d'environ 6,1 ans.

5. Un timbre rare valait 125 $ en 2005.
On prédisait que sa valeur augmenterait de 8 % par année.

a) Formule une équation qui définit la valeur, V, en dollars, du timbre au bout de n années.

b) Estime la valeur du timbre en 2012.

c) Estime le temps qu'il faudra pour que la valeur du timbre double.

Quelles stratégies et quels outils as-tu utilisés ? Explique tes choix.

6. Dans la table de valeurs, on indique la croissance que la population mondiale a connue de 1900 à 2000.

Année	1900	1910	1920	1930	1940	1950	1960	1970	1980	1990	2000
Population mondiale (en milliards d'habitants)	1,65	1,75	1,86	2,07	2,30	2,52	3,02	3,70	4,44	5,27	6,06

a) Trace le graphique des données. Les données augmentent-elles de façon exponentielle ? Explique ta réponse.

b) À partir du graphique, prédis la population mondiale en 2050.

c) Pour quelles raisons la population mondiale pourrait-elle continuer d'augmenter ? Pour quelles raisons pourrait-elle se stabiliser ?

d) À partir du graphique, formule un problème portant sur la croissance de la population mondiale, puis résous-le.

7. Fais le point On peut modéliser le nombre de véhicules motorisés dans le monde, M, en millions, à l'aide de l'équation $M = 50(1{,}061)^t$, où t représente le nombre d'années écoulées depuis 1946.

a) Que représentent les nombres dans l'équation ?

b) Trace le graphique de l'équation.

c) À partir du graphique, formule deux problèmes, puis résous-les. Explique tes solutions.

8. Relève le défi En 1990, le coût moyen d'un billet pour assister à une partie de la LNH était d'environ 25 $. Depuis, le prix des billets a augmenté d'environ 7,5 % par année. Pour prédire le prix du billet en 2000, Mathieu a fait le raisonnement suivant.

> Comme le prix du billet augmente de 7,5 % par année, au bout de 10 ans, il aura augmenté 10 fois de 7,5 %, pour une augmentation totale de 75 %. Donc, le prix du billet en 2000 se calcule comme suit : 25 $ × 1,75 = 45 $.

Mathieu a-t-il raison ? Justifie ta réponse.

Dans tes mots

À l'aide d'un organisateur graphique comme un modèle Frayer ou une carte conceptuelle, décris la croissance exponentielle. Explique ton choix d'organisateur graphique.

4.7 Des applications de la décroissance exponentielle

On trouve des substances radioactives dans les centrales nucléaires, les centres de traitement contre le cancer et, en très petites quantités, dans la plupart des avertisseurs de fumée.

Explore — La simulation de la désintégration radioactive

Les atomes des substances radioactives sont instables. Ils se décomposent avec le temps, et on appelle ce processus *désintégration radioactive*.

Toute la classe travaille ensemble. Une ou un élève prend des notes : ce sera l'élève 1.
Tous les autres élèves auront besoin d'un dé ordinaire.
Tu auras besoin de papier quadrillé.

- Disons que la classe représente une substance radioactive. Pour commencer, tous les élèves se lèvent. Chaque personne debout, sauf l'élève 1, représente un atome radioactif. L'élève 1 compte les élèves qui sont debout et inscrit ce nombre dans une table de valeurs.

Numéro de l'essai	Nombre d'élèves debout
0	

- Chaque élève qui se tient debout lance son dé. Toute personne qui obtient un 6 s'assoit. Chaque élève qui s'assoit représente un atome qui a subi une désintégration radioactive. L'élève 1 compte le nombre d'élèves qui sont encore debout et inscrit ce nombre dans la table de valeurs.
- Répétez l'étape précédente jusqu'à ce qu'il ne reste que deux élèves ou moins encore debout.
- Individuellement, tracez le graphique des données inscrites dans la table de valeurs.

Réfléchis

- Selon toi, quelle est la fraction des élèves qui resteront debout après chaque essai ? Explique ton raisonnement.
- Le graphique semble-t-il représenter une décroissance exponentielle ? Justifie ta réponse.
- Divise le nombre d'élèves debout après chaque essai par le nombre d'élèves debout lors de l'essai précédent. Les quotients obtenus viennent-ils confirmer les réponses données aux questions précédentes ? Pourquoi ?

Fais des liens

Dans plusieurs situations de décroissance exponentielle, on donne le **taux de décroissance** plutôt que le facteur de décroissance.

Le taux de décroissance exprimé sous la forme d'un pourcentage

On peut exprimer le taux de décroissance sous la forme d'un pourcentage de diminution.

Maya prend une dose de pénicilline (un antibiotique) de 250 mg. Toutes les heures, 40 % environ de la pénicilline contenue dans son sang est éliminée. Donc, le taux de décroissance est de 40 %.

Voici la façon de procéder pour déterminer le facteur de décroissance.

La masse de pénicilline qui reste dans son sang au bout de chaque heure est égale à 60 %, soit 0,6 fois la quantité contenue dans son sang à la fin de l'heure précédente.
100 % − 40 % = 60 %

Chaque heure, 40 % de la pénicilline est éliminée. Donc, il reste 60 % de la pénicilline dans le sang.

0,6 = 1 − 0,4, où 0,4 est le taux de décroissance de 40 %, exprimé sous la forme d'un nombre décimal.

Lorsque le taux de décroissance est exprimé sous la forme d'un pourcentage, le facteur de décroissance b s'obtient à l'aide de l'équation $b = 1 - r$, où r représente le pourcentage exprimé sous la forme d'un nombre décimal.

Dans la table de valeurs, on indique la diminution de la masse de pénicilline contenue dans le sang de Maya enregistrée au cours des 5 premières heures.

Temps (h)	0	1	2	3	4	5
Masse de pénicilline (mg)	250	150	90	54	32,4	19,4

×0,6 ×0,6 ×0,6 ×0,6 ×0,6

Le taux de décroissance exprimé en termes de demi-vie

Le taux de décroissance peut aussi être décrit en termes de **demi-vie** d'une quantité, soit le temps nécessaire pour qu'une quantité perde la moitié de sa masse initiale.
Tu peux estimer la demi-vie de la pénicilline à partir de la table de valeurs.

$\frac{1}{2} \times 250 \text{ mg} = 125 \text{ mg}$
Au bout de 1 heure, la quantité de pénicilline dans le sang est de 150 mg.
Au bout de 2 heures, la quantité de pénicilline est de 90 mg.
Donc, la demi-vie de la pénicilline se situe entre 1 heure et 2 heures.

Tu peux obtenir une estimation plus précise de la demi-vie d'une substance à partir d'un graphique. La dose initiale est de 250 mg. Trouve le moment où la masse de pénicilline est égale à $\frac{1}{2} \times 250$ mg, soit 125 mg.
Cela se produit à environ 1,4 h.
Donc, la demi-vie de la pénicilline est d'environ 1,4 h.

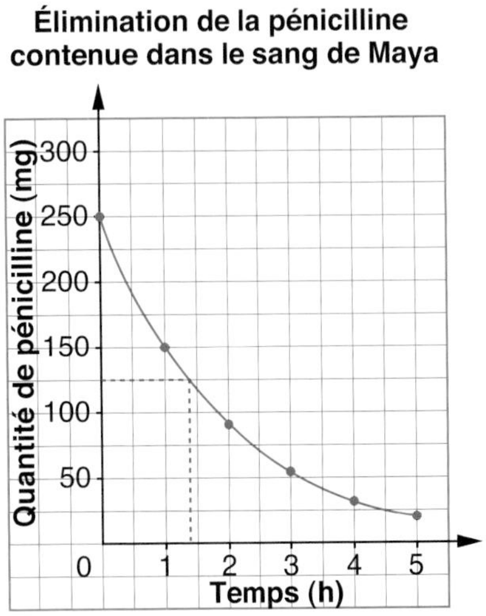

La demi-vie est la même, peu importe les points du graphique que tu choisis. Par exemple, il faut aussi 1,4 h pour que la quantité de pénicilline contenue dans le sang passe de 200 mg à 100 mg.

La demi-vie est le temps nécessaire pour qu'une quantité qui subit une décroissance exponentielle perde la moitié de sa masse initiale. La demi-vie s'applique en tout temps pendant la décroissance, et pas seulement à la valeur initiale.

Exercices

1. Détermine la demi-vie représentée par chacun des graphiques de fonctions exponentielles suivants. Peux-tu vérifier tes solutions ? Explique ton raisonnement.

a) 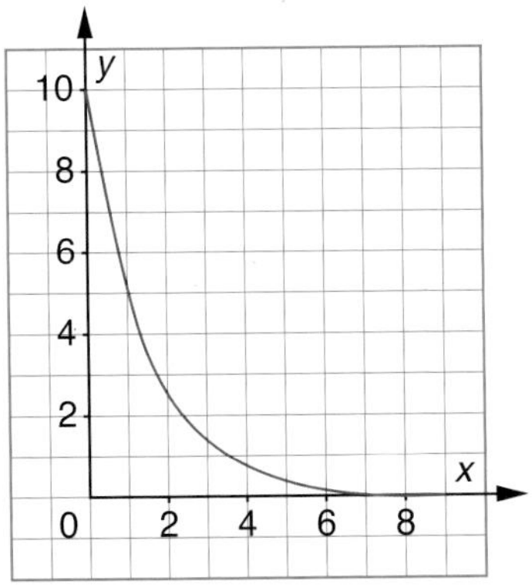

b) 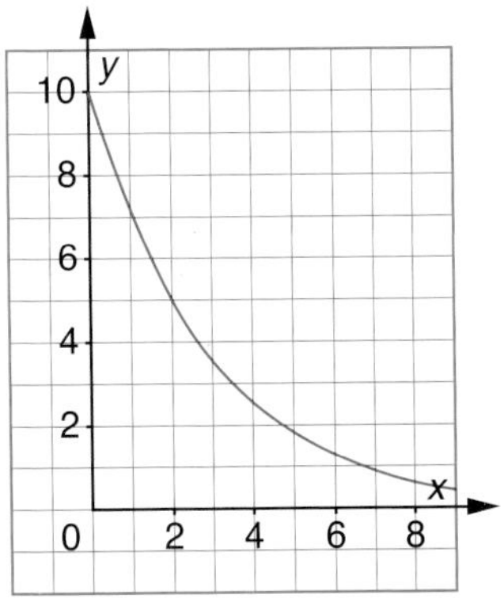

c) 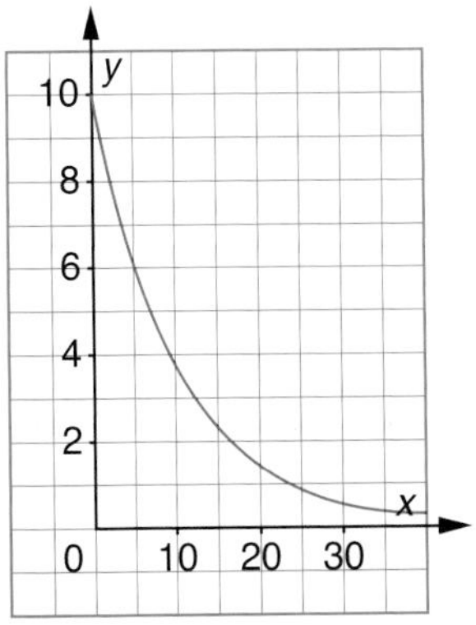

2. Un condensateur est un appareil électronique qui emmagasine l'énergie. Dans la table de valeurs, on indique les variations de la tension d'un condensateur au fil du temps.

Temps (s)	0	1	2	3	4	5	6	7	8	9	10
Tension (volts)	9,0	7,7	6,9	6,0	5,2	4,6	4,0	3,5	3,1	2,7	2,3

La plupart des horloges numériques et des lecteurs DVD sont munis d'un condensateur pour emmagasiner de l'énergie en cas de brèves pannes de courant.

a) Trace le graphique des données.

b) La tension semble-t-elle diminuer de façon exponentielle? Explique ton raisonnement.

c) À partir du graphique en a), formule un problème, puis résous-le.

d) Calcule la demi-vie de la tension en utilisant la table de valeurs ou le graphique. As-tu utilisé la table de valeurs ou le graphique? Pour quelles raisons?

3. Fais le point Après avoir bu une tasse de café, le niveau de caféine contenue dans le sang d'une personne diminue progressivement. Le graphique représente le pourcentage de caféine, P, qui reste dans le sang au bout de t heures.

a) Démontre que le niveau de caféine contenue dans le sang diminue de façon exponentielle. Quel est le taux de décroissance?

b) Quelle est la demi-vie de la caféine dans le sang?

c) À partir du graphique, formule deux problèmes, puis résous-les.

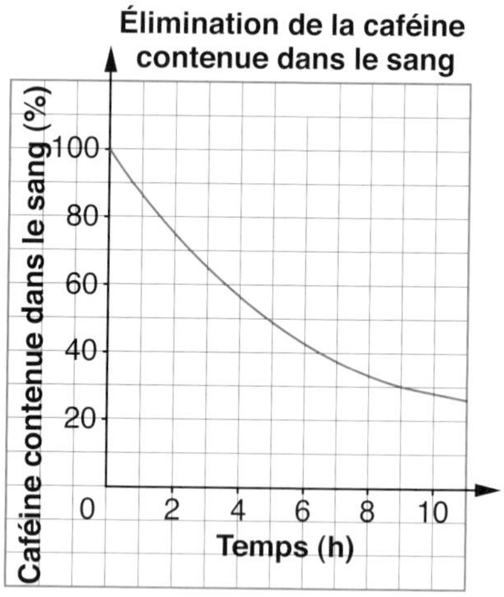

Lorsque tu connais le taux de décroissance et la valeur initiale, tu peux modéliser la décroissance exponentielle à l'aide de l'équation $y = ab^x$.

Exemple

Disons qu'un ordinateur qui coûte 1000 $ subit une dépréciation de 17 % par année.

a) Formule l'équation qui définit la valeur de l'ordinateur, O, en dollars, au bout de n années.

b) Estime la valeur de l'ordinateur au bout de 5 ans.

Solution

a) Applique l'équation $O = ab^n$.

Comme la valeur initiale est de 1000, $a = 1000$.

Comme le taux de décroissance est de 17 %, le facteur de décroissance, b, se calcule comme suit:

$100\ \% - 17\ \% = 1 - 0{,}17 = 0{,}83$

Donc, l'équation correspondante est $O = 1000(0{,}83)^n$.

b) Remplace la variable n dans l'équation $O = 1000(0{,}83)^n$ par la valeur 5.

$O = 1000(0{,}83)^5$

$O \doteq 393{,}90$

Au bout de 5 ans, la valeur de l'ordinateur est d'environ 390 $.

4. Un traitement contre le cancer contient un échantillon de 100 mg d'iode radioactif. Chaque jour, l'échantillon d'iode diminue d'environ 8,3 %.

a) Formule l'équation qui définit la masse d'iode qui reste au bout de t jours.

b) Estime la masse d'iode, M, en milligrammes, qui reste au bout de 8 jours.

c) Estime la demi-vie de l'iode. Décris ta stratégie.

5. Une classe de 26 élèves a réalisé l'activité proposée sous la rubrique *Explore* de cette section en vue de modéliser la désintégration radioactive. Les élèves ont déterminé que leurs données pouvaient être modélisées à l'aide de l'équation $N = 26\left(\frac{5}{6}\right)^t$, où N représente le nombre de personnes debout, et t, le nombre d'essais.

a) Explique la formule.

b) Estime le nombre de personnes encore debout au bout de chacun des nombres d'essais suivants.

I) 5 essais

II) 10 essais

6. Réfère-toi aux données que tu as recueillies sous la rubrique *Explore*.

a) L'équation de l'exercice 5 permet-elle de bien modéliser tes données? Explique ton raisonnement. Pour quelle raison l'équation devrait-elle être différente?

b) Au besoin, modifie l'équation pour qu'elle modélise mieux tes données. Affiche le graphique de l'équation sur une calculatrice à affichage graphique TI-83 ou TI-84. Esquisse le graphique dans ton cahier.

c) Utilise la fonction TRACE.
Estime le nombre d'essais nécessaires pour que seulement la moitié de la classe reste debout.
Estime le nombre d'essais nécessaires pour que seulement le quart de la classe reste debout.

d) Au bout de combien d'essais ne restera-t-il qu'une seule personne debout? Explique pourquoi les résultats que tu as obtenus sous la rubrique *Explore* pourraient être différents.

7. Relève le défi On peut écrire des équations de décroissance exponentielle à l'aide d'un signe négatif placé devant l'exposant. Explique pourquoi les équations $y = 35(0{,}5)^x$ et $y = 35(2)^{-x}$ sont équivalentes.

Dans tes mots

À l'aide d'un diagramme de Venn ou d'un tableau, compare la croissance et la décroissance exponentielles.
Note les nouvelles notions que tu as étudiées depuis la section 4.2 dans ton organisateur. Explique ton choix d'organisateur.

4.8 Le modèle exponentiel d'une expérience

Tu peux parfois modéliser les résultats d'une expérience à l'aide d'une fonction exponentielle. Tu peux alors interpréter les données et faire des prédictions à partir du modèle.

Examine — L'exploration de la courbe de refroidissement de l'eau

Travaillez en équipe.

Vous aurez besoin d'une horloge ou d'un chronomètre qui indique les minutes et les secondes, d'une boîte de conserve vide, d'un thermomètre de laboratoire, d'un bâton pour remuer et d'eau chaude. Vous aurez également besoin de papier quadrillé, d'une calculatrice à affichage graphique TI-83 ou TI-84 ou d'un tableur.

Si le dessus de la boîte de conserve est coupant, vous pouvez le recouvrir de ruban-cache.

Le métal est un conducteur de chaleur. Ne touchez pas à la boîte de conserve remplie d'eau chaude

1. La collecte des données

a) Notez la température de la pièce.

b) Reproduisez la table de valeurs.

Numéro de la mesure	Temps (min)	Température de l'eau (°C)	Différence de température (°C)
0	0		
1	5		

c) Placez la boîte de conserve sur un manuel ou sur une tablette de papier.
Demandez à votre enseignante ou enseignant de remplir la boîte de conserve d'eau chaude.
Remuez l'eau avec le bâton une ou deux fois.
Placez le thermomètre dans l'eau, en prenant soin de ne pas toucher à la boîte de conserve.
Notez la température de l'eau.

d) Notez la température de l'eau toutes les 5 min pendant 45 min.
Remuez l'eau avant chaque lecture.

Pendant les intervalles de 5 min, travaillez sur l'exercice 2.

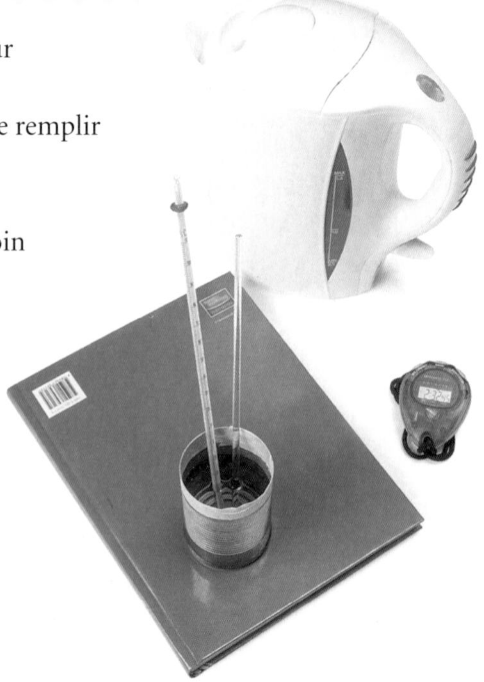

2. La représentation graphique des données

a) Calculez la différence de température, c'est-à-dire la différence entre la température de l'eau et la température de la pièce pour chacune des observations.
Notez chaque différence de température dans la table de valeurs.

b) Utilisez les données inscrites dans votre table de valeurs.
Représentez graphiquement la *différence de température* en fonction du *temps*.

On appelle ce graphique *courbe de refroidissement*.

3. L'analyse des données

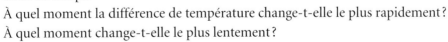

Répondez aux questions suivantes en équipe.

a) Décrivez les changements observés parmi les données sur la différence de température au fil du temps.
À quel moment la différence de température change-t-elle le plus rapidement ?
À quel moment change-t-elle le plus lentement ?

b) Sous chaque mesure représentée sur l'axe des x du diagramme, écrivez le numéro de la mesure.
Chaque mesure correspond à un intervalle de 5 min.

c) Modélisez les données à l'aide de l'équation $T = ab^x$, où T représente la différence de température en degrés Celsius, et x, le numéro de la mesure.

I) Rappelez-vous que la variable a représente la valeur initiale.
Quelle est la valeur de a dans cette expérience?
Que représente la valeur de a dans cette expérience?

II) Rappelez-vous que la variable b représente le facteur de décroissance.
Pour trouver la valeur de b, vous devez diviser chaque différence de température par la différence de température précédente, puis calculer la **moyenne** des quotients ainsi obtenus.
Que représente la valeur de b dans cette expérience?

III) À l'aide des variables a et b, formulez une équation qui modélise vos données.

La moyenne des données est égale à la somme des données numériques divisée par le nombre de données.

d) Tracez le graphique de l'équation formulée en c) dans le même plan que les données.

e) À partir de la table de valeurs ou du graphique de l'équation, déterminez combien de temps il faudra pour que la différence de température soit réduite de moitié.
Expliquez votre choix.

Réfléchis

- Une fonction exponentielle est-elle un bon modèle pour représenter les résultats de ton expérience? Justifie ta réponse.
- À ton avis, en quoi ton graphique et ton équation changeraient-ils dans chacun des cas suivants? Justifie tes réponses.
  - Tu commences avec une eau plus froide.
  - Tu utilises une tasse isotherme plutôt qu'une boîte de conserve.
  - Tu commences avec un volume d'eau plus petit.

4.9 La comparaison entre les fonctions affines, du second degré et exponentielles

Selon une légende hindoue, l'inventeur du jeu d'échecs a demandé, en récompense de son invention, qu'on dépose un grain de blé sur la première case de l'échiquier, deux grains sur la deuxième, quatre sur la troisième, huit sur la quatrième, et ainsi de suite.

Explore — La comparaison des cas possibles sur un échiquier de 3 cases sur 3

En s'inspirant de la légende et pour faciliter les calculs, supposons qu'on place non pas un mais deux grains de blé sur la première case de l'échiquier, quatre grains sur la deuxième, huit sur la troisième, seize sur la quatrième, et ainsi de suite. Calcule la récompense déposée sur un échiquier de 3 cases sur 3 avec une ou un camarade, puis compare-la aux autres scénarios de récompense ci-dessous.

Vous aurez besoin d'une calculatrice scientifique et de papier quadrillé.

Un échiquier est formé de 8 cases sur 8.

Dans chaque formule, la variable B représente le nombre de grains de blé déposés sur la case n de l'échiquier.

➢ Reproduisez les tables de valeurs suivantes, puis remplissez-les. Pour chaque scénario de récompense, trouvez le nombre de grains de blé, B, déposés sur chacune des neuf cases de l'échiquier, à l'aide de l'équation donnée.

Fonction affine $B = 2n$		Fonction du second degré $B = n^2$		Fonction exponentielle $B = 2^n$	
n	B	n	B	n	B
1	2	1	1	1	2
2		2		2	

➢ Choisissez une échelle appropriée à l'axe vertical, puis tracez les graphiques des trois ensembles de données dans le même plan.

Réfléchis

➢ Lequel des scénarios de récompense présente la croissance la plus lente ? Pour quelles raisons a-t-il la croissance la plus lente ?

➢ Lequel des scénarios de récompense présente la croissance la plus rapide ? Présente-t-il la croissance la plus rapide pour toutes les valeurs de n ? Explique ta réponse.

➢ À ton avis, l'inventeur du jeu d'échecs aurait-il pu obtenir la récompense qu'il réclamait ? Explique ton raisonnement.

Fais des liens

Tu peux comparer les fonctions affines, du second degré et exponentielles à l'aide de tables de valeurs, de graphiques ou d'équations.

Les fonctions affines

Dans une fonction affine, les premières différences sont constantes. Le graphique d'une fonction affine est une droite. L'équation d'une fonction affine est de la forme $y = mx + b$.

$y = 2x$		
x	y	Premières différences
−3	−6	
		$-4 - (-6) = 2$
−2	−4	
		$-2 - (-4) = 2$
−1	−2	
		$0 - (-2) = 2$
0	0	
		$2 - 0 = 2$
1	2	
		$4 - 2 = 2$
2	4	
		$6 - 4 = 2$
3	6	

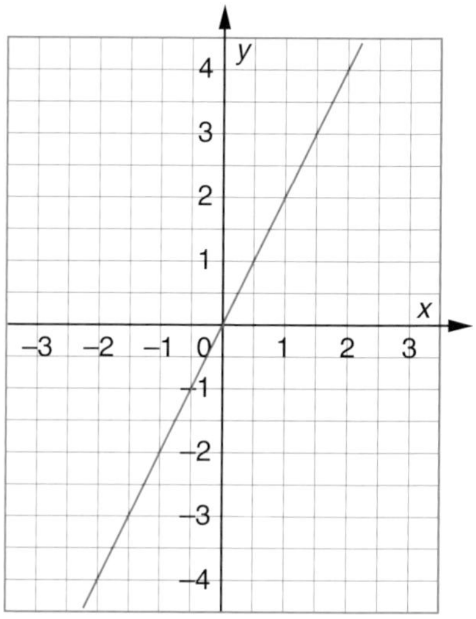

Les fonctions du second degré

Dans une fonction du second degré, les deuxièmes différences sont constantes. Le graphique d'une fonction du second degré est une parabole. L'équation d'une fonction du second degré est de la forme $y = ax^2 + bx + c$.

$y = x^2$			
x	y	Premières différences	Deuxièmes différences
−3	9		
		$4 - 9 = -5$	
−2	4		$-3 - (-5) = 2$
		$1 - 4 = -3$	
−1	1		$-1 - (-3) = 2$
		$0 - 1 = -1$	
0	0		$1 - (-1) = 2$
		$1 - 0 = 1$	
1	1		$3 - 1 = 2$
		$4 - 1 = 3$	
2	4		$5 - 3 = 2$
		$9 - 4 = 5$	
3	9		

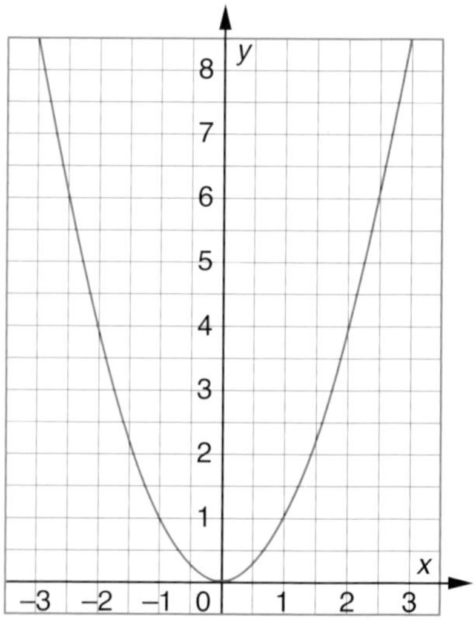

Les fonctions exponentielles

Dans une fonction exponentielle, le facteur de croissance ou de décroissance est constant.
Le graphique d'une fonction exponentielle est une courbe qui se rapproche de l'axe des x dans un sens et qui s'élève dans l'autre.
L'équation d'une fonction exponentielle est de la forme $y = ab^x$.

$y = 2^x$		
x	y	Facteur de croissance
−3	$\frac{1}{8}$	
		$\frac{1}{4} \div \frac{1}{8} = 2$
−2	$\frac{1}{4}$	
		$\frac{1}{2} \div \frac{1}{4} = 2$
−1	$\frac{1}{2}$	
		$1 \div \frac{1}{2} = 2$
0	1	
		$2 \div 1 = 2$
1	2	
		$4 \div 2 = 2$
2	4	
		$8 \div 4 = 2$
3	8	

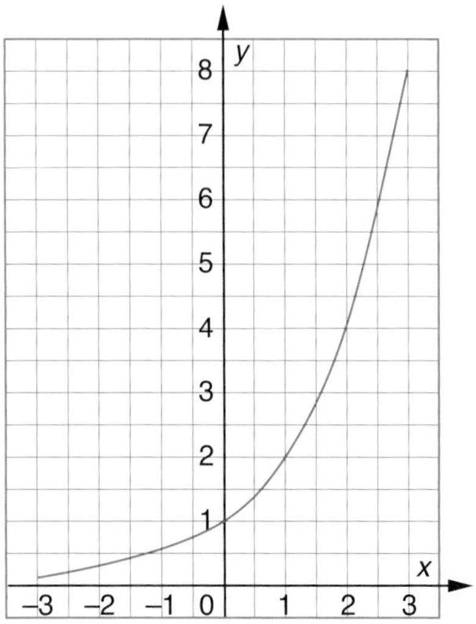

Exercices

1. Indique si chacune de ces équations représente une fonction affine, une fonction du second degré ou une fonction exponentielle. Explique comment tu le sais.

a) $d = 7t + 56$ b) $S = 43(0{,}8)^x$ c) $C = 25r$
d) $A = 100r^2$ e) $y = 0{,}93(2{,}5)^x$ f) $d = -4{,}9t^2 + 3{,}2t - 5{,}9$

2. Parmi les équations suivantes, lesquelles représentent des fonctions exponentielles? Justifie tes réponses.

a) $N = 17(0{,}78)^b$ b) $R = -23w$ c) $V = 9{,}0(1{,}5)^t$
d) $T = 6{,}3\sqrt{d}$ e) $d = 4{,}1(5)^w$ f) $L = -7{,}2t^2$

3. Examine la régularité qui se dégage de chacune des tables de valeurs. Détermine si la relation entre x et y est celle d'une fonction affine, d'une fonction exponentielle ou d'une fonction du second degré. Justifie tes réponses.

a)

x	0	1	2	3	4
y	0,5	1,5	4,5	9,5	16,5

b)

x	0	1	2	3	4
y	0,5	1,1	2,4	5,3	11,7

c)

x	0	1	2	3	4
y	0,5	3,5	6,5	9,5	12,5

4. a) Trace les graphiques des trois ensembles de données présentés à l'exercice 3, dans le même plan.
b) Décris la forme de chacun des graphiques. À partir des graphiques, vérifie les réponses données à l'exercice 3.

5. Fais le point On a donné l'autorisation de vider trois réservoirs d'eau. Pour chaque réservoir, on fournit une équation qui définit la hauteur, h, en mètres, de l'eau qui reste dans le réservoir au bout de t heures.

Réservoir A : $h = 20(0{,}95)^t$
Réservoir B : $h = 20 - 0{,}5t$
Réservoir C : $h = 0{,}0125t^2 - t + 20$

a) Détermine l'équation qui constitue une fonction affine, celle qui constitue une fonction du second degré et celle qui constitue une fonction exponentielle. Explique ton raisonnement.
b) Quelle était la hauteur initiale de l'eau dans chacun des réservoirs ? Comment le sais-tu ?

Le graphique d'une fonction exponentielle peut ressembler au graphique d'une fonction du second degré ou d'une autre fonction non affine.

Exemple

Indique si les courbes A et B représentent une décroissance exponentielle. Justifie ta réponse.

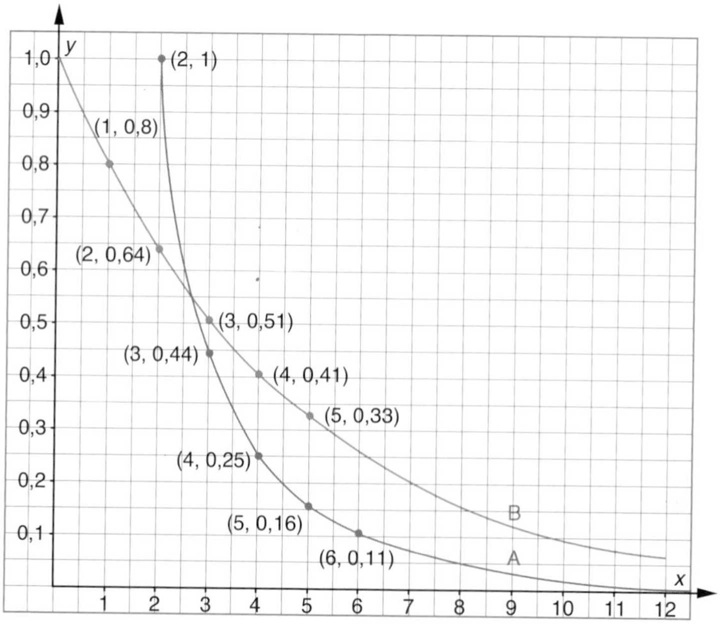

Solution Les deux courbes présentent les caractéristiques générales d'une courbe de décroissance exponentielle. Construis la table de valeurs de chacun des graphiques.

Courbe A		
x	y	Facteur de décroissance
2	1	
3	0,51	$\frac{0,51}{1,00} \doteq 0,51$
4	0,25	$\frac{0,25}{0,51} \doteq 0,49$
5	0,16	$\frac{0,16}{0,25} \doteq 0,64$
6	0,11	$\frac{0,11}{0,16} \doteq 0,68$

Courbe B		
x	y	Facteur de décroissance
1	0,80	
2	0,64	$\frac{0,64}{0,80} \doteq 0,80$
3	0,51	$\frac{0,51}{0,64} \doteq 0,80$
4	0,41	$\frac{0,41}{0,51} \doteq 0,80$
5	0,33	$\frac{0,33}{0,41} \doteq 0,80$

Pour déterminer le facteur de décroissance, tu dois diviser chaque valeur de *y* par sa valeur précédente.

Dans la courbe B, le facteur de décroissance est constant, mais pas dans la courbe A. Donc, seule la courbe B représente une décroissance exponentielle.

6. Les données présentées dans la table de valeurs indiquent l'augmentation de la vitesse d'un bateau en fibre de verre dont le moteur roule à pleins gaz, à mesure que le temps s'écoule.

Temps (s)	10	20	30	40	50	60
Vitesse (km/h)	3,0	4,9	6,3	17,0	30,5	58,5

a) Trace le graphique des données.

b) Tim dit que le graphique est une courbe de croissance exponentielle. Est-ce exact? Justifie ta réponse.

7. Relève le défi Dans la table de valeurs, on présente la dette publique brute du Canada accumulée de 1970 à 1995.

Année	1970	1975	1980	1985	1990	1995
Dette publique brute (en milliards de dollars)	36	55	111	251	407	596

Décris la tendance observée dans les données. Estime le montant de la dette publique brute du Canada en 2000 et en 2005.

Dans tes mots

À l'aide d'un diagramme de Venn ou d'un tableau, compare les fonctions exponentielles avec les fonctions affines ou les fonctions du second degré. Donne un exemple de chaque type de fonction et une situation de la vie courante que tu pourrais modéliser à l'aide de cette fonction. Explique ton choix d'organisateur graphique.

4.10 Le modèle exponentiel d'une tendance

Tu peux parfois modéliser les résultats d'une recherche à l'aide d'une fonction exponentielle. Tu peux alors interpréter les données et faire des prédictions à partir du modèle.

Examine — L'analyse des tendances démographiques

Dans cette activité, tu vas recueillir des données sur la population du Canada et en analyser les tendances.

Tu auras besoin d'un ordinateur avec un accès à Internet, de papier quadrillé et d'une calculatrice à affichage graphique TI-83 ou TI-84.

1. La recherche des données

a) Reproduis le tableau.
Prolonge-le de 1921 à 2001, par tranches de 10 ans.

Population du Canada (en milliers d'habitants)		
Année	**Population réelle**	**Population prédite par le modèle exponentiel**
1851	2437	
1861	3230	
1871	3689	
1881	4325	
1891	4833	
1901	5371	
1911	7201	
1921		
1931		

b) Visite le site de Statistique Canada, à l'adresse [www.statcan.gc.ca]. Clique sur **Français.** Choisis **Ressources éducatives** dans le menu de gauche. Clique sur **E-STAT** dans la case jaune de droite. Clique ensuite sur **Accepter et entrer.**
Si tu travailles de la maison, tu devras inscrire le nom d'usager et le mot de passe qui t'ont été attribués à l'école. Une table des matières apparaîtra à l'écran.

c) Trouve l'en-tête **La société.** Clique sur **Population et démographie.**
Sous l'en-tête **CANSIM**, clique sur **Estimations et projections démographiques.**

d) Fais défiler la page vers le bas jusqu'aux tableaux « Terminés » surlignés en gris, puis sous **N° de tableau** clique sur **051-0026.**

e) Sous **Géographie,** choisis **Canada.**
Sous **Sexe**, choisis **Les deux sexes.**
Sous **Groupe d'âge**, choisis **Tous âges.**
Sous **Période de référence**, choisis **De 1921 à 1971.**
Clique sur **Extraire séries chronologiques.**
Sur l'écran suivant, repère les **formats de sortie.**
Sous **HTML, tableau**, choisis **périodes = lignes.**
Clique sur **Extraire maintenant.**

f) Note la population du Canada enregistrée tous les 10 ans, de 1921 à 1971, dans la colonne « Population réelle » de ton tableau.

Comme ces données sont exprimées en milliers d'habitants, tu peux les retranscrire directement dans ton tableau.

g) Clique sur le lien **E-STAT : Table des matières** apparaissant dans la barre de navigation qui se trouve au haut de la page. Répète les étapes décrites en c).

h) Sous **N° de tableau**, clique sur **051-0001.** Répète les étapes décrites en e), sauf pour la période de référence qui devra être réglée comme suit : **De 1981 à 2001.**

i) Note la population totale du Canada, en milliers d'habitants, pour les années 1981, 1991 et 2001 dans la colonne « Population réelle » de ton tableau.

Comme ces données sont des valeurs réelles, tu dois les diviser par 1000 avant de les retranscrire dans ton tableau.

2. La représentation graphique des données

Trace le graphique des données des deux premières colonnes de ton tableau de manière à obtenir une courbe pleine page de la population du Canada de 1851 à 2001.

Décris la croissance démographique du Canada.

3. L'analyse des données

Depuis 1851, la population du Canada connaît une croissance moyenne de 1,71 % par année. On peut modéliser la population, P, en milliers d'habitants, à l'aide de l'équation $P = 2437(1{,}0171)^n$, où n représente le nombre d'années écoulées depuis 1851.

a) Appuie sur la touche [Y=] de ta calculatrice à affichage graphique. Entre l'équation indiquée ci-contre.

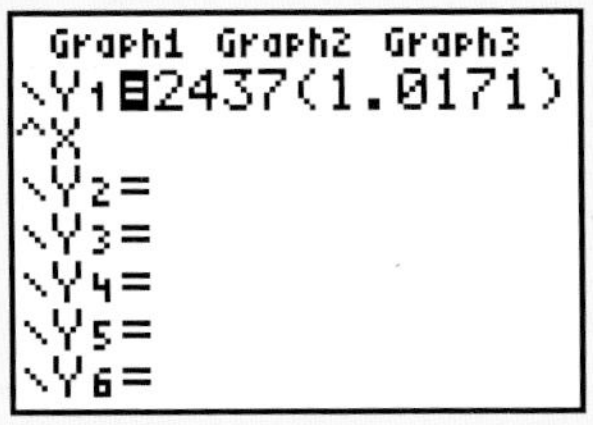

Explique en quoi l'équation $P = 2437(1{,}0171)^n$ permet de modéliser l'évolution de la population du Canada depuis 1851.

b) Pour accéder au menu TABLE SETUP, appuie sur [2nd] [WINDOW]. Entre les valeurs indiquées.

Que représentent ces valeurs ?

c) Pour faire apparaître la table de valeurs des équations que tu as entrées, appuie sur les touches [2nd] [GRAPH].

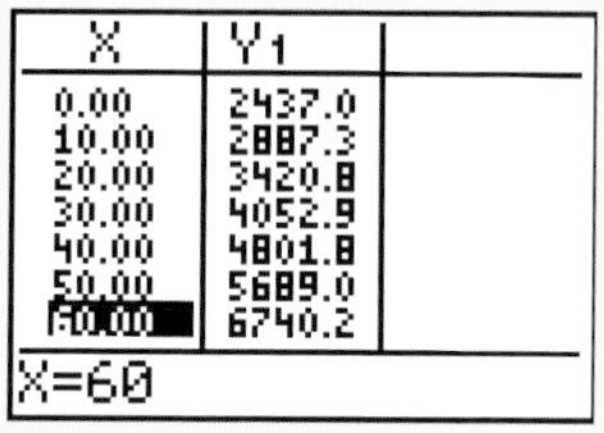

X
Y1
0.00
10.00
20.00
30.00
40.00
50.00
60.00
2437.0
2887.3
3420.8
4052.9
4801.8
5689.0
6740.2
X=60

Quelle est la valeur de y lorsque $x = 60$?

d) Dans la table de valeurs, les valeurs figurant dans la première colonne représentent les années, à partir de 1851. Donc, 0 représente 1851, 10 représente 1861, 20 représente 1871 et ainsi de suite. Les valeurs apparaissant dans la deuxième colonne représentent la population. Inscris ces valeurs dans la colonne « Population prédite par le modèle exponentiel » de ton tableau.

e) Repère ces nouveaux points dans ton graphique, puis relie-les par une courbe douce. Nomme les deux courbes.

f) Si tu voulais prédire la population à des moments compris entre les années pour lesquelles tu as des données, comment t'y prendrais-tu ? Jusqu'à quel point tes prédictions seraient-elles fiables ? Explique ton raisonnement.

g) Si tu voulais prédire la population à des moments postérieurs aux années pour lesquelles tu as des données, comment t'y prendrais-tu ? Jusqu'à quel point tes prédictions seraient-elles fiables ? Explique ton raisonnement.

Réfléchis

- Une fonction exponentielle est-elle un bon modèle pour représenter tes données ? Justifie ta réponse.
- Comment pourrais-tu procéder pour faire des prédictions à partir de tes données ?
  À ton avis, est-il plus facile de faire des prédictions à partir d'une équation ou à partir d'un graphique ? Explique ton raisonnement.

Révision du chapitre

Ce que je dois savoir

Lorsque des **exposants** sont des nombres entiers positifs, ils représentent la multiplication répétée d'un même nombre.

$$b^n = \underbrace{b \times b \times b \times \cdots \times b}_{n \text{ facteurs}}$$

L'exposant nul et les exposants négatifs		Les lois des exposants	
Exposant nul	$b^0 = 1$	Multiplication	$b^m \times b^n = b^{m+n}$
Exposant négatif	$b^{-n} = \frac{1}{b^n}$, $(b \neq 0)$	Division	$b^m \div b^n = b^{m-n}$, $(b \neq 0)$
		Puissance d'une puissance	$(b^m)^n = b^{mn}$

La **croissance exponentielle** est une régularité formée d'augmentations correspondant à la multiplication répétée par un nombre plus grand que 1. Ce nombre est le **facteur de croissance.**

Il y a 100 bactéries dans une boîte de Petri. Le nombre de bactéries double toutes les heures.

Table de valeurs

Temps (h) (t)	Nombre de bactéries (N)	
0	100	
1	200	×2
2	400	×2
3	800	×2

Graphique

Augmentation du nombre de bactéries

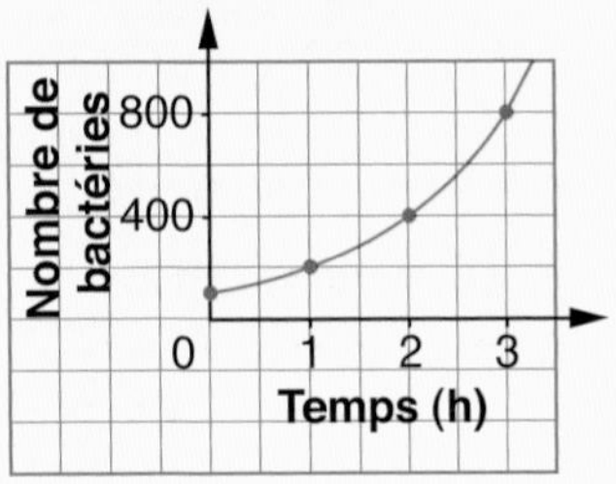

Équation

$N = 100 \times 2^t$

Valeur initiale : 100

Facteur de croissance (plus grand que 1) : 2

La **décroissance exponentielle** est une régularité formée de diminutions correspondant à la multiplication répétée par un nombre compris entre 0 et 1. Ce nombre est le **facteur de décroissance.**

Un patient prend 250 mg de pénicilline. Au bout de chaque heure, il reste dans son sang 60 % de la pénicilline présente dans son sang à la fin de l'heure précédente.

Table de valeurs

Temps (h) (t)	Quantité de pénicilline (mg) (P)	
0	250	
1	150	×0,6
2	90	×0,6
3	54	×0,6

Graphique

Élimination de la pénicilline contenue dans le corps

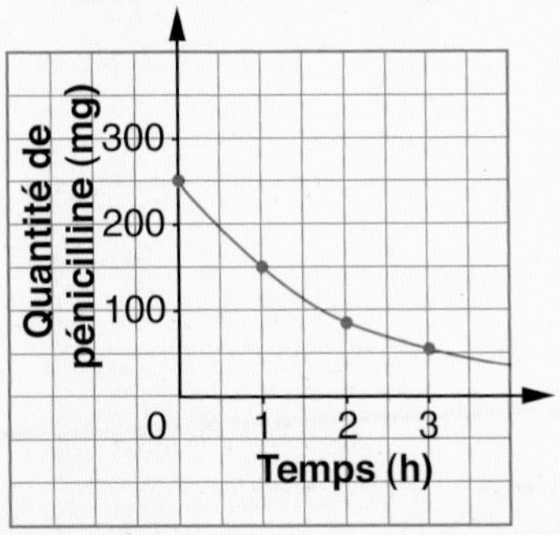

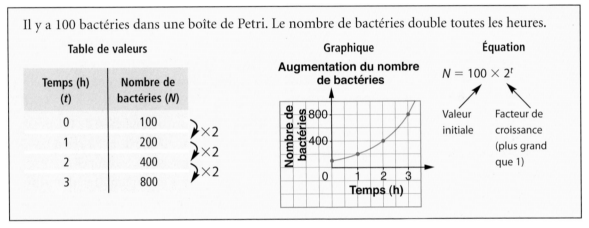

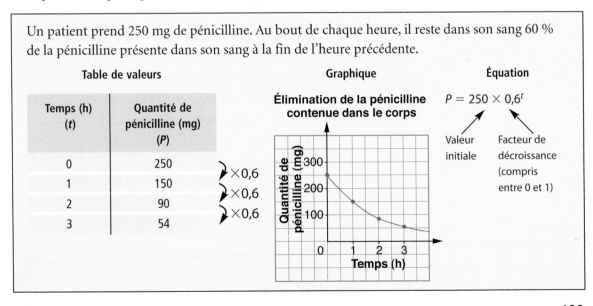

Équation

$P = 250 \times 0{,}6^t$

Valeur initiale : 250

Facteur de décroissance (compris entre 0 et 1) : 0,6

Ce que je dois savoir faire

4.1

1. Évalue chacune de ces expressions sans utiliser de calculatrice.

a) 3^4 b) 2^5 c) 10^6 d) $(5{,}2)^1$

2. Évalue chacune de ces expressions.

a) $(2{,}56)^{11}$ b) $3{,}2 \times 1{,}06^3$ c) 2^{20}

3. On relâche une population de 30 lapins dans un parc naturel. La population double chaque année pendant 4 ans.

a) Modélise la croissance à l'aide d'une table de valeurs, d'un graphique et d'une équation.

b) Quelle est la population de lapins au bout de 4 ans ?

4.2

4. Évalue chacune de ces expressions sans utiliser de calculatrice.

a) $\left(\frac{1}{5}\right)^3$ b) $\left(\frac{4}{7}\right)^2$ c) $\left(\frac{1}{10}\right)^6$

5. a) Trace le graphique de la fonction $y = 400(0{,}7)^n$ pour $n = 1, 2, 3$ et 4.

b) Que pourrait représenter cette équation ? Formule un problème qui pourrait être résolu à partir de cette équation, puis résous-le.

6. Une balle tombe d'une hauteur de 300 cm. À chaque rebond, la balle s'élève à 50 % de sa hauteur précédente.

a) Modélise la décroissance à l'aide d'une table de valeurs, d'un graphique et d'une équation.

b) Quelle est la hauteur de la balle après le 5e rebond, arrondie à l'entier le plus près ?

4.3

7. Simplifie chacune de ces expressions en appliquant les lois des exposants.

a) $7^{31} \times 7^{12}$ b) $(6^7)^{10}$

c) $5^{14} \div 5^9$ d) $\frac{3^2 \times 3^7}{3^4}$

8. Lorsque tu simplifies des expressions qui comportent des puissances, dans quel cas dois-tu multiplier les exposants ? Dans quel cas dois-tu les additionner ? Joins des exemples à ton explication.

4.4

9. Évalue chacune de ces expressions sans utiliser de calculatrice.

a) 2^{-3} b) $1{,}03^0$ c) 5^{-1}

10. Évalue chacune de ces expressions à l'aide d'une calculatrice. Arrondis tes résultats au centième près.

a) $(1{,}73)^{-2}$ b) $2{,}6(1{,}05)^0$ c) $15{,}3(1{,}4)^{-12}$

11. Simplifie chacune de ces expressions en appliquant les lois des exposants, puis évalue-les.

a) $\frac{17^5}{(17^2)^3}$ b) $\frac{2^{40}}{2^{18} \times 2^{22}}$

12. On peut modéliser la population de l'Ontario, P, en millions d'habitants, par l'équation $P = 10{,}1(1{,}0125)^x$, où x représente le nombre d'années écoulées depuis 1991. Détermine la population de l'Ontario pour chacune de ces années.

a) 2000 b) 1991 c) 1988

4.5

13. a) À partir d'une table de valeurs, trace le graphique de la fonction $y = 5^x$, pour les valeurs de x comprises entre -2 et 2.

b) Décris le graphique en donnant le plus de détails possible.

14. a) Trace le graphique des fonctions $y = 2^x$ et $y = \left(\frac{1}{2}\right)^x$ dans un même plan, pour les valeurs de x comprises entre -3 et 3.

b) Compare les deux graphiques. En quoi sont-ils semblables ? En quoi sont-ils différents ?

15. Parmi les fonctions suivantes, lesquelles sont des fonctions exponentielles ? Comment le sais-tu ?

a) $y = 7(3)^x$ b) $y = 7\,x^3$

c) $y = 3\,x^{-7}$ d) $y = 2(0{,}3)^x$

4.6

16. L'équation $V = 15\,000(1{,}08)^t$ modélise la valeur, V, en dollars, d'une voiture ancienne t années après son achat.

a) Trace le graphique de la fonction. Utilise les valeurs de t comprises entre 0 et 10, par tranches de 2 ans.

b) À partir du graphique, estime le nombre d'années nécessaires pour que la valeur de la voiture double.

17. Le graphique représente la population de Hameau pendant les années 1990.

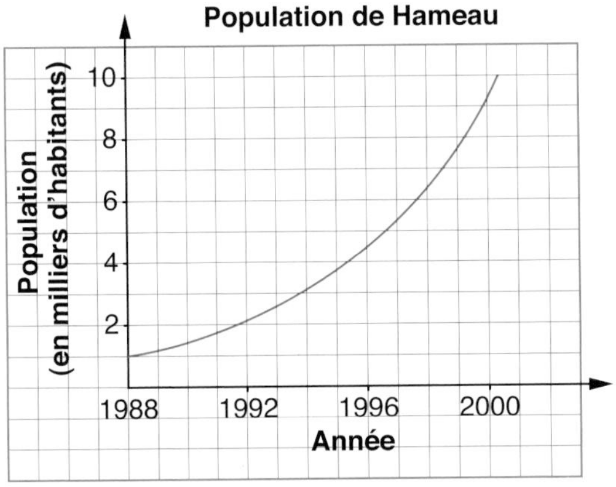

a) Estime la population de Hameau en 1990 et en 1994. Quel a été le facteur de croissance de la population au cours de cette période?

b) Refais l'exercice décrit en a) avec 2 autres années choisies à 4 années d'intervalle.

c) Estime le temps de doublement de la population. Justifie ta réponse.

4.7 **18.** Dans la table de valeurs, on indique la diminution du nombre de grenouilles observée dans une réserve écologique au fil du temps.

Année	0	1	2	3	4
Nombre de grenouilles	60	48	38	31	25

a) Décris les tendances observées dans les données qui semblent indiquer qu'il s'agit d'une fonction exponentielle.

b) Détermine le facteur de décroissance.

c) Estime le temps qu'il faudra pour que le nombre de grenouilles soit égal à la moitié du nombre initial.

4.8 4.9 **19.** La température d'un bol de soupe varie avec le temps.

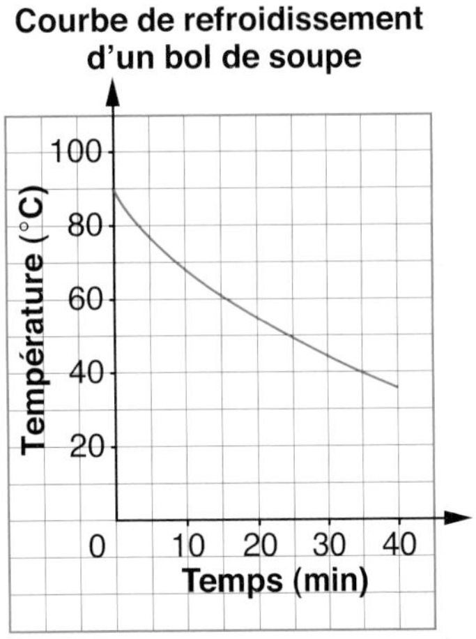

a) De combien de degrés la température diminue-t-elle au cours des 10 premières minutes? De combien de degrés diminue-t-elle au cours des 10 minutes suivantes?

b) En quoi le graphique serait-il différent si la soupe avait été placée dans un contenant isolant?

20. Indique si chacune des fonctions suivantes est une fonction affine, du second degré ou exponentielle.

a) $y = 5x^2$ b) $y = 5^x$ c) $y = 5x$

4.10 **21.** Le graphique représente les variations observées dans la population de l'Alberta au fil des années. Décris les tendances qui se dégagent du graphique.

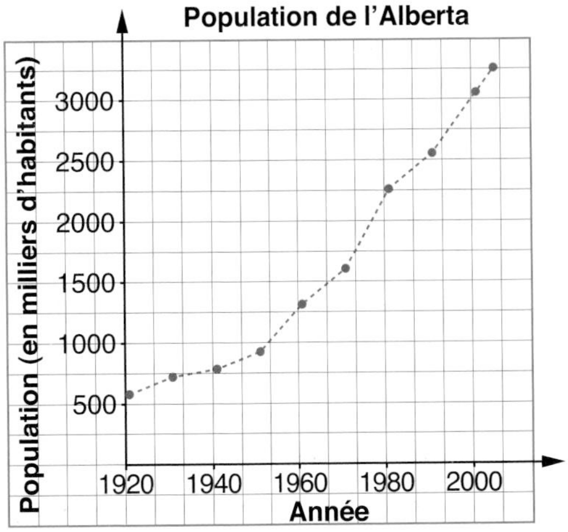

Test

Questions à choix multiple. Choisis les réponses appropriées pour les numéros 1 et 2. Justifie chacun de tes choix.

Quels outils pourrais-tu utiliser ?

1. Si on remplace n dans l'expression 3^n par 1, 2, 3 et 4, quelles valeurs obtiendra-t-on ?

A. 1, 2, 3, 4 **B.** 3, 6, 9, 12 **C.** 3, 9, 27, 81 **D.** $\frac{1}{3}, \frac{1}{9}, \frac{1}{27}, \frac{1}{81}$

2. Quel type de fonction serait le mieux représenté par le graphique ?

A. Fonction exponentielle. **B.** Fonction du second degré.
C. Fonction affine. **D.** Aucune de ces réponses.

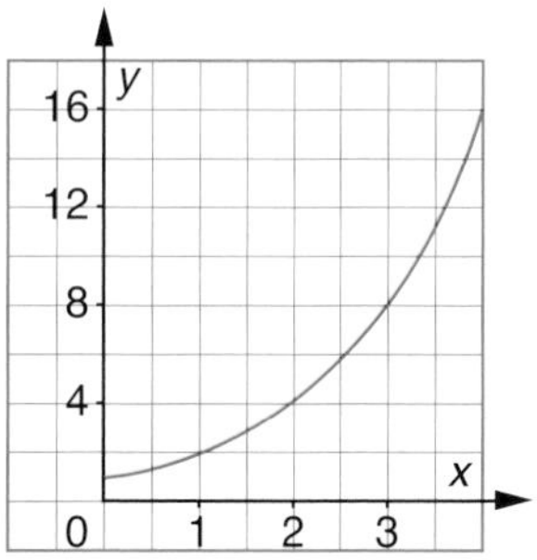

Pour les exercices 3 à 6, indique les étapes de ton travail.

3. Connaissance et compréhension Exprime chacune de ces expressions sous la forme d'un nombre entier ou d'une fraction.

a) 5×2^3 b) 4^{-3} c) $\left(\frac{2}{5}\right)^4$ d) $\frac{5^{23} \times 5^{19}}{(5^{13})^3}$

4. Communication On peut modéliser la population de la Colombie-Britannique, P, en millions d'habitants, par l'équation $P = 2{,}9(1{,}0257)^t$, où t représente le nombre d'années écoulées depuis 1983.

a) Détermine la population de la Colombie-Britannique en 1980, en 1983 et en 1986.

b) En te basant sur les solutions obtenues, explique la signification de l'exposant nul ou d'un exposant négatif.

5. Mise en application On utilise souvent le verre teinté dans les douches. Le graphique ci-contre représente le pourcentage de lumière, P, qui passe à travers le verre teinté de différentes épaisseurs.

a) Environ quel pourcentage de lumière passe à travers le verre d'une épaisseur de 3 cm ?

b) Quelle épaisseur de verre laisse passer 50 % de la lumière ?

Intensité de la lumière passant à travers le verre teinté

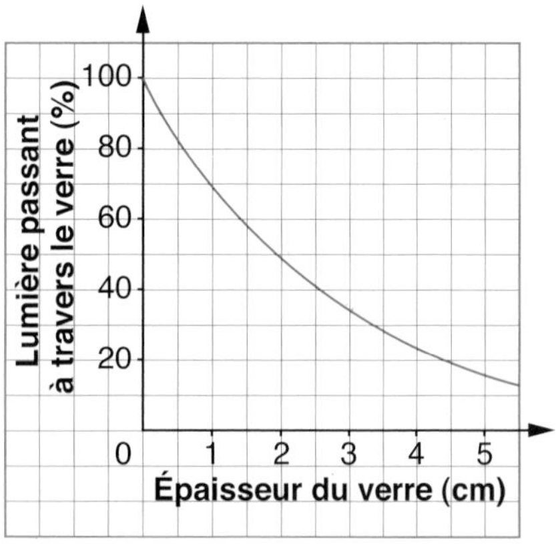

6. Habiletés de la pensée La vitesse d'une fusée modèle réduit augmente de façon exponentielle au fil du temps. À 0 s, la vitesse de la fusée est de 2,0 m/s. À chaque intervalle de 1 s, le facteur de croissance est de 1,07.

a) Formule l'équation qui modélise la vitesse de la fusée, v, en m/s, après t secondes.

b) Trace le graphique qui représente la vitesse de la fusée à chaque seconde comprise entre 0 et 5 secondes.

c) Décris en quoi le graphique que tu as tracé en b) changerait dans chacun des cas suivants.

I) Au début de la deuxième phase, la vitesse de la fusée est de 5 m/s.

II) À chaque intervalle de 1 s, le facteur de croissance est de 1,17.

A Conçois une rampe pour bicyclettes

B Le ballon qui rebondit

Ton enseignante ou ton enseignant peut te remettre la version longue de l'un ou l'autre des projets.

Ce que tu vas faire

Dans le projet A, employer la trigonométrie et la géométrie afin de concevoir une rampe pour bicyclettes.

Dans le projet B, employer les fonctions exponentielles et du second degré afin de modéliser les rebonds d'un ballon.

Pourquoi ?

Concevoir une rampe pour bicyclettes te donnera l'occasion de prendre des décisions et de choisir les outils afin de résoudre des problèmes, en établissant des liens entre des concepts mathématiques et la structure de la rampe. Représenter les rebonds d'un ballon en utilisant des moyens technologiques te donnera l'occasion de réfléchir à la façon dont les fonctions exponentielles et du second degré permettent de modéliser des situations concernant le sport.

Conçois une rampe pour bicyclettes

Les résidents de ton quartier ont eu l'autorisation de transformer un terrain de stationnement désaffecté en parc de cyclistes. Ils t'ont demandé de superviser la conception et la construction d'une des rampes pour bicyclettes.

Tu dois tenir compte de la sécurité, de la fonction et de la disponibilité des matériaux.

En groupes ou tous ensemble, discutez des questions suivantes.

1. Quels éléments de sécurité, comme la hauteur et la largeur, sont importants dans la conception d'une rampe ?
2. Quelle est la fonction des rampes, dans un parc de cyclistes ? En quoi cette fonction influe-t-elle sur la conception de la rampe ?
3. Comment pourriez-vous construire un modèle qui vous aiderait à concevoir votre rampe ? De quelles mesures auriez-vous besoin ?
4. Quels outils technologiques ou graphiques utiliseriez-vous pour concevoir cette rampe ?
5. En quoi les contraintes, telles que les matériaux utilisés, les dimensions et les coûts, influeraient-elles sur la construction d'une rampe ?

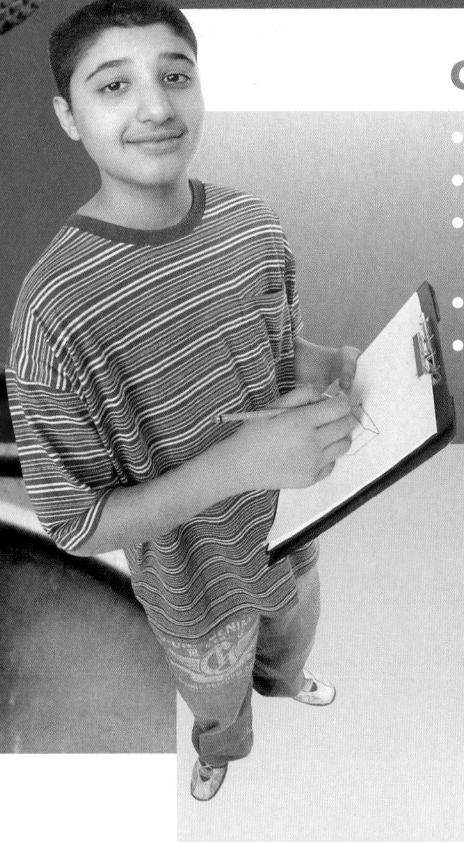

CARRIÈRES

- Menuisière ou menuisier
- Outilleuse-ajusteuse ou outilleur-ajusteur
- Conceptrice-paysagiste ou concepteur-paysagiste
- Technologue en architecture
- Experte-conseil ou expert-conseil en sport

Contenus mathématiques

- Calculer les longueurs des côtés et les mesures des angles de triangles rectangles.
- Représenter des objets en deux dimensions.
- Résoudre des problèmes de conception respectant certaines contraintes.

(Chapitre 1 : La trigonométrie ; Chapitre 2 : La géométrie)

PROJET B

Le ballon qui rebondit

Les balles et les ballons sont conçus pour des sports précis. Imagine utiliser une balle de softball pour jouer au basket-ball !

Avec le temps, les balles et les ballons de sport ont évolué. Autrefois, les balles de golf étaient massives ; aujourd'hui, elles sont composées de plusieurs couches de matériaux différents, ce qui améliore la performance des joueurs.

Quand une balle ou un ballon rebondit, la hauteur de chaque rebond est inférieure à la hauteur du rebond précédent. En changeant le rebondissement d'une balle ou d'un ballon, on peut transformer le jeu.

Supposons que tu fasses partie de l'équipe qu'une entreprise d'informatique a engagée pour explorer la nature d'un ballon rebondissant. Les résultats de votre étude permettront de créer un nouveau jeu utilisant des ballons rebondissants.

Vous aurez besoin de différents ballons. En groupes ou tous ensemble, discutez des questions suivantes.

1. Les ballons rebondissent-ils de la même façon ? Sinon, quelles différences observez-vous ?
2. Qu'est-ce qui influe sur le rebondissement d'un ballon ?
3. Croyez-vous qu'il y a une relation entre les rebonds successifs d'un ballon ? Sinon, expliquez pourquoi. Si oui, décrivez la relation.
4. Choisissez quelques sports. Comment décideriez-vous du rebondissement que doit avoir le ballon de chaque sport ?

CARRIÈRES

- Conceptrice industrielle ou concepteur industriel
- Technicienne ou technicien au contrôle de la qualité
- Acheteuse ou acheteur pour une association sportive
- Conceptrice ou concepteur de logiciels

Contenus mathématiques

- Produire des représentations numériques et graphiques de fonctions exponentielles et du second degré.
- Résoudre des problèmes de la vie courante.
(Chapitre 3 : Les fonctions du second degré ; Chapitre 4 : Les fonctions exponentielles)

CHAPITRE 1

1. Détermine la mesure indiquée pour chaque triangle.

a) d

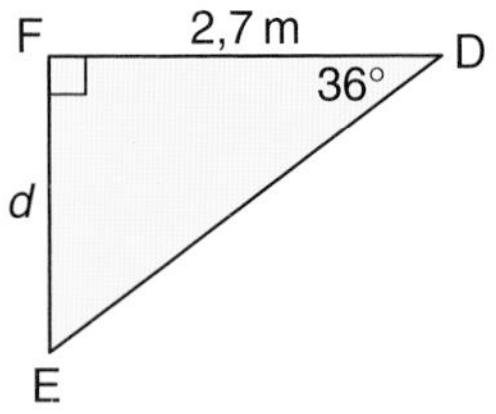

b) $\angle A$

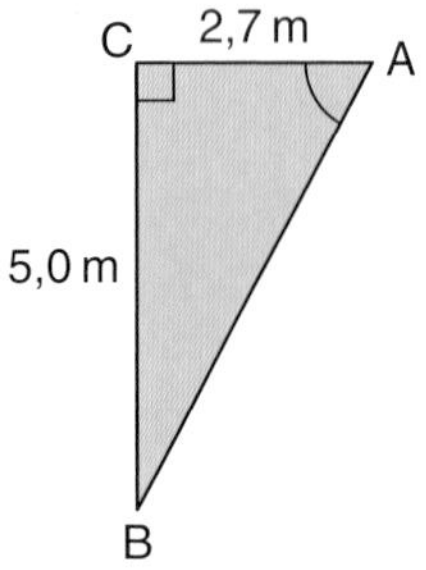

2. Quelle est la longueur de chacun des côtés de ce toit ?

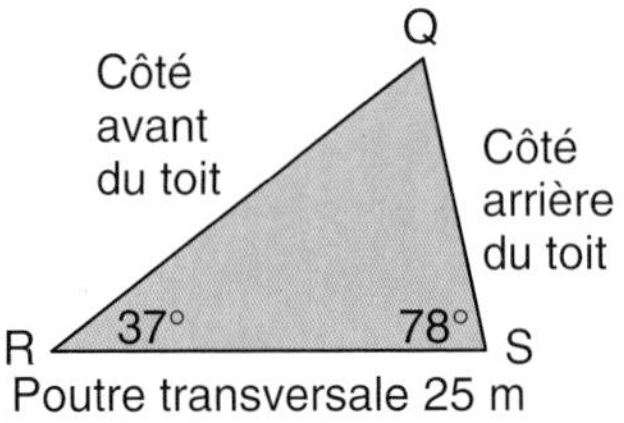

3. Chacun des deux côtés inclinés du toit d'une grange mesure 15 m, de l'égout à l'arête du toit. La distance horizontale qui sépare les deux égouts est de 22 m. Détermine l'angle du toit au-dessus de l'horizontale. Utilise deux méthodes. Explique chacune de tes méthodes.

4. Choisis entre la loi des sinus et la loi du cosinus pour déterminer la mesure indiquée de chaque triangle. Justifie tes choix, puis calcule cette mesure.

a) m

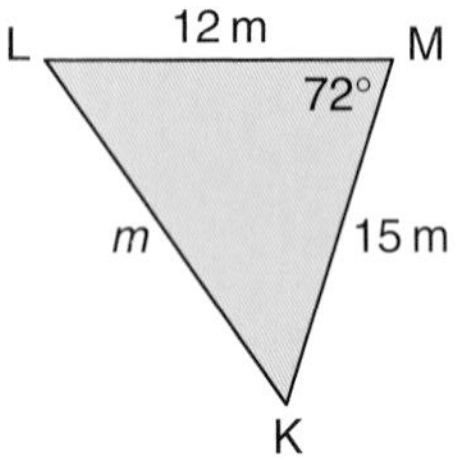

b) $\angle R$

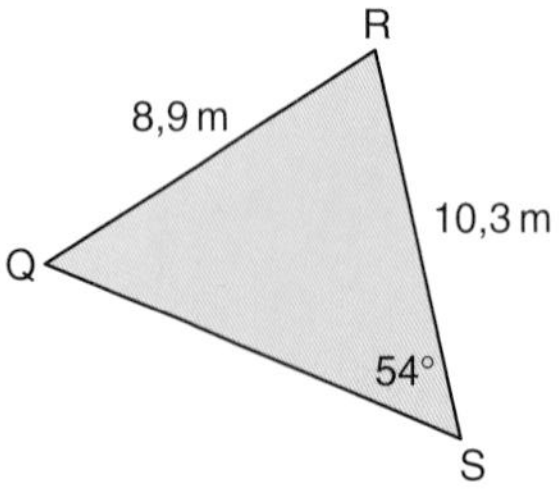

2

5. a) Quelle relation y a-t-il entre la forme et la fonction d'un entonnoir ?

b) Prends un crayon et une feuille de papier. Fais un dessin orthographique et un dessin isométrique d'un entonnoir.

c) À l'aide de Cybergéomètre ou de Microsoft Word, fais un dessin orthographique et un dessin isométrique d'un entonnoir.

6. Utilise un livre de poche.

a) Prends les dimensions du livre.

b) Dessine le développement ou le patron en papier d'un modèle du livre réduit de moitié. Explique pourquoi tu as choisi de dessiner un développement ou un patron.

c) Construis le modèle. Comment se compare-t-il à l'original ? Qu'est-ce qui t'indique que ton développement ou ton patron est exact ?

d) À l'aide de Cybergéomètre ou de Microsoft Word, répète la partie b).

7. Choisis une pièce de ta maison. Dessine un plan d'étage de la pièce à une échelle appropriée. Indique toutes les mesures importantes. Représente toutes les portes et les fenêtres et au moins trois des meubles de la pièce.

8. Conçois une boîte d'expédition qui pourrait contenir 20 exemplaires de ce manuel. Décris les contraintes qui influenceraient la conception.

9. Christophe lance une fusée-jouet dans sa cour arrière. La table de valeurs indique la hauteur de la fusée toutes les 0,2 secondes.

Temps (s)	Hauteur (m)
0,0	0,0
0,2	1,8
0,4	3,2
0,6	4,2
0,8	4,8
1,0	5,0
1,2	4,8
1,4	4,2
1,6	3,2
1,8	1,8
2,0	0,0

a) Représente les données graphiquement. Tu peux utiliser la méthode papier-crayon ou une calculatrice à affichage graphique.

b) Quelle est la hauteur maximale atteinte par la fusée? À quel moment atteint-elle cette hauteur?

c) Combien de temps la fusée passe-t-elle dans les airs?

10. La parabole $y = x^2$ subit les transformations décrites ci-dessous. Écris l'équation de la parabole transformée sous la forme $y = x^2 + k$ ou $y = (x - h)^2$.

a) Une translation de 4 unités vers le haut.

b) Une translation de 3 unités vers le bas.

c) Une translation de 2 unités vers la gauche.

d) Une translation de 1 unité vers la droite.

11. Trace le graphique de chaque parabole sans dresser de table de valeurs ni utiliser de calculatrice à affichage graphique.

a) $y = (x + 6)^2$

b) $y = (x - 3)^2 + 2$

12. Sans faire de graphique, indique si l'ouverture du graphique de chaque fonction est vers le haut ou vers le bas et si le graphique est plus étroit ou plus large que le graphique de $y = x^2$. Justifie tes réponses. Ensuite, vérifie tes réponses à l'aide d'une calculatrice à affichage graphique et dessine ce que tu vois sur chaque écran.

a) $y = 0{,}5x^2$

b) $y = -3x^2$

13. Pour chaque parabole, détermine:

I) l'équation de l'axe de symétrie;

II) les coordonnées du sommet;

III) les trois premiers termes de la régularité des premières différences.

a) $y = -0{,}1(x + 4)^2 + 7$

b) $y = (x + 0{,}5)^2 + 1$

Trace le graphique de chaque parabole.

14. L'équation $h = -5(t - 1)^2 + 7{,}5$ représente la hauteur, h mètres, qu'une balle de baseball atteint t secondes après avoir été lancée.

a) Écris une équation équivalente de forme générale.

b) Quelle est la hauteur maximale de la balle? Comment le sais-tu?

c) De quelle hauteur a-t-on lancé la balle? Comment le sais-tu?

15. Développe chaque expression et simplifie-la.

a) $3(x - 2)(x + 3)$

b) $2(x - 4)^2$

c) $(x + 9)^2$

d) $4(x - 1)(x + 1)$

16. Écris chaque équation dans la forme générale. Vérifie tes réponses en affichant le graphique de chaque fonction sur une calculatrice à affichage graphique.

a) $y = (x - 3)^2 + 1$

b) $y = -4(x - 2)^2 - 3$

c) $y = -2(x + 1)^2 - 4$

d) $y = 3(x - 1)^2 + 5$

4 **17.** Factorise les expressions suivantes.

a) $x^2 - 25$

b) $x^2 + 14x + 49$

c) $x^2 + x - 12$

d) $3x^2 - 15x + 18$

e) $4x^2 + 36x + 80$

18. Une biologiste reproduit des souris d'une lignée particulière. La table de valeurs indique le nombre de souris obtenues les quatre premiers mois.

Mois	Nombre de souris
0	2
1	12
2	72
3	432

a) À l'aide de la table de valeurs, détermine le facteur de croissance.

b) Représente le nombre de souris, S, après n mois par une équation. Prédis le nombre de souris après sept mois.

19. À l'aide des lois des exposants, simplifie les expressions suivantes.

a) $\frac{(5^2)^3}{5^6}$ b) $(4^{-5} \times 4^3)^2$

c) $\left(\left(\frac{6}{7}\right)^2\right)^{-1}$ d) $(1,8)^7 \div (1,8)^6$

20. On peut modéliser la population mondiale, P, en milliards, par l'équation $P = 3,02(1,02)^t$, où t représente le nombre d'années depuis 1960. Détermine la population à chacune des années.

a) 1960 b) 1970

c) 2000 d) 1950

21. a) Trace les graphiques de $y = \left(\frac{2}{5}\right)^x$ et de $y = \left(\frac{5}{2}\right)^x$ dans un même plan, pour les valeurs de x comprises entre -3 et 3.

b) Compare les deux graphiques. En quoi sont-ils semblables ? En quoi sont-ils différents ?

22. a) Le graphique suivant représente-t-il une décroissance exponentielle ? Explique ta réponse.

b) Estime la demi-vie représentée par le graphique.

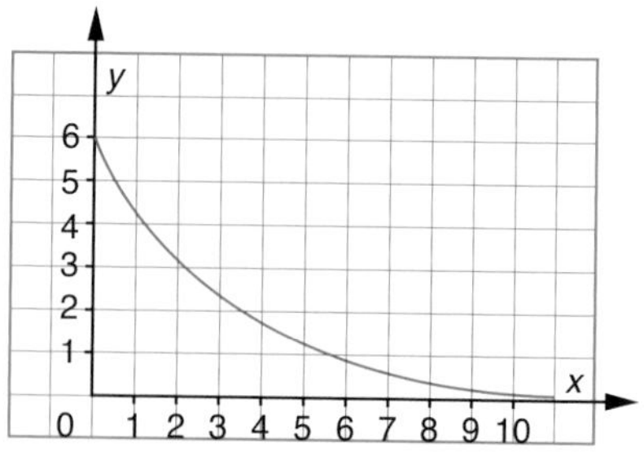

23. Détermine si la relation entre x et y est celle d'une fonction affine, d'une fonction du second degré ou d'une fonction exponentielle. Explique ton raisonnement.

x	1	2	4	5	7	8
y	25	62,5	390,6	976,6	6103,5	15 258,8

24. Indique si chacune des fonctions suivantes est affine, du second degré ou exponentielle. Justifie tes réponses.

a) $y = 4^x$ b) $y = 4x$ c) $y = 4x^2$

5 Épargner et investir

Ce que tu vas apprendre

Résoudre des problèmes à caractère financier sur l'intérêt composé, et rechercher et comparer divers modes d'épargne et de placement.

Pourquoi ?

Épargner et investir une partie de ton salaire te permettront de mieux gérer ton argent et d'atteindre tes objectifs financiers.

Mots clés

- Intérêt
- Intérêt simple
- Capital
- Montant
- Intérêt composé
- Période de calcul de l'intérêt composé
- Valeur actuelle
- Valeur finale

CHAPITRE 5

Connaissances préalables

Déterminer le pourcentage d'un nombre

Connaissances préalables à la section 5.1

Pour déterminer le pourcentage d'un nombre, tu dois écrire le pourcentage sous la forme d'un nombre décimal, puis le multiplier par le nombre.

Exemple

Paul gagne 17 $ l'heure. Bientôt, son salaire horaire sera augmenté de 8 %.

a) Combien d'argent Paul gagnera-t-il de plus l'heure?

b) Détermine le nouveau salaire horaire de Paul.

Solution

a) $8\ \% = \frac{8}{100} = 0{,}08$

Écris 8 % sous la forme d'un nombre décimal.

$0{,}08 \times 17\ \$ = 1{,}36\ \$$

Paul gagnera 1,36 $ de plus l'heure.

b) *1re méthode*: Additionne l'augmentation de salaire et le salaire initial.

Salaire initial = 17 $/h

Augmentation de salaire = 1,36 $/h

Nouveau salaire: 17 $/h + 1,36 $/h
= 18,36 $/h

2e méthode: Additionne les pourcentages.
Le nouveau salaire horaire de Paul est égal à 100 % + 8 %, soit à 108 % de son salaire initial.

$108\ \% = \frac{108}{100} = 1{,}08$

$1{,}08 \times 17\ \$ = 18{,}36\ \$$

Le salaire horaire de Paul s'élève maintenant à 18,36 $.

Vérifie ta compréhension

1. Céline est jardinière paysagiste. Elle gagne 500 $ par semaine. La semaine prochaine, elle obtiendra une augmentation de salaire de 6 %.

a) Combien d'argent Céline gagnera-t-elle de plus par semaine?

b) À combien s'élèvera le salaire hebdomadaire de Céline?

2. Dans un atelier de réparation automobile, le coût de la main-d'œuvre est de 75 $ l'heure. Tous les mardis, l'atelier offre une réduction de 25 % sur toutes les réparations. Quel est le coût de la main-d'œuvre pour deux heures de travail, les mardis?

3. Une école secondaire regroupe 865 élèves. Selon la directrice de l'établissement, la population étudiante augmentera de 4,5 % l'an prochain.

a) Combien d'élèves y aura-t-il l'an prochain, selon la directrice?

b) À l'aide de quelle méthode as-tu déterminé la solution? Explique ton choix.

5.1 L'intérêt simple

Lorsque tu déposes de l'argent dans un compte bancaire, tu prêtes cet argent à la banque. En retour, la banque te verse des **intérêts** pour utiliser cet argent.

Explore — Le calcul de l'intérêt simple

Tu auras besoin de papier quadrillé.

À la naissance de Rachel, ses grands-parents ont placé 1000 $ à un taux d'intérêt simple de 6 % pour une période de 5 ans. Tous les ans, à son anniversaire, Rachel reçoit de la banque le versement des intérêts gagnés.

- Détermine les intérêts gagnés à la fin de la première année.
- Détermine le total des intérêts cumulés à la fin de la cinquième année.

Nombre d'années	Solde du compte ($)	Intérêts de 6 % ($)	Intérêts cumulés ($)
1	1000		
2	1000		
3	1000		
4	1000		
5	1000		

- Quelles régularités remarques-tu dans la table de valeurs? Explique-les.
- Représente graphiquement les *intérêts cumulés* en fonction du *nombre d'années*.
  Décris la croissance des intérêts cumulés.

Réfléchis

- Pourquoi le montant des intérêts gagnés est-il le même chaque année?
- En quoi les intérêts cumulés à la fin de la cinquième année se comparent-ils aux intérêts gagnés à la fin de la première année?
- Si tu connais la durée du placement, comment peux-tu calculer le total des intérêts cumulés?
- Les intérêts cumulés présentent-ils une croissance linéaire? Justifie ta réponse à l'aide d'une table de valeurs et d'un graphique.

Conserve ce graphique, car tu en auras besoin à la section 5.2.

Fais des liens

On calcule l'intérêt simple à l'aide de la formule suivante : $I = Ctd$,
où : I représente l'intérêt simple reçu ou payé, en dollars ;
C représente le **capital** ou la somme d'argent déposée ou empruntée, en dollars ;
t représente le taux d'intérêt annuel, exprimé sous la forme d'un nombre décimal ;
d représente la durée de l'investissement ou de l'emprunt, en années.

À court terme

Les placements qui rapportent des intérêts simples sont surtout des placements à court terme, de un an tout au plus. Lorsque le taux d'intérêt est calculé annuellement, il faut écrire la durée, exprimée en mois ou en jours, sous la forme d'une fraction de un an.

Supposons que tu investis un capital de 4000 $ pendant une période de 60 jours à un taux d'intérêt simple de 6,5 %.
Calcule les intérêts simples sur ce placement à l'aide de la formule $I = Ctd$.
Exprimé sous la forme d'un nombre décimal, le taux d'intérêt de 6,5 % est 0,065.
Exprimée sous la forme d'une fraction de un an, la durée de 60 jours est $\frac{60}{365}$.
Effectue les substitutions suivantes : $C = 4000$, $t = 0{,}065$ et $d = \frac{60}{365}$.
$I = 4000 \times 0{,}065 \times \frac{60}{365}$.
$I \doteq 42{,}74$.

Il y a 365 jours dans une année.

Les intérêts gagnés s'élèvent à 42,74 $.

À long terme

Certains placements à long terme rapportent aussi parfois des intérêts simples. Dans ce cas, les intérêts gagnés sont encaissés chaque année. Par conséquent, le capital demeure constant d'année en année, tout comme les intérêts gagnés.

Supposons que tu investis un capital de 800 $ pendant une période de 5 ans à un taux d'intérêt simple de 5 %.
Pour déterminer les intérêts gagnés chaque année, tu dois calculer 5 % de 800 $.
Soit : 800 $ × 0,05 = 40 $.
Les intérêts gagnés s'élèvent à 40 $ par année, pendant toute la durée du placement.

Tu peux aussi déterminer les intérêts gagnés chaque année à l'aide de la formule $I = Ctd$. Effectue les substitutions suivantes : $C = 800$, $t = 0{,}05$ et $d = 1$.
$I = 800 \times 0{,}05 \times 1$
$= 40$

Nombre d'années	Capital ($)	Intérêts de 5 % ($)	Intérêts cumulés ($)
1	800	40	40
2	800	40	80
3	800	40	120
4	800	40	160
5	800	40	200

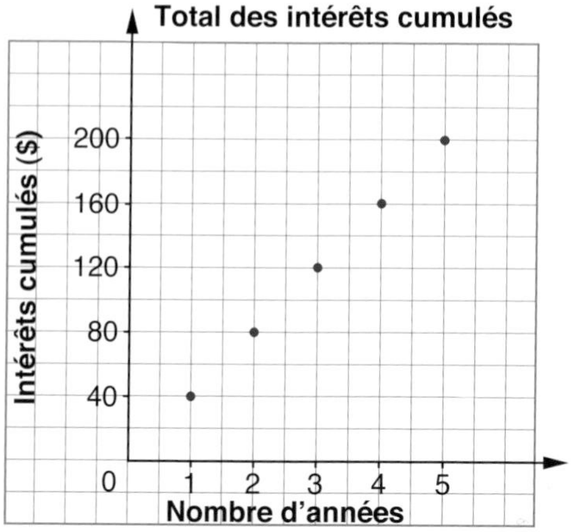

Dans la table de valeurs, les intérêts cumulés augmentent de façon constante, soit d'un montant de 40 $ par année. Quant au graphique, il représente une fonction affine, car les points décrivent une droite. Il s'agit donc d'un exemple de croissance linéaire.

Exercices

1. Détermine les intérêts gagnés.

	Capital ($)	Taux (%)	Durée
a)	1200	4	3 ans
b)	6000	2	4 mois
c)	750	10	15 mois
d)	2000	9	120 jours
e)	500	6	30 jours

Le capital initial et les intérêts gagnés sont remboursés à l'investisseur lorsque le placement *arrive à échéance*. Cette somme constitue le **montant à l'échéance** ou **la valeur finale du placement**. Montant à l'échéance = Capital + Intérêt, soit $M = C + I$.

Exemple

Dimitri dépose 10 000 $ dans un compte bancaire pendant une période de 5 mois à un taux d'intérêt simple de 3,4 %. Quel montant touchera-t-il à l'échéance?

Solution

Détermine les intérêts gagnés à l'aide de la formule $I = Ctd$.
Effectue les substitutions suivantes: $C = 10\ 000$, $t = 0{,}034$ et $d = \frac{5}{12}$.
$I = 10\ 000 \times 0{,}034 \times \frac{5}{12}$
$I \doteq 141{,}67$
Les intérêts gagnés s'élèvent à 141,67 $.
Le montant à l'échéance est égal à la somme du capital et des intérêts.
$M = C + I$
$ = 10\ 000 + 141{,}67$
$ = 10\ 141{,}67$
À l'échéance, Dimitri touchera un montant de 10 141,67 $.

2. Détermine la valeur de chacun des montants suivants, investis à un taux d'intérêt simple.
- **a)** Capital de 500 $ à un taux de 2,25 % pendant 3 mois.
- **b)** Capital de 750 $ à un taux de 5,2 % pendant 90 jours.
- **c)** Capital de 1000 $ à un taux de 3,5 % pendant 1 an.
- **d)** Capital de 300 $ à un taux de 8 % pendant 6 mois.

3. Denise investit un capital de 5000 $ dans un certificat de placement garanti (CPG) pendant une période de 7 ans à un taux d'intérêt simple de 3,5 %.
   a) Détermine les intérêts gagnés chaque année.
   b) Détermine le total des intérêts cumulés à l'échéance.
   c) Peux-tu établir une relation entre les solutions que tu as obtenues en a) et en b) ? Quelle est cette relation ?

Les taux d'intérêt fluctuent continuellement et les intérêts gagnés sur un placement sont considérés comme un revenu imposable. Pour te faciliter la tâche, on suppose que les taux d'intérêt sont fixes et on ne tient pas compte des impôts à payer.

4. Les gouvernements et certaines sociétés émettent et vendent des obligations pour amasser des fonds. Certaines obligations prévoient le versement des intérêts simples à leur propriétaire chaque année. Soit un capital de 500 $ investi dans une obligation pendant une période de 6 ans à un taux d'intérêt simple de 3,5 %.
   a) Détermine les intérêts gagnés chaque année.
   b) Détermine le total des intérêts cumulés à la fin de chaque année. Note tes résultats dans une table de valeurs.
   c) Représente graphiquement le *total des intérêts cumulés* en fonction du *nombre d'années*.
   d) Quel type de croissance le graphique représente-t-il ? Justifie ta réponse.

5. **Fais le point** Le portefeuille de Josie comprend les obligations suivantes, chacune au taux d'intérêt simple donné :
   - une obligation d'épargne de l'Ontario de 1200 $ à un taux de 6,7 % ;
   - une obligation d'épargne du Canada (OEC) de 500 $ à un taux de 5,9 % ;
   - une obligation de société de 5000 $ à un taux de 8,25 %.

   a) Tous les ans, Josie doit indiquer dans sa déclaration de revenus le montant des intérêts gagnés sur ses obligations pendant l'année. Détermine ce montant.
   b) Josie conserve ses obligations pendant une période de 4 ans. Détermine le total des intérêts cumulés à l'échéance.

6. Soit un capital de 100 $ investi pendant une période de 5 ans à un taux d'intérêt simple de 6 %. Dans chacun des cas suivants, indique si le total des intérêts cumulés doublera. Justifie chacune de tes réponses.
   a) On double le capital.
   b) On double le taux d'intérêt.
   c) On double la durée du placement.

7. **Relève le défi** Hugo a investi un capital de 1200 $ pendant 9 mois. La banque lui a remis un montant de 1263 $ à l'échéance. Détermine le taux d'intérêt annuel du placement.

Dans tes mots

Qu'est-ce que l'intérêt simple ? Comment calcule-t-on l'intérêt simple ? Illustre ta réponse à l'aide d'exemples.

5.2 L'intérêt composé

Rappelle-toi, à la section 5.1, tu as vu que les grands-parents de Rachel ont placé 1000 $ à un taux d'intérêt simple de 6 %. Chaque année, Rachel reçoit un chèque de 60 $.
Grâce au placement de ses grands-parents, Rachel aura accumulé des intérêts de 300 $, à la fin de la cinquième année.

Explore — Le calcul de l'intérêt composé

Travaille avec une ou un camarade.
Vous aurez besoin d'une calculatrice et de papier quadrillé.

Supposons que les grands-parents conservent dans le compte les intérêts gagnés chaque année et les ajoutent au capital.

- ➢ Reproduisez la table de valeurs. Expliquez comment les montants ont été calculés.
- ➢ Complétez la table de valeurs.
- ➢ Ajoutez une quatrième colonne que vous nommerez « Total des intérêts cumulés ». Remplissez la colonne. Déterminez le total des intérêts cumulés à la fin de la cinquième année.
- ➢ Représentez graphiquement le *total des intérêts cumulés* en fonction du *nombre d'années*. Tracez le graphique dans le même plan cartésien que celui que vous avez utilisé à la section 5.1 (page 213). Comparez les deux graphiques. Que remarquez-vous ?

Nombre d'années	Capital ($)	Intérêts de 6 % ($)
1	1000,00	60,00
2	1060,00	63,60
3	1123,60	
4		
5		

Réfléchis

- ➢ Pourquoi les intérêts gagnés augmentent-ils chaque année ?
- ➢ À la fin de la cinquième année, combien d'intérêts supplémentaires le placement aura-t-il rapportés si les intérêts sont conservés dans le compte plutôt que d'être versés à ses propriétaires ?
- ➢ Pourquoi les grands-parents de Rachel pourraient-ils souhaiter que les intérêts lui soient versés chaque année ? Pourquoi choisiraient-ils de conserver dans le compte les intérêts gagnés chaque année ?

Fais des liens

En 2008, le taux d'intérêt d'une OEC était de 2,75 % la première année.

Dans les années 1970, les taux d'intérêt étaient beaucoup plus élevés qu'ils ne le sont aujourd'hui. Imaginons que tu as acheté une obligation d'épargne du Canada (OEC) de 500 $ à cette époque. L'échéance de l'obligation était de 7 ans. Si tu ne l'encaissais pas avant l'échéance, elle te rapportait des intérêts de 10,25 % par année.

Les intérêts simples

Une OEC à intérêt régulier prévoit le versement des intérêts à la fin de chaque année. Elle rapporte donc des intérêts simples.

Nombre d'années	Capital ($)	Intérêts de 10,25 % ($)	Total des intérêts cumulés ($)
1	500,00	51,25	51,25
2	500,00	51,25	102,50
3	500,00	51,25	153,75
4	500,00	51,25	205,00
5	500,00	51,25	256,25
6	500,00	51,25	307,50
7	500,00	51,25	358,75

Le total des intérêts cumulés est de 358,75 $.

Les intérêts composés

Dans le cas d'une OEC à intérêt composé, les intérêts gagnés chaque année s'ajoutent à la valeur de l'obligation. L'année suivante, les intérêts rapportent également des intérêts. Ces intérêts calculés sur les intérêts courus sont des **intérêts composés**.

Les intérêts gagnés au cours de la première année s'ajoutent au capital de la deuxième année. Les intérêts gagnés au cours de la deuxième année s'ajoutent au capital de la troisième année, et ainsi de suite.

Nombre d'années	Capital ($)	Intérêts de 10,25 % ($)	Total des intérêts cumulés ($)
1	500,00	51,25	51,25
2	551,25	56,50	107,75
3	607,75	62,29	170,04
4	670,04	68,68	238,72
5	738,72	75,72	314,44
6	814,44	83,48	397,92
7	897,92	92,04	489,96

Le total des intérêts cumulés est de 489,96 $.

On dit qu'une obligation est « remboursée » lorsqu'elle est encaissée avant l'échéance.

L'obligation à intérêt simple prévoit le versement des intérêts à intervalles réguliers. Ces intérêts sont toutefois inférieurs aux intérêts de l'obligation à intérêt composé. L'obligation à intérêt composé ne prévoit cependant le versement des intérêts qu'à l'échéance ou au moment de l'encaissement. Ce sont là les compromis à faire avec les intérêts simples et les intérêts composés.

La comparaison des intérêts simples et des intérêts composés

On peut comparer ces deux formes d'intérêt à l'aide de tables de valeurs et de graphiques.

OEC à intérêt simple

Nombre d'années	Total des intérêts cumulés ($)	Premières différences
1	51,25	
		51,25
2	102,50	
		51,25
3	153,75	
		51,25
4	205,00	
		51,25
5	256,25	
		51,25
6	307,50	
		51,25
7	358,75	

Les premières différences sont constantes. Le total des intérêts cumulés augmente du même montant chaque année.

OEC à intérêt composé

Nombre d'années	Total des intérêts cumulés ($)	Premières différences
1	51,25	
		56,50
2	107,75	
		62,29
3	170,04	
		68,68
4	238,72	
		75,72
5	314,44	
		83,48
6	397,92	
		92,04
7	489,96	

Les premières différences ne sont pas constantes. Le total des intérêts cumulés augmente d'un montant plus élevé chaque année.

Les points qui représentent les intérêts simples décrivent une droite, alors que les points représentant les intérêts composés décrivent une courbe. Dans le diagramme, les traits pointillés indiquent les tendances des graphiques.

À partir des tables de valeurs et des graphiques, tu peux voir que les intérêts simples présentent une croissance linéaire, tandis que les intérêts composés présentent une croissance exponentielle.

La première année, les intérêts simples et les intérêts composés sont de valeur égale. Les années suivantes, les intérêts composés sont plus élevés que les intérêts simples. Cette différence entre les intérêts composés et les intérêts simples augmente chaque année.

Les intérêts composés font augmenter le montant investi plus rapidement.

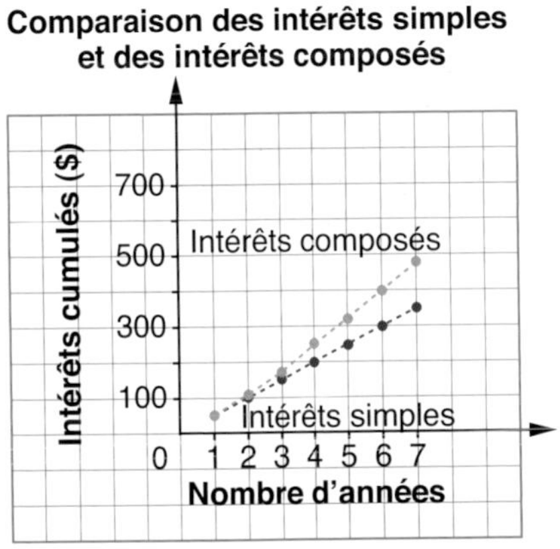

Exercices

1. Pour son anniversaire, Nadia a reçu une obligation à intérêt composé de 300 $ dont le taux d'intérêt est de 3 %. Nadia conservera son obligation pendant 4 ans.

a) Reproduis la table de valeurs suivante, puis remplis-la.

Nombre d'années	Capital ($)	Intérêts de 3 % ($)
1		
2		
3		
4		

b) Détermine le total des intérêts que Nadia aura cumulés en 4 ans.

2. Supposons que, à l'exercice 1, l'obligation rapporte des intérêts simples.

a) Reproduis la table de valeurs suivante, puis remplis-la.

Nombre d'années	Capital ($)	Intérêts de 3 % ($)
1		
2		
3		
4		

b) Détermine le total des intérêts que Nadia aura cumulés en 4 ans.

c) Combien d'intérêts supplémentaires l'obligation à intérêt composé rapportera-t-elle?

d) D'où proviennent ces intérêts supplémentaires?

3. Réfère-toi aux tables de valeurs que tu as construites aux exercices 1 et 2. Dans le même plan cartésien, représente les *intérêts gagnés* en fonction du *nombre d'années* pour chaque obligation.

a) Compare les graphiques. Que remarques-tu?

b) Pourquoi les intérêts composés font-ils augmenter le montant investi plus rapidement?

4. Soit un capital de 100 $ investi pendant 6 ans à un taux d'intérêt de 12,5 %.

a) Supposons qu'il s'agit d'un placement à intérêt simple. Détermine le total des intérêts cumulés à la fin de chaque année. Note tes résultats dans une table de valeurs comportant les colonnes suivantes.

Nombre d'années	Capital ($)	Intérêts de 12,5 % ($)	Total des intérêts cumulés ($)

b) Supposons maintenant qu'il s'agit d'un placement à intérêt composé. Détermine le total des intérêts cumulés à la fin de chaque année. Note tes résultats dans une table de valeurs.

c) Combien d'intérêts supplémentaires le placement à intérêt composé rapportera-t-il?

d) Dans le même plan cartésien, représente graphiquement, pour chaque placement, le *total des intérêts cumulés* en fonction du *nombre d'années*. Compare les deux graphiques.

On peut déterminer la croissance annuelle d'un placement à intérêt composé à l'aide d'une calculatrice ou d'un tableur.

Exemple

Sadiki investit un capital de 250 $ dans un certificat de placement garanti (CPG) pendant une période de 5 ans à un taux d'intérêt de 6,1 % composé annuellement.

a) Détermine la valeur du CPG à la fin de chaque année.

b) Quelle sera la valeur du CPG à l'échéance?

Solution

La valeur du CPG est égale à la somme du capital et des intérêts.

À l'aide d'une calculatrice

a) Note tes calculs dans une table de valeurs.

Nombre d'années	Capital ($)	Intérêts de 6,1 % ($)	Valeur à la fin de l'année ($)
1	250,00	250,00 × 0,061 = 15,25	250,00 + 15,25 = 265,25
2	265,25	265,25 × 0,061 = 16,18	265,25 + 16,18 = 281,43
3	281,43	281,43 × 0,061 = 17,17	281,43 + 17,17 = 298,60
4	298,60	298,60 × 0,061 = 18,21	298,60 + 18,21 = 316,81
5	316,81	316,81 × 0,061 = 19,33	316,81 + 19,33 = 336,14

b) À l'échéance, la valeur du CPG sera de 336,14 $.

À l'aide d'un tableur

	A	B	C	D
1	Année	Capital	Intérêts	Valeur
2	1	250,00 $	=B2*0,061	=B2+C2
3	=A2+1	=D2	=B3*0,061	=B3+C3

a)
- ➢ Lance ton tableur, puis ouvre une nouvelle feuille de calcul.
- ➢ Reproduis les en-têtes, les valeurs et les formules ci-dessus.
- ➢ Sélectionne les cellules B2 à D3. Affiche les nombres sous le format d'unités monétaires.
- ➢ Sélectionne les cellules A3 à D6. Pour calculer les valeurs jusqu'à la cinquième année, utilise les fonctions Copier et Coller.

	A	B	C	D
1	Année	Capital	Intérêt	Valeur
2	1	250,00 $	15,25 $	265,25 $
3	2	265,25 $	16,18 $	281,43 $
4	3	281,43 $	17,17 $	298,60 $
5	4	298,60 $	18,21 $	316,81 $
6	5	316,81 $	19,33 $	336,14 $

b) À l'échéance, la valeur du CPG sera de 336,14 $.

5. Camille hérite de 25 000 $. Elle investit ce capital pendant une période de 8 ans dans un certificat de placement garanti (CPG) à un taux d'intérêt de 8,5 % composé annuellement.

a) Détermine la valeur du CPG à la fin de chaque année.

b) Quelle sera la valeur du CPG à l'échéance?

c) Détermine le total des intérêts cumulés.

Quels outils pourrais-tu utiliser pour résoudre ce problème ?

6. Supposons que le CPG de l'exercice 5 rapporte des intérêts simples.

a) Détermine le total des intérêts cumulés.

b) Combien d'intérêts supplémentaires le CPG à intérêt composé rapporte-t-il?

c) Pourquoi Camille choisirait-elle un CPG à intérêt simple plutôt qu'un CPG à intérêt composé?

7. Soit un capital de 5000 $ investi pendant une période de 7 ans à un taux d'intérêt de 12 % composé annuellement.

a) Détermine la valeur du montant du placement à la fin de chaque année. Note tes résultats dans une table de valeurs.

b) Représente graphiquement le *montant du placement* en fonction du *nombre d'années.*

c) Le montant accumulé augmente-t-il de façon linéaire? Justifie ta réponse à l'aide de la table de valeurs et du graphique.

8. **Fais le point** Le gouvernement canadien émet aussi des obligations à prime du Canada (OPC). Olivier prévoit investir un capital de 3000 $ pendant une période de 4 ans. Laquelle des deux obligations suivantes lui recommanderais-tu?

➢ Une OEC à intérêt composé à un taux de 6,35 %.

➢ Une OPC à intérêt simple à un taux de 7,3 %.

Justifie ta recommandation.

Une OPC rapporte des intérêts plus élevés qu'une OEC parce qu'on ne peut encaisser une OPC qu'une fois par année.

9. **Relève le défi** Laquelle des deux obligations suivantes rapportera le plus d'intérêts?

➢ Une OPC à intérêt simple à un taux annuel de 3,0 % la première année, de 3,25 % la deuxième année et de 4,0 % la troisième année.

➢ Une obligation à taux fixe de l'Ontario à un taux de 3,6 % composé annuellement pendant 3 ans.

Dans tes mots

Explique la différence entre l'intérêt simple et l'intérêt composé. Illustre ta réponse à l'aide de tables de valeurs et de graphiques.

5.3 La valeur finale d'un placement à intérêt composé

Les taux d'intérêt fluctuent selon les conditions économiques.

Explore — Le montant d'une obligation

Tu auras besoin de papier quadrillé.

Au début des années 1980, les taux d'intérêt étaient beaucoup plus élevés qu'ils le sont aujourd'hui.
Surya a investi un capital de 1000 $ dans une obligation pendant une période de 6 ans à un taux d'intérêt de 18 % composé annuellement.
Tu devras déterminer la valeur finale du placement de deux façons.

➢ Reproduis la table de valeurs suivante, puis prolonge-la.
Quelle sera la valeur finale du placement?

Nombre d'années	Capital ($)	Intérêts de 18 % ($)	Valeur à la fin de l'année ($)
1	1000,00	180,00	1180,00
2	1180,00	212,40	1392,40

➢ Chaque année, la valeur du placement augmente de 18 %.
Explique en quoi une augmentation de 18 % équivaut à une multiplication par 1,18.

➢ Voici une autre façon de calculer la valeur finale du placement.
Explique les calculs présentés dans la colonne du centre.

Nombre d'années	Calculs	Valeur à la fin de l'année ($)
1	$1000 \times 1,18 = 1000 \times 1,18^1$	
2	$1000 \times 1,18 \times 1,18 = 1000 \times 1,18^2$	

Reproduis la table de valeur précédente, puis prolonge-la jusqu'à la sixième année.

➢ Compare les deux méthodes que tu as utilisées.
Laquelle nécessite le moins de calculs? Justifie ta réponse.

➢ Représente graphiquement la *valeur à la fin de l'année* en fonction du *nombre d'années*. Décris la croissance du placement.

Réfléchis

➢ Dans la deuxième table de valeurs, quelles régularités remarques-tu dans la colonne « Calculs »?

➢ Quel type de croissance est représenté par les valeurs figurant dans la colonne « Valeur à la fin de l'année »? Comment le sais-tu?

Fais des liens

Pia investit un capital de 750 $ dans un certificat de placement garanti (CPG) pendant une période de 10 ans à un taux d'intérêt de 6 % composé annuellement. Voici comment tu dois procéder pour déterminer la valeur du CPG à l'échéance.

106 % = 1,06

Chaque année, la valeur du placement augmente de 6 %. Ainsi, chaque année, la valeur est égale à 100 % + 6 %, soit 106 % de sa valeur précédente. Donc, chaque année, la valeur du placement est 1,06 fois plus élevée que l'année précédente.

Pour déterminer la valeur finale d'un placement, tu dois multiplier le capital par 1,06 de façon répétée, d'un nombre de fois égal au nombre d'années du placement. Comme tu as pu le voir au chapitre 4, il s'agit là d'un exemple de croissance exponentielle.

Nombre d'années	Calculs		Valeur ($)	
1	$750 \times 1{,}06$	$= 750 \times 1{,}06^1$	795,00	$\times$ 1,06
2	$750 \times 1{,}06 \times 1{,}06$	$= 750 \times 1{,}06^2$	842,70	$\times$ 1,06
3	$750 \times 1{,}06 \times 1{,}06 \times 1{,}06$	$= 750 \times 1{,}06^3$	893,26	$\times$ 1,06
4	$750 \times 1{,}06 \times 1{,}06 \times 1{,}06 \times 1{,}06$	$= 750 \times 1{,}06^4$	946,86	

On observe une régularité dans les calculs.
On a commencé avec un capital de 750 $, puis on l'a multiplié par 1,06 chaque année. Ainsi, la quatrième année, la valeur du placement s'élève à $750 \times 1{,}06^4$.
De la même façon, la dixième année, le montant investi est égal à $750 \times 1{,}06^{10}$.
$750 \times 1{,}06^{10} \doteq 1343{,}14$
À l'échéance, la valeur finale du CPG s'élève à 1343,14 $.

On peut formuler une équation qui définit la valeur finale ou le montant, M, en dollars, du CPG au bout de n années.

$$M = 750 \times 1{,}06^n$$

750 : Capital
1,06 : Soit 1 + 0,06, où 0,06 est le taux d'intérêt exprimé sous la forme d'un nombre décimal.

On observe une régularité semblable avec d'autres montants de capitaux et d'autres taux d'intérêt, ce qui nous permet de dériver la formule suivante.

Lorsque l'intérêt est composé annuellement, les intérêts courus s'ajoutent au capital à la fin de chaque année.

On peut représenter le montant à l'échéance ou la valeur finale du placement à un taux d'intérêt composé annnuellement par la formule $M = C(1 + i)^n$,
où : M représente le montant à l'échéance ou la valeur finale du placement;
C représente le capital;
i représente le taux d'intérêt annuel, exprimé sous la forme d'un nombre décimal;
n représente le nombre d'années.

Supposons que tu investis un capital de 3000 $ pendant une période de 4 ans à un taux d'intérêt de 5,7 % composé annuellement.

Le calcul du montant à l'échéance

Détermine le montant à l'échéance à l'aide de la formule $M = C(1 + i)^n$.
Effectue les substitutions suivantes : $C = 3000$, $i = 0{,}057$ et $n = 4$.
$M = 3000(1 + 0{,}057)^4$ Entre la séquence de touches suivante dans ta calculatrice : 3000 [(] 1 [+] 0.057 [)] [^] 4 [=]
$M \doteq 3744{,}74$.
À l'échéance, le montant s'élève à 3744,74 $.

Si ces touches ne fonctionnent pas sur ta calculatrice, consulte ton manuel d'utilisation.

Le calcul des intérêts

Les intérêts correspondent ainsi à la différence entre le montant à l'échéance et le capital. Soit $I = M - C$, où I représente les intérêts, M, le montant à l'échéance, et C, le capital.
Donc, le total des intérêts cumulés se calcule comme suit :
3744,74 $ − 3000 $ = 744,74 $.

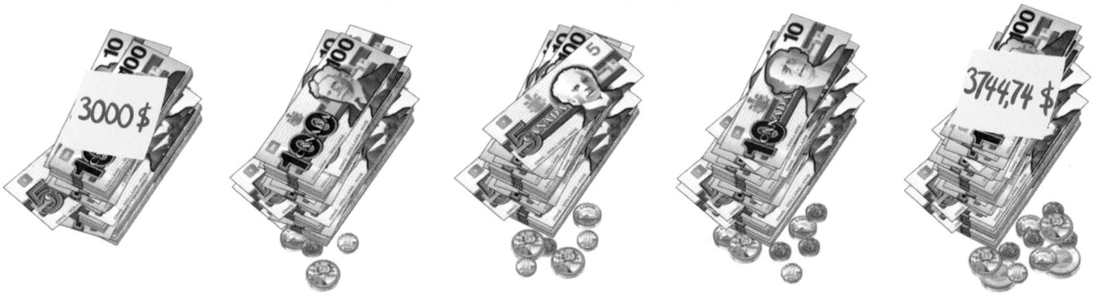

Exercices

1. Détermine la valeur finale des placements suivants. Le taux d'intérêt est composé annuellement.
- a) Capital de 2000 $ investi dans un certificat de placement garanti (CPG) à un taux de 6,2 % pendant 4 ans.
- b) Capital de 300 $ investi dans une obligation d'épargne du Canada (OEC) à un taux de 3,24 % pendant 5 ans.
- c) Capital de 25 000 $ investi dans une obligation de société à un taux de 7,4 % pendant 10 ans.
- d) Capital de 2500 $ investi dans une obligation d'épargne de l'Ontario à un taux de 11,3 % pendant 8 ans.
- e) Capital de 100 000 $ investi dans un CPG à un taux de 9,4 % pendant 3 ans.

2. Détermine le total des intérêts cumulés sur chaque placement de l'exercice 1.

3. Caroline investit un capital de 3500 $ à un taux d'intérêt de 4,2 % composé annuellement.
- a) Détermine la valeur du placement à la fin de la cinquième année.
- b) Détermine la valeur du placement à la fin de la sixième année.
- c) Détermine les intérêts gagnés la sixième année. Comment le sais-tu ?

4. Sébastien a emprunté 2500 $ à ses parents, qu'il compte leur rembourser dans 3 ans. Imaginons que les parents de Sébastien ont plutôt investi ce montant à un taux d'intérêt de 4,8 % composé annuellement.

a) Quelle aurait été la valeur du placement à la fin de la troisième année?

b) Quel aurait été le total des intérêts cumulés sur le placement?

La valeur d'un montant investi dans un placement à intérêt composé augmente de façon exponentielle.

Exemple

a) À l'aide d'une table de valeurs et d'un graphique, représente la croissance d'un capital de 100 $ investi pendant une période de 30 ans à un taux d'intérêt de 6 % composé annuellement.

b) À l'aide de la table de valeurs et du graphique, montre que le montant du placement présente une croissance exponentielle.

Solution

a) Construis une table de valeurs. À l'aide de la formule $M = C(1 + i)^n$, détermine le montant du placement tous les 5 ans.

Nombre d'années	Montant ($)
0	100
5	$100(1 + 0,06)^5 \doteq 133,82$
10	$100(1 + 0,06)^{10} \doteq 179,08$
15	$100(1 + 0,06)^{15} \doteq 239,66$
20	$100(1 + 0,06)^{20} \doteq 320,71$
25	$100(1 + 0,06)^{25} \doteq 429,19$
30	$100(1 + 0,06)^{30} \doteq 574,35$

À l'aide de la table de valeurs, trace un graphique.

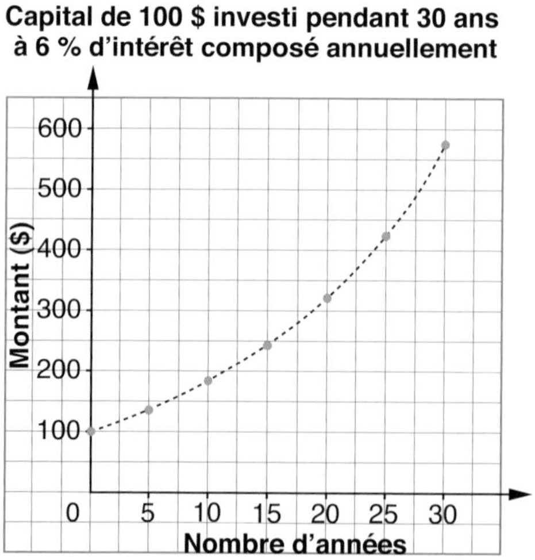

b) Divise chaque montant calculé dans la table de valeurs par le montant de la ligne précédente.

Nombre d'années	Montant ($)	Facteur de croissance
0	100	
5	$100(1 + 0{,}06)^5 \doteq 133{,}82$	$133{,}82 \div 100{,}00 \doteq 1{,}34$
10	$100(1 + 0{,}06)^{10} \doteq 179{,}08$	$179{,}08 \div 133{,}82 \doteq 1{,}34$
15	$100(1 + 0{,}06)^{15} \doteq 239{,}66$	$239{,}66 \div 179{,}08 \doteq 1{,}34$
20	$100(1 + 0{,}06)^{20} \doteq 320{,}71$	$320{,}71 \div 239{,}66 \doteq 1{,}34$
25	$100(1 + 0{,}06)^{25} \doteq 429{,}19$	$429{,}19 \div 320{,}71 \doteq 1{,}34$
30	$100(1 + 0{,}06)^{30} \doteq 574{,}35$	$574{,}35 \div 429{,}19 \doteq 1{,}34$

Dans la table de valeurs, les montants augmentent de façon constante, soit d'un facteur égal à 1,34. La courbe du graphique, quant à elle, s'élève d'abord lentement, puis plus rapidement. Ce sont là les caractéristiques d'une croissance exponentielle.

5. Supposons que tu déposes 5000 $ dans un compte de retraite à un taux d'intérêt de 10 % composé annuellement.

a) À l'aide d'un graphique, représente la croissance du montant du placement pendant les 25 prochaines années.

b) Décris le type de croissance que présentent les données. Justifie ta réponse.

6. Soit un capital de 100 $ investi pendant une période de 6 ans à un taux d'intérêt de 8 % composé annuellement. Le graphique représente la croissance du montant à la fin de chaque année.

Capital de 100 $ investi pendant 6 ans à un taux d'intérêt de 8 % composé annuellement

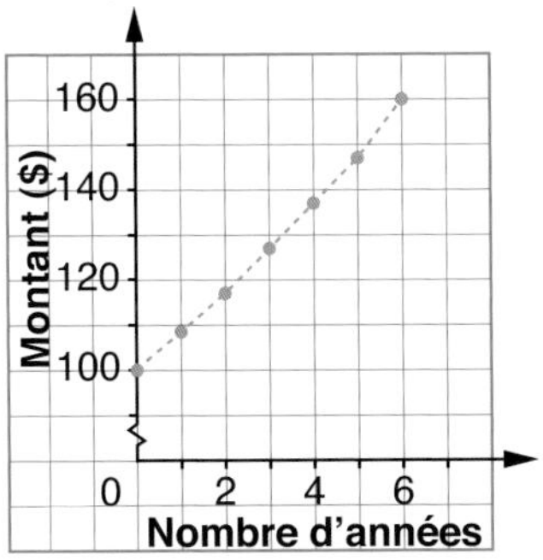

Selon Julie, le montant du placement présente une croissance linéaire, car les points forment une droite.
Julie a-t-elle raison ? Justifie ta réponse.

7. Dans le tableau à droite, on présente le taux d'intérêt le plus élevé et le taux d'intérêt le plus bas jamais offerts sur des obligations d'épargne du Canada (OEC).

Année	Taux d'intérêt annuel (%)
1981	19,5
2004	1,25

Supposons que tu as acheté chacune de ces obligations à un taux de 19,5 % et à un taux de 1,25 % composés annuellement pendant 7 ans. Dans les deux cas, tu as investi 1000 $.

a) Détermine la valeur de chaque OEC à l'échéance.

b) Combien d'intérêts supplémentaires rapportera l'OEC au taux d'intérêt le plus élevé ?

8. Fais le point Soit un capital de 100 $ investi pendant une période de 5 ans à un taux de 6 % composé annuellement. Dans chacun des cas suivants, indique si la valeur finale du placement doublera. Justifie chacune de tes réponses.

a) On double le capital.

b) On double le taux d'intérêt.

c) On double la durée du placement.

9. Carrie lit le cahier « Affaires » du journal. Elle voit un tableau semblable à celui ci-contre, qui accompagne un article intitulé « La force du temps dans le calcul des intérêts composés ».

Capital de 10 000 $ investi pendant 40 ans à un taux de 12 % composé annuellement	
Nombre d'années	**Montant ($)**
0	10 000,00
5	
15	
25	
35	
40	

a) Reproduis le tableau, puis remplis-le.

b) Détermine le total des intérêts cumulés au cours des 5 premières années et des 5 dernières années.

c) En te basant sur ce que tu connais de la croissance exponentielle et sur les résultats que tu as obtenus en a) et en b), explique ce qu'on entend par « la force du temps dans le calcul des intérêts composés ».

10. Relève le défi Le salaire annuel de Sacha est de 30 000 $. Selon l'entente qu'il a signée avec son employeur, son salaire augmentera de 2,5 % par année au cours des 4 prochaines années.

a) Quelle relation peux-tu établir entre cette situation et les intérêts composés ?

b) Quel sera le salaire annuel de Sacha dans 4 ans ? Comment le sais-tu ?

Dans tes mots

Au chapitre 4, tu as appris que les équations de la forme $y = ab^x$ définissent des fonctions exponentielles.

Explique en quoi la formule $M = C(1 + i)^n$ est reliée à $y = ab^x$.

Illustre ta réponse à l'aide d'un exemple.

5.4 Les périodes de calcul de l'intérêt composé

En général, les intérêts composés sont calculés plus d'une fois par année. Par exemple, ils peuvent être calculés, puis ajoutés au capital, semestriellement (deux fois par année) ou trimestriellement (quatre fois par année). Un taux d'intérêt calculé semestriellement est égal à la moitié d'un taux d'intérêt annuel et un taux d'intérêt calculé trimestriellement est égal au quart d'un taux d'intérêt annuel. On appelle aussi *périodes de capitalisation* les périodes de calcul de l'intérêt composé.

Explore — Les effets de diverses périodes de calcul de l'intérêt composé

Travaille avec une ou un camarade.
Supposons que vous placez 1000 $ pendant 1 an à un taux d'intérêt de 8 %.

- ➢ Reproduisez les tableaux suivants, puis remplissez-les.
- ➢ Déterminez le montant à l'échéance pour chacune des périodes de calcul de l'intérêt composé indiquées ci-dessous.

Premier choix : Le taux d'intérêt est composé annuellement.

Nombre d'années	Période de calcul	Capital ($)	Intérêts de 8 % ($)	Montant ($)
1	1	1000,00		

Deuxième choix : Le taux d'intérêt est composé semestriellement.

Comme le taux d'intérêt annuel est de 8 %, le taux d'intérêt composé semestriellement est de 4 % et le nombre de périodes de calcul est 2.

Nombre d'années	Période de calcul	Capital ($)	Intérêts de 4 % ($)	Montant ($)
1	1	1000,00		
	2			

Troisième choix : Le taux d'intérêt est composé trimestriellement.

Comme le taux d'intérêt annuel est de 8 %, le taux d'intérêt composé trimestriellement est de 2 % et le nombre de périodes de calcul est 4.

Nombre d'années	Période de calcul	Capital ($)	Intérêts de 2 % ($)	Montant ($)
1	1	1000,00		
	2			
	3			
	4			

Réfléchis

- ➢ Plus le nombre de périodes de calcul de l'intérêt composé est élevé, plus le montant à l'échéance est élevé. Explique pourquoi il en est ainsi.

Fais des liens

L'intervalle de temps au bout duquel l'intérêt est calculé, puis ajouté au capital, constitue la **période de calcul de l'intérêt composé.** En voici quelques exemples courants.

Fréquence du calcul de l'intérêt composé	Nombre de fois où l'intérêt est ajouté au capital au cours d'une année
Annuel	1 fois (chaque année)
Semestriel	2 fois (aux six mois)
Trimestriel	4 fois (aux trois mois)
Mensuel	12 fois (chaque mois)
Quotidien	365 fois (chaque jour)

En général, les taux d'intérêt sont fixés sur une base annuelle. Si les intérêts courus sur le capital sont calculés plus d'une fois par année, le taux d'intérêt annuel est alors divisé par le nombre de périodes de calcul de l'intérêt composé.

Soit un capital de 1500 $ investi pendant une période de 4 ans à un taux d'intérêt de 5 %.

L'intérêt composé annuellement

➢ Lorsque le taux d'intérêt est composé annuellement, les intérêts sont calculés une fois par année.
Détermine le montant à l'échéance à l'aide de la formule $M = C(1 + i)^n$. Effectue les substitutions suivantes : $C = 1500$, $i = 0{,}05$ et $n = 4$.
$M = 1500(1 + 0{,}05)^4$
$M \doteq 1823{,}26$
À la fin de la quatrième année, le montant s'élève à 1823,26 $.

L'intérêt composé semestriellement

➢ Lorsque le taux d'intérêt est composé semestriellement, les intérêts sont calculés deux fois par année.
Le taux d'intérêt composé semestriellement est égal à $\frac{1}{2}$ de 5,0 %, soit $\frac{5}{2}$ % ou 2,5 %.
Au cours d'une période de 4 ans, il y a 8 périodes de calcul de l'intérêt composé (4×2).
Détermine le montant à l'échéance à l'aide de la formule $M = C(1 + i)^n$. Effectue les substitutions suivantes : $C = 1500$, $i = 0{,}025$ et $n = 8$.
$M = 1500(1 + 0{,}025)^8$
$M \doteq 1827{,}60$
À la fin de la quatrième année, le montant s'élève à 1827,60 $.

L'intérêt composé mensuellement

Comme $\frac{1}{12}$ de 5 % est égal à un nombre décimal périodique, il est plus simple de l'exprimer sous sa forme fractionnaire.

➢ Lorsque le taux d'intérêt est composé mensuellement, les intérêts sont calculés 12 fois par année.
Le taux d'intérêt composé mensuellement est égal à $\frac{1}{12}$ de 5 %, soit $\frac{5}{12}$ %.

Au cours d'une période de 4 ans, il y a 48 périodes de calcul de l'intérêt composé (4×12).
Détermine le montant à l'échéance à l'aide de la formule $M = C(1 + i)^n$.
Effectue les substitutions suivantes : $C = 1500$, $i = \frac{0{,}05}{12}$ et $n = 48$.

$M = 1500\left(1 + \frac{0{,}05}{12}\right)^{48}$ Entre la séquence de touches suivante dans ta calculatrice : 1500 [(] 1 [+] 0.05 [÷] 12 [)] [^] 48 [=]

$M \doteq 1831{,}34$

À la fin de la quatrième année, le montant s'élève à 1831,34 $.

Lorsque le nombre de périodes de calcul de l'intérêt composé augmente, le nombre de fois que l'intérêt est calculé et ajouté augmente également.

Par conséquent, la valeur finale du placement est plus élevée.

La formule générale qui permet de calculer la valeur finale d'un placement à un taux d'intérêt composé est : $M = C(1 + i)^n$,
où : M représente le montant à l'échéance ou la valeur finale du placement ;
C représente le capital ;
i représente le taux d'intérêt s'appliquant à chacune des périodes de calcul de l'intérêt composé, exprimé sous la forme d'un nombre décimal ;
n représente le nombre de périodes de calcul de l'intérêt composé ou le nombre de fois que l'intérêt est calculé pendant la durée du placement.

Exercices

1. À l'aide de la formule $M = C(1 + i)^n$, vérifie les données des tableaux que tu as remplis sous la rubrique *Explore*.

2. Soit un capital investi pendant une période de 6 ans à un taux d'intérêt de 12 %. Reproduis le tableau ci-contre, puis remplis-le. Détermine les valeurs des variables i et n selon les différents modes de calcul de l'intérêt composé.

Mode de calcul de l'intérêt composé	Taux d'intérêt par période (i)	Nombre de périodes de calcul (n)
Annuel		
Semestriel		
Trimestriel		
Mensuel		
Quotidien		

3. Soit un capital de 750 $ investi pendant une période de 5 ans à un taux d'intérêt de 6 %.

a) Détermine la valeur finale du placement dans chacun des cas suivants.

I) Le taux d'intérêt est composé annuellement.

II) Le taux d'intérêt est composé trimestriellement.

III) Le taux d'intérêt est composé mensuellement.

b) Lequel de ces modes de calcul de l'intérêt composé permet d'obtenir le montant le plus élevé ? Explique ton raisonnement.

4. Détermine la valeur finale de chacun des placements suivants.

a) Capital de 2000 $ investi dans un certificat de placement garanti (CPG) à un taux de 8 % composé trimestriellement pendant 3 ans.

b) Capital de 1600 $ investi dans une obligation à un taux de 6 % composé mensuellement pendant 4,5 ans.

c) Capital de 750 $ investi dans un compte d'épargne à un taux de 4 % composé quotidiennement pendant 1 an.

d) Capital de 1500 $ investi dans une obligation à un taux de 5 % composé semestriellement pendant 5,5 ans.

5. Détermine le total des intérêts cumulés dans chacun des placements de l'exercice 4.

6. **Fais le point** Selon Émilie, un taux d'intérêt composé semestriellement produit les mêmes intérêts qu'un taux d'intérêt composé annuellement. Voici son raisonnement : « Lorsque le taux d'intérêt est composé semestriellement, le taux d'intérêt de chaque période de calcul est égal à la moitié du taux d'intérêt annuel, mais le nombre de périodes de calcul de l'intérêt est deux fois plus élevé. Par conséquent, la valeur finale d'un placement à un taux d'intérêt composé semestriellement devrait être comparable à la valeur finale d'un placement à un taux d'intérêt composé annuellement. »
Émilie a-t-elle raison ? Explique ton raisonnement. Illustre ta réponse à l'aide de calculs.

7. Détermine les valeurs finales des placements si les capitaux suivants sont placés pendant une période de 5 ans à un taux d'intérêt de 4,8 % composé mensuellement.

a) 250 $ b) 500 $ c) 1000 $

Le fait de doubler le capital permet-il de doubler également le total des intérêts cumulés ? Explique ton raisonnement.

Nous devons souvent faire un choix parmi plusieurs placements offrant des périodes différentes de calcul de l'intérêt composé.

Exemple

Mathis a gagné une obligation de 1000 $ qui arrive à échéance dans 5 ans.
Il doit choisir entre deux obligations :
➢ obligation A au taux d'intérêt de 8,5 % composé trimestriellement ;
➢ obligation B au taux d'intérêt de 8,0 % composé mensuellement.
Laquelle des deux obligations constitue le choix le plus avantageux ?
Explique ton raisonnement.

Solution

Détermine la valeur à l'échéance de chacune des obligations à l'aide de la formule $M = C(1 + i)^n$.

Obligation A

Effectue les substitutions suivantes : $C = 1000$, $i = \frac{0,085}{4}$ et $n = 5 \times 4 = 20$.

$M = 1000\left(1 + \frac{0,085}{4}\right)^{20}$

$M \doteq 1522,79$

À l'échéance, la valeur de l'obligation A est de 1522,79 $.

Obligation B

Effectue les substitutions suivantes : $C = 1000$, $i = \frac{0,08}{12}$ et $n = 5 \times 12 = 60$.

$M = 1000\left(1 + \frac{0,08}{12}\right)^{60}$

$M \doteq 1489,85$

À l'échéance, la valeur de l'obligation B est de 1489,85 $.

L'obligation A constitue le choix le plus avantageux, car les intérêts qu'elle rapporte sont plus élevés que l'obligation B.

8. Andréa désire investir un capital de 20 000 $ pendant une période de 7 ans.
Lequel des placements suivants constitue le choix le plus avantageux ? Justifie ta réponse.
➢ Une obligation de société au taux d'intérêt de 7,75 % composé semestriellement.
➢ Un CPG au taux d'intérêt de 7,25 % composé trimestriellement.

9. Relève le défi Francis investit 2000 $ dans un CPG qui arrive à échéance dans 18 mois.
Le taux d'intérêt annuel du CPG est de 5,6 % composé trimestriellement.
Quelle sera la valeur du CPG à l'échéance ?

Dans tes mots

Explique la différence entre un taux d'intérêt de 5 % composé annuellement, un taux d'intérêt de 5 % composé semestriellement et un taux d'intérêt de 5 % composé mensuellement.
Illustre ta réponse à l'aide d'un exemple et de calculs.

Révision de mi-chapitre

5.1 **1.** Léo achète une OEC de 2000 $ dont le taux d'intérêt simple est de 4,6 %. Il prévoit conserver son obligation pendant 10 ans.

a) Détermine les intérêts gagnés chaque année.

b) Détermine le total des intérêts cumulés à la fin de la dernière année.

2. Marion investit un capital de 4800 $ pendant une période de 45 jours à un taux d'intérêt simple de 3,2 %. Quelle sera la valeur finale du placement?

5.2 **3.** Pour un même capital, un même taux d'intérêt et une même période de temps, pour quelle raison l'intérêt composé fait-il augmenter le capital plus rapidement que l'intérêt simple? Illustre ta réponse à l'aide d'un exemple.

4. Jeff prévoit investir un capital de 2500 $ dans un CPG pendant une période de 5 ans. Il a le choix entre deux CPG.

CPG 1 : taux d'intérêt simple de 6 % et versement des intérêts chaque année.

CPG 2 : taux d'intérêt de 5,5 % composé annuellement.

a) Lequel des CPG rapportera le plus? Combien d'intérêts supplémentaires ce CPG permettra-t-il de rapporter?

b) Pour quelle raison Jeff choisirait-il le CPG qui rapporte le moins?

5.3 **5.** Détermine la valeur finale de chacun des placements suivants. Le taux d'intérêt est composé annuellement.

a) Capital de 775 $ investi à un taux de 9 % pendant 5 ans.

b) Capital de 13 450 $ investi à un taux de 5,25 % pendant 3 ans.

c) Capital de 2000 $ investi à un taux de 11,4 % pendant 20 ans.

6. Détermine le total des intérêts cumulés de chacun des placements de l'exercice 5.

7. À la naissance de Lisa, sa tante a déposé 5000 $ dans un compte bancaire à un taux d'intérêt de 8 % composé annuellement. Détermine le solde du compte de Lisa :

a) à son 10e anniversaire;

b) à son 25e anniversaire.

8. Pour un même capital, un même taux d'intérêt et une même période de temps, choisirais-tu :

- l'intérêt composé annuellement?
- l'intérêt composé mensuellement?

Explique ton raisonnement. Illustre ta réponse à l'aide d'un exemple et de calculs.

9. Soit un capital de 750 $ investi à un taux d'intérêt de 8,5 %. Détermine le montant du placement à la fin de la deuxième année pour chacun des modes de calcul de l'intérêt composé suivants.

a) Annuellement.

b) Semestriellement.

c) Mensuellement.

d) Quotidiennement.

10. Détermine la valeur finale de chacun des placements suivants.

a) Capital de 1850 $ à un taux de 12 % composé trimestriellement pendant 7 ans.

b) Capital de 2400 $ à un taux de 9,6 % composé mensuellement pendant 6 ans.

c) Capital de 900 $ à un taux de 5,5 % composé semestriellement pendant 15 ans.

11. Soit un capital de 675 $ investi pendant une période de 1 an. Détermine le taux d'intérêt qui rapportera le plus.

- Taux d'intérêt de 7,0 % composé annuellement.
- Taux d'intérêt de 6,8 % composé mensuellement.

La littératie et les mathématiques

La recherche en mathématiques

Tu vas rechercher de l'information à caractère financier dans les sections 5.5 et 5.8 de ton manuel. Si tu dresses d'abord un plan de recherche, tu agiras avec beaucoup plus d'efficacité.

PLAN DE RECHERCHE

1re étape : Préparer la recherche

- Formule l'information que tu recherches sous la forme d'une question.
- Relève les concepts clés, les mots et les expressions utilisés dans ta question. Prends ces éléments comme mots clés au moment de recueillir l'information.
- Repère quelques sources d'information possibles.
- Comment peux-tu limiter ta recherche aux sources d'information canadiennes ?
- De quelle façon comptes-tu procéder pour noter et présenter les résultats de ta recherche ?

2e étape : Recueillir et analyser l'information

- Quelle est la source de l'information ?
- À qui l'information est-elle destinée ?
- L'information est-elle toujours d'actualité ? À quel moment a-t-elle été écrite ou à quand remonte sa dernière mise à jour ?
- L'information est-elle fiable ?
- S'agit-il d'un fait reconnu ou d'une simple opinion ?
- Peux-tu utiliser cette source pour en trouver d'autres ? Élargis ou limite ta recherche par mot clé, au besoin.

3e étape : Noter l'information

- Note l'information dans tes mots.
- Cite toujours tes sources.

Travaille avec une ou un camarade.

Réfléchissez à un sujet de recherche sur lequel vous avez déjà travaillé. Construisez une carte conceptuelle des stratégies que vous avez mises en application dans votre recherche d'information sur ce sujet.

5.5 D'autres modes d'épargne

Inès décroche son premier emploi. Un compte bancaire lui serait fort utile pour encaisser ses chèques de paie et faire des économies. Un représentant bancaire lui dit que le choix du compte dépend des objectifs et des besoins financiers de chaque personne.

Examine — La comparaison de divers comptes bancaires

Essentiellement, il existe trois principaux modes d'épargne.

Un *compte de chèques* sert à économiser l'argent nécessaire aux dépenses quotidiennes et au paiement des factures diverses dans un délai ne dépassant pas 30 jours.

Un *compte d'épargne* sert à mettre de côté l'argent nécessaire aux dépenses prévues dans un délai variant entre deux et six mois ; il sert aussi à constituer un fonds d'urgence.

Un *dépôt à terme* sert à placer un montant d'argent déterminé, généralement de 500 $ ou plus, à un taux d'intérêt déterminé et pour une période de temps déterminée, soit un terme.

Travaillez en petit groupe. Vous aurez besoin d'un accès Internet ou de documents imprimés traitant d'autres modes d'épargne. Vous pourriez aussi communiquer avec une représentante ou un représentant bancaire.

1. Planifier la recherche

- Quelles stratégies de recherche mettrez-vous en application pour recueillir des renseignements sur d'autres modes d'épargne ? Limitez votre recherche aux banques canadiennes.
- Par quels moyens pourrez-vous trouver les noms des banques canadiennes ? Quelles banques choisirez-vous ? Pour quelles raisons ?
- De quelle façon allez-vous noter les résultats de votre recherche afin de pouvoir comparer les divers modes d'épargne ?

Mots clés

- ☐ Agence de la consommation en matière financière du Canada (ACFC)
- ☐ Banques canadiennes
- ☐ Compte d'épargne
- ☐ Compte de chèques
- ☐ Dépôt à terme

2. Recueillir des renseignements sur les comptes d'épargne et les comptes de chèques

➢ Faites une recherche sur les taux d'intérêt.
- Quel est le taux d'intérêt ?
- De quelle façon les intérêts sont-ils calculés ?
- À quelle fréquence les intérêts sont-ils versés ?
- Un compte doit-il comporter un solde minimal pour rapporter des intérêts ? Expliquez votre réponse.

➢ Faites une recherche sur les frais bancaires.
- Y a-t-il des frais associés aux chèques ?
- Y a-t-il des opérations sans frais ?
- Quels frais sont associés aux opérations ?
- Y a-t-il des frais de service ? De quelle façon ces frais sont-ils déterminés ?
- Comment est-il possible de minimiser les frais associés à un compte ?
- Est-il possible de minimiser les frais en maintenant un solde minimal ?
- Décrivez un forfait qui offre la possibilité de minimiser les frais de service.

➢ Recherchez des tarifs spéciaux destinés à la clientèle étudiante.

➢ De quelle façon les taux d'intérêt offerts varient-ils selon le type de compte ?

3. Recueillir des renseignements sur les dépôts à terme

➢ Quel est le dépôt minimal exigé ?
➢ Quels sont les termes offerts ?
➢ Quels sont les taux d'intérêt offerts ?
➢ De quelle façon les taux d'intérêt varient-ils selon la durée du placement ?
➢ Y a-t-il des frais associés à un retrait des fonds avant l'échéance ?
➢ Y a-t-il d'autres frais ? Expliquez votre réponse.

4. Comparer les divers modes d'épargne

Dans votre recherche, mettez en évidence les similitudes et les différences entre les divers modes d'épargne.

5. Comparer vos résultats avec les résultats d'une autre équipe

➢ En quoi les résultats de vos recherches sont-ils semblables ?
➢ Qu'avez-vous appris en comparant vos recherches ?

Exercices

1. Nomme deux avantages et deux inconvénients de chacun de ces modes d'épargne.
a) Compte d'épargne   b) Dépôt à terme

2. Nomme des services bancaires auxquels sont associés certains frais. Comment est-il possible de minimiser ces frais?

3. Dans le tableau à droite, on présente certains frais de service imputés au compte de chèques de François. Le mois passé, François a effectué 15 opérations. Le solde de son compte a alors chuté à 750 $. À combien s'élèveront les frais de service mensuels du compte de François?

Frais mensuels	Frais de 3,50 $, non imputés si le solde mensuel est d'au moins 1000 $
Opérations	10 opérations gratuites; 0,60 $ par opération supplémentaire

4. Une banque offre trois types de comptes de chèques.

Compte	Frais de service mensuels	Opérations
A	Frais de 3,95 $, non imputés si le solde mensuel est d'au moins 1000 $	10 opérations gratuites; 0,65 $ par opération supplémentaire
B	Frais de 8,95 $, non imputés si le solde mensuel est d'au moins 2000 $	25 opérations gratuites; 0,65 $ par opération supplémentaire
C	Frais de 12,95 $, non imputés si le solde mensuel est d'au moins 3000 $	Illimitées

a) À quel type de clientèle chaque compte convient-il le mieux?
b) À ton avis, pour quelles raisons les banques demandent-elles des frais de service plus élevés lorsque le solde d'un compte est plutôt bas ou lorsque le nombre d'opérations mensuelles est au contraire très élevé?

5. En te basant sur les résultats de ta recherche, calcule le total des intérêts cumulés à la fin de la première année sur un capital de 3000 $ investi sous chacun des modes d'épargne suivants.
a) Un compte de chèques   b) Un compte d'épargne   c) Un dépôt à terme

6. Pauline a amassé 5000 $ dans son compte de chèques.
a) Pourquoi Pauline devrait-elle songer à investir une partie de son argent sous un autre mode d'épargne?
b) De quels facteurs Pauline devra-t-elle tenir compte dans son choix d'un mode d'épargne?

Réfléchis

- De quelle façon avez-vous choisi de présenter les résultats de votre recherche?
- Que souhaiterais-tu apprendre de plus au sujet des modes d'épargne? Pourquoi est-ce important pour toi?
- De quelle façon cette recherche pourrait-elle te servir dans ta vie personnelle?

5.6 La valeur actuelle

On place tous de l'argent en prévision de dépenses futures ou pour atteindre nos objectifs financiers. La **valeur actuelle** se définit comme le capital à placer aujourd'hui, selon des conditions données (taux d'intérêt, périodes de calcul et durée), en vue d'obtenir un montant final déterminé.

Explore — Le calcul de la valeur actuelle

Rajah souhaite visiter l'Europe dans 4 ans.
Il prévoit avoir besoin de 3500 $.
Quel montant Rajah doit-il investir aujourd'hui à 7 % d'intérêt composé annuellement pour atteindre son but?

- Note ta solution par écrit.
- Détermine le total des intérêts cumulés.
  Comment sais-tu que ta solution est juste?

Réfléchis

- Compare ta solution avec celle d'une ou d'un camarade. Si vous avez utilisé des stratégies différentes, décrivez vos stratégies. Si vos réponses sont différentes, déterminez-en les raisons.
- As-tu résolu le problème à l'aide de la formule $M = C(1 + i)^n$? Sinon, utilise cette formule pour résoudre le problème.

Fais des liens

Lorsqu'on parle d'investissement d'argent, le capital porte aussi le nom de valeur actuelle. La valeur de l'investissement à l'échéance est appelée **valeur finale**.

Le jour de son 21e anniversaire, Mi Young a reçu un montant de 5000 $. Ses parents avaient investi un certain capital le jour de sa naissance. Le taux d'intérêt du placement était alors de 10,25 % composé trimestriellement.

Détermine le capital (la valeur actuelle).

Détermine la valeur du capital à l'aide de la formule $M = C(1 + i)^n$.
Effectue les substitutions suivantes : $M = 5000$, $i = \frac{0{,}1025}{4}$ et $n = 21 \times 4 = 84$.

$5000 = C\left(1 + \frac{0{,}1025}{4}\right)^{84}$

Pour déterminer la valeur de C, tu dois diviser chaque membre de l'équation par $\left(1 + \frac{0{,}1025}{4}\right)^{84}$.

$\frac{5000}{\left(1 + \frac{0{,}1025}{4}\right)^{84}} = C$

Entre la séquence de touches suivante dans ta calculatrice : 5000 [÷] [(] 1 [+] 0.1025 [÷] 4 [)] [^] 84 [=]

$C \doteq 596{,}94$
Les parents de Mi Young avaient investi un capital de 596,94 $.

Vérifie ta solution.

Vérifie ta solution à l'aide de la formule $M = C(1 + i)^n$.
Effectue les substitutions suivantes : $C = 596{,}94$; $i = \frac{0{,}1025}{4}$ et $n = 84$.

$M = 596{,}94\left(1 + \frac{0{,}1025}{4}\right)^{84}$

$M \doteq 5000{,}03$
Donc, la solution est exacte.

Pourquoi le montant à l'échéance s'élève-t-il à 5000,03 $, et non pas à 5000 $?

Détermine le total des intérêts cumulés.

Le total des intérêts cumulés est égal à la différence entre le montant à l'échéance et le capital.

Par conséquent, $I = M - C$.
$I = 5000\ \$ - 596{,}94\ \$$
$= 4403{,}06\ \$$

Donc, le total des intérêts cumulés sur le placement des parents de Mi Young s'élève à 4403,06 $.

Exercices

1. Détermine la valeur actuelle, soit le capital, C, de chacun des montants suivants, M.

a) Montant de 1500 $, à un taux de 6 % composé annuellement pendant 3 ans.

b) Montant de 2500 $, à un taux de 4 % composé semestriellement pendant 7 ans.

c) Montant de 1300 $, à un taux de 8,4 % composé mensuellement pendant 5 ans.

d) Montant de 200 000 $, à un taux de 8 % composé trimestriellement pendant 6 ans.

e) Montant de 5000 $, à un taux de 10,5 % composé mensuellement pendant 8,5 ans.

f) Montant de 200 000 $, à un taux de 12,4 % composé annuellement pendant 10 ans.

2. Détermine le total des intérêts cumulés sur chacun des placements de l'exercice 1.

3. Manon souhaite s'inscrire à l'université dans 3 ans. Ses parents prévoient lui remettre 5000 $ pour l'aider à payer une partie de ses frais de scolarité. Quel montant les parents de Manon devraient-ils investir aujourd'hui à 6,5 % d'intérêt composé semestriellement pour atteindre leur but?

4. Dans 2,5 ans, la société HBD devra consacrer 400 000 $ au remplacement de ses ordinateurs.

a) Pour atteindre son but, quel montant la société HBD doit-elle investir aujourd'hui à 4,35 % d'intérêt composé mensuellement?

b) À combien s'élèvera le total des intérêts cumulés?

Pour déterminer la valeur actuelle, C, tu dois diviser le montant, M, par $(1 + i)^n$. Donc, $C = \frac{M}{(1 + i)^n}$.

Ensuite, remplace C par VA (valeur actuelle) pour obtenir la formule $VA = \frac{M}{(1 + i)^n}$.

Tu peux écrire la formule comme suit: $VA = M(1 + i)^{-n}$.

Rappelle-toi: $\frac{1}{x} = x^{-1}$.
Donc, $\frac{1}{(1 + i)^n} = (1 + i)^{-n}$.

Exemple

Détermine la valeur actuelle d'un montant de 7300 $, à un taux de 8,4 % composé semestriellement pendant 9 ans.

Solution

Utilise la formule $VA = M(1 + i)^{-n}$.

$i = \frac{0,084}{2} = 0,042$

$n = 9 \times 2 = 18$

Effectue les substitutions suivantes:

$M = 7300$, $i = 0,042$ et $n = 18$.

$VA = 7300(1 + 0,042)^{-18}$

$VA \doteq 3481,00$

La valeur actuelle s'élève à 3481 $.

Entre la séquence de touches suivante dans ta calculatrice: 7300 × [(] 1 [+] 0.042 [)] [^] [(−)] 18 [=]

Appuie sur la touche d'opposé (-), et non pas sur la touche de soustraction.

5. Choisis un des placements de l'exercice 1. Détermine la valeur actuelle du placement à l'aide de la formule $VA = M(1 + i)^{-n}$. Quelle méthode préfères-tu? Explique ton raisonnement.

6. Fais le point

Adèle prévoit faire un voyage dans 4 ans. Elle estime le coût de ce voyage à 4500 $. Adèle a le choix entre deux options pour épargner ce montant.

1re option : Placement à un taux d'intérêt de 7,2 % composé mensuellement.

2e option : Placement à un taux d'intérêt de 7,6 % composé semestriellement.

Quelle option est la plus avantageuse ? Justifie ta réponse.

7. Détermine la valeur actuelle de chacun des montants suivants.

a) Montant de 600 $, à un taux de 8 % composé mensuellement pendant 5 ans.

b) Montant de 1200 $, à un taux de 8 % composé mensuellement pendant 5 ans.

c) Montant de 600 $, à un taux de 8 % composé mensuellement pendant 10 ans.

d) Montant de 600 $, à un taux de 16 % composé mensuellement pendant 5 ans.

8. Choisis un des placements de l'exercice 7.

a) Le fait de doubler le montant investi permet-il de doubler la valeur actuelle ?

b) Le fait de doubler la durée du placement permet-il de doubler la valeur actuelle ?

c) Le fait de doubler le taux d'intérêt permet-il de doubler la valeur actuelle ?

Justifie chacune de tes réponses.

9. Nathan détient un CPG pour une période de 2 ans à un taux d'intérêt de 4,8 % composé mensuellement. La valeur du CPG s'élèvera à 2500 $ à l'échéance. Détermine le total des intérêts cumulés.

10. Relève le défi Elsa prévoit aller à l'université d'ici 4 ans. Ses grands-parents lui ont promis de payer ses frais de scolarité la première année. Ces frais sont aujourd'hui de 2100 $. On doit s'attendre à ce que ces frais augmentent de 3 % par année en moyenne au cours des 4 prochaines années. Quel montant les grands-parents d'Elsa doivent-ils investir aujourd'hui au taux d'intérêt de 4,2 % composé trimestriellement pour atteindre leur but ?

Dans tes mots

Explique la différence entre le montant final d'un placement et la valeur actuelle d'un placement. Illustre ta réponse à l'aide d'un exemple.

5.7 Le TVM Solveur

Jusqu'ici, tu as déterminé le montant à l'échéance, M, et le capital, C, à l'aide de la formule $M = C(1 + i)^n$.

Tes connaissances en mathématiques ne sont cependant pas suffisantes pour déterminer le taux d'intérêt, i, ou le nombre de périodes, n. Tu peux néanmoins calculer les valeurs de ces variables à l'aide du logiciel TVM Solveur de ta calculatrice à affichage graphique.

Quand des intérêts sont versés sur le capital, le montant varie avec le temps. On appelle cette variation la *valeur temporelle de l'argent.*

Examine — La résolution de problèmes à caractère financier à l'aide du TVM Solveur

Tu auras besoin d'une calculatrice à affichage graphique TI-83 ou TI-84.

1. La présentation du TVM Solveur

- Règle ta calculatrice à deux décimales.
  Appuie sur les touches [MODE] [▼] [▶] [▶] [▶] [ENTER].

- Lance le TVM Solveur.
  Appuie sur [APPS] 1 1.
- Tu utiliseras 5 des 8 variables qui apparaîtront à l'écran.

Au besoin, entre les valeurs indiquées ci-contre.

N	Nombre d'années
I%	Taux d'intérêt annuel exprimé sous la forme d'un pourcentage
Val Act	Capital ou valeur actuelle
Val Acq	Montant à l'échéance ou valeur finale
Pér/An	Nombre de périodes de calcul de l'intérêt composé par année

- Pour tous les problèmes de la section, tu devras régler les paramètres de ta calculatrice comme suit : PMT = 0.00, Ech/An = 1.00, PMT :FIN
- Lorsque tu utilises le TVM Solveur :
  la valeur de Val Act est négative parce qu'on débourse de l'argent lorsqu'on investit un capital ;
  la valeur de Val Acq est positive parce qu'on reçoit de l'argent lorsque le placement arrive à échéance.
- Pour quitter le TVM Solveur, appuie sur les touches [2nd] [MODE].

2. Le calcul de la valeur de I (le taux d'intérêt annuel)

a) Soit un placement de 400 $ dont la valeur s'élève à 496 $ à la fin de la quatrième année. Le taux d'intérêt est composé trimestriellement. Quel est le taux d'intérêt annuel du placement?

Entre les valeurs de N, Val Act, Val Acq et Pér/An. Appuie sur [ENTER] après avoir entré chaque valeur.	N=4.00 I%=0.00 ValAct=-400.00 PMT=0.00 ValAcq=496.00 Ech/An=1.00 Pér/An=4.00 PMT:FIN DÉBUT	Pourquoi la valeur de Val Act est-elle égale à −400? Pourquoi la valeur de Pér/An est-elle égale à 4?
Déplace le curseur au début de la ligne I%. Appuie sur les touches [ALPHA] [ENTER].	N=4.00 ▪ I%=5.41 ValAct=-400.00 PMT=0.00 ValAcq=496.00 Ech/An=1.00 Pér/An=4.00 PMT:FIN DÉBUT	Le taux d'intérêt est de 5,41 % composé trimestriellement.

b) Supposons que le taux d'intérêt est composé annuellement plutôt que trimestriellement. Dans ce cas, pour que le même capital de 400 $ s'élève toujours à 496 $ à la fin de la quatrième année, faudrait-il que le taux d'intérêt annuel soit plus bas ou plus élevé? Fais une prédiction, puis trouve la solution à l'aide du TVM Solveur. Ta prédiction était-elle juste? Explique ton raisonnement.

3. Le calcul de la valeur de N (le nombre d'années)

a) Combien de temps faudra-t-il pour doubler un montant de 1000 $ investi à un taux d'intérêt de 7 % composé semestriellement?

Entre les valeurs de I%, Val Act, Val Acq et Pér/An. Appuie sur [ENTER] après avoir entré chaque valeur.	N=0.00 I%=7.00 ValAct=-1000.00 PMT=0.00 ValAcq=2000.00 Ech/An=1.00 Pér/An=2.00 PMT:FIN DÉBUT	Pourquoi la valeur de Val Acq est-elle égale à 2000? Pourquoi la valeur de Pér/An est-elle égale à 2?
Déplace le curseur au début de la ligne N. Appuie sur les touches [ALPHA] [ENTER].	▪ N=10.07 I%=7.00 ValAct=-1000.00 PMT=0.00 ValAcq=2000.00 Ech/An=1.00 Pér/An=2.00 PMT:FIN DÉBUT	Il faudra un peu plus de 10 ans pour doubler le montant. Comme le taux d'intérêt est composé semestriellement, arrondis le taux vers le haut au semestre le plus près. Ainsi, il faudra 10,5 ans pour doubler le montant.

b) Supposons qu'on a investi un capital de 5000 $ au lieu de 1000 $. Le temps requis pour doubler le montant sera-t-il le même qu'en a)? Fais une prédiction, puis trouve la solution à l'aide du TVM Solveur. Ta prédiction était-elle juste? Explique ton raisonnement.

4. Le calcul de la valeur de Val Acq (le montant à l'échéance ou la valeur finale)
À l'aide du TVM Solveur, tu peux examiner les effets engendrés par la variation du taux d'intérêt sur le montant à l'échéance.

a) Reproduis ce tableau.

Capital de 5000 $ investi pendant 10 ans à divers taux d'intérêt composés annuellement						
Taux d'intérêt annuel (%)	6	7	8	9	10	12
Montant						

b) Remplis le tableau à l'aide du TVM Solveur.

Remplis la première colonne du tableau. Entre les valeurs de N, I%, Val Act et Pér/An. Appuie sur [ENTER] après avoir entré chaque valeur.

Pourquoi la valeur de Pér/An est-elle égale à 1 ?

Déplace le curseur au début de la ligne Val Acq. Appuie sur les touches [ALPHA] [ENTER].

La valeur finale s'élève à 8954,24 $. Note cette valeur dans le tableau. Vérifie ta solution à l'aide de la formule $M = C(1 + i)^n$. Remplis le tableau en reprenant ces étapes. Pourquoi est-il logique de récrire cette formule sous la forme $Val\ Acq = Val\ Act\ (1 + i)^n$?

c) Calcule les différences entre les montants figurant dans le tableau. Une augmentation de 1 % du taux d'intérêt a-t-elle toujours le même effet sur le montant à l'échéance ? Explique ton raisonnement.

Exercices

Reproduis le contenu affiché à l'écran de ta calculatrice dans la solution de chaque exercice.

1. À quel taux d'intérêt composé semestriellement devrait-on placer un capital de 500 $ pour que la valeur finale s'élève à 802,35 $ dans 8 ans ?

2. Amanda désire investir 500 $ pendant 7 ans. Quel taux d'intérêt composé annuellement lui permettra de doubler son capital ?

3. Combien de temps faudra-t-il pour qu'un capital de 775 $ investi à un taux d'intérêt de 6 % composé semestriellement s'élève à 1000 $?

4. L'écran ci-contre indique le temps requis pour doubler un montant de 250 $ investi à un taux de 12 % composé annuellement. Dylan arrondit la valeur de N à 6 ans; Alexis arrondit cette valeur à 7 ans. Qui a raison? Explique ton raisonnement.

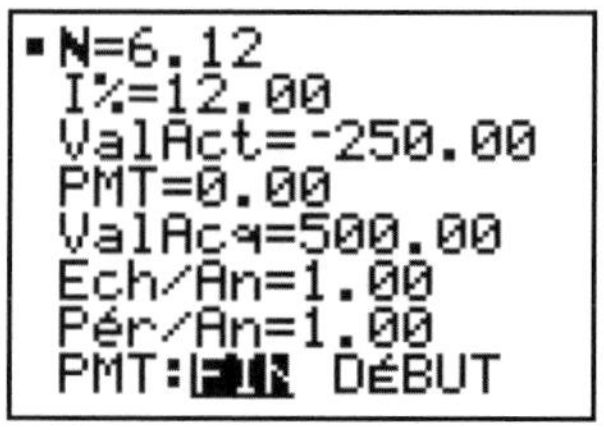

5. Jasmine veut investir le gros lot de 100 000 $ qu'elle vient de gagner à la loterie. Combien de temps faudra-t-il pour que la valeur du lot s'élève à 1 000 000 $ si elle place son argent aux taux d'intérêt suivants.

a) Taux d'intérêt de 10 % composé trimestriellement.

b) Taux d'intérêt de 12 % composé annuellement.

6. Dans le tableau ci-contre, on présente le taux d'intérêt le plus élevé et le taux d'intérêt le plus bas jamais offerts sur des obligations d'épargne du Canada (OEC). Combien de temps faudra-t-il pour doubler un montant de 500 $ investi à chacun des taux d'intérêt composés annuellement figurant dans le tableau?

Année	Taux d'intérêt (%)
1981	19,5
2004	1,25

7. Soit un capital de 450 $ dont la valeur augmente à 600 $ en 5 ans.

a) Détermine le taux d'intérêt annuel pour chacune des périodes suivantes de calcul de l'intérêt composé.

I) Annuelle II) Semestrielle III) Mensuelle IV) Quotidienne

b) Compare les résultats que tu as obtenus en a). Quel lien peux-tu établir entre le nombre de périodes de calcul de l'intérêt composé et le taux d'intérêt? Explique ce lien.

8. Supposons que tu investis un capital de 2500 $ à un taux de 6 % composé annuellement.

a) Combien de temps faudra-t-il pour doubler le capital?

b) Si on double le taux d'intérêt, le temps requis pour doubler le capital sera-t-il réduit de moitié? Justifie ta réponse.

9. Examine les effets de la variation de la durée du placement sur le montant investi.

a) Reproduis le tableau ci-contre, puis remplis-le.

b) Calcule les différences entre les montants figurant dans le tableau. Les montants augmentent-ils tous de façon constante d'un terme à l'autre? Explique ton raisonnement.

Capital de 5000 $ investi à un taux d'intérêt de 8 % composé semestriellement					
Terme (années)	2	4	6	8	10
Montant ($)					

Réfléchis

- Quel objectif financier t'es-tu fixé? À ton avis, quel sera le coût de ton objectif?
- À l'aide du TVM Solveur, analyse divers scénarios qui te permettraient d'atteindre ton objectif. Indique les étapes de ton travail.

JEU

La chasse aux dollars

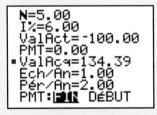

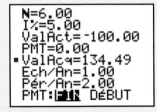

Matériel :

- une calculatrice à affichage graphique TI-83 ou TI-84 équipée du logiciel TVM Solveur ;
- trois dés ;
- un carnet de marque ;
- une horloge ou un chronomètre qui indique les minutes et les secondes.

Formez des équipes de trois.

➢ Chaque élève dispose d'un capital de 100 $.

➢ Chaque élève lance un dé. L'élève qui obtient le chiffre le plus haut commence. Le jeu se déroule dans le sens horaire.

➢ À tour de rôle, les élèves lancent le dé trois fois en vue de déterminer :
- le taux d'intérêt annuel ;
- le nombre de périodes de calcul de l'intérêt par année ;
- le nombre total d'années.

➢ Chaque élève a une minute pour calculer le montant à l'échéance, à partir des trois chiffres obtenus avec le dé. Par exemple, un des membres de l'équipe lance le dé trois fois et obtient 5, 2 et 6. Le capital est de 100 $.

Il existe deux possibilités.

Un capital de 100 $ investi pendant 5 ans à un taux de 6 % composé semestriellement.

```
N=5.00
I%=6.00
ValAct=-100.00
PMT=0.00
▪ValAcq=134.39
Ech/An=1.00
Pér/An=2.00
PMT:FIN DÉBUT
```

Un capital de 100 $ investi pendant 6 ans à un taux de 5 % composé semestriellement.

```
N=6.00
I%=5.00
ValAct=-100.00
PMT=0.00
▪ValAcq=134.49
Ech/An=1.00
Pér/An=2.00
PMT:FIN DÉBUT
```

La seconde possibilité est la plus avantageuse, car le montant à l'échéance est le plus élevé.

➢ Le montant obtenu constitue le capital de l'élève au tour suivant.

➢ À chaque tour, les élèves ajoutent à leur capital les intérêts qu'ils gagnent.

➢ L'élève qui atteint 1000 $ en premier remporte la partie.

5.8 L'investissement financier

Victor a fait des économies pour payer ses études universitaires. Comme il ne veut prendre aucun risque, il a déposé cet argent dans un compte d'épargne qui rapporte peu d'intérêt. Victor se demande s'il existe d'autres modes de placement à faible risque qui lui permettraient de faire croître son capital plus rapidement.

Examine — La comparaison de divers modes de placement

Au moment de choisir un placement, il faut trouver un juste équilibre entre le risque qu'il présente et le rendement qu'il peut offrir.

Risque — À quel point le placement est-il sûr? Le rendement du placement est-il garanti ou le placement présente-t-il un risque de perte?

Rendement — De combien la valeur du placement augmentera-t-elle? En d'autres mots, quel est le potentiel de gain du placement?

Travaillez en équipe. Vous aurez besoin d'un accès Internet et de documents traitant d'autres modes de placement. Vous pourriez aussi communiquer avec une représentante ou un représentant d'une institution financière ou d'une société d'investissement.

1. Planifier la recherche
Écrivez quelques phrases sur les placements ci-dessous. Décrivez-les brièvement, puis expliquez comment tirer un revenu de chacun. Référez-vous aux résultats de votre recherche et à vos propres connaissances.
- Comptes d'épargne
- Actions
- Fonds commun de placement
- Certificats de placements garantis (CPG)
- Obligations d'épargne du Canada (OEC)
- Immobilier
- Objets de collection tels que des antiquités, des pièces de monnaie ou des œuvres d'art

N'utilisez que des sources d'information canadiennes. Effectuez une recherche par mot clé à l'aide des noms des placements.

2. Recueillir des renseignements

Trouvez un exemple de chaque mode de placement.

- Quels risques le placement présente-t-il ?
- Le placement rapporte-t-il des intérêts ?
  Si tel est le cas, quel est le taux d'intérêt du placement ?
- Si le placement ne rapporte pas d'intérêt, évaluez son potentiel de gain sur la base de son rendement actuel et passé.

3. Comparer les divers modes de placement

- Reproduisez le tableau suivant.

Mode de placement	Risque	Rendement (réel ou potentiel)
Compte d'épargne		
Action		
Fonds commun de placement		
CPG		
OEC		
Immobilier		
Objet de collection		

- Dans la colonne « Risque », attribuez une cote de 1 à 7 à chaque placement ; la cote 1 représentant le placement le plus sûr.
- Dans la colonne « Rendement », attribuez une cote de 1 à 7 à chaque placement ; la cote 1 représentant le potentiel de gain le plus bas.
- Expliquez votre classement.

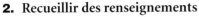

4. Comparer le risque au rendement

- Comparez le rendement des placements à faible risque avec le potentiel de gain des placements à risque élevé.
  Que remarquez-vous ?
- Décrivez la relation qui existe entre le risque et le potentiel de gain, puis expliquez-la.

Exercices

1. En général, les conseillères financières et les conseillers financiers se réfèrent au compromis à faire entre le risque et le rendement. De quoi s'agit-il ?

2. Pourquoi dépose-t-on ses économies dans un compte d'épargne même si son potentiel de gain est généralement inférieur à celui des autres modes de placement ?

3. L'indice composé du Toronto Stock Exchange (TSE 300) permet de mesurer le rendement boursier des 300 plus grandes entreprises inscrites à la Bourse de Toronto. Le graphique ci-contre représente les valeurs du cours de cet indice enregistrées de 1997 à 2007. En te basant sur le graphique, explique pourquoi on considère qu'il y a moins de risques à investir à la Bourse à long terme qu'à court terme.

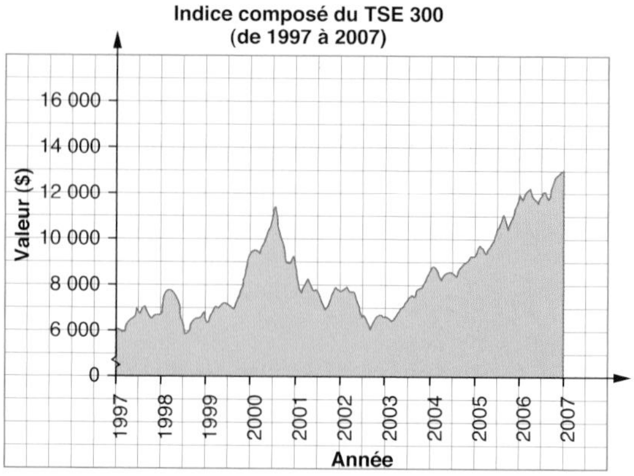

4. Pourquoi les obligations et les fonds communs de placement comportent-ils moins de risques que les actions?

5. La *diversification* est une stratégie de placement qui consiste à répartir les fonds entre divers modes de placement. Explique en quoi la diversification permet de limiter les risques.

6. Le temps constitue un facteur important au moment de comparer le risque au rendement. Supposons que tu as un capital de 10 000 $ à investir. Quels modes de placement choisirais-tu si tu n'avais pas besoin de cet argent pendant les périodes suivantes.

a) 1 an b) 5 ans c) 10 ans

Justifie chacun de tes choix.

7. Le capital disponible constitue un autre facteur important au moment de comparer le risque au rendement. Quels modes de placement choisirais-tu pour chacun des montants suivants?

a) 1000 $ b) 10 000 $ c) 1 000 000 $

Justifie chacun de tes choix.

Réfléchis

- Pourquoi investit-on de l'argent?
- Quels sont les risques et les avantages associés aux divers modes de placement?
- De quelle façon décrirais-tu ta tolérance au risque? En quoi influera-t-elle sur tes choix de placements?
- Qu'as-tu appris de plus important au sujet des placements? Pour quelle raison est-ce important pour toi?

Révision du chapitre

Ce que je dois savoir

Un placement rapporte des intérêts simples ou des intérêts composés.

L'intérêt simple

- L'intérêt simple est calculé uniquement sur le capital. Le montant des intérêts gagnés est le même chaque année.
- L'intérêt simple est calculé à l'aide de la formule $I = Ctd$,
  où : I représente l'intérêt simple reçu ou payé, en dollars ;
  C représente le capital ou la somme d'argent déposée ou empruntée, en dollars ;
  t représente le taux d'intérêt annuel, exprimé sous la forme d'un nombre décimal ;
  d représente la durée de l'investissement ou de l'emprunt, en années.
- Le montant à l'échéance est égal à la somme du capital et des intérêts : $M = C + I$.
- Les intérêts simples sont un exemple de croissance linéaire.

L'intérêt composé

- L'intérêt composé est l'intérêt calculé sur le capital augmenté chaque année des intérêts gagnés durant la période précédente.
- Les intérêts composés sont calculés à l'aide de la formule $M = C(1 + i)^n$,
  où : M représente le montant à l'échéance ou la valeur finale du placement ;
  C représente le capital ou la valeur actuelle ;
  i représente le taux d'intérêt de chaque période de calcul, exprimé sous la forme d'un nombre décimal ;
  n représente le nombre total de périodes de calcul.
- Les intérêts équivalent à la différence entre le montant à l'échéance et le capital : $I = M - C$.
- Les intérêts composés sont un exemple de croissance exponentielle.

Divers modes d'épargne et de placement

- Les comptes de chèques, les comptes d'épargne et les dépôts à terme constituent des modes d'épargne.
- Les CPG, les actions, les obligations, les fonds communs de placement et l'immobilier constituent des modes de placement.
- Au moment d'épargner ou d'investir de l'argent, il te faut comparer le risque encouru au rendement obtenu. En général, plus élevé est le risque, plus élevé est le montant que tu peux gagner... ou perdre.

Ce que je dois savoir faire

5.1 **1.** Brianna s'est procuré une obligation d'épargne du Canada de 8000 $ à un taux d'intérêt simple de 5 %. L'obligation arrive à échéance dans 7 ans.

a) Détermine les intérêts gagnés chaque année.

b) Détermine le total des intérêts cumulés à la fin de chaque année jusqu'à l'échéance.

c) Représente graphiquement le *total des intérêts cumulés* en fonction du *nombre d'années*.

d) Quel type de croissance le graphique représente-t-il? Explique ta réponse.

5.2 **2.** Supposons que l'obligation de l'exercice 1 est une OEC à intérêt composé.

a) Détermine les intérêts gagnés à la fin de chaque année jusqu'à l'échéance.

b) Détermine le total des intérêts cumulés.

c) Compare le total des intérêts cumulés au taux d'intérêt simple avec celui au taux d'intérêt composé. Combien d'intérêts supplémentaires l'intérêt composé permet-il de rapporter?

d) Pour quelle raison Brianna a-t-elle choisi une OEC à intérêt simple plutôt qu'une OEC à intérêt composé?

5.3 **3.** Détermine la valeur finale de chacun des placements suivants. Le taux d'intérêt est composé annuellement.

a) Capital de 9250 $ investi à un taux de 8 % pendant 15 ans.

b) Capital de 1700 $ investi à un taux de 3,6 % pendant 2 ans.

c) Capital de 540 $ investi à un taux de 12,5 % pendant 10 ans.

4. Détermine le total des intérêts cumulés dans chaque placement de l'exercice 3.

5. Soit un capital de 500 $ investi à un taux de 8 % composé annuellement pendant 5 ans.

a) Détermine le montant du placement à la fin de chaque année jusqu'à l'échéance.

b) Représente graphiquement le *montant* en fonction du *nombre d'années.*

c) La valeur du montant présente-t-elle une croissance linéaire? Justifie ta réponse.

5.4 **6.** Détermine la valeur finale de chacun des placements suivants.

a) Capital de 1850 $ investi à un taux de 12 % composé trimestriellement pendant 7 ans.

b) Capital de 2400 $ investi à un taux de 9,8 % composé mensuellement pendant 6 ans.

c) Capital de 900 $ investi à un taux de 5,2 % composé semestriellement pendant 15 ans.

7. Soit un capital de 500 $ investi à un taux de 8 % composé trimestriellement pendant 7 ans. Si le taux d'intérêt double, le total des intérêts cumulés doublera-t-il également? Justifie ta réponse.

8. Selon Jules, plus le nombre de périodes de calcul de l'intérêt composé est élevé, plus la valeur finale d'un placement est élevée. A-t-il raison? Illustre ta réponse à l'aide d'un exemple.

9. Noémie prévoit investir 6700 $ pendant 7 ans. Lequel des placements suivants sera le plus avantageux?

- ➢ Une OEC à un taux d'intérêt de 6,5 % composé annuellement.
- ➢ Une obligation de société à un taux d'intérêt de 6,3 % composé mensuellement.

Justifie ta réponse.

5.5 **10.** Nomme quelques services bancaires offerts en échange du paiement de frais mensuels ou du maintien d'un solde minimal dans un compte de chèques ou un compte d'épargne.

11. a) Compare trois modes d'épargne. Décris leurs caractéristiques, telles que le taux d'intérêt offert ainsi que le mode de calcul des intérêts, le solde minimal exigé, le terme, les conditions liées à l'encaissement et les frais de service.

b) Pourquoi une personne choisirait-elle chacun de ces modes d'épargne ?

c) Pourquoi une personne choisirait-elle un mode d'épargne qui rapporte moins d'intérêt ?

5.6 **12.** Calcule la valeur actuelle de chacun des placements suivants.

a) Montant de 800 $, à un taux de 9,2 % composé semestriellement pendant 6 ans.

b) Montant de 6000 $, à un taux de 3,5 % composé mensuellement pendant 4 ans.

c) Montant de 30 000 $, à un taux de 11 % composé trimestriellement pendant 10 ans.

13. Zoé prévoit ouvrir une station thermale dans 5 ans. Elle estime les frais de démarrage de son entreprise à 20 000 $. Quel montant Zoé doit-elle investir aujourd'hui à 7,6 % d'intérêt composé mensuellement pour atteindre son but ?

5.7 Réponds aux questions 14 et 15 à l'aide du TVM Solveur. Reproduis le contenu affiché à l'écran de ta calculatrice dans la solution de chaque problème.

14. a) À quel taux d'intérêt composé annuellement devrait-on investir un montant de 2000 $ pour doubler ce montant en 8 ans ?

b) Supposons que le taux d'intérêt est plutôt composé quotidiennement à la question précédente. Le taux d'intérêt devra-t-il être plus élevé pour que le capital double en 8 ans ? Justifie ta réponse.

15. Fang Yin dispose de 6500 $ dans son compte d'épargne dont le taux d'intérêt est de 5,5 % composé trimestriellement.

a) Fang Yin a besoin de 8000 $ pour le démarrage de son entreprise. Combien d'années lui faudra-t-il pour atteindre son but ?

b) Le fait de doubler le taux d'intérêt permettrait-il de diminuer de moitié le temps requis pour atteindre ce but ? Justifie ta réponse.

5.8 **16.** Explique la différence entre les actions et les fonds communs de placement.

17. a) Compare les obligations d'épargne, les actions et les fonds communs de placement. Décris quelques-unes de leurs caractéristiques telles que le capital minimal exigé, le rendement attendu, le niveau de risque et les frais de service.

b) Pourquoi une personne choisirait-elle chacun de ces modes de placement ?

Test

Questions à choix multiple. Choisis les réponses appropriées pour les numéros 1 et 2. Justifie chacun de tes choix.

1. Soit un capital de 200 $. À l'échéance, la valeur finale s'élève à 276 $. Détermine le total des intérêts cumulés.

A. 476 $ B. 76 $ C. 200 $ D. 276 $

2. Lequel des énoncés suivants est vrai ?

A. Le fait de doubler le capital permet de doubler les intérêts gagnés.

B. Le fait de doubler la durée du placement permet de doubler les intérêts gagnés.

C. Le fait de doubler le taux d'intérêt permet de doubler les intérêts gagnés.

D. Aucun de ces énoncés.

Pour les exercices 3 à 6, indique les étapes de ton travail.

3. Connaissance et compréhension

a) À l'aide d'une table de valeurs, compare la valeur d'un capital de 100 $ investi pendant 4 ans :
- à un taux d'intérêt simple de 5 % ;
- à un taux d'intérêt de 5 % composé annuellement.

b) Quel type de croissance chacun de ces placements présente-t-il ? Explique ton raisonnement.

4. Habiletés de la pensée Félix-Antoine prévoit investir 2000 $ pendant 3 ans. Lequel des placements suivants lui recommanderais-tu ? Pour quelles raisons ?
- Un CPG à un taux de 7 % composé annuellement.
- Une obligation à un taux de 6,7 % composé trimestriellement.

5. Mise en application

a) À l'aide du TVM Solveur, détermine le temps requis pour tripler un montant de 100 $ investi à un taux d'intérêt de 7,35 % composé mensuellement. Reproduis le contenu affiché à l'écran de ta calculatrice dans la solution du problème.

b) Vérifie la solution que tu as obtenue en a) à l'aide de la formule $M = C(1 + i)^n$.

6. Communication Décris et compare trois modes de placement. Quels sont le niveau de risque et le potentiel de gain de chacun ? Explique pourquoi une personne doit prendre en considération chaque mode de placement avant d'effectuer son choix.

6 Bien gérer son argent

Ce que tu vas apprendre

Se renseigner sur les prêts, sur l'utilisation de diverses cartes de crédit et de débit, et sur l'acquisition et l'entretien d'un véhicule, puis résoudre des problèmes portant sur ces sujets.

Pourquoi ?

Bien gérer son argent, c'est connaître les démarches et les coûts rattachés à un prêt et à l'acquisition et à l'utilisation d'un véhicule ; c'est aussi connaître les frais d'adhésion et d'utilisation de diverses cartes de crédit et de débit.

Mots clés

- Carte de débit
- Carte de crédit
- Coûts variables
- Coûts fixes

CHAPITRE 6

Connaissances préalables

La TPS et la TVP

Connaissances préalables à la section 6.1

Le 1er janvier 1991, le gouvernement fédéral imposait une nouvelle taxe à la consommation applicable à la plupart des achats effectués au Canada : la taxe sur les produits et services (TPS). Le 1er juillet 2006, le taux de la TPS passait de 7 % à 6 %, puis à 5 % le 1er janvier 2008. En Ontario, la majorité des produits sont assujettis à une taxe de vente provinciale (TVP) de 8 %.

Exemple

Le prix de vente d'un chandail est de 32,95 $.
Combien coûte le chandail, incluant les taxes ?

Suppose que l'achat est effectué en Ontario et que la TPS et la TVP s'appliquent.

Solution

1re méthode : Calculer la TPS et la TVP séparément.

TPS : 0,05 × 32,95 $ = 1,65 $

TVP : 0,08 × 32,95 $ = 2,64 $

5 % = 0,05
8 % = 0,08

Coût total : 32,95 $ + 1,65 $ + 2,64 $ = 37,24 $

Le chandail coûte 37,24 $.

Arrondis les réponses au centième près.

2e méthode : Additionner les pourcentages.

Coût total exprimé sous la forme d'un pourcentage :

100 % + 5 % + 8 % = 113 %

113 % = 1,13

Coût total :

1,13 × 32,95 $ = 37,23 $

Le chandail coûte 37,23 $.

Vérifie ta compréhension

1. Le prix courant d'une entrée à la Tour CN est de 23,99 $. Détermine le coût d'une entrée si seulement la TPS de 5 % est incluse.

2. Détermine le coût total d'achat d'un t-shirt, taxes incluses, vendu dans une boutique de Sudbury à 14,57 $.

3. Le prix courant d'un jean est de 45 $. Béatrice achète ce jean en solde de 20 %. Détermine le coût total du jean, taxes incluses.

4. Supposons que le taux de la TPS passe de 5 % à 4 %. À l'achat du jean du numéro 3, combien d'argent Béatrice pourrait-elle économiser grâce à cette réduction ? De quelle autre façon pourrais-tu résoudre ce problème ?

6.1 Emprunter de l'argent

Audrey est responsable des prêts dans une banque. Ses clientes et ses clients empruntent de l'argent pour acheter des biens qu'ils sont incapables de payer en totalité. Ils remboursent leur prêt de diverses façons. L'une de leurs préoccupations consiste à payer le moins d'intérêt possible.

Explore — Le calcul de l'offre la plus avantageuse

Travaillez en équipe de trois. Vous aurez besoin d'une calculatrice à affichage graphique TI-83 ou TI-84 et du TVM Solveur.

Vous explorerez les effets sur le remboursement d'un prêt entraînés par la variation du taux d'intérêt, de la période de calcul de l'intérêt ou du terme.

- Choisissez chacun un scénario d'emprunt. Supposons que chaque taux d'intérêt est un taux annuel.

Variation du taux d'intérêt
Emprunt de 2500 \$ pendant 2 ans aux taux suivants :
- 8 % composé mensuellement ;
- 7 % composé mensuellement.

Variation de la période de calcul de l'intérêt
Emprunt de 2500 \$ pendant 2 ans aux taux suivants :
- 7 % composé annuellement ;
- 7 % composé semestriellement.

Variation du terme
Emprunt de 2500 \$ à un taux de 7 % composé mensuellement :
- pendant 3 ans ;
- pendant 5 ans.

- Tentez de prédire laquelle des deux offres est la plus avantageuse dans chaque scénario. Expliquez votre raisonnement.
- Vérifiez votre prédiction en calculant le montant total à rembourser et le total des intérêts à payer.
- Vérifiez et comparez vos résultats.
- Dans l'ensemble, quelle est l'offre la plus avantageuse ? Expliquez votre raisonnement.

Tu peux déterminer le montant total à rembourser et le total des intérêts à payer à l'aide des formules :
- $M = C(1 + i)^n$
- $I = M - C$

Réfléchis

- Comment as-tu procédé pour déterminer l'offre la plus avantageuse ?
- Compare les facteurs qui font d'un emprunt l'option la plus avantageuse aux facteurs qui font d'un placement l'option la plus avantageuse.

Quand tu contractes un emprunt, tu dois rembourser le montant emprunté et les intérêts. Le taux d'intérêt, la période de calcul de l'intérêt et la durée de l'emprunt sont tous des facteurs qui influent sur le montant total à rembourser.

Le montant d'un emprunt

Supposons que tu empruntes 5000 $ à un taux d'intérêt de 12 % composé annuellement et que tu t'engages à rembourser ce montant en un seul versement au bout de 2 ans.

Détermine le montant total à rembourser à l'aide du TVM Solveur.

Tu peux également déterminer le montant total à l'aide de la formule $M = C(1 + i)^n$.

| Saisis les valeurs suivantes : N = 2 ; I % = 12 ; Val Act = −5000 et Pér/An = 1. Déplace le curseur à la ligne Val Acq. Appuie sur ALPHA ENTER | N=2.00 I%=12.00 ValAct=-5000.00 PMT=0.00 ▪ValAcq=6272.00 Ech/An=1.00 Pér/An=1.00 PMT:FIN DéBUT |

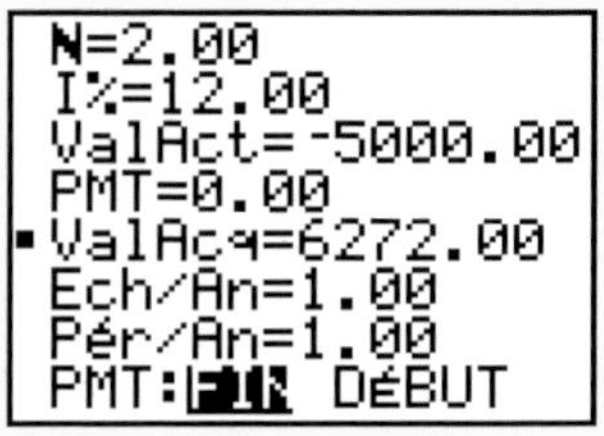

Les facteurs qui influent sur le montant total

Le montant total à rembourser s'élève à 6272,00 $.

➢ Une augmentation du taux d'intérêt fait augmenter le montant total à rembourser. Supposons que le taux d'intérêt est de 13 % au lieu de 12 %. Tu devras rembourser 6384,50 $ au lieu de 6272,00 $.

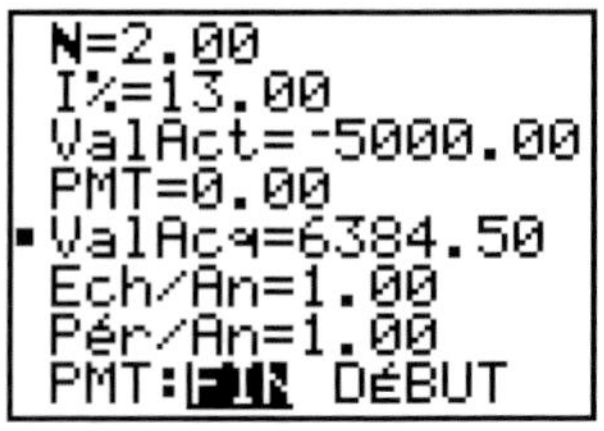

```
N=2.00
I%=13.00
ValAct=-5000.00
PMT=0.00
▪ValAcq=6384.50
Ech/An=1.00
Pér/An=1.00
PMT:FIN DéBUT
```

➢ Une augmentation du nombre de périodes de calcul de l'intérêt fait augmenter le montant total à rembourser. Supposons que le taux d'intérêt est composé mensuellement au lieu d'être composé annuellement. Tu devras rembourser 6348,67 $ au lieu de 6272,00 $.

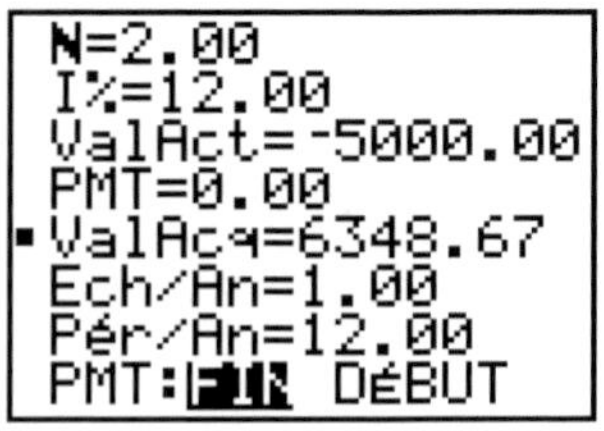

```
N=2.00
I%=12.00
ValAct=-5000.00
PMT=0.00
▪ValAcq=6348.67
Ech/An=1.00
Pér/An=12.00
PMT:FIN DéBUT
```

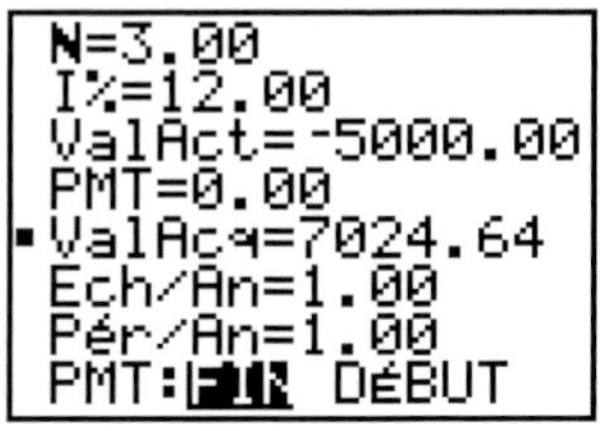

Dans ce chapitre, les emprunts sont remboursés en un seul versement à l'échéance. Dans la réalité, les emprunts sont généralement remboursés par versements égaux effectués à intervalles réguliers. Tu étudieras ces emprunts l'année prochaine.

➢ Une augmentation de la durée de l'emprunt fait augmenter le montant total à rembourser. Supposons que le terme est de 3 ans au lieu de 2 ans. Tu devras rembourser 7024,64 $ plutôt que 6272,00 $.

```
N=3.00
I%=12.00
ValAct=-5000.00
PMT=0.00
▪ValAcq=7024.64
Ech/An=1.00
Pér/An=1.00
PMT:FIN DéBUT
```

Exercices

1. Détermine le coût réel d'un prêt de 1000 $ à chacun des taux d'intérêt suivants, composés semestriellement, pendant une période de 2 ans.

a) 2 % b) 4 % c) 8 %

En quoi le fait de doubler le taux d'intérêt influe-t-il sur le total des intérêts à payer? Justifie ta réponse.

2. Yang emprunte 1200 $ à un taux d'intérêt de 8,6 %, composé mensuellement, pour l'achat d'une machine à coudre. Yang doit rembourser son prêt au bout de 9 mois.

a) Détermine le montant total à rembourser.

b) Détermine le total des intérêts payés.

c) Détermine le montant des intérêts que Yang aurait économisé si elle avait remboursé son prêt au bout de 6 mois.

3. Miriam prévoit acheter la voiture de son frère au prix de 7800 $. Son frère lui prête l'argent à un taux d'intérêt de 6 % composé semestriellement pendant 4 ans.

a) Détermine le montant total à rembourser.

b) Détermine le total des intérêts payés.

c) Supposons que Miriam rembourse son prêt au bout de 2 ans. Le total des intérêts à payer sera-t-il réduit de moitié? Justifie ta réponse.

4. Pavel emprunte 3200 $ à ses parents à un taux d'intérêt de 4 %. Il prévoit rembourser son emprunt en un seul versement au bout de 3 ans.

a) Prédis le cas où le total des intérêts à payer sera le plus élevé.

- ➢ Le taux d'intérêt est composé mensuellement.
- ➢ Le taux d'intérêt est composé annuellement.

Explique ton raisonnement.

b) Détermine le total des intérêts payés dans chaque cas.

c) Ta prédiction était-elle juste? Explique ton raisonnement.

5. Fais le point Étienne doit effectuer un emprunt de 2500 $ pendant un an. Il doit choisir entre deux options.

- ➢ Un taux d'intérêt de 12 % composé mensuellement.
- ➢ Un taux d'intérêt de 12,1 % composé annuellement.

Selon Étienne, la première option lui permettrait de payer moins d'intérêt, car le taux d'intérêt est plus bas. Étienne a-t-il raison? Justifie ta réponse.

Les taxes de vente et les acomptes influent sur le capital à emprunter.

Exemple

Gabriel achète une voiture de collection au prix de 6700 $, taxes en sus. Il verse un acompte de 1200 $ et emprunte le reste de la somme à un taux d'intérêt de 7,5 % composé annuellement pendant 5 ans. Détermine le montant total à rembourser et le montant des intérêts payés.

Solution

La TVP est de 8 %, la TPS, de 5 %.

Capital à emprunter = prix d'achat + TVP + TPS − acompte
= 6700 $ + (0,08) (6700 $) + (0,05) (6700 $) − 1200 $
= 6371 $

Détermine le montant total à rembourser à l'aide de la formule $M = C(1 + i)^n$.

Effectue les substitutions suivantes : $C = 6371$, $i = 0{,}075$ et $n = 5$.

$M = 6371(1 + 0{,}075)^5$.

$\doteq 9146{,}39$

Le montant total à rembourser s'élève à 9146,39 $.

Détermine le total des intérêts payés à l'aide de la formule $I = M - C$.

$I = 9146{,}39\ \$ - 6371{,}00\ \$ = 2775{,}39\ \$$

Le total des intérêts payés s'élève à 2775,39 $.

6. Sabrina achète un foyer d'une valeur de 1989 $, taxes en sus. Sabrina prévoit verser un acompte de 500 $ et faire financer le reste de son achat à un taux d'intérêt de 12 % composé mensuellement pendant 1,5 an.

a) À combien s'élèvera le montant total que Sabrina devra rembourser au bout de cette période ?

b) Détermine le total des intérêts payés.

7. Karine achète un écran à plasma au prix de 2500 $, taxes en sus. Elle ne paiera aucun intérêt si elle acquitte le coût d'achat en entier dans les 12 mois suivant la date d'achat. Sinon, elle devra payer les intérêts courus depuis la date d'achat à un taux d'intérêt de 28,8 %, composé mensuellement. Supposons que Karine règle le montant total une journée après la date d'échéance. Calcule le total des intérêts payés. Supposons qu'aucun intérêt ne sera imputé à la journée de retard.

8. **Relève le défi** Jacob effectue un emprunt de 3500 $ à un taux d'intérêt de 12 % composé annuellement pendant une période de 4 ans. À la fin de la première année, Jacob remporte 5000 $ à la loterie et décide de rembourser son emprunt. Combien d'intérêt Jacob a-t-il économisé en remboursant son emprunt plus tôt ?

Dans tes mots

Commente l'énoncé suivant : « Les intérêts composés travaillent pour vous lorsque vous investissez et contre vous lorsque vous empruntez. »
Comment cette réalité t'influencera-t-elle au moment de choisir un prêt ?

La littératie et les mathématiques

Les sources d'information

Dans ce chapitre, tu effectueras une recherche sur les cartes de débit et les cartes de crédit. Tu feras aussi une recherche sur les coûts et les démarches rattachés à l'achat ou à la location d'un véhicule.

Voici quelques sources d'information utiles.

Travaille avec une ou un camarade.

➢ Répondez aux questions suivantes. Justifiez chacune de vos réponses.

- Quelles sources allez-vous consulter pour obtenir des informations de base sur les cartes de crédit ou sur l'achat ou la location d'un véhicule?
- Quelles sources allez-vous consulter pour obtenir des informations à jour sur les taux d'intérêt applicables à une carte de crédit ou à un prêt auto, et sur les coûts d'achat ou de location d'un véhicule?
- Quelles sources allez-vous consulter pour comparer diverses cartes de crédit et cartes de débit ou les coûts rattachés à l'achat et à la location d'un véhicule ?

➢ Nommez les quatre sources d'information qui, à votre avis, seront les plus utiles.

- À l'aide d'une échelle de classement, classez les sources d'information selon leur utilité, le haut de l'échelle représentant la source la plus utile.
- Justifiez vos choix.

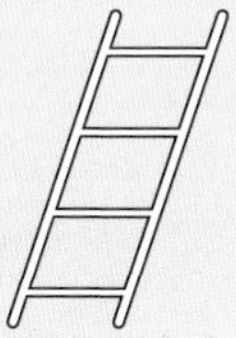

Échelle de classement

6.2 La carte de débit et la carte de crédit

Madeleine est chroniqueuse financière dans un journal. Sa plus récente chronique traite de l'entrée progressive du Canada dans l'ère des paiements électroniques.

Madeleine remarque que, en 2005, les modes de paiement les plus utilisés par les Canadiennes et les Canadiens étaient répartis comme suit : cartes de débit (46 %), paiements en espèces (28 %), cartes de crédit (24 %), et paiements par chèque (2 %).

Examine — Les achats sans argent comptant

La carte de débit et la carte de crédit constituent deux solutions de rechange pratiques aux achats sans argent comptant.

Une **carte de débit** est émise par une banque. Elle permet d'effectuer des retraits au guichet automatique à la banque ou de régler des achats auprès de marchands. Dans les deux cas, le compte bancaire est immédiatement débité du montant de la transaction.

Une **carte de crédit** est émise par un établissement financier, une société ou un commerce. Elle sert à obtenir de l'argent comptant ou à effectuer des achats payables ultérieurement. Ton compte bancaire n'est pas débité du montant de la transaction. En fait, lorsque tu utilises une carte de crédit, tu contractes un emprunt auprès de la compagnie émettrice de la carte.

Partie A : Rechercher et comparer les caractéristiques de trois cartes de débit

Travaillez en équipe. Vous aurez besoin d'un accès Internet et de documents imprimés traitant de cartes de débit. Vous pourrez aussi communiquer avec une représentante ou un représentant d'une institution financière.

➢ Chaque membre de l'équipe doit choisir une institution financière et effectuer une recherche sur la carte de débit émise par cette institution.

➢ Entendez-vous sur une façon de noter les résultats de vos recherches de façon à pouvoir comparer par la suite les caractéristiques des différentes cartes de débit.

- Faites une recherche sur les caractéristiques de la carte de débit de l'institution que vous avez choisie.
  - À quel type de compte la carte est-elle reliée ?
  - Y a-t-il un solde minimal exigé dans ce compte ?
  - Quels sont les frais rattachés à l'utilisation de la carte de débit ?
  - Est-il possible de minimiser ces frais ?
  - Y a-t-il un programme de fidélisation ou autres incitatifs ? Si oui, lesquels ?
  - Y a-t-il des restrictions applicables à l'utilisation de la carte ?
  - À quels endroits est-il possible d'utiliser la carte ?
  - L'institution offre-t-elle des comptes spéciaux aux jeunes de moins de 18 ans ?

- Comparez les caractéristiques des cartes de débit des membres de votre équipe.
  - Qu'ont-elles en commun ?
  - En quoi sont-elles différentes ?
  - Les membres de votre équipe possèdent-ils une carte de débit ?
    Si oui, en quoi les caractéristiques de vos cartes se comparent-elles aux cartes des institutions sur lesquelles vous avez mené votre recherche ?
    Sinon, quelles caractéristiques rechercherez-vous au moment de vous procurer une telle carte ?
    Rédigez un résumé des résultats de votre recherche.

Partie B : Rechercher et comparer les caractéristiques de trois cartes de crédit

Travaillez en équipe de trois.
Vous aurez besoin d'un accès Internet et de documents imprimés traitant des cartes de crédit.
Vous pourrez aussi communiquer avec une représentante ou un représentant d'une société émettrice de carte de crédit.

- Deux des membres de l'équipe doivent choisir une institution financière ou une société émettrice de carte de crédit et effectuer une recherche sur la carte de crédit émise par cette institution ou cette société. Le troisième membre doit effectuer une recherche sur une carte de crédit d'un grand magasin.

- Entendez-vous sur une façon de noter les résultats de vos recherches de façon à pouvoir comparer par la suite les caractéristiques des différentes cartes de crédit.

- Faites une recherche sur les caractéristiques des cartes de crédit que vous avez choisies.
  - Comment fait-on une demande de carte de crédit ?
  - Y a-t-il des conditions d'admissibilité telles qu'un âge minimal ou un revenu annuel minimal ? Justifiez votre réponse.
  - Quelle est la limite de crédit ? Quelle est la limite des avances de fonds ?
  - À quelle fréquence recevrez-vous vos relevés de compte ? De quel type de relevé s'agit-il ?
  - La plupart des cartes de crédit offrent un délai de paiement au terme duquel l'acheteuse ou l'acheteur ne paie pas d'intérêt. Quel est le délai de paiement applicable aux achats et aux avances de fonds ?
  - Quel est le taux d'intérêt annuel applicable aux achats et aux avances de fonds ?
  - De quelle façon l'intérêt est-il calculé sur les achats et sur les avances de fonds ?
  - Y a-t-il des frais annuels ? Si oui, à combien s'élèvent-ils ?
  - Quels sont les frais applicables aux paiements en souffrance, au dépassement de la limite de crédit et aux avances de fonds ?
  - Y a-t-il un paiement minimum exigible ? Comment est-il calculé ?
  - Y a-t-il un programme de fidélisation ou autres incitatifs ? Si oui, lesquels ?

- Comparez les caractéristiques des cartes de crédit des membres de votre équipe.
  - Qu'ont-elles en commun ?
  - En quoi sont-elles différentes ?
  - Les membres de votre équipe possèdent-ils une carte de crédit ? Si oui, en quoi les caractéristiques de vos cartes se comparent-elles aux cartes sur lesquelles vous avez mené votre recherche ? Sinon, quelles caractéristiques rechercherez-vous au moment de vous procurer une telle carte ?
    Rédigez un résumé des résultats de votre recherche.

Exercices

1. Quel mode de paiement utiliserais-tu pour chacun des achats suivants? Explique ton raisonnement.

a) Une tasse de café.

b) Un achat en ligne.

c) Une paire de souliers.

d) Un achat par catalogue.

2. Quels sont les inconvénients d'une avance de fonds sur une carte de crédit?

3. Décris trois avantages et trois inconvénients d'une carte de débit.

4. Décris trois avantages et trois inconvénients d'une carte de crédit.

5. Explique pourquoi la détentrice ou le détenteur d'une carte de crédit qui rembourse son solde en totalité tous les mois pourrait préférer une carte de crédit sans frais annuels plutôt qu'une carte de crédit à faible taux d'intérêt. Cela est-il vrai pour une personne qui ne rembourse pas la totalité du solde de sa carte de crédit chaque mois? Explique ton raisonnement.

6. Pourquoi les sociétés émettrices de cartes de crédit offrent-elles des incitatifs tels que des taux d'intérêt de lancement peu élevés ou une autre récompense?

À l'aide d'une calculatrice du coût d'emprunt que tu trouveras dans Internet, examine l'effet d'un paiement différé sur le solde d'une carte de crédit.

7. Supposons que tu achètes avec ta carte de crédit un ordinateur de 1800 $, taxes en sus. Tu prévois effectuer des paiements de 50 $ par mois pour rembourser ton achat. Le taux d'intérêt de la carte de crédit est de 21 %.

a) Dans une calculatrice du coût d'emprunt que tu trouveras sur le site d'une société émettrice de carte de crédit, d'un organisme de consommateurs ou d'un service conseil en crédit, saisis les valeurs données dans l'énoncé du problème.

b) Combien de temps te faudra-t-il pour rembourser ton achat?

c) Détermine le montant total à rembourser.

d) Détermine le total des intérêts payés.

e) Supposons que tu effectues des paiements de 100 $ par mois. Te faudrait-il deux fois moins de temps pour rembourser le solde de ta carte de crédit? Le total des intérêts payés serait-il réduit de moitié? Justifie chacune de tes réponses.

Réfléchis

- À ton avis, les sociétés émettrices de cartes de crédit devraient-elles émettre des cartes à l'intention des élèves du secondaire ou uniquement des étudiantes et des étudiants universitaires? Pourquoi?
- Préfères-tu régler tes achats avec une carte de débit ou avec une carte de crédit? Explique ton raisonnement.

JEU

La meilleure offre

Matériel :
- deux dés;
- une calculatrice à affichage graphique TI-83 ou TI-84.

Pour deux à quatre joueurs

➢ Supposons que tu négocies un emprunt de 100 000 $. Une banque t'offre un taux d'intérêt de 5,6 % composé semestriellement pendant une période de 12 ans. Le montant total à rembourser s'élève à 194 014,75 $.

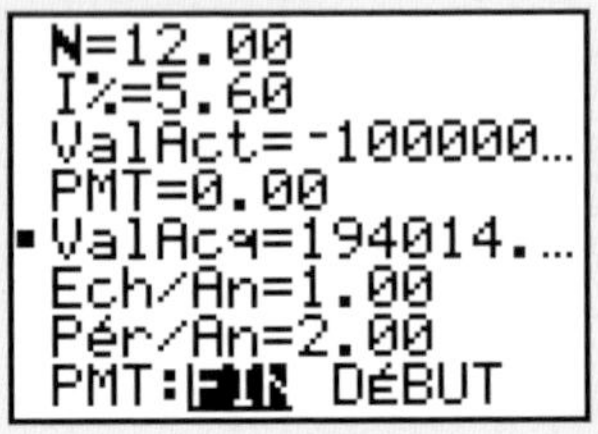

➢ Une joueuse ou un joueur lance les dés. Chaque élève utilise secrètement les valeurs obtenues avec les dés pour apporter *deux changements* à l'offre initiale de la banque dans le but de réduire le montant total à rembourser. Tu peux modifier :
- un des chiffres du taux d'intérêt ou les deux;
- le taux d'intérêt composé semestriellement en taux composé annuellement (en obtenant un 1 avec un des dés), en taux composé trimestriellement (en obtenant un 4 avec un des dés) ou en taux composé mensuellement (en obtenant un 1 et un 2 avec les dés);
- un des chiffres du terme ou les deux.

➢ Chaque élève détermine le nouveau montant total à rembourser à l'aide du TVM Solveur. Supposons, par exemple, que les valeurs obtenues avec les dés sont 1 et 5.

Élève 1

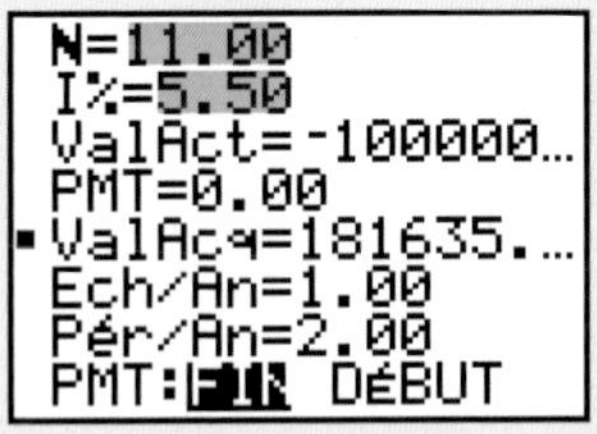

Élève 2

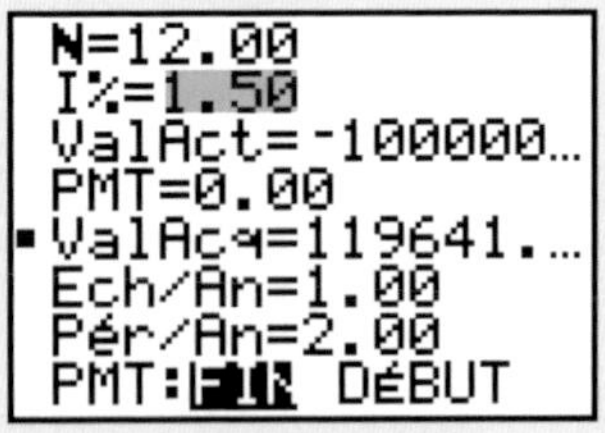

Élève 3

L'élève 2 marque le point.

➢ Montrez les écrans de vos calculatrices. L'élève qui obtient le montant le plus bas en ayant utilisé correctement le TVM Solveur marque un point.

➢ Si le TVM Solveur a été mal utilisé, l'élève qui obtient le montant le plus bas suivant marque un point. Poursuivez ainsi jusqu'à ce qu'une joueuse ou un joueur marque un point ou jusqu'à ce que tous les joueurs soient éliminés. Il est possible que plus de deux joueurs marquent un point lors d'un tour ou encore qu'aucun point ne soit marqué.

➢ Au tour suivant, une ou un autre élève lance les dés.

➢ Le premier membre à marquer cinq points remporte la partie.

6.3 Les taux d'intérêt des cartes de crédit

Valérie est conseillère en crédit. Parmi sa clientèle, plusieurs personnes ont du mal à régler le solde de leur carte de crédit en entier. L'une d'elles a un solde impayé de 5000 $. Comme cette cliente se limite, chaque mois, au paiement minimum exigible, il lui faudra 33 ans pour rembourser le solde de sa carte de crédit en totalité, ce qui représente près de 12 000 $ en intérêts !

Explore — Le calcul des intérêts courus sur les soldes impayés

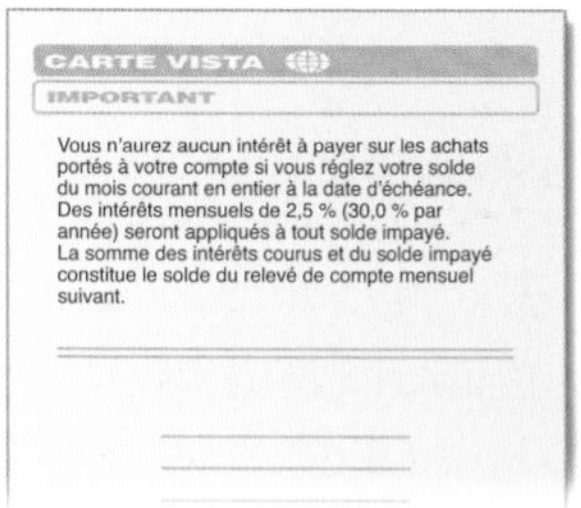

Malik active sa nouvelle carte de crédit. Voici les méthodes de calcul des intérêts courus sur les soldes impayés décrites dans la convention du titulaire de carte.

> Vous n'aurez aucun intérêt à payer sur les achats portés à votre compte si vous réglez votre solde du mois courant en entier à la date d'échéance. Des intérêts mensuels de 2,5 % (30,0 % par année) seront appliqués à tout solde impayé. La somme des intérêts courus et du solde impayé constitue le solde du relevé de compte mensuel suivant.

Le premier relevé de compte de Malik affiche un solde de 600 $.

Détermine le total des intérêts à payer dans chacune des situations suivantes.

- Malik rembourse le solde en entier à la date d'échéance.
- Malik rembourse le solde en entier une journée après la date d'échéance. Disons qu'aucun intérêt ne sera imputé à la journée de retard.
- Malik rembourse le solde en entier trois mois après la date d'échéance.

Réfléchis

- Compare tes solutions avec les solutions obtenues par une ou un camarade. Si vous avez utilisé des stratégies différentes, expliquez la vôtre à votre camarade. Si vous avez obtenu des solutions différentes, tentez d'en comprendre la raison.
- Comment peux-tu déterminer un taux d'intérêt annuel à partir d'un taux d'intérêt mensuel ? Explique ton raisonnement.
- Quelle pénalité imposera-t-on à Malik pour avoir remboursé en entier le solde de sa carte de crédit une journée après la date d'échéance ? trois mois après la date d'échéance ? Explique ton raisonnement.

Fais des liens

Le paiement du solde dû à la date d'échéance

Justin reçoit son premier relevé de carte de crédit. On y trouve les achats portés à son compte entre le 1er et le 30 juin. Le solde du mois courant est de 360 $ et doit être remboursé au plus tard le 19 juillet.

Justin ne paiera aucun intérêt s'il rembourse le solde du mois courant en entier avant la date d'échéance.

Par contre, des intérêts seront appliqués à tout solde impayé. La somme des intérêts courus et du solde impayé constitue le solde du relevé de compte mensuel suivant.

Les paiements différés (aucun paiement pendant plusieurs mois)

➢ Supposons que Justin n'effectue aucun paiement ni aucun achat pendant les trois mois qui suivent.

Le taux d'intérêt annuel de la carte de crédit de Justin est de 18 %.

Donc, le taux d'intérêt mensuel est égal à $\frac{18\ \%}{12}$, soit 1,5 %.

Chaque mois, des intérêts de 1,5 % sont applicables à tout solde impayé et ajoutés au solde du mois courant. Le total des intérêts payés est égal à la somme des intérêts mensuels.

Intérêts = solde impayé × 0,015
Nouveau solde = solde impayé + intérêts

À défaut d'acquitter le paiement minimum exigible, Justin s'expose à des frais supplémentaires. La valeur de ces frais n'est pas connue.

Mois	Solde impayé ($)	Intérêts de 1,5 % ($)	Nouveau solde ($)
Juillet	360,00	5,40	365,40
Août	365,40	5,48	370,88
Septembre	370,88	5,56	376,44
	Total des intérêts	**16,44**	

Comme les intérêts sont ajoutés au solde impayé chaque mois, les intérêts sur le solde impayé sont composés mensuellement.

En n'effectuant aucun paiement pendant trois mois, Justin montre qu'il est incapable d'utiliser sa carte de crédit de façon responsable. Il lui sera désormais plus difficile et plus coûteux d'obtenir un prêt.

Voici une autre façon de déterminer le total des intérêts payés.

Utilise la formule $M = C(1 + i)^n$.

Effectue les substitutions suivantes :
$C = 360$, $i = \frac{0,18}{12} = 0,015$ et $n = 3$.

$M = 360(1 + 0,015)^3$
$\doteq 376,44$

Au bout de trois mois, le solde impayé s'élève à 376,44 $.
Le montant des intérêts courus se calcule comme suit :
376,44 $ − 360,00 $ = 16,44 $.

Les paiements différés (paiements mensuels fixes)

➢ Supposons que Justin est incapable d'acquitter le solde de 360 $ et qu'il effectue des paiements mensuels de 10 $. On peut déterminer le total des intérêts courus au cours des trois premiers mois à l'aide d'un tableau.

Intérêts = solde impayé × 0,015
Nouveau solde = solde impayé + intérêts − paiement

Mois	Solde impayé ($)	Intérêts de 1,5 % ($)	Paiement ($)	Nouveau solde ($)
Juillet	360,00	5,40	10,00	355,40
Août	355,40	5,33	10,00	350,73
Septembre	350,73	5,26	10,00	345,99
	Total des intérêts	**15,99**		

Même si Justin a effectué des paiements totalisant 30 $, le solde de 360 $ n'a pas été réduit de 30 $ pour autant. Comme les intérêts courus sont de 15,99 $, des 30 $ versés, il ne reste que 14,01 $ pour rembourser la dette. Donc, trois mois plus tard, Justin doit toujours 345,99 $.

Pour déterminer le temps requis pour rembourser le solde de sa carte de crédit, Justin peut prolonger le tableau ou utiliser une calculatrice du coût d'emprunt qu'il trouvera dans Internet.

Calculatrice du coût d'emprunt

Saisissez vos données, puis cliquez sur «Soumettre».

1. Solde de carte de crédit	360	$
2. Taux d'intérêt annuel	18	%
3. Paiement mensuel	10	$

Soumettre

Taux d'intérêt mensuel : 1,5 %
Paiement mensuel : 10 $
Nombre de mois requis pour rembourser la dette : 53
Dernier paiement mensuel : 1,56 $
Total des intérêts payés : 161,57 $
Coût total : 521,57 $

Il faudra à Justin 53 mois, soit 4 ans et 5 mois, pour rembourser sa dette de 360 $.

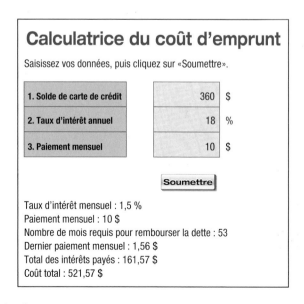

Exercices

1. Détermine le taux d'intérêt mensuel pour chacun des taux d'intérêt annuels suivants.
a) 15 % b) 24 % c) 19,8 % d) 28,8 %

2. Détermine les intérêts mensuels courus sur chacun des soldes impayés suivants.

	Solde impayé ($)	Taux d'intérêt mensuel
a)	99,95	1,25 %
b)	324,49	2,0 %
c)	785,75	1,65 %
d)	1245,00	2,4 %

3. Roxanne paie des intérêts mensuels de 2,5 % sur tout solde impayé sur sa carte de crédit. Elle attend 5 mois après la date d'échéance pour rembourser en totalité un solde de 225,99 $.
a) Détermine le montant total à rembourser.
b) Détermine le total des intérêts payés.
c) Roxanne utilise-t-elle sa carte de crédit de façon responsable? Explique ton raisonnement.

4. Kevin reçoit sa nouvelle carte de crédit. Les intérêts seront de 4,9 % par année pendant les 5 premiers mois, et de 13,5 % par la suite. Le premier relevé de Kevin affiche un solde de 350 $. Kevin attend 3 mois après la date d'échéance pour rembourser son solde en entier.
a) Détermine le total des intérêts payés.
b) Détermine le total des intérêts qu'il aurait payés au taux d'intérêt annuel de 13,5 %.
c) Pour quelle raison le taux d'intérêt appliqué pendant les 5 premiers mois est-il beaucoup plus bas?

À l'aide d'outils technologiques, tu peux déterminer l'effet de paiements différés sur le solde d'une carte de crédit.

Exemple

Guillaume veut rembourser le solde de 100 $ de sa carte de crédit en 4 mois. Il effectue des paiements mensuels de 25 $. Les intérêts imputés sur tout solde impayé sont de 12 % par année, soit de 1 % par mois. Reproduis le tableau suivant, puis remplis-le.

Solde impayé ($)	Intérêts de 1 % ($)	Paiement ($)	Nouveau solde ($)
100,00		25,00	

À combien s'élève le dernier paiement?
Détermine le total des intérêts payés par Guillaume.

Solution **À l'aide d'une calculatrice**

Solde impayé ($)	Intérêts de 1 % ($)	Paiement ($)	Nouveau solde ($)
100,00	100,00 × 0,01 = 1,00	25,00	100,00 + 1,00 − 25,00 = 76,00
76,00	76,00 × 0,01 = 0,76	25,00	76,00 + 0,76 − 25,00 = 51,76
51,76	51,76 × 0,01 = 0,52	25,00	51,76 + 0,52 − 25,00 = 27,28
27,28	27,28 × 0,01 = 0,27	27,55	27,28 + 0,27 − 27,55 = 0,00

Le dernier paiement s'élève à : 27,28 $ + 0,27 $ = 27,55 $.
Le total des intérêts se calcule comme suit :
1,00 $ + 0,76 $ + 0,52 $ + 0,27 $ = 2,55 $.

À l'aide d'un tableur

➢ Lance ton tableur, puis ouvre un nouveau document.
➢ Copie les en-têtes, les valeurs et les formules indiqués ci-dessous.

	A	B	C	D
1	Solde impayé	Intérêts de 1 %	Paiement	Nouveau solde
2	100,00 $	=A2 * 0,01	25,00 $	=A2+B2−C2
3	=D2		25,00 $	
4			25,00 $	
5			=A5+B5	
6	Total des intérêts	=SOMME(B2:B5)		

➢ Sélectionne les cellules A2 à D6. Affiche les nombres sous la forme d'unités monétaires.
➢ Pour calculer les valeurs jusqu'au quatrième mois :
- Sélectionne les cellules A3 à A5 et utilise les fonctions Copier et Coller.
- Sélectionne les cellules B2 à B5 et utilise les fonctions Copier et Coller.
- Sélectionne les cellules D2 à D5 et utilise les fonctions Copier et Coller.

	A	B	C	D
1	Solde précédent	Intérêts de 1 %	Paiement	Nouveau solde
2	100,00 $	1,00 $	25,00 $	76,00 $
3	76,00 $	0,76 $	25,00 $	51,76 $
4	51,76 $	0,52 $	25,00 $	27,28 $
5	27,28 $	0,27 $	27,55 $	0,00 $
6	Total des intérêts	**2,55 $**		

Le dernier paiement s'élève à 27,55 $.
Le total des intérêts payés s'élève à 2,55 $.

5. Yuri fait un achat de 750 $ avec sa carte de crédit. Il prévoit rembourser le solde de sa carte en effectuant des paiements de 100 $ par mois. Les intérêts mensuels sont de 1,5 % sur tout solde impayé.

Quels outils pourrais-tu utiliser pour résoudre ce problème ?

a) Reproduis le tableau suivant, puis remplis-le.

Solde impayé ($)	Intérêts de 1,5 % ($)	Paiement ($)	Nouveau solde ($)
750		100	

b) À combien s'élève le dernier paiement ?

c) Détermine le total des intérêts payés.

6. **Fais le point** Le paiement minimum exigible de la carte de crédit professionnelle de Nora est de 10 $ par mois. Supposons que Nora rembourse un solde de 100 $ en effectuant le paiement minimum exigé chaque mois. Les intérêts sur tout solde impayé sont de 2 % par mois.

a) Combien de temps faudra-t-il à Nora pour rembourser le solde de sa carte de crédit ? Explique ton raisonnement.

b) Reproduis le tableau suivant, puis remplis-le.

Mois	Solde impayé ($)	Intérêts de 2 % ($)	Paiement ($)	Nouveau solde ($)
1	100,00		10,00	

c) Un paiement de 10 $ permet-il de réduire le solde impayé de 10 $? Explique ton raisonnement.

d) Prolonge le tableau jusqu'à ce que le solde soit remboursé en totalité. Combien de mois a-t-il fallu pour rembourser le solde ?

e) À combien s'élève le dernier paiement ?

f) Détermine le total des intérêts payés.

7. Le mode de calcul des intérêts varie selon la société émettrice de la carte de crédit. Certaines sociétés, par exemple, soustraient du solde impayé tous les paiements effectués de sorte que les intérêts ne s'appliquent qu'au solde qui reste à payer.

a) Refais l'exercice précédent en appliquant ce mode de calcul. Présente tes calculs dans un tableau comme celui ci-dessous.

Mois	Solde impayé ($)	Paiement ($)	Solde à payer ($)	Intérêts de 2 % ($)	Nouveau solde ($)
1	100,00	10,00	90,00	1,80	91,80
2	91,80				

b) Compare le total des intérêts payés en a) avec le total payé à l'exercice 6. Combien d'intérêts de moins ont été payés?

8. Relève le défi Le 8 novembre, Robert achète une chaîne audio de 1350 $. Son relevé du mois de novembre, qui comprend les transactions effectuées entre le 1er et le 30 novembre, indique que la date d'échéance du paiement est le 19 décembre. Le taux d'intérêt annuel de la carte de Robert est de 19,8 %. Robert a attendu 4 mois après la date d'échéance pour rembourser le solde de sa carte en totalité. Il n'a effectué aucune autre transaction au cours de cette période.

Ne tiens pas compte des frais supplémentaires associés au défaut de paiement du minimum exigible.

Les intérêts sur les soldes impayés sont calculés comme suit:

➢ Des intérêts simples sont calculés chaque jour à partir de la date d'achat jusqu'à la date d'échéance du premier paiement.

➢ Le solde du relevé mensuel suivant est égal à la somme des intérêts courus et du solde impayé.

➢ Les intérêts courus sur le solde impayé des relevés suivants sont composés mensuellement.

Détermine le total des intérêts payés par Robert.

Dans tes mots

De quelle façon une personne peut-elle s'attirer des ennuis d'ordre financier en utilisant une carte de crédit?
Que lui conseillerais-tu pour éviter une telle situation?

Révision de mi-chapitre

6.1 **1.** Amélia emprunte 1500 $ à ses parents à un taux d'intérêt de 4 % composé mensuellement pendant 3 ans.

a) Détermine le montant total à rembourser.

b) Supposons qu'Amélia effectue plutôt son emprunt à la banque, à un taux d'intérêt de 6,5 % composé mensuellement. Combien d'intérêts de plus Amélia devra-t-elle rembourser?

2. Jean emprunte 5000 $ à ses parents à un taux d'intérêt de 8 % composé mensuellement pendant 2 ans. Selon lui, le total des intérêts payés sera deux fois plus élevé s'il rembourse son prêt en 4 ans. Jean a-t-il raison? Justifie ta réponse.

3. Supposons que tu désires emprunter 1200 $ pendant 1 an. Tu dois choisir entre les deux options suivantes:

➢ taux d'intérêt de 12,55 % composé annuellement;

➢ taux d'intérêt de 12 % composé trimestriellement.

a) Démontre que le montant total à rembourser sera le même, peu importe l'option que tu choisis.

b) Comment le montant total à rembourser peut-il être le même dans les deux cas, alors que les taux d'intérêt applicables au prêt sont différents?

6.2 **4.** À l'aide d'un organisateur graphique, compare les ressemblances et les différences qui existent entre une carte de crédit et une carte de débit.

5. Dans quel contexte utiliserais-tu une carte de débit? une carte de crédit?

6. Suppose qu'une amie désire faire une demande de carte de crédit. Que lui conseillerais-tu au sujet des cartes de crédit et de leur utilisation? Explique ton raisonnement.

6.3 **7.** Le taux d'intérêt de la carte de crédit de Lise est de 1,25 % par mois sur tout solde impayé. Lise s'achète un manteau de 169 $, taxes incluses. Elle attend toutefois 4 mois après la date d'échéance pour rembourser le solde en totalité.

a) Détermine le solde du compte à cette date.

b) Détermine le total des intérêts payés.

8. Yoan achète un ordinateur portable de 2000 $, taxes incluses. Il prévoit effectuer des paiements de 60 $ par mois pour rembourser le solde de sa carte de crédit en totalité. Des intérêts mensuels de 1,75 % lui sont facturés sur tout solde impayé. Présente tes résultats dans un tableau comme celui ci-dessous.

Solde impayé ($)	Intérêts de 1,75 % ($)	Paiement ($)	Nouveau solde ($)
2000		60	

a) Complète les trois premières lignes du tableau.

b) Détermine le solde impayé au bout de 3 mois.

c) Pourquoi est-il déconseillé d'effectuer des achats par carte de crédit lorsqu'on n'est pas en mesure de les rembourser rapidement?

6.4 Louer ou acheter un véhicule

L'achat d'un véhicule sera l'une des dépenses les plus importantes dans ta vie. L'achat d'un véhicule neuf ou d'occasion dépendra de tes goûts, de ton mode de vie et de ton budget. Tu pourrais également envisager de louer un véhicule tout simplement.

Examine La planification de l'achat d'un véhicule

Répondez aux questions de la première partie en équipe. Vous aurez besoin d'un accès Internet et de documents imprimés tels que des journaux ou des magazines de véhicules d'occasion. Vous pourrez aussi communiquer avec un concessionnaire d'automobiles.

Recherche par mot clé
- Acheter ou louer un véhicule
- Véhicule neuf ou véhicule d'occasion

Dans ce chapitre, l'expression *la location* sous-entend *le crédit-bail*.

1. Acheter ou louer?
- En quoi l'achat et la location d'un véhicule sont-ils différents?
- En quoi la location de type crédit-bail est-elle différente de la location simple?
- Énumérez trois avantages et trois inconvénients de l'achat d'un véhicule neuf, de l'achat d'un véhicule d'occasion et de la location.
- Sur le plan financier, en quoi l'achat d'un véhicule neuf, l'achat d'un véhicule d'occasion ou la location d'un véhicule pourrait être une bonne idée?
- Sur le plan du mode de vie, en quoi l'achat d'un véhicule neuf, l'achat d'un véhicule d'occasion ou la location d'un véhicule pourrait être une bonne idée?

Travaille maintenant individuellement.

2. Choisir un véhicule

- Dresse une liste de tes besoins et de tes attentes.
  Dresse une liste de tes priorités.
  Quels éléments clés recherches-tu ?
  Quels éléments clés pourrais-tu sacrifier pour obtenir un meilleur prix ?
- Élabore quelques hypothèses budgétaires, puis détermine le budget de ton futur véhicule.
- Choisis une marque et un modèle de véhicule que tu souhaiterais acheter ou louer.
- Compare les coûts associés à chacune des options.
  N'oublie pas d'inclure les frais de financement.
- Pour quelle option opterais-tu ?
  Explique ta décision.

3. Acheter un véhicule

Fais une recherche sur les démarches rattachées à l'achat ou à la location du véhicule que tu as choisi à la partie précédente, puis décris-les.

Réfléchis

- Quels sont les principaux avantages et inconvénients de l'achat et de la location d'un véhicule ? Pourquoi ?
- Quels éléments as-tu trouvés les plus surprenants lors de ta recherche ? Explique ton raisonnement.
- Loueras-tu ton premier véhicule ? Explique ta réponse.

6.5 Le coût d'une assurance automobile

En Ontario, tous les véhicules achetés ou loués doivent être assurés.
Fais une recherche sur le coût et les démarches nécessaires pour assurer un véhicule.

Examine — L'assurance de dommages au véhicule

Tu auras besoin d'un accès Internet. Tu pourras aussi communiquer avec une représentante ou un représentant d'une compagnie d'assurances.

Recherche par mot clé

- Bureau d'assurance du Canada (BAC)
- Assurance automobile au Canada
- Association des consommateurs du Canada (ACC)

Répondez aux questions des deux premières parties en équipe.

1. Discuter des types de garanties

- ➢ Pourquoi tous les véhicules doivent-ils être assurés?
- ➢ Quels types de garanties doit-on choisir quand on achète un véhicule? Quel est l'objectif de chaque garantie?
- ➢ Quels types de garanties doit-on choisir quand on loue un véhicule? Quel est l'objectif de chaque garantie?
- ➢ À quelles sanctions s'expose-t-on quand on conduit un véhicule qui n'est pas assuré de façon adéquate?
- ➢ À partir des illustrations ci-dessous, décrivez le type de police d'assurance automobile approprié à chaque situation.

2. Tenir compte des facteurs qui influent sur le coût d'une assurance automobile

- ➢ Notez le plus grand nombre possible de facteurs qui influent sur le coût d'une assurance automobile. Faites une recherche et utilisez vos connaissances.
- ➢ Communiquez vos résultats à la classe.
- ➢ Tous ensemble, dressez la liste des 10 principaux facteurs qui influent sur le coût d'une assurance automobile.

3. Obtenir une soumission

Travaille maintenant individuellement.

- ➢ Choisis une marque, un modèle et l'année d'un véhicule ou prends le véhicule que tu as choisi à la section 6.4.
- ➢ Fais quelques demandes de soumission.
- ➢ Décris les principales clauses de la police d'assurance.
- ➢ Dresse la liste des facteurs qui déterminent le coût de la prime d'assurance.

4. Comparer le coût de diverses primes d'assurance

- ➢ Compare le coût de ta prime d'assurance avec la prime obtenue par tes autres camarades. Que remarques-tu ?
- ➢ Selon toi, quels sont les facteurs qui influent le plus sur le coût d'une prime d'assurance automobile ?
  Explique ton raisonnement.
- ➢ Vérifie l'effet de ces facteurs sur la prime d'assurance en les modifiant.
  Par exemple, compare le coût de la prime d'assurance d'un conducteur âgé de 18 ans et d'un conducteur âgé de 55 ans pour un même véhicule.
- ➢ Rédige un résumé des résultats de ta recherche.

Réfléchis

- ➢ Quelles sources d'information t'ont été les plus utiles ?
- ➢ Quelle est la chose la plus importante que tu as apprise au sujet de l'assurance automobile ?
  Pourquoi est-ce si important ?
- ➢ En quoi tes nouvelles connaissances influeront-elles sur ton choix de véhicule ?

6.6 L'acquisition et l'entretien d'un véhicule

À l'achat d'un véhicule, tu dois non seulement tenir compte du coût d'achat et du coût d'emprunt, mais aussi des frais associés à l'assurance, à l'immatriculation, à l'essence, à l'entretien et aux réparations. Ces dépenses supplémentaires font considérablement augmenter les coûts rattachés à la possession et à l'entretien d'un véhicule.

Explore — Le calcul des coûts fixes et des coûts variables

Le tableau ci-dessous illustre les coûts rattachés à la possession et à l'entretien d'un véhicule neuf dont la consommation de carburant s'établit à 8,0 L/100 km. La propriétaire du véhicule parcourt environ 400 km par semaine.

Description	Fréquence	Coût estimatif ($)
Assurance	Mensuelle	225,00
Carburant	Hebdomadaire	1,15/L
Changement d'huile	Tous les 3 mois	30,00
Emprunt	Mensuelle	185,41
Entretien et réparations	Annuelle	600,00
Remplacement des pneus	Tous les 100 000 km	175,00
Immatriculation	Annuelle	74,00

Les **coûts variables** varient en fonction de l'utilisation du véhicule.

Les **coûts fixes** demeurent les mêmes peu importe l'utilisation du véhicule.

- Dans le tableau, certains coûts sont des **coûts variables liés à l'utilisation d'un véhicule automobile.** Regroupe ces coûts. Détermine ensuite le total de ces coûts sur une période de 5 ans.
- Dans le tableau, certains coûts sont des **coûts fixes liés à l'utilisation d'un véhicule automobile.** Regroupe ces coûts. Détermine ensuite le total de ces coûts sur une période de 5 ans.
- Détermine le total des coûts au kilomètre liés à l'utilisation d'un véhicule pendant une période de 5 ans.

Réfléchis

- Selon toi, y a-t-il d'autres coûts qu'il faudrait ajouter dans le tableau ? Si oui, estime ces coûts, puis ajoute-les à la fin du tableau.
- Le total des coûts liés à la possession et à l'entretien d'un véhicule te surprend-il ? Explique ton raisonnement.

Fais des liens

François estime les coûts liés à la possession et à l'entretien de son nouveau véhicule au cours de la première année.

Type de coût	Description	Fréquence	Coût estimatif ($)
Fixe	Assurance	Mensuelle	135,42
Fixe	Immatriculation	Annuelle	74,00
Fixe	Emprunt	Mensuelle	248,00
Variable	Carburant	Hebdomadaire	1,15\L
Variable	Changement d'huile	Tous les 3 mois	29,95
Variable	Entretien et réparations	Annuelle	650,00

Les coûts fixes

Les coûts liés à la possession du véhicule sont des coûts fixes.
Coût de la prime d'assurance : $12 \times 135{,}42$ \$ $=$ 1625,04 \$.
Droits d'immatriculation : 74,00 \$.
Coût d'emprunt : $12 \times 248{,}00$ \$ $=$ 2976,00 \$.
Total des coûts fixes : 1625,04 \$ + 74,00 \$ + 2976,00 \$ = 4675,04 \$.

Les coûts variables

Les coûts liés à l'entretien du véhicule sont des coûts variables.
François estime qu'il parcourra 22 000 km au cours de la première année.
Il estime le coût du carburant à 1,15 \$/L.
La consommation de carburant du véhicule de François s'établit à 8,5 L/100 km, ce qui signifie que son véhicule peut parcourir 100 km avec 8,5 L de carburant.
Donc, la consommation de carburant au kilomètre est égale à $\frac{8{,}5}{100}$ L.

Coût total du carburant pour 22 000 km : $22\,000 \times \frac{8{,}5}{100} \times 1{,}15 = 2150{,}50$ \$.

Le constructeur recommande de faire un changement d'huile tous les trois mois.
Coût total des changements d'huile en un an : $4 \times 29{,}95$ \$ $=$ 119,80 \$.
François estime qu'il déboursera 650 \$ pour l'entretien et les réparations de son véhicule.
Total des coûts variables : 2150,50 \$ + 119,80 \$ + 650,00 \$ = 2920,30 \$.

Le total des coûts

Total des coûts liés à l'utilisation du véhicule :
4675,04 \$ + 2920,30 \$ = 7595,34 \$.

Le coût au kilomètre

La distance parcourue est de 22 000 km.
Donc, on obtient ainsi le coût au kilomètre : $\frac{7595{,}34\ \$}{22\,000} \doteq 0{,}35$ \$.

À l'aide d'un tableur

François effectue ses calculs avec rapidité et efficacité à l'aide d'un tableur. Il saisit les valeurs, les formules et les en-têtes suivants.

	A	B	C	D
1	**Description**	**Fréquence**	**Coût**	**Coût total**
2	Assurance	Mensuelle	135,42 $	=12*C2
3	Immatriculation	Annuelle	74,00 $	=C3
4	Emprunt	Mensuelle	248,00 $	=12*C4
5	**Total des coûts fixes**			=D2+D3+D4
6	Coût du carburant au litre	Hebdomadaire	1,15 $	=22 000*8.5/100*C6
7	Changement d'huile	Tous les 3 mois	29,95 $	=4*C7
8	Entretien et réparations	Annuelle	650,00 $	=C8
9	**Total des coûts variables**			=D6+D7+D8
10	**Total des coûts**			=D5+D9
11	**Coût au km**			=D10/22 000

Voici les résultats obtenus.

	A	B	C	D
1	**Description**	**Fréquence**	**Coût**	**Coût total**
2	Assurance	Mensuelle	135,42 $	1625,04 $
3	Immatriculation	Annuelle	74,00 $	74,00 $
4	Emprunt	Mensuelle	248,00 $	2976,00 $
5	**Total des coûts fixes**			**4675,04 $**
6	Coût du carburant au litre	Hebdomadaire	1,15 $	2150,50 $
7	Changement d'huile	Tous les 3 mois	29,95 $	119,80 $
8	Entretien et réparations	Annuelle	650,00 $	650,00 $
9	**Total des coûts variables**			**2920,30 $**
10	**Total des coûts**			**7595,34 $**
11	**Coût au km**			**0,35 $**

Exercices

1. Détermine le nombre de litres de carburant requis pour parcourir 500 km avec chacun des véhicules suivants.

	Véhicules	Consommation de carburant
a)	Une sous-compacte	5,2 L/100 km
b)	Une voiture compacte	6,5 L/100 km
c)	Une berline	7,8 L/100 km
d)	Une fourgonnette	9,5 L/100 km
e)	Une voiture hybride	3,9 L/100 km
f)	Un VUS	12,6 L/100 km

2. Pour chacun des véhicules de l'exercice précédent, détermine le coût du carburant nécessaire pour parcourir 500 km. Utilise le prix actuel du carburant ou suppose que le prix est de 1,20 $/L.

Au fil des ans, tous les véhicules perdent de leur valeur : ils **se déprécient**. La *dépréciation* n'est généralement pas incluse dans les coûts fixes liés à l'utilisation d'un véhicule, sauf lorsque le véhicule a été payé comptant. La dépréciation est utile lorsqu'on veut calculer la valeur de revente d'un véhicule.

Exemple

Sami achète un véhicule neuf au coût de 33 675 $. La dépréciation du véhicule s'élève à 22 % la première année. Calcule la dépréciation et les coûts fixes liés à l'utilisation du véhicule pendant la première année.

Description	Fréquence	Coût
Assurance	Annuelle	1712,64 $
Immatriculation	Annuelle	74,00 $
Emprunt	Mensuelle	369,45 $

Solution

La dépréciation est la diminution de la valeur du véhicule. Elle est un facteur déterminant dans le coût d'un véhicule.

Le véhicule perd 22 % de sa valeur la première année.
22 % de 33 675 $: 0,22 × 33 675 = 7408,50 $.
Donc, la dépréciation du véhicule s'élève à 7408,50 $ la première année.
Coût d'emprunt : 12 × 369,45 $ = 4433,40 $.
Total des coûts fixes la première année :
1712,64 $ + 74,00 $ + 4433,40 $ = 6220,04 $.

3. Aïcha achète une nouvelle Jeep au coût de 52 999 $.
La dépréciation du véhicule s'élève à 26 % la première année.
Calcule la dépréciation et les coûts fixes liés à l'utilisation du véhicule pendant la première année.

Description	Fréquence	Coût
Assurance	Annuelle	2115,75 $
Immatriculation	Annuelle	74,00 $
Emprunt	Mensuelle	495,50 $

4. En te basant sur les données suivantes, détermine le coût total au kilomètre du problème soumis sous *Fais des liens*.
- François parcourt 200 km par semaine.
- Le coût de l'emprunt de François s'élève à 525 $ par mois.

Indique les étapes de ton travail.

5. Arianne estime son kilométrage à 30 000 km la première année. Le tableau ci-contre illustre une partie de l'entretien recommandé par le constructeur.

Entretien recommandé	Fréquence	Coût ($)
Graissage, huile et filtre	5000 km	29,95
Permutation des pneus et vérification des freins	10 000 km	41,50
Vérification du réglage des trains	25 000 km	69,75

a) Au cours de la première année, combien de fois Arianne devra-t-elle se rendre chez son concessionnaire pour effectuer l'entretien de son véhicule? Justifie ta réponse.

b) Détermine le coût total de l'entretien du véhicule pour la première année. Justifie ta réponse.

6. Amir a eu un VUS pendant 2 ans. Au cours de cette période, il a parcouru 54 000 km. La consommation de carburant de son véhicule s'établissait à 12,5 L/100 km. À cette époque, le coût moyen du carburant était de 1,22 $/L. Amir a toujours observé le calendrier d'entretien recommandé par le constructeur. Détermine la moyenne des coûts mensuels variables liés à l'utilisation du véhicule pendant cette période de 2 ans. Indique les étapes de ton travail.

Entretien recommandé	Fréquence	Coût ($)
Graissage, huile et filtre	Tous les 3 mois	29,95
Permutation des pneus et vérification des freins	Tous les 6 mois	41,50
Vérification du réglage des trains	Tous les ans	69,75
Vérification du système de refroidissement	Tous les deux ans	72,95

7. La valeur de revente se définit comme la valeur future attribuée à un véhicule. Cette valeur est calculée en fonction de la dépréciation du véhicule. Soit un véhicule d'une valeur de 35 976 $, dont la dépréciation est établie à 20 % en moyenne par année.

a) Pourquoi, à la fin de chaque année, la valeur du véhicule est-elle égale à 80 % de la valeur de l'année précédente?

b) Quelle sera la valeur du véhicule au bout de 5 ans? Justifie ta réponse.

c) Explique pourquoi la valeur de revente du véhicule peut être calculée à l'aide de la formule $V = P(1 - t)^n$, où V représente la valeur du véhicule, en dollars, au bout de n années; P, le prix d'achat du véhicule, en dollars; et t, le taux de dépréciation, exprimé sous la forme d'un nombre décimal.

d) À l'aide de cette formule, calcule la valeur de revente du véhicule au bout de 7 ans.

8. **Fais le point** Selon Léo, dans la ville où il habite, la moyenne des coûts rattachés à la possession et à l'entretien d'un véhicule s'établit à 0,40 $ le kilomètre. En semaine, il parcourt un total de 250 km pour se rendre au travail, et ses frais de stationnement s'élèvent à 20 $. En soirée et les fins de semaine, il parcourt environ 200 km par mois.
Si Léo renonce à son véhicule, il devra se procurer une carte de transport en commun au coût de 75 $ par mois, en plus de débourser 125 $ pour la location d'un véhicule une fin de semaine par mois.

a) Est-il plus rentable pour Léo d'utiliser le transport en commun et de louer un véhicule ? Justifie ta réponse à l'aide de tes calculs.

b) Quels autres facteurs sont susceptibles d'influer sur la décision de Léo ?

9. La consommation de carburant d'un véhicule dépend de plusieurs facteurs, dont la vitesse à laquelle on le conduit. En te basant sur le graphique à droite, détermine le coût du carburant nécessaire pour parcourir une distance de 250 km en roulant à chacune des vitesses données ci-après. Utilise le prix à la pompe actuellement en vigueur dans ta région ou le prix de 1,18 $/L.

a) 80 km/h b) 90 km/h c) 100 km/h

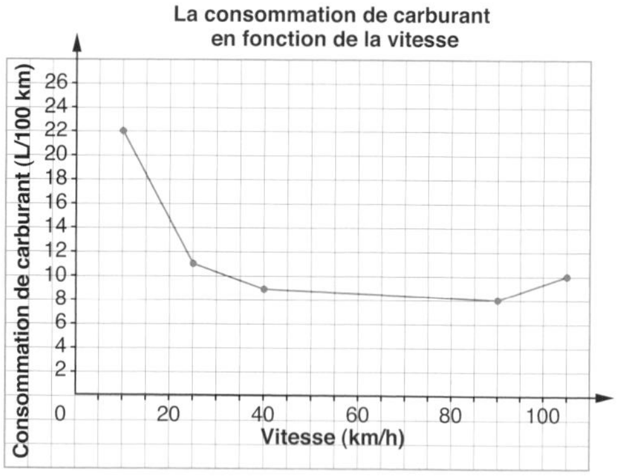

10. **Relève le défi** La consommation de carburant d'un certain véhicule s'établit à 8,0 L/100 km à une vitesse de 90 km/h. Pour chaque kilomètre à l'heure de plus que cette vitesse, sa consommation augmente de 0,5 % exponentiellement. Supposons que tu parcours une distance de 500 km. En te basant sur le prix à la pompe actuellement en vigueur dans ta région, détermine le coût du carburant consommé au cours de ton voyage si tu roulais à chacune des vitesses suivantes.

a) 90 km/h b) 100 km/h c) 120 km/h

Dans tes mots

Selon toi, quels sont les cinq facteurs les plus importants à considérer au moment d'établir le budget d'acquisition et d'entretien d'un véhicule ? Justifie chacun de tes choix.

Révision du chapitre

Ce que je dois savoir

Le montant d'un prêt

- Lorsque tu contractes un emprunt, tu dois rembourser le montant emprunté et les intérêts. Il s'agit du coût réel de l'emprunt.
- La formule permettant de déterminer le coût réel d'un emprunt à intérêts composés est $M = C(1 + i)^n$,

  où : M représente le montant total à rembourser ;
  C représente le capital emprunté ;
  i représente le taux d'intérêt applicable à la période de calcul de l'intérêt, exprimé sous la forme d'un nombre décimal ;
  n représente le nombre de périodes de calcul de l'intérêt.
- Les intérêts payés se définissent comme la différence entre le montant total remboursé et le capital emprunté, soit $I = M - C$.

La carte de débit et la carte de crédit

- Les cartes de débit et de crédit permettent d'effectuer des achats sans espèces.
- Chaque type de carte comporte des avantages et des inconvénients.
- Il faut utiliser sa carte de crédit intelligemment pour éviter les problèmes financiers.

Louer ou acheter un véhicule

- Il faut se renseigner sur les avantages et les inconvénients de chacune des options offertes aux consommateurs.
- Parmi ces options, on trouve l'achat d'un véhicule neuf, l'achat d'un véhicule d'occasion, ou la location d'un véhicule.

Les coûts rattachés à la possession d'un véhicule

- Avant d'acheter un véhicule, il faut connaître tous les coûts qui y sont rattachés.
- Ces coûts incluent des coûts fixes liés à l'utilisation du véhicule tels que le remboursement de l'emprunt, la prime d'assurance et les droits d'immatriculation, et des coûts variables, établis en fonction du nombre de kilomètres parcourus.

Ce que je dois savoir faire

6.1

1. Supposons que tu effectues un emprunt de 2500 $ à un taux d'intérêt de 6,5 % composé trimestriellement pendant une période de 3 ans.

a) Détermine le montant total à rembourser.

b) Détermine le total des intérêts payés.

2. Supposons que le taux d'intérêt applicable à la question précédente est de 7,5 %. Combien d'intérêts de plus devras-tu payer ? Explique ton raisonnement.

3. Supposons que le taux d'intérêt applicable à la question 1 est un taux composé mensuellement. Le total des intérêts payés sera-t-il moins élevé ? Justifie ta réponse.

4. Si on prolonge le terme d'un emprunt, le total des intérêts payés augmente. Explique pourquoi il en est ainsi.

6.2

5. Nomme trois avantages et trois inconvénients du paiement par carte de débit.

6. Nomme trois avantages et trois inconvénients du paiement par carte de crédit et de l'obtention d'une avance de fonds sur carte de crédit.

7. Nomme trois incitatifs offerts par une société émettrice de carte de crédit pour recruter sa clientèle parmi la population étudiante. Quels coûts ces incitatifs dissimulent-ils et auxquels il faut faire particulièrement attention ?

6.3

8. Selon Flavie, les cartes de crédit devraient être interdites aux jeunes de moins de 18 ans. Es-tu de cet avis ? Justifie ta réponse.

9. Le relevé de carte de crédit de Guy affiche un solde impayé de 1200 $. Guy ne pourra rembourser ce solde que 3 mois après la date d'échéance. Que lui conseillerais-tu pour réduire le plus possible le total des intérêts payés ?

10. Comment peut-on utiliser une carte de crédit sans payer d'intérêts ?

6.4

11. Énumère trois raisons pour lesquelles on louerait un véhicule au lieu de l'acheter.

12. Énumère trois raisons pour lesquelles on achèterait un véhicule au lieu de le louer.

13. Nomme trois avantages et trois inconvénients de l'achat d'un véhicule d'occasion en comparaison de l'achat d'un véhicule neuf.

14. Un véhicule neuf perd 30 % de sa valeur dès qu'il quitte le stationnement d'un concessionnaire d'automobiles. Explique pourquoi il en est ainsi. Cette réalité t'inciterait-elle à acheter un véhicule d'occasion plutôt qu'un véhicule neuf ? Justifie ta réponse.

6.5

15. Énumère trois facteurs qui ont pour effet d'augmenter une prime d'assurance automobile. Pour quelle raison chacun de ces facteurs fait-il augmenter la prime ?

16. Énumère trois facteurs qui ont pour effet de diminuer une prime d'assurance automobile. Pour quelle raison chacun de ces facteurs fait-il diminuer la prime ?

6.6 **17.** Énumère trois coûts fixes et trois coûts variables associés à l'utilisation d'un véhicule.

18. Suggère cinq façons de réaliser des économies de carburant.

19. Amel et Christian possèdent des véhicules identiques. Tous les deux ont parcouru une distance d'environ 400 km pour se rendre à London. Amel a roulé à une vitesse de 100 km/h, et Christian, à une vitesse de 120 km/h. La consommation de carburant, C, en litres par 100 km, est égale à $C = 9{,}0 \times 1{,}05^{V}$, où V représente la vitesse excédant 90 km/h. Le coût du carburant est de 1,25 $/L. Quelle est la différence entre les coûts du carburant payés par Amel et Christian ?

20. Estime la valeur de revente de chacun des véhicules suivants.

	Âge du véhicule	Valeur d'origine ($)	Taux moyen de dépréciation annuelle (%)
a)	3 ans	36 594	25
b)	4 ans	40 739	18
c)	5 ans	15 099	30

21. Le tableau ci-dessous montre quelques coûts rattachés à la possession et à l'entretien d'un véhicule pendant une période de 4 ans. La consommation de carburant du véhicule est de 9,0 L/100 km. Le véhicule parcourt environ 355 km par semaine. Reproduis le tableau, puis remplis-le.

Description	Fréquence	Coût	Coût total après 4 ans ($)
Assurance	Mensuelle	195,00 $	
Immatriculation	Annuelle	74,00 $	
Coût du carburant	Hebdomadaire	1,18 $/L	
Changement d'huile	Tous les 3 mois	28,00 $	
Entretien et réparations	Annuelle	670,00 $	
Remplacement des pneus	Tous les 100 000 km	75,00 $ le pneu	
Remplacement des freins	Tous les 50 000 km	225,00 $	
Remplacement du système d'échappement	Tous les 150 000 km	275,00 $	
Emprunt	Mensuelle	340,00 $	
Total des coûts fixes			
Total des coûts variables			
Total des coûts après 4 ans			
Coût au km			

Test

Questions à choix multiple. Choisis les réponses appropriées pour les numéros 1 et 2. Justifie chacun de tes choix.

1. Le taux d'intérêt annuel d'une carte de crédit est de 18 %. Détermine le taux d'intérêt mensuel correspondant.

A. 9 % B. 4,5 % C. 2 % D. 1,5 %

2. On double la durée de la période de calcul de l'intérêt composé sur un prêt. En quoi ce changement influera-t-il sur le total des intérêts payés ?

A. Le total des intérêts payés diminuera.

B. Le total des intérêts payés doublera.

C. Le total des intérêts payés demeurera le même.

D. Le total des intérêts payés augmentera.

Pour les exercices 3 à 6, indique les étapes de ton travail.

3. Connaissance et compréhension Victor emprunte 12 000 $ à ses parents pour l'achat d'un véhicule d'occasion. Il prévoit rembourser son emprunt au bout de 4 ans à un taux d'intérêt de 3,8 % composé mensuellement. Quel montant total Victor devra-t-il rembourser ?

4. Communication Cassandre désire acheter un véhicule pour se rendre au travail, mais elle veut que sa future prime d'assurance soit la moins élevée possible. Décris quatre facteurs dont elle devra tenir compte pour réduire sa prime.

5. Mise en application Michèle achète un téléviseur à grand écran au coût de 2599 $, taxes incluses, avec sa carte de crédit. Cependant, elle ne pourra payer le solde en totalité que 3 mois après la première date d'échéance. Le taux d'intérêt annuel de la carte de crédit de Michèle est de 26 %. Détermine le total des intérêts payés.

6. Habiletés de la pensée Paul achète une voiture ancienne de 30 000 $. La valeur du véhicule devrait augmenter de 15 % par année. Paul finance son achat à l'aide d'un emprunt de 30 000 $ à un taux d'intérêt de 9 % composé semestriellement pendant 5 ans. Il prévoit revendre le véhicule au prix du marché quand il aura remboursé son emprunt.

a) Combien d'argent ce placement rapportera-t-il à Paul ?

b) Décris les risques possibles de ce type de placement.

7 Les données à une variable

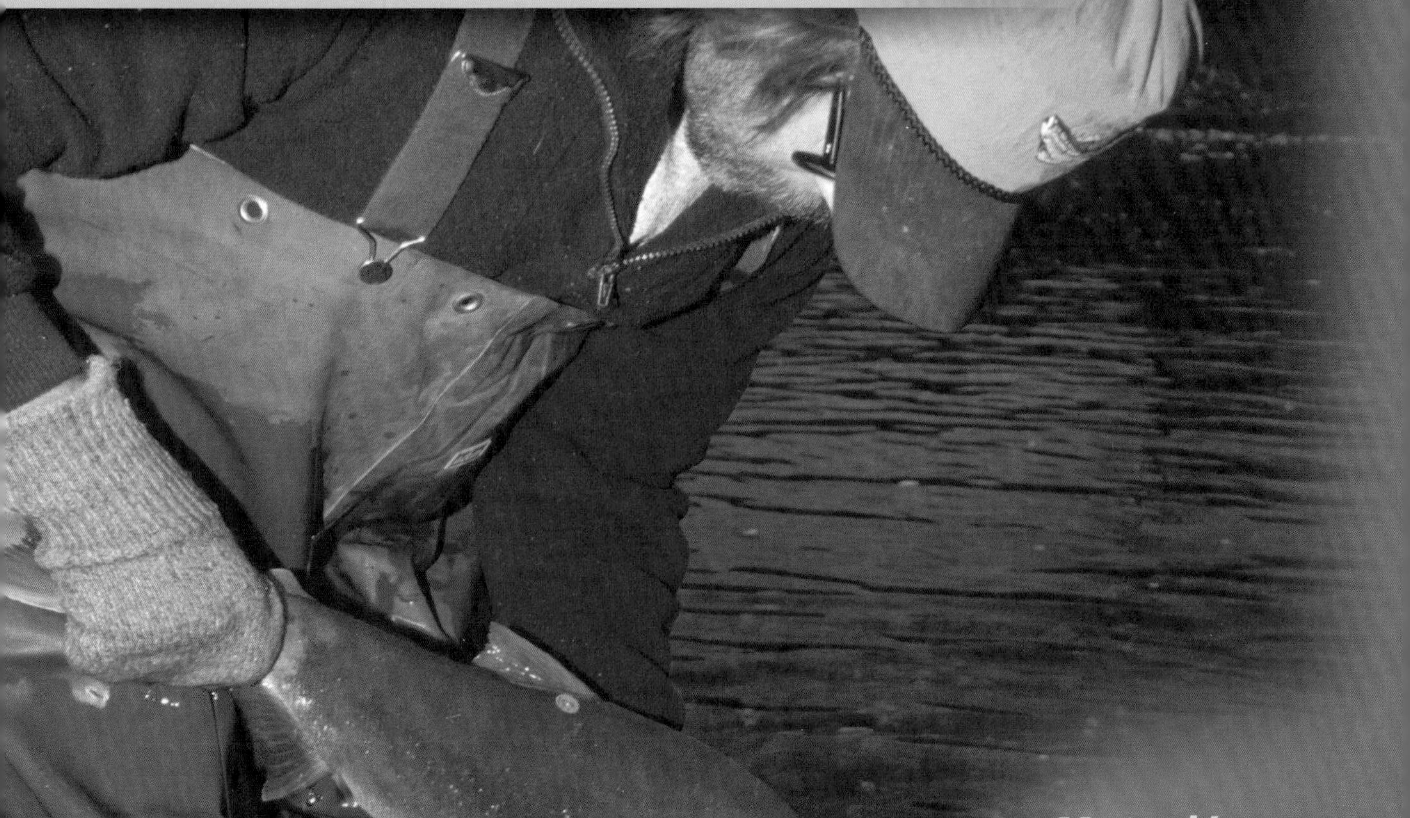

Ce que tu vas apprendre

Recueillir et analyser les données à une variable de sources primaires et secondaires.

Pourquoi ?

Les gens basent souvent les décisions qu'ils prennent sur des données. Savoir recueillir des données de manière impartiale et pouvoir les analyser efficacement sont des aptitudes importantes dans la vie quotidienne.

Mots clés

- Données à une variable
- Données discrètes
- Données continues
- Données qualitatives
- Distribution
- Population
- Échantillon
- Biais
- Mesures de tendance centrale
- Écart type

Connaissances préalables

L'interprétation des diagrammes circulaires

Connaissances préalables à la section 7.1

Le **diagramme circulaire** ou *diagramme à secteurs* permet de présenter des données dans un cercle divisé en secteurs. Ceux-ci représentent les parties d'un tout proportionnellement à leur importance.

Exemple

Le diagramme circulaire ci-contre représente les résultats d'un sondage mené sur le moyen le plus souvent utilisé par les élèves ontariens de niveau secondaire pour communiquer entre amis.

a) D'après le diagramme, quel est le moyen le plus utilisé?

b) Quel pourcentage d'élèves préfère utiliser le téléphone cellulaire?

c) Sachant que 15 600 élèves ont répondu au sondage, combien d'élèves préfèrent communiquer en personne?

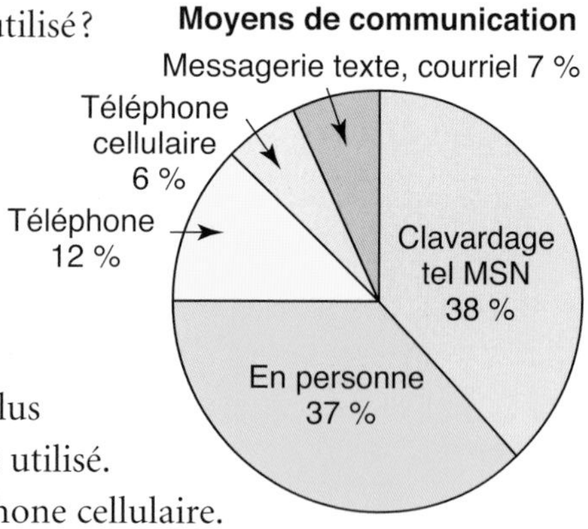

Solution

a) Le clavardage tel MSN récolte le pourcentage le plus important, soit 38 %. C'est donc le moyen le plus utilisé.

b) Il y a 6 % des élèves qui préfèrent utiliser le téléphone cellulaire.

c) Il y a 37 % (0,37) des élèves sondés qui préfèrent communiquer en personne.
$0{,}37 \times 15\,600 = 5772$
Il y a donc 5772 élèves qui préfèrent communiquer en personne.

Vérifie ta compréhension

1. Dans le sondage de l'*exemple dirigé*, on demandait aussi aux élèves: « Si tu avais 1000 $ à donner à une œuvre de bienfaisance, quel type de cause choisirais-tu? » Le diagramme circulaire ci-contre représente les résultats.

a) Quel est le choix le plus répandu? Quel pourcentage d'élèves choisit ce type de cause?

b) Combien d'élèves choisissent de faire un don à un organisme qui défend la cause de la nature ou des animaux?

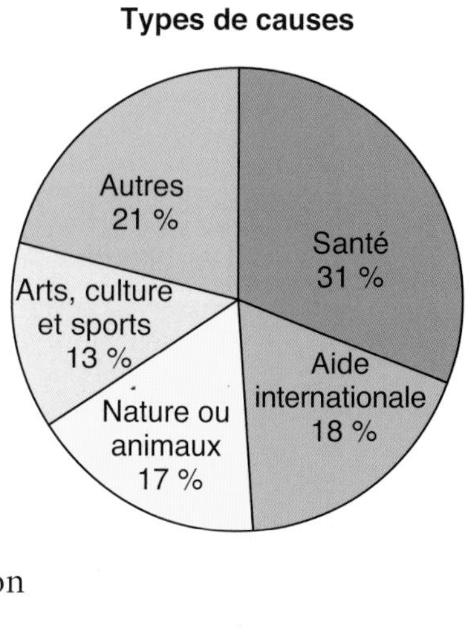

2. Un diagramme circulaire présente chaque catégorie de données comme un pourcentage de l'ensemble des données. D'après toi, pourquoi est-ce une bonne façon de présenter des données? Quel type de données ne se prête pas à la représentation dans un diagramme circulaire?

Les diagrammes à bandes et les diagrammes à pictogrammes

Connaissances préalables à la section 7.1

Un **diagramme à bandes** représente les données par des bandes horizontales ou verticales. Il sert à comparer les données par catégories (par exemple, la moyenne de précipitations de pluie selon les mois). Le **diagramme à pictogrammes** ressemble au diagramme à bandes, mais il se compose d'images ou de symboles représentant une quantité donnée.

Exemple

Le tableau suivant donne, pour Toronto, la moyenne de précipitations au millimètre près, pour chaque mois de l'année sur une période de 40 ans.

Mois	Janv.	Févr.	Mars	Avr.	Mai	Juin	Juill.	Août	Sept.	Oct.	Nov.	Déc.
Pluie (mm)	47	46	58	66	67	66	72	82	70	63	67	62

a) Dresse un diagramme à bandes et un diagramme à pictogrammes représentant les données.

b) Quelle est la quantité approximative de précipitation reçue en été pendant les mois de juillet et août?

Solution

a) La hauteur d'une bande représente la quantité de précipitations en millimètres.

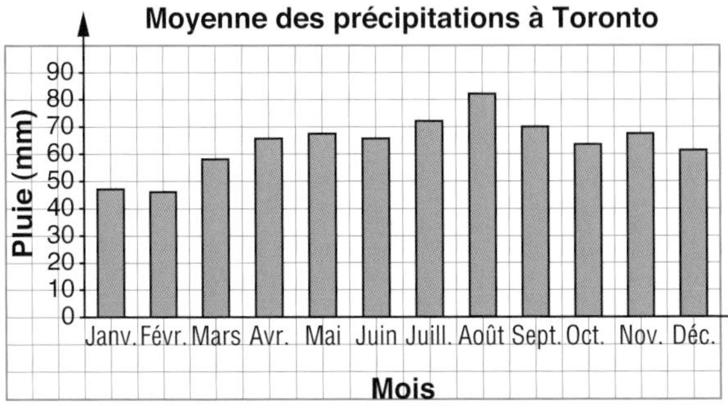

❋ représente 10 mm de pluie

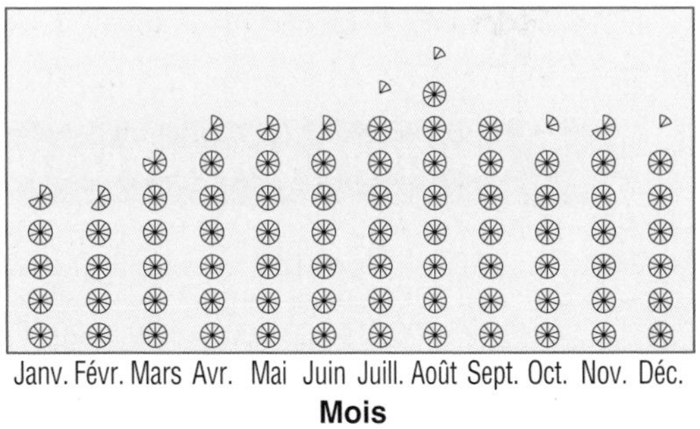

b) Additionne les précipitations moyennes des mois de juillet et août. Environ 154 mm de pluie tombent pendant les mois de juillet et août.

✓ Vérifie ta compréhension

1. Voici les types de livres qu'ont lus en un an les élèves d'un cours de français. Représente ces données dans un diagramme à bandes et dans un diagramme à pictogrammes.

Genre	Policier	B.D.	Poésie	Roman	Biographie
Livres lus	22	43	12	54	34

2. Préfères-tu le diagramme à bandes ou le diagramme à pictogrammes pour représenter les données de l'exercice 1? Dans quelles situations utiliserais-tu un diagramme à bandes ou un diagramme à pictogrammes pour représenter des données?

L'organisation des données par intervalles

Connaissances préalables à la section 7.1

Durant un sondage, tu peux collecter des données qui se répartissent sur une grande étendue. Pour présenter et analyser les données, tu dois les regrouper dans des **intervalles** appropriés. Tu dois alors utiliser une **étendue** qui permet de diviser les données dans un nombre raisonnable d'intervalles. Ensuite, tu détermines les données qui doivent aller dans chaque intervalle.

Exemple

Les tailles de 15 joueurs de basket-ball des Raptors de Toronto en 2006 sont énumérées.

7 pi 0 po	6 pi 10 po	6 pi 3 po	6 pi 0 po	6 pi 9 po	6 pi 7 po	6 pi 9 po	6 pi 2 po
5 pi 11 po	7 pi 0 po	6 pi 6 po	6 pi 7 po	6 pi 10 po	6 pi 10 po	6 pi 5 po	

Détermine le nombre de joueurs de chaque intervalle:
moins de 6 pi; de 6 pi à 6 pi 5 po; de 6 pi 6 po à 6 pi 11 po; 7 pi et plus.

Solution

Dresse un tableau des effectifs pour t'aider à déterminer le nombre de joueurs dans chaque intervalle.

Taille	Moins de 6 pi	De 6 pi à 6 pi 5 po	De 6 pi 6 po à 6 pi 11 po	7 pi et plus
Dénombrement	/	////	~~////~~ ///	//
Nombre de joueurs	1	4	8	2

Vérifie ta compréhension

1. En 2005, les populations des 30 plus grandes villes du monde étaient les suivantes:

35 327 000	19 013 000	18 498 000	18 336 000	18 333 000	15 334 000	14 299 000	13 349 000
13 194 000	12 665 000	12 560 000	12 146 000	11 819 000	11 469 000	11 286 000	11 146 000
11 135 000	10 849 000	10 677 000	10 672 000	9 854 000	9 760 000	9 592 000	9 346 000
8 711 000	8 180 000	7 615 000	7 594 000	7 352 000	7 182 000		

Détermine le nombre de villes dans chaque intervalle: moins de 10 millions; de 10 millions à 14 999 999; de 15 millions à 19 999 999; 20 millions et plus.

2. Voici les tailles des 28 joueurs de hockey des Sénateurs d'Ottawa en 2006.

6 pi 6 po	5 pi 11 po	6 pi 2 po	6 pi 5 po	6 pi 1 po	6 pi 1 po	6 pi 2 po
6 pi 7 po	6 pi 1 po	6 pi 4 po	6 pi 4 po	6 pi 2 po	5 pi 10 po	6 pi 1 po
6 pi 0 po	5 pi 11 po	6 pi 0 po	6 pi 4 po	6 pi 0 po	6 pi 1 po	6 pi 1 po
6 pi 0 po	6 pi 5 po	5 pi 10 po	5 pi 10 po	6 pi 0 po	5 pi 10 po	6 pi 5 po

a) Choisis les intervalles et organise les données.

b) Explique comment tu as choisi les intervalles.

c) Supposons que tu doives organiser les données concernant les tailles des élèves de ta classe. Quels intervalles utiliserais-tu? Explique ton choix.

La littératie et les mathématiques

Un regard critique sur les données

L'information qu'on lit dans les journaux, dans les magazines et dans Internet comporte souvent des nombres. Mais cette information n'est pas toujours impartiale ni vraie.

QUELQUES ERREURS ET PRATIQUES TROMPEUSES COURANTES

Mauvais usage de la langue	• Les mots *moyen* ou *moyenne* et *type* ou *typique* sont parfois employés sans qu'on précise si le nombre utilisé est la moyenne, la médiane ou le mode. • La formulation des questions de sondage peut favoriser une opinion.
Déformation des représentations graphiques	• Parfois, dans des diagrammes à pictogrammes et des graphiques tridimensionnels, la taille de certaines parties de la représentation peut faire paraître les différences entre les nombres plus grandes ou plus petites qu'elles ne le sont. • Quand les axes ne commencent pas à zéro, il est facile de conclure que les différences entre les nombres sont plus grandes qu'elles ne le sont.
Sources douteuses	• Les données proviennent-elles d'un échantillon aléatoire sans biais? • Quand tu vois le mot *expert*, demande-toi ce qui fait de la personne une experte. Est-elle ou est-il expert dans le domaine dont il est question? • Les données présentées sont-elles des faits ou des opinions? Le fait que de nombreuses personnes croient la même chose ne rend pas cette chose vraie.

Essaie ce procédé après avoir étudié la section 7.6.

Regarde les données suivantes. En quoi peuvent-elles être trompeuses?

Le pouvoir d'achat du dollar canadien de 1980 à 2000

7.1 L'organisation et la représentation des données

Beaucoup de gens trouvent plus facile d'interpréter une représentation visuelle de données qu'un ensemble de nombres. L'examen de la forme d'un diagramme à bandes ou de la taille des secteurs d'un diagramme circulaire est une façon de commencer à analyser les données.

Explore — La forme d'un histogramme

Dans un histogramme, chaque bande représente les données d'un intervalle. Il n'y a pas d'espace entre les bandes.

Travaille avec une ou un camarade ou en groupe.
Vous aurez besoin de papier quadrillé.
Soit quatre ensembles de données. Chaque ensemble est organisé par intervalles. Construisez l'histogramme d'un des ensembles de données. Assurez-vous que chaque ensemble de données soit représenté par au moins un groupe.

Ensemble de données 1 : Consommation de carburant des voitures intermédiaires (2008)

Cote de consommation de carburant (L/100 km)	Nombre de modèles disponibles
de 9 à 10	9
de 10 à 11	11
de 11 à 12	35
de 12 à 13	23
de 13 à 14	13
de 14 à 15	7

Dans un intervalle, si le dernier nombre est le même que le premier de l'intervalle suivant, le premier nombre de l'intervalle est inclus, mais le dernier est exclu. Par exemple, l'intervalle « de 9 à 10 » comprend 9 et tous les nombres supérieurs à 9, mais inférieurs à 10.

Ensemble de données 2 : Taille des élèves de niveau secondaire

Taille (cm)	Nombre d'élèves
de 150 à 155	3
de 155 à 160	7
de 160 à 165	17
de 165 à 170	10
de 170 à 175	10
de 175 à 180	16
de 180 à 185	10
de 185 à 190	6

Ensemble de données 3 : Âge des voitures d'un terrain de stationnement

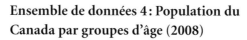

Âge (années)	Nombre de voitures
de 0 à 3	20
de 3 à 6	24
de 6 à 8	22
de 9 à 11	18
de 12 à 14	20

Ensemble de données 4 : Population du Canada par groupes d'âge (2008)

Âge (années)	Population (milliers)
de 0 à 19	7853
de 20 à 39	9097
de 40 à 59	9992
de 60 à 79	5117
80 et plus	1253

➢ Décrivez la forme de l'histogramme que vous avez construit.

➢ Quel énoncé décrit le mieux les données que vous avez représentées ? Expliquez votre choix.
- Il y a deux sommets distincts dans les données.
- La plupart des données forment une grappe au milieu de l'histogramme.
- Les données sont distribuées également dans les intervalles.
- La plupart des données se trouvent dans les intervalles supérieurs.
- La plupart des données se trouvent dans les intervalles inférieurs.

Que vous indique l'énoncé que vous avez choisi au sujet des données ?

Réfléchis

Faites part de votre histogramme et de votre analyse à un groupe qui a utilisé un autre ensemble de données. Comparez vos résultats. Discutez-en ensuite.

➢ Qu'est-ce que la forme d'un histogramme peut indiquer au sujet des données représentées ?

➢ Comment pouvez-vous prédire la forme d'un histogramme d'après l'examen de l'ensemble des données ?

➢ Répétez l'exercice avec un autre groupe qui a utilisé un ensemble de données différent.

Fais des liens

Les types de données

Les **données à une variable** concernent une information sur une personne, sur un lieu ou sur un objet. Chaque donnée à une variable est représentée par un nombre ou un mot.

Les données exprimées par des nombres sont des **données quantitatives.** Les données quantitatives peuvent être **discrètes** ou **continues**.

Les données discrètes correspondent à des données qui ne peuvent être mesurées qu'avec des nombres entiers. Il peut s'agir, par exemple, du nombre de frères et sœurs d'une personne, de l'année de naissance d'une personne ou du nombre de cours qu'une personne suit à l'école.

Les données continues sont des données qui ne peuvent être mesurées qu'avec des nombres réels. La taille d'une personne, le temps que met un athlète de compétition pour faire une course ou la distance du trajet de la maison au travail sont des exemples de données continues.

Les données qui ne sont pas des nombres sont des **données qualitatives**. Il peut s'agir, par exemple, des couleurs des voitures d'un terrain de stationnement, des réponses par « oui » ou par « non » aux questions d'un sondage ou des genres de musique préférés.

Les ensembles de données

Un ensemble de données est parfois composé d'une liste de nombres ou de mots.

Couleurs préférées des élèves de ma classe

bleu	rouge	rouge	noir	bleu	noir	vert
rouge	mauve	vert	vert	bleu	bleu	bleu
bleu	noir	noir	rouge	noir	jaune	mauve

D'autres fois, les données sont représentées dans un tableau qui comprend des traits ou des nombres indiquant la quantité de données qu'il y a dans chaque classe ou catégorie. Ce tableau porte le nom de **tableau des effectifs.**

Couleurs préférées des élèves de ma classe

Couleur	Dénombrement	Effectif
noir	~~////~~	5
bleu	~~////~~ /	6
vert	///	3
rouge	////	4
mauve	//	2
jaune	/	1

L'**effectif** d'une valeur est le nombre de fois où cette valeur apparaît dans un ensemble de données.

Les types de diagrammes

Le type de diagramme à construire dépend du type de données à représenter. Les diagrammes circulaires et les diagrammes à pictogrammes peuvent servir à représenter des données qualitatives ou des données quantitatives discrètes. Un diagramme circulaire représente les parties qui forment le tout.

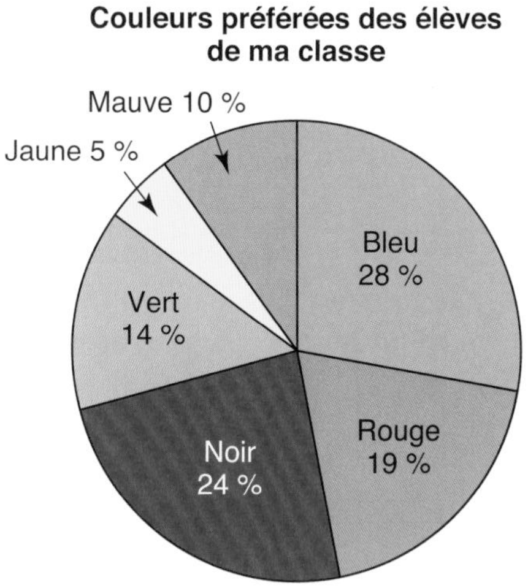

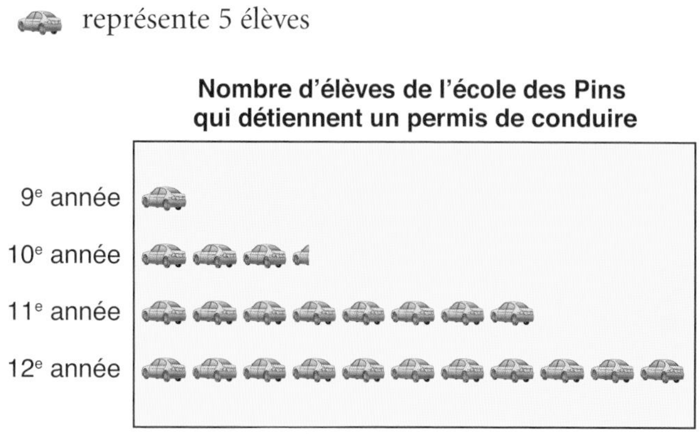

Les diagrammes à bandes peuvent servir à représenter des données qualitatives ou des données quantitatives discrètes.

L'**histogramme** est un type de diagramme à bandes qui représente des données quantitatives continues regroupées par intervalles de classes dont les largeurs sont généralement égales.
Il n'y a pas d'espace entre la valeur maximale d'un intervalle et la valeur minimale de l'intervalle suivant.
Les intervalles ne se chevauchent pas.
Il n'y a donc pas d'espace entre les bandes.

DIAGRAMME À BANDES

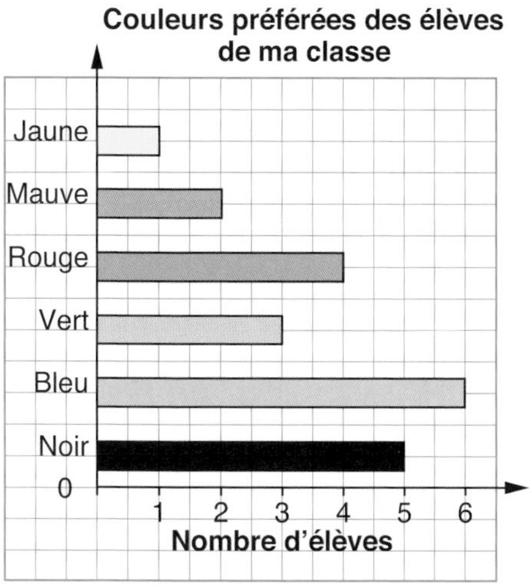

HISTOGRAMME

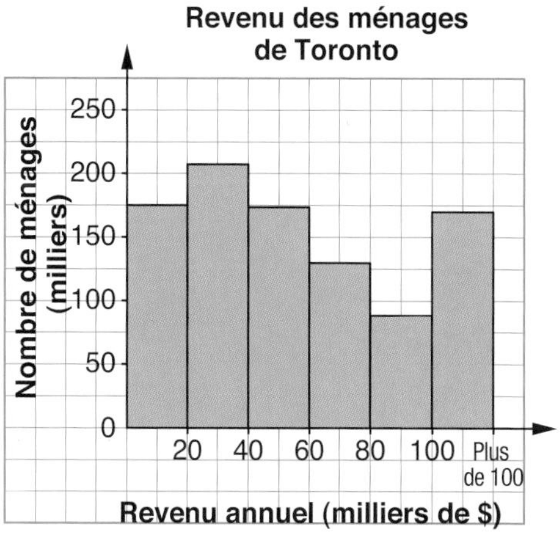

La distribution

La forme d'un histogramme indique la **distribution** des données. On a attribué des noms aux formes les plus courantes.

Distribution uniforme

Choisir une donnée au hasard signifie choisir de manière à ce que toutes les données de l'ensemble aient les mêmes chances d'être choisies.

Les données sont distribuées à peu près également sur toute l'étendue. Si l'on choisissait une donnée au hasard, on aurait autant de chances d'obtenir un petit nombre qu'un grand nombre.

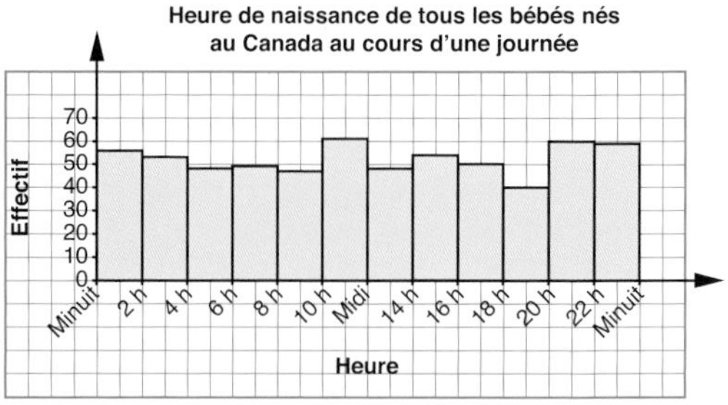

Distribution normale ou distribution en cloche

La plupart des données sont groupées au centre. L'histogramme s'aplanit à mesure qu'on s'éloigne du centre. Si l'on choisissait une donnée au hasard, on obtiendrait probablement un nombre proche du centre.

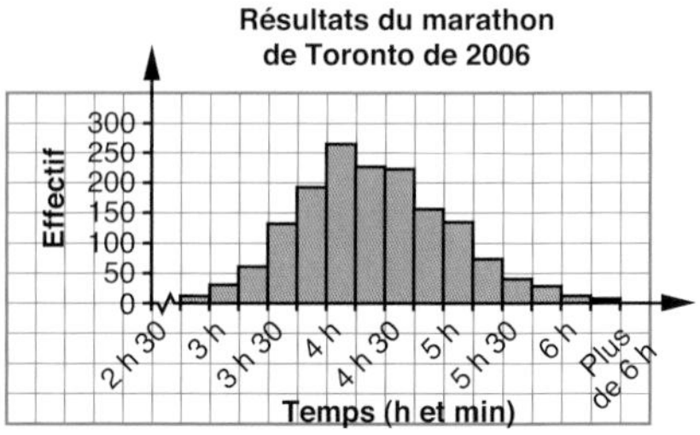

Asymétrique vers la gauche

Ce terme vient du fait que le diagramme diminue vers la gauche.

La plupart des données se situent au haut de l'échelle verticale. L'histogramme s'aplanit vers la gauche. Si l'on choisissait une donnée au hasard, les probabilités d'obtenir un grand nombre seraient plus grandes que celles d'obtenir un petit nombre.

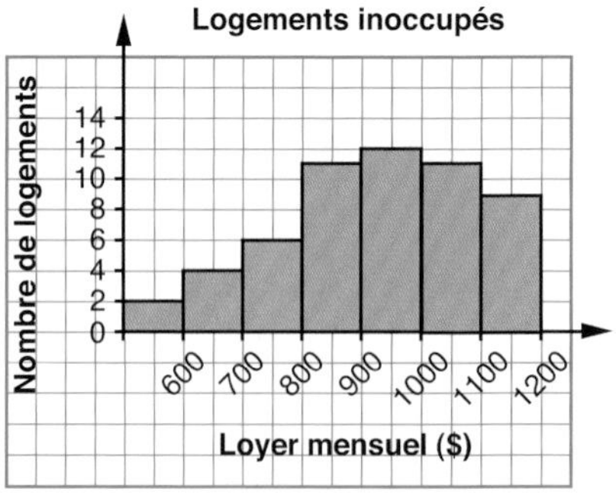

Asymétrique vers la droite

Ce terme vient du fait que le diagramme diminue vers la droite.

La plupart des données se situent au bas de l'échelle verticale. L'histogramme s'aplanit vers la droite. Si l'on choisissait une donnée au hasard, les probabilités d'obtenir un petit nombre seraient plus grandes que celles d'obtenir un grand nombre.

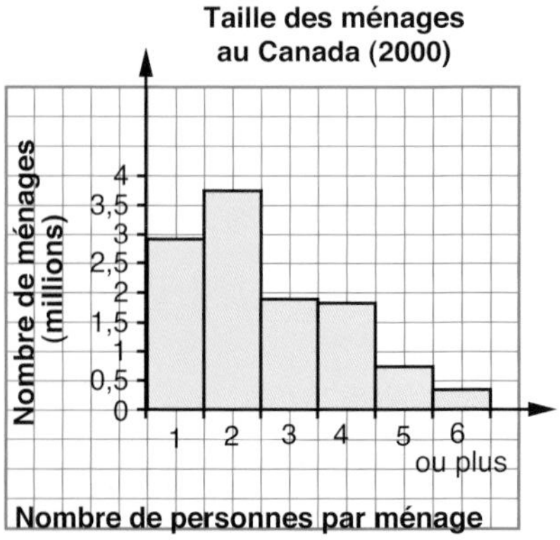

Distribution bimodale

L'histogramme présente deux sommets distincts. Si l'on choisissait une donnée au hasard, on obtiendrait probablement un nombre contenu dans l'un des sommets.

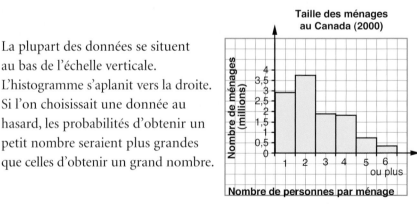

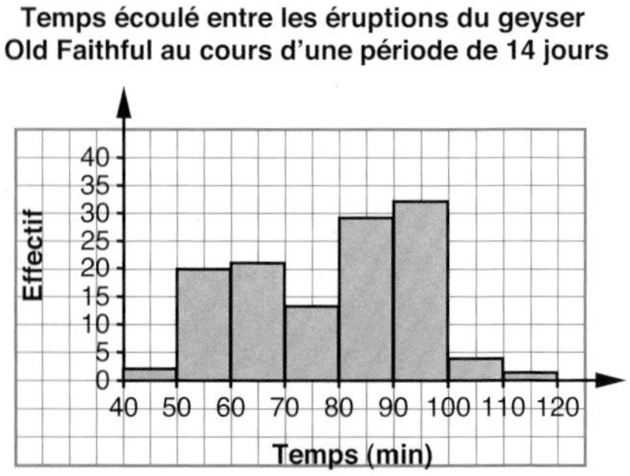

Exercices

1. Dans chaque cas, indique si la donnée est qualitative ou quantitative. Si la donnée est quantitative, indique si elle est continue ou discrète.

a) La couleur des yeux d'une personne.

b) Le nombre de téléviseurs à la maison.

c) Le mois de naissance d'une personne.

d) Le poids d'une personne.

e) La taille d'une personne.

f) L'animal de compagnie préféré d'une personne.

g) L'accord ou le désaccord d'une personne avec l'énoncé suivant: « Le hockey est plus divertissant que le baseball. »

2. Reproduis l'organigramme ci-contre. Indique la relation entre les types de données en écrivant dans les cases appropriées les mots *qualitatives*, *continues*, *données*, *discrètes* ou *quantitatives*.

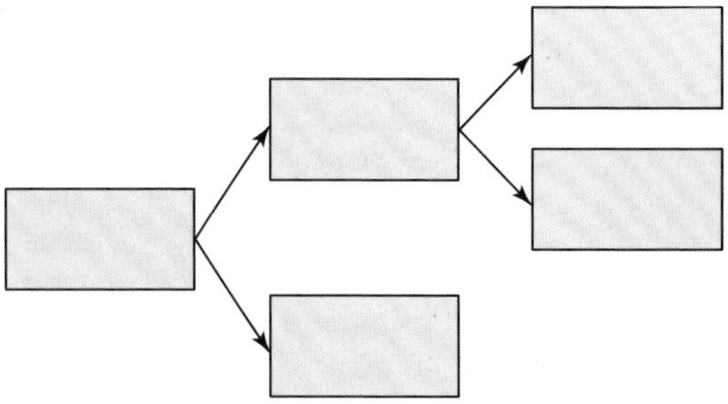

3. Décris la forme de chaque histogramme. Ensuite, nomme la distribution représentée par chaque histogramme.

a)

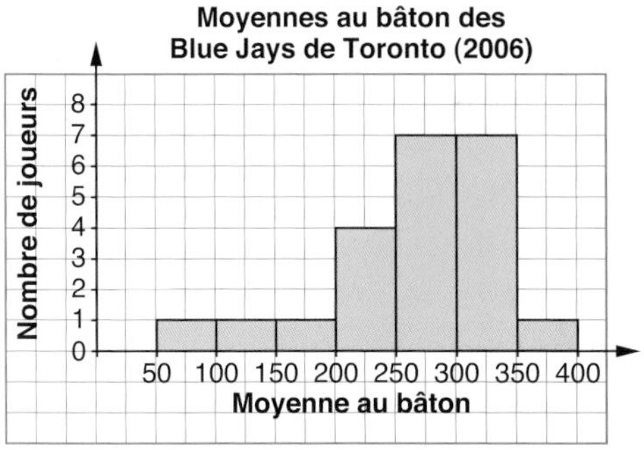

b)

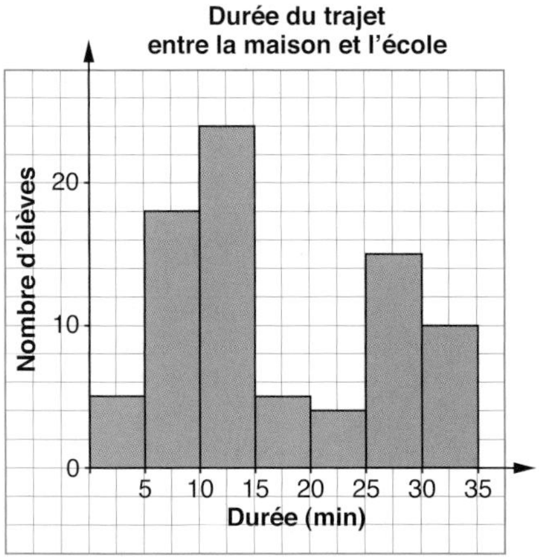

Les diagrammes circulaires servent souvent à représenter des données qualitatives. Si les données se présentent sous forme de liste, on doit dresser un tableau des effectifs avant de construire le diagramme.

Exemple

Les données ci-dessous indiquent les réponses formulées par 24 élèves du secondaire à la question suivante: « Que prévois-tu faire après l'obtention de ton diplôme? » Représente les données dans un diagramme circulaire.

Pour construire un diagramme circulaire, tu as besoin d'un compas et d'un rapporteur.

collège	travail	collège	collège	collège	travail
université	collège	université	collège	travail	travail
collège	travail	collège	université	collège	collège
université	travail	collège	collège	collège	collège

Solution

Commence par dresser un tableau des effectifs.

Projet	**Nombre d'élèves** **Dénombrement**	**Effectif**
Collège	~~||||~~ ~~||||~~ ||||	14
Université	||||	4
Travail	~~||||~~ |	6

Les secteurs d'un diagramme circulaire sont la représentation proportionnelle des parties d'un tout.

Quand les données sont fournies sous forme de fractions ou de pourcentages, commence par déterminer l'angle au centre de chaque secteur.

Détermine la fraction des élèves qui ont choisi chaque projet. Multiplie ensuite chaque fraction par 360° pour déterminer l'angle représentant le secteur choisi.

Sur 24 élèves, 14 ont répondu « collège »; $\frac{14}{24} \times 360° = 210°$.

Donc le secteur du collège aura un angle de 210°.

Sur 24 élèves, 4 ont répondu « université »; $\frac{4}{24} \times 360° = 60°$.

Donc le secteur de l'université aura un angle de 60°.

Le reste du cercle représentera la réponse « travail ».

Tu peux vérifier l'angle en effectuant le calcul.

Sur 24 élèves, 6 ont répondu « travail »; $\frac{6}{24} \times 360° = 90°$.

Donc le secteur du travail aura un angle de 90°.

Trace le diagramme circulaire. Nomme les secteurs et donne à chacun une couleur différente.

Projets de 24 élèves de niveau secondaire

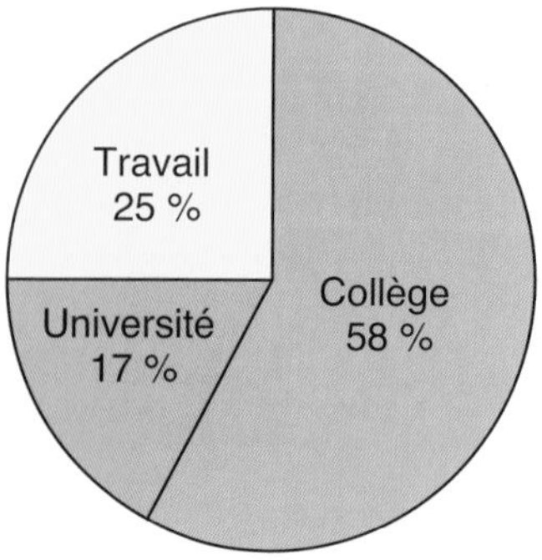

4. Voici les résultats d'une enquête conduite afin de connaître le moyen de transport emprunté par les élèves du secondaire pour se rendre à l'école : automobile : 37,5 % ; transport en commun : 37,5 % ; marche : 17,5 % ; bicyclette : 7,5 %.

a) Représente les données dans un diagramme circulaire.

b) Écris une question à laquelle on pourrait répondre en consultant ton diagramme.

5. Les données suivantes indiquent la taille des t-shirts vendus par un groupe lors d'un spectacle.

Les lettres P, M, G et TG signifient « petit », « moyen », « grand » et « très grand ».

a) Dresse un tableau des effectifs.

b) Représente les données dans un diagramme circulaire.

c) En quoi ton diagramme pourrait-il aider le groupe à commander des t-shirts pour sa prochaine tournée ?

P	TG	TG	TG	G	G	M	TG	TG	M
G	P	G	TG	TG	TG	TG	G	TG	G
M	G	G	P	TG	G	TG	P	TG	TG

6. Le tableau ci-contre indique le prix des maisons qui étaient à vendre à Thunder Bay en janvier 2007.

a) Les prix des maisons sont-ils des données discrètes ou continues ? Explique ta réponse.

b) Prédis la forme de l'histogramme représentant ces données. Explique ta prédiction.

c) Construis l'histogramme des données. Compare la forme de ton histogramme à ta réponse en b).

Prix des maisons ($)	Nombre de maisons à vendre
de 50 000 à 100 000	5
de 100 000 à 150 000	9
de 150 000 à 200 000	12
de 200 000 à 250 000	17
de 250 000 à 300 000	10
de 300 000 à 350 000	4
de 350 000 à 400 000	2
de 400 000 à 450 000	1

7. Voici les mois de naissance d'un groupe de personnes.

Juill.	Sept.	Août	Mars	Avr.	Déc.	Sept.	Mai	Juill.	Mai
Oct.	Oct.	Juin	Juill.	Mai	Juill.	Sept.	Janv.	Avr.	Mars
Sept.	Juill.	Mars	Août	Févr.	Déc.	Mai	Juin	Août	Oct.

a) S'agit-il de données discrètes, continues ou qualitatives ? Justifie ta réponse.

b) Dresse un tableau des effectifs.

c) Construis un diagramme circulaire, un diagramme à bandes, un diagramme à pictogrammes ou un histogramme. Explique comment tu as choisi le diagramme à construire.

d) Écris une question à laquelle on pourrait répondre en consultant ton diagramme.

8. **Fais le point** Voici les températures maximales atteintes à Waterloo au cours du mois de mai d'une année récente. Chaque température est exprimée en degrés Celsius (°C).

19,0	19,8	23,3	21,1	15,2	9,9	17,2	21,7
21,2	23,9	16,3	13,6	17,1	16,1	15,3	14,8
19,0	11,9	12,8	15,0	10,7	7,8	16,1	22,3
23,5	18,9	24,7	27,6	32,7	31,4	27,9	

a) Les températures sont-elles des données discrètes ou continues? Explique ta réponse.

b) Quelle est la température la plus haute et la plus basse de l'ensemble des données?

c) Dresse un tableau des effectifs. Utilise au moins six intervalles. Explique comment tu as choisi les intervalles.

d) Représente les données graphiquement. Explique comment tu as choisi le diagramme à construire. Décris la forme de ton diagramme.

e) Si tu pouvais représenter des données de même nature pour juillet ou novembre, comment chacun des diagrammes se comparerait-il à celui-ci? Explique ton raisonnement.

9. Pour représenter les données des sujets suivants, utiliserais-tu un diagramme circulaire, un diagramme à bandes, un histogramme ou un diagramme à pictogrammes? Explique ton choix.

a) Le prix des maisons à vendre dans ta ville ou ton quartier.

b) Les couleurs des voitures les plus répandues dans le monde.

c) L'émission moyenne de dioxyde de carbone par habitant dans différents pays.

d) Le nombre moyen d'heures par semaine que les Canadiennes et les Canadiens de différents âges passent à regarder la télévision.

e) Les quantités d'électricité ontarienne provenant de centrales nucléaires, de centrales au charbon, de centrales hydroélectriques, du gaz naturel ou de sources renouvelables.

10. **Relève le défi** Supposons qu'après avoir recueilli des données sur chacun des sujets suivants, tu as construit un histogramme. À ton avis, quel type de distribution les données présenteraient-elles? Explique ton raisonnement.

a) L'ensemble des notes sur 100 des élèves de ta classe à un test.

b) La longueur des pieds d'un groupe de femmes.

c) La longueur des pieds d'un groupe comprenant des femmes et des hommes.

d) La taille des familles des élèves de ta classe.

Dans tes mots

Explique la relation qu'il y a entre le type de données qu'on veut représenter et le type de diagramme qu'on construit. Accompagne ton explication d'exemples.

7.2 L'organisation et la représentation de données à l'aide d'outils technologiques

Les statisticiennes et les statisticiens gèrent un grand nombre de données chaque jour. Pour organiser et représenter ces données, ils utilisent des outils technologiques.

Le tableur est un outil couramment employé pour organiser les données. Il permet de représenter un même ensemble de données de plusieurs façons.

Examine — L'organisation et la représentation de données à l'aide d'un tableur

Tu auras besoin du logiciel Excel de Microsoft.
Travaille avec une ou un camarade.

Un conseil étudiant organise des clubs d'activités parascolaires. Pour connaître les champs d'intérêt des élèves, le conseil réalise un sondage concernant le nombre d'heures par semaine que les élèves consacrent à certaines activités.

- Internet ou jeux sur ordinateur
- Télévision
- Lecture
- Bénévolat
- Pratique de sports
- Rencontre avec des amis
- Autres

Le conseil a choisi au hasard 26 élèves pour participer au sondage.

Dans Excel et de nombreux autres tableurs, les diagrammes sont appelés « graphiques ».

Ouvrez le fichier *Loisirs.xls*. Le tableur contient les résultats du sondage. Chaque rangée contient les réponses d'une ou d'un élève. Les colonnes contiennent différents types de données à une variable.

En-dessous des données du sondage, il y a quatre tableaux récapitulatifs que vous représenterez graphiquement dans Excel.

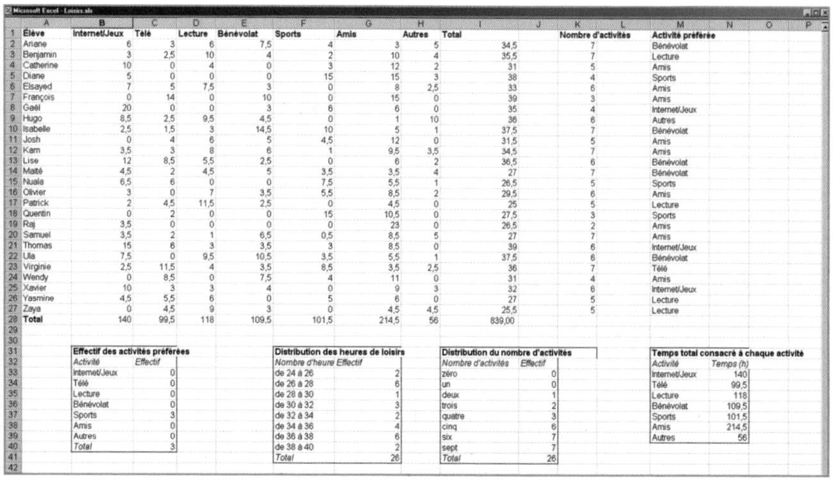
Microsoft Excel - Loisirs.xls

Élève	Internet/Jeux	Télé	Lecture	Bénévolat	Sports	Amis	Autres	Total	Nombre d'activités	Activité préférée
Ariane	6	3	6	7,5	4	3	5	34,5	7	Bénévolat
Benjamin	3	2,5	10	4	2	10	4	35,5	7	Lecture
Catherine	10	0	4	0	3	12	2	31	5	Amis
Diane	5	0	0	0	15	15	3	38	4	Sports
Elsayed	7	5	7,5	3	0	8	2,5	33	6	Amis
François	0	14	0	10	0	15	0	39	3	Amis
Gaël	20	0	0	3	6	6	0	35	4	Internet/Jeux
Hugo	8,5	2,5	9,5	4,5	0	1	10	36	6	Autres
Isabelle	2,5	1,5	3	14,5	10	5	1	37,5	7	Bénévolat
Josh	0	4	6	5	4,5	12	0	31,5	5	Amis
Kam	3,5	3	8	6	1	9,5	3,5	34,5	7	Amis
Lise	12	8,5	5,5	2,5	0	6	2	36,5	6	Bénévolat
Maïté	4,5	2	4,5	5	3,5	3,5	4	27	7	Bénévolat
Nuala	6,5	6	0	0	7,5	5,5	1	26,5	5	Sports
Olivier	3	0	7	3,5	5,5	8,5	2	29,5	6	Amis
Patrick	2	4,5	11,5	2,5	0	4,5	0	25	5	Lecture
Quentin	0	2	0	0	15	10,5	0	27,5	3	Sports
Raj	3,5	0	0	0	0	23	0	26,5	2	Amis
Samuel	3,5	2	1	6,5	0,5	8,5	5	27	7	Amis
Thomas	15	6	3	3,5	3	8,5	0	39	6	Internet/Jeux
Ula	7,5	0	9,5	10,5	3,5	5,5	1	37,5	6	Bénévolat
Virginie	2,5	11,5	4	3,5	8,5	3,5	2,5	36	7	Télé
Wendy	0	8,5	0	7,5	4	11	0	31	4	Amis
Xavier	10	3	3	4	0	9	3	32	6	Internet/Jeux
Yasmine	4,5	5,5	6	0	5	6	0	27	5	Lecture
Zaya	0	4,5	9	3	0	4,5	4,5	25,5	5	Lecture
Total	140	99,5	118	109,5	101,5	214,5	56	839,00		

Effectif des activités préférées

Activité	*Effectif*
Internet/Jeux	0
Télé	0
Lecture	0
Bénévolat	0
Sports	3
Amis	0
Autres	0
Total	3

Distribution des heures de loisirs

Nombre d'heure	*Effectif*
de 24 à 26	2
de 26 à 28	6
de 28 à 30	1
de 30 à 32	3
de 32 à 34	2
de 34 à 36	4
de 36 à 38	6
de 38 à 40	2
Total	26

Distribution du nombre d'activités

Nombre d'activités	*Effectif*
zéro	0
un	0
deux	1
trois	2
quatre	3
cinq	6
six	7
sept	7
Total	26

Temps total consacré à chaque activité

Activité	*Temps (h)*
Internet/Jeux	140
Télé	99,5
Lecture	118
Bénévolat	109,5
Sports	101,5
Amis	214,5
Autres	56

1. Le tableau récapitulatif intitulé **Effectif des activités préférées** indique le nombre d'élèves qui consacrent la majeure partie de leur temps libre à chacune des activités nommées dans le sondage.

Effectif des activités préférées	
Activité	*Effectif*
Internet/Jeux	4
Télé	1
Lecture	4
Bénévolat	4
Sports	3
Amis	9
Autres	1
Total	26

a) Les activités préférées sont-elles des données qualitatives, quantitatives discrètes ou quantitatives continues ? Justifiez votre réponse.

b) En tenant le bouton de la souris enfoncé, sélectionnez les données du tableau, sauf celles de la rangée *Total.*
Dans le menu **Insertion**, sélectionnez **Graphique**.
Cliquez sur **Terminer** pour insérer le graphique.
Quel genre de diagramme s'affiche à l'écran ?
Quelle est l'activité préférée la plus répandue ?
Comment le graphique le montre-t-il ?

c) Avec le bouton droit de la souris, cliquez sur l'espace autour du diagramme.
Dans le menu qui apparaît, sélectionnez **Type de graphique**.
Dans l'encadré **Type de graphique**, sélectionnez **Secteurs**.
Cliquez sur **OK**.
Quel genre de diagramme apparaît maintenant ?
Une fois que vous avez sélectionné **Graphique**, choisissez **Options** dans le menu **Graphique**.
Cliquez sur l'onglet **Étiquettes de données**, puis cochez **Valeur** et **Pourcentage**.
Cliquez sur **OK**.
Qu'est-ce que ce diagramme montre plus clairement que le diagramme précédent ?

Vous devrez peut-être faire glisser le diagramme pour qu'il ne cache pas le tableau.

d) Avec le bouton droit de la souris, cliquez sur l'espace autour du diagramme.
Dans le menu qui apparaît, sélectionnez **Type de graphique**.
Quels autres types de diagrammes conviendraient aux données ?
Choisissez-en un et construisez-le.
Le nouveau diagramme donne-t-il de l'information nouvelle ?
Expliquez votre raisonnement.

e) À votre avis, quel diagramme représente le mieux les données ?
Expliquez votre choix.

2. Le tableau récapitulatif intitulé **Distribution des heures de loisirs** indique le nombre d'élèves qui disposent d'un certain nombre d'heures de loisirs par semaine.

Distribution des heures de loisirs	
Nombre d'heures	*Effectif*
de 24 à 26	2
de 26 à 28	6
de 28 à 30	1
de 30 à 32	3
de 32 à 34	2
de 34 à 36	4
de 36 à 38	6
de 38 à 40	2
Total	26

a) Les nombres d'heures de loisirs sont-ils des données qualitatives, quantitatives discrètes ou quantitatives continues ? Justifiez votre réponse.

b) Sélectionnez les données du tableau, sauf celles de la rangée *Total.*
Dans le menu **Insertion**, sélectionnez **Graphique**.
Cliquez sur **Terminer** pour insérer le diagramme.
Quel genre de diagramme s'affiche à l'écran ?
Décrivez la distribution des données. Pourquoi cela se produit-il ?

c) Avec le bouton droit de la souris, cliquez sur l'espace autour du diagramme.
Dans le menu qui apparaît, sélectionnez **Type de graphique**.
Quels autres types de diagrammes conviendraient aux données ?
Expliquez votre raisonnement.
Choisissez un des types de diagrammes et construisez-le.
Ce diagramme fournit-il de l'information nouvelle ? Expliquez votre réponse.

d) À votre avis, quel diagramme représente le mieux les données ?
En quoi est-il mieux que les autres ?

3. Le tableau récapitulatif intitulé **Distribution du nombre d'activités** indique le nombre d'élèves qui consacrent leurs loisirs à un certain nombre d'activités nommées dans le sondage.

a) Les nombres d'activités sont-ils des données qualitatives, quantitatives discrètes ou quantitatives continues?
Justifiez votre réponse.

b) Choisissez le diagramme qui, selon vous, représentera le mieux les données.
Expliquez votre choix.
Représentez les données.
La plupart des élèves consacrent-ils leurs loisirs à de nombreuses activités ou à quelques activités seulement?
Expliquez ce qui vous l'indique.

Distribution du nombre d'activités	
Nombre d'activités	*Effectif*
zéro	0
un	0
deux	1
trois	2
quatre	3
cinq	6
six	7
sept	7
Total	26

4. Le tableau récapitulatif intitulé **Temps total consacré à chaque activité** indique le temps total que tous les élèves consacrent à chaque activité.

a) Les temps totaux sont-ils des données qualitatives, quantitatives discrètes ou quantitatives continues?
Justifiez votre réponse.

b) Choisissez le diagramme qui, selon vous, représentera le mieux les données.
Expliquez votre choix.
Représentez les données
Quelle est l'activité la plus répandue?
Comment le diagramme l'indique-t-il?

c) Représentez de la même façon les données de l'étape 1 au sujet de l'effectif des activités préférées.
Les deux diagrammes donnent-ils la même information au sujet de la popularité des activités?
Expliquez votre réponse.

Temps total consacré à chaque activité	
Activité	*Temps (h)*
Internet/Jeux	140
Télé	99,5
Lecture	118
Bénévolat	109,5
Sports	101,5
Amis	214,5
Autres	56

5. À votre avis, quels clubs le conseil étudiant devrait-il mettre sur pied?
Expliquez comment vous devriez utiliser vos diagrammes pour convaincre le conseil que vous avez raison.

Exercices

1. L'Union des producteurs agricoles du Canada craint qu'une crise frappe le Canada rural à cause du nombre décroissant de fermes familiales. Une ferme familiale est une ferme dont une famille est la propriétaire exploitante. Ses frais d'exploitation sont généralement moins élevés que ceux d'une grande ferme dirigée par une société agro-industrielle ou par un collectif.
Le tableau suivant indique le nombre de fermes ontariennes par tranches de frais d'exploitation en 1996 et en 2001.

Année	Moins de 50 000 $	50 000 $ – 99 999 $	100 000 $ – 199 999 $	200 000 $ – 349 999 $	350 000 $ – 499 999 $	500 000 $ – 999 999 $	1 000 000 $ – 1 499 999 $	1 500 000 $ et plus
1996	1 329	2 427	11 151	17 962	10 770	14 857	4 530	4 494
2001	402	1 164	6 794	13 791	9 453	15 060	5 698	7 366

a) Les frais d'exploitation sont-ils des données qualitatives, quantitatives discrètes ou quantitatives continues? Justifie ta réponse.
Saisis les données dans un tableur ou ouvre le fichier *Fermes.xls* du tableur.

b) À l'aide d'un tableur, construis un diagramme à bandes représentant les données de chaque année.

c) Compare les diagrammes à bandes des deux années. En quoi leurs formes sont-elles différentes? Que t'indique ta réponse au sujet de l'évolution des fermes entre 1996 et 2001? Les diagrammes appuient-ils l'affirmation selon laquelle le nombre de fermes familiales diminue? Justifie ta réponse.

d) Remplace tes deux diagrammes à bandes par un diagramme d'un autre type et compare-les. Comment se comparent l'information présentée dans ce diagramme et celle dans le diagramme à bandes? Explique pourquoi tu as choisi ce type de diagramme.

2. En 2006, les membres de l'Association étudiante sur la réforme politique se sont réunis pour discuter de changements à apporter au mode d'élection des députés provinciaux.

Le premier tableau montre le nombre de candidats élus par plage de pourcentages de votes à l'élection de 2003. Par exemple, trois députés ont remporté l'élection dans leur circonscription en ayant de 35 % à 40 % des votes.

Distribution du pourcentage de votes gagnants	
Votes (%)	*Effectif*
de 35 à 40	3
de 40 à 45	12
de 45 à 50	41
de 50 à 55	23
de 55 à 60	14
de 60 à 65	6
de 65 à 70	3
de 70 à 75	1
Total	103

Le second tableau indique le nombre de députés élus par parti politique à la même élection.

Députés élus par parti	
Libéral	72
Conservateur	24
Nouveau Parti démocratique	7
Total	103

a) Les pourcentages de votes sont-ils des données qualitatives, quantitatives discrètes ou quantitatives continues? Justifie ta réponse.

b) Les partis politiques représentent quel type de données? Saisis les données dans un tableur ou ouvre le fichier *Election.xls*.

c) À l'aide du tableur, produis un diagramme représentant les données sur les pourcentages de votes. Explique ton choix de diagramme. Qu'est-ce que la forme du diagramme t'indique au sujet des données?

d) Quel pourcentage approximatif des députés se sont fait élire avec moins de 50 % des votes? Explique la stratégie que tu as utilisée pour répondre à cette question.

e) Que sais-tu au sujet des votes récoltés par les autres partis dans les circonscriptions représentées par les députés élus avec moins de 50 % des votes?

f) À l'aide d'un tableur, produis un diagramme représentant les données sur les députés élus par parti. Explique ton choix de diagramme. Environ quelle fraction des députés élus appartenait à chacun des trois partis politiques?

g) En 2007, l'Association étudiante sur la réforme politique a recommandé que la part des votes récoltés par chaque parti détermine la part des sièges du parti au parlement. Es-tu d'accord avec cette idée? Appuie ta réponse sur les données et sur tes diagrammes.

Réfléchis

- Est-il préférable d'utiliser des outils technologiques pour représenter graphiquement certains ensembles de données? Accompagne ton explication d'exemples présentés dans cette section.
- Comment un diagramme peut-il t'aider à interpréter des données? Accompagne ton explication d'exemples présentés dans cette section.

7.3 Les méthodes d'échantillonnage

Pour déterminer la population de poissons ou de reptiles d'un habitat, on pourrait compter les animaux un à un. Cependant, cette méthode est généralement impossible à employer et elle pourrait nuire à certaines espèces. Les biologistes emploient donc plutôt une méthode de marquage et de recapture.

Le ou la biologiste attrape quelques animaux, les marque d'une manière non destructive, puis les relâche. Plus tard, il ou elle attrape un autre échantillon. Le rapport des animaux marqués à tous les animaux du second échantillon devrait être à peu près égal au rapport des animaux marqués à la population totale.

Explore — L'estimation par la méthode de marquage et de recapture

À deux ou en groupe, vous allez simuler une expérience de marquage et de recapture.
Vous recevrez un sac contenant de 30 à 50 morceaux de papier.

- Sans regarder, plongez la main dans le sac et retirez quelques morceaux de papier. Tracez un X sur chaque morceau. Notez le nombre de morceaux tirés, puis remettez ces derniers dans le sac.
- Secouez le sac, puis retirez une poignée de morceaux de papier. Comptez les morceaux marqués et tous les morceaux que vous avez dans la main.
- Estimez le nombre total de morceaux de papier contenus dans le sac. Expliquez comment vous avez fait votre estimation.
- Remettez les morceaux dans le sac. Refaites l'expérience plusieurs fois.

Réfléchis

- Utilise l'estimation faite lors de chaque expérience. Quelle est ta prédiction la plus juste du nombre de morceaux de papier contenus dans le sac? Explique ton raisonnement.
- Vide le sac et compte tous les morceaux de papier. À quel point ta prédiction était-elle exacte? Explique ton raisonnement.

Fais des liens

La population et l'échantillon

La population d'une ville comprend tous les habitants de la ville. De même, la **population** de tout ensemble comprend tous les membres de l'ensemble. Les membres de la population sont appelés *individus*.

La collecte de données sur chaque individu d'une population est un **recensement**. La réalisation d'un recensement peut être coûteuse, longue et parfois impossible. Dans le domaine des tests de produits, par exemple, les tests peuvent abîmer les articles, ce qui rend le recensement irréalisable. En général, on recueille des données auprès d'un petit ensemble d'individus membres de la population. Ce petit ensemble est un **échantillon**.

Un échantillon qui n'est pas représentatif de la population est un échantillon **biaisé**. Pour être valable, un échantillon doit avoir une taille apte à bien représenter la population et être sans biais.

L'échantillonnage aléatoire

Dans toutes les méthodes d'échantillonnage aléatoire, tous les individus doivent avoir des chances égales d'être choisis. Il existe plusieurs méthodes d'échantillonnage aléatoire.

L'échantillonnage aléatoire simple
L'échantillonnage que tu as fait sous *Explore* était un échantillonnage aléatoire simple. Selon cette méthode, les individus sont choisis au hasard dans l'ensemble de la population.

L'échantillonnage stratifié
On divise la population en sous-groupes. La division peut se faire d'après une caractéristique telle que le revenu ou le lieu de résidence. Ensuite, on choisit au hasard quelques individus dans chaque sous-groupe de façon proportionnelle à la taille de chacun d'entre eux.

L'échantillonnage en grappes
La population est divisée en sous-ensembles ; chacun de ceux-ci est représentatif de l'ensemble de la population. Des sous-ensembles sont choisis au hasard et les données sont recueillies auprès de chaque individu des sous-ensembles choisis.

L'échantillonnage systématique
On choisi chaque n^e individu de la population. Par exemple, pour composer un échantillon à partir d'une liste de noms, on pourrait commencer aléatoirement au quatrième nom, puis choisir les noms suivants par intervalle de 10 ; cela donnerait le 14e, le 24e et ainsi de suite.

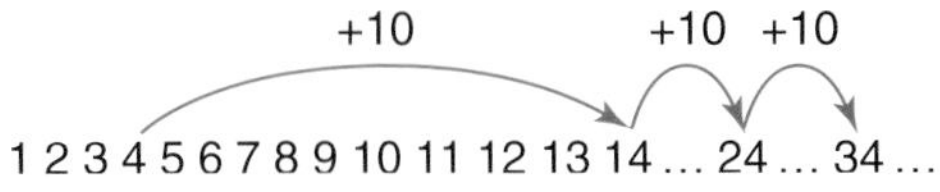

D'autres méthodes d'échantillonnage

Il existe d'autres méthodes d'échantillonnage, qui sont non aléatoires. Selon ces méthodes, tous les individus d'une population n'ont pas les mêmes chances d'être choisis.

L'échantillonnage accidentel
On ne choisit que les individus qui sont faciles à échantillonner. Aux élections, par exemple, les sondeurs se postent souvent à la porte des bureaux de scrutin pour demander aux électeurs qui sortent : « Pour qui avez-vous voté ? » Les individus sondés de cette façon forment un échantillon accidentel.

L'échantillonnage par choix raisonné
La personne qui fait l'échantillonnage choisit un échantillon fondé sur sa connaissance de la population. Si le choix de la personne est biaisé, l'échantillon peut ne pas être représentatif de la population.

L'échantillonnage à participation volontaire
Seuls les individus qui participent de leur plein gré sont inclus dans l'échantillon. Les sondages d'émissions de télévision et de radio où les auditeurs téléphonent sont des exemples d'échantillonnage à participation volontaire.

Supposons qu'une association de commerçants du centre-ville veuille connaître l'opinion des gens sur la disponibilité des places de stationnement dans la ville. L'association pourrait réaliser un sondage en utilisant une des méthodes d'échantillonnage suivantes :

- Laisser à différents endroits dans la ville des questionnaires que les gens prendront et rempliront s'ils le veulent.
- Utiliser un générateur de numéros pour choisir des noms au hasard dans l'annuaire du téléphone.
- Choisir au hasard des pages de l'annuaire du téléphone et appeler tous les ménages de chaque page de l'échantillon.
- Commencer par le 45e nom de l'annuaire et choisir ensuite tous les noms inscrits par intervalles de 100 : 45, 145, 245, 345, ...
- Choisir aléatoirement des gens dans chaque quartier de la ville, en veillant à utiliser un échantillon proportionnel au nombre d'habitants de chaque quartier.
- Sonder les personnes qui font leurs emplettes au centre-ville.

Exercices

1. Nomme deux raisons pour lesquelles on recueille des données auprès d'un échantillon plutôt que d'une population entière.

2. Reporte-toi au sondage d'opinion sur les places de stationnement décrit sous *Fais des liens*, à la page 311.

a) Quelle est la population ?

b) Utilise les méthodes d'échantillonnage qui sont décrites sous *Fais des liens*, à la page 311. Nomme la méthode employée dans chaque sondage. Justifie tes choix.

c) Quels échantillons peuvent être biaisés ? Explique ton raisonnement.

d) Quel échantillon recommanderais-tu à l'association pour son sondage ? Justifie ton choix.

e) Supposons que l'association espère convaincre la ville d'augmenter les places de stationnement. Ta réponse en d) changerait-elle ? Explique ton raisonnement.

3. Pour chacune des situations suivantes, identifie la population. Indique si l'on devrait recueillir les données auprès d'un échantillon ou de la population. Justifie ton choix.

a) La capacité d'une pile correspond au nombre d'heures que fonctionnera la pile à une certaine intensité de courant. Un fabricant de piles veut tester les piles produites chaque jour pour s'assurer de leur capacité.

b) Une élève veut déterminer le sport préféré de ses camarades de classe.

c) Un groupe environnementaliste veut déterminer l'opinion des gens sur l'utilisation de pesticides dans une ville.

d) L'agent de placement d'un collège veut sonder les entreprises pharmaceutiques de sa province pour connaître celles qui embaucheront des étudiantes et des étudiants en stage de travail.

e) Le conseil étudiant veut savoir quel est le groupe de musiciens local pour lequel les élèves paieraient afin de le voir en spectacle à l'école.

4. Pour chacune des situations de l'exercice 3 où tu as recommandé l'utilisation d'un échantillon, propose une méthode d'échantillonnage et justifie ton choix.

La composition d'un échantillon peut demander plusieurs étapes. Chaque étape doit être le moins biaisée possible.

Exemple

Une entreprise veut sonder la population ontarienne pour connaître ses opinions au sujet des camions et des véhicules utilitaires sport. Pour s'assurer de réaliser un sondage représentatif, l'entreprise tient à ce que tous les habitants de la province aient des chances égales d'être choisis. Elle décide donc d'utiliser l'échantillonnage stratifié. L'entreprise choisit trois villes au hasard, puis dans chaque ville, elle choisit 200 personnes au hasard. Les villes choisies sont :

- Guelph : 126 000 habitants
- Peterborough : 75 000 habitants
- Windsor : 208 000 habitants

a) Qu'est-ce qui ne va pas dans le fait de choisir 200 personnes dans chaque ville ?

b) Quel autre facteur pourrait biaiser les résultats de ce sondage ? Comment pourrait-on corriger la situation ?

Solution

a) Étant donné que les populations des villes sont différentes, on ne doit pas choisir le même nombre de personnes dans chaque ville.
Pour déterminer le nombre de personnes à choisir dans chaque ville :

- calcule la fraction de la population totale de chaque ville ;
- multiplie par le nombre total d'échantillons souhaités, soit 600.

Ville	Population	Fraction de la population totale	Taille de l'échantillon (fraction du total × 600)
Guelph	126 000	$\frac{126\,000}{409\,000}$ ou 0,308	$0{,}398 \times 600 \doteq 185$
Peterborough	75 000	$\frac{75\,000}{409\,000}$ ou 0,183	$0{,}183 \times 600 \doteq 110$
Windsor	208 000	$\frac{208\,000}{409\,000}$ ou 0,509	$0{,}509 \times 600 \doteq 305$
TOTAL	**409 000**		**600**

L'entreprise aurait dû choisir 185 personnes à Guelph, 110 personnes à Peterborough et 305 personnes à Windsor.

b) Cet échantillon n'inclut que des habitants des villes. Selon les statistiques gouvernementales, 85 % de la population de l'Ontario est urbaine et 15 % est rurale. Il y a donc presque six fois plus d'habitants dans les villes que dans les campagnes. Comme le sondage se fait auprès de 600 habitants des villes, on réduirait le biais en sondant aussi au hasard 100 habitants des campagnes.

5. Supposons que tu veuilles échantillonner 50 élèves d'une école secondaire. Pour chacune des situations suivantes, calcule le nombre d'élèves de chaque année que tu dois échantillonner afin que les nombres de l'échantillon soient proportionnels au nombre d'élèves de chaque année.

a) L'école compte 220 élèves de 9e année, 180 élèves de 10e année, 160 élèves de 11e année et 190 élèves de 12e année.

b) Si tu le peux, utilise les nombres d'élèves inscrits à ton école ; sinon, utilise des estimations.

6. Fais le point Les élèves d'une classe d'études sociales doivent écrire la biographie d'une personne choisie dans une liste de noms. Les noms sont organisés en quatre groupes.

Alexander Graham Bell Marie Curie Thomas Edison Albert Einstein Isaac Newton	Salvador Dali Frida Kahlo Pablo Picasso Jean-Paul Riopelle Andy Warhol	Margaret Atwood Robertson Davies Dominique Demers Nancy Huston Daniel Poliquin	Norman Bethune Paul Desmarais Julie Payette Louis Riel Pierre Elliott Trudeau
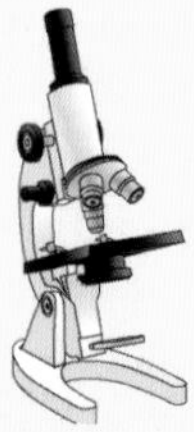	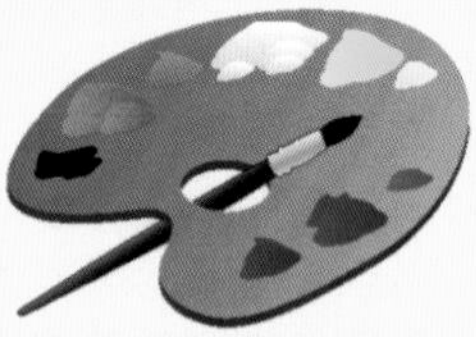		

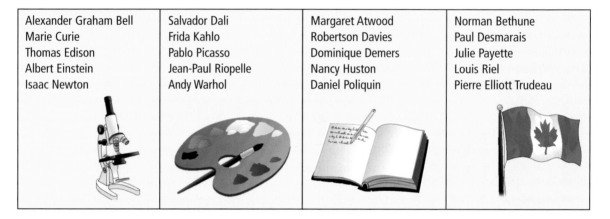

a) Combien d'individus y a-t-il dans la population totale ?

b) Combien d'individus y a-t-il dans chaque groupe ?
Comment les groupes semblent-ils être organisés ?

c) Supposons que l'enseignant décide de réduire les choix à huit noms.
Explique comment il pourrait le faire en utilisant un échantillon aléatoire simple, un échantillon aléatoire stratifié et un échantillon par choix raisonné.

d) Écris chaque nom sur un morceau de papier. Sers-toi des morceaux de papier pour essayer les idées que tu as formulées en c).
Note chaque fois les huit noms dans ton échantillon. Selon toi, quelle méthode garantit la plus grande variété aux élèves ? Explique ton raisonnement.

7. Relève le défi Explique pourquoi les groupes de noms, tel qu'ils sont organisés dans l'exercice 6, ne conviennent pas à un échantillon en grappes. Explique ensuite comment réorganiser les groupes pour qu'ils se prêtent à un échantillon en grappes.

Dans tes mots

Explique la différence qui existe entre un échantillon et une population. Accompagne ton explication d'exemples dans lesquels tu pourrais collecter des données auprès d'un échantillon et d'une population.

7.4 L'élaboration et l'utilisation d'un questionnaire

Supposons que tu aies besoin de données concernant les opinions et les habitudes des personnes de ton école ou de ta ville. Tu ne trouverais probablement pas ces données dans des publications. Tu devrais donc recueillir tes propres données.

Examine — La collecte de données au moyen d'un questionnaire

Travaille avec une ou un camarade ou en groupe.

1. Étudier les éléments d'une bonne question

➢ On peut souvent poser des questions ouvertes ou des questions à choix multiple qui facilitent l'organisation des réponses.
Dans les exemples suivants, quel type de réponse considérez-vous comme plus facile à organiser et à utiliser?
Expliquez votre raisonnement.

Questions ouvertes	Questions à choix multiple
Quel montant avez-vous dépensé en divertissement la semaine dernière? ________	Quel montant avez-vous dépensé en divertissement la semaine dernière? Moins de 16 $ __ De 16 $ à 30 $ __ Plus de 30 $ __
Quelle est votre matière préférée? ________	Quelle est votre matière préférée? (Choisissez une des matières proposées.) Mathématiques __ Sciences __ Français __ Technologie __ Autres __ Pas de préférence __
Doit-on interdire aux cafétérias d'écoles de vendre certains aliments? Si oui, quels aliments? ________________________ ________________________	On devrait interdire aux cafétérias d'écoles de vendre des aliments comme les boissons gazeuses, les croustilles et les frites. Pas du tout d'accord __ Pas d'accord __ D'accord __ Tout à fait d'accord __ Pas d'opinion __

➢ Tentez d'éviter les questions qui pourraient biaiser les résultats d'un sondage ou donner lieu à des réponses vagues. Voici quelques types de questions qui peuvent fausser les résultats.

- Une question formulée de manière à influencer la réponse.
- Une question qui influence la réponse en ne fournissant pas assez de renseignements ou de choix de réponses.
- Une question trop générale.
- Une question qui contient plusieurs sous-questions dont les réponses ne figurent pas dans les choix.

➢ Choisissez la meilleure des deux questions de chaque rangée.
Expliquez pourquoi l'autre question ne convient pas.

Les policières et policiers, qui assurent des services essentiels à la collectivité, devraient être mieux payés. D'accord _____ Pas d'accord _____	Quel énoncé reflète le mieux votre opinion sur le salaire des policières et policiers ? ❑ Le salaire est inférieur à ce qu'il devrait être. ❑ Le salaire est supérieur à ce qu'il devrait être. ❑ Le salaire est adéquat. ❑ Ne sais pas/Pas d'opinion
Avez-vous acheté de la nourriture pour chiens au cours des trois derniers mois ? ❑ Oui ❑ Non Si oui, de quel type ? En conserve ___ Sèche ___ Les deux ___	Avez-vous déjà acheté de la nourriture pour chiens en conserve ou sèche ? ❑ Oui ❑ Non ❑ Je ne sais pas
Croyez-vous que le salaire minimum en Ontario devrait être augmenté à 10 $/h ? ❑ Oui ❑ Non ❑ Ne sais pas/Pas d'opinion	Appuyez-vous les efforts des groupes anti-pauvreté de l'Ontario qui visent l'augmentation du salaire minimum à 10 $/h ? ❑ Oui ❑ Non ❑ Ne sais pas/Pas d'opinion

2. Élaborer le questionnaire

➢ Choisissez un sujet. Dans la mesure du possible, votre sujet vous apportera de l'information qui pourrait permettre d'atteindre un objectif ou de prendre une décision.

- Supposons que vous souhaitiez fonder un groupe environnementaliste. Vous pourriez poser des questions qui vous aideraient à déterminer si les gens se joindraient à votre groupe ainsi que les heures et les jours idéals pour les assemblées.
- Ou encore, supposons que le conseil étudiant planifie une danse-bénéfice. Vous pourriez poser des questions qui vous aideraient à déterminer les genres de musique que les gens aimeraient entendre et le montant qu'ils seraient prêts à débourser pour assister à l'événement.

➢ Écrivez vos questions. Rappelez-vous les consignes suivantes :

- Écrivez des questions courtes et faciles à comprendre.
- Évitez les questions trop personnelles afin de respecter la vie privée des répondants.
- Évitez les questions qui peuvent blesser ou vexer. Si des gens refusent de participer parce qu'ils sont blessés, vos résultats pourraient être biaisés.
- Évitez les questions biaisées.
- Posez quelques questions qui vous apporteront des données démographiques, tels l'âge, le sexe et le niveau scolaire.

➢ Ordonnez vos questions de manière logique.

- Écrivez une brève introduction qui explique le sondage et ce que vous ferez des résultats. Votre introduction doit capter l'attention des répondants éventuels et les encourager à participer. Affirmez clairement que les réponses sont anonymes.
- Testez votre questionnaire en le soumettant à un autre groupe pour vérifier si les questions sont claires. Modifiez toutes les questions qui ont été mal comprises ou ont porté à confusion.

3. Recueillir les données

- Utilisez le questionnaire que vous avez élaboré.
- Quelle population espérez-vous sonder? À l'aide de votre connaissance des méthodes d'échantillonnage, planifiez la façon dont vous choisirez les personnes pour répondre à votre sondage. Écrivez une brève explication de votre stratégie.
- Décidez de la façon dont vous réaliserez votre sondage:
  - Allez-vous rencontrer chaque répondante ou répondant, lui poser les questions oralement et noter ses réponses?
  - Allez-vous distribuer les questionnaires et demander aux répondants de les remplir chacun pour soi?

  Quels sont les avantages et les inconvénients de chaque méthode?
- Réalisez votre sondage.

4. Représenter et analyser les données

- Décidez des meilleurs types de diagrammes pour représenter les données que vous avez recueillies. À la main ou à l'aide d'un tableur, créez une représentation graphique des données.
- Prenez votre décision en vous appuyant sur ce qui a motivé ce sondage. S'il vous manque des données, expliquez ce que vous avez appris jusqu'ici et indiquez les étapes que vous pourriez suivre pour obtenir les données manquantes.

Réfléchis

- As-tu réussi à obtenir les données d'un échantillon approprié? Sinon, en quoi cela a-t-il influé sur tes résultats?
- Les résultats correspondent-ils à ce que tu attendais ou espérais? Explique ta réponse.
- Quelles améliorations pourrais-tu apporter à ton questionnaire?

Révision de mi-chapitre

7.1 **1.** Indique si chaque type de données est une donnée qualitative ou quantitative. Indique si les données quantitatives sont continues ou discrètes.

a) L'âge.
b) Le signe du zodiaque.
c) L'état civil.
d) La taille.
e) Le revenu.
f) Le sexe.

2. Anaïs prévoit s'acheter une voiture d'occasion.

a) Nomme deux éléments qualitatifs qu'elle peut considérer.
b) Nomme deux éléments quantitatifs qu'elle peut considérer.

3. a) Dresse un tableau des effectifs pour l'ensemble de données suivant. Explique comment tu as choisi les intervalles.

Scores à un tournoi de golf						
281	272	269	278	273	277	282
283	292	269	277	278	280	275
284	288	274	295	296	283	300
289	296	295	294	301	306	299

b) Représente les données dans un histogramme. Décris la distribution.

7.1 7.2 **4.** Les données suivantes indiquent les réponses d'un groupe d'élèves à la question : « Quelle est ta saison préférée ? »

Été 310	Hiver 125
Printemps 28	Automne 12

a) Représente les données graphiquement. Explique comment tu as choisi le type de diagramme à utiliser.
b) Écris une question à laquelle on pourrait répondre à l'aide de ton diagramme.

7.3 **5.** Pour chaque situation, identifie la population. Indique si l'on doit recueillir les données auprès d'un échantillon ou de la population entière. Explique ton raisonnement.

a) Une station de radio veut déterminer le type de musique à diffuser pour attirer des auditrices et auditeurs âgés de 18 à 24 ans.
b) Une entreprise veut tester la qualité des fusibles qu'elle fabrique.
c) Une enseignante veut savoir laquelle des deux excursions sa classe préfère.

6. Sylvain réalise un sondage sur la fréquentation de la bibliothèque de l'école. Quelle méthode d'échantillonnage utilise-t-il dans chaque cas ?

a) Tous les jours, pendant une semaine, il interroge les 30 premières personnes qui entrent à la cafétéria à l'heure du dîner.
b) Il laisse des questionnaires à la bibliothèque et à la cafétéria.
c) Il choisit une classe de chaque année et interroge les élèves de ces classes.
d) Il choisit au hasard 10 % des élèves de chaque année et les interroge.

7. À l'exercice 6, quel échantillon conseillerais-tu à Sylvain d'utiliser ? Explique ton raisonnement.

7.4 **8.** Écris une question de sondage sur chacun des sujets nommés. Pour chaque question, crée plusieurs intervalles ou choix de catégories comme réponses.

a) Le sport préféré.
b) Les heures consacrées chaque semaine à la pratique de sports.
c) Les heures consacrées chaque semaine au bénévolat.
d) Un sujet de ton choix.

7.5 Les mesures de tendance centrale et les mesures de dispersion

Les spécialistes de la qualité utilisent les mesures de tendance centrale et les mesures de dispersion pour analyser et comparer les données et faire des prédictions.

Explore — La détermination du mode, de la moyenne et de la médiane

Le mode d'un ensemble de données est le nombre qui revient le plus souvent.

La moyenne d'un ensemble de données est le nombre qu'on obtient en divisant la somme des données par le nombre de données.

La médiane d'un ensemble de données ordonnées est le nombre qui se trouve au centre, de sorte que la moitié des nombres lui sont supérieurs et la moitié lui sont inférieurs.

Travaille avec une ou un camarade.
Vous aurez besoin d'une calculatrice scientifique.

Voici les salaires annuels des employés de deux petites entreprises.

Salaires dans l'entreprise A ($)	
20 000	25 000
25 000	25 000
25 000	35 000
50 000	85 000
130 000	

Salaires dans l'entreprise B ($)	
30 000	40 000
40 000	40 000
50 000	50 000
60 000	80 000

- ➢ Quelle est la différence entre le salaire le plus élevé et le salaire le plus bas dans chaque entreprise?
- ➢ Quel est le mode du salaire dans chaque entreprise?
- ➢ Quelle est la médiane des salaires dans chaque entreprise? Comment avez-vous déterminé chaque médiane?
- ➢ Quel est le salaire moyen dans chaque entreprise? Comment avez-vous déterminé chaque moyenne?
- ➢ On vous demande de décrire un salaire type versé par chaque entreprise. Utiliserez-vous le mode, la médiane, la moyenne ou une autre valeur? Expliquez votre réponse.

Réfléchis

- ➢ Compare la stratégie que vous avez employée pour déterminer la médiane des salaires dans l'entreprise A avec celle que vous avez employée pour déterminer la médiane des salaires dans l'entreprise B. En quoi les stratégies se ressemblent-elles? En quoi diffèrent-elles? Pourquoi?
- ➢ Supposons que chaque entreprise t'offre un emploi de premier échelon et que les tâches et les avantages des emplois sont semblables. Les salaires correspondent aux données présentées. Quel emploi accepterais-tu? Justifie ton choix.

Fais des liens

Les mesures de tendance centrale

Le mode, la moyenne et la médiane sont les **mesures de tendance centrale** d'un ensemble de données.

Le mode

- Le mode est la valeur qui revient le plus souvent. Il peut n'y avoir aucun mode, et il peut y en avoir plus d'un.

En général, le mode est la mesure idéale lorsque les données représentent des mesures comme les pointures de chaussures ou les tailles d'autres articles vestimentaires.

Lors d'un récent spectacle, Vincent a vendu les tailles suivantes d'une gamme de t-shirts:
21 petits, 16 moyens, 50 grands et 14 très grands.
Vincent a vendu plus de t-shirts de grande taille que de toute autre taille.

Le mode des tailles des t-shirts vendus ce soir-là était « grand ».

La moyenne

- Pour déterminer la moyenne, additionne les données, puis divise la somme par le nombre de données.

En général, la moyenne est la mesure idéale lorsqu'aucune donnée de l'ensemble n'est très différente des autres.

Lucie a acheté cinq disques compacts aux prix suivants:
14,95 \$, 9,99 \$, 9,99 \$, 13,95 \$ et 12,95 \$.
La somme de ses achats est:
$14{,}95\ \$ + 9{,}99\ \$ + 9{,}99\ \$ + 13{,}95\ \$ + 12{,}95\ \$ = 61{,}83\ \$$
Le prix moyen est: $61{,}83\ \$ \div 5 \doteq 12{,}37\ \$$

Le prix moyen des disques que Lucie a achetés est d'environ 12,37 \$.

La médiane

- Pour déterminer la médiane, ordonne les données en ordre croissant. La médiane est la donnée du centre. Quand le nombre de données est pair, la médiane est la moyenne des deux nombres du centre.

En général, la médiane est la mesure idéale lorsque les données de l'ensemble sont très différentes les unes des autres.

Walid est agent d'immeubles. En ordre croissant, les prix des six dernières maisons qu'il a vendues sont:
185 500 \$, 194 900 \$, 219 900 \$, 245 000 \$, 259 900 \$ et 749 500 \$.
Les deux prix du centre sont: 219 900 \$ et 245 000 \$.

La moyenne de ces prix est: $\frac{219\ 900\ \$ + 245\ 000\ \$}{2} = 232\ 450\ \$$

La médiane du prix de ces maisons est de 232 450 \$.

Les mesures de dispersion

Les **mesures de dispersion** sont l'**étendue** et l'**écart type**. L'étendue est la différence entre le plus grand et le plus petit nombre d'un ensemble de données.

L'écart type mesure la dispersion d'un ensemble de données par rapport à leur moyenne. Quand les données sont proches de la moyenne, l'écart type est proche de zéro.
On utilise les mesures de dispersion pour comparer deux ensembles de données ou plus.

Jade et Lian sont coéquipières dans une équipe de hockey. Voici le nombre de buts marqués par chacune d'elles au cours des 10 premières parties de la saison :

Jade : 5, 2, 2, 2, 2, 1, 1, 1, 1, 0.

Lian : 3, 3, 2, 2, 2, 1, 1, 1, 1, 1.

D'après ces résultats, quelle joueuse est la marqueuse la plus constante ?

Calcule le nombre moyen de buts marqués par partie pour chaque joueuse.

Détermine la moyenne.

	Jade	Lian
Nombre total de buts	$5 + (2 \times 4) + 4 = 17$	$(3 \times 2) + (2 \times 3) + 5 = 17$
Nombre total de parties	10	10
Moyenne (nombre total de buts ÷ nombre total de parties)	$\frac{17}{10} = 1,7$	$\frac{17}{10} = 1,7$

Les deux joueuses ont la même moyenne. Pour comparer leur constance, on doit calculer l'étendue et l'écart type.

Détermine l'étendue.

	Jade	Lian
Plus grand nombre de buts	5	3
Plus petit nombre de buts	0	1
Étendue (plus grand nombre − plus petit nombre)	$5 - 0 = 5$	$3 - 1 = 2$

Calcule l'écart type.

Pour calculer l'écart type :

- Calcule la moyenne.
- Soustrais la moyenne de chaque nombre de buts.
- Élève chaque différence au carré.
- Additionne les carrés.
- Divise la somme par le nombre de données moins un.
- Détermine la racine carrée du résultat.

Pour les données d'un échantillon, divise la somme par le nombre de données moins un. Pour les données d'une population, divise la somme par le nombre de données.

Organise les calculs en tableaux.
Chacune des moyennes est de 1,7.

Jade

Chaque valeur de donnée	Valeur de donnée − moyenne	Carré de la différence
5	5 − 1,7 = 3,3	10,89
2	2 − 1,7 = 0,3	0,09
2	2 − 1,7 = 0,3	0,09
2	2 − 1,7 = 0,3	0,09
2	2 − 1,7 = 0,3	0,09
1	1 − 1,7 = −0,7	0,49
1	1 − 1,7 = −0,7	0,49
1	1 − 1,7 = −0,7	0,49
1	1 − 1,7 = −0,7	0,49
0	0 − 1,7 = −1,7	2,89

Lian

Chaque valeur de donnée	Valeur de donnée − moyenne	Carré de la différence
3	3 − 1,7 = 1,3	1,69
3	3 − 1,7 = 1,3	1,69
2	2 − 1,7 = 0,3	0,09
2	2 − 1,7 = 0,3	0,09
2	2 − 1,7 = 0,3	0,09
1	1 − 1,7 = −0,7	0,49
1	1 − 1,7 = −0,7	0,49
1	1 − 1,7 = −0,7	0,49
1	1 − 1,7 = −0,7	0,49
1	1 − 1,7 = −0,7	0,49

Somme des carrés des différences :

Pour Jade :

$10,89 + (4 \times 0,09) + (4 \times 0,49) + 2,89 = 16,1$

La somme divisée par le nombre de données moins un :

$\frac{16,1}{10-1} = \frac{16,1}{9}$

La racine carrée de $\sqrt{\frac{16,1}{9}} \doteq 1,3375$

Donc, l'écart type des buts marqués par Jade est d'environ 1,3.

Étant donné que ces données sont les résultats d'une partie de la saison de hockey, divise par $n - 1$.

Pour Lian :

$(2 \times 1,69) + (3 \times 0,09) + (5 \times 0,49) = 6,1$

La somme divisée par le nombre de données moins un :

$\frac{6,1}{10-1} = \frac{6,1}{9}$

La racine carrée de $\sqrt{\frac{6,1}{9}} \doteq 0,8233$

Donc, l'écart type des buts marqués par Lian est d'environ 0,8.

Interprète les mesures de dispersion.

C'est Lian qui a la plus petite étendue et le plus faible écart type.
La dispersion des données concernant Lian est plus petite.
Les données sont plus proches de la moyenne.
Cela signifie que Lian est la marqueuse la plus constante.

Tu peux déterminer la moyenne et l'écart type d'un ensemble de données à l'aide d'une calculatrice à affichage graphique. Par exemple, pour déterminer l'écart type des buts marqués par Jade, exécute les étapes suivantes sur une calculatrice TI-83 ou TI-84.

Appuie sur [2nd] [(] pour commencer une liste. Saisis chaque nombre de buts et utilise la virgule pour séparer les nombres. Appuie ensuite sur [2nd] [)] [STO▸] [2nd] 1 [ENTER].

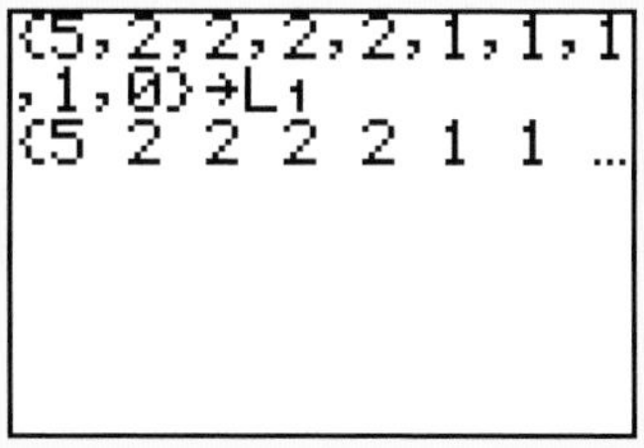

Les données sont maintenant stockées dans L1 pour l'étape suivante du calcul.

Pour afficher le menu de calculs statistiques, appuie sur [STAT] [▸].

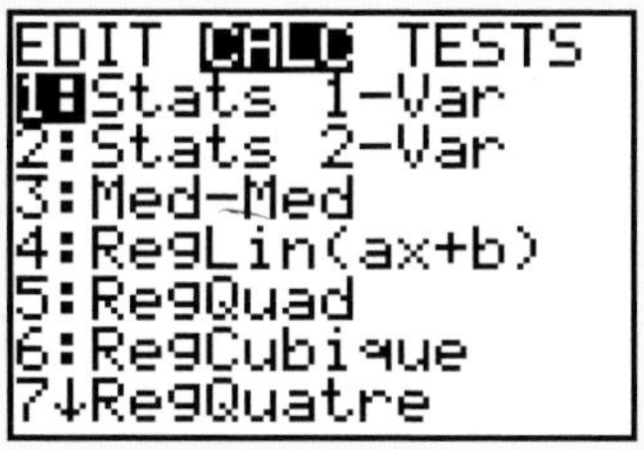

Comme tu analyses des données à une variable, tu utiliseras le premier ensemble de calculs.

Appuie sur 1. Appuie sur [2nd] 1 [ENTER]. Une liste de données statistiques concernant les nombres stockés dans L1 s'affiche.

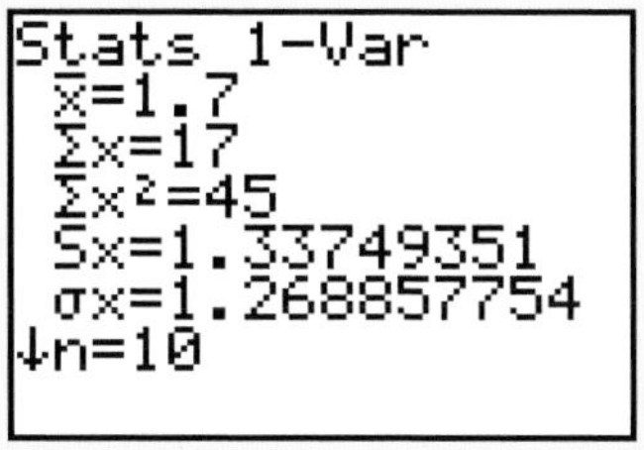

$\bar{x}$ est la moyenne. *Sx* est l'écart type pour un échantillon. σ*x* est l'écart type pour une population. L'écart type des buts de Jade est d'environ 1,3.

Exercices

Tu peux utiliser une calculatrice à affichage graphique pour calculer les mesures.

1. Compare le mode, la moyenne et la médiane de chaque ensemble de données. Quelle mesure représente le mieux les données ? Justifie ta réponse.

a) Le prix de billets : 5 $, 6 $, 2 $, 4 $, 6 $, 5 $, 5 $.

b) Le nombre de prix d'un concours : 7, 2, 8, 4, 0, 9.

c) Les longueurs des serpents crotales des bois : 82 cm, 90 cm, 150 cm, 112 cm, 184 cm.

2. Détermine la moyenne, l'étendue et l'écart type des données de chaque ensemble. Explique ce que chaque mesure de dispersion indique au sujet des données.

a) Le nombre de points marqués au cours de quelques parties : 5, 2, 1, 10, 12, 8, 4, 7, 3, 14.

b) Le nombre de parties gagnées lors d'un tournoi : 7, 7, 6, 7, 5, 6.

3. La température annuelle moyenne à Windsor, en Ontario, est d'environ 9,4 °C.
L'étendue des températures est d'environ −25 °C à 35 °C.
La température annuelle moyenne à Édimbourg, en Écosse, est d'environ 8,3 °C.
L'étendue des températures est d'environ 0 °C à 20 °C.
Laquelle des deux villes a le climat le plus doux?
Justifie ta réponse.

4. Utilise les données fournies sous *Fais des liens* au sujet des buts marqués par Lian.
À l'aide d'une calculatrice à affichage graphique, détermine l'écart type.

5. Ingrid a noté les prix de l'essence qu'offre une station-service près de son école.
98,3 ¢ 92,4 ¢ 96,6 ¢ 99,3 ¢
Émile a noté les prix de l'essence qu'offre une station-service près de chez lui.
91,9 ¢ 96,3 ¢ 91,2 ¢ 94,6 ¢ 98,3 ¢ 96,3 ¢
Ils ont calculé les mesures de tendance centrale et les mesures de dispersion.
À l'aide de ces mesures, compare le prix de l'essence aux deux stations-service.

	Données d'Ingrid	Données d'Émile
Mode	aucun mode	96,30 ¢
Moyenne	96,65 ¢	environ 94,77 ¢
Médiane	97,45 ¢	95,45 ¢
Étendue	6,9 ¢	7,1 ¢
Écart type	environ 3,04 ¢	environ 2,76 ¢

6. Choisis deux des mesures calculées par Ingrid et Émile dans l'exercice 5.
Explique les estimations que tu peux faire pour vérifier si ces calculs sont raisonnables.

7. Fais le point Un entraîneur emmène les membres de l'équipe de cross-country de l'école secondaire à la finale provinciale de la Fédération des associations du sport scolaire de l'Ontario à Ottawa le 27 octobre. Il s'est renseigné sur les températures minimales quotidiennes des années précédentes.

	25 oct.	26 oct.	27 oct.	28 oct.
2006	5 °C	4 °C	3 °C	4 °C
2004	6 °C	8 °C	6 °C	4 °C
2001	11 °C	6 °C	4 °C	2 °C

a) Détermine les mesures de tendance centrale pour chaque année.
b) Détermine les mesures de dispersion pour chaque année.
c) Quelle année présente l'écart type le plus petit?
Comment pourrais-tu le prédire en regardant les données?
d) D'après toi, pourquoi l'entraîneur s'est-il renseigné sur les températures de plus d'une année?

Les données sont parfois présentées dans un tableau des effectifs ou un histogramme.

Exemple

Une entreprise teste deux modèles de boîtes à œufs afin de déterminer celle qui résisterait le mieux à une chute d'une hauteur donnée.
Les résultats sont présentés dans le tableau suivant.

	Œufs cassés	0	1	2	3	4	5	6
Boîte A	**Nombre de boîtes**	2	12	22	28	25	8	3
Boîte B	**Nombre de boîtes**	0	5	27	36	28	3	1

Pour a) et b), tu dois expliquer ton raisonnement.

a) Sans faire de calculs, quelle boîte semble être la meilleure?
b) Construis un histogramme représentant le nombre d'œufs cassés dans chaque boîte. Quelle boîte semble être la meilleure?
c) Calcule la moyenne et l'écart type pour le nombre d'œufs cassés dans chaque boîte. Quelle boîte semble être la meilleure?

Solution

a) Alors que, pour la boîte A, on a enregistré deux résultats où aucun œuf n'est cassé, on a aussi eu 11 résultats où 5 ou 6 œufs sont cassés. Les résultats de la boîte B ont été plus constants. Donc, la boîte B semble être la meilleure parce qu'elle semble la plus fiable.

b)

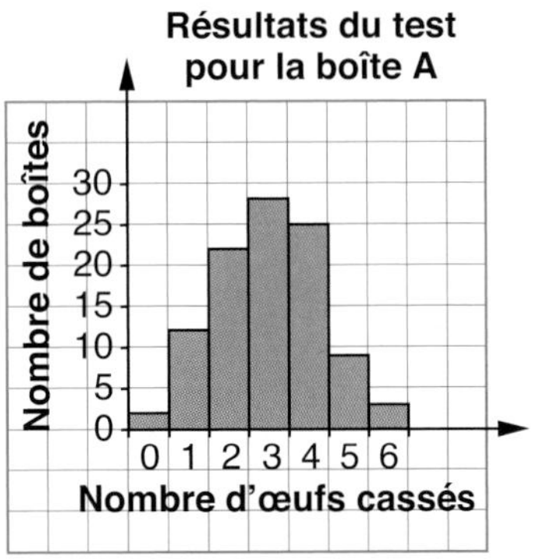

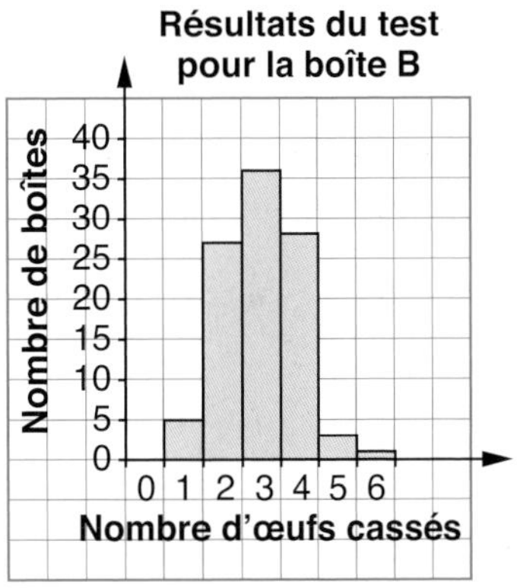

Les données de la boîte B sont davantage groupées au centre de l'histogramme que celles de la boîte A. Cela indique que la boîte B est plus fiable et donc meilleure que la boîte A.

c) Utilise une calculatrice à affichage graphique TI-83 ou TI-84. À l'aide du procédé décrit sous *Fais des liens*, à la page 323, stocke les entiers naturels de 0 à 6 dans L1. Pour stocker les effectifs relatifs à la boîte A dans L2, appuie sur [2nd] [(]. Saisis les nombres de boîtes apparaissant dans la première rangée du tableau en les séparant par des virgules. Appuie ensuite sur [2nd] [)] [STO▸] [2nd] 2 [ENTER]. Appuie sur [STAT] [▸] 1 [2nd] 1 [,] [2nd] 2 [ENTER] pour afficher la moyenne 2,98 et l'écart type 1,3113. Appuie sur [2nd] [(] pour stocker les effectifs concernant la boîte B dans L3. Saisis les nombres de boîtes apparaissant dans la première rangée du tableau en les séparant par des virgules. Appuie ensuite sur [2nd] [)] [STO▸] [2nd] 3 [ENTER]. Appuie sur [STAT] [▸] 1 [2nd] 1 [,] [2nd] 3 [ENTER] pour afficher la moyenne 3 et l'écart type 0,98. Les moyennes sont très semblables, mais l'écart type de la boîte B est inférieur à celui de la boîte A. Ainsi, la boîte B est plus fiable et donc meilleure que la boîte A.

Utilise σx, l'écart type pour une population.

8. Aux heures de pointe, une voie est réservée aux véhicules à occupation multiple (VOM), soit les véhicules qui transportent trois personnes ou plus. Aux autres heures, tout véhicule peut emprunter cette voie. Sans calculer, détermine l'ensemble de données qui présente le plus grand écart type et celui qui présente le plus petit écart type. Explique ton raisonnement.

a)

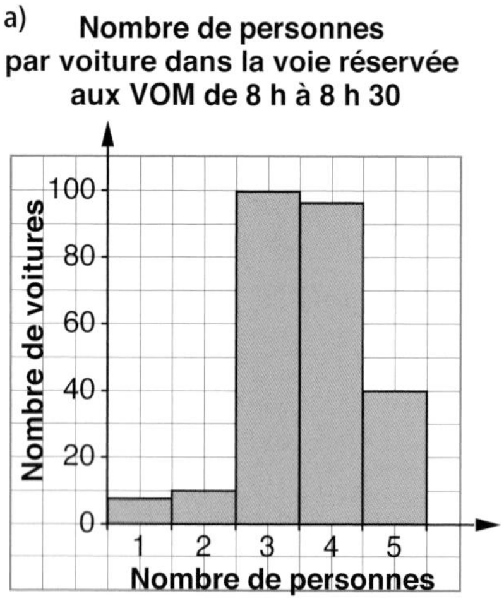

b)

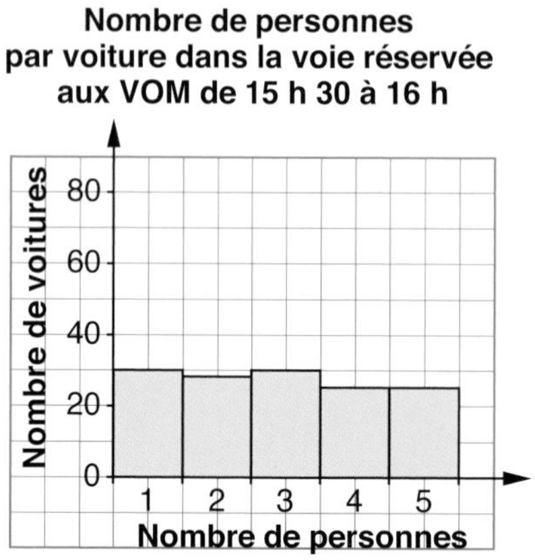

c)

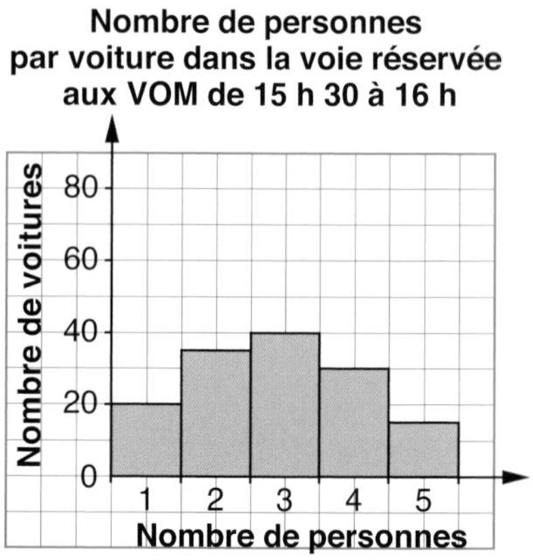

9. Une entreprise possède trois machines qui fabriquent des boulons. Chaque boulon doit mesurer 150 mm. Un spécialiste de la qualité prélève un échantillon de 25 boulons produits par chacune des machines et il les mesure.

	Longueur des boulons (mm)	148	149	150	151	152
Machine A	Nombre de boulons	2	4	13	5	1
Machine B	Nombre de boulons	1	3	18	3	0
Machine C	Nombre de boulons	4	5	7	6	3

a) Sans calculer, prédis l'ensemble de données qui devrait présenter le plus grand écart type et celui qui devrait présenter le plus petit écart type. Explique ton raisonnement.

b) Calcule la moyenne et l'écart type des données de chaque ensemble. Comment les résultats se comparent-ils avec tes prédictions en a) ?

c) Quelle machine semble être la plus fiable pour fabriquer des boulons de 150 mm de longueur ? Laquelle semble être la moins fiable ?

10. Relève le défi Explique l'exactitude avec laquelle chaque moyenne est représentative d'un membre type de la population représentée.

Ensemble de données	Moyenne	Écart type
Salaires horaires des employés ($)	20	8
Primes mensuelles des vendeuses et vendeurs ($)	200	8

Dans tes mots

À ton avis, pourquoi la moyenne, la médiane et le mode sont-ils des mesures de tendance centrale ? À ton avis, pourquoi l'étendue et l'écart type sont-ils des mesures de dispersion ?

7.6 L'analyse de données

On peut employer des outils technologiques pour calculer les mesures de tendance centrale et les mesures de dispersion. Cela permet de se concentrer sur l'interprétation de ces mesures et d'évaluer leur pertinence.

Examine — La détermination des mesures de tendance centrale et de dispersion à l'aide d'un tableur

Tu auras besoin du logiciel Excel de Microsoft.

Ouvre le fichier *Leveretcoucherdusoleil.xls*.

	A	B	C	D	E
1	**Date**	**Durée du jour (h:min:s)**		**Date**	**Durée du jour (h:min:s)**
2	1 juin	19:16:31		1 déc.	5:40:05
3	2 juin	19:20:34		2 déc.	5:36:09
4	3 juin	19:24:29		3 déc.	5:32:22
5	4 juin	19:28:14		4 déc.	5:28:44
6	5 juin	19:31:50		5 déc.	5:25:15
7	6 juin	19:35:16		6 déc.	5:21:56
8	7 juin	19:38:30		7 déc.	5:18:47
9	8 juin	19:41:34		8 déc.	5:15:50
10	9 juin	19:44:25		9 déc.	5:13:03
11	10 juin	19:47:04		10 déc.	5:10:27
12	11 juin	19:49:31		11 déc.	5:08:04
13	12 juin	19:51:45		12 déc.	5:05:52
14	13 juin	19:53:46		13 déc.	5:03:53
15	14 juin	19:55:33		14 déc.	5:02:07
16	15 juin	19:57:05		15 déc.	5:00:34
17	16 juin	19:58:23		16 déc.	4:49:14
18	17 juin	19:59:27		17 déc.	4:58:08
19	18 juin	20:00:16		18 déc.	4:57:16
20	19 juin	20:00:49		19 déc.	4:56:38
21	20 juin	20:01:07		20 déc.	4:56:14
22	21 juin	20:01:10		21 déc.	4:56:04
23	22 juin	20:00:58		22 déc.	4:56:08
24	23 juin	20:00:30		23 déc.	4:56:27
25	24 juin	19:59:48		24 déc.	4:56:59
26	25 juin	19:58:50		25 déc.	4:57:47
27	26 juin	19:57:38		26 déc.	4:58:46
28	27 juin	19:56:11		27 déc.	5:00:01
29	28 juin	19:54:30		28 déc.	5:01:29
30	29 juin	19:52:35		29 déc.	5:03:10
31	30 juin	19:50:27		30 déc.	5:05:04
32				31 déc.	5:07:11
33					

1. Ce tableur indique la durée de chaque jour des mois de juin et décembre d'une année récente à Yellowknife (Yukon). La durée du jour est donnée en heures, en minutes et en secondes.
   a) Quelle a été la durée du jour le 15 juin?
   b) À quelle date en décembre la durée du jour a-t-elle été la plus courte?

2. Sélectionne cinq cellules vides dans une colonne, peu importe lesquelles. Dans le menu **Format**, choisis **Cellule**. Clique sur l'onglet **Nombre**; sous **Catégorie**, choisis **Personnalisée**. Sous **Type**, choisis **hh:mm:ss.** Clique sur **OK**.

3. a) Saisis la formule du mode dans une des cellules que tu as formatées:
   =MODE(B2:B31)
   Pour quelles cellules la formule a-t-elle déterminé le mode?
   b) Quelles données le mode caractérise-t-il?
   c) Que t'indique la valeur donnée dans la cellule à propos du mode? Cela a-t-il du sens? Pourquoi?

Dans un tableur, toutes les formules commencent par un signe d'égalité.

4. a) Saisis la formule de la médiane dans une des cellules que tu as formatées :
=MEDIANE(B2:B31)
Comment la formule désigne-t-elle les cellules décrites par la médiane ?
b) Quelles données la médiane caractérise-t-elle ?
c) Quelle est la médiane des données ?

5. a) Saisis la formule de la moyenne dans une des cellules que tu as formatées :
=MOYENNE (B2:B31)
b) Quelles sont la valeur de la moyenne et les données qu'elle décrit ?

6. a) Saisis la formule de l'étendue dans une des cellules que tu as formatées :
=MAX(B2:B31)-MIN(B2:B31)
Explique comment cette formule détermine l'étendue.
b) Quelles sont la valeur de l'étendue et les données qu'elle décrit ?

7. a) Saisis la formule de l'écart type d'une population dans une des cellules que tu as formatées :
=ECARTYPEP(B2:B31)
Comment la formule désigne-t-elle les cellules décrites par l'écart type ?
b) Quelles sont la valeur de l'écart type et les données qu'elle décrit ?

8. a) Répète l'étape 2 pour cinq autres cellules.
b) Utilise une marche à suivre semblable à celle de l'étape 3 pour le mode des durées du jour en décembre.
Quelles cellules désigneras-tu dans la formule ?
c) Que t'indique la valeur de la cellule à propos du mode ?
Cela a-t-il du sens ? Pourquoi ?

9. Répète les étapes 4 à 7 pour déterminer la médiane, la moyenne, l'étendue et l'écart type des durées du jour en décembre. Rappelle-toi de changer les noms des cellules dans tes formules.

10. a) Détermine la médiane et la moyenne des durées du jour pour chaque mois.
À l'aide de ces valeurs moyennes, décris les différences entre les durées du jour des mois de juin et de décembre. Quelle mesure caractérise le mieux ces différences ?
b) Que t'indiquent les écarts types de juin et de décembre à propos des durées du jour de ces mois ?

Exercices

1. Josef s'est renseigné sur les causes de tous les incendies de forêt qui ont été répertoriés pour une année récente. Ouvre le fichier *Incendiesdeforet.xls*.

	A	B	C	D
1		**Activité humaine**	**Foudre**	**Origine inconnue**
2	Terre-Neuve-et-Labrador	135	14	0
3	Île-du-Prince-Édouard	24	2	2
4	Nouvelle-Écosse	398	27	39
5	Nouveau-Brunswick	256	20	57
6	Québec	401	74	0
7	Ontario	422	168	10
8	Manitoba	203	105	0
9	Saskatchewan	239	180	0
10	Alberta	336	428	18
11	Colombie-Britannique	644	842	53
12	Yukon	25	14	7
13	Territoires du Nord-Ouest	17	253	5

a) Sélectionne cinq cellules vides dans une colonne du fichier *Incendiesdeforet.xls*, peu importe lesquelles. Dans le menu **Format**, choisis **Cellule**. Clique sur l'onglet **Nombre** ; sous **Catégorie**, choisis **Standard**.

b) Détermine les mesures de tendance centrale et les mesures de dispersion de tous les incendies de forêt causés par l'activité humaine.

c) Répète l'étape b) pour les incendies de forêt causés par la foudre.

d) Répète l'étape b) pour les incendies de forêt d'origine inconnue.

e) Comment peux-tu utiliser l'écart type pour interpréter la moyenne ?

f) Explique comment tu pourrais utiliser les mesures que tu as calculées pour sensibiliser les gens à la sécurité contre les incendies de forêt.

Utilise ECARTYPE pour ces données, car elles font partie de l'ensemble des incendies répertoriés.

2. Francisca s'est renseignée sur les profondeurs maximales de tous les océans et des grandes mers. Ouvre le fichier *Oceansetmers.xls.*

	A	B	C	D	E
1	**Océans**	**Profondeur maximale (km)**		**Mers**	**Profondeur maximale (km)**
2	Océan Pacifique	11 033		Mer des Caraïbes	6 946
3	Océan Atlantique	8 605		Mer de Chine méridionale	5 016
4	Océan Indien	7 125		Mer Méditerranée	4 632
5	Océan Arctique	5 450		Mer d'Andaman	4 267
6				Mer Rouge	2 266
7				Mer Noire	2 212
8				Mer de Béring	4 773
9				Mer du Japon	3 742
10				Mer d'Okhotsk	3 658

a) Sélectionne cinq cellules vides dans une colonne, peu importe lesquelles. Dans le menu **Format**, choisis **Cellule.** Clique sur l'onglet **Nombre**; sous **Catégorie**, choisis **Standard.**

b) Détermine chaque mesure de tendance centrale pour les océans.

c) Détermine chaque mesure de dispersion pour les océans.

d) Répète les étapes b) et c) pour les mers.

e) À l'aide des mesures que tu as calculées, compare les données sur les océans avec les données sur les mers.

Utilise ECARTYPEP pour les océans et ECARTYPE pour les mers.

3. Le rendement d'une culture est déterminé par le nombre de boisseaux produits par acre de terre cultivée. Ouvre le fichier *Recoltes.xls.* Il indique les rendements de différentes cultures sur une période de 10 ans.

	A	B	C	D	E
1	**Rendements de quelques cultures en boisseaux par acre**				
2	**Blé**	**Avoine**	**Orge**	**Graine de lin**	**Canola**
3	40,3	66,7	61,9	23,3	24,5
4	39,8	66,7	61,3	22,9	25
5	37,9	63,5	57	20,8	23,5
6	37,1	62,5	56,5	22,1	25,3
7	42,4	70	65,5	22,1	29
8	37,7	71	56,3	20	26,1
9	33,2	64	54,5	22,9	27
10	28,2	53,3	42,1	20	21,4
11	38,3	65,3	56,4	20	29,7
12	45,5	76,7	65,4	25,6	33,9

a) Sans calculer, quelle culture semble donner le rendement le plus constant?

b) Pour quelle culture la variation des rendements semble-t-elle la plus grande?

c) Vérifie tes prédictions à l'aide des mesures de tendance centrale et des mesures de dispersion. En quoi cette information peut-elle être utile à un agriculteur?

Réfléchis

➢ Explique la stratégie que tu as employée pour nommer les cellules à inclure dans une formule. Supposons que tu aies des données dans les 18 premières rangées de la colonne A. Explique comment utiliser ta stratégie pour saisir une formule servant à déterminer l'écart type des données de ces cellules.

➢ Choisis un exemple dans la présente section. Explique comment les mesures de tendance centrale et les mesures de dispersion peuvent t'aider à comparer les données.

JEU

Les dés à choix multiple

Matériel :

- 10 dés ;
- une calculatrice à affichage graphique ou un tableur Excel de Microsoft.

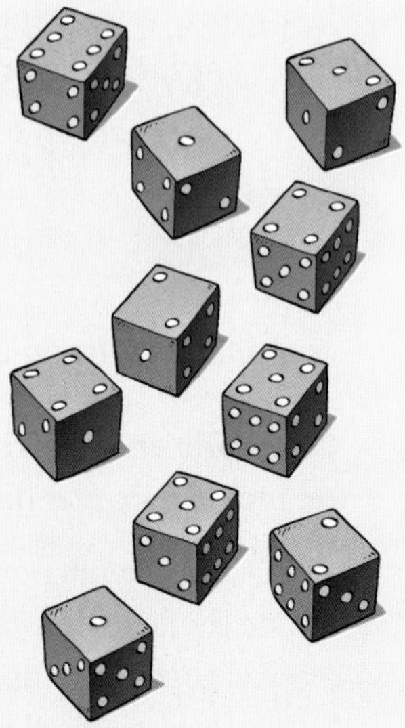

Joue dans un groupe de deux à quatre personnes.

➢ Une ou un élève du groupe lance les 10 dés.

➢ Chaque joueuse ou joueur écrit le chiffre représenté par chaque dé.

➢ À partir des chiffres, chaque joueuse ou joueur forme cinq nombres de deux chiffres. Voici deux exemples de nombres formés à partir des chiffres des dés ci-contre.

41, 46, 31, 52, 52

26, 31, 41, 42, 55

Étant donné que tu calcules l'écart type pour tous les nombres que tu as écrits, divise par le nombre total de données.

➢ À l'aide d'un outil technologique, chaque joueuse ou joueur détermine l'écart type de ses nombres de deux chiffres.

➢ La joueuse ou le joueur qui obtient l'écart type le plus faible marque un point.

➢ On relance les dés pour continuer la partie.

➢ La première joueuse ou le premier joueur qui marque quatre points gagne la partie.

➢ Y a-t-il une stratégie qui peut t'aider à gagner ? Si oui, décris cette stratégie. Sinon, explique pourquoi tu ne peux pas élaborer de stratégie.

7.7 La conception et la réalisation d'une expérience

Un sondage demande aux gens de donner leur opinion ou de révéler leurs habitudes. Une expérience permet de compter ou de mesurer des propriétés physiques afin de tester une idée ou de répondre à une question.

Examine La collecte de données au moyen d'une expérience

Travaille avec une ou un camarade ou en groupe.

Concevoir une expérience

Au moment de planifier une expérience, réfléchissez aux questions suivantes.

- Quels facteurs pourraient influencer les résultats ? Comment pouvez-vous tenir compte de ces facteurs au moment de concevoir votre expérience ?
- Combien de temps durera votre observation ou combien d'observations noterez-vous ?
- De quel matériel aurez-vous besoin ?
- Comment noterez-vous vos observations ?

Aidez-vous de vos réponses à ces questions pour planifier votre expérience.

Un bon plan expérimental comprend les éléments suivants :
- la question à étudier ;
- la liste du matériel nécessaire ;
- la marche à suivre étape par étape ;
- les tableaux pour noter les observations.

Supposons que vous vouliez étudier le temps qu'il faut à la fréquence cardiaque d'une personne pour revenir à son rythme au repos après l'exercice.

Vous devrez tenir compte des éléments suivants :

- ➢ L'âge de la personne peut influer sur le résultat. Recueillerez-vous des données pour différents âges ou un seul groupe d'âge ?
- ➢ La durée de l'exercice peut influer sur le résultat. Comment vous assurerez-vous que toutes les personnes de votre expérience feront des exercices de même durée ?
- ➢ Le type d'exercice peut influer sur le résultat. Comment vous assurerez-vous que toutes les personnes de votre expérience feront le même exercice ?
- ➢ De quel matériel aurez-vous besoin ?
- ➢ Auprès de combien de personnes recueillerez-vous des données ?

1. Supposons que vous deviez réaliser une expérience sur le rythme cardiaque comme celle qui est décrite ci-dessus. Répondez à chacune des questions posées. Dressez votre plan d'expérience.

2. Supposons que vous vouliez une piste cyclable dans la rue où votre école est située. Vous élaborez un sondage demandant aux gens s'ils utiliseraient la piste cyclable. Vous voulez aussi mesurer l'actuel volume de circulation à bicyclette dans la rue.

a) Pourquoi devez-vous tenir compte de chacun des facteurs suivants dans la conception de votre expérience ?
- L'heure du jour
- Le temps qu'il fait
- Le jour de la semaine

Comment en tiendrez-vous compte ?

b) Dressez un plan d'expérience.

3. Peut-on se tenir en équilibre sur une jambe plus longtemps si on a les yeux ouverts ou fermés ?

a) De quels éléments devrez-vous tenir compte au moment de concevoir une expérience pour répondre à cette question ?

b) Dressez un plan d'expérience.

4. Quelle marque de jus d'orange les élèves préféreront-ils à l'occasion d'un test de dégustation ?

a) De quels éléments devrez-vous tenir compte au moment de concevoir une expérience pour répondre à cette question ?

b) Dressez un plan d'expérience.

5. Parmi les expériences que vous avez planifiées, choisissez-en une.

a) Comparez votre plan avec celui d'un autre groupe. S'il y a des différences entre vos plans, discutez-en.

b) Si vous pouvez améliorer votre plan, faites-le.

Réaliser l'expérience

- Choisissez une des expériences que vous avez planifiées, ou concevez une nouvelle expérience sur un autre sujet. À quelle question tenterez-vous de répondre au moyen des données que vous recueillerez ?
- Si votre expérience demande que des gens effectuent des tâches, employez votre connaissance des méthodes d'échantillonnage pour planifier une façon d'obtenir des données auprès d'un échantillon représentatif de personnes.
  Si votre expérience vous demande d'observer et de compter des résultats qui ne dépendent pas de vous, réfléchissez aux endroits et aux moments où vous noterez vos observations ainsi qu'aux façons de les noter.
- Rassemblez le matériel dont vous aurez besoin. Réalisez votre expérience.

Si vous réalisez un test de dégustation, assurez-vous que les participantes et participants n'ont pas d'allergies alimentaires.

Présenter et analyser les données

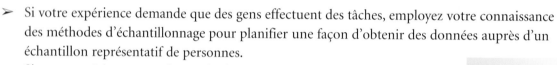

- Déterminez les types de représentations graphiques qui conviennent le mieux aux données que vous avez recueillies. Représentez vos données, soit à la main, soit à l'aide d'un tableur.
- Si les données sont quantitatives, quelles mesures de tendance centrale ou de dispersion les représentent le mieux ? Expliquez votre choix de mesures.
- Répondez à la question de départ de votre expérience. S'il vous manque des données, expliquez ce que vous avez appris jusqu'à maintenant et ce que vous pourriez faire pour obtenir les données manquantes.

Réfléchis

- As-tu réussi à obtenir des données auprès d'un échantillon approprié ou à trouver un moment et un lieu appropriés pour faire tes observations ? Sinon, en quoi cela a-t-il influencé les résultats ?
- Comment pourrais-tu améliorer le plan de ton expérience ?

7.8 La collecte de données de sources secondaires

L'élève qui rédige une composition, l'entrepreneur qui dresse une proposition d'affaires et l'organisme de bienfaisance qui remplit une demande de subvention ont une chose en commun. Ils doivent savoir comment recueillir, analyser et présenter des données pour appuyer leurs points de vue.

Examine — La collecte et l'analyse de données

Pour faire les deux parties de cette rubrique *Examine*, tu as besoin d'un ordinateur muni d'une connexion Internet et d'un code d'accès à E-STAT. Si tu n'as pas accès à E-STAT, tu consulteras Internet ou des sources imprimées pour faire la 2e partie de la rubrique. Tu as aussi besoin du logiciel Excel de Microsoft.

1re partie : Recueillir des données au moyen de E-STAT

➢ Rends-toi dans le site de Statistique Canada, à l'adresse [www.statcan.gc.ca]. Clique sur **Français**.
Dans le menu de gauche, sélectionne **Ressources éducatives**.
Clique sur **E-STAT** dans l'encadré jaune de droite.
Clique ensuite sur **Accepter et entrer**.
Si tu travailles à la maison, tu devras entrer le nom d'utilisateur et le mot de passe de ton école.
Une table des matières devrait s'afficher.

Tu devras peut-être utiliser la barre de défilement.

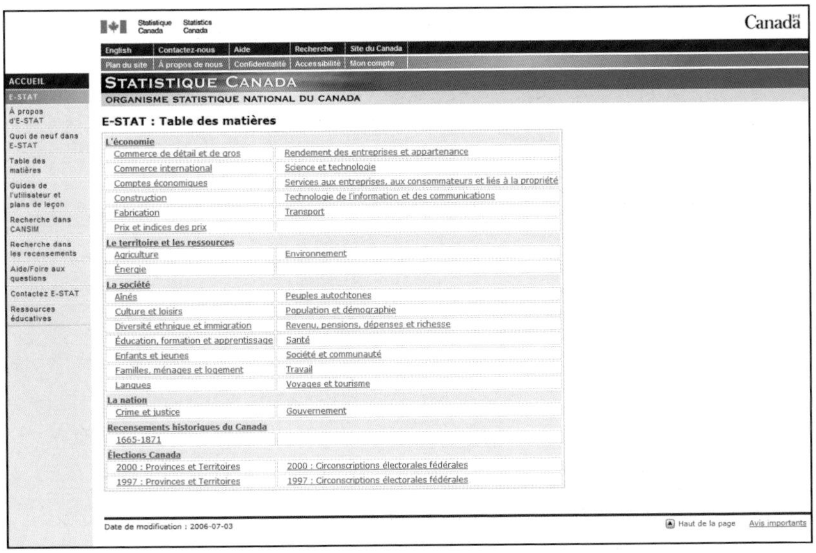

➢ Clique sur **Environnement** dans la section *Le territoire et les ressources.*
Tu utiliseras des tableaux trouvés sous *L'activité humaine et l'environnement, Statistiques annuelles 2006 et années subséquentes*. Clique sur le lien de ce document.
Dans la boîte qui apparaît, clique sur **HTML Visualiser**.

L'activité humaine et l'environnement : statistiques annuelles

2006000 2006
Paru le 9 novembre 2006

HTML	**Gratuit**	Visualiser
PDF	**Gratuit**	Visualiser
Imprimé	**58.00 $**	Commander

➢ L'écran suivant montre une table des matières. Clique sur **Tableaux.**
Le tableau dont tu as besoin se trouve dans la *Section 4 : Réponse socioéconomique aux conditions environnementales.*
Clique sur le lien qui te dirige vers cette section.
Clique ensuite sur le lien **HTML** du **Tableau 4.12.**
Le tableau montre des données canadiennes de 2002 sur le recyclage. Sélectionne le tableau et copie-le dans un tableau Excel en cliquant sur **Copier** puis sur **Coller**.
Cet écran affiche le fichier Excel copié.

Si tu ne peux pas copier le fichier, saisis les données pour l'Ontario, la Colombie-Britannique et la Nouvelle-Écosse dans un tableau Excel de Microsoft.

	A	B	C	D	E	F	G	H	I	J	K	L	M
1–2		Canada	Terre-Neuve-et-Labrador	Île-du-Prince-Édouard	Nouvelle-Écosse	Nouveau-Brunswick	Québec 2	Ontario	Manitoba	Saskat-chewan	Alberta	Colombie-Britannique	Yukon, Territoires du Nord-Ouest et Nunavut
3		tonnes											
4													
5	**Total**	**6 619 794**	**38 386**	**x**	**169 724**	**122 957**	**1 743 000**	**2 415 498**	**250 880**	**146 607**	**589 642**	**1 105 121**	**x**
6	Journaux	800 043	x	x	22 131	6 764	..	544 752	45 165	15 564	57 201	104 065	x
7	Carton ondulé et non ondulé	705 856	x	x	12 476	12 231	..	407 325	x	18 207	46 230	178 251	x
8	Fibres cellulosiques mélangées	1 519 958	x	x	2 627	4 265	946 000 3	328 443	4 245	14 194	28 466	190 047	x
9	Verre	339 132	x	x	2 824	x	71 000	173 905	2 619	x	x	34 231	x
10	Métaux ferreux	808 596	x	x	2 775	x	111 000	267 254	x	x	x	127 925	x
11	Cuivre et aluminium	44 070	x	x	x	x	11 000	19 927	x	x	x	1 965	x
12	Autres métaux	117 560	x	0	x	x	..	49 071	x	x	10 595	40 376	x
13	Plastiques	152 266	x	x	1 560	1 038	52 000	42 770	2 548	910	8 280	34 100	x
14	Matières provenant de la construction et de la démolition	702 202	0	x	53 359	30 153	213 000	225 282	581	x	x	162 168	0
15	Matières organiques	1 170 790	0	x	62 341	62 725	246 000	293 328	16 261	x	261 069	198 996	x
16	Autres matières	259 321	x	0	1 117	1 262	93 000	63 442	9 067	x	41 730	32 997	x

17 1. Ce tableau n'inclut que les entreprises et les administrations publiques qui ont déclaré des activités liées à la préparation des matières non dangereuses en vue du recyclage.

18 2. Les données sur les quantités proviennent d'une enquête réalisée par RECYC-QUÉBEC. Cependant, certains résidus de construction, rénovation et démolition (CRD) ont été retranchés de ces quantités dans le but d'uniformiser les quantités entre les provinces.

19 3. Inclut tous les types de papier.

Note(s) : Les chiffres ayant été arrondis, leur somme peut ne pas correspondre aux totaux indiqués.

20

Source(s) : Enquête de l'industrie de la gestion des déchets : secteurs des entreprises et des administrations publiques, n° 16F0023X au catalogue.

- Avant d'étudier ces données, réfléchis au recyclage dans ta collectivité. Quelles matières peux-tu recycler à la maison ou à l'école ? Quelles sont les deux ou trois matières qui représentent la plus grande partie de ce que tu recycles ?
- À partir des données du tableur, produis un diagramme circulaire des matières qui sont recyclées en grande quantité en Ontario. Tu devras faire un copier-coller des étiquettes de la colonne A dans une nouvelle section du tableur. Effectue ensuite un copier-coller des données ontariennes afin de les placer dans une colonne proche des étiquettes que tu as collées. Quelles étaient les trois premières matières recyclées en grande quantité en Ontario ?
- La Colombie-Britannique est la seule autre province qui présente un ensemble de données complet. Dresse un diagramme circulaire pour cette province. Tu devras encore une fois faire un copier-coller afin que les étiquettes soient à côté des données. Compare les deux diagrammes. Quelles sont les trois matières qui ont été recyclées en plus grande quantité en Colombie-Britannique ?
- Pour la Nouvelle-Écosse, deux catégories de données manquent. Dresse un diagramme circulaire pour cette province. Une fois de plus, tu devras faire un copier-coller afin que les étiquettes soient à côté des données. Avant de produire ton diagramme, remplace les X par des zéros, dans les catégories *Cuivre et aluminium* et *Autres métaux*. Cela garantira que les couleurs employées pour les catégories correspondent à celles employées dans les deux autres diagrammes, ce qui facilitera la comparaison. Quelles sont les trois matières qui ont été recyclées en plus grande quantité en Nouvelle-Écosse ?

- ➢ Que pourrais-tu conclure au sujet des programmes de recyclage de différentes parties du pays? Explique ton raisonnement.
- ➢ Écris une autre question à laquelle on pourrait répondre à l'aide d'au moins un de tes diagrammes.
- ➢ Choisis un autre sujet de recherche sur lequel E-STAT fournit des données. Pense à une question, recueille des données qui te permettront de trouver la réponse et produis une représentation graphique de ces données.

2e partie : La collecte de données au moyen d'autres sites Web ou de sources imprimées

En faisant une recherche sérieuse dans Internet, tu peux trouver des données sur à peu près n'importe quel sujet. Les gouvernements et les organisations internationales, comme la Division de la statistique des Nations Unies, sont généralement des sources dignes de confiance.

> Quand tu recueilles des données, que ta source soit électronique ou imprimée, tu dois t'interroger sur le degré de fiabilité de ta source.

Les organismes de sport professionnel, le Comité international olympique et la section Recensement à l'école du site de Statistique Canada sont d'autres sources de données.

Un *moteur de recherche* est un programme qui trouve de l'information en cherchant les mots clés qu'on a tapés. Il produit une liste des sites qui contiennent ces mots clés. Voici quelques conseils d'utilisation des moteurs de recherche.

- Utilise des mots clés aussi précis que possible.
- Si tu veux uniquement des résultats qui contiennent tous les mots que tu as entrés, tape le signe + avant chaque mot.
- Si tu veux des résultats qui excluent un certain mot, tape le signe − avant ce mot.
- Si tu veux que dans une suite de mots, ceux-ci apparaissent ensemble dans un ordre particulier, tape des guillemets avant le premier mot et après le dernier.

Tu peux parfois télécharger les données d'un site sous forme de fichier de tableur ou de fichier CSV (*comma separated value*) utilisable dans tout tableur.

Si tu n'as que quelques données ou que tu utilises des données tirées de sources imprimées, note les données par écrit ou saisis-les dans un tableur.

➢ Retourne aux sujets énumérés à l'exercice 9 de la section 7.1. Choisis un de ces sujets ou un autre sujet qui t'intéresse. Formule un problème que tu pourrais tenter de résoudre à l'aide des données que tu recueilleras. S'il y a lieu, prédis la réponse.

Questions auxquelles je pourrais répondre à l'aide de données de sources secondaires

L'environnement	Les sports
Quels pays produisent le plus le dioxyde de carbone par habitant ? Comment l'Ontario produit-elle la majeure partie de son électricité ?	Combien de fois chaque équipe de la LNH a-t-elle remporté la Coupe Stanley ? Combien de minutes les joueurs de basket-ball jouent-ils par partie ?
Renseignements intéressants	**Les élèves canadiens**
Quelles sont les cinq couleurs d'automobiles les plus répandues dans le monde ? Quel pourcentage de leur produit national brut certains pays consacrent-ils à l'éducation ?	Combien de cigarettes les adolescentes et adolescents canadiens fument-ils par semaine ? Quel pourcentage des élèves canadiens les gauchères et gauchers représentent-ils ?

➢ Dans Internet ou des sources imprimées, trouve les données dont tu as besoin. Note les adresses Internet ou les titres de tes sources de données. Si tu as de la difficulté à trouver des données, tu devras peut-être changer de sujet.

Souvent, il est mieux de changer de sujet que de continuer à chercher des données qui n'existent peut-être pas.

➢ Détermine les types de diagrammes qui conviennent le mieux à tes données. À la main ou à l'aide d'un tableur, crée une représentation graphique des données.

➢ Si tes données sont quantitatives, indique les mesures de tendance centrale ou de dispersion qui les représentent le mieux. Explique ton choix de mesures.

➢ Résous le problème que tu as formulé. S'il te manque des données, explique ce que tu as appris jusqu'à maintenant et ce que tu pourrais faire pour obtenir plus de données.

Réfléchis

➢ Quelle difficulté peut poser la collecte de données? Comment peut-on résoudre cette difficulté?

➢ L'utilisation de données de sources secondaires a-t-elle des avantages par rapport à la collecte de données de sources primaires? Si oui, quels sont ces avantages? Sinon, pourquoi n'en a-t-elle pas?

➢ Pourquoi est-il important de recueillir des données de sources dignes de confiance?

Révision du chapitre

Ce que je dois savoir

Les types de données et de diagrammes

Les données à une variable caractérisent un élément d'information au sujet d'une personne, d'un lieu ou d'un objet.

- Les données exprimées par des nombres sont des données quantitatives. Ces données peuvent être discrètes ou continues.
- Les données groupées par catégories sont des données qualitatives.

Le type de diagramme à construire dépend du type de données à représenter.

- Les diagrammes circulaires et les diagrammes à pictogrammes peuvent servir à représenter des données qualitatives ou des données discrètes.

Nombre d'heures hebdomadaires que les Ontariens consacrent à l'écoute de musique

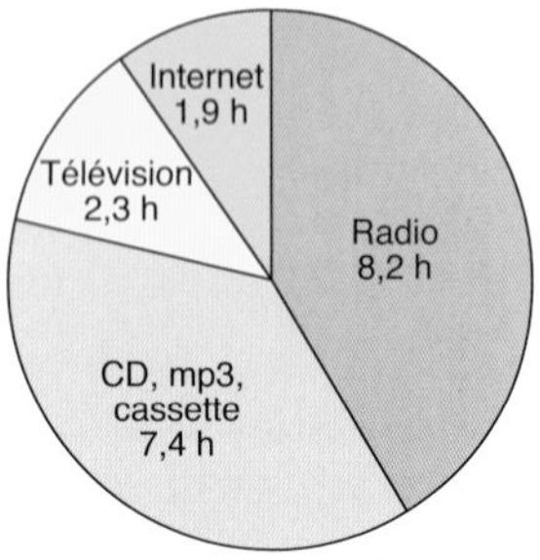

(horloge) représente 8 heures

Cours suivis par un apprenti mécanicien

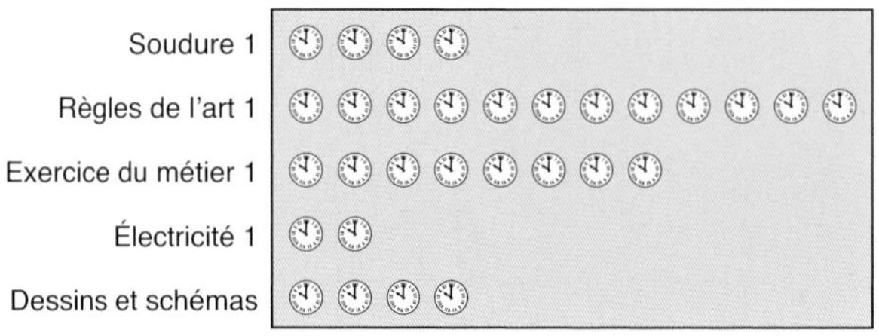

Vols de voitures dans certaines villes canadiennes en 2001

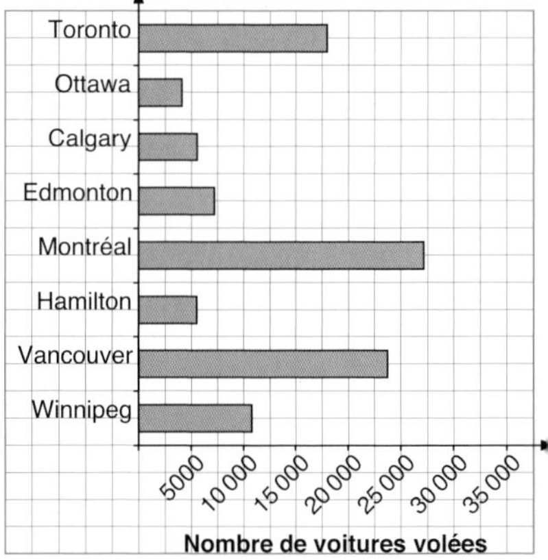

- L'histogramme est un type de diagramme à bandes représentant des données quantitatives groupées en intervalles. La forme d'un histogramme renseigne sur la façon dont les données sont distribuées.

Distribution uniforme

Âge des passagers d'une voiture de métro

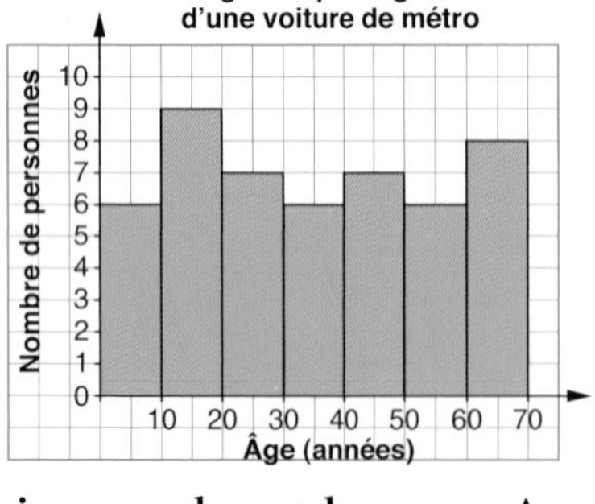

Distribution normale

Âge des spectateurs dans une salle de cinéma

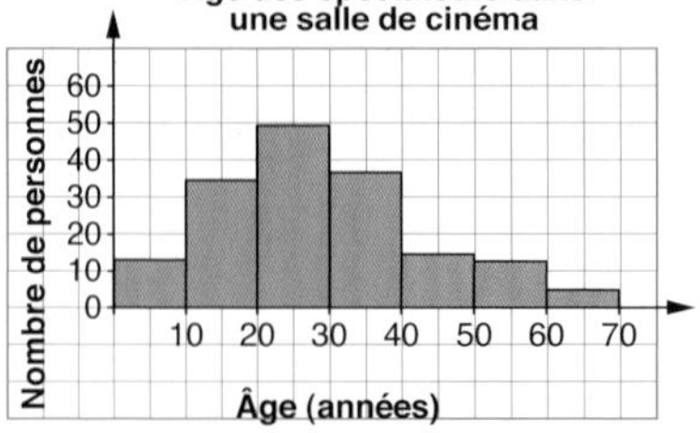

Asymétrique vers la gauche

Nombre de changements par partie en 2005-2006 par les Oilers d'Edmonton

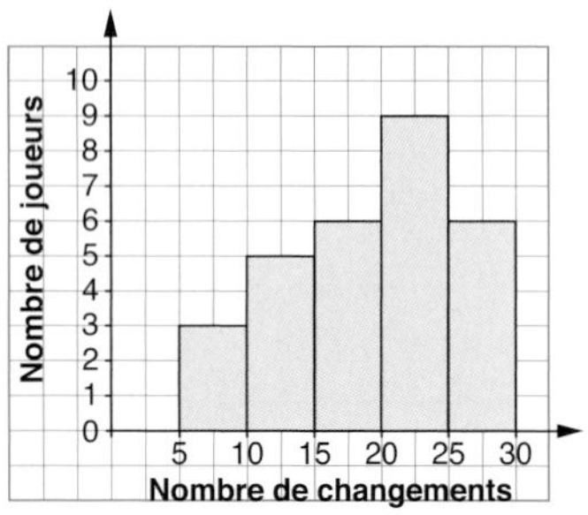

Asymétrique vers la droite

Revenu des ménages canadiens en 2001

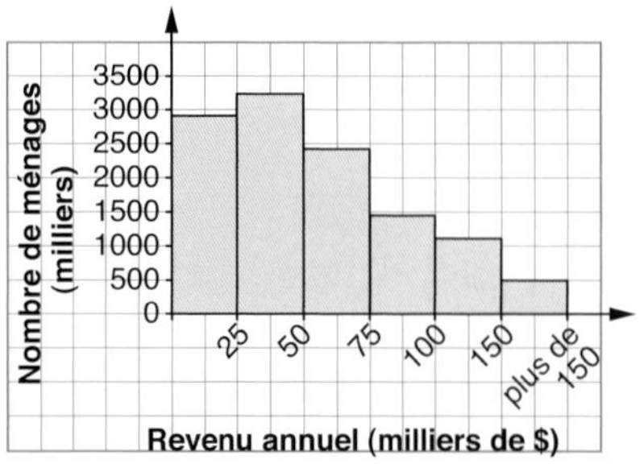

Distribution bimodale

Nombre de minutes de jeu par partie des joueurs des Raptors de Toronto

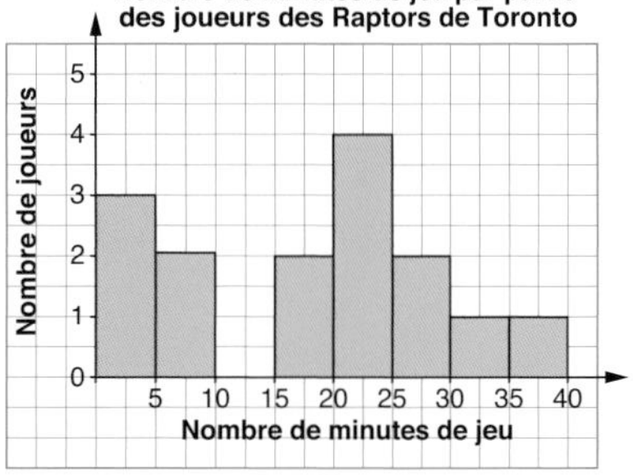

Les méthodes d'échantillonnage

La population d'un ensemble de données est formée de toutes les données de l'ensemble. Un échantillon est un sous-ensemble de données choisi dans la population. Il existe différentes méthodes pour choisir un échantillon. Selon les méthodes d'échantillonnage aléatoire, tous les membres de la population ont des chances égales d'être choisis. Ce n'est pas vrai pour les autres méthodes.

Méthodes d'échantillonnage aléatoire

- Échantillonnage aléatoire simple
- Échantillonnage en grappes
- Échantillonnage stratifié
- Échantillonnage systématique

Autres méthodes

- Échantillonnage accidentel
- Échantillonnage à participation volontaire
- Échantillonnage par choix raisonné

Les mesures de tendance centrale et de dispersion

Le mode, la moyenne et la médiane sont des mesures de tendance centrale d'un ensemble de données. Ces mesures servent à caractériser la valeur type ou moyenne de l'ensemble de données.

- Le mode est la donnée qui revient le plus souvent.
- Pour déterminer la moyenne, on additionne les nombres, puis on divise la somme par le nombre de données.
- Pour déterminer la médiane, on ordonne les nombres. La médiane est la valeur située au centre. Quand le nombre de données est pair, la médiane est la moyenne des deux nombres du centre.

Les mesures de dispersion sont l'étendue et l'écart type.

- L'étendue est la différence entre le plus grand et le plus petit nombre d'un ensemble de données.
- L'écart type mesure la dispersion d'un ensemble de données par rapport à leur moyenne. Pour calculer l'écart type:
  - ➢ Calcule la moyenne.
  - ➢ Soustrais la moyenne de chaque donnée.
  - ➢ Élève chaque différence au carré.
  - ➢ Additionne les carrés.
  - ➢ Divise la somme par le nombre de données moins un si les données sont celles d'un échantillon.
  - ➢ Divise par le nombre de données si les données sont celles d'une population entière.
  - ➢ Détermine la racine carrée du résultat.

Ce que je dois savoir faire

7.1

1. Dans chaque cas, indique si les données sont qualitatives ou quantitatives. Pour les données quantitatives, indique si elles sont continues ou discrètes.

a) Une réponse par « oui » ou « non » à un questionnaire.

b) La cote de consommation de carburant d'un véhicule.

c) Les choix de couleur d'une voiture neuve.

d) La pointure de chaussures d'une personne.

e) Le moyen de transport d'une personne pour se rendre au travail.

f) La distance du trajet de la maison au travail.

2. a) Dresse un tableau des effectifs pour cet ensemble de données. Explique comment tu as choisi les intervalles.

Taille des arbres d'une terre à bois (m)				
18,0	21,3	17,1	23,5	19,8
17,9	17,0	21,5	19,2	19,0
20,6	19,5	14,5	12,4	24,0
15,4	17,6	22,8	13,6	21,7

b) Représente les données dans un histogramme. Décris la distribution.

7.1
7.2

3. Les données suivantes indiquent les origines géographiques des étudiantes et étudiants étrangers de l'université de Toronto lors d'une année récente.

Région	Nombre d'étudiantes et étudiants du premier cycle
Asie	2577
Amériques	650
Europe	487
Moyen-Orient	359
Océanie et Afrique	245

Représente les données graphiquement. Explique comment tu as choisi le type de diagramme à construire.

7.3

4. Nomme chacune des populations ci-dessous, puis indique si l'on devrait recueillir les données auprès d'un échantillon ou de la population entière. Si tu recommandes un échantillon, propose une méthode d'échantillonnage. Justifie ta proposition.

a) Sonder les résidents d'un immeuble en copropriété pour connaître leurs opinions au sujet d'une rénovation proposée.

b) Sonder les élèves de ton école pour savoir s'ils participeraient à la campagne de financement d'un hôpital.

c) Tester les tablettes de chocolat qu'une usine produit chaque jour pour vérifier si elles n'ont pas été contaminées par des arachides.

5. Une entreprise veut sonder 500 de ses employés au sujet de leur satisfaction professionnelle. L'entreprise emploie 860 personnes en Colombie-Britannique, 1100 personnes en Ontario et 560 personnes au Nouveau-Brunswick. Combien d'employés devrait-elle échantillonner dans chaque province afin que le nombre d'individus composant chaque échantillon provincial soit proportionnel au nombre d'employés dans la province représentée ?

7.4

6. Supposons que tu veuilles obtenir des données au sujet des origines géographiques des élèves de ton école.

a) Ferais-tu un recensement ou recueillerais-tu des données auprès d'un échantillon ? Pourquoi ? Si tu proposes un échantillon, recommande une méthode d'échantillonnage.

b) Écris une question que tu pourrais poser dans un questionnaire pour recueillir ces données.

7. Quelle question poserais-tu dans un questionnaire? Explique ton choix.
   a) Comment te rends-tu à l'école par une journée type?
   b) En général, comment te rends-tu à l'école? (Choisis une réponse parmi les suivantes): à pied; à bicyclette; en voiture; au moyen du transport en commun; autres (précise le moyen).

7.5 **8.** Calcule la moyenne, la médiane et le mode des données sur la taille des arbres de l'exercice 2. Selon toi, quelle mesure représente le mieux les données? Explique ton choix.

9. Mylène a demandé à 10 membres d'une équipe de volley-ball d'une école secondaire et à 10 personnes choisies au hasard dans un centre commercial d'exécuter un service 10 fois chacun. Elle a compté les services réussis par chaque personne. Mylène a calculé la moyenne et l'écart type des données de chaque groupe. Selon toi, quel groupe a présenté le plus grand écart type? Pourquoi?

7.5 7.6 **10.** Un agent de voyages recueille des données pour aider une cliente à planifier un voyage. Il a trouvé des données sur les températures maximales enregistrées dans quelques villes au cours d'une semaine de l'année précédente.

	North Bay	Vancouver	Halifax	Winnipeg
11 mai	17 °C	16 °C	15 °C	10 °C
12 mai	19 °C	13 °C	16 °C	15 °C
13 mai	15 °C	15 °C	17 °C	13 °C
14 mai	16 °C	17 °C	20 °C	14 °C
15 mai	14 °C	21 °C	24 °C	14 °C
16 mai	17 °C	28 °C	16 °C	23 °C
17 mai	20 °C	20 °C	18 °C	19 °C
18 mai	21 °C	19 °C	18 °C	15 °C

   a) Détermine les mesures de tendance centrale concernant North Bay.
   b) Détermine les mesures de dispersion concernant North Bay.
   c) Répète les parties a) et b) pour chacune des autres villes.
   d) Choisis une des villes nommées. Selon toi, quelle mesure de tendance centrale caractérise le mieux le climat moyen? Pourquoi?
   e) Qu'est-ce que les mesures de dispersion indiquent au sujet des températures?
   f) As-tu utilisé un tableur pour faire les parties a) et b)? Explique ton choix.

7.7 **11.** Combien de redressements assis un adolescent canadien type peut-il effectuer en une minute?
   a) De quels éléments devrais-tu tenir compte dans la conception d'une expérience visant à répondre à cette question?
   b) Dresse un plan d'expérience. Dans ton plan, explique comment tu choisirais les personnes qui participeraient à l'expérience.

7.8 **12.** Supposons que tu doives trouver des données sur chacun des sujets suivants. Explique comment tu chercherais ces données.
   a) Les températures maximales dans une ville ou une région pendant un mois de l'année dernière.
   b) La population de chaque province en 1981, 1991 et 2001.
   c) La longueur ou la durée en minutes du trajet que fait le Canadien moyen pour se rendre au travail.

Test

Questions à choix multiple. Choisis les réponses appropriées pour les numéros 1 et 2. Justifie chacun de tes choix.

1. Comment appelle-t-on un ensemble de données composé de quelques individus d'un groupe cible?
A. Une population. B. Un échantillon. C. Une distribution. D. Un recensement.

2. Quel type de diagramme ne conviendrait pas à la représentation des couleurs des yeux des élèves d'une classe?
A. Un diagramme circulaire. B. Un diagramme à bandes.
C. Un histogramme. D. Un diagramme à pictogrammes.

Pour les questions 3 à 6, indique les étapes de ton travail.

3. Communication Soit les points qu'un joueur de basket-ball a marqués à chaque partie.
a) Dresse un tableau des effectifs. Explique comment tu as choisi les intervalles.

11	8	17	3	22	13	8	16	10	18	10	19	12	10	9	21	17	14
9	20	6	13	15	20	5	20	13	14	12	7	10	19	20	8	16	

b) Représente les données dans un histogramme. Décris la forme de la distribution.

4. Connaissance et compréhension Utilise les données de la question 3.
a) Calcule les mesures de tendance centrale ainsi que l'étendue.
b) Selon toi, quelle mesure de tendance centrale représente le mieux les données? Explique ton choix.
c) Quelle information additionnelle l'écart type apporterait-il?

5. Habiletés de la pensée Un groupe veut déterminer les opinions des Ontariennes sur une hausse du salaire minimum. Quelle méthode d'échantillonnage a été employée dans chacun des échantillons? Selon toi, quel échantillon représenterait le mieux l'opinion publique? Explique ta réponse.
a) Téléphoner aux directrices et directeurs des ressources humaines des 500 plus grandes entreprises de la province.
b) Choisir plusieurs villes et régions rurales. Téléphoner aux ménages choisis au hasard dans chaque endroit.
c) Interroger des personnes dans les centres d'emploi de 10 villes de la province.
d) Annoncer, à la radio et dans les journaux, qu'on invite les gens à téléphoner pour donner leur opinion.

6. Mise en application Soit les temps en secondes de deux sprinteuses au 100 mètres. Qui choisirais-tu pour courir la dernière étape des courses à relais de ton équipe? Justifie ton choix.

Suzie	13,22	11,39	13,53	12,99	11,18	12,34	13,05	11,36	11,46	14,13
Fiona	12,50	12,66	12,25	12,31	12,37	12,56	12,74	13,11	12,19	12,61

8 La probabilité

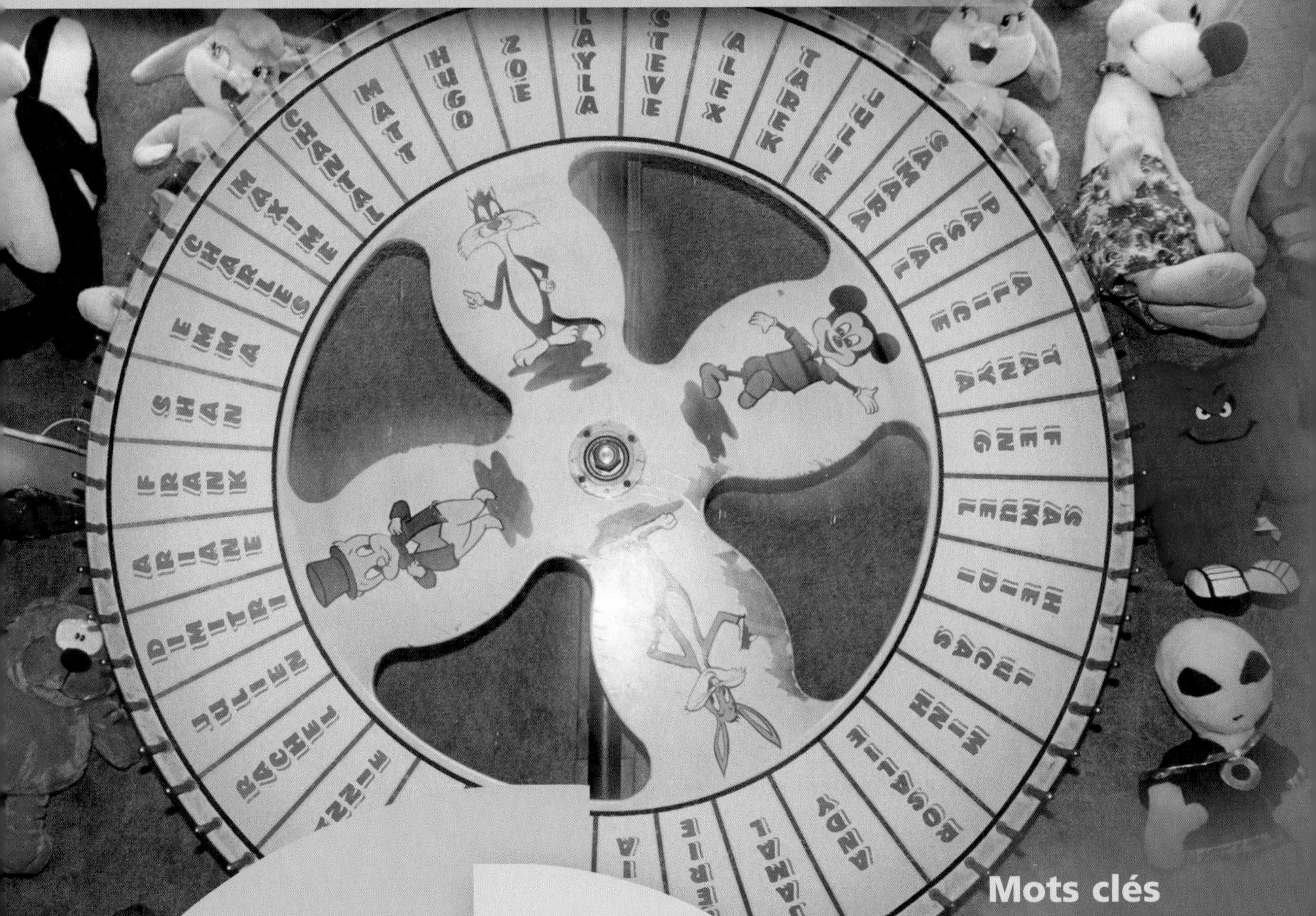

Ce que tu vas apprendre

Décrire et analyser la probabilité des événements à l'aide des mathématiques.

Pourquoi ?

L'étude de la probabilité t'aidera à comprendre des situations de la vie courante qui ont un caractère aléatoire ou incertain.

Mots clés

- Probabilité
- Événement
- Probabilité théorique
- Probabilité expérimentale
- Effectif
- Tableau des effectifs
- Essai
- Simulation

CHAPITRE 8

Connaissances préalables

Le vocabulaire de la probabilité

Connaissances préalables à la section 8.1

En météorologie, les chances qu'il pleuve peuvent s'exprimer par une **probabilité**. On parle aussi de possibilité ou de risque de pluie. Les prévisions météorologiques ne sont jamais certaines. Il y a cependant des conditions atmosphériques qui indiquent que la pluie est plus probable que l'absence de pluie.

Exemple

Tamara a mis six cubes congruents dans un chapeau : quatre verts, un orangé et un mauve. Sans regarder, elle tire un cube du chapeau. Quelle est la probabilité que Tamara obtienne chacun des résultats suivants ?

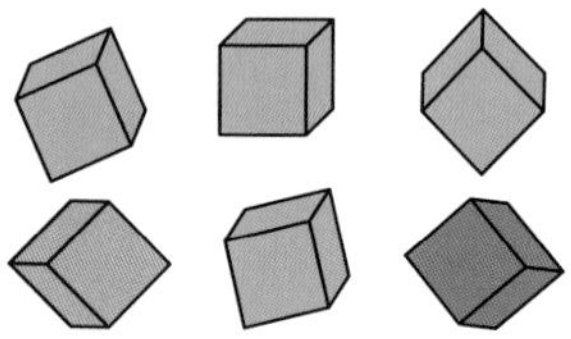

a) Un cube mauve b) Un cube vert
c) Un cylindre d) Un cube

Solution

Il y a six cubes dans le chapeau ; il y a donc six résultats possibles.

a) Un seul des six cubes est mauve. Il est peu probable que Tamara obtienne un cube mauve.
b) Quatre des six cubes sont verts. Il est probable que Tamara obtiendra un cube vert.
c) Il n'y a pas de cylindre. Il est impossible que Tamara obtienne un cylindre.
d) Tous les objets contenus dans le chapeau sont des cubes. Il est certain que Tamara obtiendra un cube.

Vérifie ta compréhension

1. Décris la probabilité des événements suivants à l'aide des mots *impossible*, *peu probable*, *probable* et *certain*.
a) Demain, le temps sera ensoleillé.
b) Les Raptors de Toronto gagneront la Coupe Stanley cette année.
c) Dans ta classe, un élève a 16 ans.
d) Si on lance 10 pièces de monnaie, elles tomberont toutes du côté face.

2. Claude et Jacques feront tourner l'aiguille ci-contre une fois chacun. Ordonne les événements suivants du moins probable au plus probable.
a) Les deux obtiennent le secteur orangé.
b) Les deux obtiennent un secteur vert.
c) Au moins un des deux obtient un secteur vert.

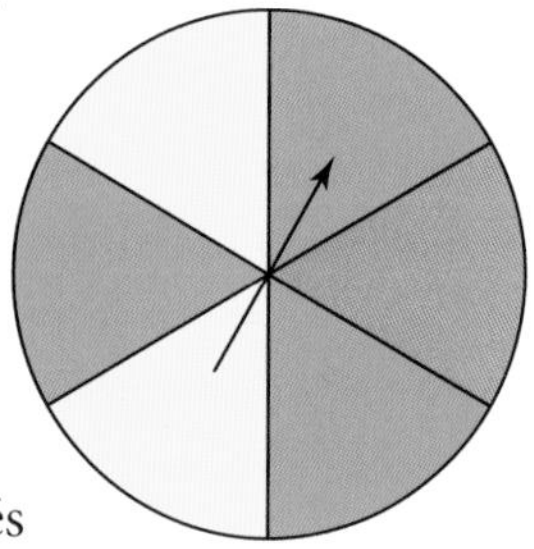

3. Nomme un événement de ta vie correspondant à chacune des probabilités suivantes. Explique ton raisonnement.
a) Peu probable b) Impossible c) Certain

Les fractions, les nombres décimaux et les pourcentages

Connaissances préalables à la section 8.1

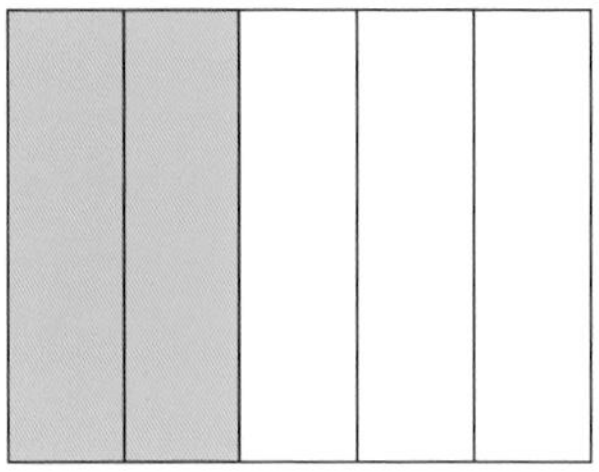

Les fractions, les nombres décimaux et les pourcentages permettent d'exprimer des parties d'un tout. Dans le schéma ci-contre, la partie coloriée peut s'exprimer par une fraction : $\frac{2}{5}$. Pour convertir une fraction en nombre décimal, divise le numérateur par le dénominateur :

$2 \div 5 = 0{,}4$

Pour convertir un nombre décimal en pourcentage, écris-le sous forme de fraction de 100.

$0{,}4 = \frac{4}{10} = \frac{40}{100} = 40\ \%$

Donc $\frac{2}{5} = 0{,}4 = 40\ \%$.

Exemple

Au cours d'une partie de hockey, un gardien de but a fait face à 28 tirs au but et réussi 24 arrêts.

a) Exprime par une fraction à sa **plus simple expression** les arrêts par rapport aux tirs.

b) Exprime le nombre d'arrêts par tir au but sous la forme d'un nombre à trois décimales.

c) Détermine le pourcentage d'arrêts obtenu par le gardien de but dans cette partie.

Solution

a) $\frac{24}{28} = \frac{24 \div 4}{28 \div 4} = \frac{6}{7}$

Divise le numérateur et le dénominateur par le plus grand facteur commun, 4.

b) $6 \div 7 = 0{,}85714...$

$6 \div 7 = 0{,}857$ à trois décimales près.

Le nombre d'arrêts par tir au but est d'environ 0,857.

c) $0{,}857 = 85{,}7\ \%$

Le pourcentage d'arrêts obtenu par le gardien de but est d'environ 85,7 %.

Pour convertir un nombre décimal en pourcentage, multiplie-le par 100.

Vérifie ta compréhension

1. Écris chaque fraction en nombre décimal et en pourcentage.

a) $\frac{6}{10}$ b) $\frac{3}{27}$ c) $\frac{9}{17}$ d) $\frac{24}{15}$

2. Au cours d'une partie de football, un quart-arrière tente 27 passes et en réussit 15.

a) Exprime sous la forme d'une fraction les passes réussies par rapport aux passes tentées.

b) Exprime la fraction en a) par un pourcentage. Tu as calculé le pourcentage de passes réussies du quart-arrière.

3. Nomme une situation dans laquelle tu exprimerais un nombre sous chacune des formes suivantes. Explique ton choix.

a) Fraction b) Nombre décimal c) Pourcentage

La littératie et les mathématiques

Des notes organisées

En 24 heures, on oublie jusqu'à 80 % de l'information qu'on entend ou qu'on lit. Prendre des notes de façon organisée t'aidera à retenir ce que tu apprends.

Pour prendre des notes de façon organisée au sujet d'un concept étudié, tu dois hiérarchiser, condenser et organiser les éléments d'information importants.

Étape 1

- Attribue des cotes d'importance aux différents éléments de contenu.
- Attribue la cote 1 aux idées ou aux catégories principales.
- Attribue la cote 2, 3 ou 4 aux renseignements complémentaires et aux exemples.

Étape 2

- Sers-toi d'alinéas, de puces et de couleurs pour organiser tes notes.
- Cela t'aidera à établir des liens entre les concepts.

Idée principale → Cote d'importance : **1**

Brève explication → Cote d'importance : **3**

Détails de l'idée principale → Cote d'importance : **2**

Exemple → Cote d'importance : **4**

Gestion des données

Mesures de tendance centrale

Moyenne

Somme des nombres d'un ensemble divisée par le total de nombres :

14, 18, 17, 16, 16, 15; la moyenne est $\frac{96}{6} = 16$

Médiane

Nombre au centre d'un ensemble ordonné de données ; ou moyenne des deux nombres au centre :

14, 15, 16, 16, 17, 18; la médiane est $\frac{16 + 16}{2} = 16$

Mode

Nombre qui revient le plus souvent dans un ensemble :

14, 15, 16, 16, 17, 18; le mode est 16

Prends tes notes de façon organisée au cours de l'étude de la probabilité. Pendant tes séances d'étude, cache certaines parties de tes notes et exerce-toi à te rappeler les renseignements cachés.

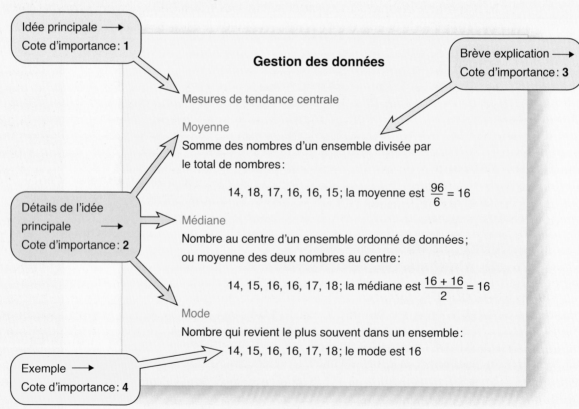

8.1 La probabilité dans nos vies

Souvent, les diplômés en publicité commencent leur carrière comme conseillers média. Une conseillère média aide un client à déterminer un auditoire cible. Elle achète ensuite la publicité qui rejoindra le mieux cet auditoire, qu'il s'agisse de la publicité à la télévision, à la radio et dans les médias imprimés. Pour faire ce travail, la conseillère média base ses décisions sur des données statistiques.

Explore — Prendre des décisions à l'aide de la probabilité

Travaille avec une ou un camarade. Répondez à chaque question. Expliquez votre réponse et indiquez la statistique ou la probabilité qui vous a aidés à prendre votre décision.

Selon le gouvernement, la population ontarienne croîtra d'un tiers au cours des 25 prochaines années.

En tant qu'investisseur, financerais-tu la construction de nouvelles unités de logement?

Demain: 60 % de probabilité de pluie

Annulerais-tu ton projet de randonnée pédestre?

Loterie: 1 chance sur 7 de gagner

Achèterais-tu un billet?

Il y a 91 % des conducteurs canadiens qui s'attachent.

Les contrôles routiers du port de la ceinture de sécurité représentent-ils une bonne façon d'employer le temps des policières et des policiers?

Le pourcentage d'arrêts (% A) d'un gardien de but de la LNH est le nombre de tirs au but que le gardien arrête par rapport au nombre de tirs au but auxquels il fait face. Pour la saison 2005-2006: Le % A de Cristobal Huet était de 0,929. Le % A de Jussi Markkanen était de 0,880.

Un joueur aurait-il plus de chances de marquer un but contre Huet ou contre Markkanen?

Réfléchis

- Y a-t-il de l'information non donnée qui aurait pu vous aider à répondre à quelques-unes de ces questions? Si oui, quelle est cette information et comment aurait-elle pu influencer votre réponse?
- Comparez vos réponses à celles d'un autre groupe d'élèves. Si vos réponses sont différentes, expliquez la raison.
- Les données présentées comportent des rapports, des pourcentages, des fractions et des nombres décimaux. Lesquelles ont été les plus faciles à interpréter? Expliquez votre réponse.

Fais des liens

La **probabilité** est une façon de mesurer les chances qu'un événement se produise. On peut déterminer la probabilité d'après des résultats d'expérience, par l'analyse des résultats possibles ou par l'interprétation de données statistiques.

Les façons de qualifier la probabilité

On exprime souvent la probabilité à l'aide de mots ou de groupes de mots comme *certain*, *très probable*, *probable*, *peu probable* et *impossible*.
On peut aussi employer des nombres.
La **probabilité** d'un événement impossible est de 0.
La probabilité d'un événement certain est de 1.
On exprime toutes les autres probabilités sous la forme de nombres décimaux de 0 à 1.

Par exemple, la probabilité d'un événement qui a autant de chances de se produire que de ne pas se produire est de 0,5.

Les échelles de probabilité

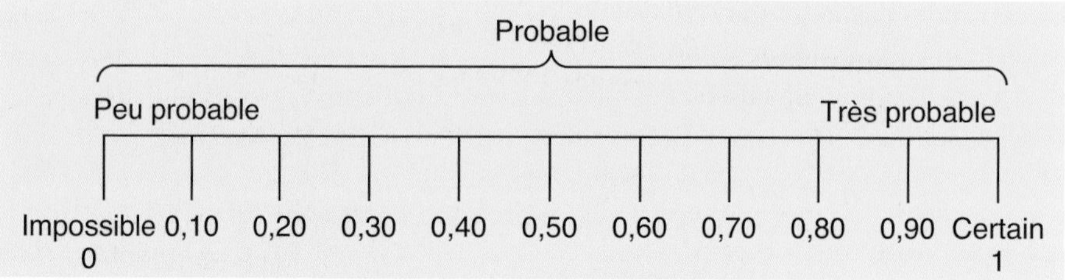

Lorsqu'un événement est probable, il peut autant se produire que ne pas se produire. Sur l'échelle de probabilité, un événement a une étendue de *impossible* à *certain* et il peut être qualifié de *peu* ou de *très probable*.

On peut aussi exprimer la probabilité sous la forme de fractions et de pourcentages.

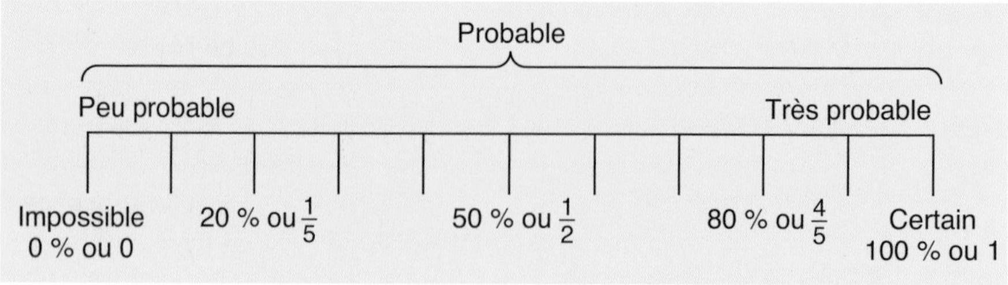

Les liens entre la statistique et la probabilité

On se sert parfois des statistiques pour déterminer les probabilités. Par exemple, en mars 2006, 52 % des Canadiens possédaient des téléphones cellulaires. En Suède, plus de 90 % de la population possédait des téléphones cellulaires. Ottawa et Stockholm, les capitales de ces deux pays, ont des populations comparables.
Supposons que tu marches dans une rue d'Ottawa ou de Stockholm. Dans laquelle des deux villes as-tu le plus de chances de voir des gens utiliser des téléphones cellulaires ?

Comme les populations des deux villes sont comparables, tu pourrais t'attendre à croiser à peu près le même nombre de personnes dans chaque ville.

Comme 52 % des Canadiens possèdent des téléphones cellulaires, environ la moitié des gens que tu croiserais pourraient avoir un téléphone cellulaire.
Comme plus de 90 % des Suédois possèdent des téléphones cellulaires, la plupart des gens que tu croiserais pourraient avoir un téléphone cellulaire.

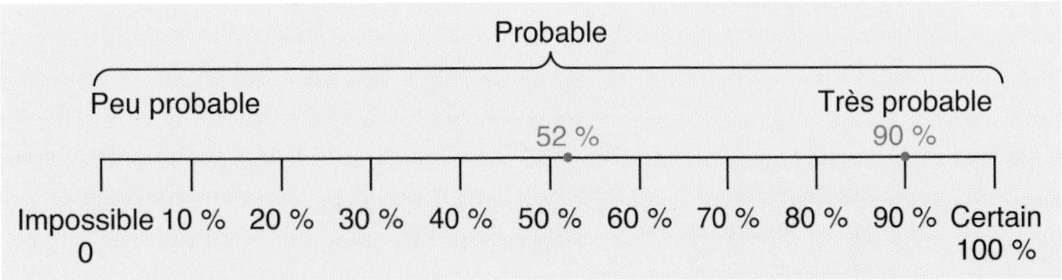

C'est donc à Stockholm que tu as le plus de chances de voir des gens utiliser des téléphones cellulaires.

Exercices

1. À l'aide du vocabulaire de la probabilité, exprime les chances que chacun des événements suivants se produise.
- **a)** Tu feras connaissance avec quelqu'un aujourd'hui.
- **b)** Demain, la température dépassera 25 °C.
- **c)** Tu auras un examen demain.
- **d)** La prochaine personne que tu verras est célèbre.
- **e)** Tu écriras quelque chose au cours des cinq prochaines minutes.

2. Écris un nombre décimal qui pourrait exprimer la probabilité de chaque événement de l'exercice 1. Sers-toi d'une échelle de probabilité pour ordonner les événements du plus improbable au plus probable.

3. **a)** Le tirage à pile ou face est-il une bonne façon de déterminer l'équipe qui donnera le premier coup d'envoi d'une partie de soccer? Explique ta réponse.
- **b)** Décris une décision que tu as prise ou que tu pourrais prendre à l'aide d'un tirage à pile ou face.

4. Quand un joueur de basket-ball est victime d'une faute en tentant de lancer au panier, on lui accorde au moins un lancer-franc. Au milieu de la saison 2006-2007, la moyenne de lancers-francs en carrière de Shaquille O'Neal était de 0,528. La moyenne de lancers-francs en carrière de Steve Nash était de 0,895. Selon toi, lequel des deux joueurs est le plus susceptible de marquer un panier à son prochain lancer-franc? Explique ta réponse.

La moyenne de lancers-francs réussis est le nombre de paniers marqués au cours de lancers-francs que l'on a divisé par le nombre de tentatives.

5. a) Dans des journaux ou des magazines, trouve trois exemples de probabilité ou de statistique utilisable pour écrire une probabilité.
L'information est-elle donnée sous forme de fraction, de pourcentage, de nombre décimal ou de rapport?
Que signifie la probabilité ou la statistique?

b) Pour chacun de tes exemples en a), écris une question à laquelle on pourrait répondre à l'aide des données.

Tu auras besoin de journaux ou de magazines.

À partir des résultats d'un sondage, on peut faire des prédictions concernant la population représentée dans le sondage.

Exemple

Le choix d'une personne au hasard signifie que toutes les personnes du groupe ont les mêmes chances d'être choisies.

Lors d'un sondage, 140 personnes sur 350 ont déclaré avoir fait des achats en ligne.

a) Quelle est la probabilité qu'une personne choisie au hasard dans le groupe des répondants du sondage ait fait un achat en ligne? Exprime ta réponse sous la forme d'une fraction, d'un pourcentage et d'un nombre décimal. Indique ta réponse sur une échelle de probabilité.

b) Supposons que ce sondage soit représentatif de la population en général. Si tu interrogeais 1000 personnes au hasard, combien pourraient répondre qu'elles ont fait des achats en ligne?

Solution

a) Des 350 répondants, 140 ont fait des achats en ligne. Donc, si tu choisis un répondant au hasard, la probabilité que cette personne ait fait un achat en ligne est de 140 sur 350, ou $\frac{140}{350}$.

Pour simplifier cette fraction, divise le numérateur et le dénominateur par leur plus grand facteur commun, 70.

$$\frac{140}{350} = \frac{2}{5} \quad (\div 70)$$

Pour convertir cette fraction en nombre décimal, divise le numérateur par le dénominateur: 140 ÷ 350, ou 2 ÷ 5 = 0,4.
Pour convertir ce nombre décimal en pourcentage, multiplie par 100 % : 0,4 × 100 % = 40 %.
La probabilité qu'un répondant choisi au hasard ait fait un achat en ligne est de $\frac{2}{5}$, ou 0,4 ou 40 %.

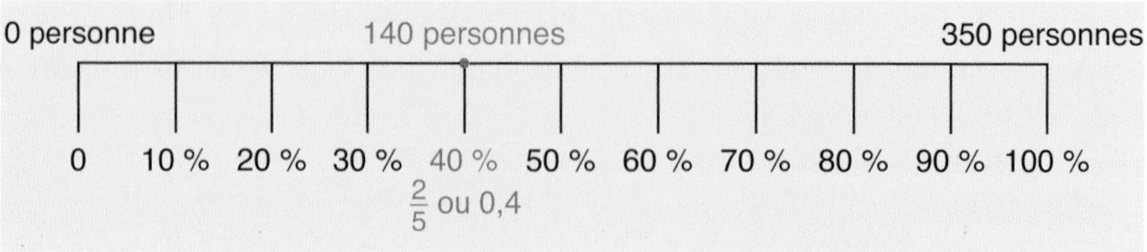

b) Pour un échantillon de 1000 personnes, utilise la probabilité sous forme de nombre décimal. Si tu choisissais des personnes au hasard, tu pourrais t'attendre à ce que 400 (0,4 × 1000) personnes interrogées aient fait des achats en ligne.

6. Selon Statistique Canada, en 2005, 64 % des Canadiens âgés de 12 ans et plus vivaient dans une maison sans fumée.

a) Quelle est la probabilité qu'un Canadien de 12 ans ou plus, choisi au hasard, vive dans une maison sans fumée ? Exprime ta réponse sous la forme d'une fraction, d'un nombre décimal et d'un pourcentage.

b) Dans un groupe de 500 Canadiens de 12 ans et plus, choisis au hasard, combien vivraient probablement dans une maison sans fumée ? Explique la stratégie que tu as utilisée pour répondre. Comment as-tu décidé d'utiliser une fraction, un nombre décimal ou un pourcentage ?

Suppose que les données de 2005 sont encore valables.

7. Fais le point Le tableau ci-contre indique le nombre de Canadiens qui regardent deux émissions de télévision au cours d'une semaine.

	Auditoire	
Groupe d'âge	**Émission A**	**Émission B**
Moins de 18 ans	220 000	5 000
de 18 à 24 ans	450 000	150 000
de 25 à 34 ans	230 000	325 000
de 35 à 49 ans	45 000	460 000
de 50 à 54 ans	15 000	400 000
55 ans et plus	3 000	275 000

a) Laquelle des deux émissions une personne de 23 ans choisie au hasard est-elle le plus susceptible d'avoir regardée ? Comment le sais-tu ?

b) Quelle émission a été regardée par le plus grand nombre de téléspectateurs ? Explique ta réponse.

c) Supposons qu'on choisisse au hasard une personne qui a regardé l'émission B. Quelle est la probabilité que cette personne fasse partie du groupe des 50 à 54 ans ?

d) Supposons que tu sois une conseillère ou un conseiller média qui achète du temps de publicité pour un nouveau lecteur MP3. Pendant quelle émission préférerais-tu diffuser ta publicité ? Explique ton raisonnement.

e) Ta réponse en d) changerait-elle si le produit annoncé était un jeu vidéo ? Explique ta réponse.

8. Relève le défi L'énoncé suivant est tiré d'un article de journal paru en 2007 : « Près de 70 % des nouveaux emplois exigeront un certain niveau d'études postsecondaires. Or, seulement 53 % des Canadiens obtiennent un diplôme collégial ou universitaire... » D'après ces données, y aura-t-il assez de Canadiens qualifiés pour obtenir les nouveaux emplois créés ? Explique ta réponse à l'aide de la probabilité.

Dans tes mots

Pense à des événements qui, dans ta vie, sont certains, probables ou impossibles.
Donne un exemple illustrant chacun de ces degrés de probabilité.
Explique ton raisonnement.

Le football pair-impair

JEU

Matériel :

- deux dés ;
- un petit objet servant de jeton ;
- une planche de jeu du Football pair-impair.

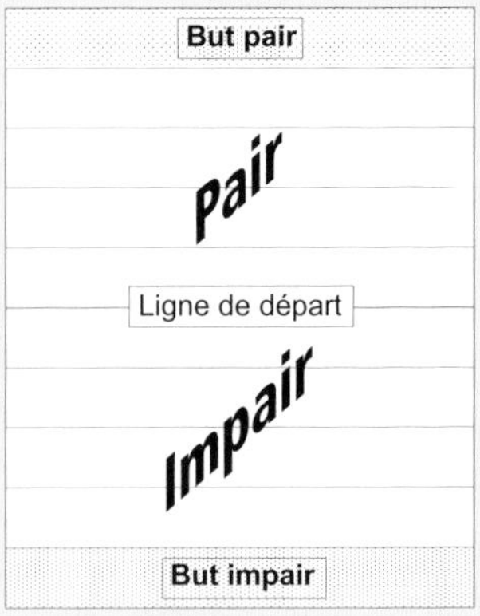

Joue avec une ou un camarade.

➢ Décidez de la personne qui visera le but pair et de celle qui visera le but impair.

➢ Placez le jeton sur la ligne de départ. Le premier joueur lance les dés.

➢ Soustrayez le petit nombre du grand nombre.
- Si la différence est impaire, déplacez le jeton d'un espace vers le but impair.
- Si la différence est paire, déplacez le jeton d'un espace vers le but pair.
- Si la différence est zéro, ne déplacez pas le jeton.

➢ À tour de rôle, lancez les dés et déplacez le jeton jusqu'à ce qu'il atteigne un but. La personne qui visait ce but gagne la partie.

Tu essaieras ce jeu après avoir étudié la section 8.2.

Jouez plusieurs parties, puis répondez aux questions suivantes.

Un jeu est équitable si tous les joueurs ont des chances égales de gagner.

1. Selon toi, ce jeu est-il équitable ? Sinon, préférerais-tu viser le but impair ou le but pair ? Explique ton raisonnement.

2. a) Dresse un tableau dans lequel tu indiqueras les différences entre deux dés lancés.

		Premier dé					
		1	2	3	4	5	6
Second dé	1						
	2						
	3						
	4						
	5						
	6						

b) Utilise ton tableau pour déterminer la probabilité d'une différence impaire, la probabilité d'une différence paire et la probabilité d'une différence nulle (0).

c) Maintenant, trouves-tu le jeu équitable ou inéquitable ? Explique ton raisonnement.

d) Si tu trouves le jeu inéquitable, propose une façon de le rendre équitable. Essaie ton idée.

8.2 La probabilité théorique

Des programmeuses et programmeurs d'ordinateurs ont créé des systèmes de réservation qui assignent automatiquement les meilleures places disponibles aux acheteurs de billets de théâtre, de concert ou d'avion. Supposons que les places soient plutôt assignées au hasard. Crois-tu que les acheteurs seraient contents de leurs places?

Explore — Comparer la probabilité des événements

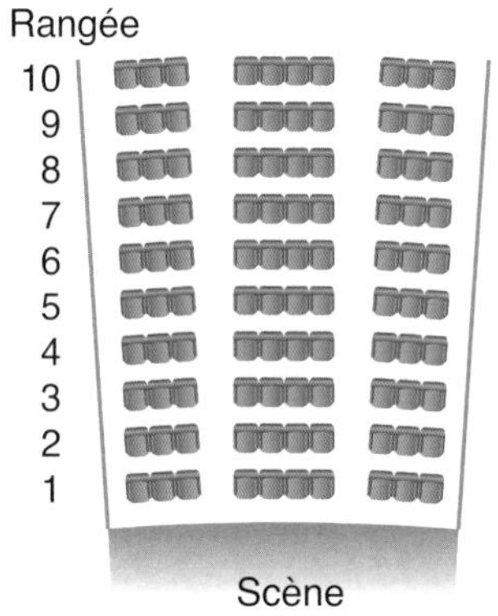

Les places d'une petite salle de concert sont disposées en 10 rangées de 10 places chacune. Les 4 places du milieu de chaque rangée sont séparées des 3 places du côté gauche et des 3 places du côté droit par des couloirs.

- ➢ Combien de places y a-t-il dans la salle?
- ➢ Combien y a-t-il de places de chacun des types suivants? Comment le sais-tu?
  - Places dans la première rangée
  - Places côté couloir
  - Places dans les 6 dernières rangées

Supposons que tu sois la première personne à acheter un billet. On t'assigne une place au hasard.

- ➢ Parmi les types de places nommés ci-dessus, lequel obtiendras-tu probablement? Ordonne les possibilités de la plus probable à la moins probable. Explique la stratégie que tu as employée pour ordonner les possibilités.
- ➢ Quelle assignation de place est la plus probable, ou les trois assignations sont-elles également probables? Explique ton raisonnement.
  - On t'assigne une des deux meilleures places de la salle, au milieu de la sixième rangée.
  - On t'assigne une des pires places de la salle, soit une des trois places de la première rangée situées près du mur de gauche ou de droite.

Réfléchis

- ➢ Comment pourrais-tu écrire une fraction, un nombre décimal ou un pourcentage représentant la probabilité d'obtenir chacun des types de places décrits ci-dessus?
- ➢ Dans la réalité, les places d'une salle de concert ne sont pas assignées au hasard. Qu'est-ce qui influence ton choix d'une place dans une salle de concert? Selon toi, quelles places sont les plus susceptibles d'être choisies?

Fais des liens

La **probabilité théorique**, c'est le nombre qu'on affecte à la probabilité qu'un événement se produise.
On détermine cette probabilité en analysant tous les résultats possibles.
Souvent, on l'appelle simplement « probabilité ».

On tire une carte au hasard d'un jeu de cartes standard.
Quelle est la probabilité théorique de tirer un roi ?

Un jeu standard contient 52 cartes. Toutes les cartes ont des chances égales d'être tirées. Lorsqu'on tire une carte, les 52 résultats possibles sont équiprobables (c'est-à-dire que chacun des résultats a autant de chances de se produire que les autres).
Quatre cartes représentent des rois : R♠, R♥, R♦, R♣.
Donc la probabilité de tirer un roi est : 4 sur 52, ou $\frac{4}{52}$.
Il peut être utile d'exprimer la probabilité de différentes façons.

Une fraction irréductible

Divise le numérateur et le dénominateur par leur plus grand facteur commun, 4.

$$\frac{4}{52} \xrightarrow{\div 4} \frac{1}{13}$$

Un nombre décimal

Divise le numérateur par le dénominateur : 4 ÷ 52, ou 1 ÷ 13 ≐ 0,08.

Un pourcentage

Multiplie le nombre décimal par 100 % : 0,08 × 100 % = 8 %.
La probabilité que la carte tirée soit un roi est de $\frac{1}{13}$, ou environ 0,08, ou environ 8 %.
Sur une échelle de probabilité, cette valeur se situe juste à gauche de 0,1 (10 %).

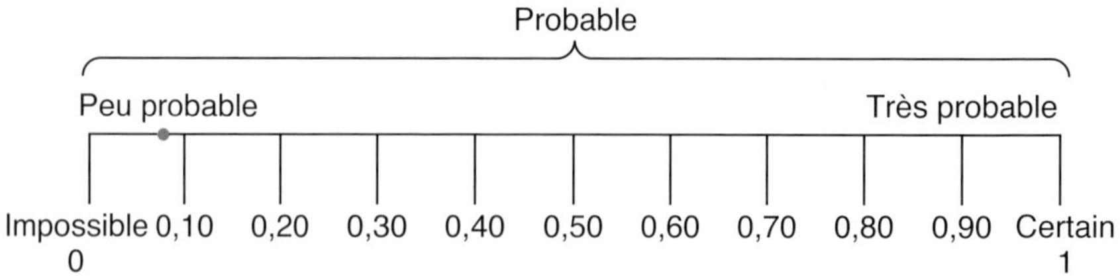

Comme l'échelle l'indique, une probabilité de 0,08 signifie que la probabilité est faible d'obtenir un roi quand on tire une carte. Obtenir un roi est possible. Mais, en général, on doit tirer plusieurs cartes avant d'obtenir un roi.

Lorsque tu calcules la probabilité théorique d'un événement, tu dois:
- compter les résultats possibles;
- savoir que les résultats sont équiprobables;
- compter les résultats favorables à l'événement.

Tu peux ensuite utiliser la formule suivante:

$$\text{Probabilité d'un événement} = \frac{\text{Nombre de résultats favorables à l'événement}}{\text{Nombre de résultats possibles}}$$

Exercices

1. Un dé ordinaire est un cube dont les faces représentent les nombres de 1 à 6. On lance ce dé.

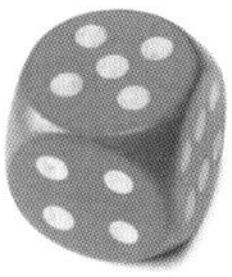

a) Quels sont les résultats possibles? Ces résultats sont-ils équiprobables? Justifie ta réponse.

b) Quelle est la probabilité d'obtenir le 2?

c) Quelle est la probabilité d'obtenir un nombre impair?

d) Quelle est la probabilité d'obtenir le 7?

2. On fait tourner l'aiguille du cadran ci-contre.

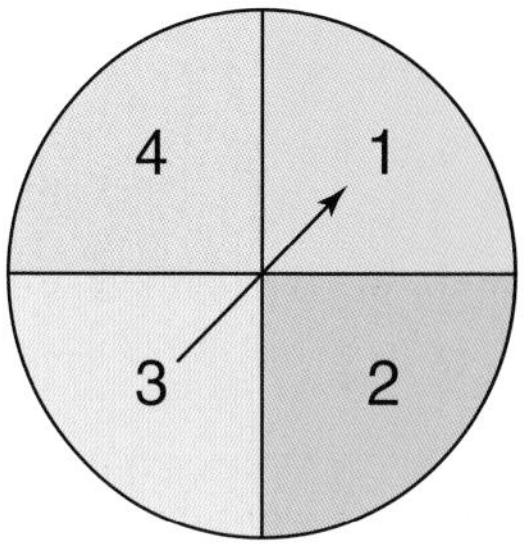

a) Quels sont les résultats possibles? Les résultats sont-ils équiprobables? Justifie ta réponse.

b) Quelle est la probabilité d'obtenir le 1?

c) Quelle est la probabilité d'obtenir un nombre pair?

d) Quelle est la probabilité d'obtenir le 1, le 2 ou le 3?

3. Soit les trois cadrans suivants.

a) Sans calculer la probabilité, indique le cadran que tu utiliserais si tu voulais obtenir un secteur bleu. Explique ta réponse.

b) Sans calculer la probabilité, indique le cadran que tu utiliserais si tu voulais éviter d'obtenir un secteur bleu. Explique ta réponse.

c) Calcule la probabilité théorique d'obtenir un secteur bleu avec chaque cadran. As-tu fait les bons choix en a) et en b)? Explique ton raisonnement.

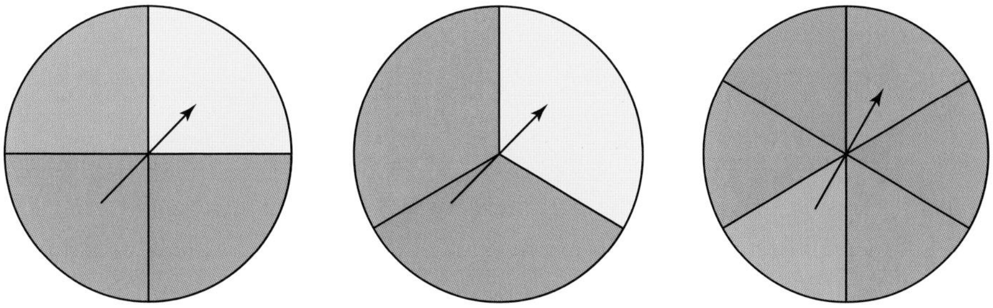

4. Reproduis le tableau et remplis-le en indiquant toutes les sommes possibles avec deux dés. Détermine la probabilité de chacun des événements suivants.

a) Obtenir la somme de 12.

b) Obtenir la somme de 7.

c) Obtenir une somme supérieure à 7.

d) Obtenir une somme inférieure à 6.

		Somme obtenue quand on lance deux dés					
		Premier dé					
		1	2	3	4	5	6
Second dé	1						
	2						
	3						
	4						
	5						
	6						

5. Fais le point Le *Choix chanceux* est un jeu qu'on peut utiliser pour amasser des fonds. Il s'agit d'une planche ayant cinq cases de longueur et cinq cases de largeur. Certaines cases cachent des images de prix. Les joueurs paient pour découvrir une case. Si la case choisie cache un prix, le joueur gagne ce prix.

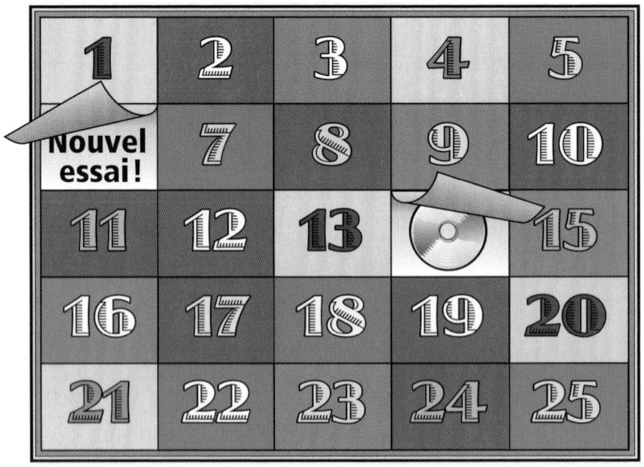

a) Dix prix se cachent derrière des cases de cette planche de jeu. Supposons que tu sois la première personne à choisir une case. Quelle est la probabilité que tu gagnes un prix ? Exprime ta réponse sous la forme d'une fraction.

b) Supposons les mêmes conditions qu'en a). Quelle est la probabilité que tu ne gagnes pas de prix ? Explique comment tu as déterminé ta réponse.

c) Combien de prix l'organisatrice du jeu devrait-elle cacher pour que la probabilité que le premier joueur gagne un prix soit de $\frac{1}{5}$? Explique ta méthode.

Pour énumérer tous les résultats possibles d'une situation de probabilité, tu peux utiliser un **diagramme en arbre**.

Exemple

Un carré parfait est un nombre qui est le carré d'un nombre entier.

Les concurrents d'un jeu doivent faire tourner les aiguilles de trois cadrans. Les nombres désignés par la première et la troisième aiguilles sont alors additionnés ou multipliés tel que l'indique la deuxième aiguille. Afin de gagner un prix, il faut obtenir un résultat qui soit un carré parfait. Pour chaque tentative, quelle est la probabilité théorique de gagner un prix?

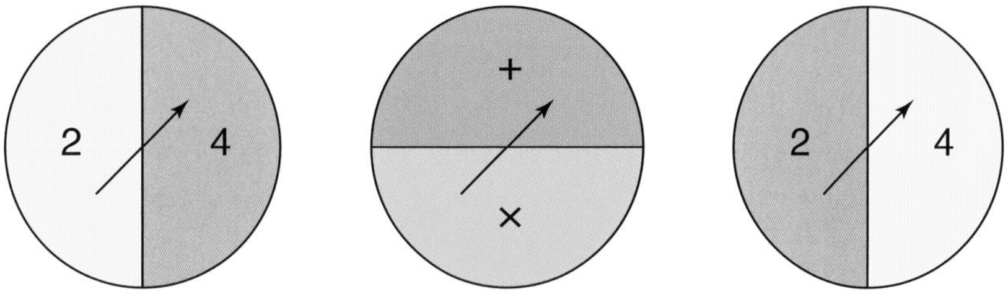

Solution

Construis un diagramme en arbre indiquant tous les résultats possibles.

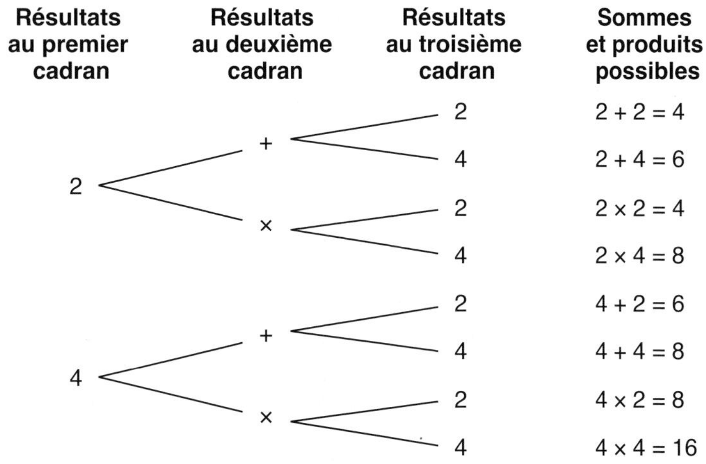

Il y a huit résultats possibles. Tous sont équiprobables.
Les seuls carrés parfaits sont 4 et 16.
Il y a deux façons d'obtenir 4 et une façon d'obtenir 16.
Donc la probabilité de gagner un prix est de $\frac{3}{8}$, ou 0,375, ou 37,5 %.

6. Tu lances une pièce de monnaie trois fois.

a) Selon toi, quel événement est le plus probable : obtenir trois côtés face ou obtenir un côté face et deux côtés pile? Explique ton raisonnement.

b) Construis un diagramme en arbre indiquant les résultats possibles quand on lance une pièce trois fois. Les résultats sont-ils équiprobables?

c) À l'aide de ton diagramme, détermine la probabilité de chaque événement. Explique tes méthodes.

I) Obtenir trois côtés face.

II) N'obtenir aucun côté face.

III) Obtenir un côté face et deux côtés pile.

d) Ta réponse en a) était-elle juste? Comment le sais-tu?

7. Dans un jeu inventé par des élèves, deux joueurs font avancer leur pion sur une planche de jeu. Ils lancent un dé pour déterminer le nombre de cases que leur pion avancera. Ils utilisent un cadran pour déterminer si le joueur avance son pion, le pion de l'adversaire ou les deux pions.

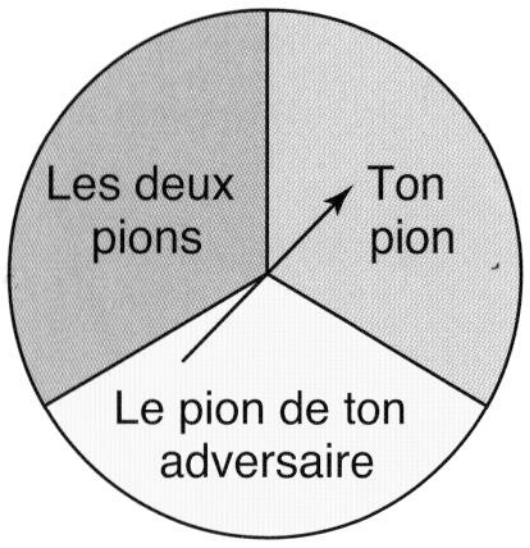

a) Dresse un tableau ou un diagramme en arbre indiquant les résultats possibles du dé et du cadran. Explique les raisons de ton choix. Les résultats sont-ils équiprobables?

b) Supposons que tu joues à ce jeu. Tu lances le dé et tu fais tourner l'aiguille du cadran. Détermine la probabilité de chaque événement.

I) Tu avances seulement ton pion de six cases.

II) Tu avances un des pions ou les deux pions de trois cases.

III) Tu avances seulement le pion de ton adversaire d'un nombre quelconque de cases.

8. Au club vidéo, un distributeur automatique contient des boules de gomme de différentes couleurs. Pour obtenir une boule de gomme, on introduit une pièce de monnaie et on tourne la manette. Si la boule obtenue est blanche, on gagne la location d'un film. Au moment où Trinidad introduit sa pièce, le distributeur contient 10 boules de gomme roses, 11 boules bleues, 8 boules vertes, 14 boules jaunes, 15 boules mauves et 2 boules blanches.

a) Quelle est la probabilité théorique que Trinidad obtienne une boule rose?

b) Quelle est la probabilité théorique qu'elle obtienne une boule bleue ou une boule jaune?

c) Quelle est la probabilité théorique qu'elle gagne la location d'un film?

d) Quelle couleur de boule de gomme Trinidad a-t-elle une chance sur quatre d'obtenir? Justifie ta réponse.

9. **Relève le défi** Vincent avait dans sa main sept pièces de monnaie totalisant 2,39 $. Alors qu'il faisait la queue à la cafétéria de l'école, il a laissé tomber une pièce qui a roulé sous le comptoir. Quelle est la probabilité que la pièce tombée soit une pièce de un cent? Explique ta stratégie.

Dans tes mots

Décris la marche à suivre pour calculer une probabilité théorique. Accompagne ton explication d'un exemple comportant des pièces de monnaie, des dés ou des cadrans à aiguille.

Révision de mi-chapitre

8.1 **1.** Nomme au moins trois mots qui sont employés dans ce chapitre pour qualifier les possibilités qu'un événement se produise. Construis une échelle de probabilité de 0 à 1. Écris chacun des mots à un endroit approprié de l'échelle.

2. Selon une étude, « le taux de bénévolat des Canadiens est plus élevé chez les gens âgés de 15 à 24 ans (55 %) que chez tout autre groupe d'âge ».

a) Quelle est la probabilité qu'une personne choisie au hasard dans le groupe des 15 à 24 ans fasse du bénévolat ?

b) Sur 20 personnes âgées de 15 à 24 ans choisies au hasard, combien de bénévoles t'attendrais-tu à trouver ?

8.2 **3.** Zoé brasse un jeu de cartes numérotées de 1 à 10 et choisit une carte au hasard.

a) Quels sont les résultats possibles ? Ces résultats sont-ils équiprobables ? Explique ta réponse.

b) Quelle est la probabilité que Zoé ait choisi une carte représentant :

I) un nombre pair ?

II) un carré parfait ?

III) un nombre de deux chiffres ?

IV) un nombre de trois chiffres ?

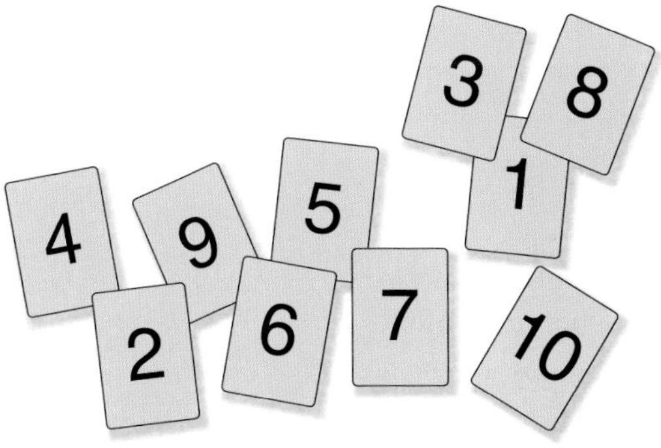

4. Dans un jeu de cartes bien brassées, Chantale choisit une carte au hasard.

a) Sans calculer les probabilités, ordonne les événements suivants du moins probable au plus probable. Explique ton raisonnement.

- La carte est un trèfle.
- La carte est rouge.
- La carte est un as.

b) Calcule la probabilité de chaque événement nommé en a). Exprime chaque réponse sous forme de nombre décimal.

c) Construis une échelle de probabilité. Place tes réponses en b) sur l'échelle. Dans quelle mesure l'ordre que tu as déterminé en a) était-il juste ?

5. Les concurrents à un jeu de fête foraine font tourner les aiguilles de deux cadrans. Les nombres sur lesquels les aiguilles s'arrêtent sont multipliés. Pour gagner un prix, il faut obtenir un produit impair.

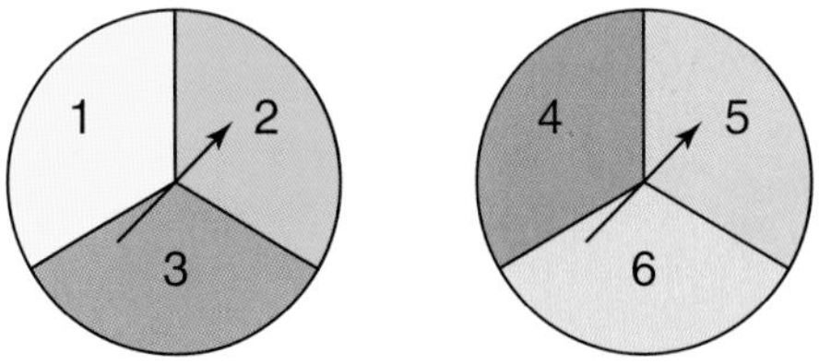

a) Dresse un tableau ou un diagramme en arbre indiquant tous les résultats possibles. Explique ton choix.

b) Pour chaque tentative, quelle est la probabilité de gagner un prix ?

8.3 La probabilité expérimentale

Quand la probabilité est calculée d'après les résultats d'une expérience ou d'une étude, on l'appelle **probabilité expérimentale**.

Dans certains jeux, comme le poker et le bridge, on prend des décisions basées sur des probabilités. Plus tu joueras à de tels jeux, meilleure ou meilleur tu devrais devenir. Sans même t'en rendre compte, tu utiliseras les observations que tu as faites aux jeux précédents pour t'aider à prendre de bonnes décisions.

Explore — La comparaison de la probabilité théorique et de la probabilité expérimentale

Des élèves inventent un jeu de société. Ils envisagent d'établir une règle selon laquelle un joueur doit obtenir 6 sur le dé pour commencer à déplacer son pion.

- Quelle est la probabilité théorique d'obtenir le 6 sur le dé lancé? Exprime ta réponse en fraction et en nombre décimal au centième près. Explique comment tu as déterminé la probabilité.
- Selon toi, si tu lançais un dé 50 fois, combien de fois obtiendrais-tu le 6? Explique ton raisonnement.

Travaille avec une ou un camarade. Vous aurez besoin d'un dé. Si vous avez plusieurs dés, vous pourrez les lancer en même temps et ainsi réduire la durée de l'expérience.

- Lancez un dé. Notez le résultat en traçant une barre dans la colonne «Dénombrement» dans un tableau comme le suivant. Notez ainsi les données de 50 lancers.

Ce tableau est un **tableau des effectifs**.

Résultat	Dénombrement	Effectif
1		
2		
3		
4		
5		
6		

- Notez l'**effectif**, c'est-à-dire le nombre de lancers correspondant à chaque résultat.
- Quelle fraction des résultats représente le 6? Cette fraction est la probabilité expérimentale d'obtenir le 6 sur un dé lancé.

Exprime tes probabilités expérimentales sous la forme de fractions et de nombres décimaux au centième près.

- Combinez vos données avec celles d'un autre groupe d'élèves. Sur 100 lancers, combien de 6 ont été obtenus? Quelle est la probabilité expérimentale d'obtenir le 6 sur 100 lancers?
- Combinez vos données avec celles d'autres groupes jusqu'à ce que vous ayez les données de toute la classe. Sur combien de lancers portent vos données maintenant? Combien de lancers ont produit le 6? Quelle est la probabilité expérimentale d'obtenir le 6?
- Représentez graphiquement les données sur la probabilité d'obtenir le 6. Décrivez la forme du diagramme.
- Tracez une courbe indiquant la probabilité théorique d'obtenir le 6.

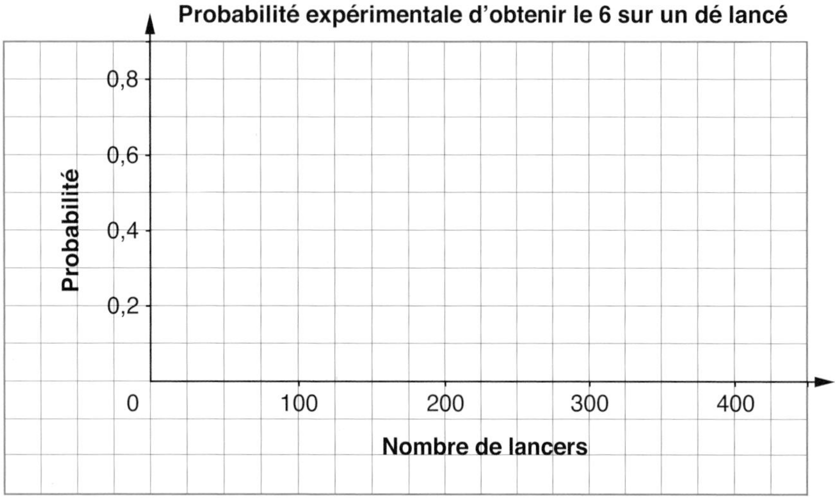

Réfléchis

- Comment les probabilités théorique et expérimentale se comparent-elles? Cela t'étonne-t-il? Pourquoi?
- Supposons que tu recueilles des données portant sur 1000 lancers. Selon toi, comment les probabilités théorique et expérimentale se compareraient-elles? Explique ton raisonnement.
- Quelles sont les chances d'une personne d'obtenir le 6 au lancer d'un dé? Que penses-tu de la règle des élèves disant qu'il faut obtenir le 6 pour commencer à déplacer son pion? Explique ta réponse.

Fais des liens

Chaque répétition d'une expérience de probabilité est un **essai**. Dans l'activité de la rubrique *Explore*, tu as recueilli des données portant sur 50 lancers. Tu as donc fait 50 essais.

Une fois les données recueillies, tu peux calculer la probabilité expérimentale d'un événement.

$$\text{Probabilité expérimentale} = \frac{\text{Fréquence de l'événement}}{\text{Nombre total d'essais}}$$

Réalise l'expérience.

Par exemple, Mélanie a lancé une pièce de monnaie 50 fois et noté ses résultats dans un tableau des effectifs.

Expérience du lancer d'une pièce de monnaie

Résultat	Dénombrement	Effectif
Face	~~////~~ ~~////~~ ~~////~~ ~~////~~ //	22
Pile	~~////~~ ~~////~~ ~~////~~ ~~////~~ ~~////~~ ///	28

Dans l'expérience de Mélanie, l'effectif des côtés face est 22. L'effectif des côtés pile est 28. Donc, pour l'expérience de Mélanie :

Détermine la probabilité expérimentale.

$$\begin{aligned}\text{Probabilité expérimentale des côtés face} &= \frac{\text{Nombre de côtés face}}{\text{Nombre total de lancers}}\\ &= \frac{22}{50}\\ &= 0{,}44, \text{ ou } 44\ \%\end{aligned}$$

$$\begin{aligned}\text{Probabilité expérimentale des côtés pile} &= \frac{\text{Nombre de côtés pile}}{\text{Nombre total de lancers}}\\ &= \frac{28}{50}\\ &= 0{,}56, \text{ ou } 56\ \%\end{aligned}$$

Si possible, compare les probabilités expérimentale et théorique.

Quand on lance une pièce de monnaie, il y a deux résultats possibles et équiprobables : face et pile.
Donc, la probabilité théorique d'obtenir face est de $\frac{1}{2}$, ou 0,5, ou 50 %.
La probabilité théorique d'obtenir pile est aussi de $\frac{1}{2}$, ou 0,5, ou 50 %.
Les résultats de Mélanie sont proches des probabilités théoriques, ce qui n'est pas toujours le cas. La probabilité théorique signifie seulement que, si l'on fait de *nombreux* essais, on peut s'attendre à obtenir le résultat « face » *environ* la moitié des fois.

Exercices

1. La moyenne au bâton d'un joueur de softball est une probabilité expérimentale : le nombre de coups sûrs divisé par le nombre de présences au bâton.

Le tableau présente les statistiques sur les présences au bâton de trois joueuses de l'équipe de softball féminin les Rebelles, d'Orléans en Ontario, pour une partie de la saison 2008.

Nom	Présences au bâton	Coups sûrs
Céline	45	15
Audrey	40	10
Luce	26	9

a) Calcule la moyenne au bâton de chaque joueuse.

b) Quelle joueuse est la plus susceptible de frapper un coup sûr à sa prochaine présence au bâton ? Explique ton raisonnement.

c) Pourquoi ne peux-tu pas dire avec certitude qui frappera un coup sûr et qui n'en frappera pas ?

2. a) Utilise les données que tu as notées sous la rubrique *Explore*. Calcule la probabilité expérimentale d'obtenir un nombre impair au lancer du dé.

b) Quelle est la probabilité théorique d'obtenir un nombre impair ?

c) Comment se comparent tes réponses en a) et en b) ?

d) Supposons que tu recueilles des données portant sur 50 lancers de plus. Selon toi, en quoi la probabilité expérimentale pourrait-elle changer ? Explique ton raisonnement.

e) Fais part de tes données à une ou un autre élève qui n'était pas ta ou ton partenaire dans l'activité de la rubrique *Explore*. Calculez la probabilité expérimentale pour 100 lancers. Ce que tu avais prédit en d) s'est-il produit ? Explique ta réponse.

3. **Fais le point** Dans un jeu de 52 cartes, il y a 4 sortes : cœur, carreau, trèfle et pique.

Tu auras besoin d'un jeu de cartes.

a) Supposons que tu tires une carte au hasard dans un jeu qui a été brassé. Quelle est la probabilité théorique d'obtenir un cœur ? Explique ta réponse.

b) Dresse un tableau des effectifs. Procure-toi un jeu de cartes et brasse les cartes. Tire une carte, note la sorte dans le tableau, puis remets la carte dans le jeu. Fais 40 essais en tout.

Sorte	Dénombrement	Effectif
Cœur		
Carreau		
Trèfle		
Pique		

c) Calcule la probabilité expérimentale de tirer un cœur. Compare-la à ta réponse en a).

d) Supposons que tu aies les données portant sur 80 autres essais. Selon toi, en quoi la probabilité expérimentale pourrait-elle changer ? Explique ta réponse.

e) Fais part de tes résultats à deux autres élèves. Calculez la probabilité expérimentale pour 120 essais. Ce que tu avais prédit en d) s'est-il produit ? Explique ta réponse.

4. Helena réalise une expérience sur le lancer d'une pièce de monnaie. Elle obtient un côté pile puis quatre côtés face. Selon toi, est-elle plus susceptible d'obtenir pile ou face au prochain lancer, ou ces résultats possibles sont-ils équiprobables ? Emploie le vocabulaire de la probabilité pour expliquer ton raisonnement.

Une **simulation** est une expérience qui modélise une situation réelle.

Exemple

Soit un feu de signalisation programmé pour être vert 75 % du temps et rouge ou jaune 25 % du temps pour les véhicules circulant vers l'est et l'ouest.

a) Quelle est la probabilité théorique que le feu soit vert pour un conducteur choisi au hasard circulant vers l'est ?

b) Conçois une simulation que tu utiliserais pour déterminer la probabilité théorique que le feu soit vert. Réalise ta simulation.

Solution

a) Comme le feu est programmé pour être vert 75 % du temps, les chances que le feu soit vert pour le conducteur sont de 75 %. La probabilité est de 75 %, ou 0,75.

b) Tu peux simuler cette situation au moyen d'une boîte contenant quatre morceaux de papier. Sur trois morceaux, écris *vert*. Sur le quatrième morceau, écris *autre*.
Comme dans la situation modélisée :
Probabilité d'un feu vert $= \frac{3}{4}$, ou 0,75.
Retire un morceau de papier, note le résultat dans un tableau des effectifs et remets le morceau dans la boîte. Répète l'expérience de nombreuses fois.
Tristan a fait cette simulation en 20 essais. Voici ses résultats.

Événement	Dénombrement	Effectif
Vert	~~||||~~ ~~||||~~ ~~||||~~ ||	17
Autre	|||	3

Probabilité expérimentale d'un feu vert : $\frac{17}{20} = 0{,}85$, ou 85 %.

5. Guillermo a fait la simulation de l'*exemple dirigé* et a obtenu ces résultats.

a) Quels sont les effectifs ? Combien d'essais cela représente-t-il ?

b) Détermine la probabilité expérimentale que le feu soit vert.

Événement	Dénombrement	Effectif
Vert	~~||||~~ ~~||||~~ ~~||||~~	
Autre	|||	

c) Dans l'*exemple dirigé*, comment la probabilité expérimentale se compare-t-elle à la probabilité théorique? Penses-tu que Guillermo a mieux réalisé l'expérience que Tristan? Explique ton raisonnement.

6. Une femme enceinte a autant de chances d'avoir un garçon que d'avoir une fille.

Tu auras besoin de trois pièces de monnaie.

a) Pense à des familles de trois enfants que tu connais.
Y a-t-il plusieurs de ces familles qui comptent trois filles ou trois garçons?
Est-ce ce à quoi tu t'attendrais?

b) Construis un diagramme en arbre indiquant toutes les combinaisons possibles de filles et de garçons pour une famille de trois enfants.
Quelle est la probabilité que les trois enfants soient du même sexe?

c) Tu peux simuler cette situation au moyen de trois pièces de monnaie.
Disons que face représente une fille et pile, un garçon. À chaque essai, lance trois pièces.
Fais au moins 20 essais. Note tes résultats dans un tableau des effectifs comme le suivant.

Événement	Dénombrement	Effectif
3 filles ou 3 garçons		
Autre combinaison		

d) Quelle est la probabilité expérimentale d'avoir trois filles ou trois garçons?
Comment se compare-t-elle à la probabilité théorique?

e) Combine tes résultats avec ceux d'autres camarades.
Construis un diagramme indiquant la variation de la probabilité expérimentale à mesure que le nombre d'essais augmente.
Décris la forme du diagramme.

7. Pour chaque situation, détermine la probabilité théorique.
Ensuite, décris une expérience que tu pourrais réaliser pour simuler chaque situation.
Explique pourquoi ta simulation modélise correctement la situation.
Combien d'essais comporterait ta simulation? Explique ton raisonnement.

a) Tu ignores la réponse à une question à choix multiple proposant quatre réponses.
Quelle est la probabilité que tu choisisses la bonne réponse?

b) Une carte à gratter présente six pastilles (surfaces de jeu).
Une seule pastille cache les mots VOUS GAGNEZ.
Tu peux gratter une seule pastille.
Si tu découvres les mots VOUS GAGNEZ, tu remportes un prix.
Quelle est la probabilité de choisir la bonne pastille?

8. a) Utilise ce diagramme du nombre de fois que les lettres apparaissent dans un texte. Quelles sont, dans l'ordre, les cinq lettres les plus utilisées dans un texte?

b) Les lettres les plus utilisées dans trois langues sont:

Italien: a, e, i, o, l, n, r

Allemand: e, n, i, r, s, a, h

Suédois: e, a, n, t, r, s, i

Selon toi, dans laquelle de ces langues ce texte est-il écrit? Explique comment tu as décidé de la langue la plus probable.

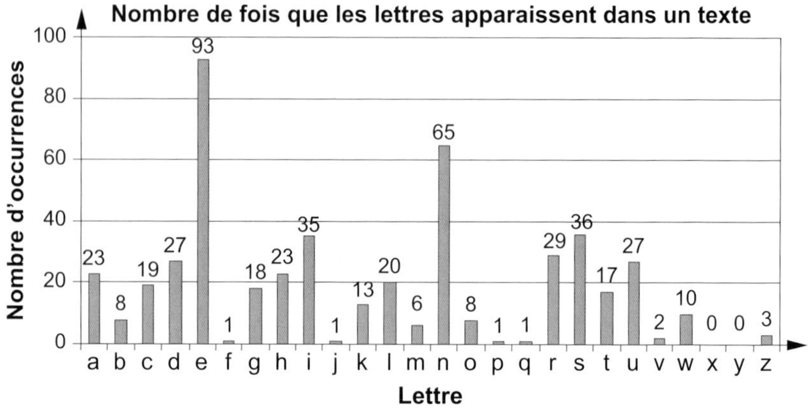

9. **Relève le défi** On met une balle de ping-pong dorée dans une boîte remplie de balles de ping-pong blanches. Sans regarder, les concurrents plongent la main dans la boîte et en retirent une balle. Si un concurrent retire la balle dorée, il gagne un prix. Après chaque essai, on remet la balle dans la boîte.

a) Quel élément d'information te manque-t-il pour pouvoir calculer la probabilité théorique de gagner un prix?

b) La semaine dernière, 539 personnes ont participé à ce concours. Il y a 96 personnes qui ont tiré la balle dorée. Quelle est la probabilité expérimentale de gagner un prix? Exprime ta réponse sous la forme d'une fraction, d'un pourcentage et d'un nombre décimal.

c) Selon toi, environ combien de balles blanches y a-t-il dans la boîte? Explique la stratégie que tu as utilisée pour résoudre ce problème.

Dans tes mots

Julien veut faire une expérience en lançant 50 fois une pièce de monnaie. Après 12 lancers, il constate qu'il a obtenu 6 côtés face et 6 côtés pile. Comme la probabilité expérimentale d'obtenir pile est égale à la probabilité théorique, Julien décide de mettre fin à son expérience. Julien a-t-il raison d'arrêter hâtivement l'expérience? Explique ta réponse.

8.4 La comparaison de la probabilité théorique et de la probabilité expérimentale

Les calculatrices à affichage graphique et les tableurs électroniques sont dotés de générateurs de nombres aléatoires qu'on peut utiliser pour simuler des expériences de probabilité. Ces générateurs nous permettent d'effectuer des centaines d'essais en peu de temps.

Examine — La simulation de lancers d'une pièce de monnaie à l'aide d'un tableur ou d'une calculatrice à affichage graphique

La probabilité théorique d'obtenir le côté face en lançant une pièce de monnaie est de $\frac{1}{2}$.

Par contre, la probabilité expérimentale peut être fort différente de 0,5. À l'aide d'outils technologiques, tu vas simuler 10, 100 et 1000 lancers d'une pièce.
Tu détermineras la probabilité expérimentale d'obtenir le côté face et tu représenteras graphiquement cette probabilité à mesure que le nombre de lancers augmente.

Choisis « Utiliser un tableur » ou « Utiliser une calculatrice à affichage graphique »

Utiliser un tableur

Si nécessaire, clique sur l'onglet **Feuille 1** pour afficher la première feuille de calcul.

Ouvre le fichier *Simulation.xls*.
Au départ, ce tableur est réglé pour simuler une expérience ayant un seul résultat. Ainsi, la probabilité est de 1, tous les nombres aléatoires représentant les résultats sont des 1, et la probabilité expérimentale est de 1.

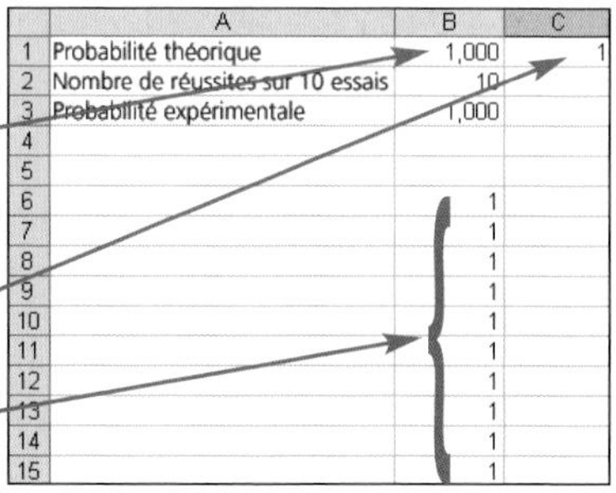

	A	B	C
1	Probabilité théorique	1,000	1
2	Nombre de réussites sur 10 essais	10	
3	Probabilité expérimentale	1,000	
4			
5			
6		1	
7		1	
8		1	
9		1	
10		1	
11		1	
12		1	
13		1	
14		1	
15		1	

La cellule B1 indique la probabilité théorique de l'événement simulé.

La cellule C1 indique le nombre de résultats possibles.

Les nombres donnés dans les cellules B6 à B15 représentent les résultats de 10 essais.
Les 1 représentent les essais réussis.

La formule donnée dans la cellule B2 compte les 1 dans les essais et affiche le nombre.

La formule donnée dans la cellule B3 calcule la probabilité expérimentale en divisant le nombre de réussites (de la cellule B2) par le nombre d'essais (10).

Si tu vois des messages d'erreur dans certaines cellules, rends-toi au menu **Outils** et clique sur **Macros complémentaires**. Coche la case à côté d'**Outil d'analyse**, puis clique sur **OK**.

Pour passer à une simulation de lancers d'une pièce de monnaie, clique sur la cellule **B1**. Comme la probabilité d'obtenir face est de $\frac{1}{2}$, saisis la formule =**1/2**, et appuie sur **Enter**.

	A	B	C
1	Probabilité théorique	0,500	2
2	Nombre de réussites sur 10 essais	3	
3	Probabilité expérimentale	0,300	
4			
5			
6		1	
7		2	
8		2	
9		1	
10		2	
11		1	
12		2	
13		2	
14		2	
15		2	

Dès que tu appuies sur **Enter**, les nombres affichés dans les cellules B6 à B15 changent.
Tu verras probablement des 1 et des 2.
Les 1 représentent les essais réussis (côté face) et les 2 représentent le côté pile.

Tes données seront probablement différentes de celles que présente cet exemple.

1. Quelle est la probabilité expérimentale d'obtenir des côtés face en 10 essais?

2. Recalcule le tableur: appuie sur la touche F9 pour recalculer. Le programme génère un nouvel ensemble de nombres aléatoires. Quelle est la nouvelle probabilité expérimentale?

Si tu utilises un ordinateur Macintosh et que la touche **F9** ne produit pas le recalcul du fichier, tiens la touche **Commande** enfoncée et appuie sur =.

Clique sur l'onglet **Feuille 2** pour passer à la deuxième feuille de calcul. Cette feuille simule 100 essais. La probabilité est réglée pour correspondre à ce que tu as saisi dans la cellule B1 de la Feuille 1.

	A	B	C	D	E	F	G	H	I	J	K
1	Probabilité théorique	0,500	2								
2	Nombre de réussites sur 100 essais	56									
3	Probabilité expérimentale	0,560									
4											
5											
6		2	2	1	2	1	2	1	2	1	
7		1	1	2	1	1	2	1	1	1	
8		2	1	2	1	1	1	2	1	2	
9		2	2	1	2	2	1	1	1	1	
10		1	2	2	1	2	2	1	1	1	
11		2	2	1	1	1	1	2	1	1	
12		1	2	1	1	2	1	1	2	2	
13		1	1	2	2	1	1	2	1	1	
14		1	2	1	1	1	1	2	2	2	
15		1	2	2	2	1	2	1	2	1	
16											

3. Combien des 100 lancers ont donné le côté face?
Quelle est la probabilité expérimentale d'obtenir des côtés face avec 100 lancers?

4. Recalcule le tableur (F9). Quelle est la nouvelle probabilité expérimentale avec 100 lancers?

Clique sur l'onglet **Feuille 3** pour passer à la troisième feuille de calcul.
Les feuilles 3, 4, 5 et 6 simulent chacune 250 lancers à la fois.

5. Des 250 lancers de la Feuille 3, combien présenteront des côtés face? Quelle est la probabilité expérimentale d'obtenir des côtés face avec 250 lancers?

6. Recalcule le tableur (F9). Quelle est la nouvelle probabilité expérimentale avec 250 lancers?

Clique sur l'onglet **Graphique** pour passer à la dernière feuille de calcul.
Les rangées 2, 3 et 4 indiquent respectivement les données des Feuilles 1, 2 et 3.
Les rangées 5, 6 et 7 indiquent les données combinées de 500, 750 et 1000 essais.

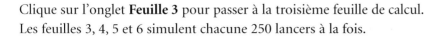

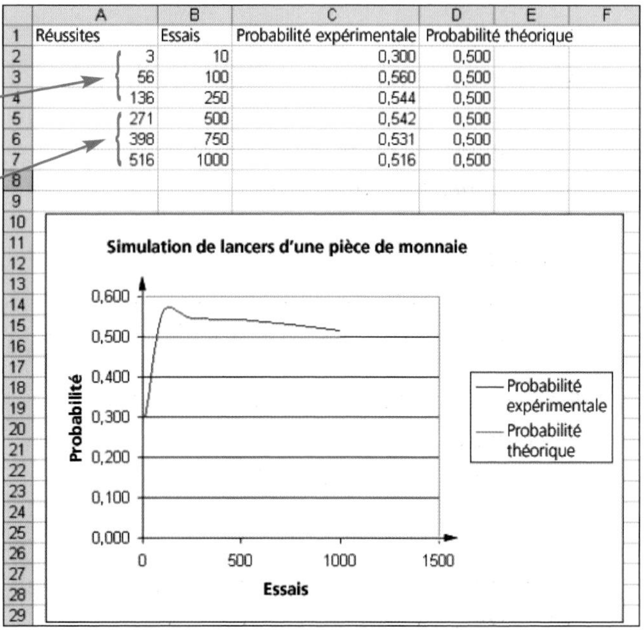

	A	B	C	D	E	F
1	Réussites	Essais	Probabilité expérimentale	Probabilité théorique		
2	3	10	0,300	0,500		
3	56	100	0,560	0,500		
4	136	250	0,544	0,500		
5	271	500	0,542	0,500		
6	398	750	0,531	0,500		
7	516	1000	0,516	0,500		

Le diagramme représente à la fois les probabilités expérimentale et théorique.

Les données et le diagramme de ta feuille de calcul seront probablement différents de ceux de cet exemple.

7. Décris les diagrammes représentant les probabilités théorique et expérimentale.

8. **a)** À quel moment la probabilité expérimentale approche-t-elle le plus de la probabilité théorique? À quel moment s'en éloigne-t-elle le plus?

b) Recalcule le tableur (F9). Toutes les probabilités expérimentales changeront, de même que le diagramme. Ta réponse en a) change-t-elle? Recalcule plusieurs fois. En général, à quel moment la probabilité expérimentale approche-t-elle le plus de la probabilité théorique? À quel moment s'en éloigne-t-elle le plus?

Si tu peux imprimer, clique sur le diagramme pour le sélectionner. Dans le menu **Fichier**, sélectionne **Imprimer**. Assure-toi de choisir **Graphique sélectionné**, puis clique sur **OK**.

Ce tableur a été réglé pour servir à de nombreuses simulations.

Quand tu simules une nouvelle situation, tu dois changer le titre du diagramme.

Pour simuler l'obtention de 1 en lançant un dé, retourne à la **Feuille 1**, clique sur la cellule **B1** et change la probabilité. Comme la probabilité d'obtenir 1 est de $\frac{1}{6}$, saisis la formule **=1/6** et appuie sur **Enter**.

9. À l'aide du tableur, compare la variation des probabilités théorique et expérimentale d'obtenir 1 à mesure que le nombre d'essais augmente. Décris les résultats de ton étude.

10. Supposons que tu veuilles utiliser le tableur pour simuler l'arrêt de l'aiguille sur le secteur bleu de ce cadran.

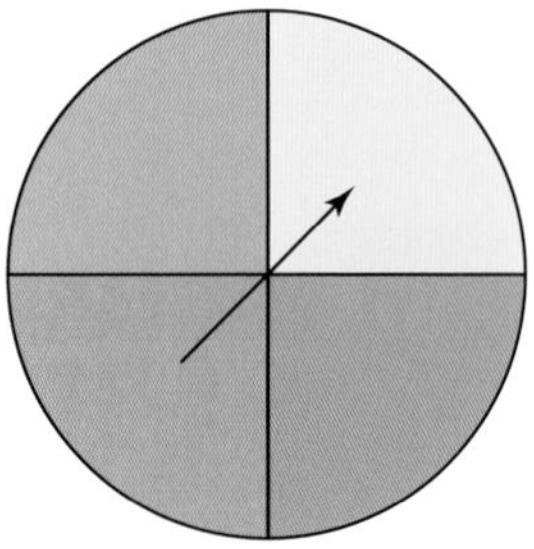

a) Que saisirais-tu dans la cellule B1 ? Pourquoi ?

b) Que représenterait un 1 dans cette situation ?

Utiliser une calculatrice à affichage graphique

Tu auras besoin d'une calculatrice à affichage graphique TI-83 ou TI-84.

L'opération « entier aléatoire » (entAléat) génère et affiche un nombre entier aléatoire situé dans l'étendue de ton choix. Tu peux aussi indiquer le nombre d'entiers aléatoires que tu désires.

1. Pour faire l'essai de l'opération **entAléat**, appuie sur [MATH] [▸] [▸] [▸] 5.
Le mot **entAléat** apparaît à l'écran.
Appuie sur 0 [,] 5 [,] 7 [)] [ENTER].

a) Qu'est-ce qui s'affiche à l'écran ?

b) Combien de nombres ont été générés ?

c) Selon toi, quelle est l'étendue ? Justifie ta réponse.

d) Si tu voulais obtenir une liste de 10 nombres aléatoires dans l'étendue allant de 1 à 6, que devrais-tu saisir après **entAléat** ? Exécute ton idée.

Assure-toi que ta calculatrice n'est pas réglée pour afficher les nombres avec un certain nombre de décimales. Appuie sur [MODE] [▾] [ENTER].

Utiliser l'application PROBSIM

L'application PROBSIM est disponible en anglais seulement.

L'application PROBSIM sert à simuler une variété de situations de probabilité. Elle devrait avoir été chargée dans ta calculatrice à affichage graphique.

➢ Tu vas commencer par simuler des lancers d'une pièce de monnaie. Prépare un tableau comme le suivant. Tu y noteras les données produites par les simulations à la calculatrice.

Nombre d'essais	Nombre de côtés face	Probabilité expérimentale
10		
100		
250		
500		
750		
1000		

Appuie sur [APPS].
À l'aide de la flèche descendante, rends-toi à **PROBSIM**, puis appuie sur [ENTER] [ENTER].
Une liste de types de simulations apparaît.

Pour utiliser les commandes énumérées au bas de l'écran, sers-toi des cinq touches situées directement sous l'écran.

Appuie sur 1 pour sélectionner « Toss Coins ».
Appuie ensuite sur [ZOOM] pour voir l'écran de réglages.
Règle le nombre d'essais à 10.
Les autres réglages devraient correspondre à ceux de l'écran ci-contre.

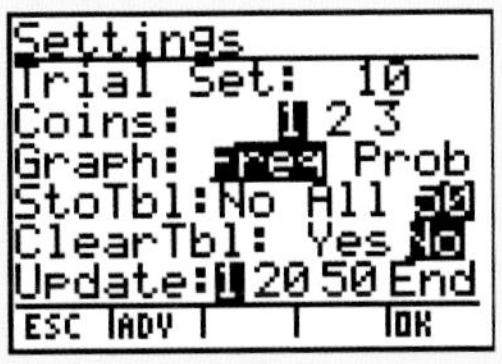

Appuie sur [GRAPH] pour sélectionner la commande **OK**. Appuie sur [WINDOW] pour sélectionner la commande **TOSS**. La calculatrice simulera 10 lancers. Les effectifs du côté pile et du côté face seront représentés.

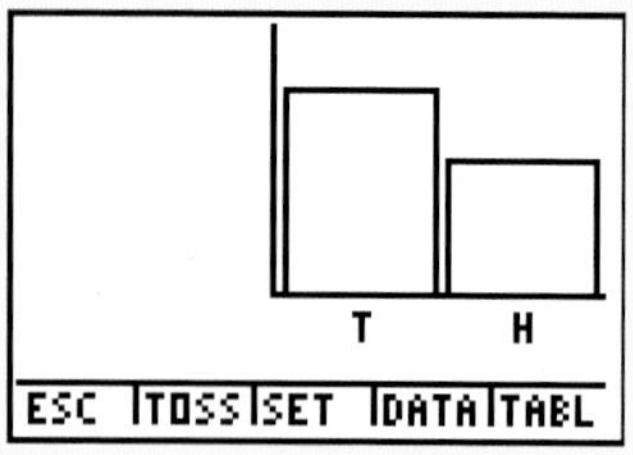

Le diagramme qui s'affichera à l'écran de ta calculatrice sera probablement différent de celui-ci.

Appuie sur [▶] [▶] pour afficher l'effectif des côtés face. Note cet effectif dans le tableau que tu as préparé.

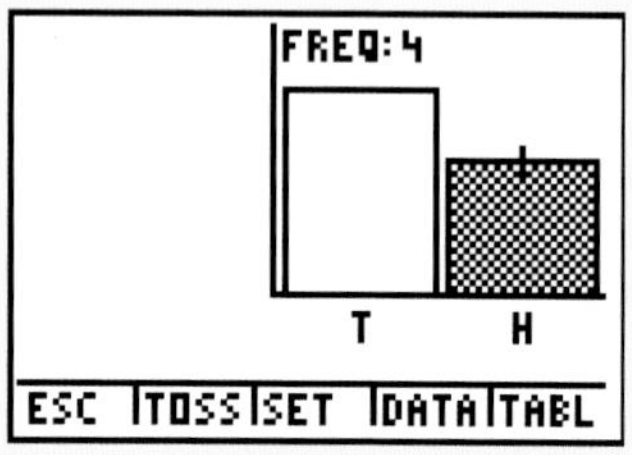

Dans ta simulation, l'effectif sera probablement différent de celui qui est montré ici.

➢ Les données des 10 premiers essais sont gardées en mémoire.
En réalisant 90 autres essais, tu auras des données correspondant à 100 essais.
Appuie sur [ZOOM] pour retourner à l'écran **Réglages**.
Règle le nombre d'essais à 90.
Appuie sur [GRAPH] pour retourner à l'écran de simulation, puis sur [WINDOW] pour lancer la simulation.
À la fin de la simulation, vérifie l'effectif des côtés face à l'aide des touches fléchées.
Note cet effectif dans ton tableau.

➢ Appuie sur [ZOOM]. Règle le nombre d'essais à 150.
Avec les 100 essais précédents, tu auras les résultats de 250 essais.
Appuie sur [GRAPH], puis sur [WINDOW].
À la fin de la simulation, vérifie l'effectif des côtés face.
Note cet effectif dans ton tableau.

➢ Appuie sur [ZOOM]. Règle le nombre d'essais à 250.
Avec les 250 essais précédents, tu auras les résultats de 500 essais.
Appuie sur [GRAPH], puis sur [WINDOW].
À la fin de la simulation, vérifie l'effectif des côtés face.
Note cet effectif dans ton tableau.

➢ Appuie sur [WINDOW] pour simuler 250 lancers de plus.
Vérifie l'effectif des côtés face et note-le dans ton tableau.
Répète cette étape pour remplir la colonne « Effectif » de ton tableau.

➢ Appuie sur [Y=] [Y=] [GRAPH] [Y=] pour mettre fin à la simulation et à l'application PROBSIM. Comme tu perdras les résultats des essais, assure-toi d'avoir bien noté les effectifs.

2. Pour compléter ton tableau, calcule les probabilités expérimentales.
En quoi les probabilités changent-elles à mesure que le nombre d'essais augmente?

Suis les étapes ci-dessous pour représenter les probabilités expérimentales de ton tableau. Pour effectuer une comparaison, tu représenteras la probabilité théorique d'obtenir le côté face, soit 0,5.

Appuie sur [STAT] 1 pour obtenir l'écran des listes.
Si L1 n'est pas vide, rends-toi à l'en-tête **L1** et appuie sur [CLEAR].
Saisis le nombre d'essais dans L1. Appuie sur [ENTER] après chaque nombre pour passer à la rangée suivante.

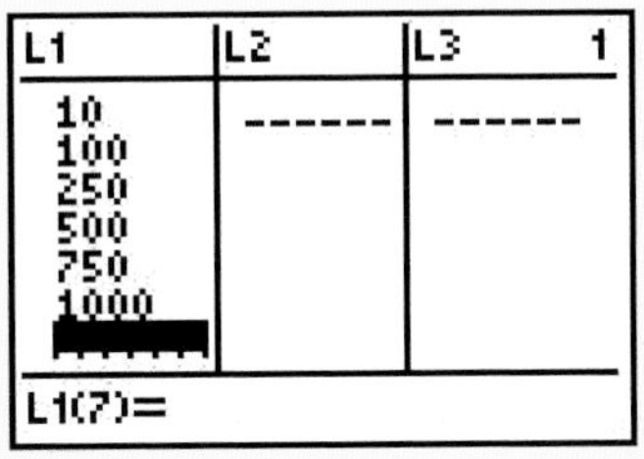

Passe à L2. Efface la liste.
Saisis tes probabilités expérimentales dans L2.
Passe à L3. Efface la liste.
Saisis la probabilité théorique de 0,5 six fois dans L3.

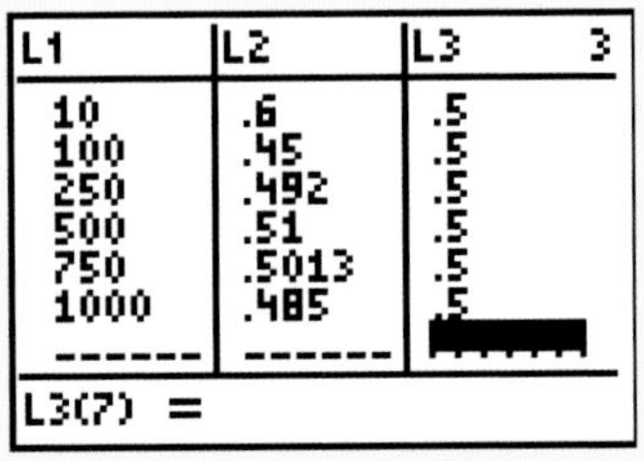

Les probabilités expérimentales de ta simulation seront probablement différentes de celles-ci.

Appuie sur [2nd] [Y=] pour obtenir l'écran **STAT PLOTS**.
Appuie sur 1 [ENTER] [▼] [▶] [ENTER]
[▼] [2nd] 1 [ENTER]
[2nd] 2 [ENTER]
[▶] [▶] [ENTER].

Cela règle les paramètres du graphique des probabilités expérimentales.

Appuie sur [2nd] [Y=] pour retourner à l'écran **STAT PLOTS.** Appuie sur 2 [ENTER] [▼] [▶] [ENTER] [▼] [2nd] 1 [ENTER] [2nd] 3 [ENTER] [▶] [▶] [ENTER].

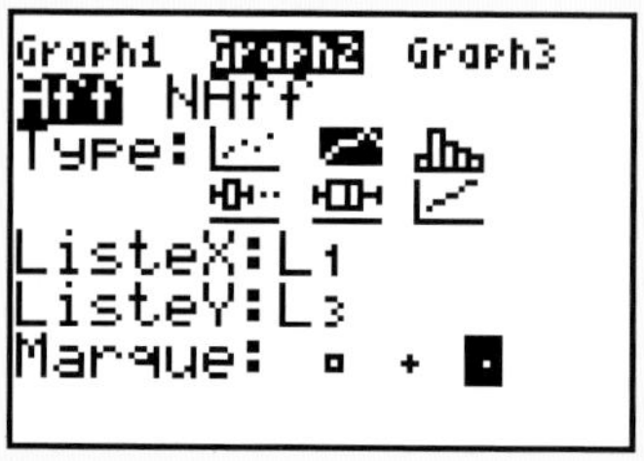

Cela règle les paramètres du graphique des probabilités expérimentales. Pour tracer et voir les graphiques, appuie sur [GRAPH] [ZOOM] 9.

3. a) Décris tes diagrammes de probabilités théorique et expérimentale.
b) À quel moment la probabilité expérimentale approche-t-elle le plus de la probabilité théorique? À quel moment s'en éloigne-t-elle le plus?

4. Pour simuler le lancer d'un dé, active à nouveau l'application PROBSIM. Utilise la simulation « Roll Dice ». Explore la façon dont les probabilités théorique et expérimentale d'obtenir 1 se comparent à mesure que le nombre d'essais augmente. Décris tes résultats.

5. Supposons que tu veuilles utiliser PROBSIM pour simuler l'arrêt de l'aiguille sur le secteur bleu de ce cadran.
a) Quelle simulation utiliserais-tu?
b) Qu'est-ce qui représenterait le bleu dans ta simulation?

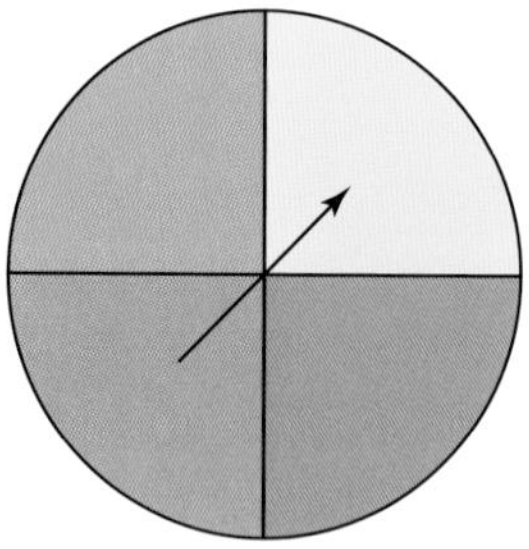

Réfléchis

- Explique comment tu utiliserais un outil technologique pour simuler une situation de probabilité présentée dans une autre section de ce chapitre.
- Quels avantages y a-t-il à utiliser un outil technologique pour simuler des problèmes de probabilité? Y a-t-il des inconvénients? Si oui, quels sont-ils?
- Quel outil technologique utiliserais-tu pour cette section si tu avais le choix? Explique ton choix.

8.5 La conception d'un jeu de probabilité

Certains des jeux de société les plus populaires ont été créés par des inventeurs amateurs : un architecte sans travail, deux journalistes canadiens, un serveur, une actrice, trois amis de collège. Toutes ces personnes ont inventé des jeux qui se sont vendus à plus de un million d'exemplaires.

Examine — La création d'un jeu

Travaille avec une ou un camarade ou au sein d'un groupe. Vous allez concevoir un jeu. Vous pouvez utiliser des dés, des cadrans à aiguille, des jetons, des cartes, des pièces de monnaie ou d'autres objets.

1. **Planifier le jeu**

   Votre jeu doit comporter une part de probabilité et être amusant. En le concevant, posez-vous les questions suivantes :

   ➢ Y aura-t-il un thème à votre jeu ?

   ➢ Quel sera le nombre de joueurs ? Votre jeu s'adressera-t-il à des personnes de plusieurs groupes d'âge ou d'un seul groupe ?

   ➢ Les chances de gagner seront-elles égales ou un joueur aura-t-il de meilleures chances que les autres ?

   ➢ Votre jeu reposera-t-il entièrement sur la probabilité ou y aura-t-il une part d'habileté ou de stratégie ?

   Si vous êtes à court d'idées, repassez les activités de probabilité de ce chapitre. Vous pouvez aussi vous inspirer de jeux que vous connaissez. Après avoir discuté de vos idées, essayez-en une.

   ➢ Établissez les règles du jeu.

2. **Déterminer la probabilité théorique**

   ➢ Calculez toutes les probabilités théoriques du jeu qui vous viennent à l'esprit.
   Par exemple, si chaque tour demande l'utilisation d'un cadran à aiguille, calculez la probabilité que l'aiguille s'arrête sur chaque secteur du cadran.

Vous pouvez utiliser un ordinateur pour afficher vos données.

3. **Essayer le jeu**

   ➢ Rassemblez ou fabriquez le matériel nécessaire à votre jeu.
   Sinon, simulez une partie à l'aide d'un outil technologique.

   ➢ Essayez votre jeu quelques fois ou faites quelques simulations.
   Apportez les améliorations que vous jugez souhaitables.

4. **Déterminer la probabilité expérimentale**

   ➢ Une fois que vous êtes satisfaits de votre jeu, jouez quelques parties.
   Notez ce qui se produit à chaque tour.
   Ces données vous permettront de déterminer les probabilités expérimentales des événements du jeu.

   ➢ Si les probabilités expérimentales sont très différentes de ce que vous prévoyiez, vérifiez si vous avez bien respecté les règles du jeu et si votre matériel est équitable. Vérifiez vos calculs théoriques.

5. **Présenter le jeu**

   ➢ Présentez votre jeu à un autre groupe. Expliquez le déroulement du jeu, les choses qui vous ont surpris quand vous avez essayé le jeu et les améliorations que vous y avez apportées.

   ➢ Invitez les membres du groupe à jouer quelques parties de votre jeu.
   Demandez-leur si le jeu leur a plu et s'ils joueraient de nouveau.
   Invitez-les à proposer des améliorations.

   ➢ Échangez les rôles : essayez le jeu de l'autre groupe.

Réfléchis

➢ Expliquez une façon dont votre jeu utilise les mathématiques.
➢ Nommez une décision que vous avez prise lors de la création du jeu. Comment avez-vous pris cette décision ?
➢ Quelle stratégie de probabilité pourrait-on employer dans votre jeu ? En quoi cette stratégie peut-elle influencer le jeu ?

Révision du chapitre

Ce que je dois savoir

La probabilité

La probabilité est une évaluation des chances qu'un événement se produise.
On peut l'exprimer sous la forme de mots, de nombres compris entre 0 et 1, de fraction, de nombre décimal ou de pourcentage.

La probabilité théorique

La probabilité théorique est basée sur l'analyse des résultats possibles.
Souvent, on l'appelle simplement « probabilité ».
Pour calculer la probabilité théorique d'un événement, tu dois :

- compter les résultats possibles ;
- savoir que les résultats sont équiprobables ;
- compter les résultats favorables à l'événement.

Tu peux ensuite utiliser la formule suivante :

$$\text{Probabilité d'un événement} = \frac{\text{Nombre de résultats favorables à l'événement}}{\text{Nombre de résultats possibles}}$$

La probabilité expérimentale

La probabilité expérimentale se calcule à l'aide des données d'une expérience ou d'une étude.

$$\text{Probabilité expérimentale d'un événement} = \frac{\text{Fréquence de l'événement}}{\text{Nombre total d'essais}}$$

Plus les essais sont nombreux, plus la probabilité expérimentale approche de la probabilité théorique.

Les simulations d'expériences de probabilité

On peut simuler des situations de probabilité au moyen de dés, de cadrans à aiguille, de pièces de monnaie ou d'autres modèles.
Une simulation doit avoir la même probabilité que la situation qu'elle modélise.

Les tableurs et les calculatrices à affichage graphique sont dotés de générateurs de nombres aléatoires grâce auxquels ils peuvent simuler de nombreuses situations de probabilité.

Ce que je dois savoir faire

8.1 **1.** La langue maternelle est la première langue qu'on apprend. Les données suivantes sur les langues maternelles ont été arrondies au point de pourcentage près.

	Langue maternelle (% de la population)		
Province ou territoire	**Anglais**	**Français**	**Autre**
Alberta	82	2	16
Nouveau-Brunswick	65	33	2
Nunavut	27	2	71

a) Supposons que tu veuilles sonder des Canadiens hors Québec, dont la langue maternelle est le français. Dans quelle province ou quel territoire nommé dans le tableau aurais-tu le plus de chances de trouver ces personnes?

b) Un des lieux nommés a quatre langues officielles: l'anglais, le français, l'inuktitut et l'inuinnaqtun. De quel lieu crois-tu qu'il s'agit? Explique ta réponse.

c) Écris une question de probabilité à laquelle on pourrait répondre au moyen de ces données.

2. Dans un guide de restaurants, une page présente les publicités des types de restaurants suivants: 7 restaurants italiens, 4 asiatiques, 2 mexicains et 4 indiens. Les publicités ont toutes les mêmes dimensions et elles remplissent la page. Tu décides de choisir un restaurant en fermant les yeux et en posant le doigt sur la page.

a) Quel type de restaurant as-tu le plus de chances de choisir?

b) Quel type de restaurant as-tu le moins de chances de choisir?

c) Quels sont les deux types de restaurants que tu as des chances égales de choisir?

Explique le raisonnement que tu as suivi pour répondre à chaque question.

3. Un récent sondage révèle que 171 élèves de niveau secondaire sur 225 préfèrent pratiquer des sports plutôt que de les regarder à la télévision. Quelle est la probabilité qu'un élève choisi au hasard préfère pratiquer des sports plutôt que de les regarder à la télévision? Exprime ta réponse sous la forme d'une fraction, d'un pourcentage et d'un nombre décimal. Comment as-tu déterminé tes réponses?

8.2 **4.** Dans un petit avion, les sièges sont disposés comme l'indique le schéma ci-dessous. Supposons que tu sois la première personne à acheter un billet et qu'on t'assigne un siège au hasard. Détermine la probabilité que ton siège satisfasse à chacune des conditions ci-dessous. Ordonne les conditions de la plus probable à la moins probable. Explique ta stratégie.

a) C'est un siège côté hublot.

b) C'est un siège situé à l'arrière de l'avion, derrière l'entrée des passagers.

c) C'est un siège situé à bâbord (gauche).

d) C'est un siège situé dans la rangée des issues de secours.

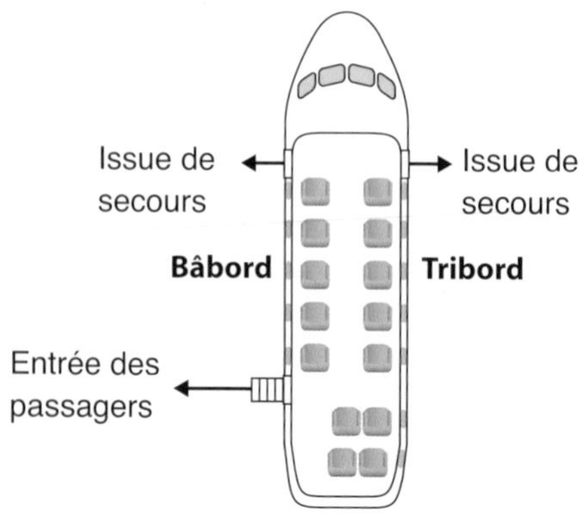

5. Une boîte contient les billes suivantes: 21 billes rouges, 17 vertes, 14 jaunes et 20 bleues. On tire une bille au hasard. Quelle est la probabilité d'obtenir chaque événement? Exprime tes réponses sous forme de nombres décimaux.
a) Choisir une bille bleue.
b) Choisir une bille mauve.
c) Choisir une bille verte ou jaune.

8.2 8.3 **6.** Dresse une carte conceptuelle ou écris des notes organisées au sujet de la probabilité.

8.3 **7.** a) Énumère toutes les façons dont des pièces de monnaie suivantes peuvent retomber si tu les lances en même temps: une pièce de 1 ¢, une de 5 ¢ et une de 10 ¢. Indique les outils que tu as employés pour ordonner ta liste.
b) Quelle est la probabilité d'obtenir exactement deux côtés pile? Comment le sais-tu?
c) Procure-toi une pièce de 1 ¢, une de 5 ¢ et une de 10 ¢. Lance-les au moins 20 fois. Note les nombres de côtés face et de côtés pile obtenus chaque fois. Quelle est la probabilité expérimentale d'obtenir exactement deux côtés pile?
d) Supposons que tu puisses recueillir les données de 200 lancers. Qu'est-ce que cela pourrait changer à la probabilité expérimentale? Explique ton raisonnement.

8.3 8.4 **8.** Catherine joue à un jeu de société qui utilise un dé. Si elle obtient le 6 au prochain tour, elle gagne.
a) Quelle est la probabilité que Catherine gagne la partie au prochain tour?
b) Ta réponse en a) changerait-elle si tu savais que Catherine a obtenu le 6 aux deux tours précédents? Explique ta réponse.
c) Procure-toi un dé. Lance-le au moins 20 fois. Quelle est la probabilité expérimentale d'obtenir le 6?
d) Sers-toi d'un tableur ou d'une calculatrice à affichage graphique pour simuler 250 lancers de dé. Quelle est la probabilité expérimentale d'obtenir le 6? Produis le graphique de la probabilité correspondant à différents nombres d'essais.

8.4 **9.** Le diagramme ci-dessous représente les données de la simulation au tableur d'une expérience de probabilité.
a) Quelle était la probabilité théorique?
b) Quelle expérience le tableur pouvait-il simuler? Explique ton raisonnement.
c) Explique comment la probabilité expérimentale a changé à mesure que le nombre d'essais a augmenté.

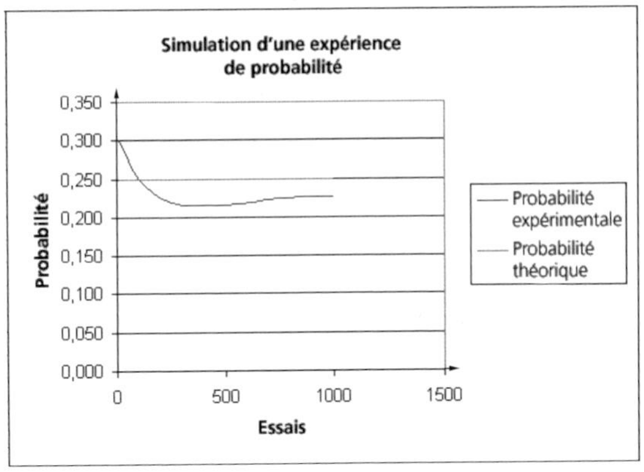

8.5 **10.** Un dé truqué est un dé conçu de manière qu'un nombre ait plus de chances que les autres d'être obtenu. Dans une boutique de farces et attrapes, tu as acheté un dé régulier et un dé truqué. Malheureusement, tu ne sais plus lequel est lequel. Explique comment tu pourrais distinguer un dé de l'autre.

Test

Questions à choix multiple. Choisis les réponses appropriées pour les numéros 1 et 2. Justifie chacun de tes choix.

1. Tu lances deux pièces de monnaie. Lequel des résultats suivants est le plus probable ?
   - **A.** Deux côtés face.
   - **B.** Deux côtés pile.
   - **C.** Un côté face et un côté pile.
   - **D.** Les résultats sont équiprobables.

2. Une entreprise distribue gratuitement des échantillons de 6 jus en bouteille. Comment pourrais-tu simuler l'obtention de ton jus préféré, soit le jus de canneberge ?
   - **A.** Lancer un dé plusieurs fois en tenant pour acquis que le 1 représente l'obtention d'une bouteille de jus de canneberge.
   - **B.** Mettre dans un gobelet 6 morceaux de papier dont un est marqué « canneberge ». Tirer un morceau de papier sans regarder et le remettre par la suite dans le gobelet. Répéter plusieurs fois.
   - **C.** L'une ou l'autre des simulations précédentes conviendrait.
   - **D.** Ni l'une ni l'autre des simulations précédentes ne conviendraient.

Pour les questions 3 à 6, indique les étapes de ton travail.

3. Habiletés de la pensée Une élève dit : « Selon la probabilité théorique, si on lance une pièce de monnaie 100 fois, on obtiendra 50 côtés face et 50 côtés pile. » Le raisonnement de l'élève est-il juste ? Explique ta réponse.

4. Connaissance et compréhension Un sac contient trois billes vertes, deux billes jaunes et une bille blanche.
   - **a)** Quelle est la probabilité théorique de tirer une bille jaune ?
   - **b)** Dessine un cadran à aiguille qu'on pourrait utiliser pour simuler cette situation. À l'aide de ton cadran, détermine la probabilité expérimentale. Comment la probabilité expérimentale se compare-t-elle à la probabilité théorique ? Crois-tu toujours que ton cadran convienne à la simulation ? Explique ta réponse.

Sers-toi d'un trombone en guise d'aiguille.

5. Mise en application Tu es l'entraîneur d'une équipe de hockey. Ton équipe compte deux gardiens de but. Le gardien A a arrêté 81 des 93 tirs au but au cours de la saison. Le gardien B a arrêté 75 des 82 tirs au but au cours de la saison.
Avec lequel des deux gardiens commencerais-tu la prochaine partie ? Explique ton choix.

6. Communication Un sondage préélectoral révèle que 48 % des électeurs voteraient pour le candidat A, que 35 % voteraient pour la candidate B et que 17 % voteraient pour le candidat C.
   - **a)** D'après ce sondage, lequel ou laquelle des trois candidats a le plus de chances de remporter l'élection ?
   - **b)** Supposons que la plupart des partisans du candidat C changent d'idée pour appuyer plutôt la candidate B. En quoi ce revirement pourrait-il influer sur le résultat de l'élection ? Explique ton raisonnement.

C Ma première voiture

D Faites vos jeux !

Ce que tu vas faire

Dans le projet C, rechercher et comparer les divers placements et prêts ainsi que les coûts rattachés à l'achat et à l'entretien d'un véhicule. Dans le projet D, préparer des jeux de hasard pour le carnaval de l'école et employer des données à une variable pour faciliter la prise de décisions au sujet de ces jeux.

Pourquoi ?

Établir des liens entre les coûts d'un véhicule et leurs modes de financement sera l'occasion de faire une réflexion sur la prise de décisions pour atteindre un objectif financier. Élaborer des jeux de probabilité te démontrera clairement pourquoi il faut recueillir, représenter, analyser et communiquer des données.

Ma première voiture

Tu es sur le point d'acheter ton premier véhicule neuf. Comme il s'agit d'un achat coûteux, tu dois d'abord te poser de nombreuses questions et tenir compte de plusieurs facteurs.

Discutez des questions suivantes en petits groupes.

1. Quels modes d'épargne ou de placement vous permettraient de faire des économies en vue de l'achat d'un véhicule ?
2. Loueriez-vous ou achèteriez-vous le véhicule ? Pourquoi ? En quoi la location et l'achat sont-ils différents ?
3. Combien d'argent seriez-vous prêts à dépenser pour acquérir ce véhicule ?
4. Quels coûts, à part celui de l'achat du véhicule, votre budget automobile inclura-t-il ? Comment assumerez-vous ces coûts ?
5. Y a-t-il d'autres facteurs à considérer avant de songer à un tel achat ?

CARRIÈRES

- **Conseillère financière ou conseiller financier**
- **Vendeuse ou vendeur de véhicules automobiles**
- **Courtière ou courtier d'assurances**
- **Conseillère ou conseiller en gestion financière**
- **Mécanicienne ou mécanicien**

Contenus mathématiques

- Explorer les caractéristiques de divers modes d'épargne et de placement.
- Calculer les coûts fixes et variables rattachés à la possession et à l'entretien d'un véhicule.
- Comparer les coûts d'achat d'un véhicule avec les coûts de location du même véhicule.

(Chapitre 5 : Épargner et investir ;
Chapitre 6 : Bien gérer son argent)

Faites vos jeux !

À l'occasion du carnaval de l'école, le conseil étudiant désire recueillir des fonds pour l'achat d'un tableau indicateur pour le gymnase.

Tu es membre du comité de planification.

Tu veux t'assurer que les jeux que tu choisiras seront amusants et qu'ils vous permettront d'amasser des fonds.

En groupes ou tous ensemble, discutez des questions suivantes.

1. Quels types de jeux susciteraient votre participation au carnaval ?
2. De quels facteurs tiendrez-vous compte pour amasser des fonds ?
3. Qu'est-ce qu'un jeu équitable ? À quel degré un jeu doit-il être équitable ? Pourquoi ?
4. Comment assurer le succès de vos idées de jeu ?
5. Comment présenterez-vous vos idées de jeu pour convaincre tout le monde de leur succès ?

CARRIÈRES

- Planificatrice ou planificateur d'événements
- Coordonnatrice ou coordonnateur de campagnes de financement
- Adjointe ou adjoint en marketing
- Conceptrice ou concepteur de jeux électroniques
- Spécialiste des études de marché

Contenus mathématiques

- Explorer des techniques d'échantillonnage, la conception de sondages, la collecte de données et les probabilités théorique et expérimentale.
- Démontrer votre compréhension de l'utilisation appropriée des mesures de tendance centrale – médiane, moyenne et mode – et des mesures de dispersion d'une distribution – étendue et écart type.

(Chapitre 7 : Les données à une variable ; Chapitre 8 : La probabilité)

Chapitres 1–8 Révision cumulative

CHAPITRE

1

1. Détermine la longueur, *d*, au dixième près, puis l'angle *x*, au degré près, des triangles suivants. Explique le rapport trigonométrique utilisé.

a)

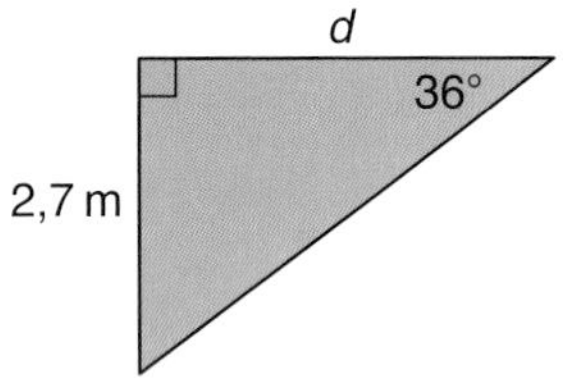

b)

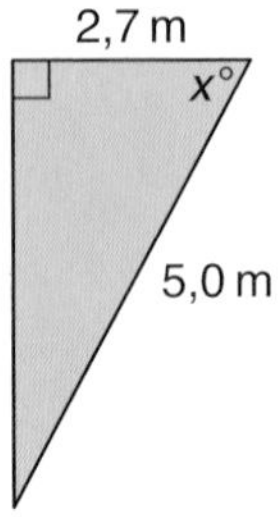

2. Si la tour de Pise était droite, elle atteindrait 55,8 m de haut.

a) Utiliserais-tu la loi des sinus ou la loi du cosinus pour déterminer l'angle que la tour forme avec le sol ? Justifie ton choix.

b) Quel angle la tour forme-t-elle avec le sol ? Note ta réponse au degré près.

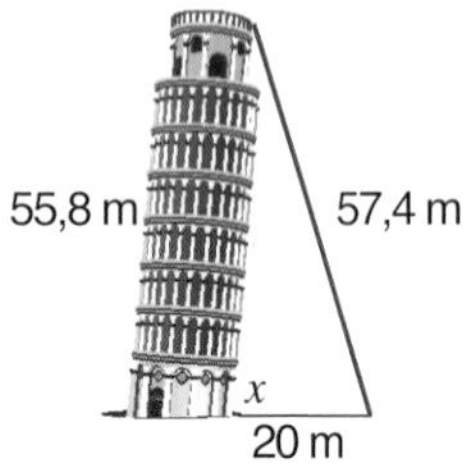

2

3. a) Choisis un objet dans la classe. Comment la fonction de cet objet influe-t-elle sur sa forme ?

b) Prends un crayon et une feuille de papier. Fais un dessin orthographique de l'objet.

c) Fais un dessin isométrique de l'objet.

d) À l'aide de Cybergéomètre ou de Microsoft Word, fais un dessin orthographique et un dessin isométrique de l'objet.

4. Utilise une boîte de conserve.

a) Prends les dimensions de la boîte de conserve.

b) Dessine le développement ou le patron d'un modèle de la boîte dont les dimensions seront deux fois plus grandes que les mesures actuelles.

c) Explique pourquoi tu as choisi de dessiner un développement ou un patron.

d) Dessine l'étiquette de la boîte sur ton développement ou sur ton patron. Comment sais-tu que l'emplacement de l'étiquette est au bon endroit ?

e) Construis le modèle. Comment se compare-t-il à l'original ? Qu'est-ce qui t'indique que ton développement ou ton patron est bien construit ?

f) À l'aide de Cybergéomètre ou de Microsoft Word, répète la partie b).

5. a) Dessine le plan d'étage d'une cuisine d'environ 150 pi^2 en y incluant les électroménagers et le mobilier.

b) Décris les contraintes qui influent sur le design de la cuisine.

CHAPITRE

3

6. L'aire d'un carré varie selon la longueur de ses côtés.

a) Recopie la table de valeurs et remplis-la jusqu'à 6 cm de longueur de côté.

Longueur de côté (cm)	Aire (cm^2)
0	0

b) Représente graphiquement les données. La première ligne dans la table de valeurs est-elle significative ? Explique ta réponse.

c) En quoi l'équation $A = c^2$ établit-elle une relation entre l'aire du carré et la longueur du côté ?

d) La relation entre la longueur du côté d'un carré et l'aire de ce carré est-elle un exemple de fonction du second degré ? Justifie ta réponse.

7. Factorise les expressions suivantes.

a) $x^2 - 2x - 15$

b) $3x^2 - 9x + 6$

c) $2x^2 + 8x + 8$

8. a) Trouve les valeurs de a, de h et de k et écris l'équation canonique.

b) Explique comment transformer le graphique de $y = x^2$ pour obtenir le graphique ci-dessous.

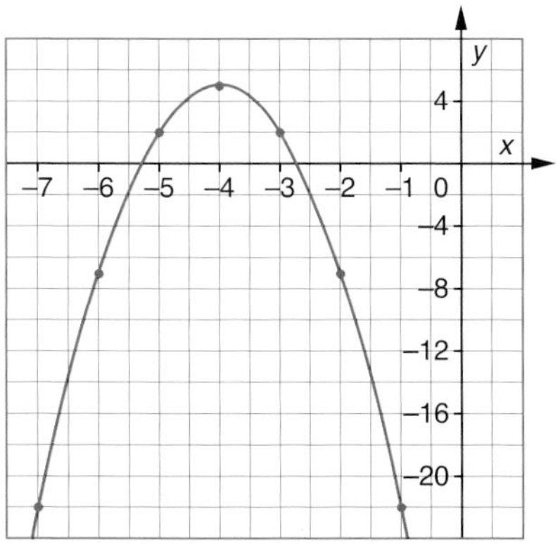

9. Supposons qu'un athlète fait du saut à la perche sur la Lune. La trajectoire du saut serait représentée par l'équation $h = -3(d - 2)^2 + 27$, où h mètres est la hauteur atteinte et d mètres est la distance horizontale qui le sépare de la barre transversale.

a) Quelle hauteur l'athlète atteindrait-il ?

b) Récris l'équation $h = -3(d - 2)^2 + 27$ sous la forme générale.

c) Factorise l'expression de la question précédente.

d) À quelle distance de la barre se trouverait l'athlète au moment de quitter le sol ? Justifie ta réponse.

e) Au moment où il toucherait le sol, quelle distance séparerait l'athlète de sa position initiale ? Justifie ta réponse.

4

10. Jeanne achète une motocyclette de 10 000 $. Chaque année, la valeur de la motocyclette est égale à 90 % de la valeur qu'elle avait l'année précédente.

a) Formule une équation qui définit la valeur de la motocyclette, V en dollars, au bout de n années.

b) Quelle sera la valeur de la motocyclette au bout de 5 ans ?

c) Trace un graphique qui représente la valeur initiale de la motocyclette et sa valeur au bout de chacune des 5 premières années.

d) En quoi le graphique illustre-t-il la valeur initiale de la motocyclette ?

e) En quoi le graphique illustre-t-il la valeur de la motocyclette au bout de chacune des 5 premières années ?

11. À l'aide des lois des exposants, simplifie les expressions suivantes.

a) $\frac{7^{-1} \times 7^5}{7^6}$

b) $\left(\frac{1{,}05^5}{1{,}05^4}\right)^2$

12. On peut modéliser la population de méduses du golfe du Mexique, M millions, par l'équation $M = 50(1,2)^t$, où t représente le nombre d'années depuis 2003. Détermine la population de méduses à chacune des années.
a) 2003 b) 2006 c) 2010

13. a) Le graphique suivant représente-t-il une croissance exponentielle ? Explique ta réponse.
b) Estime le temps de doublement représenté par le graphique.

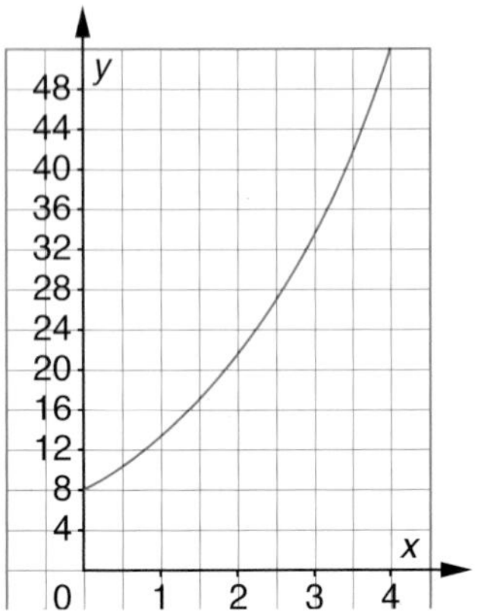

5 **14.** Éléonore investit 5000 $ à un taux d'intérêt simple de 4 % pendant 7 mois. Quel montant touchera-t-elle à l'échéance ?

15. a) Soit un capital de 400 $. Quel placement produira le plus d'intérêts après 5 ans ? Justifie ta réponse.
- Un taux d'intérêt de 3 % composé mensuellement.
- Un taux d'intérêt de 3 % composé annuellement.

b) Le montant de l'investissement modifie-t-il la réponse en a) ? Explique ton raisonnement.

16. Patrick a la possibilité d'effectuer un placement de 500 $ à un taux d'intérêt de 3 % composé annuellement pendant 5 ans ou à un taux d'intérêt de 2,5 % composé mensuellement pendant 5 ans. Quel est le placement le plus avantageux ? Justifie ta réponse.

17. Quel est le plus avantageux des placements suivants ? Justifie ta réponse.
- Un montant de 500 $ à un taux d'intérêt de 6 % composé annuellement pendant 20 ans.
- Un montant de 500 $ à un taux d'intérêt de 5,9 % composé mensuellement pendant 20 ans.

18. Léon gagne 1000 $. Comme il prévoit visiter l'Inde dans 3 ans, il place cet argent à un taux d'intérêt de 5 % composé mensuellement.
a) De combien d'argent Léon disposera-t-il pour voyager ?
b) Détermine le total des intérêts gagnés.

19. Réponds aux deux questions suivantes à l'aide du TVM Solveur.
a) Combien de temps faudra-t-il pour qu'un montant de 1200 $ investi à un taux d'intérêt de 5,4 % composé semestriellement s'élève à 1500 $?
b) Soit un montant de 300 $ investi à un taux d'intérêt composé semestriellement. La valeur du placement s'élève à 3000 $ après 20 ans. Détermine le taux d'intérêt du placement.

6 **20.** Mika prévoit emprunter 10 000 $ pour voyager pendant un an. Une banque lui offre un taux d'intérêt de 6,7 % composé mensuellement pendant 2 ans. Ses parents lui proposent un taux d'intérêt de 5 % composé annuellement pendant 2 ans. Détermine le montant qu'elle aura à rembourser dans chaque situation.

21. Raphaël achète un téléphone cellulaire de 395 $, taxes incluses, avec sa carte de crédit. Les 5 premiers mois, il prévoit effectuer le paiement minimum exigible de 10 $. Des intérêts annuels de 18,5 % lui seront facturés pour tout solde impayé.

a) Combien d'argent Raphaël devra-t-il après 5 mois ?

b) Détermine le montant total des intérêts payés.

22. Minh songe à acheter un véhicule pour se rendre à son travail. Elle prévoit conserver cette voiture pendant 5 ans. À l'aide de l'information ci-dessous, détermine si Minh ferait des économies dans l'éventualité d'un tel achat. Justifie ta réponse.

- Minh devra emprunter 25 000 $ à un taux d'intérêt de 6 % composé annuellement pendant 5 ans.
- Le coût de la prime d'assurance sera de 135 $ par mois.
- La consommation de carburant du véhicule convoité est de 5,9 L/100 km.
- Minh prévoit parcourir une distance de 100 km chaque jour pour se rendre à son travail. Elle estime que le prix à la pompe est de 1 $ le litre d'essence.
- L'achat du véhicule lui permettra de diminuer ses coûts de transport en commun de 200 $ par mois ; Minh pourra aussi travailler une heure de plus par jour, la durée du trajet étant plus courte.
- Minh touche 25 $ l'heure.

23. a) Décris deux coûts fixes rattachés à l'utilisation d'un véhicule. Explique pourquoi il s'agit de coûts fixes.

b) Décris deux coûts variables rattachés à l'utilisation d'un véhicule. Explique pourquoi il s'agit de coûts variables.

7 **24.** Voici la durée du trajet que parcourt un autobus lors d'une journée normale.

Durée (min)	Nombre d'autobus
De 15 à 19	1
De 20 à 24	10
De 25 à 29	7
De 30 à 34	4
De 35 à 39	5
De 40 à 44	11
De 45 à 50	2

a) Est-ce que la durée du trajet que parcourt un autobus est une donnée discrète, continue ou catégorique ?

b) Décris la distribution des données. Quels outils peux-tu utiliser pour examiner la distribution ?

c) Représente les données au moyen d'un diagramme circulaire, d'un diagramme à bandes, d'un diagramme à pictogrammes ou d'un histogramme. Explique ton choix.

d) Écris une question à laquelle on pourrait répondre en consultant ton diagramme.

e) Réponds à cette question.

f) Explique la distribution des données.

25. Au moyen d'une expérience, tu veux déterminer le nombre de mots qu'un Ontarien de 8 ans peut lire en 10 minutes.

a) De quels éléments tiendras-tu compte au moment de concevoir ton expérience ?

b) Dresse un plan d'expérience.

26. Antoine est journaliste pour le compte du journal scolaire. Il désire réaliser un sondage pour prédire les résultats des prochaines élections du conseil étudiant.

a) Décris le type d'échantillonnage et les biais possibles de chaque situation ci-dessous.
- Antoine réalisera son sondage dans la classe.
- Antoine choisira au hasard 10 élèves de chaque année et les interrogera.
- Pendant la pause du midi, Antoine interrogera les 10e personnes qu'il rencontrera.
- Il laissera une note sur le babillard pour trouver des répondants.

b) Conçois un sondage pour les élections de ton conseil étudiant.

27. Voici les prix de diverses clés USB de 16 gigaoctets (Go).

Prix de diverses clés USB de 16 Go	
25,99 $	21,95 $
33,96 $	32,98 $
26,39 $	20,86 $
18,00 $	34,95 $

a) Calcule la moyenne, la médiane, le mode, l'étendue et l'écart type de ces prix.

b) Quelle mesure de tendance centrale décrit le mieux le prix d'une clé USB ? Pourquoi ?

c) Comment ferais-tu pour trouver les prix courants d'une telle clé ?

8

28. Selon un sondage, 4 élèves sur 5 trouvent des données utiles à leurs projets dans Internet.

a) Quelle est la probabilité qu'une ou un élève choisi au hasard trouve de telles données dans Internet ? Exprime ta réponse en fraction, en pourcentage et en nombre décimal.

b) Selon toi, combien y a-t-il d'élèves dans ton cours de mathématiques qui utilisent Internet dans ce but ? Explique ta réponse.

29. Construis un diagramme en arbre ou un tableau indiquant les résultats possibles quand on lance une pièce de monnaie trois fois.

a) Quels sont les résultats possibles ? Ces résultats sont-ils équiprobables ? Explique ton raisonnement.

b) Quelle est la probabilité théorique d'obtenir 3 côtés face ?

c) Quelle est la probabilité théorique d'obtenir 2 côtés face et 1 côté pile ?

d) Conçois une expérience pour déterminer la probabilité expérimentale des résultats obtenus en b) et en c). Explique comment tu as déterminé le nombre d'essais.

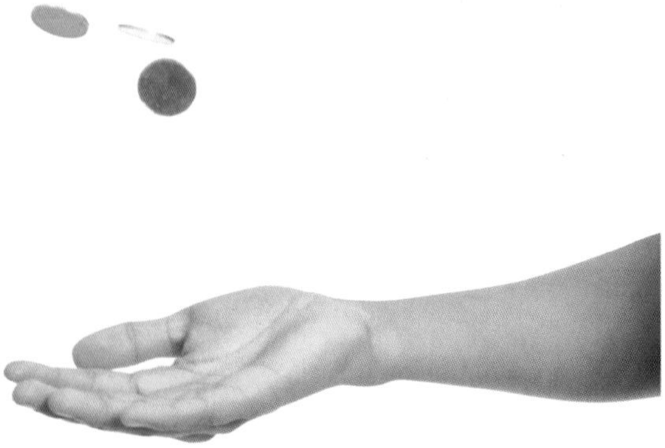

Références

Chapitre 1 : La trigonométrie

Les rapports trigonométriques primaires

Soit $\angle$A d'un triangle rectangle :

$$\sin A = \frac{\text{longueur du côté opposé à } \angle \text{A}}{\text{longueur de l'hypoténuse}}$$

$$\cos A = \frac{\text{longueur du côté adjacent à } \angle \text{A}}{\text{longueur de l'hypoténuse}}$$

$$\tan A = \frac{\text{longueur du côté opposé à } \angle \text{A}}{\text{longueur du côté adjacent à } \angle \text{A}}$$

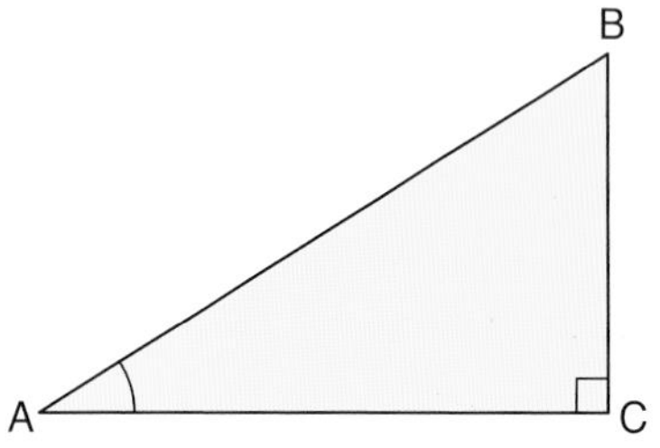

La loi des sinus

Soit un $\triangle$ABC acutangle :

$$\frac{a}{\sin A} = \frac{b}{\sin B} = \frac{c}{\sin C} \text{ et } \frac{\sin A}{a} = \frac{\sin B}{b} = \frac{\sin C}{c}$$

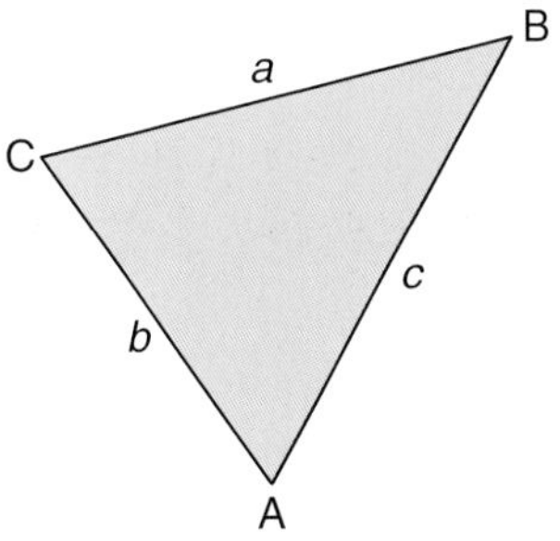

La loi du cosinus

Soit un $\triangle$ABC acutangle :

$$c^2 = a^2 + b^2 - 2ab \cos C$$

$$\cos C = \frac{a^2 + b^2 - c^2}{2ab}$$

Chapitre 3 : Les fonctions du second degré

La forme générale	La forme canonique	La forme factorisée (si elle existe)
$y = \quad x^2 + bx + c$	$y = a(x - h)^2 + k$	$y = a(x - r)(x - s)$
➢ L'ordonnée à l'origine est c.	➢ Le sommet est situé à (h, k).	➢ Les abscisses à l'origine sont r et s.

➢ Le facteur d'agrandissement ou de rétrécissement vertical est a.
➢ Si la valeur de a est positive, l'ouverture de la parabole est vers le haut et le sommet est un point minimum.
➢ Si la valeur de a est négative, l'ouverture de la parabole est vers le bas et le sommet est un point maximum.
➢ La régularité des premières différences de la parabole est a, $3a$, $5a$,...
➢ Les deuxièmes différences sont constantes.

Pour **factoriser** un trinôme de la forme $x^2 + bx + c$,
détermine deux nombres entiers, m et n, dont le produit est c et la somme, b.
La forme factorisée est $(x + m)(x + n)$.

Pour **factoriser** un trinôme de la forme $ax^2 + bx + c$, où a est un facteur commun, détermine d'abord le facteur commun.

Chapitre 4 : Les fonctions exponentielles

Les lois des exposants

La loi de la multiplication	La loi de la puissance d'une puissance	La loi de la division
$b^m \times b^n = b^{m+n}$	$(b^m)^n = b^{m \times n}$	$b^m \div b^n = b^{m-n}, b \neq 0$

L'exposant nul	L'exposant négatif
Pour toute base b qui n'est pas égale à 0, b^0 est égal à 1 ; donc, $b^0 = 1$.	Pour toute base b qui n'est pas égale à 0, b^{-n} est l'inverse de b^n ; donc, $b^{-n} = \frac{1}{b^n}$.

La croissance et la décroissance exponentielles

L'équation $y = ab^x$ modélise à la fois les cas de croissance et de décroissance exponentielles.

La variable a représente la valeur initiale.

La variable b représente le **facteur de croissance** ou de **décroissance** ($b > 1$ dans le cas d'une croissance, $0 < b < 1$ dans le cas d'une décroissance).

La variable y représente la valeur obtenue après x périodes de croissance ou de décroissance exponentielle.

Lorsque le **taux de croissance** ou de **décroissance** est exprimé sous la forme d'un pourcentage d'augmentation ou de diminution, on obtient le facteur de croissance ou de décroissance b à l'aide de l'équation $b = 1 + r$ (pour la croissance) ou $b = 1 - r$ (pour la décroissance), où r représente le pourcentage exprimé sous la forme d'un nombre décimal.

Chapitre 5 : Épargner et investir

L'intérêt simple	L'intérêt composé	L'intérêt
$I = Ctd$ I représente l'intérêt simple reçu ou payé, en dollars ; C représente le capital ou la somme d'argent déposée ou empruntée, en dollars ; t représente le taux d'intérêt annuel, exprimé sous la forme d'un nombre décimal ; d représente la durée de l'investissement ou de l'emprunt, en années.	$M = C(1 + i)^n$ M représente le montant à l'échéance ou la valeur finale du placement ; C représente le capital ou la valeur actuelle ; i représente le taux d'intérêt de chaque période de calcul de l'intérêt composé, exprimé sous la forme d'un nombre décimal ; n représente le nombre total de périodes de calcul.	$I = M - C$

Chapitre 6 : Bien gérer son argent

Le montant d'un prêt	L'intérêt
$M = C(1 + i)^n$ M représente le montant total à rembourser ; C représente le capital emprunté ; i représente le taux d'intérêt applicable à la période de calcul de l'intérêt, exprimé sous la forme d'un nombre décimal ; n représente le nombre de périodes de calcul de l'intérêt.	$I = M - C$

Chapitre 7 : Les données à une variable

Les mesures de tendance centrale

Le mode	La valeur qui revient le plus souvent dans un ensemble de données.
La moyenne	La somme des nombres d'un ensemble de données divisée par le nombre de données de cet ensemble.
La médiane	La valeur située au milieu d'un ensemble de données classées par ordre croissant ou décroissant.

Les mesures de dispersion

L'étendue	La différence entre le plus grand et le plus petit nombre d'un ensemble de données.
L'écart type	Pour calculer l'écart type : ➢ Calcule la moyenne. ➢ Soustrais la moyenne de chaque donnée. ➢ Élève chaque différence au carré. ➢ Additionne les carrés. ➢ Divise la somme par le nombre de données moins un, si les données sont celles d'un échantillon. ➢ Divise la somme par le nombre de données, si les données sont celles d'une population entière. ➢ Détermine la racine carrée du résultat.

Chapitre 8 : La probabilité

La probabilité d'un événement impossible est 0.
La probabilité d'un événement certain est 1.
On exprime toutes les autres probabilités à l'aide des nombres décimaux allant de 0 à 1.

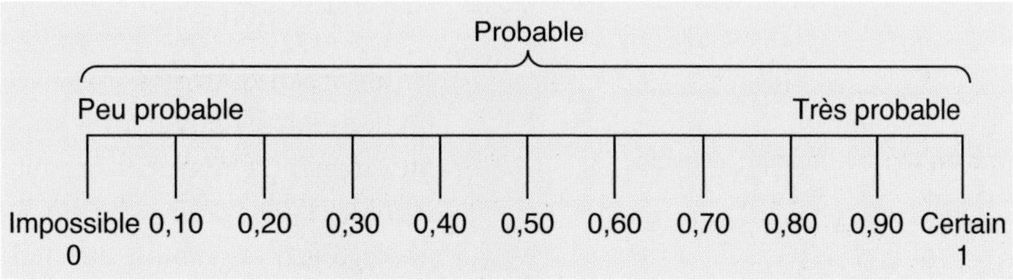

Si tous les résultats sont équiprobables :

$$\text{Probabilité d'un événement} = \frac{\text{Nombre de résultats favorables à l'événement}}{\text{Nombre de résultats possibles}}$$

$$\text{Probabilité expérimentale d'un événement} = \frac{\text{Fréquence de l'événement}}{\text{Nombre total d'essais}}$$

Glossaire

Abscisse: Première coordonnée d'un point dans un plan cartésien. L'abscisse du point P (1, 3) est 1.

Abscisse à l'origine: Abscisse du point d'intersection d'une droite ou d'une courbe avec l'axe horizontal.

Agrandissement vertical: Transformation consistant en une élongation verticale d'un facteur plus grand que 1.

Aire: Nombre d'unités carrées nécessaires pour couvrir une surface. Les unités de mesure couramment utilisées pour exprimer l'aire sont les mètres carrés et les centimètres carrés.

Aléatoire: Qui est soumis au hasard, à la chance.

Angle aigu: Angle dont la mesure est inférieure à 90°.

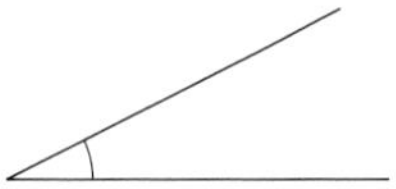

Angle d'élévation: Angle situé au-dessus de l'horizontale.

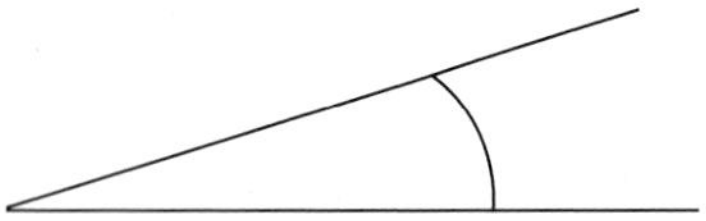

Angle d'inclinaison: Voir *Angle d'élévation.*

Angle de dépression: Angle situé au-dessous de l'horizontale.

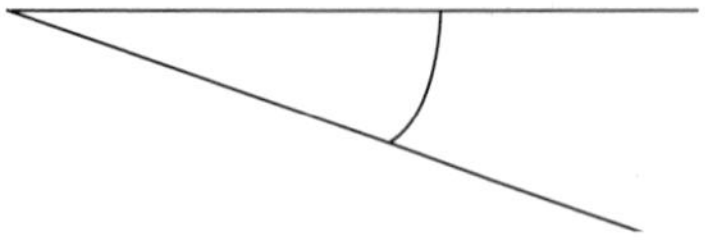

Angles correspondants: Paires d'angles situées du même côté d'une sécante à deux droites et du même côté de chacune de ces droites.

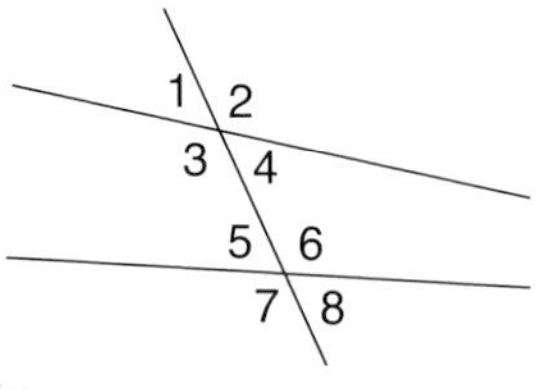

Les angles 1 et 5, 2 et 6, 3 et 7, 4 et 8 sont des angles correspondants.

Assurance collision: Assurance des dommages subis par un véhicule lors d'une collision.

Avance de fonds: Prêt à court terme sur la limite de crédit d'une carte de crédit.

Axe de symétrie: Droite de réflexion qui passe par une figure dont l'image par réflexion, par rapport à cette droite, est la figure elle-même. L'axe de symétrie d'une parabole passe par le sommet de la parabole.

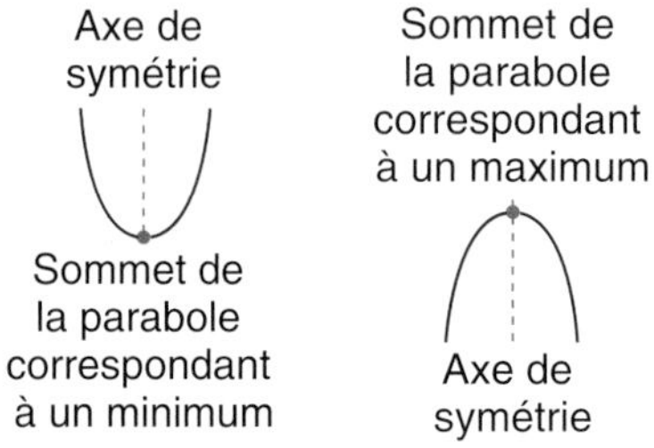

Axe des abscisses: Droite numérique horizontale dans un plan cartésien; cette droite est d'équation $y = 0$.

Axe des ordonnées: Droite numérique verticale dans un plan cartésien; cette droite est d'équation $x = 0$.

Base d'un polygone ou d'un solide: Côté d'un polygone ou face d'un solide choisi arbitrairement. On mesure la hauteur à partir de la base choisie pour calculer soit l'aire du polygone ou le volume du solide.

Base d'une puissance: Dans une expression écrite sous la forme b^n, b est la base; voir aussi *Exposant, Puissance.*

Biais: Dans un échantillon, erreur qui affecte toutes les observations et qui produit des résultats non représentatifs de la population.

Binôme: Polynôme à deux termes; par exemple, $3x + 2$.

Capital: Somme initiale d'argent investie ou empruntée.

Carré : Rectangle qui possède quatre côtés égaux.

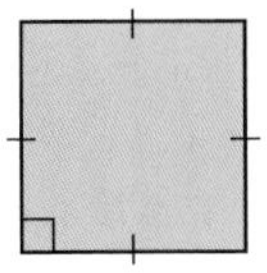

Carré parfait : Nombre qui est le carré d'un nombre entier.

Carte conceptuelle : Organisateur graphique destiné à représenter les relations entre divers termes ou concepts.

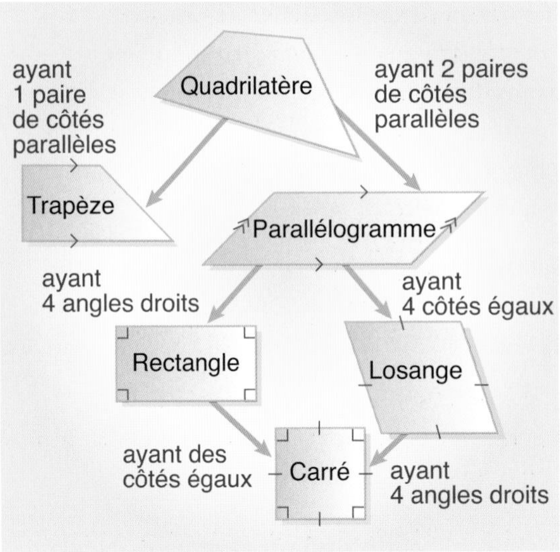

Carte de crédit : Carte émise par un établissement financier, une société ou un commerce qui permet à sa détentrice ou son détenteur d'obtenir de l'argent comptant ou d'effectuer des achats payables ultérieurement ; à comparer avec *Carte de débit*.

Carte de débit : Carte émise par une banque qui permet à sa détentrice ou son détenteur d'effectuer des opérations bancaires au guichet automatique et d'effectuer des paiements électroniques par l'entremise d'un terminal de point de vente ; à comparer avec *Carte de crédit*.

Cathète : Chacun des deux côtés de l'angle droit d'un triangle rectangle.

Cercle : Ensemble des points compris dans un plan et situés à une distance constante (le rayon) d'un point fixe (le centre).

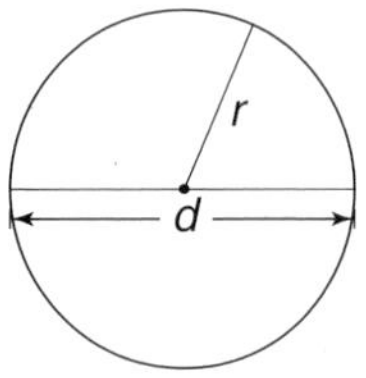

Clinomètre : Instrument destiné à mesurer les angles d'élévation et de dépression.

Compte d'épargne : Compte bancaire qui a pour principal objectif de rapporter de l'intérêt.

Compte de chèques : Compte bancaire qui sert principalement à régler des factures et d'autres dépenses courantes.

Cône : Objet tridimensionnel ayant une base circulaire et une face latérale courbe, laquelle va de la base à un point appelé *sommet*.

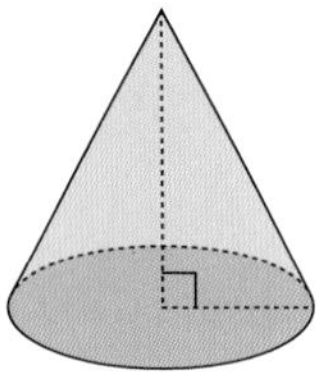

Congruentes : Se dit de figures de taille et de forme identiques, mais qui ne présentent pas obligatoirement la même orientation.

Contrainte : Qui est, par nature, limitatif. Obligation à respecter.

Coordonnées : Deux nombres qui servent à situer un point dans un plan cartésien.

Cosinus : Pour $\angle A$, un angle aigu d'un triangle rectangle, rapport entre la longueur du côté adjacent à $\angle A$ et la longueur de l'hypoténuse ; s'écrit cos A. (Voir l'illustration à la page suivante.)

$$\cos A = \frac{\text{longueur du côté adjacent à } \angle A}{\text{longueur de l'hypoténuse}}$$

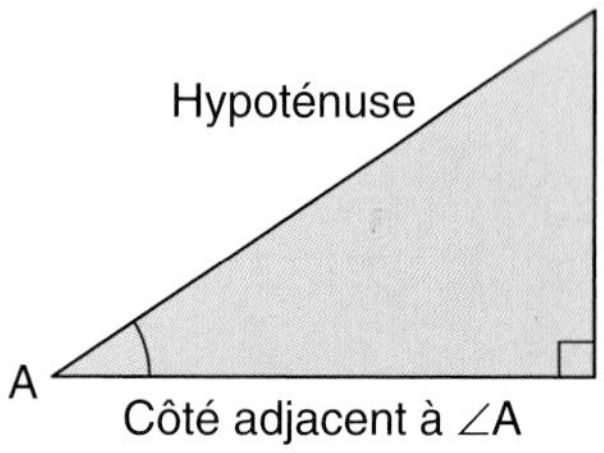

Côté adjacent : Dans un triangle rectangle, côté contigu à un angle donné qui n'est pas l'hypoténuse.

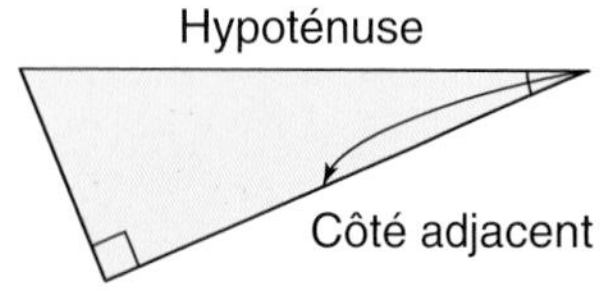

Côté opposé : Dans un triangle rectangle, côté opposé à un angle donné.

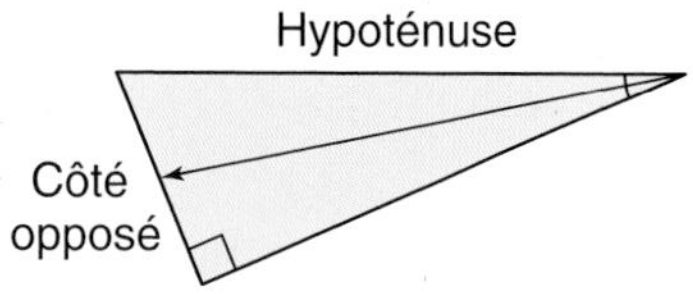

Côtés correspondants (ou **Côtés homologues**) **:** Dans des figures semblables, les côtés situés entre deux paires d'angles correspondants égaux.

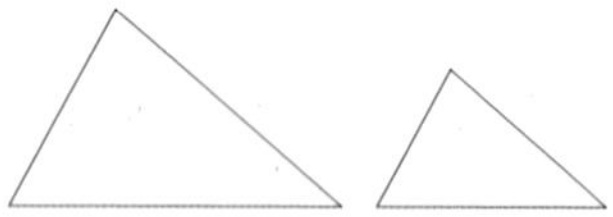

Les côtés en rouge, les côtés en vert et les côtés en bleu sont des côtés correspondants.

Courbe de refroidissement : Courbe destinée à calculer la différence de température entre la température d'un objet et la température ambiante ; idéalement, montre la décroissance exponentielle.

Coûts fixes liés à l'utilisation d'un véhicule automobile : Charges dont le montant est indépendant du nombre de kilomètres parcourus, de l'entretien et des réparations ; à comparer avec *Coûts variables liés à l'utilisation d'un véhicule automobile.*

Coûts variables liés à l'utilisation d'un véhicule automobile : Charges dont le montant varie en fonction du nombre de kilomètres parcourus, de l'entretien et des réparations ; à comparer avec *Coûts fixes liés à l'utilisation d'un véhicule automobile.*

Crédit-bail avec option d'achat : Contrat de location à durée déterminée moyennant une redevance périodique avec option d'achat à la fin du contrat ; certaines personnes, par exemple, louent un véhicule au lieu de l'acquérir.

Croissance exponentielle : Régularité formée d'augmentations correspondant à la multiplication répétée d'une valeur initiale par un nombre plus grand que 1. Les intérêts composés offrent des exemples de croissance exponentielle.

Cube : Prisme rectangulaire dont la longueur, la largeur et la hauteur sont égales.

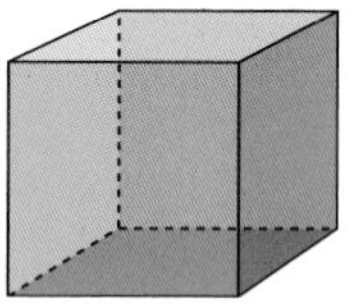

Cylindre : Solide formé de deux bases circulaires, parallèles et congruentes.

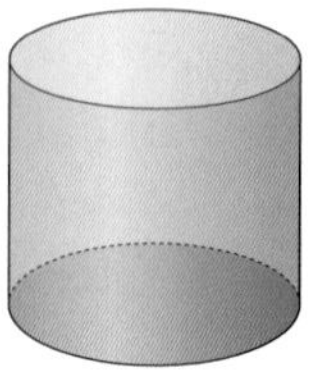

Dans le sens antihoraire : Sens inverse de la rotation des aiguilles d'une montre ; à comparer avec *Dans le sens horaire.*

Dans le sens horaire : Sens de la rotation des aiguilles d'une montre ; à comparer avec *Dans le sens antihoraire.*

Décroissance exponentielle : Régularité formée de diminutions correspondant à la multiplication répétée d'une valeur initiale par un nombre compris entre 0 et 1. Voir aussi *Courbe de refroidissement* et *Demi-vie.*

Demi-vie : Temps nécessaire pour qu'une quantité qui subit une décroissance exponentielle perde la moitié de sa masse initiale. La demi-vie s'applique en tout temps pendant la décroissance.

Dénominateur : Terme sous le trait dans une fraction. Il indique en combien de parties l'entier a été divisé. Voir aussi *Fraction*.

Dépôt à terme : Fonds placés dans un compte portant intérêt pendant une période déterminée à l'avance.

Déprécier (se) : Perdre de sa valeur au fil du temps.

Dessin à l'échelle : Dessin dont les proportions constituent un agrandissement ou une réduction des longueurs réelles.

Dessin isométrique : Représentation qui permet de montrer les trois dimensions d'un objet. Les arêtes de même longueur sont représentées par des segments de même longueur. Les arêtes parallèles sont représentées par des segments parallèles ; souvent dessiné sur du papier pointé isométrique.

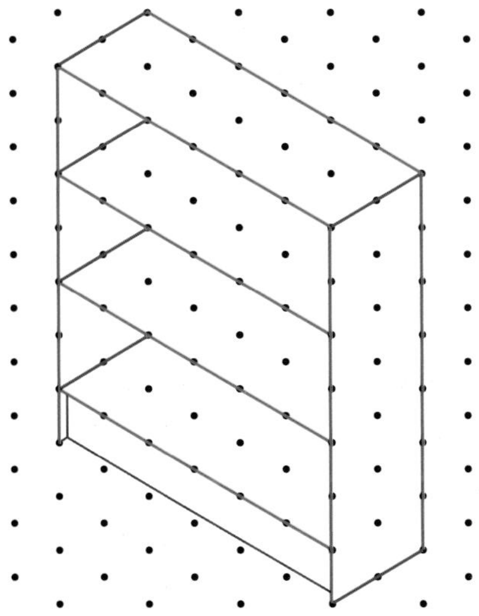

Dessin orthographique : Vues de face, de dessus et de côté d'un objet. Chaque vue est alignée parfaitement avec les arêtes des autres vues.

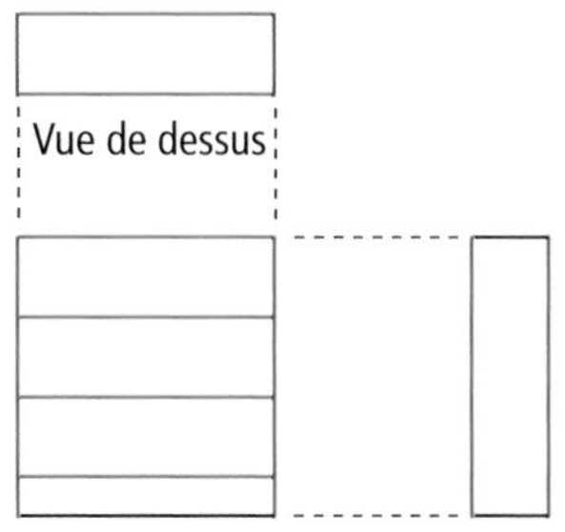

Deuxièmes différences : Différences entre deux premières différences consécutives ; dans une fonction du second degré, les deuxièmes différences sont constantes.

Examine la relation entre la longueur des côtés d'un carré et l'aire de ce carré :

Longueur des côtés (cm)	Aire (cm^2)	Premières différences	Deuxièmes différences
0	0		
1	1	1 − 0 = 1	3 − 1 = 2
2	4	4 − 1 = 3	5 − 3 = 2
3	9	9 − 4 = 5	7 − 5 = 2
4	16	16 − 9 = 7	9 − 7 = 2
5	25	25 − 16 = 9	

Toutes les deuxièmes différences sont égales à 2. Comme elles sont constantes, tu sais que la fonction est du second degré.

Développement : Dessin qui peut être découpé et plié pour former un objet tridimensionnel.

Développer une expression : Effectuer les multiplications contenues dans une expression.

Diagramme à bandes : Diagramme composé de rectangles verticaux ou horizontaux de même largeur et séparés par des espaces égaux. Leur longueur est proportionnelle aux données représentées.

Moyenne de précipitations de la ville de Toronto

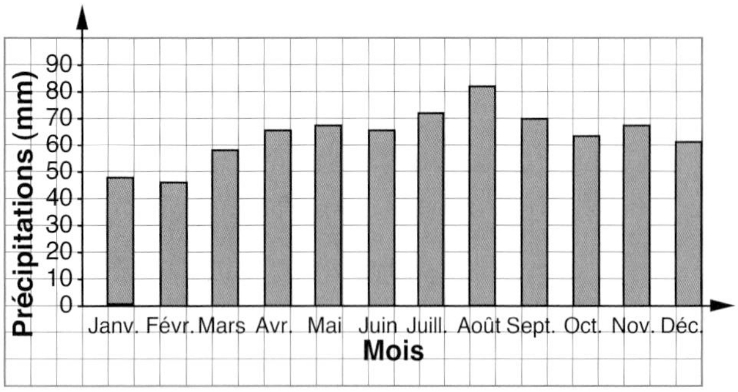

Diagramme à pictogrammes : Diagramme semblable à un *diagramme à bandes*, où chaque symbole représente une quantité donnée.

❋ Précipitations de 10 mm

Précipitations moyennes de la ville de Toronto

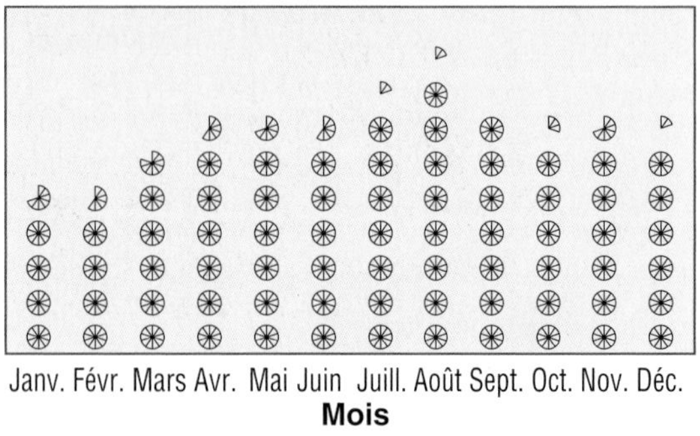

Diagramme circulaire : Représentation graphique de données au moyen d'un disque divisé en secteurs. L'aire des secteurs est proportionnelle aux données représentées. On l'appelle aussi *diagramme à secteurs*.

Couleurs préférées de mes camarades

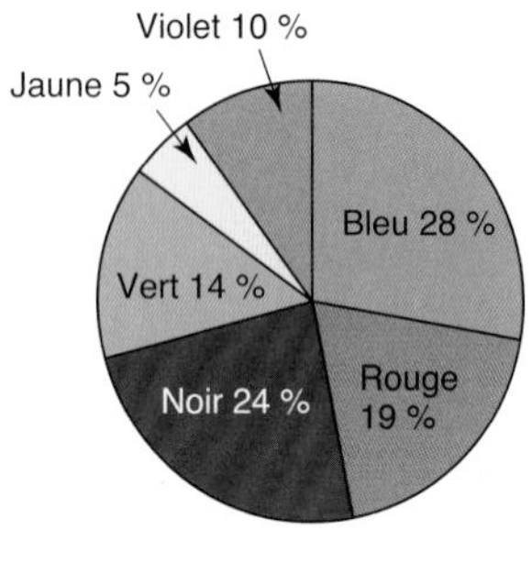

Diagramme de Venn : Représentation schématique d'un ensemble par des lignes simples formées de façon à mettre en évidence l'intersection et la réunion.

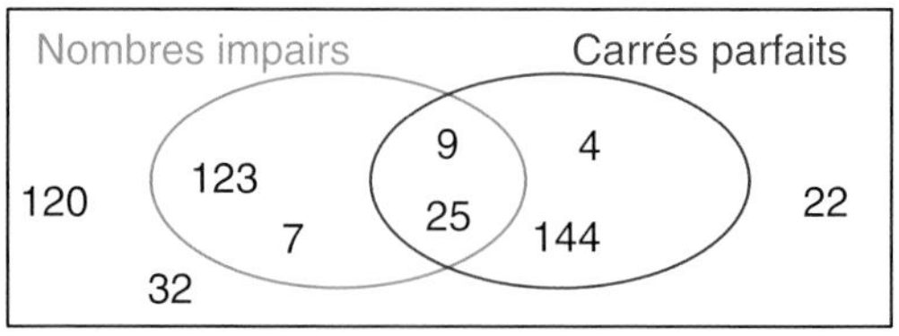

Diagramme en arbre : Diagramme servant à dénombrer des éléments de façon à mettre en évidence l'ensemble des choix possibles.

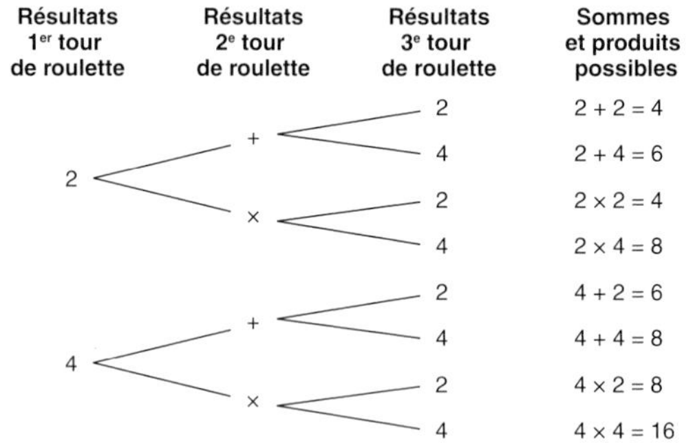

Diamètre : Segment de droite qui relie deux points d'un cercle (ou d'une sphère) et qui passe par son centre.

Différence de carrés : Expression de la forme $a^2 - b^2$ dans laquelle a et b peuvent être une variable ou un nombre ; peut être présentée sous forme factorisée : $a^2 - b^2 = (a + b)(a - b)$.

Direction de l'ouverture d'une parabole : Orientation, vers le haut ou vers le bas, de la parabole. Lorsque l'équation correspondante à la parabole est écrite sous la forme $y = ax^2 + bx + c$, le signe du coefficient a indique la direction de l'ouverture de la parabole.

Distribution asymétrique vers la droite : Distribution dont la plupart des valeurs des données se situent au bas de l'échelle verticale. L'histogramme s'aplanit vers la droite.

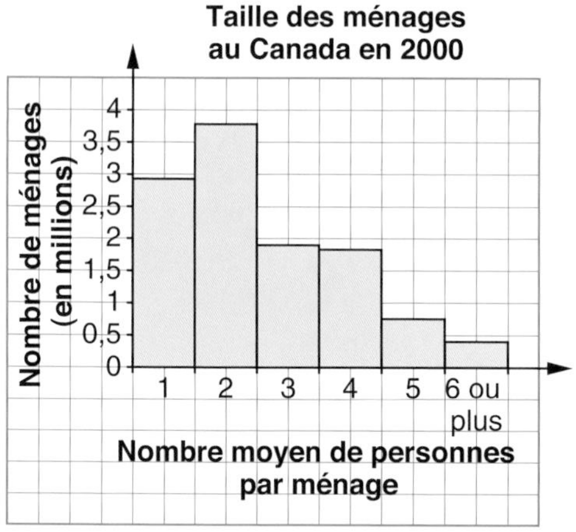

Distribution asymétrique vers la gauche : Distribution dont la plupart des valeurs des données se situent au haut de l'échelle verticale. L'histogramme s'aplanit vers la gauche.

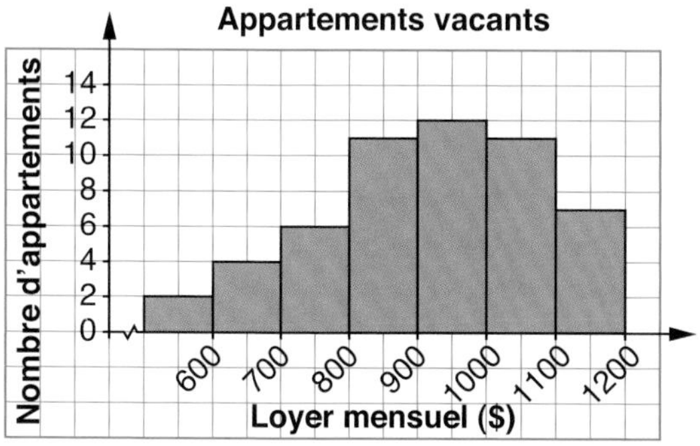

Distribution bimodale : Distribution qui possède deux modes.

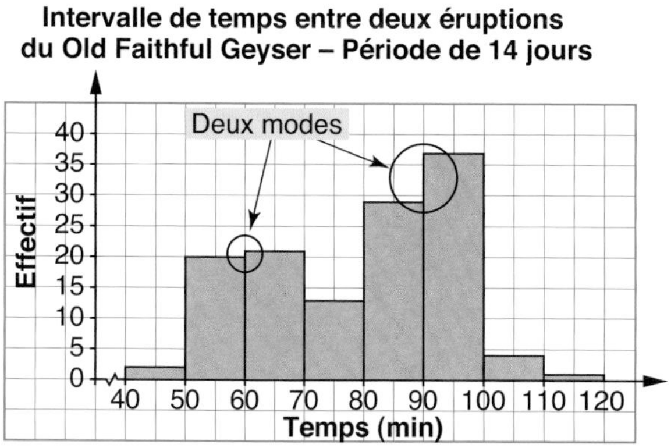

Distribution de fréquences : Tableau ou diagramme montrant avec quelle fréquence chaque donnée ou chaque série de données de la population à l'étude apparaît dans un ensemble de données.

Distribution des données : Mode de représentation des données des classes, des groupes ou des intervalles. Les distributions uniforme, normale, en cloche, asymétrique vers la gauche ou vers la droite, et bimodale sont toutes des formes de distribution des données.

Distribution en cloche : Voir *Distribution normale*.

Distribution normale : Distribution dont la plupart des données sont groupées au centre. On l'appelle aussi *distribution en cloche*.

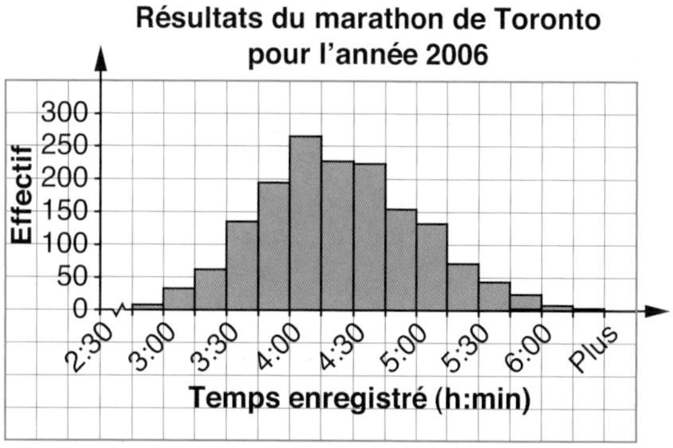

Distribution uniforme : Distribution dont les données sont à peu près également réparties dans un intervalle.

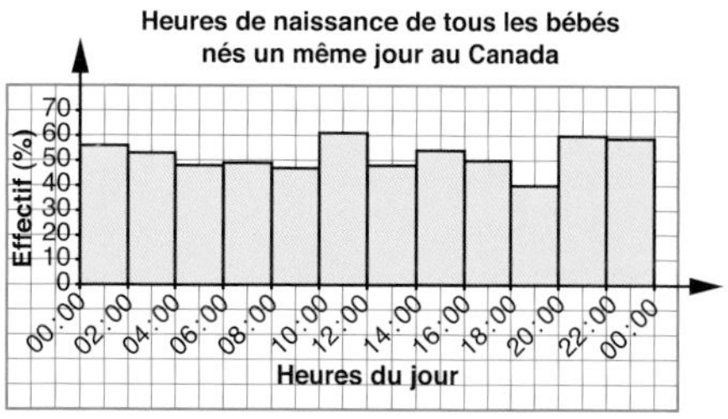

Distributivité : Propriété selon laquelle un produit peut être exprimé sous la forme d'une somme ou d'une différence de deux produits, par exemple :
$a(b + c) = ab + ac$ et $a(b - c) = ab - ac$

Diversification : Stratégie de placement qui a pour objectif de limiter les risques, en répartissant les fonds entre des titres différents.

Données à une variable : Données qui fournissent un élément d'information au sujet d'une personne, d'un endroit ou d'une chose.

Données qualitatives : Données qui ne sont pas des nombres.

Données quantitatives : Données représentées par des nombres.

Données quantitatives continues : Données qui ne peuvent être mesurées qu'avec des nombres réels (par exemple, la taille d'une personne).

Données quantitatives discrètes : Données qui ne peuvent être mesurées qu'avec des nombres entiers (par exemple, le nombre de personnes).

Droites parallèles : Droites qui font partie du même plan et qui ne se croisent jamais.

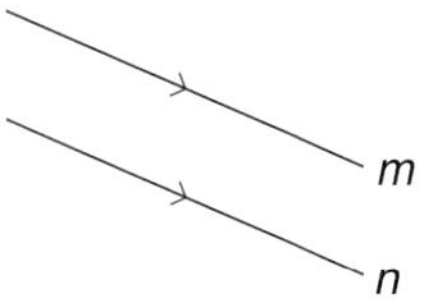

Écart type : Mesure de la dispersion d'un ensemble de données en prenant en considération leur moyenne.
Pour calculer l'écart type d'un ensemble de données, consulte la page 321 de ton manuel.

Échantillon : Partie relativement petite d'un groupe, choisie de telle sorte qu'elle représente le plus fidèlement possible la population à l'étude.

Échantillon biaisé : Échantillon non représentatif d'une population.

Échantillonnage à participation volontaire : Mode d'échantillonnage où seules les personnes qui ont offert bénévolement leurs services sont incluses dans l'échantillon.

Échantillonnage accidentel : Échantillonnage qui n'est pas représentatif de la population cible, parce que seulement des éléments faciles à sonder sont sélectionnés. On l'appelle aussi *échantillonnage de commodité* ou *à l'aveuglette.*

Échantillonnage aléatoire simple : Mode d'échantillonnage dont les unités sont choisies au hasard au sein d'une population.

Échantillonnage en grappes : Mode d'échantillonnage selon lequel une population est divisée en sous-ensembles (ou grappes) ; chacune de ces grappes est représentative de la population. Des grappes sont choisies au hasard et les données sont recueillies auprès de chaque individu des grappes choisies.

Échantillonnage par choix raisonné (au jugé) : Échantillonnage dans lequel le jugement personnel permet une sélection d'unités représentatives de la population.

Échantillonnage stratifié : Procédé d'échantillonnage qui consiste d'abord à subdiviser la population en sous-groupes, ou strates, puis à choisir au hasard dans chaque strate les éléments de l'échantillon.

Échantillonnage systématique : Procédé d'échantillonnage par lequel on choisit les éléments de l'échantillon à tous les n^e éléments de la population.

Échelle : Sur une carte ou dans un diagramme, rapport entre la mesure de la représentation de la distance entre deux points et la représentation réelle de la distance ; également, les nombres qui graduent les axes de coordonnées dans un plan cartésien.

Échelle de probabilité : Segment de droite qui illustre toutes les probabilités comprises entre 0 et 1, où chaque événement est représenté par un point ; la position du point sur la ligne indique la probabilité de l'événement.

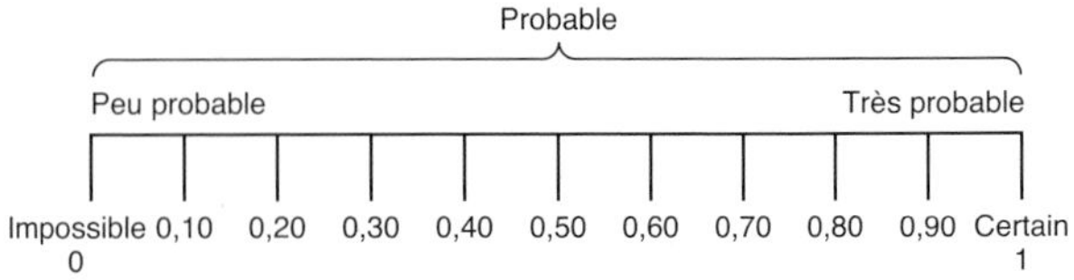

Effectif : Nombre de fois qu'un événement se produit ou qu'un élément se présente dans un ensemble de données.
Par exemple : « Dans un groupe de 20 élèves, 12 ont 15 ans. » L'effectif des élèves de 15 ans dans le groupe est de 12.

Enquête par sondage : En statistique, collecte de données et d'opinions.

Équations équivalentes : Équations qui possèdent le même ensemble de solutions.

Essai : Répétition d'une probabilité expérimentale.

Étendue : Dans un ensemble, différence entre le plus grand et le plus petit nombre.

Exposant : Dans une expression de la forme b^n, la variable n est l'exposant ; les exposants qui sont des nombres entiers positifs représentent la multiplication répétée d'un même nombre ; par exemple, dans 3^4, l'exposant 4 indique que la base 3 est utilisée comme facteur quatre fois ; voir aussi *Base d'une puissance*, *Puissance*.

Expression mathématique : Énoncé mathématique composé de nombres et/ou de variables reliés par des opérations.

Face : Surface plane d'un objet tridimensionnel.

Facteur : Tout nombre qui se multiplie avec tout autre nombre, ou tout polynôme qui se multiplie avec tout autre polynôme ; factoriser un nombre entier signifie de l'écrire sous la forme d'un produit de nombres entiers ; factoriser un polynôme signifie de représenter un polynôme sous la forme d'un produit d'autres polynômes ; la factorisation d'un polynôme et le développement d'un polynôme sont deux opérations inverses.

Facteur d'agrandissement : Valeur numérique du nombre a sous la *forme canonique d'une fonction du second degré*, lorsque $a > 1$ ou $a < -1$.

Facteur de croissance : Dans une situation de croissance exponentielle, nombre plus grand que 1, qui correspond à la multiplication répétée d'une valeur initiale ; représenté par la variable b dans l'équation $y = ab^x$.

Facteur de décroissance : Dans une situation de décroissance exponentielle, nombre compris entre 0 et 1, qui correspond à la multiplication répétée d'une valeur initiale ; représenté par la variable b dans l'équation $y = ab^x$.

Facteur de rétrécissement : La valeur a sous la *forme canonique d'une fonction du second degré*, lorsque $-1 < a < 1$ et a est un nombre autre que 0.

Fonction affine : Relation du premier degré définie par $y = ax + b$, et dont la représentation graphique est une droite.

Fonction du second degré : Relation exprimée sous la forme $y = ax^2 + bx + c$, $a \neq 0$, et dont la représentation graphique est une parabole.

Fonction exponentielle : Relation de la forme $y = ab^x$; dans une équation d'une fonction exponentielle, la variable a est la valeur initiale et la variable b, le facteur de croissance ou de décroissance.

Forme canonique d'une fonction du second degré : Équation de la forme $y = a(x - h)^2 + k$, où $a \neq 0$; n'importe quelle fonction du second degré peut s'écrire sous cette forme.

Forme développée d'un nombre : Représentation d'un nombre sous la forme d'une multiplication qui se répète ; par exemple, $125 = 5 \times 5 \times 5$.

Forme exponentielle d'un nombre : Nombre qui s'écrit avec une base et un exposant.

Forme factorisée d'une fonction du second degré : Expression de la forme $y = a(x - r)(x - s)$, où $a \neq 0$; il n'est pas possible d'exprimer toutes les fonctions du second degré sous cette forme.

Forme générale d'une fonction du second degré : Équation de la forme $y = ax^2 + bx + c$, où $a \neq 0$; n'importe quelle fonction du second degré peut s'écrire sous cette forme.

Forme standard d'un nombre : Représentation d'un nombre qui exclut toute forme d'opération ; par exemple, 625.

Fraction : Partie d'un tout, rapport entre deux quantités. Une fraction est caractérisée par deux composantes : le *numérateur* et le *dénominateur* ; par exemple, $\frac{1}{3}$ est une fraction, 1 est le numérateur et 3, le dénominateur. Le dénominateur est toujours non nul.

Fraction écrite dans sa forme la plus simple : Voir *Fraction irréductible.*

Fraction irréductible : Fraction dont le plus grand commun diviseur (PGCD) des deux termes est égal à 1. On l'appelle aussi *fraction écrite dans sa forme la plus simple.*

Générateur de nombres aléatoires : Programme informatique ou algorithme qui permet d'obtenir des suites de nombres aléatoires.

Histogramme : Diagramme composé d'une série de bandes juxtaposées de largeurs généralement égales, qui sert à représenter des données quantitatives continues regroupées par intervalles de classes ; il n'y a pas d'espace entre la valeur maximale d'un intervalle et la valeur minimale de l'intervalle suivant ; il n'y a pas d'espace non plus entre les bandes.

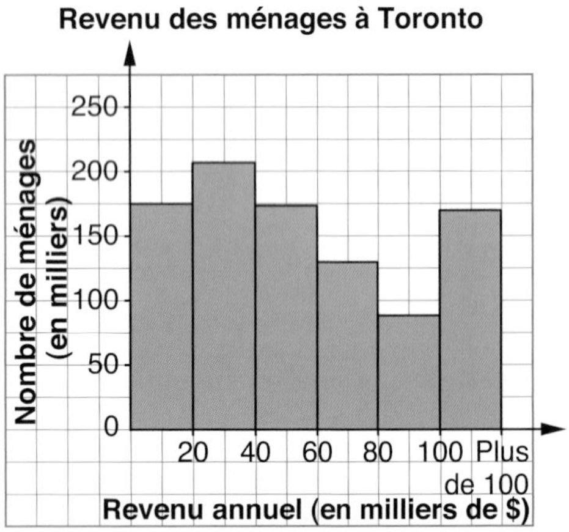

Hypoténuse : Côté opposé à l'angle droit dans un triangle rectangle.

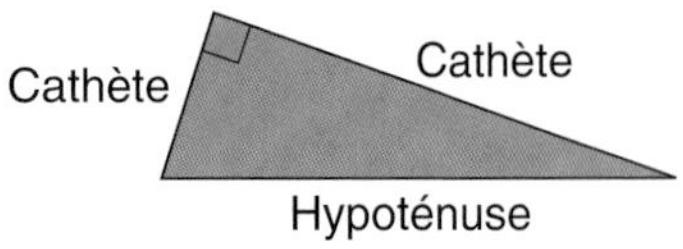

Image par réflexion : Résultat d'une réflexion.

Image par translation : Résultat d'une translation.

Intérêt : Montant reçu ou payé sur une somme d'argent.

Intérêt composé : Intérêts calculés sur un capital composé du capital initial augmenté de ses intérêts accumulés à l'échéance ; calculé à l'aide de la formule $M = C(1 + i)^n$, où M représente le montant à l'échéance ou la valeur finale du placement ; C, le capital ; i, le taux d'intérêt de chaque période de calcul exprimé sous la forme d'un nombre décimal ; et n, le nombre total de périodes de calcul ; à comparer avec *Intérêt simple.*

Intérêt quotidien : Intérêt calculé sur le solde quotidien (365 fois l'an).

Intérêt simple : Intérêt couru sur le capital, calculé à l'aide de la formule $I = Ctd$, où I représente l'intérêt simple reçu ou payé, en dollars ; C représente le capital ou la somme d'argent déposée ou empruntée, en dollars ; t représente le taux d'intérêt annuel, exprimé sous la forme d'un nombre décimal ; et d représente la durée de l'investissement ou de l'emprunt, en années ; à comparer avec *Intérêt composé.*

Intervalle : Ensemble des nombres compris entre deux nombres donnés.

Inverse : L'inverse de tout nombre réel autre que 0 est $\frac{1}{n}$.

Loi des exposants : Pour toute base b qui n'est pas égale à 0 :

$b^m \times b^n = b^{m+n}$; $(b^m)^n = b^{m \times n}$;

$b^m \div b^n = b^{m-n}$

Loi des sinus : Dans tout triangle ABC,

$$\frac{a}{\sin A} = \frac{b}{\sin B} = \frac{c}{\sin C} \text{ et}$$

$$\frac{\sin A}{a} = \frac{\sin B}{b} = \frac{\sin C}{c}$$

Loi du cosinus : Dans tout triangle ABC,
$c^2 = a^2 + b^2 - 2ab \cos C$;
peut aussi s'écrire comme suit :

$$\cos C = \frac{a^2 + b^2 - c^2}{2ab}$$

Médiane : Valeur située au centre d'une suite ordonnée de nombres, de sorte que la moitié des nombres lui sont supérieurs et la moitié lui sont inférieurs. Si deux nombres se trouvent au milieu d'un ensemble, alors la moyenne de ces deux nombres constitue la médiane de cet ensemble de données.

Mesure de dispersion : Mesure de l'étalement des valeurs d'un ensemble de données.

Mesure de tendance centrale : Mesure, par une seule valeur, de l'emplacement où se trouve le milieu ou le centre d'un ensemble de données. La *moyenne*, la *médiane* et le *mode* sont des mesures de tendance centrale.

Méthode d'échantillonnage : Ensemble des moyens mis de l'avant pour déterminer la composition d'un échantillon, dans une enquête par sondage ; voir *Échantillonnage à participation volontaire*, *Échantillonnage accidentel*, *Échantillonnage aléatoire simple*, *Échantillonnage en grappes*, *Échantillonnage par choix raisonné*, *Échantillonnage stratifié*, *Échantillonnage systématique*.

Mode : Donnée la plus fréquente dans un ensemble de données.

Modèle Frayer : Organisateur graphique à quatre volets qui comprend une définition, des faits ou des caractéristiques, des exemples et des non-exemples d'un terme ou d'un concept.

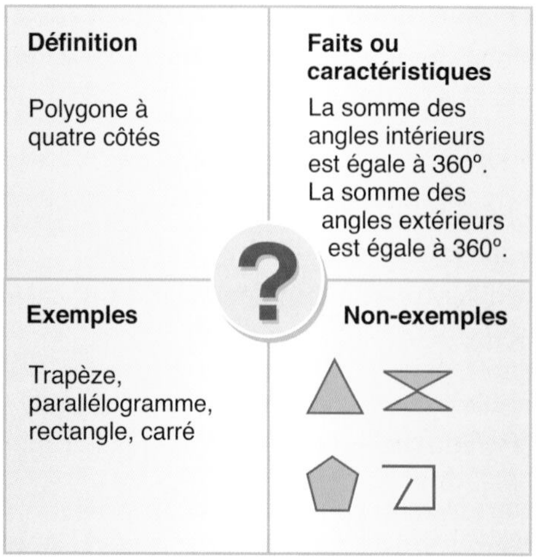
Définition
Polygone à quatre côtés
Faits ou caractéristiques
La somme des angles intérieurs est égale à 360°. La somme des angles extérieurs est égale à 360°.
?
Exemples
Trapèze, parallélogramme, rectangle, carré
Non-exemples

Monôme : Expression algébrique qui ne contient qu'un seul terme, par exemple $3x$.

Montant à l'échéance : Capital et intérêt versés à l'échéance.
Montant à l'échéance = Capital + Intérêt, ou $M = C + I$.

Moyenne : Mesure de la tendance centrale d'un ensemble de nombres ; nombre qu'on obtient en divisant la somme des nombres d'un ensemble de données par le nombre total de données de cet ensemble.

Nombre aléatoire : Nombre choisi au hasard.

Nombre entier : Nombre qui appartient à l'ensemble $\{..., -3, -2, -1, 0, +1, +2, +3,...\}$.

Numérateur : Nombre supérieur d'une *fraction*.

Opération inverse : Opération qui annule une autre opération.

Ordonnée : Deuxième coordonnée d'un point dans un plan cartésien. L'ordonnée du point P (1, 3) est 3.

Ordonnée à l'origine : Valeur de l'ordonnée du point où un graphique coupe l'axe vertical dans un plan cartésien.

Orientation d'une figure : Propriété qui décrit la façon dont une figure est disposée ; la rotation ainsi que la réflexion ont pour effet de changer l'orientation.

Paiement minimum exigible : Pourcentage du solde impayé que doit payer chaque mois toute détentrice ou tout détenteur d'une carte de crédit.

Parabole : Représentation graphique d'une fonction du second degré.

Patron : Dessin qui peut être découpé et assemblé pour former un objet tridimensionnel ; ressemble à un développement, mais ses faces doivent être découpées, pour ensuite être assemblées.

Pentagone : Polygone à cinq côtés.

Périmètre : Distance autour d'une figure fermée.

Période de calcul de l'intérêt composé : Intervalle de temps au cours duquel l'intérêt s'ajoute au capital pour calculer l'intérêt composé ; voir *Rendement annuel composé, Rendement mensuel composé, Rendement semestriel composé, Rendement trimestriel composé.* Voir aussi *Période de capitalisation.*

Période de capitalisation : Chacune des périodes où l'intérêt composé à recevoir ou à payer s'accumule. Voir aussi *Période de calcul de l'intérêt composé.*

Perpendiculaires : Deux droites ou deux plans qui se coupent à angle droit.

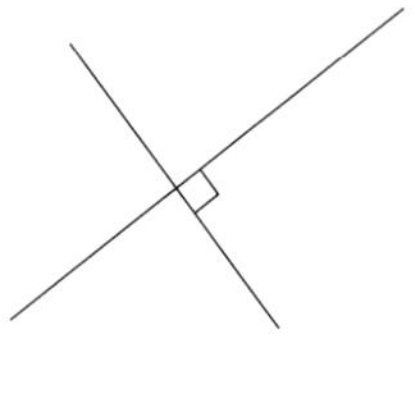

Plan : Dessin à l'échelle qui représente une construction en projection horizontale.

Plan d'étage : Dessin à l'échelle d'une pièce ou d'un bâtiment, qui est vu de dessus.

Plus grand facteur commun (PGFC) : Le plus grand facteur commun à un ensemble de nombres ; le plus grand nombre qui divise chacun des nombres d'un ensemble.

Polygone : Figure plane fermée dont les côtés sont des segments de droite.

Polynôme : Expression algébrique constituée par une somme de monômes ou de termes numériques de la forme ax^n, où a est un nombre, x est une variable et n un exposant ; par exemple, $2x$, 8, $x^3 - 3x + 1$; voir aussi *Monôme, Binôme, Trinôme.*

Population : Ensemble des personnes ou des objets étudiés.

Pourcentage : Rapport qui établit la comparaison entre un nombre donné et le nombre 100.

Premières différences : Lorsque des données sont présentées dans une table de valeurs et que les données de la première colonne augmentent de façon constante, il est possible de calculer les premières différences en soustrayant les nombres consécutifs apparaissant dans la deuxième colonne.

Examine la relation entre la longueur des côtés d'un carré et le périmètre de ce carré :

Longueur des côtés (cm)	Périmètre (cm)	Premières différences
0	0	
1	4	$4 - 0 = 4$
2	8	$8 - 4 = 4$
3	12	$12 - 8 = 4$
4	16	$16 - 12 = 4$
5	20	$20 - 16 = 4$

Toutes les premières différences sont égales à 4. On dit qu'il y a régularité des premières différences. Comme elles sont constantes, tu sais que la relation représentée est une fonction affine.

Prisme : Solide qui possède deux faces parallèles et congruentes (les bases) ; toutes les autres faces sont des parallélogrammes ; voir aussi *Prisme à base pentagonale*, *Prisme à base rectangulaire*, *Prisme à base triangulaire.*

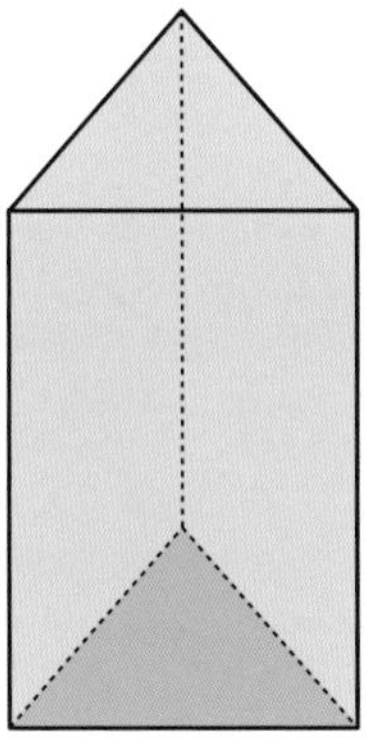

Prisme à base pentagonale : Prisme dont les bases sont des pentagones.

Prisme à base rectangulaire : Prisme dont les bases sont des rectangles.

Prisme à base triangulaire : Prisme dont les bases sont des triangles.

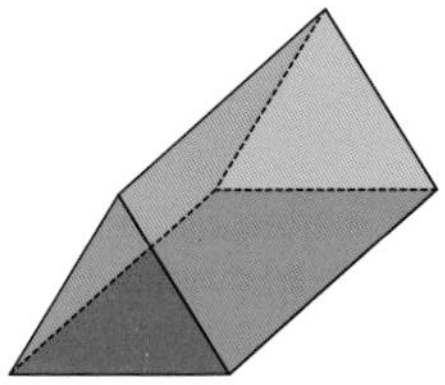

Probabilité : Nombre de 0 à 1 qui représente la probabilité d'un événement ; un événement impossible a une probabilité de 0, et un événement certain a une probabilité de 1.

Probabilité expérimentale d'un événement : Probabilité d'un événement calculée à partir des résultats d'une expérience ou d'un sondage, basée sur la formule suivante :

Probabilité expérimentale d'un événement = $\frac{\text{Fréquence de l'événement}}{\text{Nombre total d'essais}}$

Probabilité théorique d'un événement : Rapport entre le nombre de résultats favorables et le nombre de résultats probables d'un événement ; déterminée par une analyse de tous les résultats possibles ; souvent appelée tout simplement *probabilité.* Voici la formule qui permet de calculer la probabilité :

Probabilité théorique d'un événement = $\frac{\text{Nombre de résultats favorables}}{\text{Nombre de résultats possibles}}$

Puissance : Expression de la forme b^n, où b est la base et n, l'exposant ; lorsque des exposants sont des nombres entiers positifs, ils représentent la multiplication répétée d'un même nombre ; par exemple, 4^3 représente $4 \times 4 \times 4$; voir aussi *Base d'une puissance*, *Exposant.*

Puissance élevée à une puissance : Puissance dont la base est aussi une puissance ; par exemple, $(2^3)^5$.

Pyramide : Solide dont la *base* est un polygone et dont les faces latérales sont triangulaires et se joignent en un sommet commun ; voir *Pyramide à base carrée*, *Pyramide à base pentagonale*, *Pyramide à base rectangulaire*, *Pyramide à base triangulaire.*

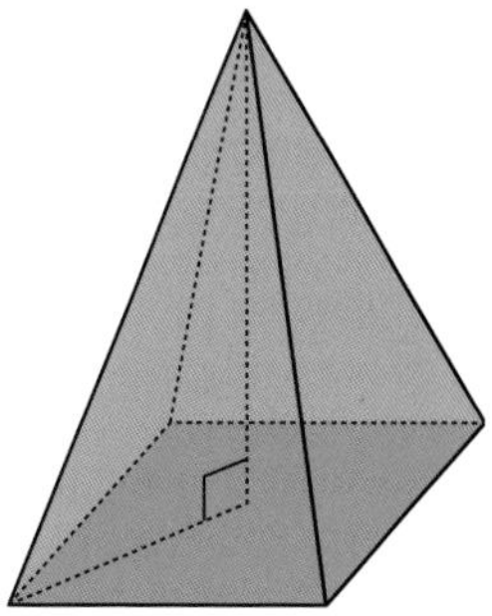

Pyramide à base carrée : Pyramide dont la base est un carré.

Pyramide à base pentagonale : Pyramide dont la base est un pentagone.

Pyramide à base rectangulaire : Pyramide dont la base est un rectangle.

Pyramide à base triangulaire : Pyramide dont la base est un triangle.

Quadrilatère : Polygone à quatre côtés.

Questionnaire de sondage : Série de questions posées en vue d'une enquête par sondage.

Rapport : Relation entre deux quantités de même nature, utilisant la division, et exprimées dans la même unité.

Rapports trigonométriques primaires : Rapports entre les longueurs des côtés d'un triangle rectangle : sinus, cosinus et tangente.

Recensement : Enquête statistique qui porte sur tous les individus d'une population donnée.

Rectangle : Parallélogramme avec au moins un angle droit.

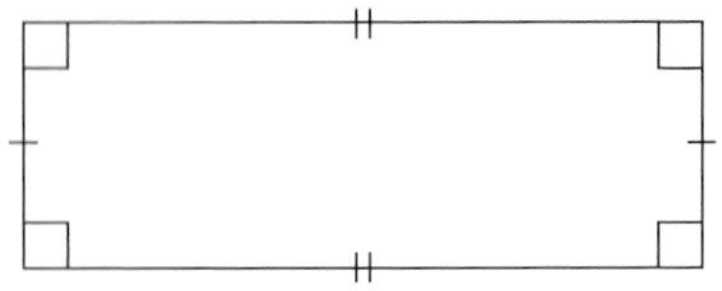

Réflexion : Transformation géométrique destinée à reproduire une image réfléchie par rapport à un axe, sans en modifier la forme ni la taille ; l'image par réflexion fait en sorte que chaque point de l'image est à égale distance par rapport à l'axe de réflexion mais du côté opposé. On l'appelle aussi *réflexion symétrique.*

Relevé de compte : Liste récapitulative des activités récentes d'un compte bancaire ou d'un compte de carte de crédit pour une période donnée ; fait aussi état du solde du compte.

Relèvement : Angle décrivant la position d'un objet, mesuré dans le sens horaire à partir du nord magnétique ; généralement exprimé en nombres de trois chiffres.

Rendement : Profit d'un placement.

Rendement annuel composé : Intérêt imputé au capital une fois l'an.

Rendement mensuel composé : Intérêt imputé au capital 12 fois l'an (chaque mois).

Rendement semestriel composé : Intérêt imputé au capital deux fois l'an (aux six mois).

Rendement trimestriel composé : Intérêt imputé au capital quatre fois l'an (aux trois mois).

Rétrécissement vertical : Transformation qui multiplie chaque ordonnée par un facteur autre que 0 et compris entre 0 et 1.

Risque : Danger plus ou moins prévisible de voir la valeur d'un placement diminuer.

Secteur : Portion d'un disque comprise entre deux rayons.

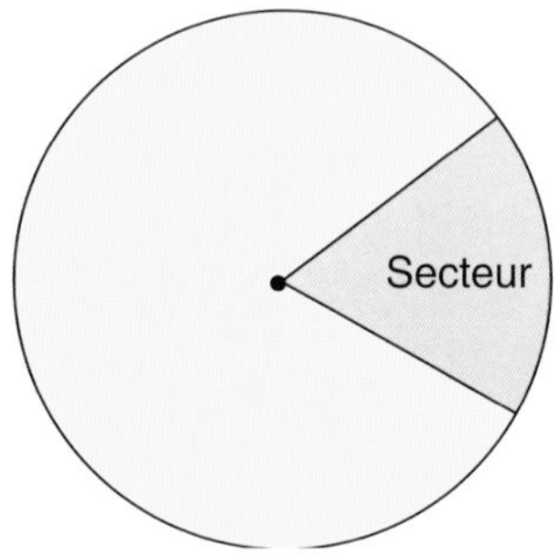

Segment de droite : Portion d'une droite délimitée par deux points fixes.

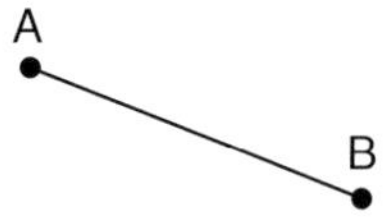

Seuil de rentabilité : Niveau d'activité au cours duquel une entreprise ne dégage ni profits ni pertes.

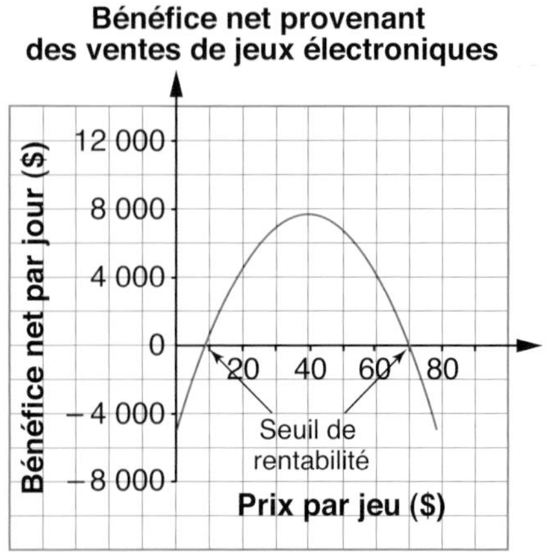

Simulation : Expérience qui sert à modéliser une situation de la vie courante.

Sinus : Pour ∠A, un angle aigu d'un triangle rectangle, rapport entre la longueur du côté opposé à ∠A et la longueur de l'hypoténuse ; s'écrit sin A :

$$\sin A = \frac{\text{longueur du côté opposé à } \angle A}{\text{longueur de l'hypoténuse}}$$

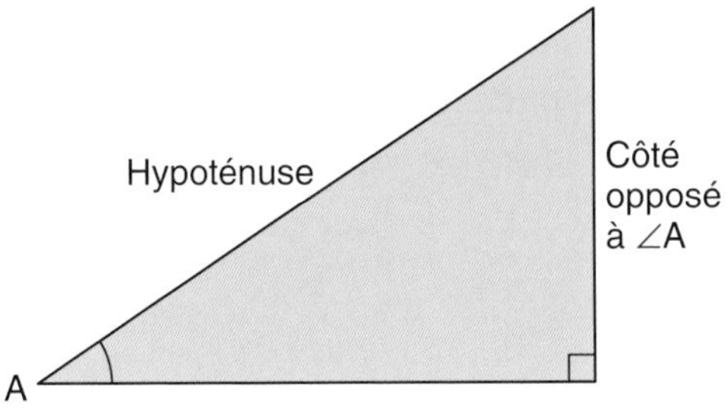

Solde d'un compte : Différence entre le crédit et le débit ; le solde d'un compte à la banque, le solde d'une carte de crédit.

Sommet : Intersection de deux arêtes d'une figure ou de trois arêtes d'un solide ; aussi, point le plus élevé (d'ordonnée maximale) ou le plus bas (d'ordonnée minimale) d'une parabole, où elle croise son axe de symétrie.

Statistique : Branche des mathématiques qui traite de la collecte, de l'organisation et de l'interprétation des données.

Substituer une valeur à une variable dans une expression : Dans une expression, remplacer une variable par un nombre.

Table de valeurs : Présentation méthodique de deux variables dont l'une dépend de l'autre. Une telle table peut aider à visualiser le lien de dépendance qui unit les deux variables.

Temps (s)	10	20	30	40	50	60
Vitesse (km/h)	3,0	4,9	6,3	17,0	30,5	58,5

Tableau des effectifs : Tableau utilisé pour dénombrer les données recueillies et noter le nombre de fois que chaque donnée se présente. Par exemple : Lors d'un sondage concernant le sport préféré des élèves, on obtient les résultats suivants :

Sport préféré		
Sport	**Dénombrement**	**Effectif**
Hockey	𝍸 //	7
Ski	////	4
Natation	𝍸 ///	8
Basket-ball	//	2

Tangente : Pour ∠A, un angle aigu d'un triangle rectangle, rapport entre la longueur du côté opposé à ∠A et la longueur de son côté adjacent ; s'écrit tan A.

$$\tan A = \frac{\text{longueur du côté opposé à } \angle A}{\text{longueur du côté adjacent à } \angle A}$$

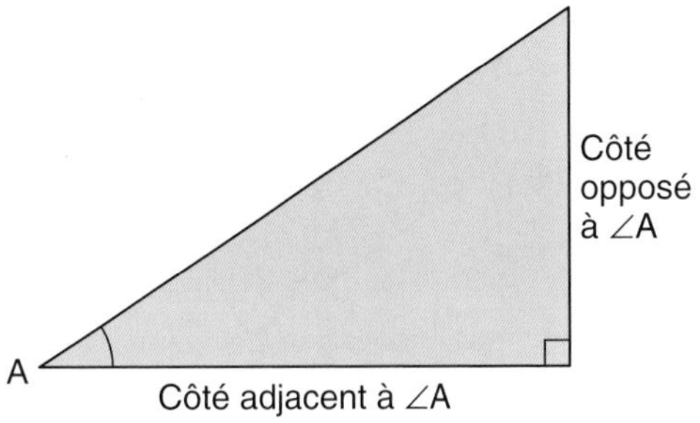

Taux d'intérêt : Pourcentage appliqué à une somme d'argent placée ou empruntée.

Taux de croissance : Taux exprimé sous la forme d'un pourcentage d'augmentation au cours d'une période donnée ; à comparer avec *Facteur de croissance*. Lorsque le taux de croissance est exprimé sous la forme d'un pourcentage, on obtient le facteur de croissance b à l'aide de l'équation $b = 1 + r$, où r représente le pourcentage exprimé sous la forme d'un nombre décimal.

Taux de décroissance : Taux exprimé sous la forme d'un pourcentage de diminution au cours d'une période donnée ; à comparer avec *Facteur de décroissance*. Lorsque le taux de décroissance est exprimé sous la forme d'un pourcentage, le facteur de décroissance b s'obtient à l'aide de l'équation $b = 1 - r$, où r représente le pourcentage exprimé sous la forme d'un nombre décimal.

Temps de doublement : Temps que prend une quantité qui augmente de façon exponentielle pour doubler de valeur. Le temps de doublement s'applique en tout temps pendant la croissance.

Terme : Expression algébrique qui n'implique que la multiplication ou la division entre des variables ou des constantes, par exemple $2x^2$; désigne aussi la durée d'un investissement.

Théorème de Pythagore : Dans un triangle rectangle, le carré de l'hypoténuse est égal à la somme des carrés des deux autres côtés.

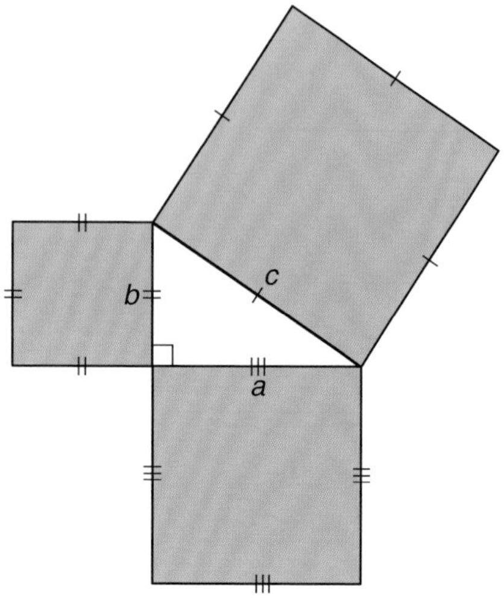

Translation : Glissement selon lequel chaque point d'une figure est déplacé dans le même sens, dans la même direction et selon la même distance.

Triangle : Polygone à trois côtés.

Triangle acutangle : Triangle dont chacun des angles est inférieur à 90°.

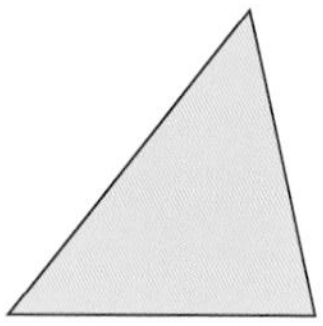

Triangle équilatéral : Triangle dont les trois côtés sont congrus et dont chaque angle mesure 60°.

Triangle rectangle : Triangle dont l'un des angles est droit.

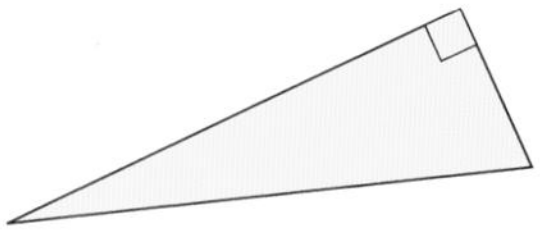

Triangles semblables : Triangles qui ont leurs côtés correspondants dans le même rapport et qui ont des angles correspondants de même mesure.

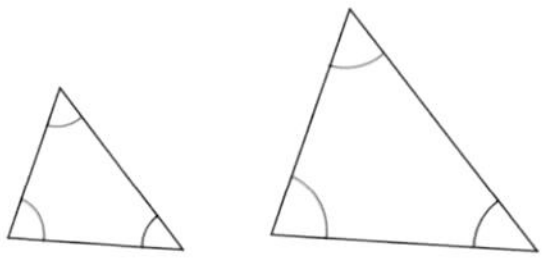

Trinôme : Polynôme à trois termes ; par exemple, $x^2 + 2x + 1$.

Trinôme carré parfait : Trinôme qu'on peut factoriser sous la forme du carré d'un binôme. Par exemple, $9x^2 + 12x + 4 = (3x + 2)^2$, ou généralement $a^2 + 2abx + b^2 = (ax + b)^2$, où a et $b \neq 0$.

Valeur actuelle : Montant d'argent qu'il faut placer aujourd'hui selon des conditions données (taux d'intérêt, période de calcul de l'intérêt composé et durée) pour obtenir un montant final déterminé ; à comparer avec *Valeur finale.*

Valeur finale : Voir *Montant à l'échéance.*

Valeur initiale : Valeur de départ dans une régularité représentant une croissance ou une décroissance exponentielle ; représentée par la variable a dans l'équation $y = ab^x$.

Variable continue : Variable quantitative qui, dans un intervalle, peut prendre toutes les valeurs possibles.

Variable discrète : Variable quantitative qui prend seulement un nombre limité de valeurs réelles.

Volume : Mesure en unités cubes de l'espace à trois dimensions occupé par un corps.

Corrigé

Chapitre 1 : La trigonométrie

Connaissances préalables
Les unités métriques de longueur, page 2

1. a) 4,56 km b) 1,56 m
   c) 2500 m d) 72 mm
   e) 0,0345 km f) 0,009 81 m
2. a) Le centimètre, parce qu'un crayon mesure plus de 1 cm mais moins de 1 m de longueur.
   b) Le mètre, parce qu'une pièce mesure plus de 1 m mais moins de 1 km de longueur.
   c) Le millimètre, parce qu'un fil métallique mesure moins de 1 cm d'épaisseur.
   d) Le kilomètre, parce que la distance mesure plusieurs kilomètres.
3. 26 m
4. $50 \times 1{,}45$ mm $= 72{,}5$ mm
   La pile de pièces de 1 ¢ mesure 7,25 cm de hauteur. Catherine ne pourra donc pas rouler toutes ses pièces dans son carré de papier.

Les unités impériales de longueur, page 3

1. a) 72 po b) 288 pi
   c) 36 960 pi d) 12 vg
   e) 100 po f) 10 pi
   g) 4 mi h) 16 pi
   i) 8800 vg
2. a) Le pied ou la verge, parce que la salle mesure plusieurs pieds ou verges de longueur.
   b) Le pouce ou le pied, parce qu'un sandwich sous-marin peut mesurer plusieurs pouces ou même un pied de longueur.
   c) Le pied ou la verge, parce que ce tir de pénalité se situe à plusieurs pieds ou verges du filet.
   d) Le mille, parce que la voie maritime est longue de plusieurs milles.
3. Oui. $12 \times 33 = 396$; donc 33 pi est égal à 396 po, ce qui est inférieur à 400 po.
4. a) 18 pots ; 8 pots. b) Cinq pots de 6 po.

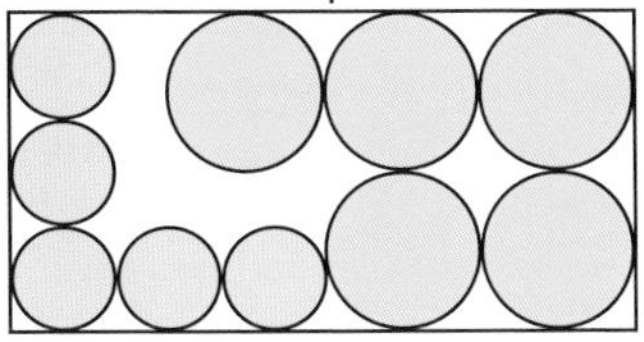

Les rapports, page 4

1. a) 6 : 7 b) 6 : 7
   c) 6 : 7
2. a) Les rapports des côtés correspondants sont égaux.
   b) Les rapports des côtés correspondants de triangles semblables sont égaux. Les explications seront variées. Par exemple : Ces rapports sont égaux parce que les triangles semblables sont des copies agrandies, réduites ou réfléchies l'une de l'autre.
3. 36 pi
   Tous les drapeaux canadiens ont une forme semblable parce que leurs angles et les rapports des longueurs de leurs côtés sont les mêmes. Par exemple :

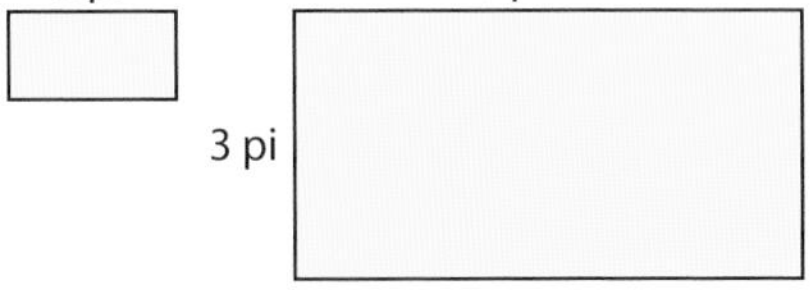

La résolution d'équations, page 5

1. a) $x = \frac{5}{2}$ b) $x = 54$
   c) $x = 52$
2. 234 pages.
3. Soit x, le salaire hebdomadaire pour le premier travail.
   $8x = 3440$
   $x = 430$
   Soit y, le salaire hebdomadaire pour le second travail.
   $6y = 2700$
   $y = 450$
   Rachad devrait accepter le travail qui paie 2700 $ toutes les six semaines.
4. Les réponses seront variées. Par exemple :
   1re méthode
   Soit x, le taux de la taxe.
   $45x = 5{,}85$
   $x = 0{,}13$
   $25 \times 0{,}13 = 3{,}25$
   2e méthode
   Soit x, le montant de taxes que Zoé paie.
   $\frac{x}{25} = \frac{5{,}85}{45}$
   $x = 3{,}25$
   Zoé paie 3,25 $ en taxes.
   Dans les deux méthodes, nous supposons que le taux de la taxe est le même pour les deux achats.

Le théorème de Pythagore, page 6

1. **a)** Environ 17 pi. **b)** 16 cm

2. Environ 17 pi.

3. L'écran mesure environ 13 po de largeur. On pourrait l'insérer dans un espace de 14 po de largeur à condition que le boîtier ajoute moins d'un pouce à la largeur de l'écran.

4.

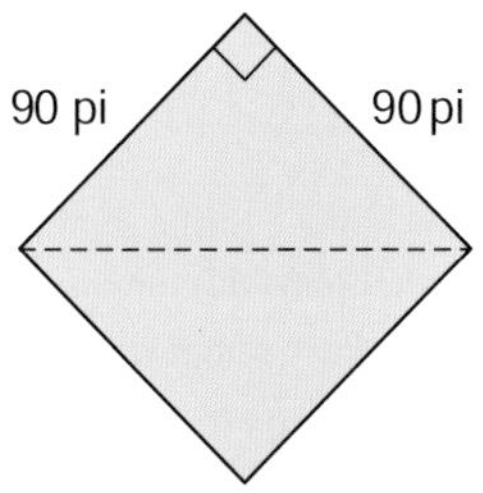

La distance entre le premier but et le troisième est une diagonale du carré. C'est l'hypoténuse du triangle rectangle formé par le premier but, le troisième but et soit le deuxième but ou le marbre. Les côtés du carré sont les cathètes du triangle.

$\sqrt{90^2 + 90^2} \doteq 127$

Donc, la distance est d'environ 127 pi.

1.1 Les côtés des triangles rectangles, page 9

1. **I)** **a)** L'hypoténuse : c, AB.
b) Le côté opposé : a, BC.
c) Le côté adjacent : b, AC.
II) **a)** L'hypoténuse : x, YZ.
b) Le côté opposé : y, XZ.
c) Le côté adjacent : z, XY.

2. **a)** **I)** Hypoténuse : c ; côté opposé : d ; côté adjacent : e.
II) Hypoténuse : h ; côté opposé : g ; côté adjacent : f.
III) Hypoténuse : n ; côté opposé : k ; côté adjacent : m.
b) **I)** Utiliser la tangente parce que le rapport $\frac{d}{2,7}$ correspond à tan 36°.
$d \doteq 2,0$ m
II) Utiliser le sinus parce que le rapport $\frac{g}{23}$ correspond à sin 29°.
$g \doteq 11$ cm
III) Utiliser le cosinus parce que le rapport $\frac{m}{49}$ correspond à cos 47°.
$m \doteq 33$ po

3. **a)** Environ 82 pi.

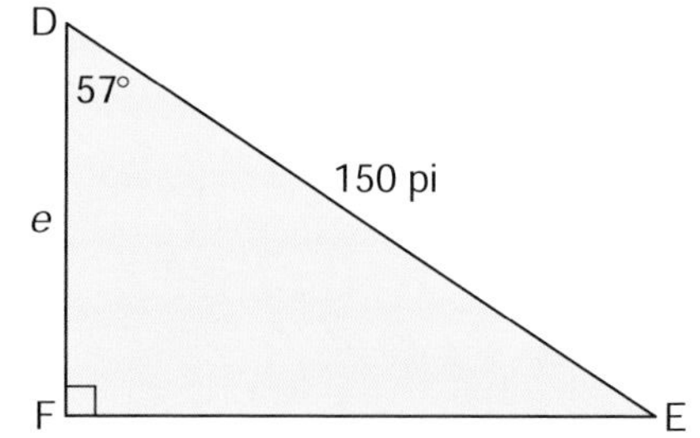

b) Environ 3 m.

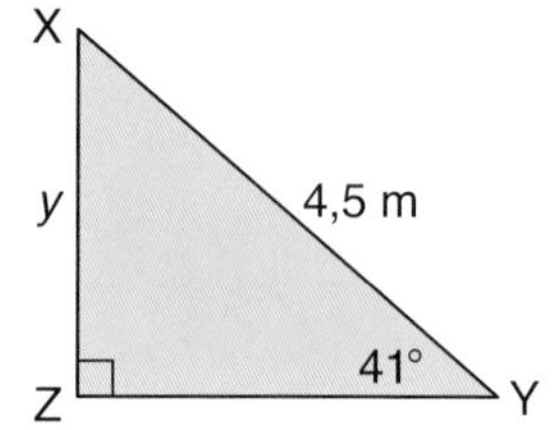

c) Environ 18 cm.

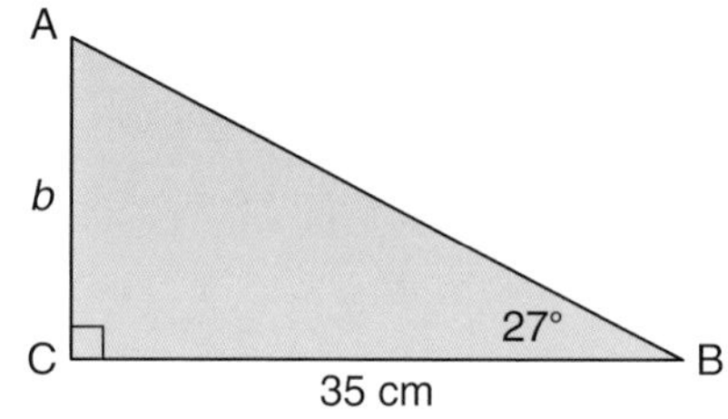

4. 32,2 m

5. **a)** **I)** Utiliser le cosinus parce que le rapport $\frac{15}{y}$ correspond à cos 50°.
II) 23 pi
b) **I)** Utiliser le sinus parce que le rapport $\frac{23}{s}$ correspond à sin 62°.
II) 26 m
c) **I)** Utiliser la tangente parce que le rapport $\frac{8}{f}$ correspond à tan 35°.
II) 11 cm

6. 11 pi

7. **a)** Environ 2,4 km et 4 km.
b) Les réponses seront variées. Par exemple : Déterminer la longueur d'un côté à l'aide d'un rapport trigonométrique, puis celle d'un autre côté à l'aide du théorème de Pythagore.
c) Les réponses seront variées. Par exemple : Pour déterminer le deuxième côté, je préfère utiliser un rapport trigonométrique parce qu'il comprend moins d'étapes que le théorème de Pythagore.

8. Environ 3,9 km de la première tour et environ 6,3 km de la seconde.

9. a) 6 pi 11 po

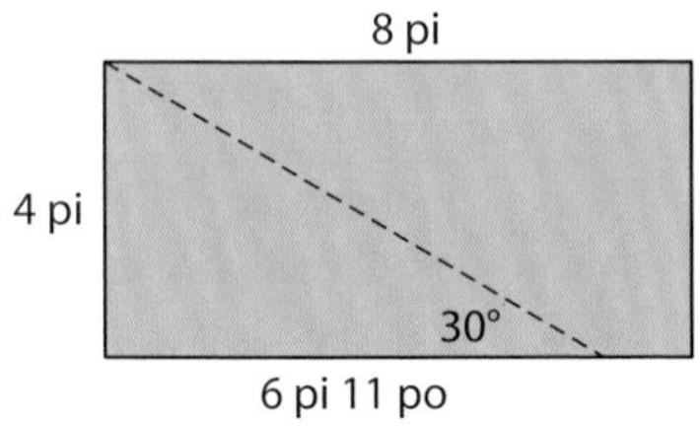

b) Les réponses seront variées. Par exemple :

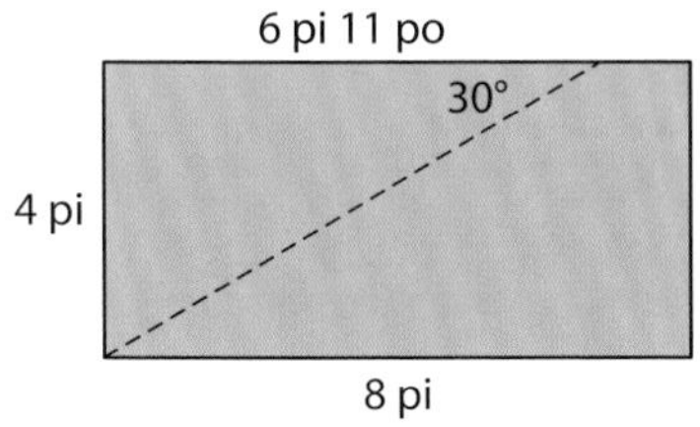

1.2 Les angles des triangles rectangles, page 15

1. a) $\tan A = \frac{47}{114}$ $\angle A = 22°$

b) $\tan A = \frac{2,6}{1,5}$ $\angle A = 60°$

c) $\tan A = \frac{3,7}{3,1}$ $\angle A = 50°$

2. a) $\angle P = 63°$

b) $\angle Y = 55°$

c) $\angle F = 33°$

3. a) Utiliser la tangente parce qu'on connaît les longueurs des côtés opposé et adjacent.
$\angle A = 35°$

b) Utiliser le cosinus parce qu'on connaît les longueurs du côté adjacent et de l'hypoténuse.
$\angle T = 60°$

c) Utiliser le cosinus parce qu'on connaît les longueurs du côté adjacent et de l'hypoténuse.
$\angle X = 58°$

d) Utiliser le sinus parce qu'on connaît les longueurs du côté opposé et de l'hypoténuse.
$\angle Z = 15°$

4. $\angle A = 37°$

5. 45°

6. a) $\angle B = 75°$

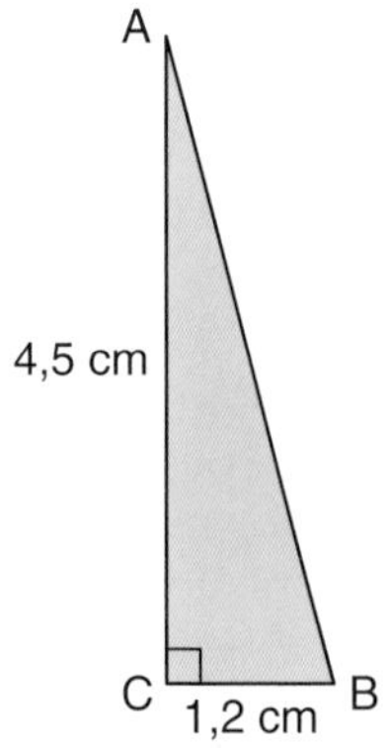

b) $\angle D = 28°$

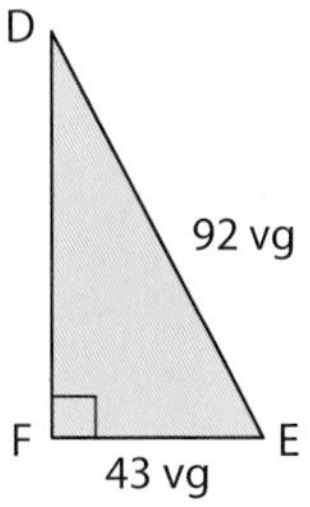

c) $\angle N = 59°$

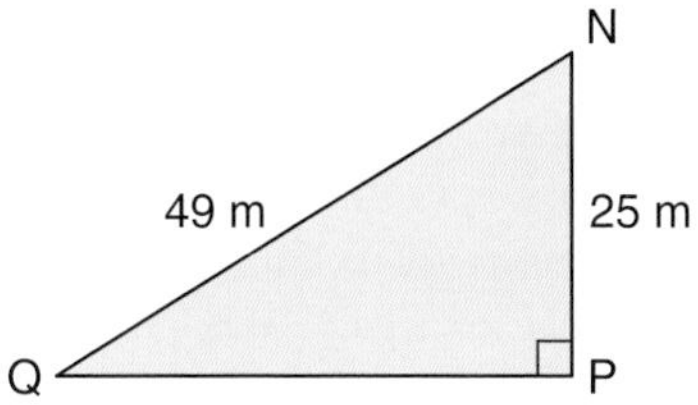

7. 306°

8. 52°

9.

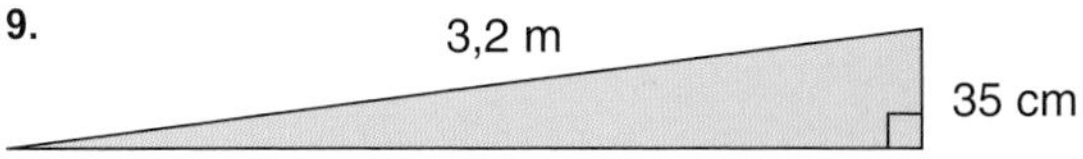

Utiliser la touche TAN^{-1} de la calculatrice pour déterminer que l'angle d'inclinaison de la rampe est d'environ 6,2°.

a) Oui ; 6,2° < 7,1°.

b) Non ; 6,2° > 4,8°.

10. a) 1,4°

b) Les problèmes seront variés. Par exemple :
Quelle est la mesure de l'angle formé par le haut du chemin de fer et la verticale ?
Réponse : $\tan A = \frac{25\,000}{600}$, donc $\angle A = 89°$.

c) Les réponses seront variées.

d) Les réponses seront variées.

11. Le premier câble forme un angle de 77° avec le sol. Le second forme un angle de 65° avec le sol. L'angle formé par les deux câbles est donc de 12°.

1.4 Appliquer la loi des sinus, page 25

1. **a)** 2,8 **b)** 6,6
c) 10,5

2. Environ 189 pi.

3. **a)** $x = 23$ po $y = 18$ po
b) $d = 260$ km $f = 190$ km
c) $a = 1,6$ cm $c = 2,6$ cm

4. La réponse sera l'une des suivantes :
a) Déterminer ∠X en soustrayant les deux angles connus de 180°. Déterminer ensuite x et y à l'aide de la loi des sinus.
b) Déterminer ∠D en soustrayant les deux angles connus de 180°. Déterminer ensuite d et f à l'aide de la loi des sinus.
c) Déterminer ∠B en soustrayant les deux angles connus de 180°. Déterminer ensuite a et c à l'aide de la loi des sinus.

5. **a)** Le pont doit enjamber 7 m.
b) Elle devrait commander le pont de 7,25 m.

6. **a)** ∠C = 46° **b)** ∠C = 44°
c) ∠C = 57°

7. **a)** ∠B = 40° ∠A = 58°
b) ∠D = 41° ∠F = 71°
c) ∠X = 78° ∠Y = 77°

8. La réponse sera l'une des suivantes :
a) Déterminer ∠B à l'aide de la loi des sinus, puis ∠A en soustrayant de 180°.
b) Déterminer ∠D à l'aide de la loi des sinus, puis ∠F en soustrayant de 180°.
c) Déterminer ∠X à l'aide de la loi des sinus, puis ∠Y en soustrayant de 180°.

9. **a)** 392 pi
b) Utiliser la loi des sinus pour calculer la mesure de l'angle opposé au côté de 400 pi. Puis, déterminer la mesure du troisième angle en soustrayant les deux angles connus de 180°.

10. **a)**

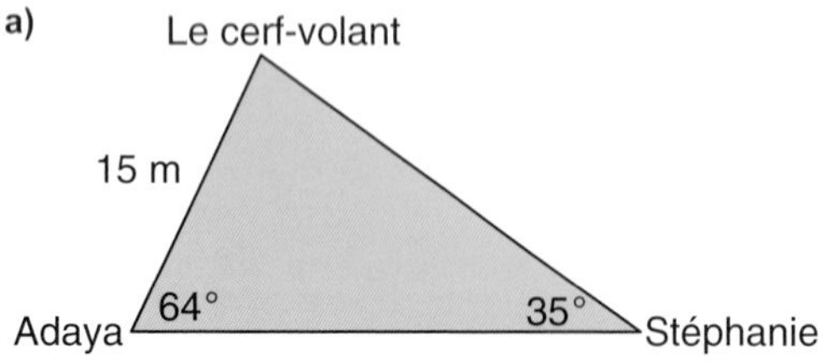

b) Environ 26 m.

Chapitre 1 – Révision de mi-chapitre, page 29

1. **a)** Le sinus, parce que le rapport $\frac{a}{3,5}$ correspond à sin 37°.
$a = 2,1$ cm
b) La tangente, parce que le rapport $\frac{1,5}{z}$ correspond à tan 39°.
$z = 1,9$ mm

2. Environ 100 pi.

3. **a)** $\sin A = \frac{14}{29}$. À l'aide de la touche SIN^{-1} de la calculatrice, ∠A = 29°.
b) $\tan X = \frac{12}{17}$. À l'aide de la touche TAN^{-1} de la calculatrice, ∠X = 35°.

4. Environ 36°.

5. **a)** ∠A = 61° **b)** ∠A = 52°

1.6 Appliquer la loi du cosinus, page 35

1. **a)** **III)** Parce que ∠C et les côtés a et b sont donnés.
b) **II)** Parce que ∠B et les côtés a et c sont donnés.
c) **I)** Parce que ∠A et les côtés b et c sont donnés.

2. **a)** $a^2 = b^2 + c^2 - 2bc \cos A$, parce que ∠A et les côtés b et c sont donnés.
b) $m^2 = k^2 + n^2 - 2kn \cos M$, parce que ∠M et les côtés k et n sont donnés.
c) $r^2 = p^2 + q^2 - 2pq \cos R$, parce que ∠R et les côtés p et q sont donnés.

3. **a)** Environ 26 cm.
b) Environ 1,25 m.
c) Environ 146 pi.

4. Environ 6,2 km.

5. **a)** $a^2 = b^2 + c^2 - 2bc \cos A$, ∠A = 64°.
b) $b^2 = a^2 + c^2 - 2ac \cos B$, ∠B = 62°.
c) $c^2 = a^2 + b^2 - 2ab \cos C$, ∠C = 85°.

6. En trouvant la mesure de ∠C à l'aide de l'équation $c^2 = a^2 + b^2 - 2ab \cos C$.

7. **a), b), c), d)** Les problèmes seront variés mais devraient faire appel à la loi du cosinus. Par exemple : Déterminer la mesure de ∠A à l'aide des longueurs des trois côtés.
Réponse : $\frac{\sin 73}{2,5} = \frac{\sin A}{1,9}$, donc ∠A = 47°.

8. **a)** Environ 137 vg.
b) Non, parce que 121 vg est inférieur à la distance de 137 vg. La balle sera à 16 vg du trou.
c) À l'aide de la loi du cosinus, $t^2 = h^2 + b^2 - 2hb \cos T$, déterminer t quand h, b et ∠T sont donnés. (T représente le tertre de départ, B, l'endroit où la balle atterrit, et H, le trou.)

9. **a)** ∠ATB = 75°
b) Environ 281 km.

10. **a)** ∠FTS = 85°
b) Environ 9,7 mi.

11. Les réponses seront variées mais devraient comprendre certains des éléments suivants. La loi du cosinus et le théorème de Pythagore établissent tous deux des relations entre les carrés des trois côtés d'un triangle.

Le théorème de Pythagore ne concerne que les triangles rectangles, alors que la loi du cosinus s'applique à tous les triangles. La loi du cosinus comprend un terme que le théorème de Pythagore ne comporte pas, à savoir $2ab \cos C$. On peut considérer la loi du cosinus comme une généralisation du théorème de Pythagore dans laquelle ∠C peut représenter des angles autres que de 90°.

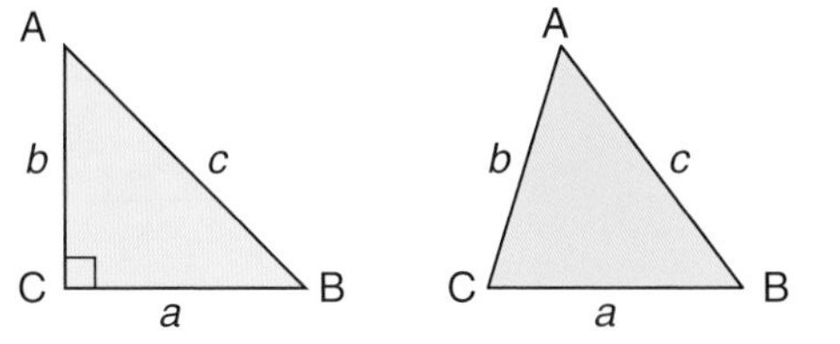

$c^2 = a^2 + b^2$ $\qquad$ $c^2 = a^2 + b^2 - 2ab \cos C$

1.7 La loi des sinus et la loi du cosinus, page 42

1. $b = 6{,}7$ m $\qquad$ ∠D = 55°
$z = 6{,}9$ m $\qquad$ ∠Q = 56°

2. **a)** $\cos Q = \dfrac{p^2 + r^2 - q^2}{2pr}$

b) $\cos R = \dfrac{p^2 + q^2 - r^2}{2pq}$

c) $\cos P = \dfrac{q^2 + r^2 - p^2}{2qr}$

3. **a)** La loi des sinus, parce que deux angles et une longueur de côté sont donnés.

b) La loi du cosinus, parce qu'on connait les longueurs de tous les côtés mais aucune mesure d'angle.

4. **a)** ∠A = 38°

b) La loi du cosinus ne peut pas être utilisée directement, mais elle peut servir à déterminer la longueur du côté c. On détermine ensuite la mesure de ∠A à l'aide de la loi des sinus.

c) ∠A = 52°

5. **a)** $\cos B = \dfrac{a^2 + c^2 - b^2}{2ac}$ ∠B = 77°

b) $\dfrac{\sin C}{c} = \dfrac{\sin B}{b}$ ∠C = 35°

c) $c^2 = a^2 + b^2 - 2ab \cos C$; $c = 99$ vg.

6. L'avion doit parcourir environ 356 km. Les solutions seront variées. Par exemple : Utiliser la loi des sinus deux fois ; d'abord, pour déterminer ∠A, puis pour déterminer la longueur de d après avoir calculé ∠D.

7. ∠CBD = 63°, ∠CDB = 71°, $d = 60$ cm, $b = 59$ cm

8. **a)** 0,64 m

b) 1,1 m

9. **a)** Environ 35 pi de hauteur.

b)

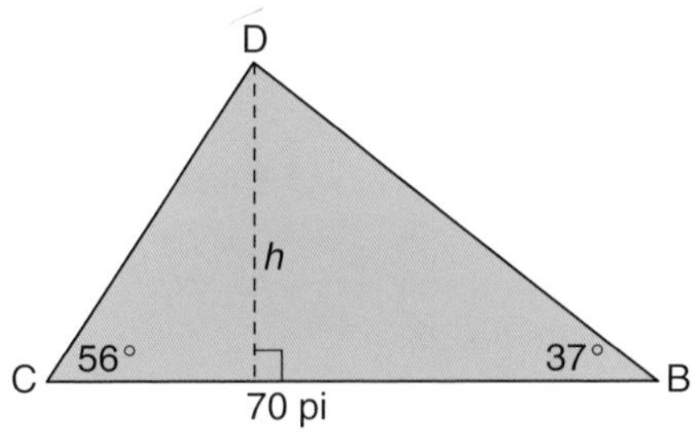

Dans le schéma, h représente la hauteur du phare, D, le sommet du phare, B, Benjamin, et C, Chloé. On soustrait les mesures de ∠C et de ∠B de 180° pour déterminer la mesure de ∠D.
On détermine la longueur du côté c ou du côté b à l'aide de la loi des sinus.
On utilise ensuite le sinus pour déterminer h.

Chapitre 1 – Révision, page 46

1. **a)** $\sin 34° = \dfrac{2{,}5}{b}$, donc $b = 4{,}5$ cm.

$\tan 34° = \dfrac{2{,}5}{c}$, donc $c = 3{,}7$ cm.

b) $\cos 51° = \dfrac{15}{q}$, donc $q = 24$ m.

$\tan 51° = \dfrac{r}{15}$, donc $r = 19$ m.

2. **a)**

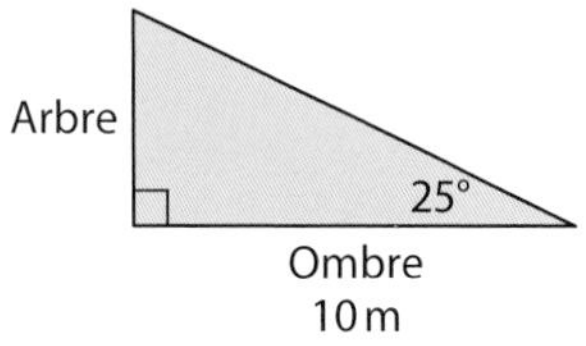

b) Utiliser la tangente. L'arbre mesure environ 4,7 m de hauteur.

3. $\sin X = \dfrac{10}{23}$, donc ∠X = 26°.

$\cos Z = \dfrac{10}{23}$, donc ∠Z = 64°.

4. **a)** ∠B = 75°, $a = 11$ cm, $c = 18$ cm.

b) ∠B = 78°, ∠A = 72°, $a = 1{,}84$ cm.

5. Le feu se trouve à environ 16 km de René et à environ 11 km de Micheline.

6. **a)** ∠A = 66°, ∠B = 87°, ∠C = 27°.

b) $p = 4{,}4$ cm, ∠Q = 67°, ∠R = 81°.

7. Environ 4,6 km séparent les autobus.

8. Environ 42°.

9. Environ 33 m de longueur. On utilise la loi des sinus, parce que deux angles et une longueur de côté sont donnés.

10. **a)** L'angle de dépression du puits de 2,5 km est 41°. On utilise la loi du cosinus parce que trois longueurs de côtés sont données.
L'angle de dépression du puits de 2,1 km est 51°. On utilise la loi du cosinus parce que trois longueurs de côtés sont données.

b) À environ 1,6 km de profondeur. On utilise le sinus de l'un ou l'autre des triangles rectangles, parce que l'angle de dépression et la longueur de l'hypoténuse sont donnés.

11. Environ 241 m de longueur. On utilise la loi du cosinus parce que les longueurs de deux côtés et l'angle qu'ils forment sont donnés.

Chapitre 1 – Test, page 48

1. B, parce que $\sin A = \frac{\text{longueur du côté opposé à } \angle A}{\text{longueur de l'hypoténuse}}$.

2. D, à l'aide de la loi des sinus : $\frac{a}{\sin A} = \frac{c}{\sin C}$.

3. Déterminer la mesure du côté b à l'aide de la loi du cosinus :

$b^2 = 11^2 + 12^2 - (2 \times 11 \times 12 \times \cos 35°)$

$b^2 = 48,7$

$b = 6,98$, donc b mesure environ 7 pi.

Déterminer la mesure de ∠A à l'aide de la loi des sinus :

$\frac{\sin A}{11} = \frac{\sin 35°}{7}$, donc $\angle A = 65°$.

On soustrait les angles connus de 180° pour déterminer la mesure de ∠C :

$\angle C = 180° - 35° - 65° = 80°$

4. On utilise la loi du cosinus lorsque trois côtés sont donnés ou que deux côtés et l'angle qu'ils forment sont donnés.

On utilise la loi des sinus lorsque deux angles et un côté sont donnés ou que deux côtés et un angle qui leur est opposé sont donnés.

Les exemples seront variés.

5. $\angle S = 92° - 41° = 51°$

$s^2 = 2,0^2 + 2,8^2 - (2 \times 2,0 \times 2,8 \times \cos 51°)$

$s = 2,2$

Les balises se trouvent à environ 2,2 km l'une de l'autre.

6.

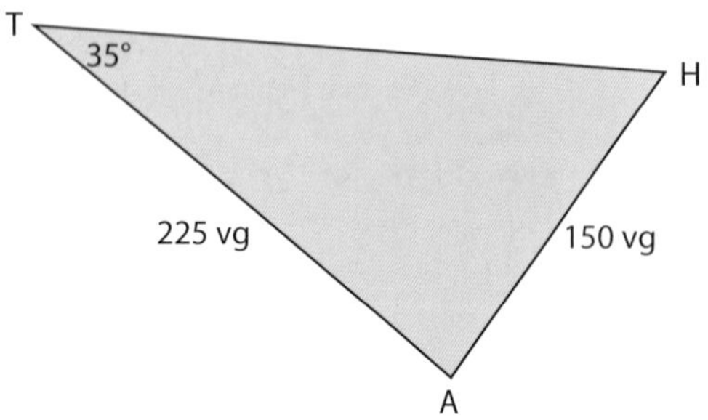

Soit ∠H, l'angle situé au trou, ∠T, l'angle situé au tertre de départ, et ∠A, le troisième angle.

$\frac{\sin H}{225} = \frac{\sin 35°}{150}$, donc $\angle H = 59°$.

$\angle A = 180° - 59° - 35° = 86°$

$\frac{a}{\sin 86°} = \frac{150}{\sin 35°}$, donc $a = 261$.

Environ 261 vg.

Chapitre 2 : La géométrie

Connaissances préalables
Reconnaître et décrire des formes et des figures, page 50

1. a) Un prisme rectangulaire. Les réponses varieront.

b) Une pyramide à base carrée. Les réponses varieront.

2.

	Prisme triangulaire	Pyramide pentagonale	Cube
Nombre de faces	5	6	6
Description des faces	2 triangles 3 rectangles	5 triangles 1 pentagone	6 carrés
Nombre de sommets	6	6	8
Nombre d'arêtes	9	10	12

3. Les réponses seront variées. Par exemple, un cône et une pyramide ont tous deux une base et un sommet opposé à cette base. La base d'un cône est toujours circulaire. Une pyramide a pour base un polygone régulier et pour faces latérales des triangles.

Les développements, page 51

1. a) Une pyramide à base carrée. Cette pyramide possède une base carrée et quatre faces triangulaires qui ont un sommet commun. Les dessins varieront. Par exemple :

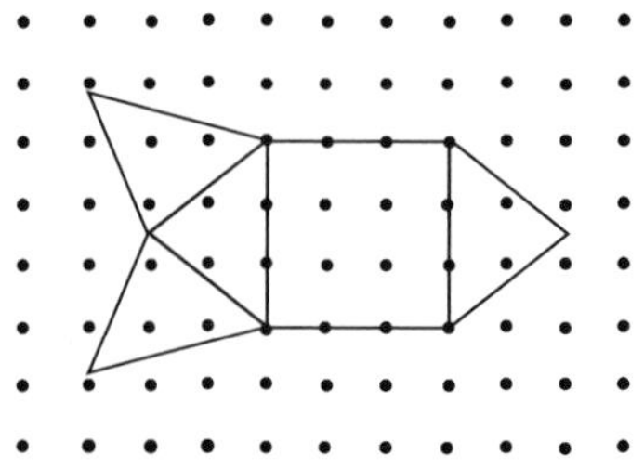

b) Un prisme hexagonal. Ce prisme possède deux faces hexagonales et six faces rectangulaires. Les dessins varieront. Par exemple :

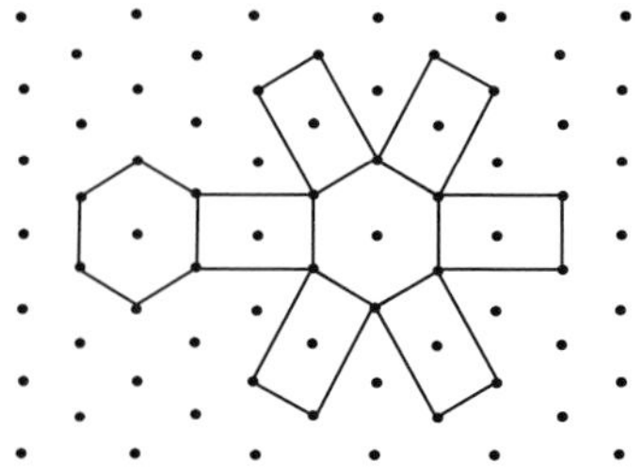

2. J'ai dessiné deux développements. Je sais que je les ai tous dessinés, parce que j'ai d'abord représenté une première face. J'ai tenté de relier cette face de toutes les façons aux trois autres pour former un tétraèdre. Voici l'autre développement :

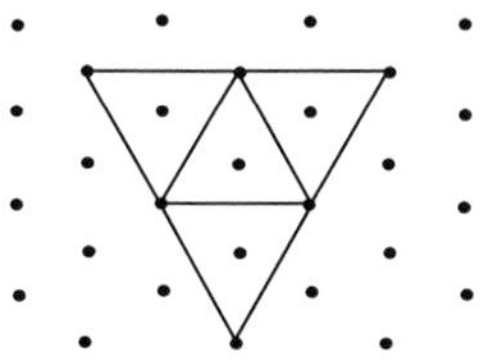

Interpréter des dessins à l'échelle, page 52

1. **a)** 6 m × 4 m
   b) 24 m^2
   c) 8 m^2
2. L'échelle 1 : 3, où 1 cm représente 3 cm. La taille minimale de la feuille de papier est de 21 cm. J'ai divisé 60 par 21 pour obtenir 2,857. J'ai ensuite arrondi la réponse pour faire tenir le dessin sur la feuille de papier.
3. L'échelle des questions 1 et 2 fait paraître le dessin plus petit qu'il l'est en réalité. Dans le dessin à l'échelle de la fourmi, l'échelle fait paraître la fourmi plus grosse qu'elle l'est en réalité.

2.1 La géométrie et toi, page 54

1. **a)** Une roue est de forme circulaire et n'a aucun sommet. Donc, une roue peut tourner librement.
   b) Les réponses varieront. Par exemple : Non, tous les polygones ont des sommets. Donc, une roue de forme polygonale ne peut pas tourner librement.
2. **a)**

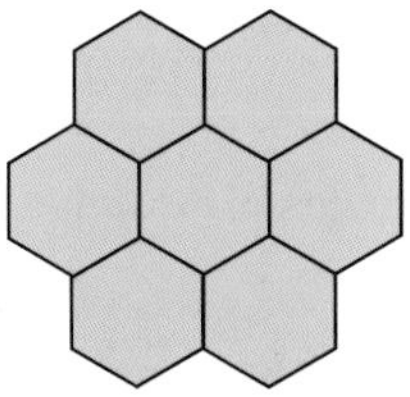

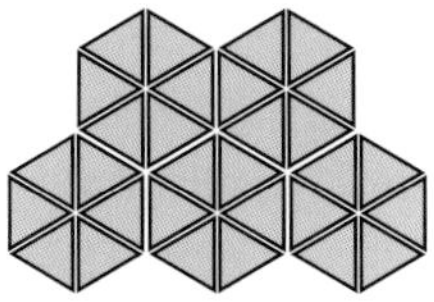

   b) Les réponses varieront. Par exemple : Une alvéole en forme d'hexagone compte moins de cellules qu'une alvéole de taille identique formée de triangles. Il serait plus facile de disposer en couches une alvéole en forme d'hexagone, en raison de la forme en saillie de la partie supérieure de l'hexagone. Cette forme d'alvéole est aussi plus stable.
3. **a)** Les réponses varieront. Par exemple : Certains emballages de céréales sont en forme de prisme rectangulaire.
   Parce que l'emballage en forme de prisme rectangulaire facilite le transport de certains produits et qu'il est facile à disposer dans un présentoir.
   b) Les réponses varieront. Par exemple : L'eau embouteillée se vend généralement dans des cylindres. Pour un volume donné, un cylindre occupe une moins grande surface qu'un prisme rectangulaire. Comme la fabrication d'un cylindre nécessite moins de matériaux, l'embouteillage est moins coûteux.
   c) Les réponses varieront. Par exemple : Parce que l'entreprise désire attirer l'attention des consommateurs ou parce que le produit doit être présenté dans un emballage particulier pour être employé convenablement. Peu de produits sont vendus sous cette forme, parce que la fabrication de l'emballage nécessite plus de matériaux et qu'elle est plus coûteuse, et parce que ce type d'emballage nécessite plus d'espace au cours du transport.
4. **a)** **III)** L'ouverture entre les pattes permet d'empiler les chaises.
   b) **II)** Grâce à la forme en croix et aux charnières, il est possible de plier la chaise.
   c) **I)** On peut démonter les pièces ; les cylindres étant de différentes tailles, ils peuvent s'emboîter, ce qui facilite leur entreposage.

2.2 Représenter des objets bidimensionnels, page 59

1. **a)** C, E : C est une vue de dessus ; E est une vue de côté.
   b) A, D : A est une vue de face ; D est une vue de dessus.
   c) B, C : C est une vue de face ; B est une vue de côté.
2. Les réponses varieront selon le bâtiment et les matériaux.

3. Vue de dessus

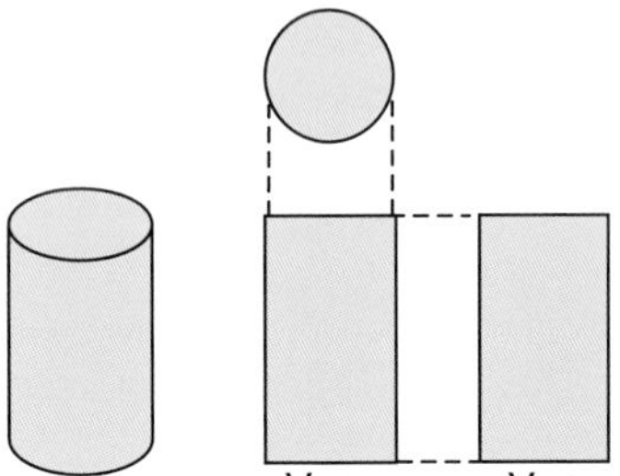

Les vues de face et de côté du dessin orthographique semblent identiques.

4. Les réponses varieront selon l'objet et le matériel.
5. Les réponses varieront selon l'objet et le matériel.
6. **a)** Les réponses seront variées.
   b) Les réponses varieront. Par exemple : Le dessin pourrait représenter un cadre de lit.
   c) Les réponses varieront. Par exemple : Un dessin isométrique éclaté accompagnant les instructions d'assemblage d'un modèle serait fort utile.

Chapitre 2 – Révision de mi-chapitre, page 68

1. **a)** Un cône.
   b) La largeur du chapeau crée une ombre assez grande pour se protéger du soleil. Par temps pluvieux, la forme conique du chapeau permet de rester au sec, l'eau s'écoulant le long des parois.
   c) Les réponses varieront.
2. Les réponses varieront selon l'objet.
3. Vue de dessus

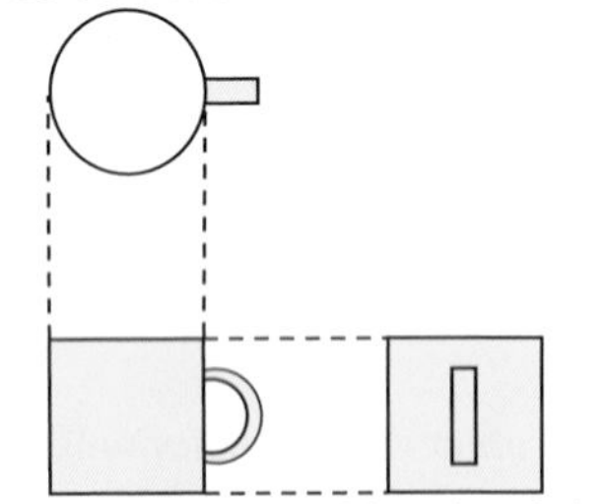

4. **a)** Ce sont tous des dessins orthographiques.
   b) A : boulon ordinaire.
   B : boulon à tête hexagonale.
   C : boulon ordinaire.
   D : boulon à tête hexagonale.
   E : vis à tête hexagonale.

2.4 Construire des modèles à l'aide de développements et de patrons, page 71

1. A et D ont le nombre de faces nécessaires pour former un cube, et ces faces sont bien disposées. C et E ont 6 faces, mais ces faces sont mal disposées. B et F ont respectivement 7 et 5 faces.
3. Les réponses varieront selon l'objet et selon que l'élève dessine un développement ou un patron.
4. Les réponses varieront selon l'objet.
5. **a)** Les réponses varieront ; par exemple, un rayon de 3 cm et une hauteur de 8 cm.
   b) La partie inférieure et la partie supérieure de la boîte sont de forme circulaire, alors que le côté forme un rectangle. On peut intégrer le rectangle au cylindre qui relie la partie supérieure et la partie inférieure de la boîte.
   c) Les réponses seront variées. Un patron serait plus approprié en raison du processus de fabrication des boîtes de conserve.

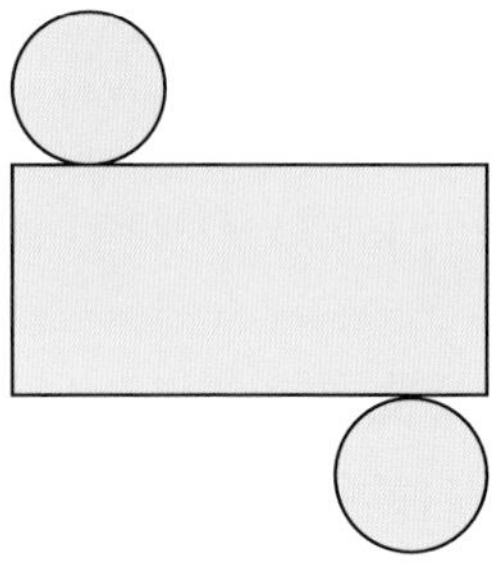

   d) J'ai fait le même choix qu'en c) ; l'échelle est cependant plus petite.
6. **a)** II)
   b) III)
   c) I)

2.6 Dessiner et construire des plans, page 84

1. **a)** 5 cm
   b) 0,5 cm
   c) 8,5 cm
2. **a)** Les réponses varieront. Par exemple, 3 po : 8 pi.
   b) Les réponses varieront. Les dimensions à l'échelle sont : 6 po × 8,25 po.
3. **a)** Les réponses varieront. Par exemple, 4 cm : 1 m.
   b) Les réponses varieront. Les dimensions à l'échelle sont : 14 cm × 20,8 cm.
4. Les réponses varieront selon les objets et le matériel.
5. Les réponses varieront. Les dessins varieront selon les meubles et l'unité de mesure.
6. **a)** Les réponses varieront selon la taille du dessin. Pour le dessin dans le manuel : 1,9 cm ; pour l'agrandissement présenté à la fiche reproductible 2.3 : 2,6 cm.

b) 1,9 cm : 13 m. J'ai divisé les deux côtés par 1,9 ; 1 cm représente 7 m.

c) I) 12 m

II) Voiture A, 10 m ; voiture B, 6 m.

Chapitre 2 – Révision, page 90

1. **a)** I) Un cerf-volant. Un cerf-volant ressemble à un losange.

II) Une brique de forme irrégulière. Une telle brique ressemble à un prisme trapézoïdal.

b) I) Les réponses varieront. Par exemple : Un cerf-volant ne peut pas être lancé et brisé en raison de la présence de ses sommets.

II) Les réponses varieront. Par exemple : La brique étant plate et en forme de trapèze, il est facile de la faire tenir sur une surface plane et de l'empiler.

2. **a)** I) Isométrique.

II) Isométrique.

III) Orthographique.

b) I) Un prisme triangulaire ; une face triangulaire est jointe à une face congruente par des rectangles.

II) Un prisme rectangulaire. Les rectangles ont été reliés pour former une boîte.

III) Une pyramide à base carrée. Les vues de face et de côté montrent les faces triangulaires de la pyramide. La vue de dessus montre le sommet et la base de la pyramide.

3. Les réponses varieront selon l'objet et le matériel.

4. Les réponses varieront selon l'objet.

5. **a)** Un développement d'un prisme triangulaire. Il y a deux faces triangulaires congruentes et trois faces rectangulaires congruentes.

b) Un patron d'un cylindre. Il y a deux bases circulaires congruentes et un rectangle dont la largeur est égale à la circonférence des cercles.

c) Un développement d'un prisme rectangulaire. Il y a trois paires de faces rectangulaires congruentes. Ces faces seront opposées quand le développement sera plié.

6. Les réponses varieront.

7. Les réponses varieront.

8. **a)** 5 po, parce que 25 pi = 300 po, et 300 ÷ 60 = 5.

b) 9 po, parce que 45 pi = 540 po, et 540 ÷ 60 = 9.

c) 0,9 m, parce que 54 ÷ 60 = 0,9.

d) 0,3 m, parce que 18 ÷ 60 = 0,3.

9. Les réponses varieront. Par exemple :

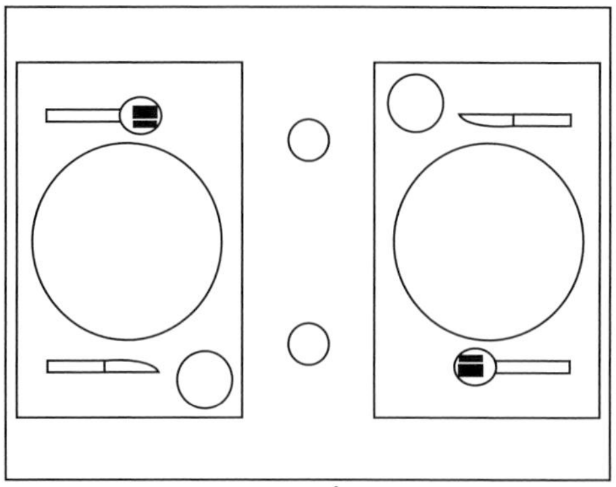

Échelle : 1 po = 8 po

10. Les réponses seront variées. Par exemple : Supposons que l'entreprise désire que son nouvel emballage ressemble aux emballages en forme de prisme rectangulaire du marché. Dans ce contexte, le nouvel emballage devrait mesurer 15 cm de largeur, 20 cm de hauteur et 5 cm de profondeur.

Chapitre 2 – Test, page 92

1. C, parce que le développement possède une face à quatre côtés et quatre faces triangulaires.

2. B, soit 360 ÷ 20 = 18 ; soit 400 ÷ 20 = 20.

3. **a)** Un prisme triangulaire. Il possède deux faces triangulaires et trois faces rectangulaires.

b) Un prisme rectangulaire. Les trois paires de faces du prisme sont des rectangles congruents.

d) Un cylindre. Il possède deux bases circulaires congruentes reliées à un rectangle, dont la longueur est égale à la circonférence des cercles.

4. **a)** Un prisme rectangulaire.

b) et **c)** Les réponses varieront selon la boîte.

5. Les réponses varieront. Par exemple :

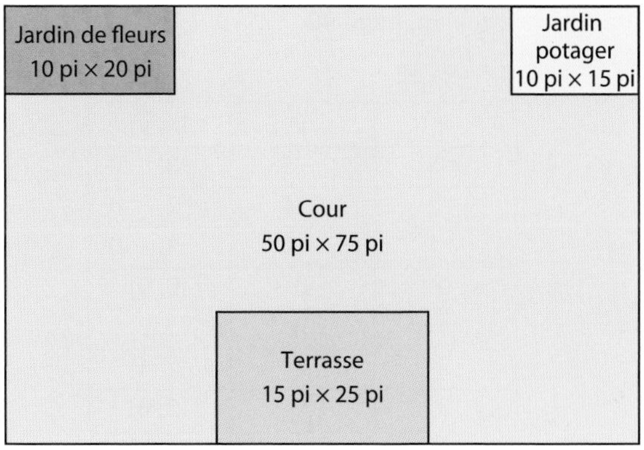

6. Les réponses varieront. Par exemple, si l'entreprise désire le plus petit emballage possible, la boîte devrait ressembler à un cube. Les dimensions pourraient être de 10 cm × 10 cm × 7,5 cm.

Chapitre 3 : Les fonctions du second degré

Connaissances préalables
Les opérations sur les nombres entiers, page 94

1. **a)** 5 **b)** -2
c) -12 **d)** 1
e) 33 **f)** -40
g) -16 **h)** 3

2. **a)** 1, 8 ; -1, -8 ; 2, 4 ; -2, -4
b) 1, 12 ; -1, -12 ; 2, 6 ; -2, -6 ; 3, 4 ; -3, -4
c) -1, 8 ; 1, -8 ; -2, 4 ; 2, -4
d) -1, 12 ; 1, -12 ; -2, 6 ; 2, -6 ; -3, 4 ; 3, -4

3. $(-4)(-2)(-5) = -40$
$(9)(-1)(7) = -63$
Le produit est positif si le nombre de facteurs négatifs est pair ; il est négatif si le nombre de facteurs négatifs est impair.

Le développement et la factorisation d'une expression, page 95

1. **a)** $3x - 21$ **b)** $56x^2 + 63x$
c) $-27x + 12x^2$ **d)** $-2x^2 + 8$
e) $2x^2 + 10x$ **f)** $-30x^2 - 5$

2. **a)** 5 **b)** 4 **c)** 4

3. **a)** $5(x + 3)$ **b)** $4(3x^2 - 1)$
c) $4(3x^2 + 4x + 5)$

4. **a)** $3(x - 7)$ **b)** $7(8x + 9)$
c) $3x(-9 + 4x)$ **d)** $2(4x^2 - 5)$
e) $9(x - 4)$ **f)** $2(x^2 - 2x + 3)$

5. Les réponses varieront. Par exemple : La factorisation et le développement sont des opérations contraires. La factorisation est l'opération inverse du développement, et le développement est l'opération inverse de la factorisation.

La représentation graphique des fonctions sur un plan cartésien, page 96

1. **a)** $y = 2x$

x	y	(x, y)
−3	−6	(−3, −6)
−2	−4	(−2, −4)
−1	−2	(−1, −2)
0	0	(0, 0)
1	2	(1, 2)
2	4	(2, 4)
3	6	(3, 6)

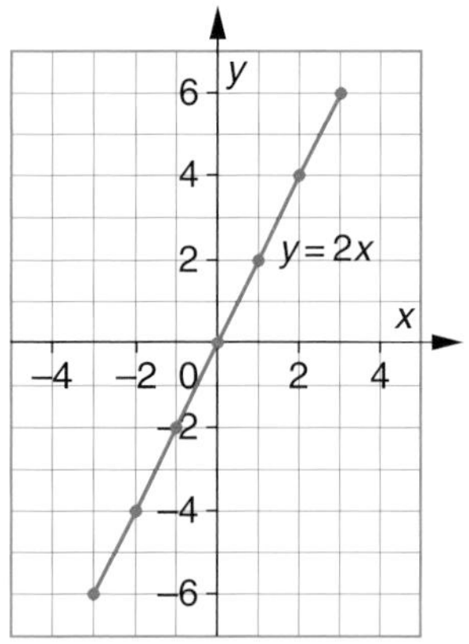

b) $y = x - 1$

x	y	(x, y)
−3	−4	(−3, −4)
−2	−3	(−2, −3)
−1	−2	(−1, −2)
0	−1	(0, −1)
1	0	(1, 0)
2	1	(2, 1)
3	2	(3, 2)

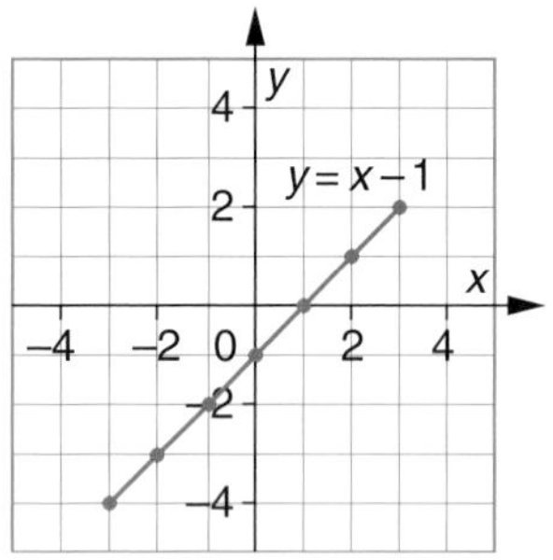

c) $y = -x + 3$

x	y	(x, y)
−3	6	(−3, 6)
−2	5	(−2, 5)
−1	4	(−1, 4)
0	3	(0, 3)
1	2	(1, 2)
2	1	(2, 1)
3	0	(3, 0)

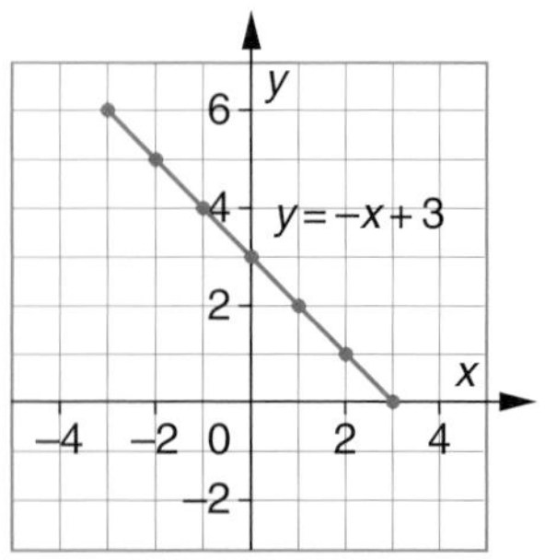

d) $y = 2x^2$

x	*y*	(*x*, *y*)
−3	18	(−3, 18)
−2	8	(−2, 8)
−1	2	(−1, 2)
0	0	(0, 0)
1	2	(1, 2)
2	8	(2, 8)
3	18	(3, 18)

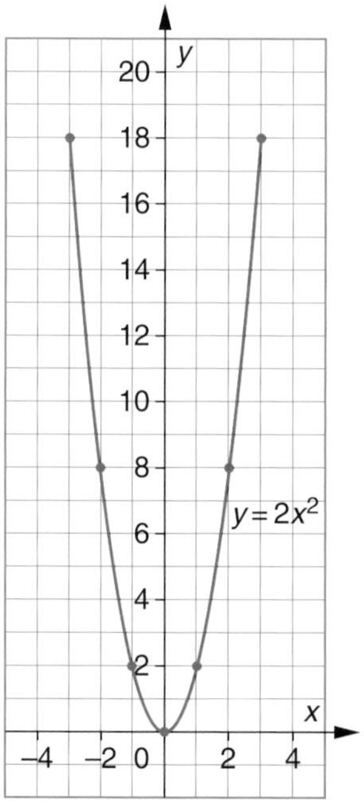

e) $y = (x - 1)^2$

x	*y*	(*x*, *y*)
−3	16	(−3, 16)
−2	9	(−2, 9)
−1	4	(−1, 4)
0	1	(0, 1)
1	0	(1, 0)
2	1	(2, 1)
3	4	(3, 4)

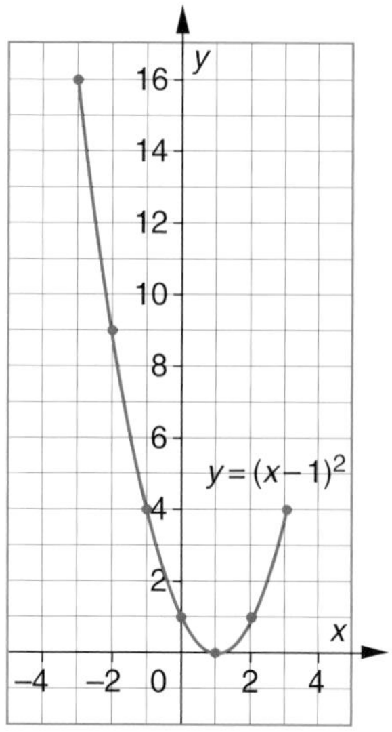

f) $y = -x^2 + 3$

x	*y*	(*x*, *y*)
−3	−6	(−3, −6)
−2	−1	(−2, −1)
−1	2	(−1, 2)
0	3	(0, 3)
1	2	(1, 2)
2	−1	(2, −1)
3	−6	(3, −6)

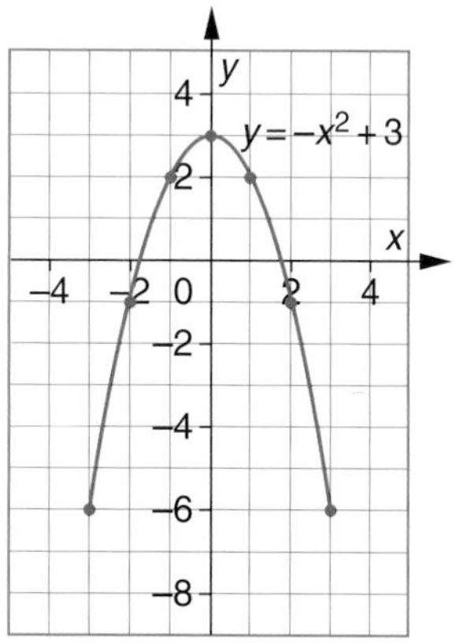

2. La représentation graphique d'une fonction est une droite si l'équation est de la forme $y = ax + b$.

3. a)

Verges cubes	Prix ($)
1	$40 + 1 \times 18 = 58$
2	$40 + 2 \times 18 = 76$
3	$40 + 3 \times 18 = 94$
4	$40 + 4 \times 18 = 112$
5	$40 + 5 \times 18 = 130$

b)

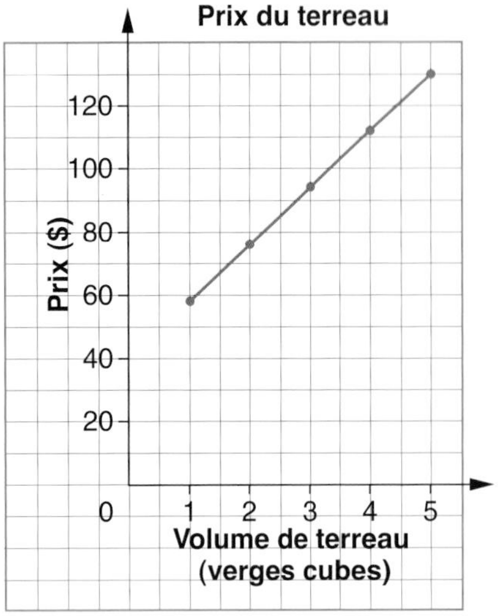

Les translations, page 97

1. a)

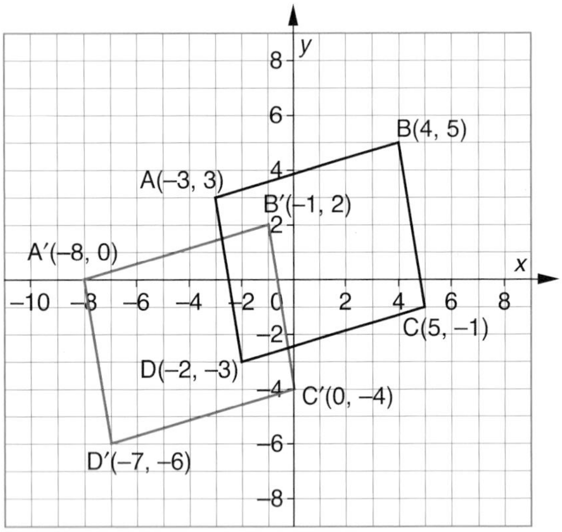

b) A′(−8, 0), B′(−1, 2), C′(0, −4), D′(−7, −6)
Les abscisses ont diminué de 5.
Les ordonnées ont diminué de 3.

c) L'image par translation de ce point est E′(−2, −1). À partir du point initial (3, 2), on soustrait 5 de l'abscisse et 3 de l'ordonnée.

2. L'image par translation et la figure initiale sont congruentes parce qu'elles ont la même forme et la même taille.

Les réflexions, page 98

1. a)

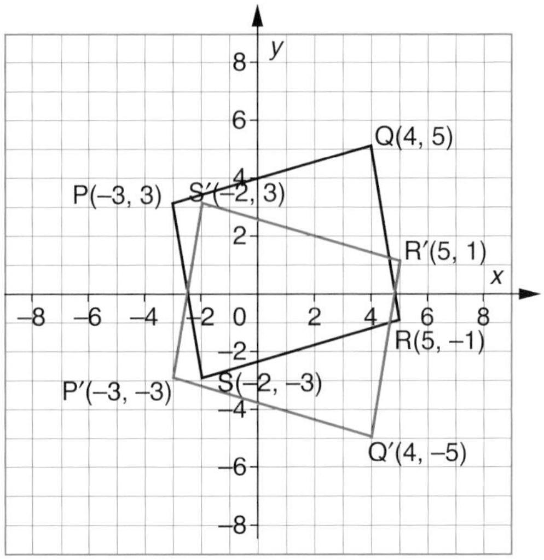

b) P′(−3, −3), Q′(4, −5), R′(5, 1), S′(−2, 3)
Les abscisses de l'image sont les mêmes que celles de la figure initiale. Les ordonnées de l'image sont les valeurs négatives de celles de la figure initiale. Les orientations des quadrilatères PQRS et P′Q′R′S′ sont contraires.

c) Le point obtenu par réflexion est T′(3, −2).
Son abscisse est la même que l'abscisse du point initial. Son ordonnée est la valeur négative de l'ordonnée du sommet initial.

2. L'image par réflexion et la figure initiale sont congruentes parce qu'elles ont la même forme et la même taille.

3.1 Modéliser les fonctions du second degré, page 102

1. a)

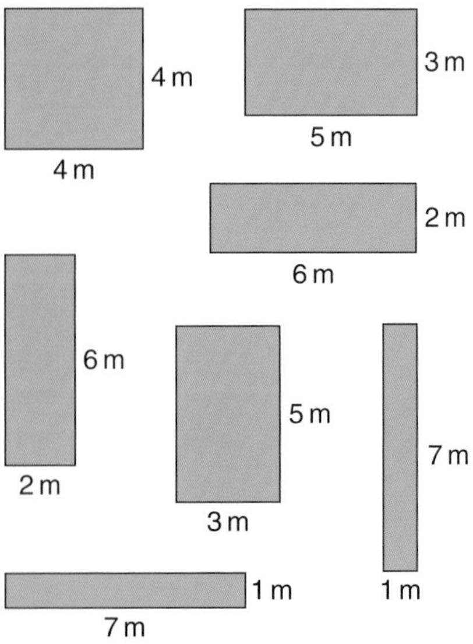

b)

Longueur du côté longeant le patio (m)	Longueur du côté adjacent (m)	Aire du jardin (m^2)
1	7	$1 \times 7 = 7$
2	6	$2 \times 6 = 12$
3	5	$3 \times 5 = 15$
4	4	$4 \times 4 = 16$
5	3	$5 \times 3 = 15$
6	2	$6 \times 2 = 12$
7	1	$7 \times 1 = 1$

c)

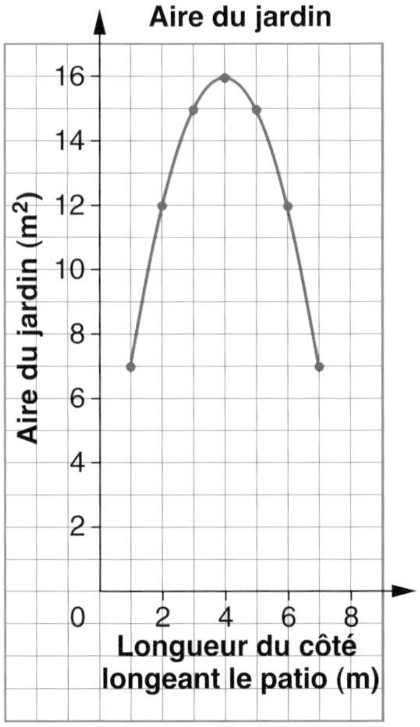

d) Le jardin le plus grand est un carré de 4 m de côté. Dans la table de valeurs, on doit repérer l'aire la plus grande. Dans le graphique, on doit repérer le sommet.

2. a)

Temps (s)	Hauteur (m)
0	20,00
0,5	18,75
1,0	15,00
1,5	8,75
2,0	0

b)

Temps (s)	Hauteur (m)	Premières différences	Deuxièmes différences
0	20,00		
		−1,25	
0,5	18,75		−2,5
		−3,75	
1,0	15,00		−2,5
		−6,25	
1,5	8,75		−2,5
		−8,75	
2,0	0		

Les deuxièmes différences entre la hauteur et le temps sont constantes ; la relation est donc une fonction du second degré.

c)

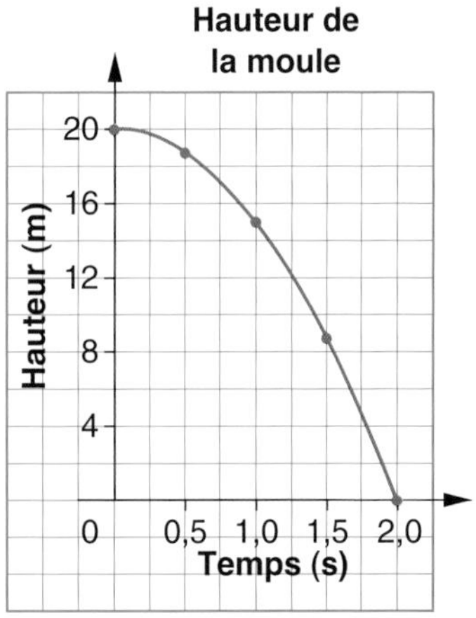

d) La moule est tombée d'une hauteur de 20 m. C'est la hauteur qu'indiquent la table de valeurs et le graphique à 0 s.

e) La moule touche le sol après 2 s. C'est le temps qu'indiquent la table de valeurs et le graphique à 0 m.

3. a) 1,5 m

b) 3 m

4. a)

Prix ($)	Nombre d'ornements vendus	Revenu ($)
2	800	1600
3	700	2100
4	600	2400
5	500	2500
6	400	2400
7	300	2100
8	200	1600
9	100	900
10	0	0

b)

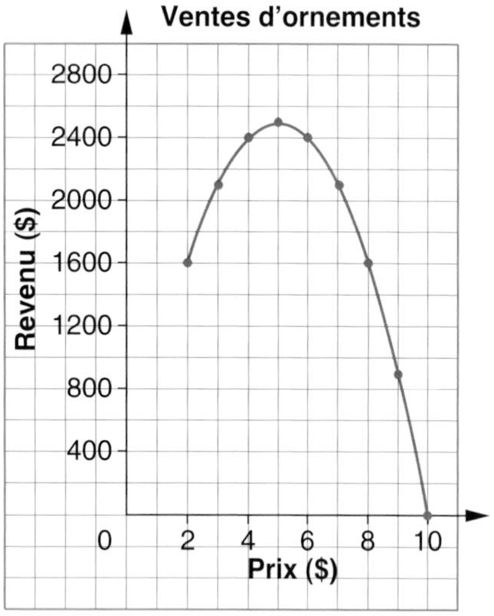

c) 5 $

5. a) Environ 30 m.
b) Environ 60 m.
c) Environ 70 m.
d) Environ 46 m.

6. Les réponses varieront. Par exemple : La plongeuse était à 3 m au-dessus de l'eau quand elle s'est élancée. Elle a atteint sa hauteur maximale de 4,8 m en 0,6 s. Elle est redescendue à 3 m 1,2 s après s'être élancée. Elle a touché l'eau 1,58 s après le début de son plongeon.

7. a)

Longueur de côté (cm)	Aire de chaque face (cm²)	Aire totale du cube (cm²)
1	$1^2 = 1$	$6 \times 1 = 6$
2	$2^2 = 4$	$6 \times 4 = 24$
3	$3^2 = 9$	$6 \times 9 = 54$
4	$4^2 = 16$	$6 \times 16 = 96$
5	$5^2 = 25$	$6 \times 25 = 150$
6	$6^2 = 36$	$6 \times 36 = 216$

b)

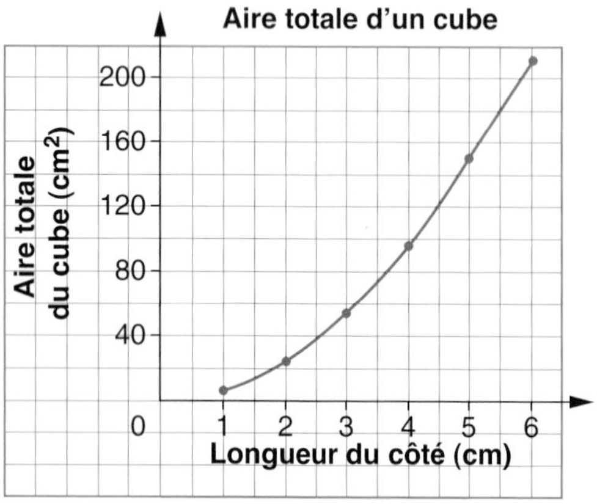

c) La relation est une fonction du second degré. Le graphique fait partie d'une parabole. La table de valeurs présente des deuxièmes différences constantes.

Longueur du côté (cm)	Aire totale du cube (cm²)	Premières différences	Deuxièmes différences
1	6		
		$24 - 6 = 18$	
2	24		$30 - 18 = 12$
		$54 - 24 = 30$	
3	54		$42 - 30 = 12$
		$96 - 54 = 42$	
4	96		$54 - 42 = 12$
		$150 - 96 = 54$	
5	150		$66 - 54 = 12$
		$216 - 150 = 66$	
6	216		

8. a) Les réponses varieront. Par exemple :

Largeur (m)	Longueur (m)	Périmètre (m)
1	36	$2 \times (1 + 36) = 74$
2	18	$2 \times (2 + 18) = 40$
3	12	$2 \times (3 + 12) = 30$
4	9	$2 \times (4 + 9) = 26$
6	6	$2 \times (6 + 6) = 24$

b) Le carré de 6 m de côté a le périmètre le plus petit.

c) Calculer les deuxièmes différences :

Largeur (m)	Périmètre (m)	Premières différences	Deuxièmes différences
1	74		
		−34	
2	40		24
		−10	
3	30		6
		−4	
4	26		2
		−2	
6	24		

Puisque les deuxièmes différences ne sont pas constantes, la relation entre la largeur et le périmètre n'est pas une fonction du second degré.

3.2 Représenter graphiquement des fonctions du second degré, page 109

1. a)

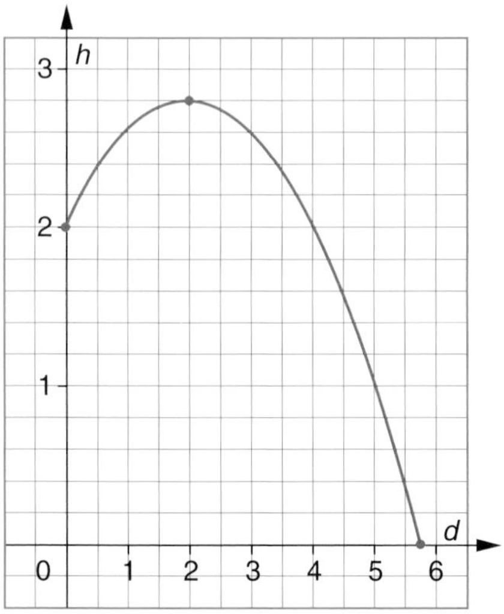

On n'utilise que des valeurs non négatives de h parce que le ballon ne se déplace pas sous le sol, et on n'utilise que des valeurs non négatives de d parce que le ballon avance après avoir été frappé.

b) 2 m

c) La hauteur maximale est d'environ 2,8 m. Le ballon atteint cette hauteur après avoir franchi une distance horizontale d'environ 2,0 m.

d) En supposant que personne d'autre ne le frappe, le ballon franchit environ 5,74 m avant de toucher le sol.

2. a)

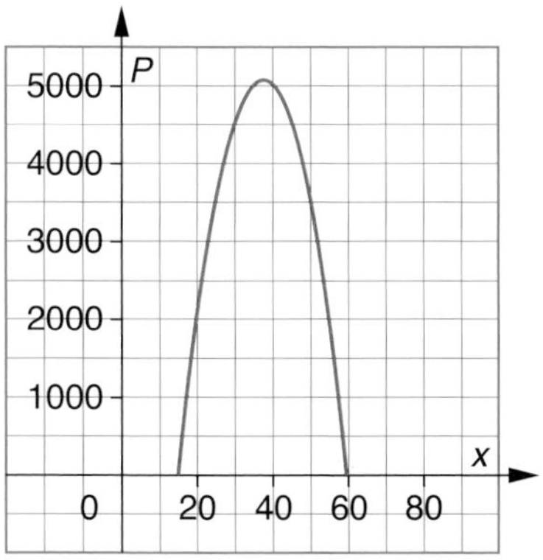

Les valeurs négatives de x représentent une perte.

b) L'entreprise réalise des profits quand $P > 0$, c'est-à-dire lorsque les prix se situent entre 15 \$ et 60 \$. En dehors de cette étendue, les profits journaliers sont négatifs, c'est-à-dire que l'entreprise perd de l'argent.

c) Le prix de 37,50 \$ rapporte les profits les plus élevés, soit 5062,50 \$.

3. a)

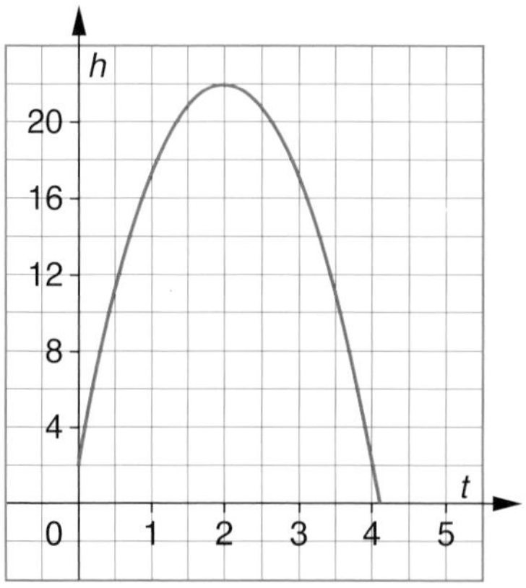

On n'utilise que des valeurs non négatives de h parce que le ballon ne se déplace pas sous le sol. On n'utilise que des valeurs non négatives de t parce qu'on ignore où le ballon se trouvait avant d'être lancé.

b) Environ 17 m.

c) Le ballon atteint la hauteur maximale d'environ 22 m en 2 s environ.

d) Pendant environ 3 s (de 0,5 s à 3,5 s environ).

3.3 Le rôle de h et de k dans $y = (x - h)^2 + k$, page 114

1. a) Une translation de 4 unités vers la droite.
   b) Une translation de 4 unités vers le haut.
   c) Une translation de 4 unités vers la gauche.
   d) Une translation de 4 unités vers le bas.

2. a) $y = x^2 + 6$
   b) $y = (x - 2)^2$
   c) $y = x^2 - 1$
   d) $y = (x + 3)^2$

3. a) a : (0, 6) b : (2, 0)
   c : (0, −1) d : (−3, 0)

   b) Les réponses seront variées mais doivent se trouver parmi les suivantes :
   a : Comme elle subit une translation de 6 unités vers le haut, $h = 0$ et $k = 6$.
   b : Comme elle subit une translation de 2 unités vers la droite, $h = 2$ et $k = 0$.
   c : Comme elle subit une translation de 1 unité vers le bas, $h = 0$ et $k = -1$.
   d : Comme elle subit une translation de 3 unités vers la gauche, $h = -3$ et $k = 0$.

4. Tous les graphiques sont congruents au graphique de $y = x^2$ et ont subi une translation de 12 unités. La direction de la translation est différente pour chaque graphique : vers la droite, vers le haut, vers la gauche et vers le bas. (OU: Tous les graphiques ont la même forme, mais leurs positions dans le plan cartésien sont différentes.)

5. **a)** Une translation de 3 unités vers la droite et de 4 unités vers le haut.
b) Une translation de 6 unités vers la droite et de 4 unités vers le bas.
c) Une translation de 3 unités vers la gauche et de 4 unités vers le bas.
d) Une translation de 1 unité vers la gauche et de 3 unités vers le haut.

6. **a)**

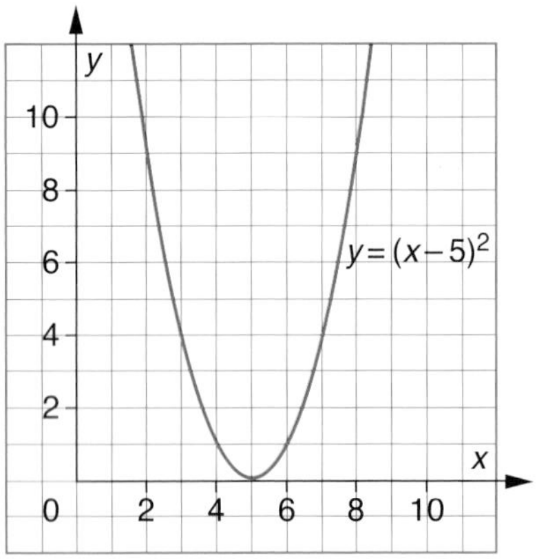

b)

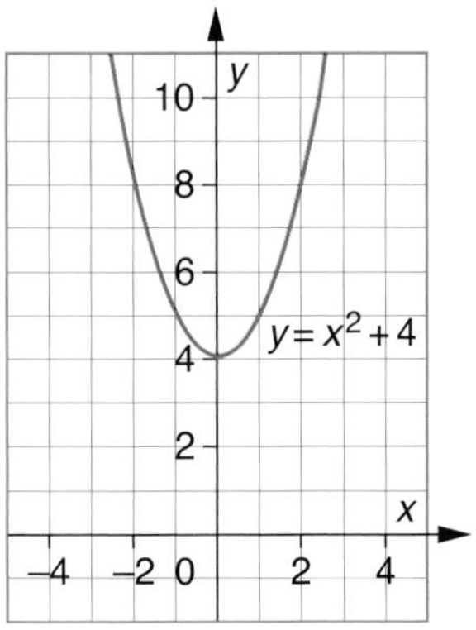

c)

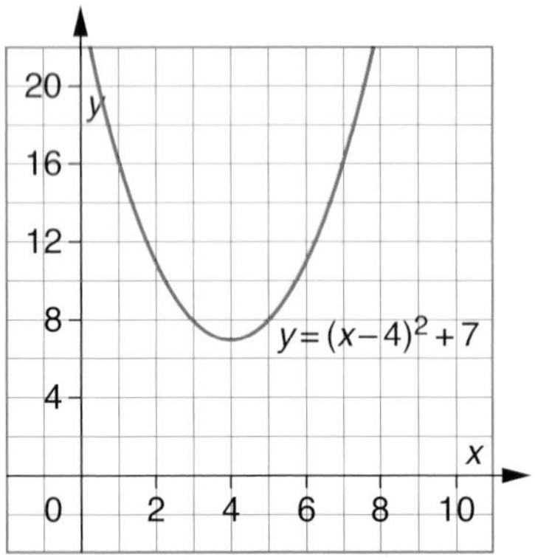

7. Les réponses varieront. Par exemple :
Pour tracer une parabole de la forme $y = (x - h)^2 + k$, repérer le point (h, k) et le sommet, et tracer des points à gauche et à droite du sommet à l'aide de la régularité.

8. Les réponses varieront. Par exemple :
a) Le graphique subit une translation vers la droite à mesure que h augmente et vers la gauche à mesure que h diminue.
b) Le graphique subit une translation vers le haut à mesure que k augmente et vers le bas à mesure que k diminue.

9. $y = (x - 1)^2 + 3$

3.4 Le rôle de *a* dans $y = ax^2$, page 119

1. **a)** Un agrandissement vertical de facteur 8.
b) Un agrandissement vertical de facteur 8, suivi d'une réflexion par rapport à l'axe des x.
c) Un agrandissement vertical de facteur 5.
d) Un agrandissement vertical de facteur 5, suivi d'une réflexion par rapport à l'axe des x.

2. **a)** $y = 5x^2$
b) $y = -x^2$
c) $y = 0{,}25x^2$
d) $y = -2x^2$

3. **a)** **I)** Un agrandissement vertical de facteur 4.
II) Un agrandissement vertical de facteur 6, suivi d'une réflexion par rapport à l'axe des x.
III) Un rétrécissement vertical de facteur 0,25.
b) **I)**

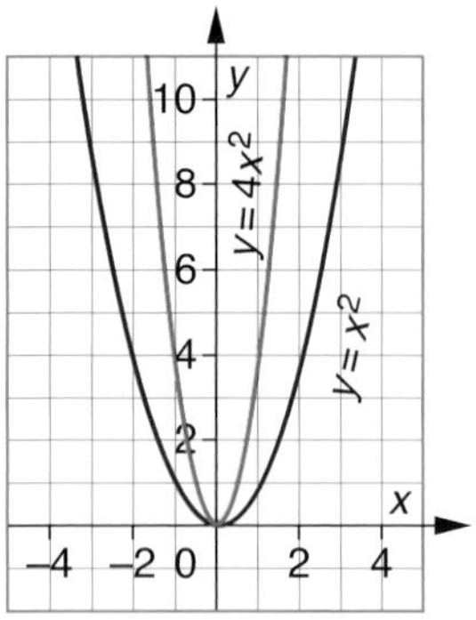

II)

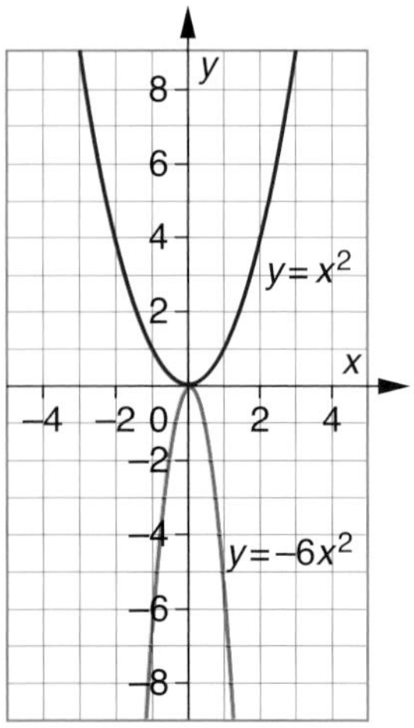

III)

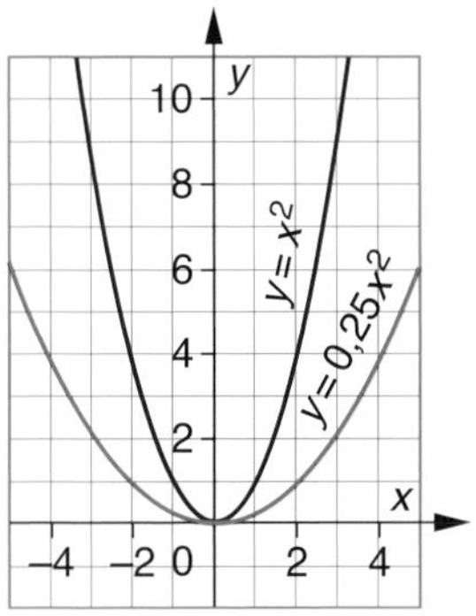

4. a)

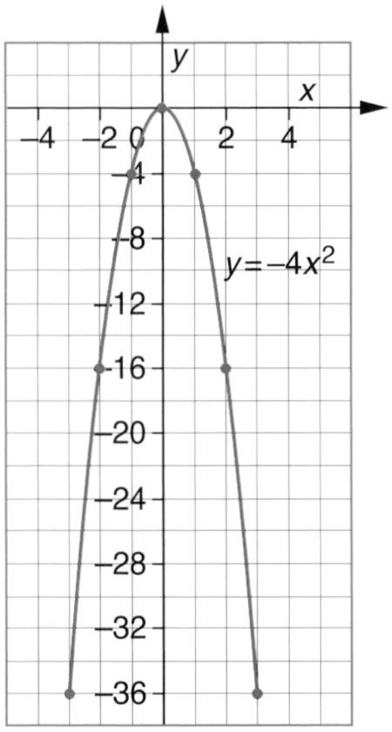

b)

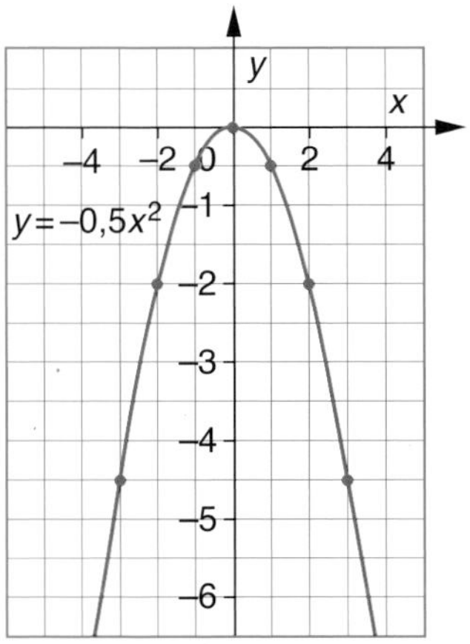

c)

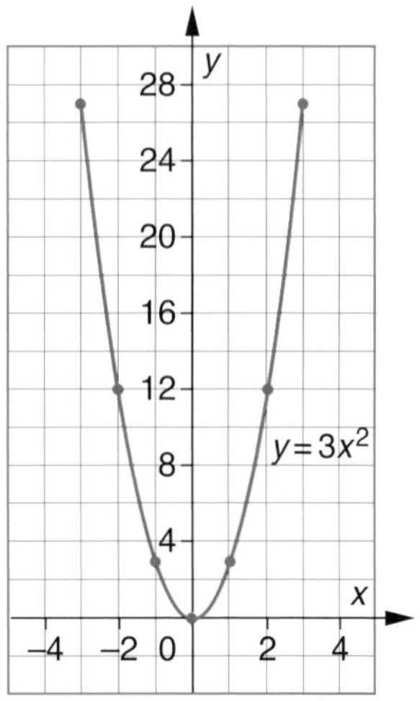

d)

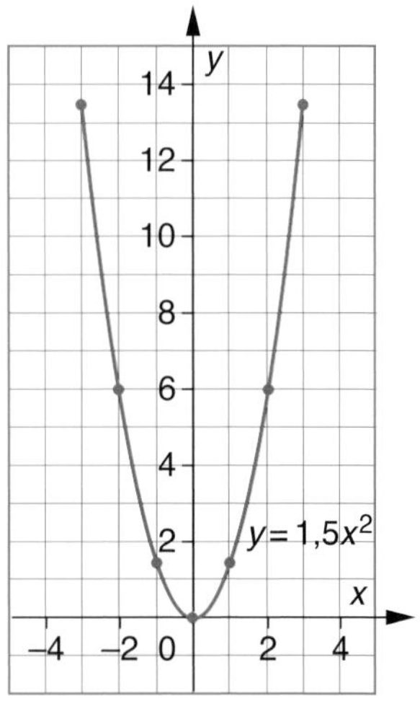

5. a) L'ouverture est vers le bas parce que $a < 0$.
Plus étroit que $y = x^2$ parce que $a < -1$.

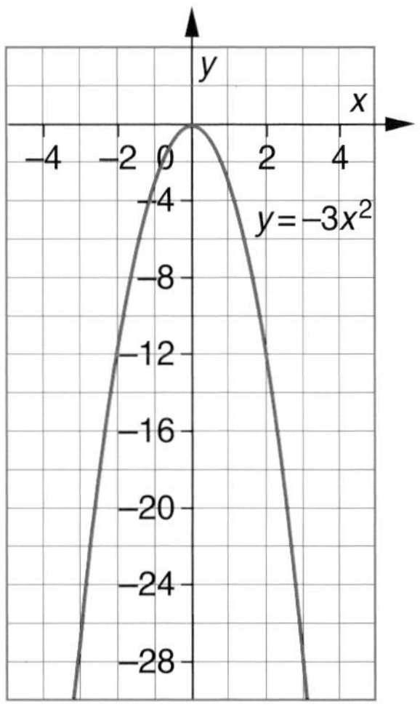

b) L'ouverture est vers le bas parce que $a < 0$.
Plus étroit que $y = x^2$ parce que $a < -1$.

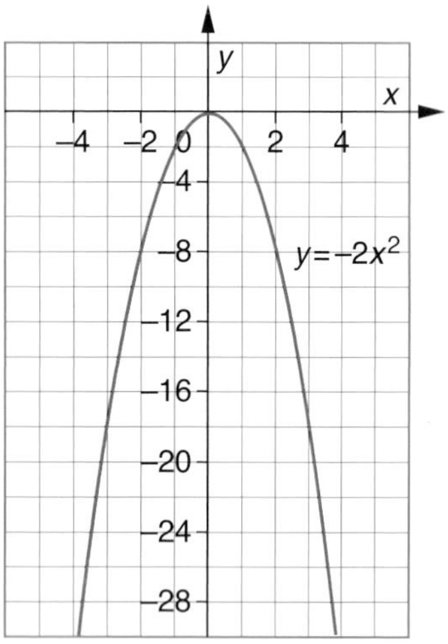

c) L'ouverture est vers le haut parce que $a > 0$.
Plus large que $y = x^2$ parce que $a < 1$.

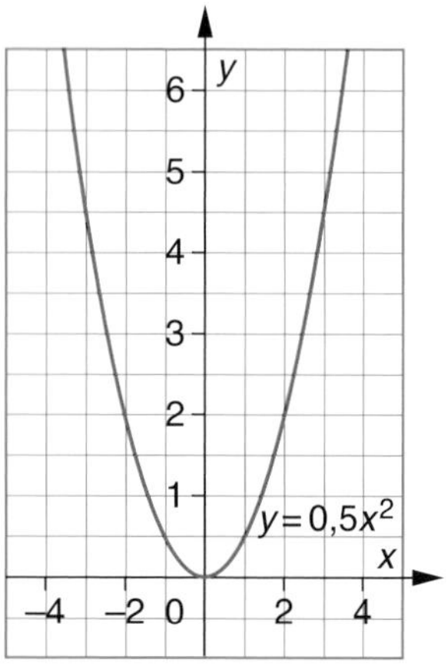

6. Oui. Les paraboles de la forme $y = ax^2$ ne sont qu'agrandies, rétrécies ou réfléchies par rapport à l'axe des x ; elles ne subissent pas de translations. Lors de ces transformations, le sommet reste fixe à l'origine.

7. Les réponses seront variées. Par exemple :
$y = \frac{1}{6}x^2$.

3.5 La forme canonique d'une fonction du second degré, page 123

1. a) I) $a = 15, h = 12, k = 11$
II) $(12, 11)$ III) Vers le haut.
IV) $x = 12$ V) 15, 45, 75

b) I) $a = -6, h = 8, k = -9$
II) $(8, -9)$ III) Vers le bas.
IV) $x = 8$ V) $-6, -18, -30$

c) I) $a = 7, h = -6, k = -4$
II) $(-6, -4)$ III) Vers le haut.
IV) $x = -6$ V) 7, 21, 35

d) I) $a = -1, h = 0, k = 1$
II) $(0, 1)$ III) Vers le bas.
IV) $x = 0$ V) $-1, -3, -5$

e) I) $a = 0{,}35 ; h = 1{,}5 ; k = -2{,}5$
II) $(1{,}5 ; -2{,}5)$ III) Vers le haut.
IV) $x = 1{,}5$ V) $0{,}35 ; 1{,}05 ; 1{,}75$

f) I) $a = -0{,}45 ; h = 4{,}2 ; k = 0$
II) $(4{,}2 ; 0)$ III) Vers le bas.
IV) $x = 4{,}2$ V) $-0{,}45 ; -1{,}35 ; -2{,}25$

2. a)

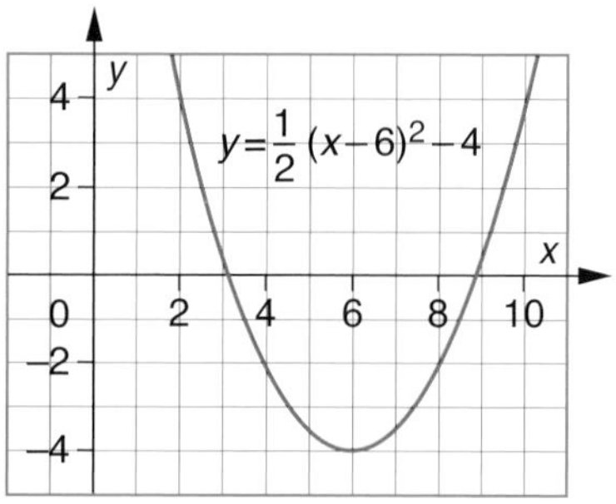

b)

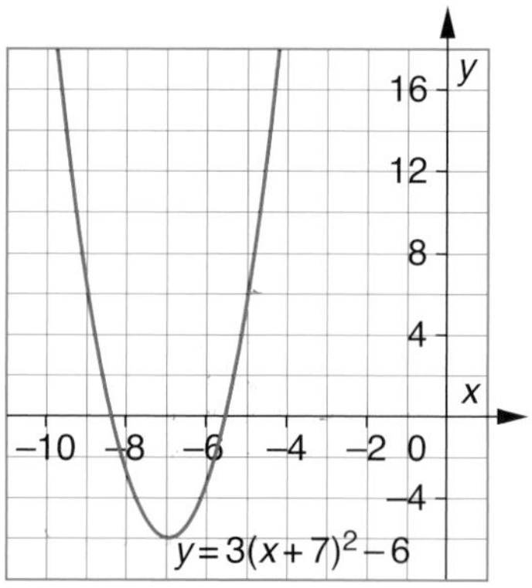

c)

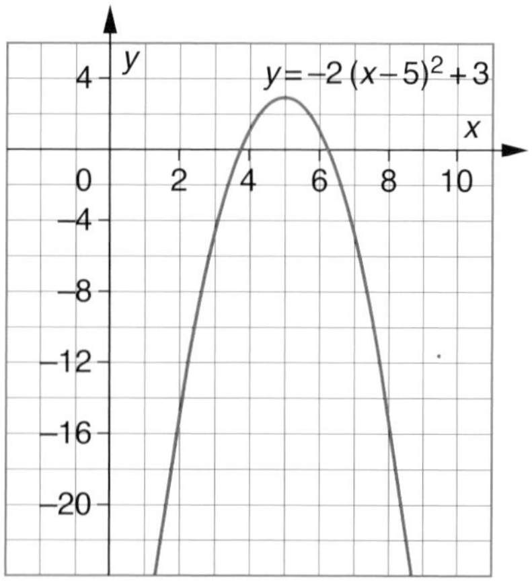

d)

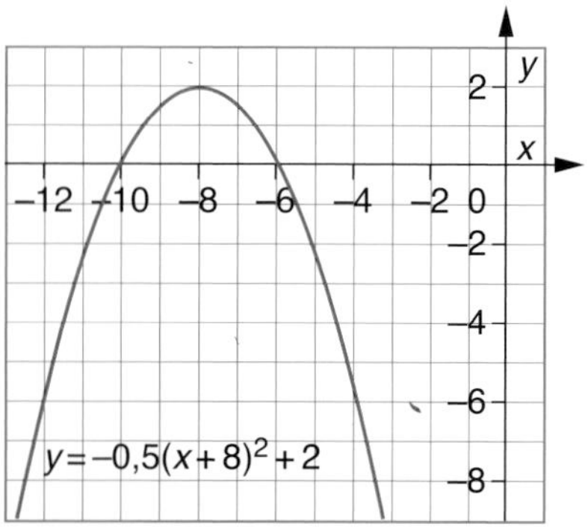

3. **a)** $y = 3(x + 11)^2 + 12$
b) $y = -\frac{1}{3}(x - 5)^2$
c) $y = 4x^2$
d) $y = (x - 2)^2 + 3$

4. $a = \frac{2}{810}$, $h = 100$, $k = 90$

$y = \frac{2}{810}(x - 100)^2 + 90$

$a = \frac{2}{81}$, $h = 10$, $k = 9$, $y = \frac{2}{81}(x - 10)^2 + 9$

5. **a)** 4 $ **b)** 120 $

6. **a)** **I)** $a = -3$, $h = -4$, $k = -5$
II) $(-4, -5)$ **III)** $x = -4$
IV) Vers le bas. **V)** -53
VI) $-3, -9, -15$

b) **I)** $a = 0{,}5$, $h = 2$, $k = -3$
II) $(2, -3)$ **III)** $x = 2$
IV) Vers le haut. **V)** -1
VI) 0,5, 1,5, 2,5

En a), on peut comparer l'équation à $y = a(x - h)^2 + k$. En b), on peut utiliser le graphique.

7. Les graphiques sont identiques. Le développement du membre droit de l'équation pour y_2 donne le membre droit de l'équation pour y_1 ; les équations sont donc équivalentes.

Chapitre 3 – Révision de mi-chapitre, page 126

1. **a)** 15 m × 30 m

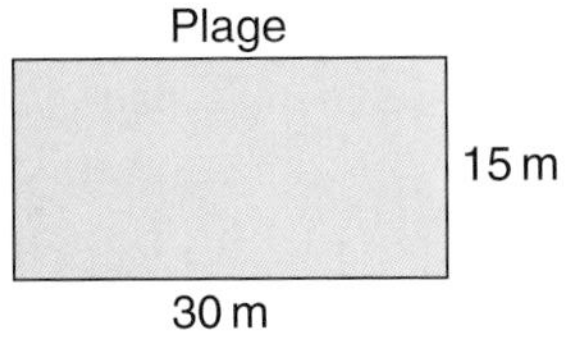

b)

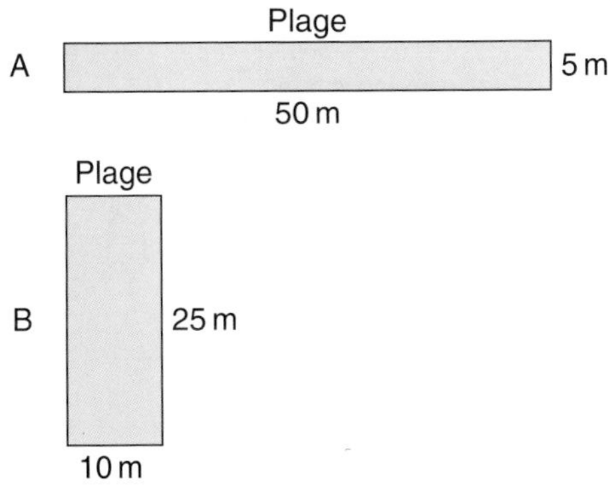

Les deux ont la même aire. On pourrait préférer le lieu A parce que le côté qui longe la plage est plus long. On pourrait préférer le lieu B parce qu'il s'étend plus loin dans l'eau.

2. **a)** On n'a besoin que des valeurs positives du temps parce qu'on ignore ce qui s'est produit avant le retrait du bouchon. On n'a besoin que des valeurs positives du volume parce que le volume ne peut être que positif.
b) 120 L
c) Environ 4,2 min.

3. **a)** **I)** Une translation de 2 unités vers la droite.
II) Une translation de 2 unités vers le bas.
III) Un agrandissement vertical de facteur 2, puis une réflexion par rapport à l'axe des x.
IV) Une réflexion par rapport à l'axe des x, puis une translation de 2 unités vers le haut.

b) **I)**

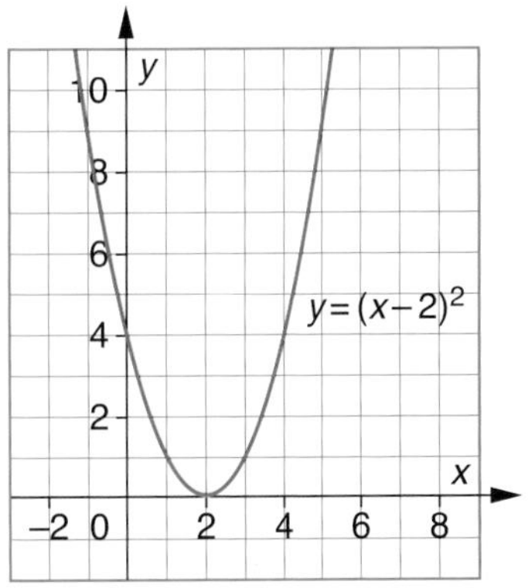

II)

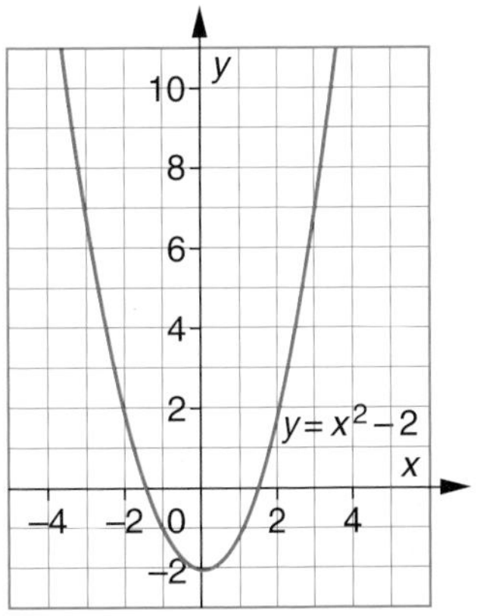

III)

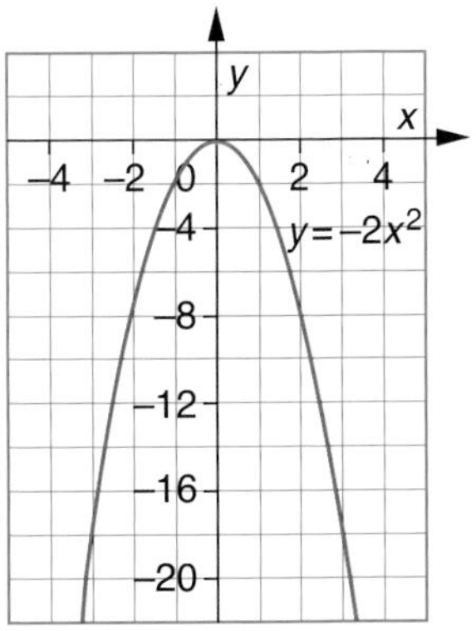

IV)

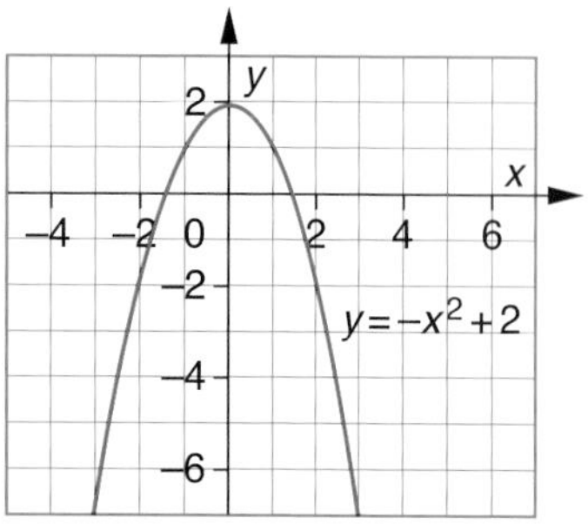

c) Tous les graphiques sont des paraboles.

d) Les réponses varieront. Par exemple : Les graphiques de I), II) et IV) sont congruents au graphique $y = x^2$. Le graphique de IV) est agrandi. L'ouverture des graphiques de I) et de II) est vers le haut et l'ouverture des autres est vers le bas. Tous les graphiques ont des sommets différents.

4. **a)** $y = (x - 5)^2 + 2$
b) $y = 4x^2$
c) $y = -(x - 2)^2$
d) $y = 0{,}5x^2$

5. **a)** II) ; le sommet est à $(3, -7)$, et le graphique résulte d'un agrandissement vertical de facteur 2.
b) I) ; le sommet est à $(0, -7)$, et le graphique résulte d'un agrandissement vertical de facteur 3.

3.6 La multiplication de polynômes, page 129

1. **a)** $x^2 + 9x + 14$ **b)** $x^2 - 9$
c) $x^2 - 10x + 25$ **d)** $\frac{1}{2}x^2 + \frac{29}{2}x + 90$
e) $3x^2 - 14x - 5$ **f)** $4x^2 + 12x + 9$

2. **a)** $4x^2 + 8x - 12$ **b)** $2x^2 + 28x + 98$
c) $6x^2 - 24$ **d)** $\frac{1}{2}x^2 + 8x + 24$
e) $-\frac{1}{2}x^2 + 4x + 10$ **f)** $-3x^2 + 6x - 3$

3. **a)** $x^2 + x - 2$
$x^2 + 2x - 3$
$x^2 + 3x - 4$
$x^2 + 4x - 5$
$(x - 1)(x + 6) = x^2 + 5x - 6$
$(x - 1)(x + 7) = x^2 + 6x - 7$

b) $x^2 + 2x + 1$
$x^2 + 4x + 4$
$x^2 + 6x + 9$
$x^2 + 8x + 16$
$(x + 5)^2 = x^2 + 10x + 25$
$(x + 6)^2 = x^2 + 12x + 36$

c) $2x^2 - 2$
$4x^2 - 16$
$6x^2 - 54$
$8x^2 - 128$
$10(x - 5)(x + 5) = 10x^2 - 250$
$12(x - 6)(x + 6) = 12x^2 - 432$

4. **a)** $y = x^2 + 4x + 7$
b) $y = 2x^2 - 4x + 2$
c) $y = -x^2 - 8x - 17$

5. **a)** Non. Le développement de la première équation donne $y = x^2 + 4x + 4$.
b) Non. Le développement de la première équation donne $y = -x^2 - 2x + 2$.
c) Oui. Le développement de la première équation donne la seconde équation.

6. **a)** 7,5 m
b) 1 s
c) $h = -5t^2 + 10t + 2{,}5$
d) On a lancé la balle d'une hauteur de 2,5 m puisque, quand $t = 0$ s, $h = 2{,}5$ m.
e) Les réponses varieront. Par exemple : La forme générale de l'équation est plus facile à utiliser pour déterminer l'ordonnée à l'origine (exercice d). La forme canonique est plus facile à utiliser pour déterminer le sommet (exercices a et b).

7. **a)** III), parce que le développement du membre droit donne $2x^2 - 12x + 19$.
b) Les coordonnées du sommet sont (3, 1) parce que la forme canonique de l'équation est, d'après a), $y = 2(x - 3)^2 + 1$.

8. **a)** $(1, -4)$
b) $y = (x - 1)^2 - 4$

3.8 La factorisation de polynômes, page 137

1. **a)** $(x + 1)(x + 2)$

b) $(x + 2)(x + 4)$

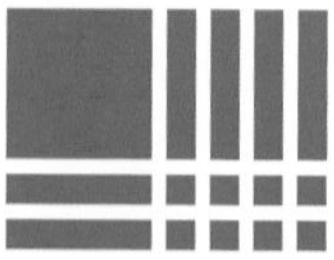

c) $(x + 3)(x + 5)$

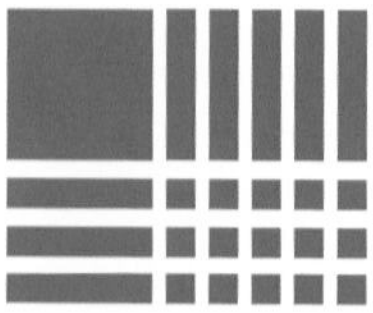

d) $(x + 3)(x + 3)$ ou $(x + 3)^2$

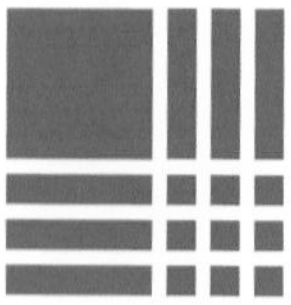

2. a) I) $(x + 1)(x + 6)$ II) $(x + 1)(x + 7)$
III) $(x + 1)(x + 8)$ IV) $(x + 1)(x + 9)$
b) Le coefficient du terme en x est un de plus que le terme constant.
c) $x^2 + 11x + 10 = (x + 1)(x + 10)$
$x^2 + 12x + 11 = (x + 1)(x + 11)$
$x^2 + 13x + 12 = (x + 1)(x + 12)$
3. a) I) $(x - 3)^2$ II) $(x + 6)^2$
III) $(x - 5)^2$
b) Parce que les trinômes sont des binômes au carré.
4. a) I) $(x - 4)(x + 4)$ II) $(x - 8)(x + 8)$
III) $(x - 1)(x + 1)$
Dans chaque polynôme, le coefficient de x est 0.
b) Parce que chaque binôme est égal à la différence de deux carrés, x^2 et le carré d'un entier.
5. a) $5x(x - 3)$ b) $2(x - 5)(x - 4)$
c) $4(x - 5)(x + 2)$ d) $2(x - 3)(x + 1)$
e) $-2x(3x + 1)$ f) $7(x - 3)^2$
6. a) Oui, parce que les graphiques sont identiques.

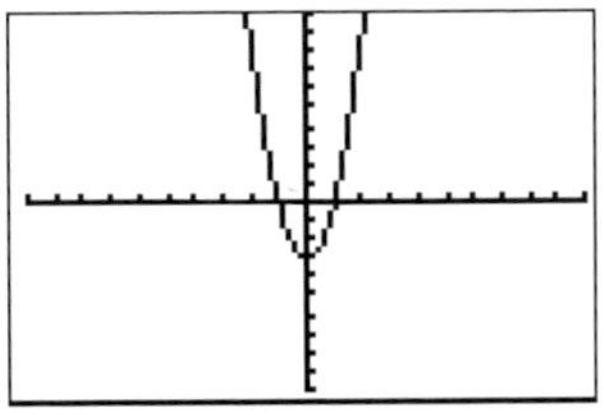

b) Non, parce que les graphiques sont différents.

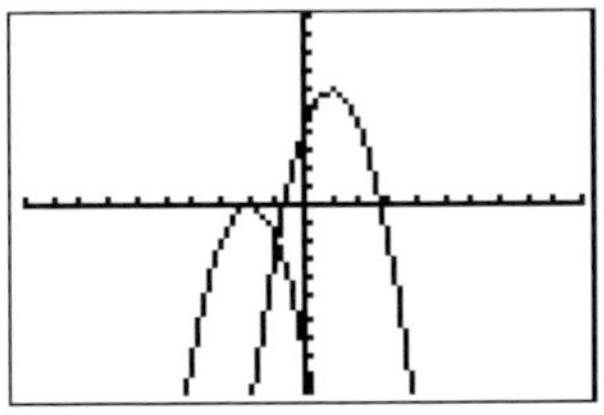

c) Non, parce que les graphiques sont différents.

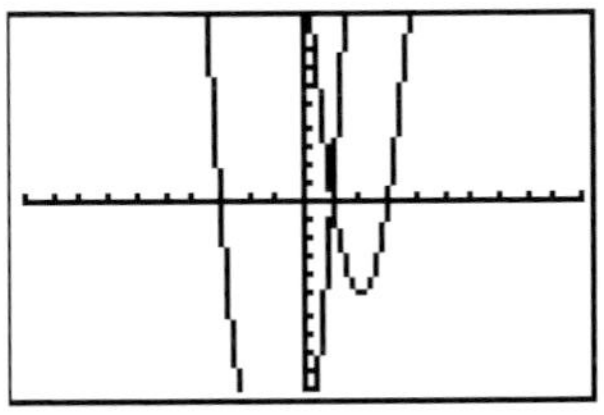

d) Oui, parce que les graphiques sont identiques.

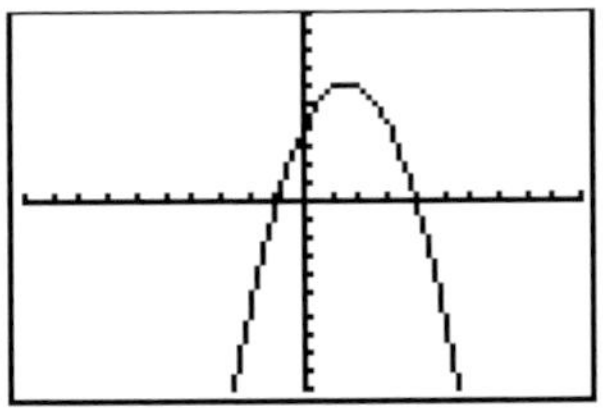

7. a) $2(x - 1)^2$
$3(x - 2)^2$
$4(x - 3)^2$
$5(x - 4)^2$
b) Les facteurs suivent la règle $(n + 1)(x - n)^2$ pour $n = 1, 2, 3, 4$.
c) $10(x - 9)^2$
8. a) $(x + 1)(x - 2)$, $(x + 1)(x - 3)$, $(x + 1)(x - 4)$;
$5(x - 1)^2$, $5(x - 2)^2$, $5(x - 3)^2$;
$5(x - 1)(x + 1)$, $5(x - 2)(x + 2)$, $5(x - 3)(x + 3)$
b) La règle du premier ensemble de polynômes est $x^2 - (n - 1)x - n$, et celle de sa factorisation est $(x + 1)(x - n)$.
La règle du deuxième ensemble de polynômes est $5x^2 - 10nx + 5n^2$, et celle de sa factorisation est $5(x - n)^2$.
La règle du troisième ensemble de polynômes est $5x^2 - 5n^2$, et celle de sa factorisation est $5(x + n)(x - n)$.
9. a) 0 $
b) Une perte de 2000 $. Cela pourrait représenter le coût du souper.
c) $\frac{1}{10}(n + 200)(n - 100)$
d) Le conseil étudiant doit vendre plus de 100 billets.

3.9 La forme factorisée d'une fonction du second degré, page 141

1. a) 2, 5 b) 7, −1
c) 4, −4 d) 0, 10
2. a) $y = (x - 1)(x - 9)$
$y = 0$ quand $x = 1$ ou 9; donc, 1 et 9 sont les abscisses à l'origine.
b) $y = (x - 5)(x + 4)$
$y = 0$ quand $x = -4$ ou 5; donc, −4 et 5 sont les abscisses à l'origine.
c) $y = (x - 2)(x + 2)$
$y = 0$ quand $x = -2$ ou 2; donc, −2 et 2 sont les abscisses à l'origine.
d) $y = x(x - 4)$
$y = 0$ quand $x = 0$ ou 4; donc, 0 et 4 sont les abscisses à l'origine.
3. a) $y = (x + 1)(x - 3)$ b) $y = -(x - 4)(x - 6)$
c) $y = x(x - 6)$ d) $y = -(x + 3)(x + 2)$

4. a)

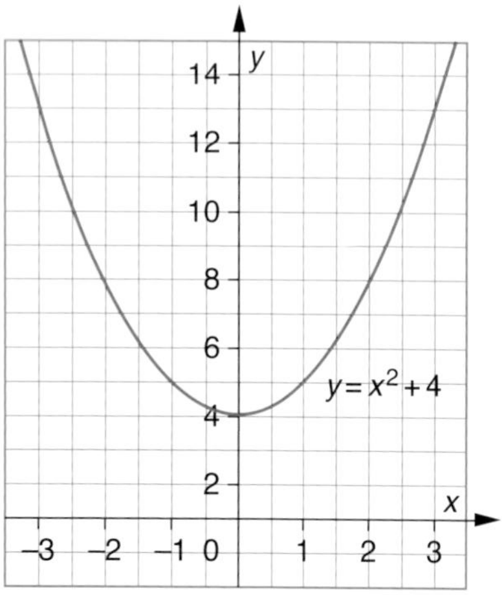

b) On ne peut pas factoriser $y = x^2 + 4$ parce que son graphique n'a pas d'abscisses à l'origine.

5. a) La factorisation de l'équation donne $y = 2(x - 3)^2$. Comme il y a deux facteurs égaux, il n'y a qu'une abscisse à l'origine.

b) L'abscisse à l'origine est 3. Le graphique aurait son sommet au point (3, 0).

6. a) $y = 3(x - 4)(x + 2)$

b) $y = -(x + 2)(x - 2)$

c) $y = 2(x - 3)(x + 1)$

d) $y = -x(x - 6)$

7. a) 15 et 60.

b) Les abscisses à l'origine représentent l'intervalle des prix, entre 15 $ et 60 $, qui permet de réaliser un profit.

8. 5 secondes.

9. $y = -2(x + 3)(x - 1)$. Déterminer les abscisses à l'origine et la direction de l'ouverture du graphique, puis déterminer le facteur d'agrandissement d'après la régularité des premières différences.

Chapitre 3 – Révision, page 144

1. a)

Prix ($)	Nombre de billets vendus	Revenu ($)
6	500	3000
7	450	3150
8	400	3200
9	350	3150
10	300	3000
11	250	2750
12	200	2400
13	150	1950
14	100	1400
15	50	750
16	0	0

b)

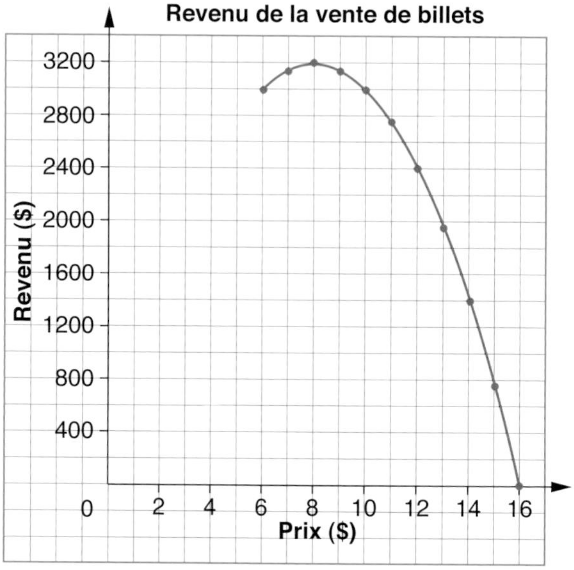

c) La troupe devrait fixer le prix du billet à 8 $ pour maximiser son revenu.

2. a) Environ 3,8 m.

b) Environ 6,3 s.

c) Environ 12,4 s.

3. b) Environ 8,9 m en 0,9 s.

c) Pendant environ 2,2 s.

d) De 0 s à environ 1,8 s.

e) Les valeurs négatives de t ne sont pas significatives parce qu'on ignore ce qui s'est produit avant le plongeon. Les valeurs négatives de h représentent la position de la plongeuse sous l'eau, où l'équation du mouvement change.

4. a) IV **b)** II
c) I **d)** III

5. a) $y = x^2 + 3$ **b)** $y = (x - 2)^2 + 4$
c) $y = (x + 5)^2 - 3$

6. a) I **b)** III
c) IV **d)** II

7. Tracer le sommet à (0, 0). Multiplier chaque terme des premières différences pour $y = x^2$ par -3 pour obtenir : $-3, -9, -15, -21$. Utiliser cette régularité pour tracer le graphique.

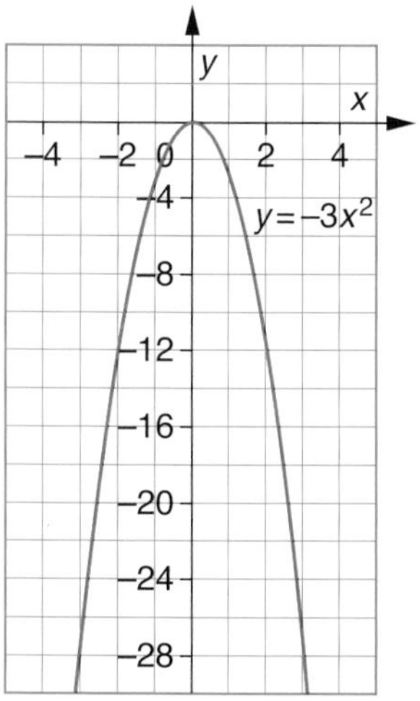

8. **a)** $a = -3, h = 2, k = 7$.
Un agrandissement vertical de facteur 3, une réflexion par rapport à l'axe des x, puis une translation de 2 unités vers la droite et de 7 unités vers le haut.

b) $a = 1, h = -5, k = -1$.
Une translation de 5 unités vers la gauche et de 1 unité vers le bas.

c) $a = 4, h = 0, k = 2$.
Un agrandissement vertical de facteur 4, puis une translation de 2 unités vers le haut.

d) $a = 1, h = 10, k = 0$.
Une translation de 10 unités vers la droite.

9. $y = 4(x - 3)^2 - 2$

10. **a)** Le prix augmente régulièrement jusqu'au 12ᵉ jour, puis il diminue régulièrement.
b) 44 cents.
c) 80 cents.
d) 37,75 cents.
e) Le 24ᵉ jour.

11. **a)** $2x^2 + 18x - 140$
b) $-x^2 + 18x + 144$
c) $-\frac{1}{9}x^2 - \frac{10}{3}x - 25$
d) $-4x^2 - 52x - 160$

12. **a)** $y = -x^2 - 14x - 29$
b) $y = -2x^2 + 24x - 71$
c) $y = -x^2 + 25$
d) $y = 3x^2 + 24x - 27$

13. **a)** $(x + 4)(x - 9)$ **b)** $-3x(x - 4)$
c) $-(x - 4)(x + 4)$ **d)** $-(x + 7)^2$
e) $2(x - 5)(x - 4)$ **f)** $5(x - 3)(x + 3)$

14. Mettre en évidence le facteur commun, 4, puis factoriser le trinôme $x^2 - x - 2$ pour obtenir $(x - 2)(x + 1)$.

15. **a)** $y = (x + 7)(x + 4)$ **b)** $y = -(x - 3)(x + 8)$
c) $y = (x - 5)(x + 1)$ **d)** $y = 2(x + 3)(x - 1)$

16. **a)** 2, 8 **b)** -16

Chapitre 3 – Test, page 146

1. A, car on peut la développer pour vérifier.

2. B, parce que son sommet est à (1, −4).

3. **a)** **I)** $7x^2 + 25x - 12$ **II)** $-2x^2 - 12x - 18$
b) **I)** $-(x - 5)(x - 8)$ **II)** $5(x + 3)(x - 2)$

4. **a)**

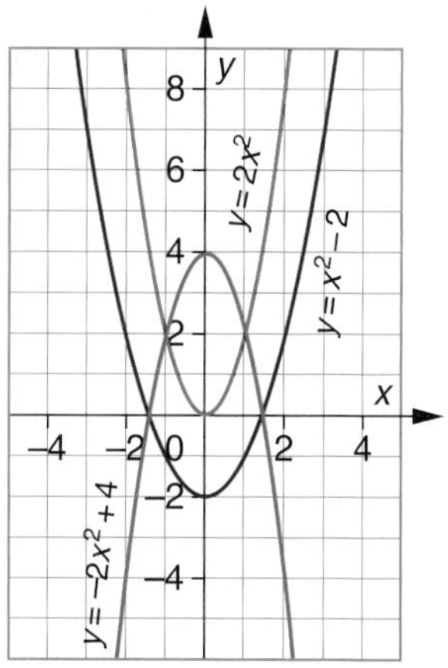

b) Pour tracer les paraboles, on situe le sommet et on utilise les premières différences. Pour la parabole A, le sommet est à (0, 2) et les premières différences sont 1, 3, 5, ...
Pour la parabole B, le sommet est à (0, 0) et les premières différences sont 2, 6, 10, ...
Pour la parabole C, le sommet est à (0, 4) et les premières différences sont −2, −6, −10, ...

5. **a)** À 40 m.
b) Elle atteint sa hauteur maximale, 45 m, en 2 s.
c) 5 s

6. **a)** 24 m
b) Par symétrie, le point le plus bas de la parabole se situe entre les abscisses à l'origine, à $x = 0$. À cet endroit, le tracé se trouve à 2 m au-dessous du sol. La profondeur du tunnel est donc de 2 m.

Chapitre 4 : Les fonctions exponentielles

Connaissances préalables

Exprimer un nombre sous différentes formes, page 148

1.

Forme exponentielle	Forme développée	Forme standard
3^4	$3 \times 3 \times 3 \times 3$	81
7^2	7×7	49
2^3	$2 \times 2 \times 2$	8

2. Oui. Dominique peut écrire 81^1, 9^2 ou 3^4.

3. 36^3

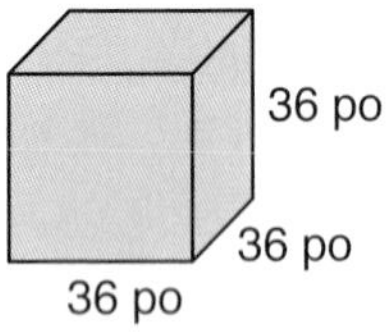

Exprimer un pourcentage sous la forme d'un nombre décimal, page 149

1. **a)** 0,08 **b)** 0,8
c) 0,88 **d)** 1,08

2. **a)** 0,05 ; 0,1 **b)** 0,81 ; 0,8
c) 0,05 ; 0,1 **d)** 0,00 ; 0,0

3. **a)** 1,1
b) J'utiliserais deux grilles de centièmes. J'ombrerais tous les petits carrés dans la première grille et j'en ombrerais une dizaine dans la seconde.

4. **a)** 0,045
b) France a versé 1350 $.
$0{,}045 \times 30\,000\ \$ = 1350\ \$$

Les fonctions affines, page 150

1. **a)**

x	y	Premières différences
−2	8	
		−2
−1	6	
		−2
0	4	
		−2
1	2	
		−2
2	0	

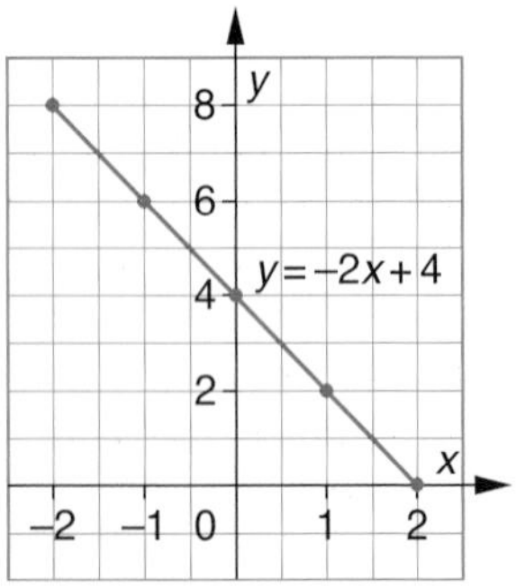

b)

x	y	Premières différences
−2	−1	
		$-\frac{1}{2}$
−1	$-\frac{3}{2}$	
		$-\frac{1}{2}$
0	−2	
		$-\frac{1}{2}$
1	$-\frac{5}{2}$	
		$-\frac{1}{2}$
2	−3	

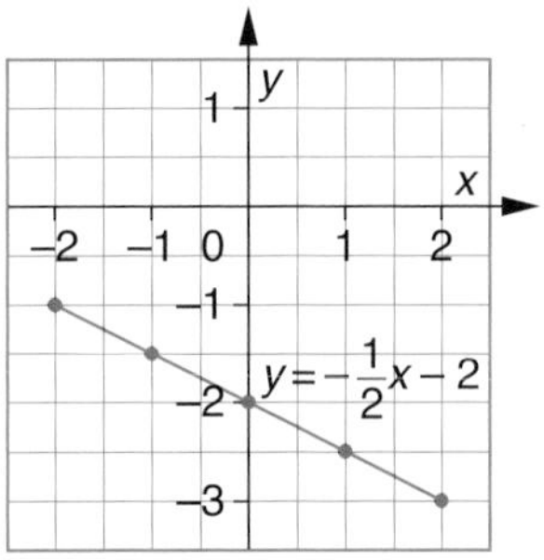

c)

x	y	Premières différences
−2	−10	
		3
−1	−7	
		3
0	−4	
		3
1	−1	
		3
2	2	

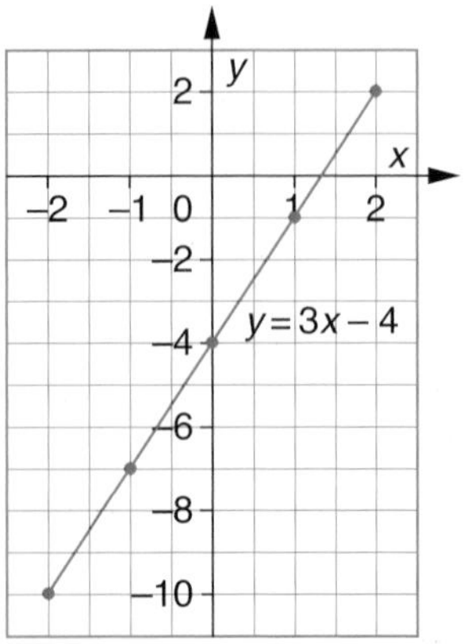

2. **a)** −2 indique que la pente est négative. Donc, la courbe du graphique descend vers la droite.
b) $-\frac{1}{2}$ indique que la pente est négative. Donc, la courbe du graphique descend vers la droite ; −2 indique que l'ordonnée à l'origine est négative.
c) −4 indique que l'ordonnée à l'origine est négative.

4.1 Modéliser la croissance exponentielle, page 153

1. **a)** 36 **b)** 49
c) 64 **d)** 32
e) 10 000 **f)** 8

2. a) 441 b) 2,460 375
c) 46 875 d) 1,191 016

3. a)

Numéro de l'étape	Régularité	Nombre de morceaux de papier
1	$1 \times 3 = 3$	3
2	$1 \times 3 \times 3 = 9$	9
3	$1 \times 3 \times 3 \times 3 = 27$	27
4	$1 \times 3 \times 3 \times 3 \times 3 = 81$	81
5	$1 \times 3 \times 3 \times 3 \times 3 \times 3 = 243$	243

b)

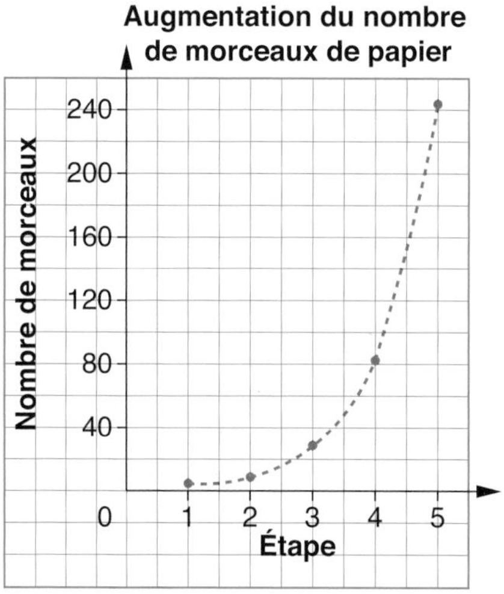

c) Oui, parce qu'on multiplie le chiffre 3 par lui-même de façon répétée.

d) À la fin de l'étape n, il y a 3^n morceaux de papier.

4. a) I) 4 II) 4
b) I) 3 II) 3

5. Les réponses varieront, mais un graphique sera moins précis. Le nombre de drosophiles présentes au 6e jour sera de 122 880.

6. a)

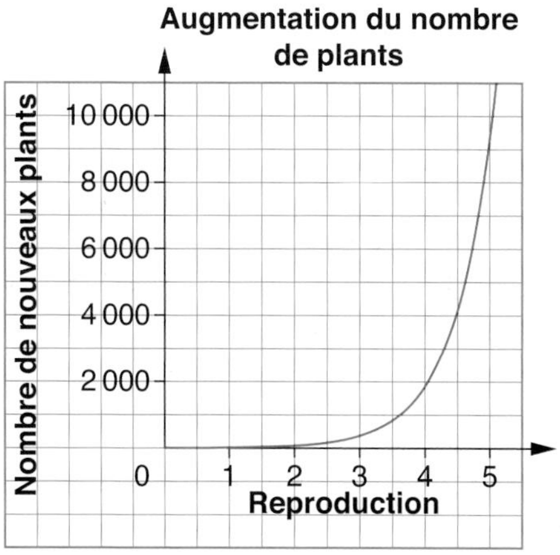

b) $P = 3 \times 5^n$

c) I) L'équation serait alors $P = 10 \times 5^n$. L'ordonnée à l'origine du graphique serait 10 plutôt que 3. Donc, les points du graphique seraient tous situés plus haut.
II) L'équation serait alors 3×2^n. La courbe du graphique serait moins abrupte et s'élèverait plus lentement.

7. Oui. Le facteur de croissance est d'environ 1,41.

4.2 Modéliser la décroissance exponentielle, page 159

1. a) $\frac{1}{64}$ b) $\frac{1}{125}$
c) $\frac{1}{49}$ d) $\frac{1}{100\,000}$

2. a) 0,13 b) 0,00
c) 0,86 d) 1,19

3. a) L'aire est multipliée par $\frac{1}{3}$.

b)

Numéro de l'étape	Aire (cm^2)
1	162
2	54
3	18
4	6
5	2

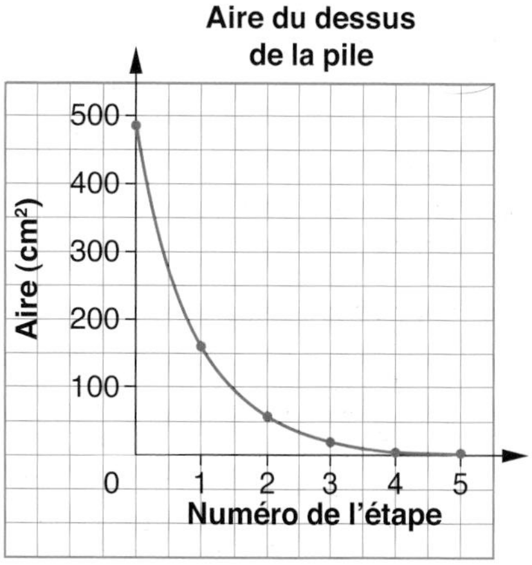

c) La décroissance est exponentielle, parce que l'aire est multipliée par $\frac{1}{3}$ de façon répétée. Ce nombre est le facteur de décroissance.

d) Les réponses varieront. Dans la section 4.1, par exemple, tu as vu que, dans la même situation, le nombre de morceaux de papier peut aussi augmenter de façon exponentielle. Ici, une aire fixe de 486 cm^2 est divisée par un nombre de morceaux de papier qui augmente de façon exponentielle, mais chaque morceau possède aussi une aire qui diminue de façon exponentielle.

4. a) $\frac{1}{5}$ b) $\frac{1}{5}$
c) L'aire est de $500 \times \left(\frac{1}{5}\right)^8 = 0{,}001\ 28$.

5. a)

Année	Valeur ($)
0	25 000,00
1	21 250,00
2	18 062,50
3	15 353,13
4	13 050,16

$V = 25\ 000 \times (0{,}85)^n$

b) Environ 11 000 $.

c)

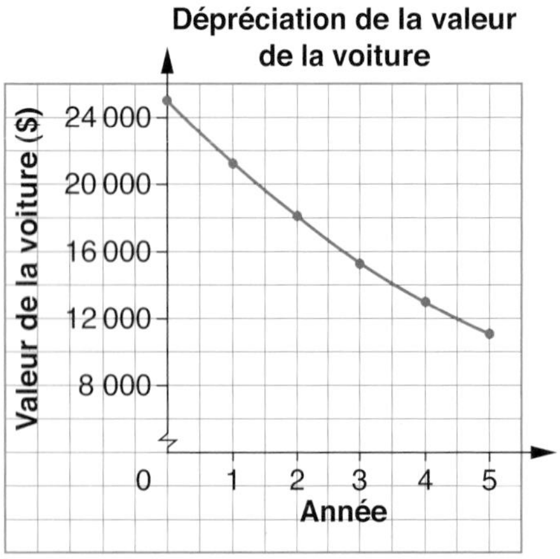

d) I) L'équation serait alors $V = 20\ 000 \times (0{,}85)^n$. On note un rétrécissement vertical de la courbe du graphique par un facteur de $\frac{4}{5}$.
II) L'équation serait alors $V = 25\ 000 \times (0{,}75)^n$. La courbe du graphique descendrait plus rapidement et serait plus abrupte.

6. a) L'équation $y = 100 \times (1{,}25)^x$ modélise une croissance exponentielle, parce que le facteur de croissance, 1,25, est plus grand que 1. L'équation $y = 100 \times (0{,}75)^x$ modélise une décroissance exponentielle, parce que le facteur de décroissance, 0,75, est plus petit que 1.
b) Les réponses varieront.

7. Chaque fois que Pascale partage sa torsade avec une ou un ami, elle conserve $\frac{3}{4}$ de sa réglisse. Après que Pascale a partagé sa torsade avec 10 de ses amis, la longueur de la réglisse est de 11,26 cm, soit $200 \times \left(\frac{3}{4}\right)^{10} = 11{,}26$ cm.

4.3 Les lois des exposants, page 165

1. a) 7^{15} b) 2^7
c) 10^6 d) $\left(\frac{3}{5}\right)^{27}$
e) $(2{,}3)^{14}$ f) 8^{21}

2. a) 8^7 b) 11^3
c) 3^4 d) $1{,}5^5$
e) $\left(\frac{2}{3}\right)^{11}$ f) 5^5

3. a) 5^6 b) 8^8
c) 79^{15} d) $0{,}8^{24}$
e) $\left(\frac{2}{3}\right)^{50}$ f) 4^{21}

4. Par développement :
$6^8 \times 6^3 = 6 \times 6 \times 6 \times 6 \times 6 \times 6 \times 6 \times 6 \times 6 \times 6 \times 6 = 6^{11}$

5. a) Carlos a multiplié et divisé chacune des bases.
b) Carlos devrait additionner ou soustraire les exposants et conserver chacune des bases.
$3^4 \times 3^8$
$= 3 \times 3 \times 3 \times 3 \times 3 \times 3 \times 3 \times 3 \times 3 \times 3 \times 3 \times 3 = 3^{12}$
$\frac{8^6}{8^2} = \frac{8 \times 8 \times 8 \times 8 \times 8 \times 8}{8 \times 8} = 8^4$

6. 10^{22}

7. a) $\left(\frac{1}{2}\right)^5 = \frac{1}{32}$ b) $\left(\frac{1}{10}\right)^6 = \frac{1}{1\ 000\ 000}$
c) $(2{,}3)^1 = 2{,}3$ d) $5^3 = 125$

8. a) Chaque membre de l'équation est égal à 27.
b) Le membre du côté droit est beaucoup plus simple à évaluer.

9. a) I) 51^{38} II) $1{,}4^8$
III) $\left(\frac{6}{7}\right)^{28}$ IV) 17^6
V) 9^4 VI) 76^{20}
b) Les réponses varieront.

10. a) 256 b) 8 c) 1024

11. a) t^{17} b) a^{35} c) s^7
d) 2^9 e) 3^7

4.4 L'exposant nul et les exposants négatifs, page 169

1. a) $\frac{1}{8}$ b) 1
c) $\frac{1}{36}$ d) $\frac{1}{1000}$
e) 1

2. a) 0,16 b) 0,016
c) 0,039 d) 0,681
e) 0,95

3. a) I) $16, \frac{1}{16}$ II) $81, \frac{1}{81}$
III) $9, \frac{1}{9}$ IV) $10\ 000, \frac{1}{10\ 000}$
b) Il s'agit de nombres inverses, parce que les régularités suggèrent des définitions des exposants négatifs.

4. a) En 1970, 1,25 million de dollars ; en 2000, 15,1 millions de dollars.
b) En 1960, 545 000 $.

5. a) $2^5 = 32$ b) $3^{-2} = \frac{1}{9}$
c) $8^0 = 1$ d) $7^0 = 1$
e) $3^{-4} = \frac{1}{81}$ f) $2^{-5} = \frac{1}{32}$
g) $2^6 = 64$ h) $8^0 = 1$

6. a) Oui, Myriam a raison. Pour vérifier son raisonnement, notons que $\frac{4}{5} \times \frac{5}{4} = 1$.

b) I) $\frac{2}{3}$ II) $\frac{7}{10}$

III) 125 IV) $\frac{9}{4}$

7. a) I) 1 II) $\frac{1}{81}$ III) 9

b) I) $B = 1000 \times 2^0 = 1000$. Cette équation modélise le nombre de bactéries présentes dans une colonie à partir de maintenant.

II) $B = 1000 \times 2^{-3} = 125$

8. a) Environ 2700 $.

b) Environ 23 700 $.

4.5 Les fonctions exponentielles, page 173

1. Pour associer chacune des équations au graphique approprié, je dois évaluer l'expression $x = 1$.

a) $y = 4^x$: B

$y = 1{,}2^x$: C

$y = 10^x$: A

b) $y = \left(\frac{1}{4}\right)^x$: C

$y = 0{,}9^x$: A

$y = \left(\frac{2}{3}\right)^x$: B

2. a) Toute base plus grande que 1 définit un cas de croissance exponentielle.

I) Croissance. II) Croissance.

III) Décroissance. IV) Décroissance.

b) I)

x	y
−3	$\frac{1}{27}$
−2	$\frac{1}{9}$
−1	$\frac{1}{3}$
0	1
1	3
2	9
3	27

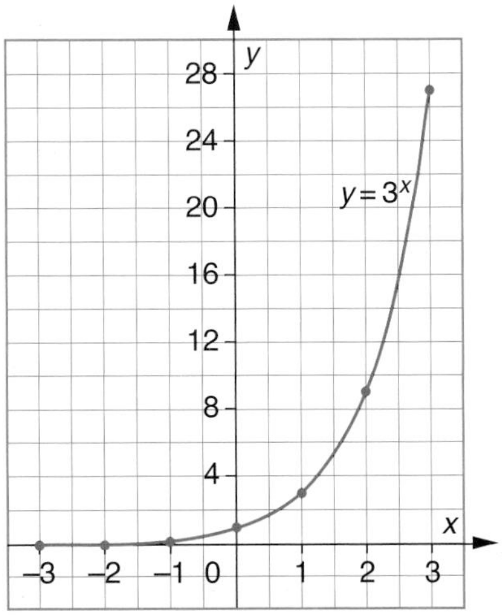

II)

x	y
−3	0,51
−2	0,64
−1	0,8
0	1
1	1,25
2	1,56
3	1,95

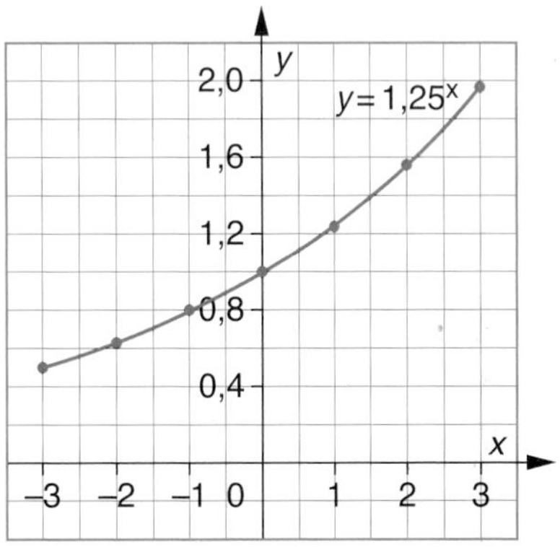

III)

x	y
−3	125
−2	25
−1	5
0	1
1	$\frac{1}{5}$
2	$\frac{1}{25}$
3	$\frac{1}{125}$

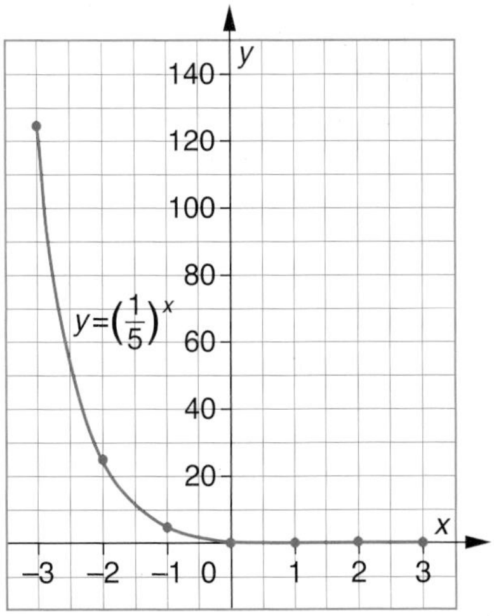

IV)

x	y
−3	1,95
−2	1,56
−1	1,25
0	1
1	0,8
2	0,64
3	0,51

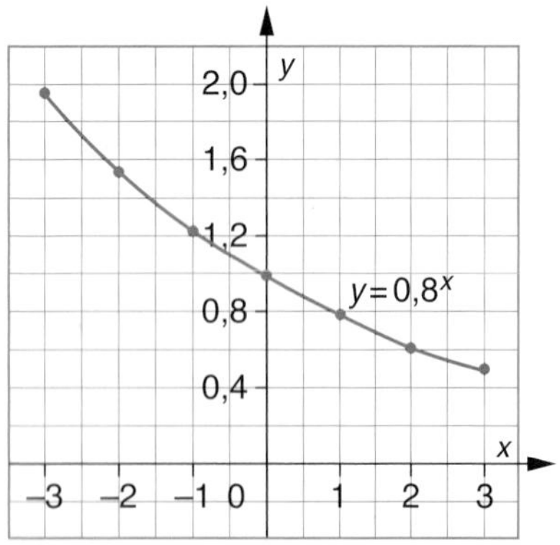

3. a)

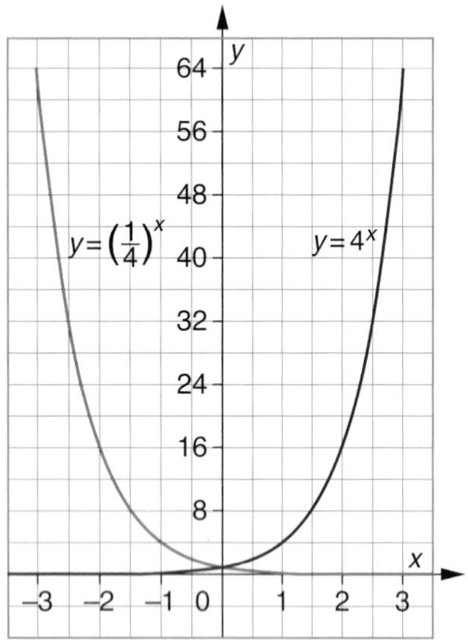

b) Les réponses varieront. Par exemple : Les deux graphiques présentent la même forme de courbe. Chaque courbe passe par le point (0,1) et se rapproche de l'axe des x, mais ne le croise jamais. L'une est croissante, et l'autre est décroissante. L'une des courbes constitue ainsi l'image par réflexion de l'autre courbe par rapport à l'axe des y.

c) Dans l'ensemble, les deux graphiques présentent la même forme. Leur courbe est cependant plus abrupte.

4. a) Pour de grandes valeurs positives de x, la valeur de y augmente graduellement. Pour de grandes valeurs négatives de x, la valeur de y diminue, se rapprochant de zéro, mais elle demeure positive.

b) Il n'y a aucune valeur maximale, parce que la courbe du graphique croît à mesure que la valeur de x augmente. Il n'y a aucune valeur minimale, parce que la courbe du graphique décroît et tend vers 0, alors que la valeur de x diminue.

5. a) La fonction n'est pas exponentielle, parce que le facteur de croissance n'est pas constant.

b) La fonction est exponentielle, parce que le facteur de croissance, 5, est constant.

c) La fonction est exponentielle, parce que le facteur de croissance, 3, est constant.

d) La fonction n'est pas exponentielle, parce que le facteur de croissance n'est pas constant.

6. a) De haut en bas : $4(2)^x$, $3(2)^x$, $2(2)^x$.

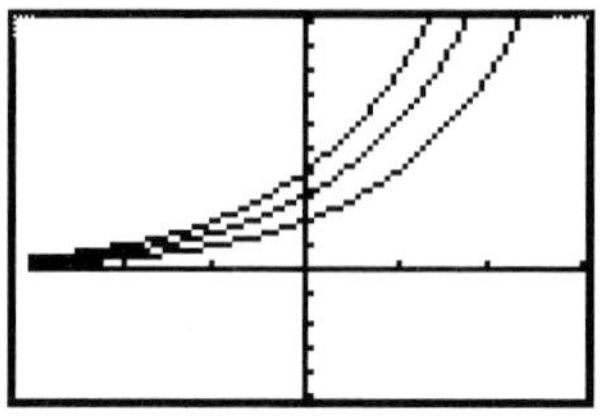

b) Les réponses varieront. Les graphiques ont tous un facteur de croissance de 2, mais on note un rétrécissement vertical de divers facteurs.

c) De haut en bas : $4(0,5)^x$, $3(0,5)^x$, $2(0,5)^x$.

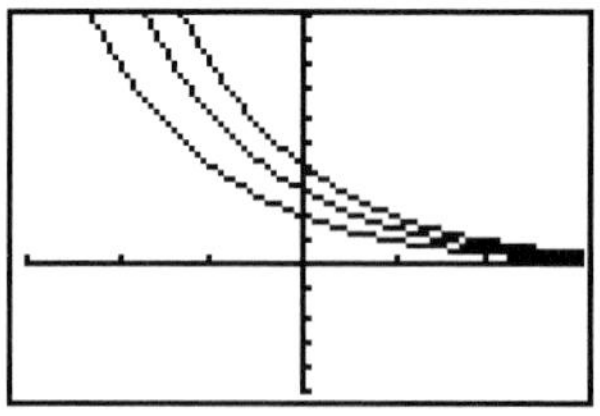

Ces graphiques affichent tous un facteur de décroissance de 0,5, mais on note un rétrécissement vertical de divers facteurs.

d) a est le facteur du rétrécissement vertical.

Chapitre 4 – Révision de mi-chapitre, page 176

1. a) 343 **b)** 256 **c)** 144

2. a)

Nombre de plis	Nombre de couches
0	5
1	10
2	20
3	40
4	80
5	160

b) **Augmentation du nombre de couches**

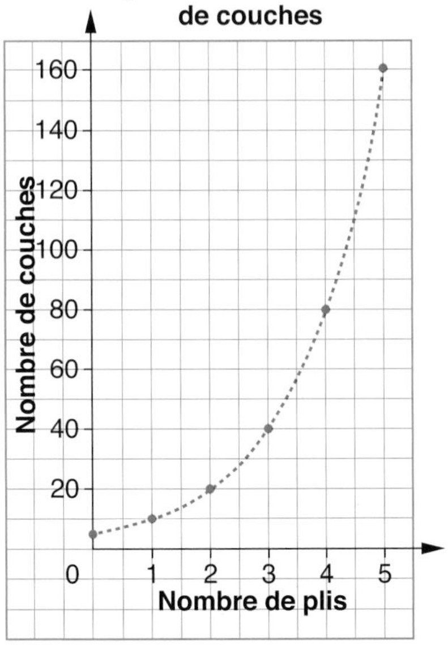

c) $C = 5 \times 2^n$

d) 1280

3. a) $\frac{1}{36}$ b) $\frac{1}{64}$ c) $\frac{81}{256}$

4. a)

Numéro de rebond	Hauteur (cm)
0	300
1	180
2	108
3	64,8
4	38,9
5	23,3

Hauteur atteinte par la balle après chaque rebond

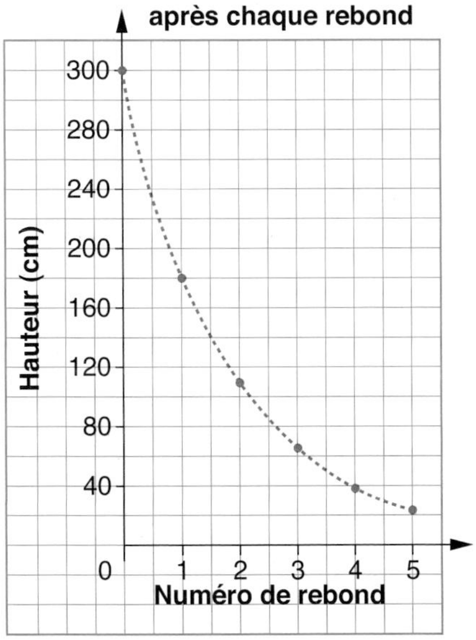

b) $H = 300 \times 0{,}6^n$

c) Environ 5 cm.

5. a) $10^6 = 1\ 000\ 000$ b) $2^6 = 64$

c) $7^2 = 49$ d) $3^4 = 81$

e) 1,5 f) $5^3 = 125$

7. a) $4^0 = 1$; $4^{-1} = \frac{1}{4}$; $4^{-2} = \frac{1}{16}$; $4^{-3} = \frac{1}{64}$

b) $4^{-4} = \frac{1}{256}$, $4^{-5} = \frac{1}{1024}$

8. a) $\frac{1}{9}$ b) $\frac{1}{64}$

c) $\frac{1}{10\ 000}$ d) 1

9. a) 1200. J'ai effectué la substitution $n = 0$.

b) $\frac{9}{10}$

c) En 1999, environ 1330 ; en 2005, environ 710.

10. a) I)

x	y
−2	$\frac{1}{9}$
−1	$\frac{1}{3}$
0	1
1	3
2	9

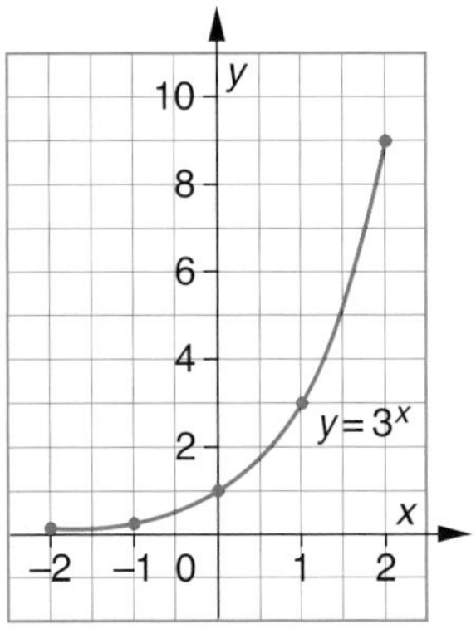

II)

x	y
−2	9
−1	3
0	1
1	$\frac{1}{3}$
2	$\frac{1}{9}$

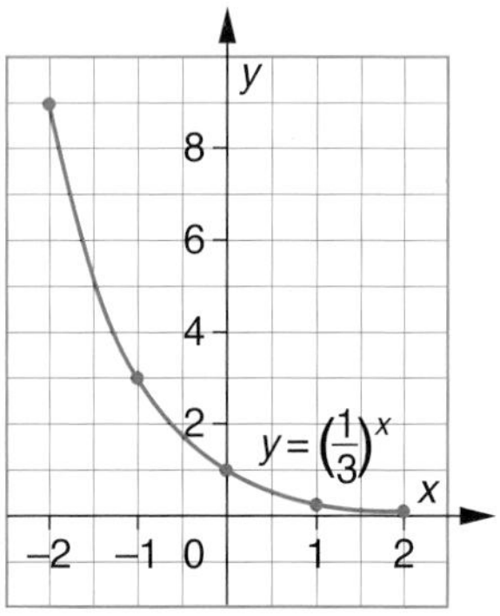

b) Les réponses varieront. Par exemple : Chaque courbe est une réflexion par rapport à l'axe des y. Les deux graphiques présentent la même forme de courbe. L'une est croissante, alors que l'autre est décroissante. L'ordonnée à l'origine dans les deux cas est 1, et chaque représentation graphique possède une asymptote horizontale $y = 0$.

4.6 Des applications de la croissance exponentielle, page 180

1.

Taux de croissance	5 %	8 %	1,5 %	50 %	12 %	3 %
Facteur de croissance	1,05	1,08	1,015	1,5	1,12	1,03

2. Si le facteur de croissance était de 0,3, la quantité diminuerait.

3. a) 1 **b)** 2 **c)** Environ 7,5.

4. a)

Temps (min)	0	30	60	90	120
Volume (L)	1,4	2,0	2,9	4,2	6,0
Facteur de croissance	$\frac{2,0}{1,4} \doteq 1,43$	$\frac{2,9}{2,0} \doteq 1,45$	$\frac{4,2}{2,9} \doteq 1,45$	$\frac{6,0}{4,2} \doteq 1,43$	

b) Les valeurs du facteur de croissance sont presque toutes égales. Les mesures de Laurence sont peut-être erronées ou quelque peu déficientes, mais le modèle exponentiel demeure applicable.

c) Un peu moins de 60 minutes.

5. a) $V = 125 \times 1,08^n$, où V représente la valeur du timbre en dollars n années après 2005.

b) Environ 210 $.

c) Environ neuf ans.

6. a)

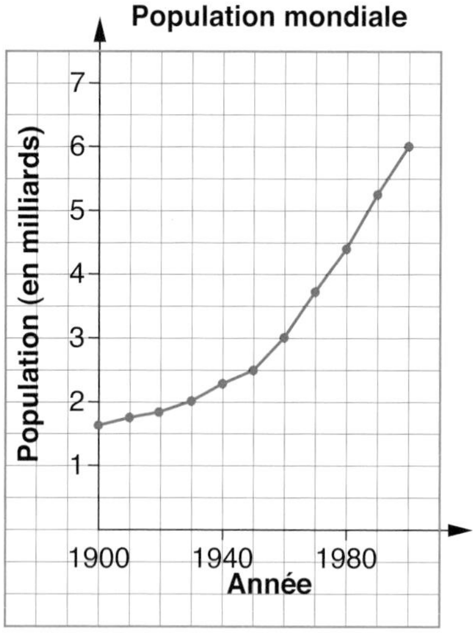

Les réponses varieront.

b) Entre 10 et 11 milliards d'habitants.

c), d) Les réponses varieront.

7. a) La valeur initiale est égale à 50. Il y avait environ 50 millions de véhicules motorisés dans le monde, en 1946. Le facteur de croissance, 1,061, équivaut à un taux de croissance annuel de 6,1 % du nombre de véhicules depuis 1946.

b)

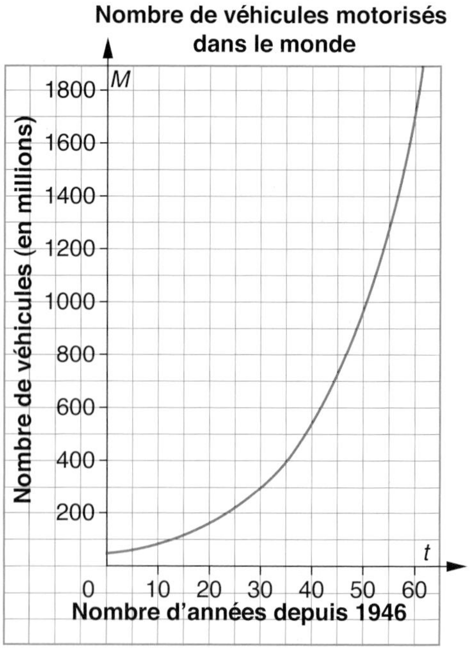

c) Les réponses varieront.

8. Mathieu a tort. Chaque augmentation s'applique plutôt au prix des billets de l'année précédente. Par conséquent, le prix du billet est multiplié par 1,075 tous les ans. Donc, en 2000, le prix du billet, en dollars, se calcule comme suit : $25 \times (1,075)^{10} = 51,53$, ou environ 50 $.

4.7 Des applications de la décroissance exponentielle, page 185

1. Examine deux paires de points pour vérifier tes réponses.
   a) 1 **b)** 2
   c) Environ 7,5.
2. **a)**

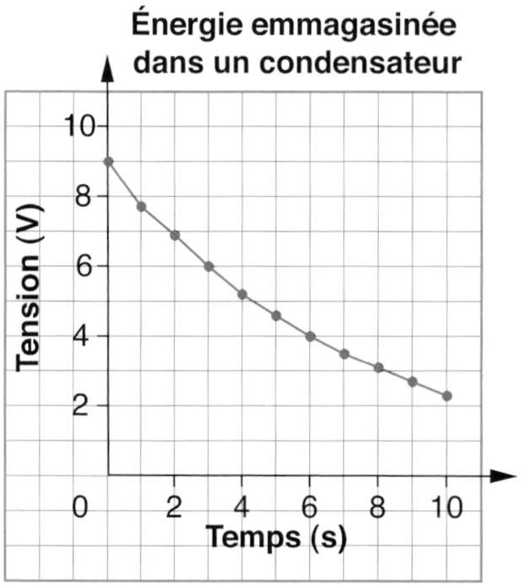

   b) La tension diminue de façon exponentielle. Les réponses varieront. Par exemple : La courbe du graphique descend rapidement d'abord, puis plus lentement. Le facteur de décroissance est d'environ 0,88, et la demi-vie de la tension est d'environ 5 s.
   c) Les réponses varieront.
   d) Un peu plus de 5 s.
3. **a)** Dans la courbe, le facteur de décroissance est d'environ 0,88, ce qui équivaut à un taux de décroissance d'environ 12 %.
   b) Environ cinq heures.
   c) Les réponses varieront.
4. **a)** $M = 100 \times 0,917^t$, où M représente la masse d'iode qui reste en mg.
   b) Environ 50 mg.
   c) Environ 8 jours, selon la réponse obtenue en b).
5. **a)** Il y a 26 élèves dans la classe ; $\frac{5}{6}$ est égal au facteur de décroissance obtenu à l'aide d'un dé ; le taux de décroissance est égal à $\frac{1}{6}$.
   b) **I)** Environ 10. **II)** Environ 4.
6. Les réponses varieront.
7. $0,5 = \frac{1}{2} = 2^{-1}$; 0,5 est l'inverse de 2.

4.9 La comparaison entre les fonctions affines, du second degré et exponentielles, page 193

1. **a)** Affine. **b)** Exponentielle.
   c) Affine. **d)** Du second degré.
   e) Exponentielle. **f)** Du second degré.
2. a), c) et e)
3. **a)** Fonction du second degré ; les deuxièmes différences sont constantes ; on observe une régularité 1, 3, 5, 7, ...
   b) Exponentielle ; on observe un facteur de croissance d'environ 2,2.
   c) Affine ; les premières différences sont constantes, 3.
4. **a)**

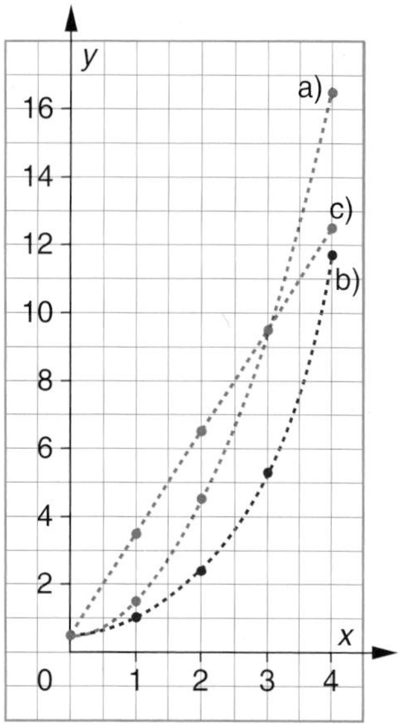

   b) **a :** Le graphique d'une fonction définie par $y = x^2 + 0,5$. On y observe une demi-parabole.
   b : Le graphique est une courbe de croissance exponentielle. Le facteur de croissance, 2,2, est constant.
   c : Le graphique est une fonction affine représentée par l'équation $y = 3x + 0,5$.
5. **a)** Réservoir A : constitue une fonction exponentielle ; l'équation est de la forme $y = ab^x$.
   Réservoir B : constitue une fonction affine ; l'équation est de la forme $y = mx + b$.
   Réservoir C : constitue une fonction du second degré ; l'équation est de la forme $y = ax^2 + bx + c$.
   b) La hauteur initiale est égale à la hauteur de l'eau à $t = 0$. Donc, la hauteur initiale de l'eau dans chacun des réservoirs est de 20 m.

6. a)

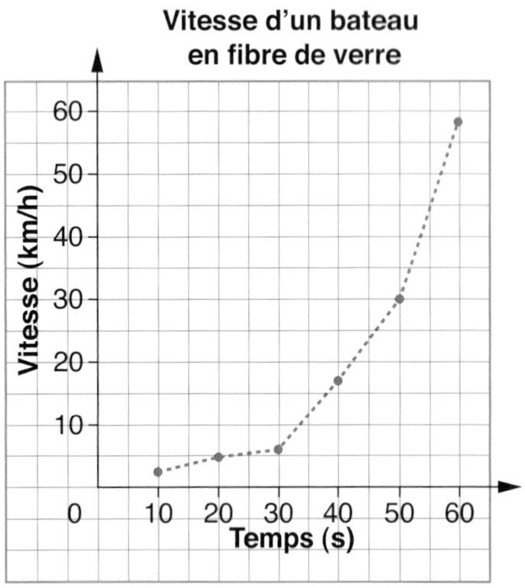

b) Non, parce que le facteur de croissance n'est pas constant.

7. La dette augmente chaque année. Par contre, le facteur de croissance n'est pas constant.

Année	Dette publique brute (en milliards de dollars)	Facteur de croissance
1970	36	
1975	55	55 ÷ 36 = 1,53
1980	111	111 ÷ 55 = 2,02
1985	251	251 ÷ 111 = 2,26
1990	407	407 ÷ 251 = 1,62
1995	596	596 ÷ 407 = 1,46

Les estimations varieront. Voici une réponse plausible. La table de valeurs montre que le facteur de croissance diminue. On peut donc estimer le facteur de croissance de 1995 à 200 à 1,4.

On peut estimer la dette pour 2000 : 596 × 1,4 ≐ 834 milliards de dollars.

Si on utilise le même taux de croissance pour 2005, notre estimation sera : 834 × 1,4 ≐ 1100 milliards de dollars.

Chapitre 4 – Révision, page 200

1. a) 81 b) 32
c) 1 000 000 d) 5,2

2. a) 30 948,5 b) 3,8 c) 1 048 576

3. a)

Année	Nombre de lapins
0	30
1	60
2	120
3	240
4	480

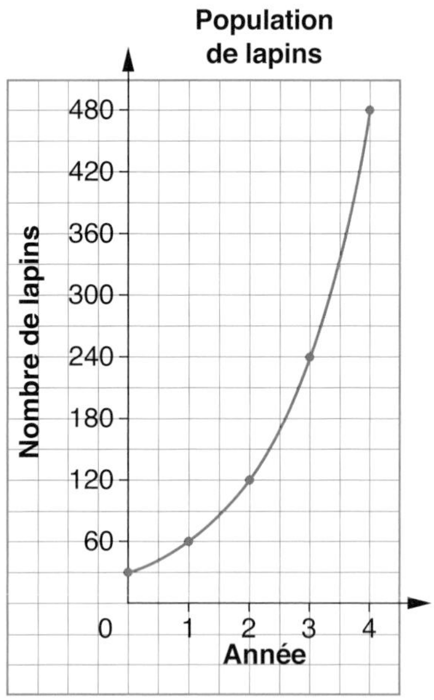

$L = 30 \times 2^n$, où L représente le nombre de lapins au bout de n années.

b) 480 lapins.

4. a) $\frac{1}{125}$ b) $\frac{16}{49}$ c) $\frac{1}{1\ 000\ 000}$

5. a)

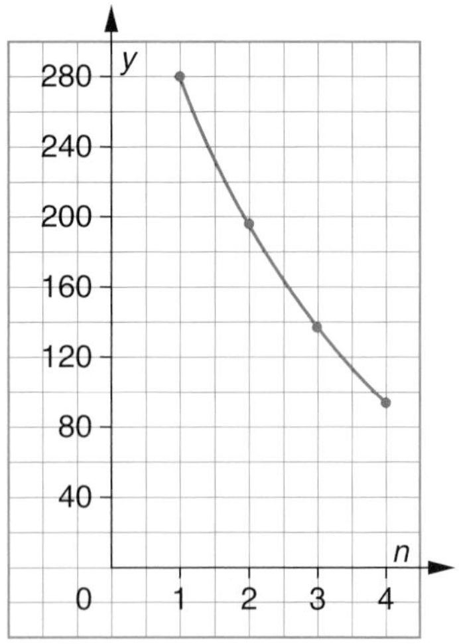

b) Les réponses varieront.

6. a)

Numéro de rebond	Hauteur (cm)
0	300
1	150
2	75
3	37,5
4	18,75
5	9,38

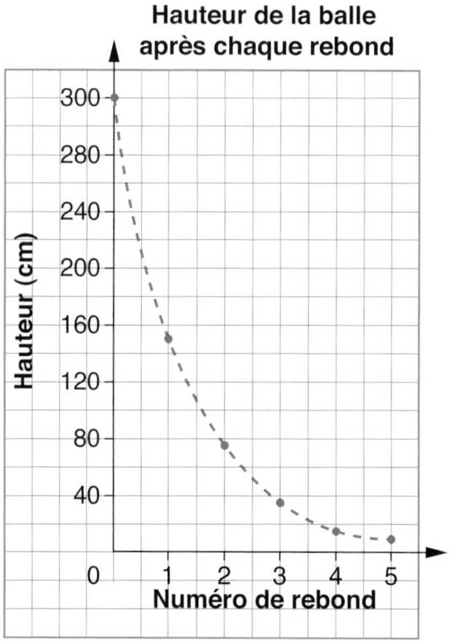

$H = 300 \times (0,5)^n$, où H représente la hauteur en centimètres après le n^e rebond.

b) Environ 9 cm.

7. a) 7^{43} **b)** 6^{70}

c) 5^5 **d)** 3^5

8. Les réponses varieront. Quand je simplifie une puissance d'une puissance, je dois multiplier les exposants, par exemple : $(5^2)^3 = 5^6$. Quand je simplifie le produit de deux puissances, je dois additionner les exposants, par exemple : $5^2 \times 5^3 = 5^5$.

9. a) $\frac{1}{8}$ **b)** 1 **c)** $\frac{1}{5}$

10. a) 0,33 **b)** 2,6 **c)** 0,27

11. a) $17^{-1} \doteq 0,06$ **b)** $2^0 = 1$

12. a) 11,3 millions d'habitants.

b) 10,1 millions d'habitants.

c) 9,7 millions d'habitants.

13. a)

x	y
−2	$\frac{1}{25}$
−1	$\frac{1}{5}$
0	1
1	5
2	25

b) Les réponses varieront. Par exemple : La courbe du graphique descend rapidement d'abord, puis plus lentement. L'ordonnée à l'origine est $y = 1$, et la représentation graphique possède une asymptote horizontale $y = 0$.

14. a)

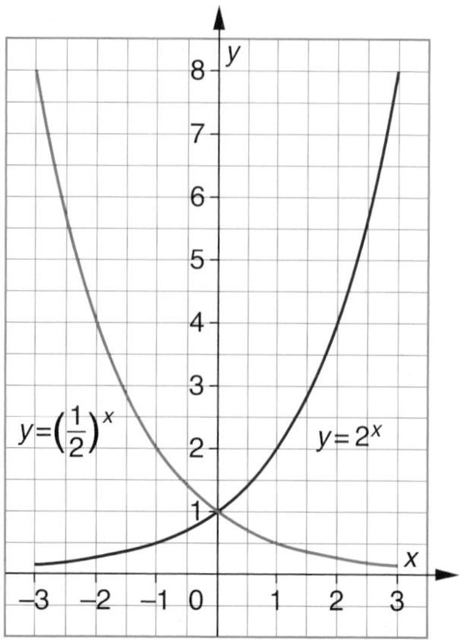

b) Les réponses varieront. Par exemple : Les deux graphiques présentent la même forme de courbe. L'une est croissante, alors que l'autre est décroissante. Dans les deux cas, l'ordonnée à l'origine est $y = 1$, et chaque représentation graphique possède une asymptote horizontale $y = 0$. L'une des courbes constitue ainsi l'image par réflexion de l'autre courbe par rapport à l'axe des y.

15. a), d) Dans l'équation d'une fonction exponentielle, la variable x est un exposant.

16. a)

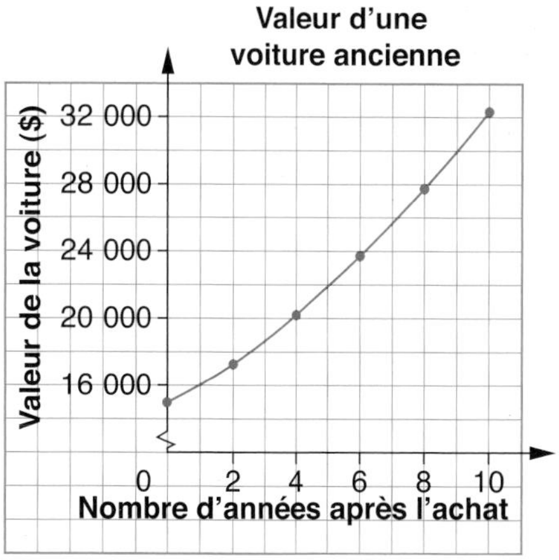

b) Environ 9 ans.

17. a) En 1990, 1500 habitants ; en 1994, 3000 habitants. Le facteur de croissance de la population est égal à 2.

b) Les réponses varieront. Par exemple, en 1992, environ 2200 habitants ; en 1996, environ 4500 habitants.

c) Environ 4 ans.

18. a) Les réponses varieront. Par exemple : La population diminue rapidement d'abord, puis moins rapidement.

b) Environ 0,8.
c) Environ 3 ans.

19. a) La température diminue d'environ 22 °C au cours des 10 premières minutes et d'environ 13 °C au cours des 10 minutes suivantes.
b) La courbe du graphique serait moins abrupte; la température diminuerait moins rapidement.

20. a) Du second degré.
b) Exponentielle.
c) Affine.

21. Les réponses varieront.

Chapitre 4 – Test, page 202

1. C; en se basant sur la définition, les exposants sont équivalents à une multiplication répétée.

2. A; le facteur de croissance est égal à 2.

3. a) 40 b) $\frac{1}{64}$
c) $\frac{16}{625}$ d) 125

4. a) En 1980, 2,7 millions d'habitants; en 1983, 2,9 millions d'habitants; et en 1986, 3,1 millions d'habitants.
b) Les réponses varieront.

5. a) 35 % b) 2 cm

6. a) $v = 2{,}0 \times 1{,}07^t$
b)

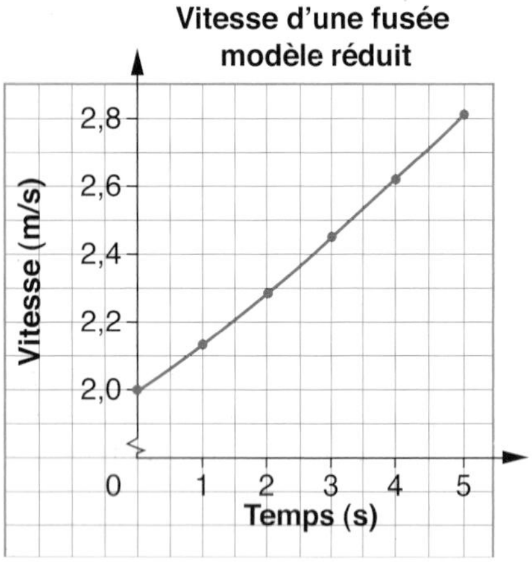

c) I) L'ordonnée à l'origine serait 2. On noterait un rétrécissement vertical de la courbe du graphique par un facteur de 2,5.
II) La courbe du graphique serait plus abrupte, et la vitesse augmenterait plus rapidement.

Chapitres 1 à 4 – Révision cumulative, page 208

1. a) $d = 2{,}0$ m b) 62°

2. Côté avant du toit: 27 m.
Côté arrière du toit: 17 m.

3. 43°. Utiliser la loi du cosinus, ou tracer une arête perpendiculaire à la base partant de l'arête du toit et utiliser le cosinus avec le petit triangle.

4. a) Utiliser la loi du cosinus: $m = 16$ m.
b) Utiliser la loi des sinus: $\angle R = 57°$.

5. a) La grande ouverture permet de verser facilement des substances dans l'entonnoir.
c)

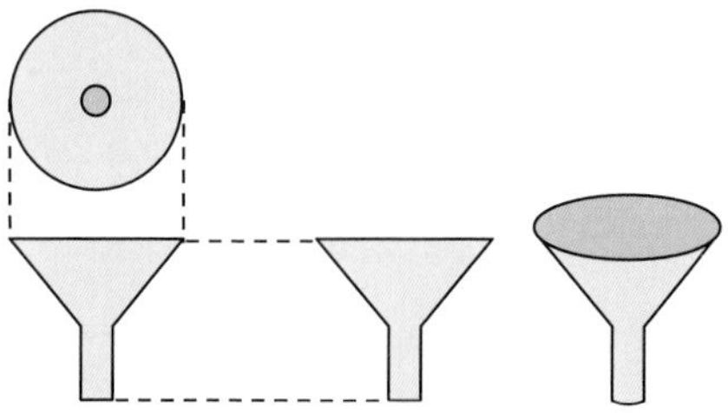

6. Les réponses dépendront du livre, du matériel et du logiciel utilisés.

7. Les réponses dépendront de la pièce, des meubles et de l'échelle choisis.

8. Les réponses varieront. Il faudra éviter tout gaspillage d'espace et de carton, et le carton d'expédition devra être stable, compact et empilable.

9. a)

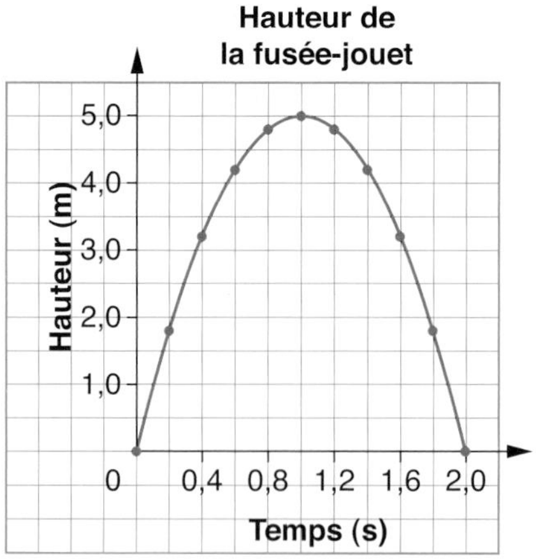

b) La fusée atteint une hauteur de 5,0 m au bout de 1,0 s.
c) 2,0 s

10. a) $y = x^2 + 4$ b) $y = x^2 - 3$
c) $y = (x + 2)^2$ d) $y = (x - 1)^2$

11. a)

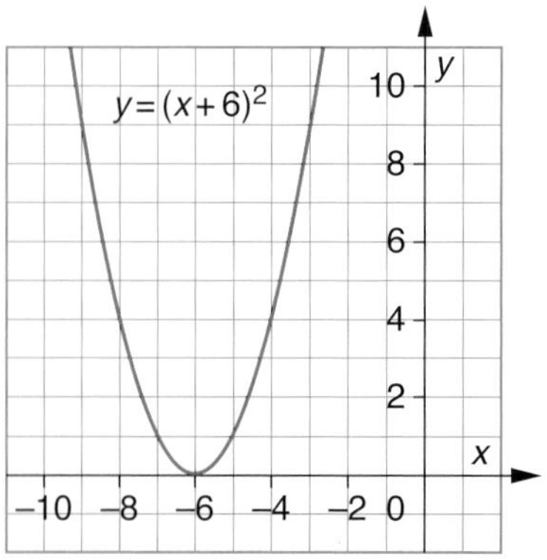

b)

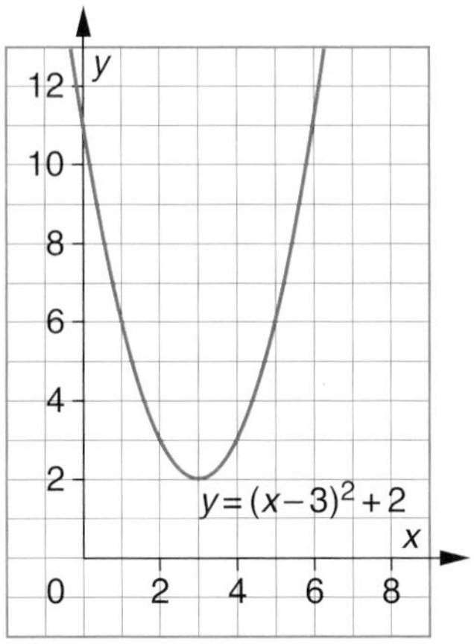

12. a) L'ouverture est vers le haut et le graphique est plus large, parce que $a > 0$ et que $a < 1$.

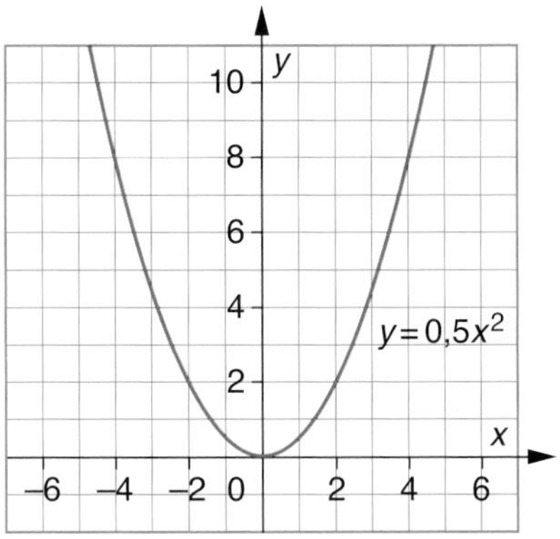

b) L'ouverture est vers le bas et le graphique est plus étroit, parce que $a < -1$.

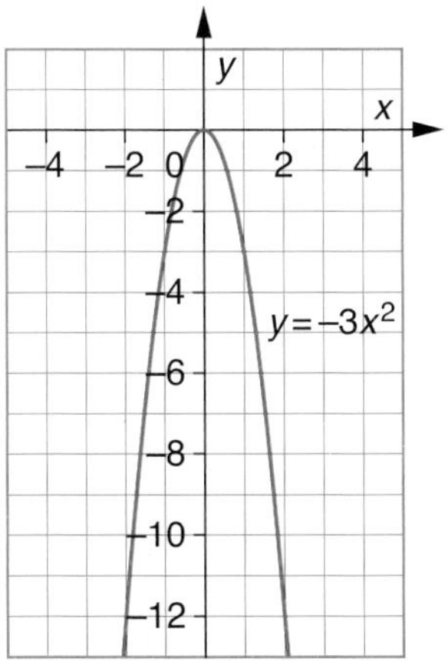

13. a) **I)** $x = -4$ **II)** $(-4, 7)$
III) $-0{,}1, -0{,}3, -0{,}5$

b) **I)** $x = -0{,}5$ **II)** $(-0{,}5, 1)$
III) $1, 3, 5$

14. a) $h = -5t^2 + 10t + 2{,}5$

b) 7,5 m, d'après la forme canonique de l'équation.

c) 2,5 m, d'après la forme générale de l'équation.

15. a) $3x^2 + 3x - 18$ **b)** $2x^2 - 16x + 32$
c) $x^2 + 18x + 81$ **d)** $4x^2 - 4$

16. a) $y = x^2 - 6x^2 + 10$ **b)** $y = -4x^2 + 16x - 19$
c) $y = -2x^2 - 4x - 6$ **d)** $y = 3x^2 - 6x + 8$

17. a) $(x + 5)(x - 5)$ **b)** $(x + 7)^2$
c) $(x + 4)(x - 3)$ **d)** $3(x - 3)(x - 2)$
e) $4(x + 5)(x + 4)$

18. a) Le facteur de croissance est 6.

b) $S = 2 \times 6^{n-1}$. Après sept mois, il y aura 93 312 souris.

19. a) 1 **b)** $\frac{1}{256}$
c) $\frac{49}{36}$ **d)** 1,8

20. a) 3,02 milliards. **b)** 3,68 milliards.
c) 6,67 milliards. **d)** 2,48 milliards.

21. a)

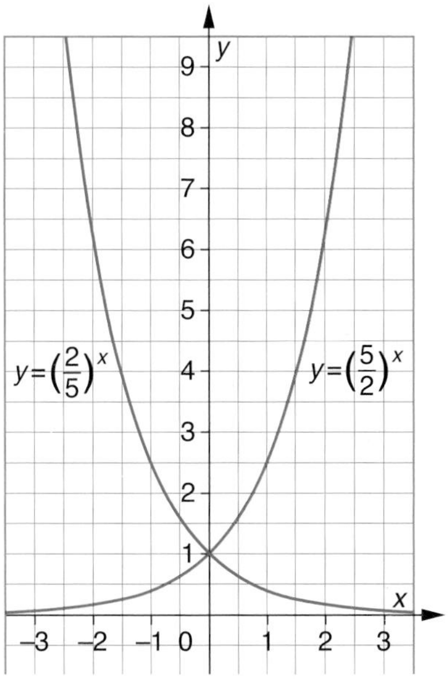

b) Les réponses varieront. Par exemple : Les deux graphiques ont la même forme, passent par (0, 1) et ont une asymptote horizontale $y = 0$. L'un est croissant, l'autre est décroissant. Les graphiques sont des réflexions l'un de l'autre par rapport à l'axe des y.

22. a) Oui. Le graphique a un facteur de décroissance d'environ 1,4.

b) Environ 2.

23. La relation est exponentielle. À la comparaison des valeurs de y pour les valeurs de x, son facteur de croissance est d'environ 2,5.

24. a) Exponentielle.

b) Affine.

c) Du second degré.

Chapitre 5: Épargner et investir

Connaissances préalables
Déterminer le pourcentage d'un nombre, page 212

1. **a)** 30 $ **b)** 530 $
2. 112,50 $
3. **a)** 904 élèves. **b)** Les réponses varieront.

5.1 L'intérêt simple, page 215

1. **a)** 144 $ **b)** 40 $
c) 93,75 $ **d)** 59,18 $
e) 2,47 $
2. **a)** 502,81 $ **b)** 759,62 $
c) 1035 $ **d)** 312 $
3. **a)** 175 $ **b)** 1225 $
c) La solution obtenue en b) est sept fois plus élevée que la solution obtenue en a). Les intérêts simples augmentent de façon constante au fil du temps. Ils présentent une croissance linéaire.
4. **a)** 17,50 $
b)

Nombre d'années	Capital ($)	Intérêts de 3,5 % ($)	Total des intérêts cumulés ($)
1	500	17,50	17,50
2	500	17,50	35,00
3	500	17,50	52,50
4	500	17,50	70,00
5	500	17,50	87,50
6	500	17,50	105,00

c)

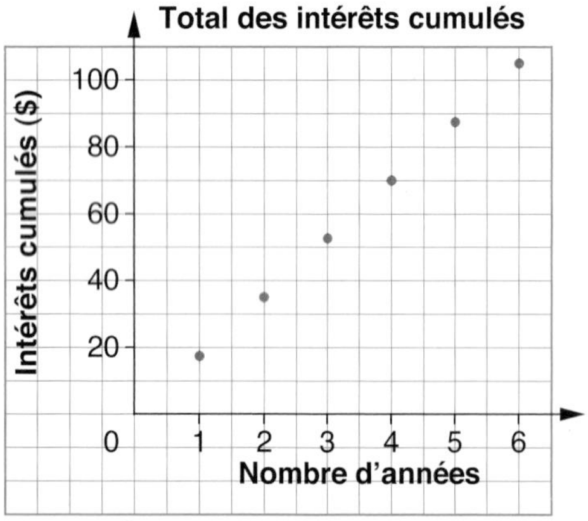

d) Le graphique représente une croissance linéaire. La pente du graphique est de 17,5.
5. **a)** 522,40 $ **b)** 2089,60 $
6. **a)** Oui, si on double le capital, le total des intérêts cumulés doublera. Le total des intérêts cumulés augmente de façon constante en fonction du capital investi.
b) Oui, si on double le taux d'intérêt, le total des intérêts cumulés doublera. Le total des intérêts cumulés augmente de façon constante en fonction du taux d'intérêt offert.
c) Oui, si on double la durée du placement, le total des intérêts cumulés doublera. Le total des intérêts cumulés augmente de façon constante en fonction de la durée du placement.
7. 7 %

5.2 L'intérêt composé, page 220

1. **a)**

Nombre d'années	Capital ($)	Intérêts de 3 % ($)
1	300,00	9,00
2	309,00	9,27
3	318,27	9,55
4	327,82	9,83

b) 37,65 $
2. **a)**

Nombre d'années	Capital ($)	Intérêts de 3 % ($)
1	300,00	9,00
2	300,00	9,00
3	300,00	9,00
4	300,00	9,00

b) 36 $ **c)** 1,65 $
d) Les intérêts supplémentaires proviennent des intérêts réinvestis.
3. **a)** Le montant des intérêts gagnés au taux d'intérêt composé augmente toujours d'une année à l'autre, alors que le montant des intérêts gagnés au taux d'intérêt simple demeure constant.

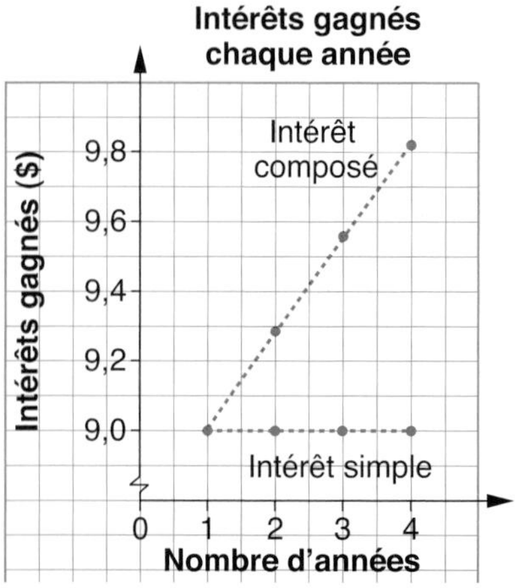

b) Les intérêts composés font augmenter le montant investi plus rapidement parce qu'ils sont calculés sur les intérêts gagnés antérieurement. Donc, le montant des intérêts gagnés augmente chaque année.

4. a)

Nombre d'années	Capital ($)	Intérêts de 12,5 % ($)	Total des intérêts cumulés ($)
1	100	12,50	12,50
2	100	12,50	25,00
3	100	12,50	37,50
4	100	12,50	50,00
5	100	12,50	62,50
6	100	12,50	75,00

b)

Nombre d'années	Capital ($)	Intérêts de 12,5 % ($)	Total des intérêts cumulés ($)
1	100,00	12,50	12,50
2	112,50	14,06	26,56
3	126,56	15,82	42,38
4	142,38	17,80	60,18
5	160,18	20,02	80,20
6	180,20	22,53	102,73

c) 27,73 $

d)

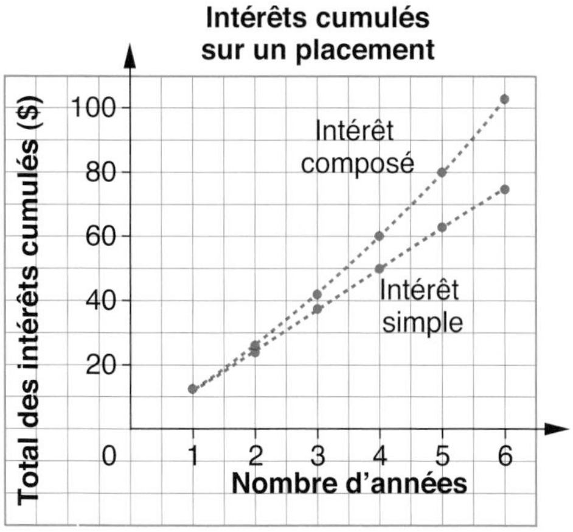

Le total des intérêts cumulés au taux intérêt simple présente une croissance linéaire, c'est-à-dire qu'il augmente de façon constante, tandis que le total des intérêts cumulés au taux d'intérêt composé présente une croissance exponentielle, c'est-à-dire qu'il augmente de façon exponentielle.

5. a)

Nombre d'années	Capital ($)	Intérêts de 8,5 % ($)	Valeur à la fin de l'année ($)
1	25 000,00	2125,00	27 125,00
2	27 125,00	2305,63	29 430,63
3	29 430,63	2501,60	31 932,23
4	31 932,23	2714,24	34 646,47
5	34 646,47	2944,95	37 591,42
6	37 591,42	3195,27	40 786,69
7	40 786,69	3466,87	44 253,56
8	44 253,56	3761,55	48 015,11

b) 48 015,11 $ c) 23 015,11 $

6. a) 17 000 $ b) 6015,11 $

c) Avec un CPG à intérêt simple, Camille recevrait la somme de 2125 $ par année, au lieu d'attendre 8 ans avant de pouvoir toucher les intérêts.

7. a)

Nombre d'années	Capital ($)	Intérêts de 12 % ($)	Valeur à la fin de l'année ($)
1	5000,00	600,00	5 600,00
2	5600,00	672,00	6 272,00
3	6272,00	752,64	7 024,64
4	7024,64	842,96	7 867,60
5	7867,60	944,11	8 811,71
6	8811,71	1 057,41	9 869,11
7	9869,11	1 184,29	11 053,40

b)

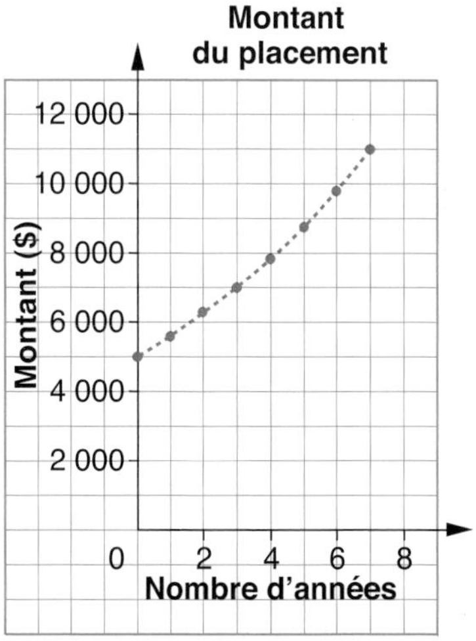

c) Non. Les premières différences calculées à partir des données de la table de valeurs augmentent chaque année, alors que la courbe du graphique monte légèrement vers la droite.

8. À l'échéance, la valeur de l'OEC s'élève à 3876 $, comparativement à 3837,70 $ pour l'OPC. Donc, je lui recommanderais l'OEC.

9. L'obligation à taux fixe de l'Ontario rapportera le plus d'intérêts. En voici un exemple.

OPC à intérêt simple

Nombre d'années	Capital ($)	Intérêts de 3,0 %, 3,25 %, 4,0 % ($)	Valeur à la fin de l'année ($)
1	1000,00	30,00	1030,00
2	1000,00	32,50	1062,50
3	1000,00	40,00	1102,50

Obligation à taux fixe de l'Ontario

Nombre d'années	Capital ($)	Intérêts de 3,6 % ($)	Valeur à la fin de l'année ($)
1	1000,00	36,00	1036,00
2	1036,00	37,30	1073,30
3	1073,30	38,64	1111,93

5.3 La valeur finale d'un placement à intérêt composé, page 225

1. a) 2544,06 $ b) 351,85 $
c) 51 048,48 $ d) 5887,10 $
e) 130 933,86 $

2. a) 544,06 $ b) 51,85 $
c) 26 048,48 $ d) 3387,10 $
e) 30 933,86 $

3. a) 4299,39 $ b) 4479,96 $
c) 180,57 $. Le montant des intérêts gagnés à la fin de la 6e année est égal à l'augmentation de valeur du placement de la fin de la 5e année à la fin de la 6e année.

4. a) 2877,56 $ b) 377,56 $

5. a)

Nombre d'années	Montant ($)
0	5 000,00
5	8 052,55
10	12 968,71
15	20 886,24
20	33 637,50
25	54 173,53

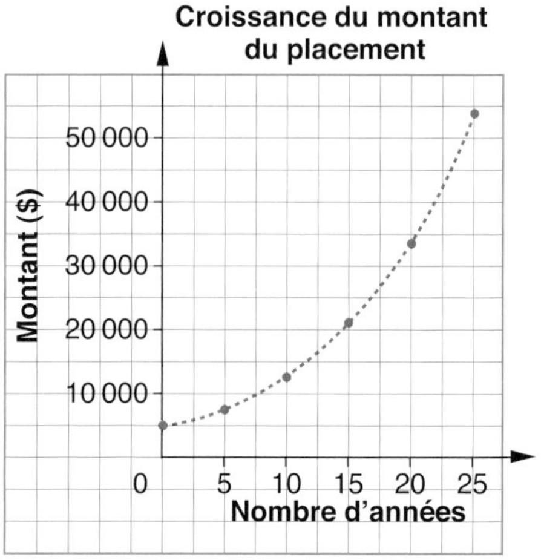

b) Les données présentent une croissance exponentielle. Le montant du placement augmente de façon constante, soit d'un facteur de 1,61. La courbe du graphique s'élève d'abord lentement, puis plus rapidement au fil du temps.

6. Non, Julie a tort. Les intérêts composés présentent une croissance exponentielle. Si l'on prolongeait le graphique, on verrait très bien que la valeur du placement n'augmente pas de façon constante.

7. a) 1981 : 3479,97 $; 2004 : 1090,85 $.
b) 2389,12 $

8. À la fin de la 5e année, le montant du placement s'élèvera à environ 133,82 $. Le double de ce montant est égal à environ 267,65 $.
a) Oui, la valeur finale du placement doublera ; $200(1,06)^5 = 267,64$.
b) Non, la valeur finale du placement ne doublera pas ; $100(1,12)^5 = 176,23$.
c) Non, la valeur finale du placement ne doublera pas ; $100(1,06)^{10} = 179,08$.

9. a)

Capital de 10 000 $ investi pendant 40 ans à un taux de 12 % composé annuellement	
Nombre d'années	**Montant**
0	10 000,00
5	17 623,42
15	54 735,66
25	170 000,64
35	527 996,20
40	930 509,70

b) Les 5 premières années : 7623,42 $; les 5 dernières années : 402 513,50 $.
c) Les réponses varieront. Par exemple : Chaque période de calcul supplémentaire des intérêts composés fait augmenter le total des intérêts

cumulés. Plus la durée du placement est longue, plus la croissance est forte, c'est-à-dire plus le total des intérêts cumulés est élevé au cours des dernières périodes de calcul des intérêts.

10. **a)** Chaque année, le salaire de Sacha augmentera de 2,5 %, et chaque augmentation viendra s'ajouter aux augmentations précédentes. On peut comparer son salaire à un capital de 30 000 $ investi pendant 4 ans à un taux d'intérêt de 2,5 % composé annuellement.

b) 33 114,39 $, car $M = 30\,000(1{,}025)^4$.

5.4 Les périodes de calcul de l'intérêt composé, page 232

1. 1er choix : $1000(1 + 0{,}08)^1 = 1080{,}00$.
2e choix : $1000(1 + 0{,}04)^2 = 1081{,}60$.
3e choix : $1000(1 + 0{,}02)^4 = 1082{,}43$.

2.

Mode de calcul de l'intérêt composé	Taux d'intérêt par période (*i*)	Nombre de périodes de calcul (*n*)
Annuel	12 %	6
Semestriel	6 %	12
Trimestriel	3 %	24
Mensuel	1 %	72
Quotidien	0,0329 %	2190 (2191 ou 2192 en tenant compte des années bissextiles)

3. **a)** **I)** 1003,67 $ **II)** 1010,14 $ **III)** 1011,64 $

b) Le calcul mensuel de l'intérêt composé permet d'obtenir le montant le plus élevé parce que ce mode de calcul comporte le plus grand nombre de périodes de calcul de l'intérêt composé.

4. **a)** 2536,48 $ **b)** 2094,53 $
c) 780,61 $ **d)** 1968,13 $

5. **a)** 536,48 $ **b)** 494,53 $
c) 30,61 $ **d)** 468,13 $

6. Non, Émilie a tort. Lorsque le taux d'intérêt est composé semestriellement, la deuxième période de calcul de l'intérêt porte aussi sur les intérêts gagnés au cours des 6 premiers mois de l'année. Par exemple, la valeur à l'échéance d'un capital de 1000 $ investi pendant 1 an à un taux d'intérêt de 4 % composé annuellement est de 1040 $. La valeur du même capital investi pendant la même période au même taux d'intérêt, mais composé semestriellement cette fois, est de 1020 $ à la fin des 6 premiers mois (première période de calcul), puis de 1040,40 $ à la fin des 6 derniers mois (deuxième période de calcul). Ce montant supplémentaire de 0,40 $ équivaut à l'intérêt couru à l'échéance sur les intérêts gagnés à la fin de la première période de calcul, soit 2 % de 20 $.

7. **a)** 317,66 $
b) 635,32 $
c) 1270,64 $

Oui, le fait de doubler le capital permet de doubler le total des intérêts cumulés.
Considérons le total des intérêts cumulés sur chaque placement.
Le total des intérêts cumulés sur le placement de 250 $ est de 67,66 $, soit 317,66 $ − 250,00 $.
Le total des intérêts cumulés sur le placement de 500 $ est de 135,32 $, soit 635,32 $ − 500,00 $.
Le total des intérêts cumulés sur le placement de 1000 $ est de 270,64 $, soit 1270,64 $ − 1000,00 $.
Les intérêts de 135,32 $ équivalent bien au double des intérêts de 67,66 $, et les intérêts de 270,64 $ équivalent également au double des intérêts de 135,32 $.

8. À l'échéance, la valeur de l'obligation de société s'élèvera à 34 055,28 $ comparativement à 33 072,03 $ pour le CPG. Donc, l'obligation de société constitue le choix le plus avantageux.

9. 2173,99 $

Chapitre 5 – Révision de mi-chapitre, page 234

1. **a)** 92 $ **b)** 920 $

2. 4818,94 $

3. L'intérêt composé fait augmenter le capital plus rapidement que l'intérêt simple parce qu'il est calculé sur un capital augmenté des intérêts cumulés à chacune des périodes de calcul de l'intérêt. Par exemple, la valeur d'un capital de 1000 $ investi pendant une période de 2 ans à un taux d'intérêt simple de 10 % est de 1200 $, comparativement à 1210 $ si le taux d'intérêt est composé. (Les exemples varieront.)

4. Total des intérêts cumulés dans le CPG 1 : 750 $.
Total des intérêts cumulés dans le CPG 2 : 767,40 $.

a) Le deuxième CPG rapporte 17,40 $ de plus que le premier CPG.

b) Parce qu'il ne veut pas attendre à l'échéance pour encaisser les intérêts.

5. **a)** 1192,43 $ **b)** 15 681,54 $
c) 17 327,42 $

6. **a)** 417,43 $ **b)** 2231,54 $
c) 15 327,42 $

7. **a)** 10 794,62 $ **b)** 34 242,38 $

8. Je choisirais l'intérêt composé mensuellement, car plus le nombre de périodes de calcul de l'intérêt composé est élevé, plus les intérêts sur les intérêts sont calculés

fréquemment. Le montant augmente donc plus rapidement.
Les exemples varieront. La valeur d'un capital de 1000 $ investi pendant une période de 2 ans à un taux d'intérêt de 4 % composé annuellement s'élève à 1081,60 $, comparativement à 1083,14 $ si le taux d'intérêt est composé mensuellement.

9. **a)** 882,92 $ **b)** 885,86 $
c) 888,45 $ **d)** 888,96 $

10. **a)** 4232,67 $ **b)** 4259,61 $
c) 2042,18 $

11. Taux d'intérêt de 6,8 % composé mensuellement.

5.5 D'autres modes d'épargne, page 238

1. Les réponses varieront. Par exemple :

	Avantages	Inconvénients
a) Compte d'épargne	• Fonds disponibles en tout temps • Léger rendement, même sur un solde négligeable	• Taux de rendement généralement négligeable • Peu de variété • Frais mensuels
b) Dépôt à terme	• Rendement supérieur • Divers produits à risque et à rendement supérieur	• Encaissable uniquement à l'échéance • Pénalité si encaissé avant l'échéance

2. Les réponses varieront. Par exemple : Parmi les services bancaires pour lesquels des frais sont associés, on trouve les opérations bancaires au comptoir, les opérations au guichet automatique, les commandes de chèques et de relevés bancaires, l'ouverture d'un compte de placement et la protection de découvert. Pour minimiser ces frais, il faut se renseigner auprès d'une conseillère ou d'un conseiller, maintenir le solde minimal exigé et faire appel à de nouveaux produits offrant des frais réduits.

3. 6,50 $

4. **a)** Le compte A convient le mieux à une clientèle qui effectue peu d'opérations dans son compte dont le solde mensuel est peu élevé. Le compte B convient le mieux à une clientèle qui effectue un nombre modéré d'opérations dans son compte dont le solde mensuel est moyennement élevé. Le compte C convient le mieux à une clientèle qui effectue beaucoup d'opérations dans son compte dont le solde mensuel est élevé.

b) Lorsqu'on dépose son argent à la banque, celle-ci l'investit et en tire un profit. Les frais de service que la banque réclame à sa clientèle affichant un solde mensuel négligeable est une autre façon de faire du profit. Ces frais contribuent également à réduire les coûts de la main-d'œuvre et des systèmes informatiques.

5. Les réponses varieront.

6. **a)** Dans un compte de chèques, le taux d'intérêt est très bas. Tout autre mode d'épargne lui procurerait un meilleur rendement.

b) Les réponses varieront. Pauline devra tenir compte du capital minimal exigé par les autres modes d'épargne, de la durée du placement, des taux d'intérêt, de ses besoins de liquidités ainsi que des frais et pénalités imposés dans le cas d'un retrait avant l'échéance.

5.6 La valeur actuelle, page 241

1. **a)** 1259,43 $ **b)** 1894,69 $
c) 855,41 $ **d)** 124 344,30 $
e) 2056,12 $ **f)** 62 139,38 $

2. **a)** 240,57 $ **b)** 605,31 $
c) 444,59 $ **d)** 75 655,70 $
e) 2943,88 $ **f)** 137 860,62 $

3. 4126,95 $

4. **a)** 358 852,41 $ **b)** 41 147,59 $

5. Voir les réponses de l'exercice 1. Les choix des méthodes varieront.

6. La deuxième option exige un capital inférieur. La valeur actuelle s'élève à 3376,83 $ pour la première option et à 3339,13 $ pour la deuxième option.

7. **a)** 402,73 $ **b)** 805,45 $
c) 270,31 $ **d)** 271,03 $

8. Les exemples varieront.
a) Oui.
b) Non.
c) Non.

9. 228,41 $

10. Environ 2000 $.

5.7 Le TVM Solveur, page 245

1. 6,00 %

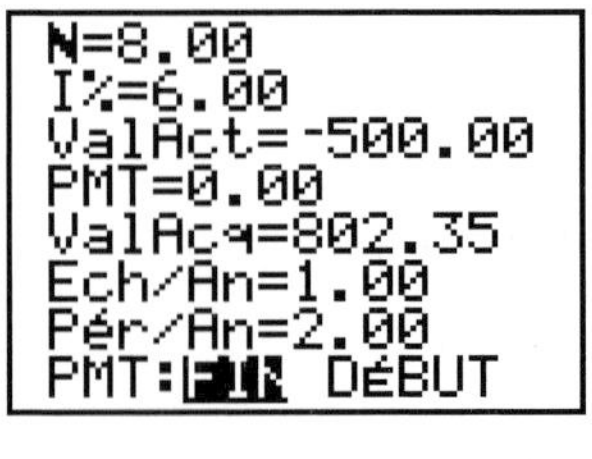

2. 10,41 %

```
N=7.00
I%=10.41
ValAct=-500.00
PMT=0.00
ValAcq=1000.00
Ech/An=1.00
Pér/An=1.00
PMT:FIN DÉBUT
```

3. 4,31 ans (environ 4 ans et 4 mois).

```
N=4.31
I%=6.00
ValAct=-775.00
PMT=0.00
ValAcq=1000.00
Ech/An=1.00
Pér/An=2.00
PMT:FIN DÉBUT
```

4. C'est Alexis qui a raison parce que le capital investi n'aura pas doublé à la fin de la sixième année. Les intérêts sont calculés une fois par année, et non entre les années.

5. **a)** 23,31 ans.

```
N=23.31
I%=10.00
ValAct=-100000…
PMT=0.00
ValAcq=1000000…
Ech/An=1.00
Pér/An=4.00
PMT:FIN DÉBUT
```

b) 20,32 ans.

```
N=20.32
I%=12.00
ValAct=-100000…
PMT=0.00
ValAcq=1000000…
Ech/An=1.00
Pér/An=1.00
PMT:FIN DÉBUT
```

6. 1981 : 3,89 ans.

```
N=3.89
I%=19.50
ValAct=-500.00
PMT=0.00
ValAcq=1000.00
Ech/An=1.00
Pér/An=1.00
PMT:FIN DÉBUT
```

2004 : 55,80 ans.

```
N=55.80
I%=1.25
ValAct=-500.00
PMT=0.00
ValAcq=1000.00
Ech/An=1.00
Pér/An=1.00
PMT:FIN DÉBUT
```

7. **a)** I) 5,92 %

```
N=5.00
I%=5.92
ValAct=-450.00
PMT=0.00
ValAcq=600.00
Ech/An=1.00
Pér/An=1.00
PMT:FIN DÉBUT
```

II) 5,84 %

```
N=5.00
I%=5.84
ValAct=-450.00
PMT=0.00
ValAcq=600.00
Ech/An=1.00
Pér/An=2.00
PMT:FIN DÉBUT
```

III) 5,77 %

```
N=5.00
I%=5.77
ValAct=-450.00
PMT=0.00
ValAcq=600.00
Ech/An=1.00
Pér/An=12.00
PMT:FIN DÉBUT
```

IV) 5,75 %

```
N=5.00
I%=5.75
ValAct=-450.00
PMT=0.00
ValAcq=600.00
Ech/An=1.00
Pér/An=365.00
PMT:FIN DÉBUT
```

b) Plus le nombre de périodes de calcul de l'intérêt composé est élevé, moins le taux d'intérêt requis pour atteindre un montant donné doit être élevé.

8. **a)** 11,90 ans.

```
N=11.90
I%=6.00
ValAct=-2500.00
PMT=0.00
ValAcq=5000.00
Ech/An=1.00
Pér/An=1.00
PMT:FIN DÉBUT
```

b) Non. Le temps requis pour doubler le capital à un taux d'intérêt de 12 % est de 6,12 ans, soit un peu plus que le temps requis pour le doubler au taux de 6 %.

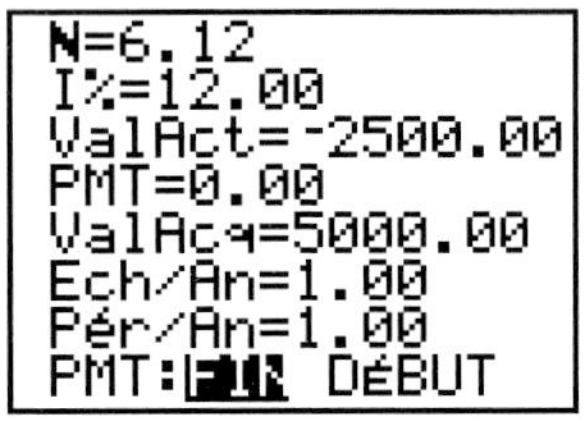

9. a)

Capital de 5000 $ investi à un taux d'intérêt de 8 % composé semestriellement					
Terme (années)	2	4	6	8	10
Montant ($)	5849,29	6842,85	8005,16	9364,91	10 955,62

b)

	Entre 2 et 4	Entre 4 et 6	Entre 6 et 8	Entre 8 et 10
Différences	993,56	1162,31	1359,75	1590,71

Non. Les premières différences ne sont pas constantes ; les montants investis n'augmentent pas de façon constante d'un terme à l'autre. Les montants investis présentent une croissance exponentielle ; les premières différences sont toujours plus élevées d'un terme à l'autre.

5.8 L'investissement financier, page 249

1. Le potentiel de gain dépend du niveau de risque du placement. Ainsi, moins le potentiel de gain est élevé, moins le placement comporte de risques et moins il présente d'incertitudes ; au contraire, plus le potentiel de gain est élevé, plus le placement comporte de risques et plus il présente d'incertitudes.
2. Un compte d'épargne comporte peu de risques et les fonds demeurent disponibles en tout temps.
3. Dans l'ensemble, l'indice composé du Toronto Stock Exchange (TSE 300) a progressé. Sa valeur a cependant connu une baisse entre 2001 et 2003. En général, les cours des actions sont sujets à des fluctuations du marché à court terme. À long terme, toutefois, leur valeur a tendance à augmenter.
4. Le rendement des obligations est garanti. Les fonds communs de placement sont constitués de plusieurs titres, ce qui limite les risques.
5. La diversification permet de limiter les risques parce que le capital est réparti entre plusieurs placements différents. Quand un placement perd de la valeur, la valeur d'un autre peut augmenter ; la perte ne touche qu'une partie du capital.
6. Les réponses varieront. Par exemple :
   a) Je choisirais un CPG ou un dépôt à terme, pour éviter les pertes occasionnées par une éventuelle baisse du marché boursier.
   b) Je placerais une partie des 10 000 $ dans un dépôt à terme ou dans un CPG et le reste dans des fonds communs de placement. Le dépôt à terme ou le CPG m'assure un certain revenu, alors que les fonds communs de placement m'offrent la possibilité d'un rendement supérieur. Ma stratégie de placement est donc équilibrée.
   c) Je me procurerais des actions canadiennes. Entre 1997 et 2007, la valeur de l'indice composé du TSE 300 a plus que doublé. Cette forte augmentation équivaut à un rendement annuel moyen de 7 %. Aucun autre mode de placement garanti n'a offert un tel rendement au cours de la même période.
7. Les réponses varieront. Par exemple :
   a) Je me procurerais des actions canadiennes. Investir 1000 $ dans des actions ne constitue pas un risque énorme, considérant l'immense potentiel de gain.
   b) Je placerais une partie des 10 000 $ dans un dépôt à terme ou dans un CPG et le reste dans des actions canadiennes ou des fonds communs de placement. Le dépôt à terme ou le CPG m'assure un revenu, alors que les actions m'offrent la possibilité d'un rendement supérieur. Ma stratégie de placement est donc équilibrée.
   c) Je choisirais un CPG ou un dépôt à terme parce que le rendement de ces produits d'épargne est garanti. Même si leur taux de rendement est bas, un taux d'intérêt de 4 % calculé sur un tel montant équivaut à une somme de 40 000 $, soit le salaire annuel moyen d'une travailleuse ou d'un travailleur.

Chapitre 5 – Révision, page 252

1. a) 400 $
   b)

Nombre d'années	Capital ($)	Intérêts de 5 % ($)	Total des intérêts cumulés ($)
1	8000	400,00	400,00
2	8000	400,00	800,00
3	8000	400,00	1200,00
4	8000	400,00	1600,00
5	8000	400,00	2000,00
6	8000	400,00	2400,00
7	8000	400,00	2800,00

c)

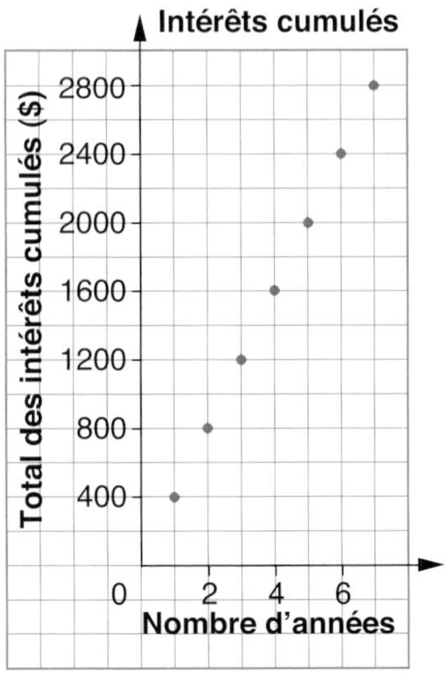

d) Le graphique représente une croissance linéaire. Chaque année, le total des intérêts cumulés augmente d'un même montant, soit 400 $.

2. a)

Nombre d'années	Capital ($)	Intérêts de 5 % ($)	Valeur du placement ($)
1	8 000,00	400,00	8 400,00
2	8 400,00	420,00	8 820,00
3	8 820,00	441,00	9 261,00
4	9 261,00	463,05	9 724,05
5	9 724,05	486,20	10 210,25
6	10 210,25	510,51	10 720,77
7	10 720,77	536,04	11 256,80

b) 3256,80 $

c) L'intérêt composé permet de rapporter des intérêts supplémentaires de 456,80 $.

d) Avec l'OEC à intérêt simple, Brianna reçoit 400 $ tous les ans, au lieu d'attendre 7 ans pour encaisser ses intérêts.

3. a) 29 342,56 $ b) 1824,60 $
c) 1753,55 $

4. a) 20 092,56 $ b) 124,60 $
c) 1213,55 $

5. a)

Nombre d'années	Montant ($)
1	540,00
2	583,20
3	629,86
4	680,24
5	734,66

b)

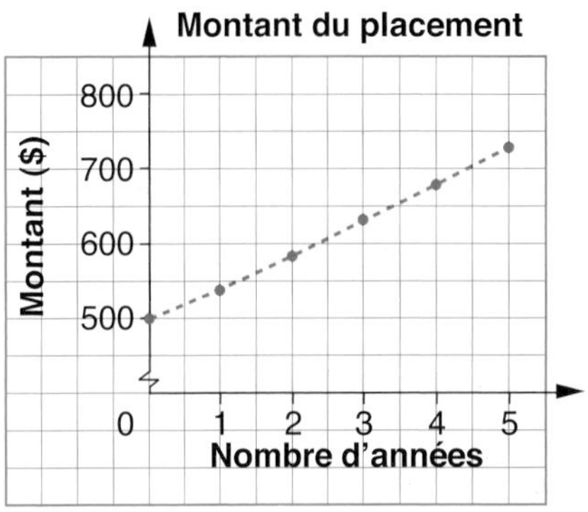

c) Non. La valeur du montant présente une croissance exponentielle. Le facteur de croissance est de 1,08.

6. a) 4232,67 $ b) 4310,62 $
c) 1943,85 $

7. Le total des intérêts cumulés fera plus que doubler.
À un taux d'intérêt de 8 %, la valeur finale du placement, en dollars, se calcule comme suit :
$500\left(1 + \frac{0,08}{4}\right)^{28} = 870,51$
Donc, le total des intérêts cumulés s'élève à 370,51 $.
À un taux d'intérêt de 16 %, la valeur finale du placement, en dollars, se calcule ainsi :
$500\left(1 + \frac{0,16}{4}\right)^{28} = 1499,35$
Donc, le total des intérêts cumulés s'élève à 999,35 $.

8. Oui, un nombre de périodes de calcul de l'intérêt composé plus élevé permet de rapporter plus d'intérêts sur les intérêts.
Les exemples varieront. Soit un capital de 1000 $ investi à un taux de 12 % composé annuellement pendant 5 ans.
$M = 1000\ \$\ (1 + 0,12)^5 = 1762,34\ \$$
Pour le même capital investi pendant la même période à un même taux d'intérêt de 12 % mais composé mensuellement, la valeur finale du placement, en dollars, est égale à $1000\left(1 + \frac{0,12}{12}\right)^{60}$, soit 1850,70.

9. Noémie devrait choisir l'OEC. La valeur finale de l'OEC est de 10 411,71 $, comparativement à 10 401,54 $ pour l'obligation de société.

10. Les réponses varieront. Par exemple : Un certain nombre d'opérations, le traitement de l'information sans papier, les relevés mensuels, les mises à jour du livret, les retraits effectués au guichet automatique, les chèques visés et les chèques de voyage.

11. a) Les réponses varieront. Par exemple :

	Compte de chèques	CPG	Fonds commun de placement
Type et taux d'intérêt	0,5 % Divers types	2,75 % Divers types	Divers types selon le capital investi
Solde minimal exigé	1000 $	5000 $	5000 $
Terme	Aucun	Un an	À long terme
Conditions liées à l'encaissement	Aucune	Remboursable à l'échéance	Des frais peuvent s'appliquer
Frais de service	Solde du compte 3,95 $/mois	Aucuns	Frais de gestion et frais variables

b) Les réponses varieront en fonction de la partie précédente. Une personne pourrait choisir chacun de ces modes d'épargne en raison du taux d'intérêt, du type d'intérêt versé, du solde minimal exigé, du terme, des conditions liées à l'encaissement ou des frais de service.

c) Les réponses varieront. Une personne pourrait choisir un mode d'épargne qui rapporte moins d'intérêt parce qu'il offre peu de risques et plus de souplesse.

12. a) 466,35 $ **b)** 5217,21 $

c) 10 135,57 $

13. 13 693,63 $

14. a) 9,05 %

```
N=8.00
I%=9.05
ValAct=-2000.00
PMT=0.00
ValAcq=4000.00
Ech/An=1.00
Pér/An=1.00
PMT:FIN DÉBUT
```

b) Non, le taux d'intérêt requis serait seulement de 8,67 %.

```
N=8.00
I%=8.67
ValAct=-2000.00
PMT=0.00
ValAcq=4000.00
Ech/An=1.00
Pér/An=365.00
PMT:FIN DÉBUT
```

15. a) 3,80 ans.

```
N=3.80
I%=5.50
ValAct=-6500.00
PMT=0.00
ValAcq=8000.00
Ech/An=1.00
Pér/An=4.00
PMT:FIN DÉBUT
```

b) Non, le temps requis serait de 1,91 an, ce qui équivaut à plus de la moitié de 3,8 ans.

```
N=1.91
I%=11.00
ValAct=-6500.00
PMT=0.00
ValAcq=8000.00
Ech/An=1.00
Pér/An=4.00
PMT:FIN DÉBUT
```

16. Les réponses varieront. Par exemple :
Les actions sont des titres émis par une seule et même société. Les fonds communs de placement, eux, sont constitués de capitaux mis en commun par des épargnants en vue d'un placement collectif. Ces fonds constituent une façon de diversifier ses placements.

17. Les réponses varieront. Par exemple :

a)

	Obligations d'épargne	Actions	Fonds commun de placement
Capital minimal exigé	Oui	Oui	Oui
Rendement attendu	Relativement bas, mais plus élevé qu'un compte d'épargne	Peut être très élevé ou occasionner des pertes	Peut être supérieur aux CPG et dépôts à terme
Niveau de risque	Aucun	Élevé	Moyen
Frais de service	Aucuns	Oui	Oui

b) Une personne pourrait choisir une obligation d'épargne si elle ne veut pas prendre le risque d'une perte et qu'elle est en mesure de se passer de son argent pendant quelques années. Une personne pourrait choisir des actions si elle recherche un haut potentiel de gain et qu'elle peut se permettre de subir des pertes. Une personne pourrait choisir un fonds commun de placement si elle recherche la façon la moins risquée d'investir à la Bourse.

Chapitre 5 – Test, page 254

1. B, parce que 276 \$ − 200 \$ = 76 \$.
2. A, parce que les valeurs du capital, C, dans la formule de calcul de l'intérêt composé $M = C(1 + i)^n$ présentent une croissance linéaire.
3. a) **Taux d'intérêt simple**

Nombre d'années	Capital (\$)	Intérêts de 5 % (\$)	Total des intérêts cumulés (\$)
1	100	5,00	5,00
2	100	5,00	10,00
3	100	5,00	15,00
4	100	5,00	20,00

Taux d'intérêt composé annuellement

Nombre d'années	Capital (\$)	Intérêts de 5 % (\$)	Total des intérêts cumulés (\$)
1	100,00	5,00	5,00
2	105,00	5,25	10,25
3	110,25	5,51	15,76
4	115,76	5,79	21,55

   b) Le placement au taux d'intérêt simple présente une croissance linéaire parce que les premières différences sont toutes égales à 5 \$. Le placement au taux d'intérêt composé présente une croissance exponentielle parce que, chaque année, le montant investi est 1,05 fois plus élevé que sa valeur de l'année précédente.
4. Félix-Antoine devrait choisir le CPG. À l'échéance, la valeur du CPG s'élève à 2450,09 \$, comparativement à 2441,18 \$ pour l'obligation.
5. a) Environ 15 ans.

```
N=14.99
I%=7.35
ValAct=-100.00
PMT=0.00
ValAcq=300.00
Ech/An=1.00
Pér/An=12.00
PMT:FIN DÉBUT
```

   b) À l'intérieur d'une période de 15 ans, il y a 180 périodes mensuelles de calcul de l'intérêt composé.

$$M = 100\left(1 + \frac{0{,}0735}{12}\right)^{180} = 300{,}16$$

6.

	Compte de chèques	CPG	Fonds commun de placement
Type et taux d'intérêt	0,5 % Divers types	2,75 % Divers types	Divers types selon le capital investi
Solde minimal exigé	1000 \$	5000 \$	5000 \$
Terme	Aucun	Un an	À long terme
Conditions liées à l'encaissement	Aucune	Remboursable à l'échéance	Des frais peuvent s'appliquer
Frais de service	Solde du compte 3,95 \$ par mois	Aucuns	Frais de gestion et frais variables

Chapitre 6 : Bien gérer son argent

Connaissances préalables
La TPS et la TVP, page 256

1. 25,19 \$
2. 16,46 \$
3. 40,68 \$
4. Je peux multiplier le prix réduit, soit 36 \$, par 1,12 et soustraire ce produit de la réponse obtenue à la question précédente. Ainsi, Béatrice pourrait économiser 0,36 \$. Une autre façon de résoudre ce problème serait de multiplier le prix réduit par la différence entre les taux de 5 % et 4 %.

6.1 Emprunter de l'argent, page 259

1. a) 1040,60 \$ b) 1082,43 \$
   c) 1169,86 \$
   En raison des intérêts composés, le fait de doubler le taux d'intérêt fait plus que doubler le total des intérêts à payer. À un taux d'intérêt de 2 %, de 4 % et de 8 %, le total des intérêts à payer s'élève respectivement à 40,60 \$, à 82,42 \$ et à 169,86 \$.
2. a) 1279,66 \$ b) 79,66 \$
   c) 27,13 \$
3. a) 9880,81 \$ b) 2080,81 \$
   c) Non, le total des intérêts à payer s'élèverait à 978,97 \$, ce qui équivaut à moins de la moitié du total des intérêts payés.

4. a) Le total des intérêts à payer est le plus élevé lorsque le taux d'intérêt est composé mensuellement, parce que les périodes de calcul de l'intérêt sont plus fréquentes.
   b) Taux d'intérêt composé mensuellement : 407,27 $. Taux d'intérêt composé annuellement : 399,56 $.
   c) Les réponses varieront.
5. Étienne a tort. À un taux d'intérêt de 12 % composé mensuellement, Étienne devrait rembourser 2817,06 $; à un taux d'intérêt de 12,1 % composé annuellement, il rembourserait 2802,50 $.
6. a) 2090,35 $
   b) 342,78 $
7. 930,07 $
8. 1587,32 $

6.2 La carte de débit et la carte de crédit, page 265

1. Les réponses varieront. Par exemple :
   a) Carte de débit ou argent comptant. Certains commerces refusent les paiements par carte de crédit pour un montant aussi peu élevé. Lorsque le montant est inférieur à une certaine valeur, certains refusent même tout paiement par carte de débit ou exigent un supplément.
   b) Carte de crédit ou carte de débit. Le paiement d'un achat en ligne s'effectue généralement avec une carte de crédit.
   c) Carte de débit, argent comptant ou carte de crédit. Si, à l'achat, tu veux éviter que le montant de la transaction soit débité de ton compte bancaire, alors utilise ta carte de crédit.
   d) Carte de crédit. Si tu utilisais ta carte de débit, tu serais dans l'obligation de dévoiler ton numéro d'identification personnel (NIP) au téléphone. Or, il est peu probable qu'un commerçant accepte ce mode de paiement.
2. Les intérêts sur une avance de fonds sur carte de crédit sont calculés à partir de la date de la transaction. Le taux d'intérêt est très élevé.
3. Les réponses varieront. Par exemple :
   Avantages : Aucune obligation d'avoir de l'argent sur soi et impossibilité de dépenser plus d'argent qu'on en possède, à moins de bénéficier d'une protection contre les découverts ; en cas de perte ou de vol, impossibilité que quelqu'un d'autre utilise la carte, à moins que le NIP soit connu.
   Inconvénients : Trop grande facilité à dépenser ; protection contre les découverts permettant de dépenser plus d'argent qu'on en possède, sans qu'on s'en rende compte ; impossibilité d'utiliser la carte en cas d'oubli du NIP ; n'est pas acceptée par tous les commerçants, dont les vendeurs ambulants.
4. Les réponses varieront. Par exemple :
   Avantages : Aucune obligation d'avoir de l'argent sur soi ; possibilité d'achat par téléphone et par Internet ; paiements à la date d'échéance du prochain relevé de carte de crédit ; et possibilité de bénéficier d'un programme de fidélisation ou de primes.
   Inconvénients : Taux d'intérêt applicables aux soldes impayés très élevés ; danger élevé de contracter une dette ; en cas de perte ou de vol, peut être utilisée par une autre personne ; n'est pas acceptée par tous les commerçants, dont les vendeurs ambulants.
5. La détentrice ou le détenteur d'une carte de crédit qui rembourse son solde en totalité tous les mois ne paie jamais d'intérêts. C'est pourquoi elle ou il préfère une carte de crédit sans frais annuels. La personne ayant de moins bonnes habitudes de paiement se voit imputer des intérêts chaque mois. C'est pourquoi le taux d'intérêt de la carte a plus d'importance à ses yeux.
6. Les sociétés émettrices de carte de crédit offrent des incitatifs afin d'attirer de nouveaux clients. Plus elles ont de clients, plus les soldes impayés leur rapportent de l'argent.
7. b) 72 mois.
   c) 3586,59 $
   d) 1152,59 $
   e) Il faudrait 26 mois pour rembourser le solde en totalité, soit près de trois fois moins de temps. Le montant total à payer s'élèverait à 2536,10 $, dont 502,10 $ en intérêt. Cela équivaut à plus de la moitié du total des intérêts calculés en d).

6.3 Les taux d'intérêt des cartes de crédit, page 270

1. a) 1,25 % b) 2 %
   c) 1,65 % d) 2,4 %
2. a) 1,25 $ b) 6,49 $
   c) 12,96 $ d) 29,88 $
3. a) 255,69 $ b) 29,70 $
   c) Non, car Roxanne devrait effectuer le paiement minimum exigible, afin de maintenir sa cote de solvabilité.
4. a) 4,31 $ b) 11,95 $
   c) Le taux d'intérêt est beaucoup plus bas de façon à attirer de nouveaux clients.

5. a)

Solde impayé ($)	Intérêts de 1,5 % ($)	Paiement ($)	Nouveau solde ($)
750,00	11,25	100	661,25
661,25	9,92	100	571,17
571,17	8,57	100	479,74
479,74	7,20	100	386,93
386,93	5,80	100	292,74
292,74	4,39	100	197,13
197,13	2,96	100	100,09
100,09	1,50	100	1,59
1,59	0,02	1,61	0,00

b) 1,61 $ c) 51,61 $

6. a) Les réponses varieront. Par exemple : Sans tenir compte des intérêts, Nora devra effectuer 10 paiements de 10 $ pour rembourser le solde de 100 $. Par contre, en raison des intérêts mensuels courus, il faudra au moins un paiement supplémentaire pour rembourser le solde en totalité.

b)

Mois	Solde impayé ($)	Intérêts de 2 % ($)	Paiement ($)	Nouveau solde ($)
1	100,00	2,00	10,00	92,00
2	92,00	1,84	10,00	83,84
3	83,84	1,68	10,00	75,52
4	75,52	1,51	10,00	67,03
5	67,03	1,34	10,00	58,37
6	58,37	1,17	10,00	49,54
7	49,54	0,99	10,00	40,53
8	40,53	0,81	10,00	31,34
9	31,34	0,63	10,00	21,97
10	21,97	0,44	10,00	12,41
11	12,41	0,25	10,00	2,66
12	2,66	0,05	2,71	0,00

c) Non, parce que les intérêts sont ajoutés au solde impayé avant que le paiement ne soit déduit du solde.

d) 12 mois.

e) 2,71 $

f) 12,71 $

7. a)

Mois	Solde impayé ($)	Paiement ($)	Solde à payer ($)	Intérêts de 2 % ($)	Nouveau solde ($)
1	100,00	10,00	90,00	1,80	91,80
2	91,80	10,00	81,80	1,64	83,44
3	83,44	10,00	73,44	1,47	74,90
4	74,90	10,00	64,90	1,30	66,20
5	66,20	10,00	56,20	1,12	57,33
6	57,33	10,00	47,33	0,95	48,27
7	48,27	10,00	38,27	0,77	39,04
8	39,04	10,00	29,04	0,58	29,62
9	29,62	10,00	19,62	0,39	20,01
10	20,01	10,00	10,01	0,20	10,21
11	10,21	10,00	0,21	0,00	0,21
12	0,21	0,21	0,00	0,00	0,00

b) Le total des intérêts payés en a) s'élève à 10,22 $, soit 2,48 $ de moins que le total payé à l'exercice 6.

8. 123,39 $

Chapitre 6 – Révision de mi-chapitre, page 274

1. a) 1690,91 $
   b) 131,10 $

2. Non, Jean a tort, car le total des intérêts payés sera plus de deux fois plus élevé. Dans le cas de l'emprunt d'une durée de 2 ans, le montant total à rembourser s'élève à 5864,44 $, dont 864,44 $ en intérêts. Dans le cas de l'emprunt d'une durée de 4 ans, le montant total à rembourser s'élève à 6878,33 $, dont 1878,33 $ en intérêts.

3. a) 1re option : 1350,60 $.
   2e option : 1350,61 $.
   b) Le montant total à rembourser sera le même, bien que le nombre de périodes de calcul de l'intérêt de la deuxième option soit plus élevé et que le taux d'intérêt soit légèrement inférieur au taux de la première option.

4. Les réponses varieront. Par exemple :

	Carte de crédit	Carte de débit
Ressemblances	Équivalent à de l'argent comptant. Servent toutes deux à effectuer des retraits. Émises par les banques.	
Différences	Remboursement des achats portés à la carte à la date d'échéance du prochain relevé.	Montant de la transaction débité du compte bancaire au moment de l'achat.
	Possibilité de dépenser plus d'argent qu'on en possède.	Impossibilité de dépenser plus d'argent qu'on en possède, à moins de bénéficier d'une protection contre les découverts.
	Achats requérant une signature.	Achats requérant une autorisation et un NIP.
	Certaines cartes refusées dans certains commerces.	Ensemble des cartes de débit accepté dans les commerces autorisant les paiements directs.
	Possibilité de frais annuels.	Aucuns frais annuels.
	Intérêts dus calculés sur tout solde impayé.	Intérêts gagnés sur le solde.

5.

Carte de crédit *vs* Carte de débit	
Ressemblances	Différences
• Petite carte plastifiée tenant dans un portefeuille. • Permet d'effectuer des achats. • Permet d'obtenir de l'argent comptant. • Émise par les banques.	• Certaines cartes de crédit sont offertes par des institutions autres que des banques. • Une carte de débit permet de retirer de l'argent d'un compte bancaire ; une carte de crédit permet d'obtenir une avance de fonds sur une carte. • Possibilité de frais rattachés à l'utilisation d'une carte de débit, contrairement à la plupart des cartes de crédit.

6. Les réponses varieront. Par exemple :
Examine diverses possibilités pour trouver la carte qui répond le mieux à tes besoins. Choisis une carte offrant un programme de fidélisation ou d'autres incitatifs. Utilise ta carte avec discernement. Respecte toujours ton budget de façon à ne pas trop dépenser. Pour éviter de payer des intérêts élevés, rembourse en totalité le solde de ta carte de crédit chaque mois.

7. **a)** 177,61 $ **b)** 8,61 $

8. **a)**

Solde impayé ($)	Intérêts de 1,75 % ($)	Paiement ($)	Nouveau solde ($)
2000,00	35,00	60	1975,00
1975,00	34,56	60	1949,56
1949,56	34,12	60	1923,68

b) 1923,68 $

c) Les réponses varieront. Les taux d'intérêt des cartes de crédit sont si élevés que le total des intérêts payés se compare parfois au coût d'achat initial lorsque le solde de la carte n'est pas remboursé en totalité avant la date d'échéance.

6.6 L'acquisition et l'entretien d'un véhicule, page 281

1. **a)** 26 L **b)** 32,5 L
c) 39 L **d)** 47,5 L
e) 19,5 L **f)** 63 L

2. Prix du litre de carburant : 1,20 $.
a) 31,20 $ **b)** 39,00 $
c) 46,80 $ **d)** 57,00 $
e) 23,40 $ **f)** 75,60 $

3. Dépréciation : 13 779,74 $.
Coûts fixes : 8135,75 $.

4.

Description	Fréquence	Coût	Coût total ($)
Assurance	Mensuelle	135,42 $	1625,04
Immatriculation	Annuelle	74,00 $	74,00
Emprunt	Mensuelle	525,00 $	6300,00
Total des coûts fixes			**7999,04**
Coût du carburant au litre	Hebdomadaire	1,15 $	1016,60
Changement d'huile	Tous les 3 mois	29,95 $	119,80
Entretien et réparations	Annuelle	650,00 $	650,00
Total des coûts variables			**1786,40**
Total des coûts			**9785,44**
Coût au km			**0,94**

5. **a)** Graissage, huile et filtre : 6 fois
Permutation des pneus et vérification des freins : 3 fois
Vérification du réglage des trains : 1 fois
b) 373,95 $

6. Coût du carburant pour parcourir une distance de 54 000 km :
$54\,000 \times \frac{12,5}{100} \times 1,22 = 8235$
Autres coûts variables encourus durant la période de 2 ans :
$29,95 \times 8 + 41,50 \times 4 + 69,75 \times 2 + 72,95 \times 1 = 618,05$
Total des coûts variables liés à l'utilisation du véhicule pendant la période de 2 ans :
$8235 + 618,05 = 8853,05$
Donc, la moyenne des coûts variables mensuels se calcule comme suit :
$\frac{8853,05}{24} = 368,88$

7. **a)** Chaque année, la dépréciation du véhicule, établie à environ 20 %, est soustraite de la valeur du véhicule, qui est égale à 100 %.
b) $35\,976 \times 0,8^5 = 11\,788,62$
c) Les réponses varieront. La valeur de revente diminue d'année en année sur la valeur de l'année précédente. C'est le même principe que l'intérêt composé, sauf que la valeur diminue d'année en année.
d) Environ 7550 $.

8. **a)** Il est plus rentable pour Léo d'utiliser les transports en commun et de louer un véhicule au besoin.
Coûts rattachés à la possession d'un véhicule pendant un mois :
4 semaines × 250 km/semaine × 0,40 $/km + 4 semaines × 20 $/semaine + 200 km × 0,40 $/km = 560 $.
Coûts associés à l'utilisation des transports en commun et à la location d'un véhicule :
75 $ + 125 $ = 200 $.
b) Les réponses varieront. Par exemple :
La durée du trajet entre la maison et le lieu de travail pourrait être plus courte ou plus longue en transport en commun. Le covoiturage pourrait permettre de réduire les coûts de déplacement hebdomadaires. Le fait de se rendre au travail en voiture peut générer beaucoup de stress. Les transports en commun peuvent parfois ne pas être pratiques ou fiables.

9. Prix du litre de carburant : 1,18 $.
a) Environ 24 $. **b)** Environ 24 $.
c) Environ 27 $.

10. Les réponses varieront en fonction du prix du litre de carburant.
Prix du litre de carburant : 1,20 $
a) $\frac{8}{100} \times 500 \times 1,20 = 48$
b) $\frac{8}{100}(1 + 0,005)^{100-90} \times 500 \times 1,20 = 50,45$
c) $\frac{8}{100}(1 + 0,005)^{120-90} \times 500 \times 1,20 = 55,75$

Chapitre 6 – Révision, page 286

1. **a)** 3033,52 $ **b)** 533,52 $
2. Le montant total à rembourser s'élèverait à 3124,29 $, dont 624,29 $ en intérêts, soit 90,77 $ de plus en intérêts.
3. Le total des intérêts payés sera plus élevé.
$2500\left(1 + \frac{0,065}{12}\right)^{36} = 3036,68$
4. Les réponses varieront. Par exemple : Lorsqu'on prolonge le terme d'un emprunt, le nombre de périodes de calcul de l'intérêt augmente et les intérêts s'accumulent pendant une période plus longue.
5. Les réponses varieront. Par exemple :
Avantages : Nul besoin d'avoir de l'argent sur soi et impossibilité de dépenser plus d'argent qu'on en possède, à moins de bénéficier d'une protection contre les découverts ; en cas de perte ou de vol, impossibilité que quelqu'un d'autre utilise la carte, à moins que le NIP soit connu.
Inconvénients : Trop grande facilité à dépenser ; protection contre les découverts permettant de dépenser plus d'argent qu'on en possède, sans qu'on s'en rende compte ; impossibilité d'utiliser la carte en cas d'oubli du NIP ; n'est pas acceptée par tous les commerçants, dont les vendeurs ambulants.
6. Les réponses varieront. Par exemple :
Avantages : Nul besoin d'avoir de l'argent sur soi ; possibilité d'achat par téléphone et par Internet ; paiements à la date d'échéance du prochain relevé de carte de crédit ; et possibilité de bénéficier d'un programme de fidélisation ou d'autres incitatifs.
Inconvénients : Taux d'intérêt applicables aux soldes impayés très élevés ; danger élevé de contracter une dette ; en cas de perte ou de vol, peut être utilisée par une autre personne ; n'est pas acceptée par tous les commerçants, dont les vendeurs ambulants.

7. Les réponses varieront. Par exemple :

Incitatifs	Coûts dissimulés
Taux d'intérêt de lancement peu élevés.	Solde impayé plus élevé que prévu attribuable à l'augmentation du taux d'intérêt.
Limite de crédit élevée.	Risque plus élevé d'accumuler un solde difficile à rembourser.
Milles de récompense.	Programme de fidélisation comportant parfois des frais annuels.
Taux d'intérêt appliqués aux avances de fonds peu élevés.	Frais annuels parfois élevés.

8. Les réponses varieront.
9. Les réponses varieront. Par exemple :
Guy devrait effectuer les plus gros paiements possible et rembourser le solde de sa carte en totalité le plus rapidement possible. Il devrait même envisager la possibilité de demander un prêt personnel à court terme, car le taux d'intérêt serait inférieur au taux d'intérêt de sa carte de crédit.
10. On ne paie aucun intérêt quand on rembourse le solde de sa carte en totalité chaque mois.
11. Les réponses varieront. Par exemple :
Les paiements mensuels sur un véhicule loué sont généralement moins élevés.
La location permet parfois d'éviter certains coûts d'entretien imprévus, en raison de la garantie du véhicule.
La location permet de se procurer un véhicule neuf après seulement quelques années.
12. Les réponses varieront. Par exemple :
Les taux d'intérêt offerts par une banque peuvent être inférieurs aux taux offerts sur la location d'un véhicule.
Aucuns frais ne sont applicables au kilométrage d'un véhicule dont on est le propriétaire, contrairement au kilométrage supplémentaire effectué avec un véhicule loué.
Les modes de remboursement sont généralement plus souples quand on achète un véhicule.
Un véhicule dont on est propriétaire constitue un élément d'actif.
13. Les réponses varieront. Par exemple :

Avantages	Inconvénients
• Les véhicules d'occasion sont plus abordables. • Grand choix. • Possibilité de négociation. • Possibilité d'acheter un véhicule de qualité supérieure à un prix inférieur à celui d'un véhicule neuf de qualité moindre.	• Impossibilité d'acheter un véhicule d'occasion offrant toutes les options recherchées. • Possible difficulté d'obtenir des taux d'intérêt comparables. • Historique du véhicule parfois impossible à obtenir. • Parfois, aucune garantie offerte.

14. Un véhicule neuf perd de sa valeur dès qu'il quitte le stationnement d'un concessionnaire d'automobiles parce qu'on le considère dès lors comme un « véhicule d'occasion ». Comparativement à l'achat d'un véhicule neuf, l'achat d'un véhicule d'occasion est plus avantageux, car il permet d'économiser des milliers de dollars.
15. Les réponses varieront. Par exemple :
   - L'âge et l'expérience : Les conductrices et les conducteurs inexpérimentés sont susceptibles d'avoir un accident.
   - Les réclamations : Les conductrices et les conducteurs qui ont déjà eu des accidents sont susceptibles d'en avoir d'autres.
   - Le type de véhicule : Un véhicule ciblé dans un plus grand nombre de vols ou doté d'un moteur plus puissant est susceptible de coûter plus cher à l'assureur.
16. Les réponses varieront. Par exemple :
La proximité du lieu de travail : Les conductrices et les conducteurs qui ne parcourent que quelques kilomètres pour se rendre au travail sont moins susceptibles d'avoir un accident, comparativement aux autres dont le trajet est plus long.
Vivre et travailler à l'extérieur d'une grande ville : La circulation étant moins dense, le risque d'accident diminue.
Le dossier de conduite : Les conductrices et les conducteurs au dossier de conduite vierge sont moins susceptibles d'être imprudents et d'avoir un accident.
17. Coûts fixes : Assurance, immatriculation, emprunt.
Coûts variables : Carburant, changements d'huile, autre entretien.
18. Les réponses varieront. Par exemple :
Acheter un véhicule économique ; réduire sa vitesse sur les autoroutes ; veiller à l'entretien du véhicule ; vérifier la pression d'air dans les pneus à intervalles réguliers ; utiliser le climatiseur moins souvent.

19. 121,19 $

20. **a)** Environ 15 400 $. **b)** Environ 18 400 $.

c) Environ 2500 $.

21.

Description	Fréquence	Coût	Coût total après 4 ans ($)
Assurance	Mensuelle	195,00 $	9 360,00
Immatriculation	Annuelle	74,00 $	296,00
Coût du carburant	Hebdomadaire	1,18 $/L	7 841,81
Changement d'huile	Tous les 3 mois	28,00 $	448,00
Entretien et réparations	Annuelle	670,00 $	2 680,00
Remplacement des pneus	Tous les 100 000 km	75,00 $ le pneu	0,00
Remplacement des freins	Tous les 50 000 km	225,00 $	225,00
Remplacement du système d'échappement	Tous les 150 000 km	275,00 $	0,00
Emprunt	Mensuelle	340,00 $	16 320,00
Total des coûts fixes			25 976,00
Total des coûts variables			11 194,81
Total des coûts après 4 ans			37 170,81
Coût au km			0,50

Données entrant dans le calcul du coût du carburant :
355 km × 52 semaines/an × 4 ans = 73 840 km.

Chapitre 6 – Test, page 288

1. D ; 18 % ÷ 12 = 1,5 %.

2. A ; si l'on double la durée de la période de calcul de l'intérêt composé, alors le nombre de périodes de calcul de l'intérêt diminue. Donc, les intérêts payés diminuent aussi.

3. $12\ 000\left(1 + \frac{0,038}{12}\right)^{48} = 13\ 966,57$

4. Les réponses varieront. Par exemple :
Cassandre devra tenir compte de la marque, du nombre de portières (berline ou coupé) et des caractéristiques de sécurité du véhicule.

5. $2599,00\left(1 + \frac{0,26}{12}\right)^{3} = 2771,62$
Total des intérêts payés : 2771,62 − 2599,00 = 172,62.

6. **a)** Montant total remboursé :
$30\ 000,00\left(1 + \frac{0,09}{2}\right)^{10} = 46\ 589,08$
Valeur du véhicule :
$30\ 000,00(1 + 0,15)^{5} = 60\ 340,72$
Gain réalisé sur le placement :
60 340,72 − 46 589,08 = 13 751,64

b) La valeur du véhicule pourrait très bien ne pas augmenter de 15 % par année. Dans un tel cas, aucun gain ne serait réalisé. Paul pourrait même perdre de l'argent.

Chapitre 7 : Les données à une variable

Connaissances préalables
L'interprétation des diagrammes circulaires, page 290

1. **a)** La santé est le choix le plus répandu : 31 % des personnes ont choisi ce type de cause.

b) Des 15 600 élèves, 17 %, soit 2652 élèves, ont choisi la cause de la nature ou des animaux.

2. Les réponses varieront. Par exemple : Les diagrammes circulaires permettent de comparer les proportions relatives de chaque catégorie. Les données continues ou non qualitatives ne se prêtent pas au diagramme circulaire.

Les diagrammes à bandes et les diagrammes à pictogrammes, page 291

1. **Livres lus par les élèves d'un cours de français**

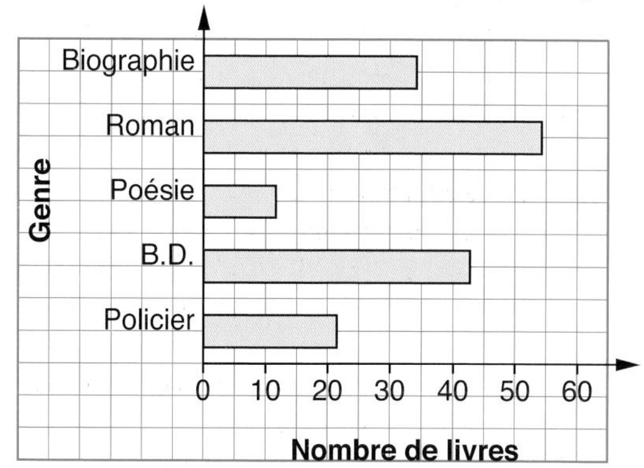

(icône de livre) représente 5 livres

Livres lus par les élèves d'un cours de français

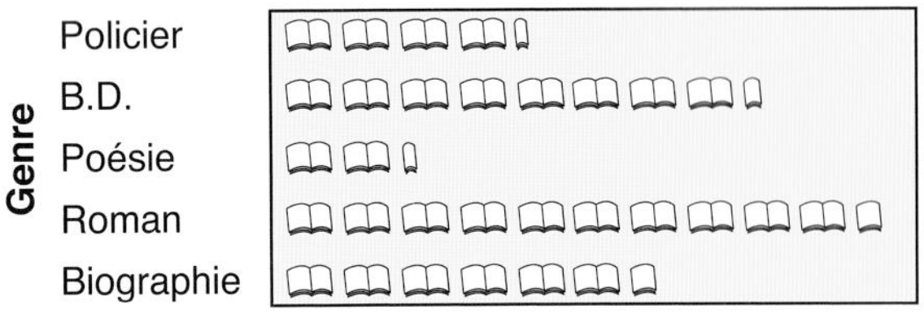

2. Les réponses varieront. Par exemple : Le diagramme à pictogrammes est un bon choix quand on traite des données discrètes et que les nombres ne sont pas trop grands.

L'organisation des données par intervalles, page 292

1. Moins de 10 millions : 10 villes.
   De 10 millions à 14 999 999 : 14 villes.
   De 15 millions à 19 999 999 : 5 villes.
   20 millions et plus : 1 ville.
2. **a)** Le choix des intervalles peut varier. Par exemple :
   Moins de 6 pi : 6 joueurs.
   De 6 pi à 6 pi 2 po : 14 joueurs.
   De 6 pi 3 po à 6 pi 5 po : 6 joueurs.
   6 pi 6 po et plus : 2 joueurs.
   b) Les réponses varieront. Le choix des intervalles devrait aider à comparer les tailles.
   c) Les tailles des élèves sont probablement inférieures. Les limites des intervalles devraient donc aussi être inférieures.

7.1 L'organisation et la représentation des données, page 299

1. **a)** Qualitative. **b)** Quantitative discrète.
   c) Qualitative. **d)** Quantitative continue.
   e) Quantitative continue. **f)** Qualitative.
   g) Qualitative.
2.

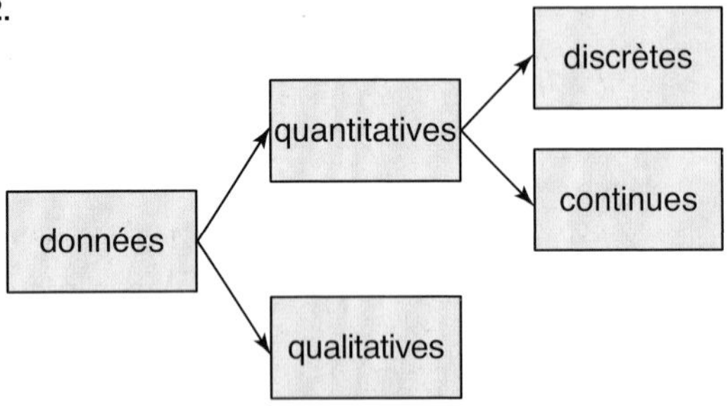

3. **a)** La plupart des données se trouvent au haut de l'échelle. La distribution est asymétrique vers la gauche.
   b) L'histogramme présente deux sommets distincts. La distribution est bimodale.
4. **a)** **Moyens de transport des élèves pour se rendre à l'école**

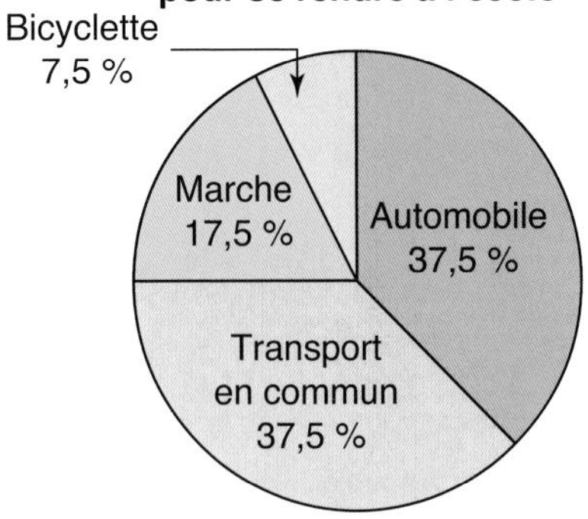

   b) Les réponses varieront. Par exemple : Quels sont les deux moyens de transport les plus répandus ? Lequel est le moins répandu ? Quel moyen de transport est deux fois moins répandu que la marche ? Sur 1000 élèves, combien se rendraient à l'école en automobile ? Combien s'y rendraient à pied ? Combien s'y rendraient à bicyclette ? Combien utiliseraient le transport en commun ?
5. **a)**

Taille	Nombre de t-shirts vendus
P	4
M	3
G	9
TG	14

   b) **Taille des t-shirts vendus**

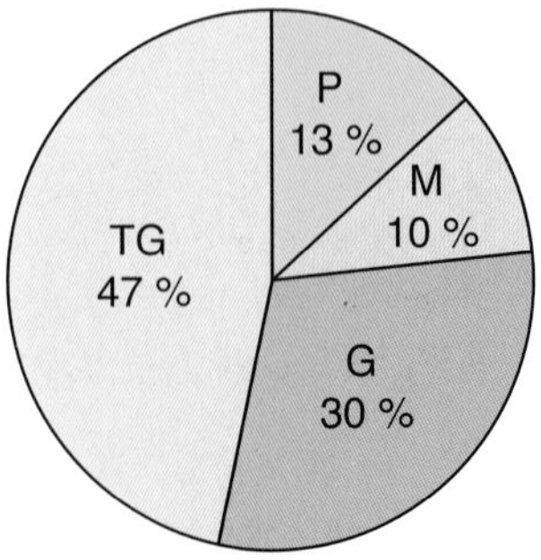

   c) Le groupe pourrait s'aider du diagramme pour décider du nombre de t-shirts de chaque taille qu'il devra commander pour sa prochaine tournée.
6. **a)** On peut considérer les prix des maisons comme des données continues ou discrètes. Les données sont continues, parce que les prix peuvent représenter n'importe quelle valeur. Elles sont discrètes, parce qu'on ne parle généralement pas de fractions de dollars.

b) L'histogramme sera légèrement asymétrique vers la droite. Il y aura plus de données qui se situent au bas de l'échelle.

c)

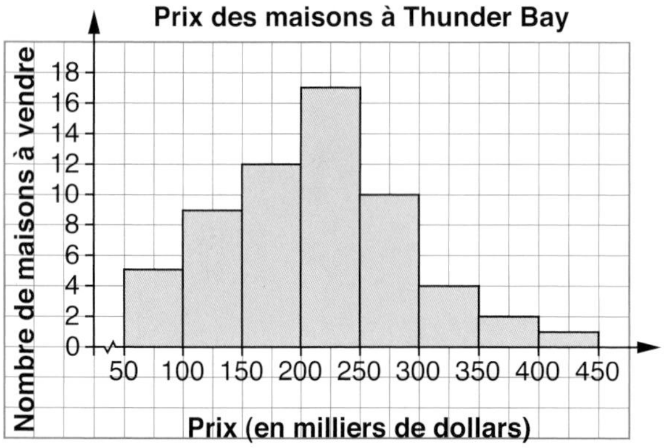

7. a) Les données sont qualitatives, parce qu'elles ne sont pas quantitatives.

b)

Mois	Nombre de naissances
Janv.	1
Févr.	1
Mars	3
Avr.	2
Mai	4
Juin	2
Juill.	5
Août	3
Sept.	4
Oct.	3
Nov.	0
Déc.	2

c) Les réponses varieront. Un diagramme à bandes, un diagramme à pictogrammes ou un diagramme circulaire conviendrait.

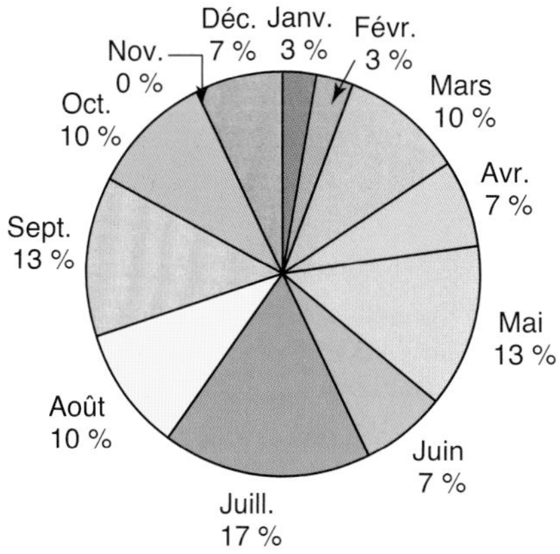

d) Les réponses varieront. Par exemple : À quel mois y a-t-il le plus grand nombre de naissances ? Y a-t-il un mois où personne du groupe n'est né ? Quelle est la saison où les naissances sont les plus nombreuses ? et la saison où elles sont les moins nombreuses ?

8. a) Les températures sont des données continues : elles peuvent prendre n'importe quelle valeur dans une étendue.

b) 32,7 °C ; 7,8 °C.

c) Les réponses varieront. Par exemple :

Température (°C)	Nombre de jours
de 5 à 10	2
de 10 à 15	5
de 15 à 20	12
de 20 à 25	8
de 25 à 30	2
de 30 à 35	2

d) L'histogramme convient le mieux, parce qu'il représente la distribution d'une variable continue. Les données sont groupées près du centre et forment une distribution normale.

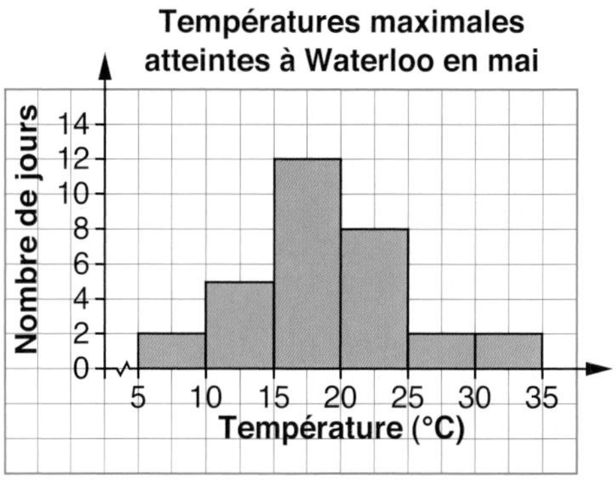

e) En novembre, la distribution formerait aussi une courbe en cloche, mais le centre serait déplacé vers la gauche, parce que les températures seraient plus basses. En juillet, la distribution formerait aussi une courbe en cloche, mais le centre serait déplacé vers la droite, parce que les températures seraient plus hautes.

9. Les réponses varieront. Par exemple :

a) Un histogramme, pour représenter la distribution des prix des maisons.

b) Un diagramme circulaire, pour comparer les pourcentages du nombre total de voitures vendues de chaque couleur.

c) Un diagramme à bandes. (Comme les données sont exprimées par habitant, un diagramme circulaire n'aurait pas de sens : on ne pourrait pas trouver un total.)

d) Un diagramme à bandes, pour comparer les heures totales, ou un diagramme circulaire, si l'on s'intéressait au pourcentage du nombre total d'heures que chaque groupe d'âge passe devant la télévision.

e) Un diagramme circulaire, pour comparer les pourcentages d'électricité provenant de chaque source.

10. Les réponses varieront. Par exemple :

a) Selon la personne qui corrige et le niveau des élèves, la distribution pourrait être normale ou asymétrique vers la gauche ou la droite.

b) Une distribution normale, groupée autour d'une moyenne. (Si tous les âges sont représentés, la distribution sera asymétrique vers la gauche à cause des pieds des enfants.)

c) Une distribution bimodale présentant deux sommets : un pour les hommes et un pour les femmes.

d) Une distribution asymétrique vers la droite, parce que la plupart des familles ontariennes comptent un ou deux enfants.

7.2 L'organisation et la représentation de données à l'aide d'outils technologiques, page 307

1. a) On peut considérer les frais d'exploitation comme des données continues ou discrètes : continues, parce qu'ils peuvent prendre n'importe quelle valeur dans une étendue ; discrètes, parce qu'on ne parle généralement pas de fractions de dollars.

b)

Frais d'exploitation des fermes ontariennes en 1996

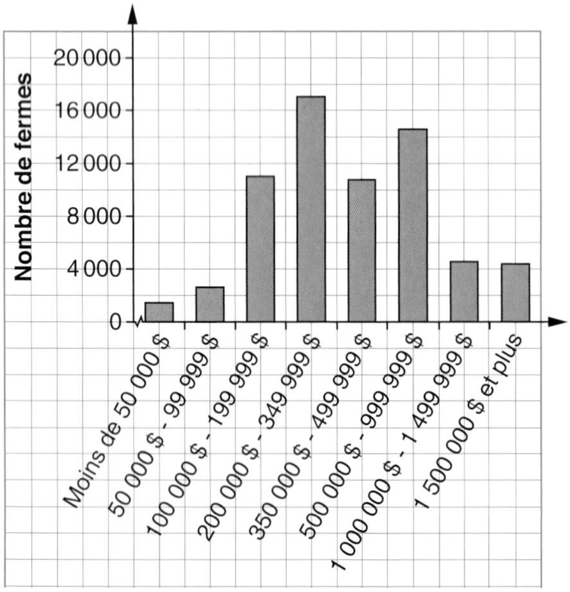

Frais d'exploitation des fermes ontariennes en 2001

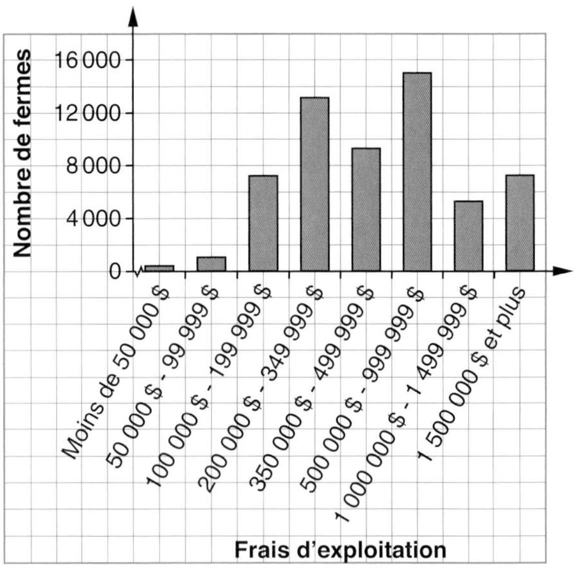

c) Le diagramme de 2001 présente plus de données à l'extrémité droite de l'étendue que le diagramme de 1996. Cela signifie qu'en 2001, si on compare avec 1996, il y avait plus de fermes aux frais d'exploitation élevés et moins de fermes aux frais d'exploitation faibles. Comme les fermes familiales sont susceptibles d'avoir des frais d'exploitation plus faibles, les diagrammes appuient l'affirmation.

d) Utilisons des diagrammes circulaires.

Frais d'exploitation des fermes ontariennes en 1996

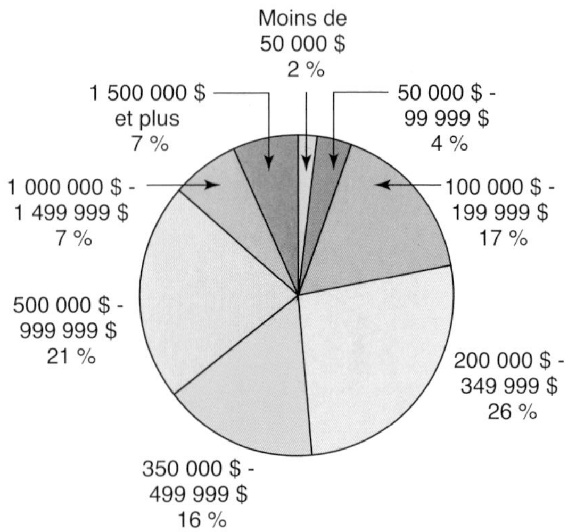

Frais d'exploitation des fermes ontariennes en 2001

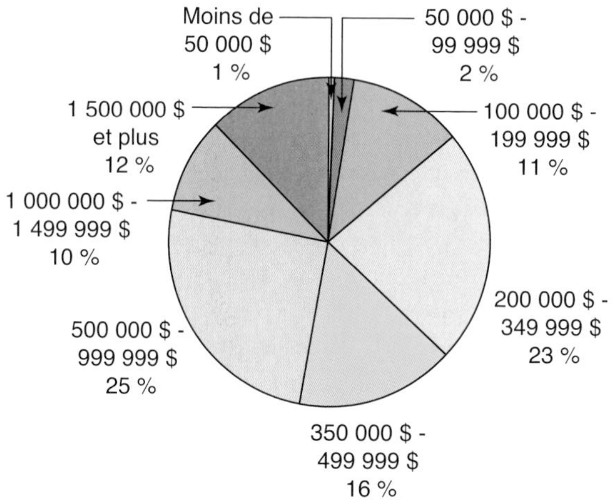

Le diagramme circulaire représente la proportion de l'ensemble des fermes dans chaque étendue de frais d'exploitation. Il facilite la comparaison des proportions de 1996 avec celles de 2001.

2. a) Quantitatives continues.

b) Qualitatives.

c) Les réponses varieront. Le diagramme circulaire et l'histogramme sont acceptables. Le diagramme indique que les candidats élus reçoivent généralement de 40 à 60 % des votes. La plupart des candidats élus reçoivent de 45 à 50 % des votes.

Pourcentage des votes reçus par les candidats élus en 2003

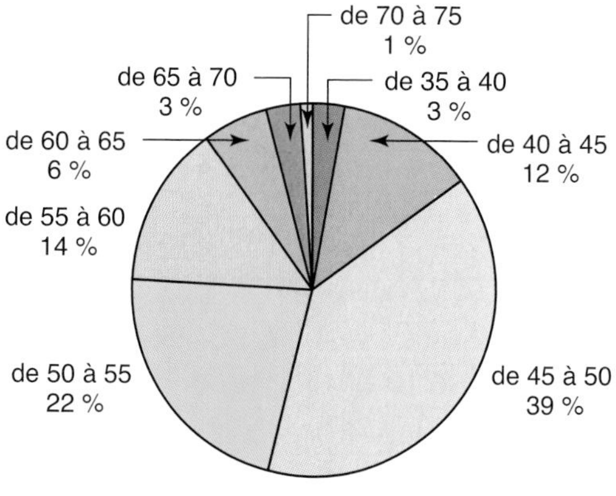

Pourcentage des votes reçus par les candidats élus en 2003

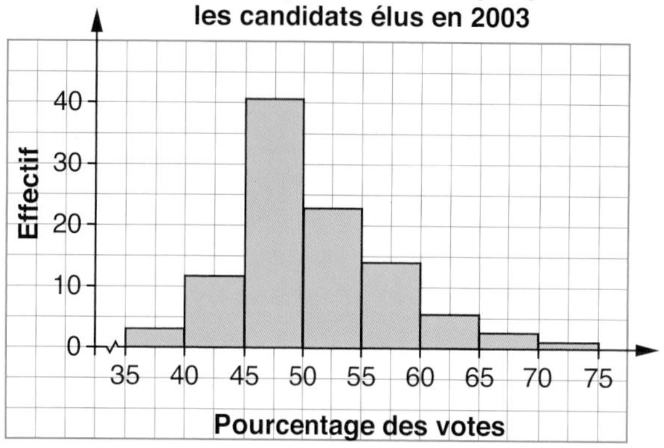

d) Environ 54 %, soit 56 des 103 députés.

e) Dans ces circonscriptions, les autres candidats réunis ont récolté plus de 50 % des votes.

f)

Députés élus en 2003, par parti

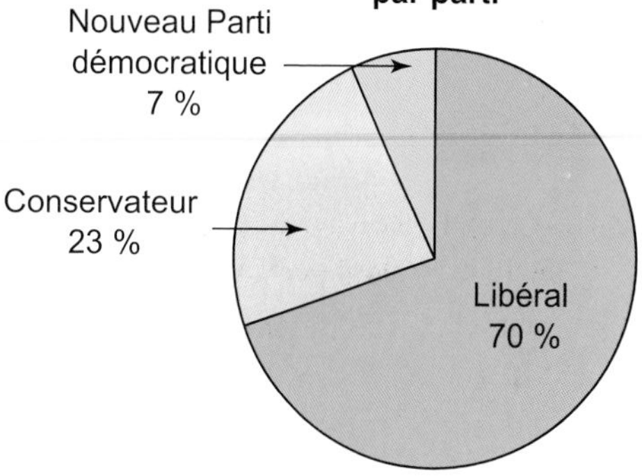

Environ $\frac{7}{10}$ des députés appartenaient au Parti libéral. Environ $\frac{2}{10}$ des députés étaient du Parti conservateur. Environ $\frac{1}{10}$ des députés étaient du Nouveau Parti démocratique.

g) Les réponses varieront.

7.3 Les méthodes d'échantillonnage, page 312

1. Il peut être trop coûteux ou difficile, ou physiquement impossible d'utiliser la population entière.

2. a) La population de la ville.

b) Laisser des questionnaires : échantillonnage à participation volontaire.

Noms au hasard dans l'annuaire : échantillonnage aléatoire simple.

Pages au hasard dans l'annuaire : échantillonnage en grappes.

Noms par intervalles de 100 : échantillonnage systématique.

Personnes au hasard dans chaque quartier : échantillonnage stratifié.

Personnes qui font leurs emplettes au centre-ville : échantillonnage accidentel.

c) Les réponses varieront. (On peut imaginer des situations où toutes les méthodes sont biaisées.) Par exemple : Laisser des questionnaires peut être une méthode biaisée, parce que les personnes mécontentes seraient vraisemblablement plus nombreuses à remplir le questionnaire que les personnes satisfaites. Sonder les personnes qui font leurs emplettes au centre-ville peut être une méthode biaisée, parce que ces personnes peuvent être celles pour qui le stationnement ne présente pas de difficulté.

d) Toutes les méthodes aléatoires sont probablement satisfaisantes.

e) Si l'association espérait un certain résultat, elle pourrait choisir une méthode biaisée. Par exemple, un sondage à participation volontaire pourrait générer une majorité de réponses en faveur d'une augmentation du nombre de places de stationnement.

3. a) La population comprend toutes les piles fabriquées en un jour. On devrait recueillir les données au sein d'un échantillon, parce que tester une pile pour mesurer sa durée de vie la rend inutilisable.

b) La population est la classe. On peut recueillir les données auprès de la population, parce qu'elle est petite.

c) La population est celle de la ville. On devrait recueillir les données auprès d'un échantillon, parce que la population est trop nombreuse.

d) La population est formée des entreprises pharmaceutiques de la province. On peut recueillir les données auprès de la population, qui est probablement petite.

e) La population est formée de tous les élèves de l'école. On pourrait recueillir les données auprès d'un échantillon ou de la population entière.

4. Les réponses varieront. Par exemple :

a) Échantillonnage systématique ; par exemple, tester une pile toutes les 100 piles.

c) Échantillonnage aléatoire ; par exemple, un échantillonnage stratifié par quartier pour connaître les opinions locales au sujet des pesticides.

e) Échantillonnage à participation volontaire pour recueillir les données auprès d'élèves intéressés à assister à un spectacle.

5. a) 15 de 9e année, 12 de 10e année, 11 de 11e année, 13 de 12e année.

6. a) 20

b) Cinq. Les groupes sont organisés par profession ou domaine de réalisation.

c) Échantillon aléatoire simple : tirer huit noms d'un chapeau.
Échantillon aléatoire stratifié : tirer au hasard deux noms de chaque groupe.
Échantillon par choix raisonné : choisir deux noms dans chaque groupe.

d) Un échantillon stratifié ou par choix raisonné assure les élèves d'un choix de profession ou de domaine.

7. Les groupes ne sont pas représentatifs de leur population entière respective.
Pour utiliser un échantillon en grappes, il faut réorganiser les groupes de noms en rangées ; cela donne cinq groupes dont chacun contient un scientifique, un artiste, un écrivain et un chef politique.

Chapitre 7 – Révision de mi-chapitre, page 318

1. a) Quantitative discrète.

b) Qualitative.

c) Qualitative.

d) Quantitative continue.

e) Quantitative continue ou quantitative discrète.

f) Qualitative.

2. a) Les réponses varieront. Par exemple : couleur, modèle, marque, catégorie (compacte, VUS, berline, etc.).

b) Les réponses varieront. Par exemple : prix, kilométrage, âge, année.

3. a) Les réponses varieront. Par exemple :

Score	Nombre
de 265 à 269	2
de 270 à 274	3
de 275 à 279	5
de 280 à 284	6
de 285 à 289	2
de 290 à 294	2
de 295 à 299	5
de 300 à 304	2
de 305 à 309	1

b) La distribution est bimodale. Elle présente deux sommets distincts.

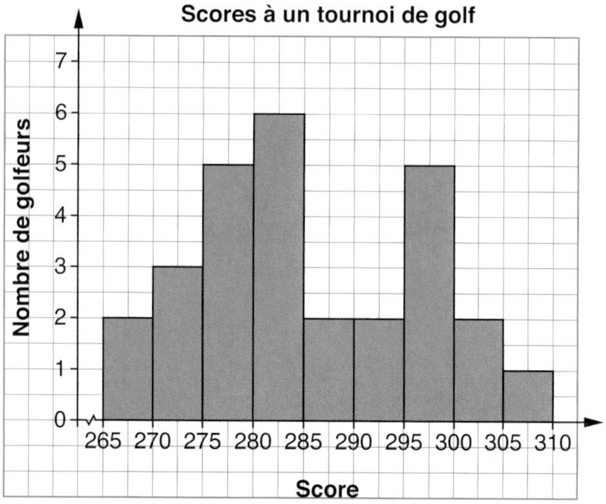

4. a) Les réponses varieront. Un diagramme circulaire ou à bandes est acceptable.

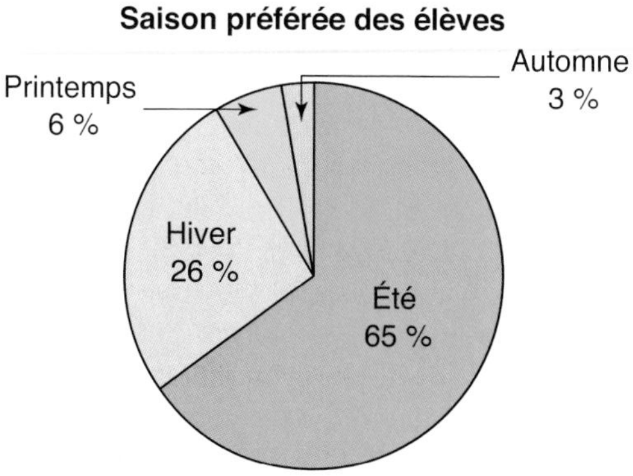

b) Les réponses varieront. Par exemple : Quelle saison les élèves préfèrent-ils ? Quelle saison aiment-ils le moins ? Quelle saison a la faveur d'environ le quart des élèves ?

5. a) La population est composée des auditrices et auditeurs de 18 à 24 ans. On doit recueillir les données auprès d'un échantillon, parce que la population est trop nombreuse.

b) La population est formée de tous les fusibles que l'entreprise fabrique. On doit utiliser un échantillon, parce que les tests les rendront inutilisables.

c) La population est la classe. On peut utiliser la population entière, car elle est petite.

6. a) Échantillonnage accidentel.

b) Échantillonnage à participation volontaire.

c) Échantillonnage en grappes.

d) Échantillonnage stratifié.

7. Je conseillerais à Sylvain d'utiliser l'échantillon aléatoire stratifié pour s'assurer d'obtenir un échantillon représentatif non biaisé.

8. a) Quel est votre sport préféré ? (Choisissez une réponse.)

Soccer	Basket-ball
Baseball	Football
Ski	Athlétisme
Aucun	Autre (précisez)

b) Combien de temps consacrez-vous chaque semaine à la pratique de sports ? (Choisissez une réponse.)

Moins de 5 heures	De 5 à 15 heures
Plus de 15 heures	

c) Combien de temps consacrez-vous chaque semaine au bénévolat ? (Choisissez une réponse.)

Moins de 1 heure	De 1 à 4 heures
De 4 à 8 heures	De 8 à 12 heures
De 12 à 16 heures	De 16 à 20 heures
Plus de 20 heures	

d) Les réponses varieront. Par exemple : Combien de pays avez-vous visités ?

1	2 – 3
4 – 5	6 – 7
8 – 9	10 – 12
Plus de 12	

7.5 Les mesures de tendance centrale et les mesures de dispersion, page 323

1. a) Mode : 5 $
Moyenne : 4,7 $
Médiane : 5 $
La moyenne représente le mieux les données, parce que les valeurs sont rapprochées.

b) Mode : aucun
Moyenne : 5
Médiane : 5,5
La médiane représente le mieux les données, parce que les valeurs sont dispersées.

c) Mode : aucun
Moyenne : 123,6 cm
Médiane : 112 cm
La médiane représente le mieux les données, parce que les valeurs sont dispersées.

2. a) Moyenne : 6,6
Étendue : 13
Écart type : 4,4
L'étendue des données est grande et les données de l'échantillon ne sont pas très proches de la moyenne.

b) Moyenne : 6,33
Étendue : 2
Écart type : 0,82
La dispersion des données est petite et les données de la population sont proches de la moyenne.

3. Édimbourg a le climat le plus doux. Bien que sa température moyenne soit légèrement basse, l'étendue des températures est beaucoup plus petite que la moyenne.
4. 0,82
5. Les prix de l'essence à une station-service près de l'école d'Ingrid sont généralement supérieurs à ceux d'une station-service près de chez Émile. La variation des prix est à peu près la même.
6. Les réponses varieront. Par exemple :
On peut estimer l'étendue en arrondissant les données supérieure et inférieure et en soustrayant. On peut estimer la moyenne en arrondissant les données, en les additionnant mentalement et en divisant.
7. a) 2006 – Mode : 4 °C
Moyenne : 4 °C
Médiane : 4 °C
2004 – Mode : 6 °C
Moyenne : 6 °C
Médiane : 6 °C
2001 – Mode : aucun
Moyenne : 5,75 °C
Médiane : 5 °C
b) 2006 – Étendue : 2 °C Écart type : 0,82 °C
2004 – Étendue : 4 °C Écart type : 1,6 °C
2001 – Étendue : 9 °C Écart type : 3,9 °C
c) 2006, qui présente la plus petite étendue.
d) Parce que les températures varient d'une année à l'autre.
8. Plus les données sont groupées, plus l'écart type est petit.
Plus grand écart type : a).
Plus petit écart type : b).
9. a) L'ensemble de données de la machine C présentera le plus grand écart type, parce que les valeurs sont dispersées.
L'ensemble de données de la machine B présentera le plus petit écart type, parce que les valeurs sont plutôt rapprochées.
b) Machine A – Moyenne : 150
Écart type : 0,93
Machine B – Moyenne 150
Écart type : 0,64
Machine C – Moyenne 150
Écart type : 1,3
c) La machine B est la plus fiable. La machine C est la moins fiable.
10. Pour les salaires horaires, l'écart type est grand par rapport à la moyenne ; la moyenne n'est donc pas très représentative d'un membre type de la population. Pour les primes mensuelles, l'écart type est beaucoup plus petit que la moyenne. Cette moyenne représente assez bien le membre type de la population.

7.6 L'analyse de données, page 329

1. b) Mode : aucun ; médiane : 247,5 ; moyenne : 258,3 ; étendue : 627 ; écart type : 192,5.
c) Mode : 14 ; médiane : 89,5 ; moyenne : 177,25 ; étendue : 840 ; écart type : 244,5.
d) Mode : 0 ; médiane : 6 ; moyenne : 15,9 ; étendue : 57 ; écart type : 21,4.
e) Si l'écart type est petit par rapport à la moyenne, cette dernière est représentative des données.
f) Les réponses varieront. Par exemple : Les mesures de tendance centrale indiquent qu'à l'échelle nationale, la plupart des incendies de forêt sont causés par l'activité humaine. En Colombie-Britannique, en Alberta et dans les Territoires du Nord-Ouest, la foudre est la cause de nombreux incendies ; mais, ailleurs, les activités humaines sont à l'origine d'une majorité d'incendies.
2. b) Mode : aucun ; médiane : 7865 m ; moyenne : 8053 m.
c) Étendue : 5583 m ; écart type : 2051 m.
d) Mode : aucun ; médiane : 4267 m ; moyenne : 4168 m ; étendue : 4734 m ; écart type : 1454 m.
e) En général, les océans sont plus profonds que les mers. La profondeur moyenne des océans est environ le double de la profondeur moyenne des mers.
3. a) La graine de lin.
b) L'orge.
c)

	Blé	Avoine	Orge	Graine de lin	Canola
Mode	aucun	66,7	aucun	20	aucun
Médiane	38,1	66	56,75	22,1	25,7
Moyenne	38,04	65,97	57,69	21,97	26,54
Étendue	17,3	23,4	23,4	5,6	12,5
Écart type	4,76	6,15	6,75	1,82	3,56

Un agriculteur pourrait utiliser cette information pour choisir ses cultures, par exemple en semant la culture la plus rentable en combinaison avec celle qui est la plus fiable.

Chapitre 7 – Révision, page 342

1. **a)** Qualitatives.
   b) Quantitatives continues.
   c) Qualitatives.
   d) Quantitatives discrètes.
   e) Qualitatives.
   f) Quantitatives continues.
2. **a)** Les intervalles peuvent être variés mais doivent être de même taille. Par exemple :

Taille (m)	Nombre d'arbres
de 10 à 12,5	1
de 12,5 à 15	2
de 15 à 17,5	3
de 17,5 à 20	7
de 20 à 22,5	4
de 22,5 à 25	3

   b)

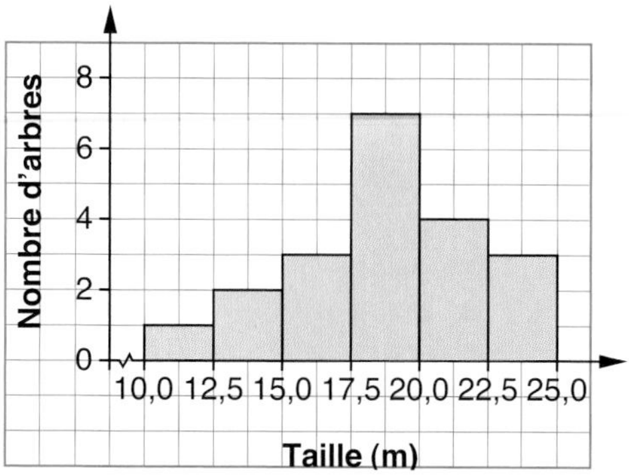

   La distribution est légèrement asymétrique vers la gauche.
3. Les réponses varieront. Un diagramme à bandes ou circulaire est acceptable. Par exemple :

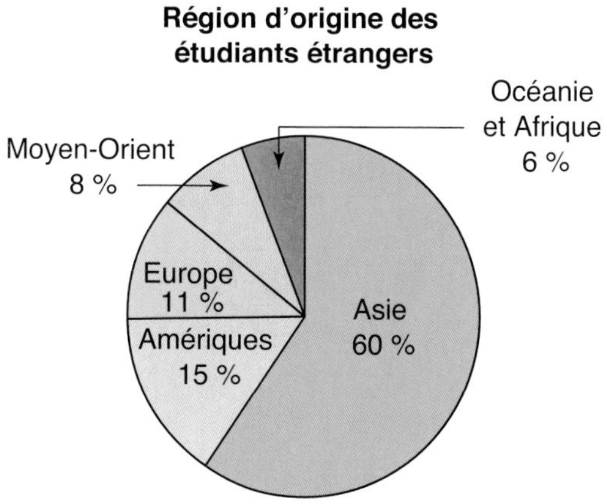

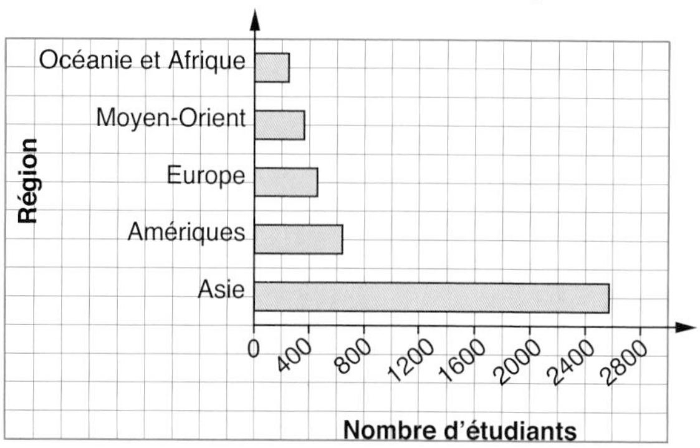

4. Les réponses varieront. Par exemple :
   a) La population, parce qu'elle n'est probablement pas trop nombreuse et que chaque opinion compte.
   b) Un échantillon, parce que la population de l'école pourrait être trop nombreuse. Un échantillon en grappes formé d'une classe de chaque année ou un échantillon stratifié représenterait bien les élèves.
   c) Un échantillon, parce que le test est probablement destructif. Un échantillonnage systématique garantirait la vérification de tous les lots.
5. En Colombie-Britannique : 171 ; en Ontario : 218 ; et au Nouveau-Brunswick : 111.
6. **a)** Les réponses varieront.
   b) Les réponses varieront. Par exemple :
   Où es-tu née ou né ? (Choisis une réponse.)
   Canada — Asie
   Europe — Moyen-Orient
   Afrique — Océanie
   Amériques (ailleurs qu'au Canada)
   Autre (précise)
   Où tes parents sont-ils nés ? (Choisis une ou deux réponses.)
   Canada — Asie
   Europe — Moyen-Orient
   Afrique — Océanie
   Amériques (ailleurs qu'au Canada)
   Autre (précise)
7. La question b) précise les catégories que la conceptrice ou le concepteur du sondage juge importantes et facilite l'interprétation des réponses.
8. Mode : aucun ; médiane : 19,1 m ; moyenne : 18,82 m. Les réponses varieront. Comme les nombres sont très rapprochés, la moyenne et la médiane représentent aussi bien les données l'une que l'autre.
9. Les personnes choisies au centre commercial présenteront le plus grand écart type parce qu'elles auront des degrés d'habileté différents. Tous les membres de l'équipe de volley-ball devraient être capables de réussir un lancer de service.

10. a) Mode : 17 °C ; médiane : 17 °C ; moyenne : 17,4 °C.

b) Étendue : 7 °C ; écart type : 2,4 °C.

c) Vancouver – mode : aucun ; médiane : 18 °C ; moyenne : 18,6 °C ; étendue : 15 °C ; écart type : 4,6 °C.
Halifax – mode : 16 °C et 18 °C ; médiane : 17,5 °C ; moyenne : 18 °C ; étendue : 9 °C ; écart type : 2,9 °C.
Winnipeg – mode : 15 °C et 14 °C ; médiane : 14,5 °C ; moyenne : 15,4 °C ; étendue : 13 °C ; écart type : 4,0 °C.

d) Les réponses dépendront de la ville choisie. L'ensemble de données concernant North Bay est celui qui présente le plus faible écart type. North Bay est donc la ville la mieux caractérisée par sa moyenne.

e) Elles indiquent le degré de variabilité de la température.

f) Les réponses varieront.

11. a) Les réponses varieront. Les éléments comprennent le sexe, l'âge et le degré de forme physique.

b) Les réponses varieront.

12. a) Je pourrais trouver ces données dans E-STAT, sous Météo.

b) Je pourrais trouver ces données dans E-STAT, sous Population et démographie.

c) Je pourrais trouver ces données dans E-STAT, sous Transport.

Chapitre 7 – Test, page 344

1. B, un groupe cible appartient à une population, ou à un échantillon d'une population.

2. C, parce que les histogrammes représentent des données quantitatives et que la couleur des yeux est une donnée qualitative.

3. a) Les intervalles varieront. Par exemple :

Points marqués	Nombre de parties
de 0 à 5	1
de 5 à 10	8
de 10 à 15	12
de 15 à 20	8
de 20 à 25	6

b)

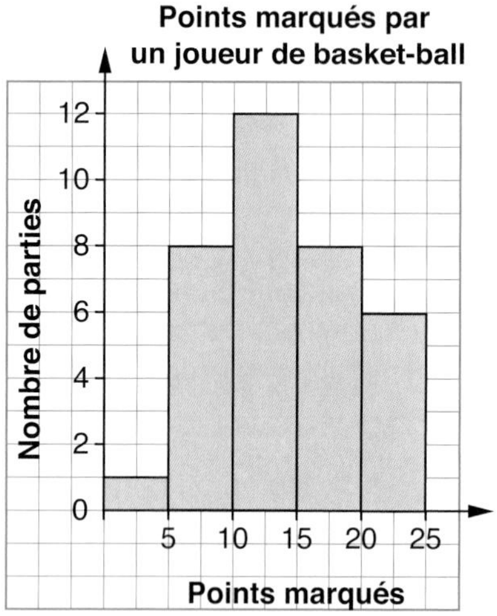

Les données décrivent une distribution presque uniforme qu'on pourrait aussi considérer comme bimodale.

4. a) Mode : 10 et 20 ; médiane : 13 ; moyenne : 13,3 ; étendue : 19.

b) La médiane est la meilleure mesure, car la distribution des données est large.

c) Il indiquerait le degré de regroupement des données autour de la moyenne. Si le regroupement est serré, le joueur est très constant.

5. a) Échantillonnage accidentel ou par choix raisonné.

b) Échantillonnage stratifié.

c) Échantillonnage accidentel.

d) Échantillonnage à participation volontaire.

Seul l'échantillon en b) serait vraisemblablement non biaisé.

6. Les réponses varieront. Le temps moyen de Suzie est de 12,46 s, et son écart type est de 1,06 s. Le temps moyen de Fiona est de 12,53 s, et son écart type est de 0,27 s. Le temps moyen de Suzie est plus court, mais les temps de Fiona sont plus constants.

Chapitre 8 : La probabilité

Connaissances préalables
Le vocabulaire de la probabilité, page 346

1. a) Probable.
   b) Impossible.
   c) Probable ou certain.
   d) Peu probable.
2. a), b), c)
3. Les réponses varieront. Par exemple :
   Il est peu probable qu'il neige en ce mois de mai.
   Il est impossible d'obtenir la somme 1 en lançant deux dés.
   Il est certain qu'on obtiendra pile ou face en lançant une pièce de monnaie.

Les fractions, les nombres décimaux et les pourcentages, page 347

1. a) 0,6 ; 60 % b) 0,111 ; 11,1 %
   c) 0,529 ; 52,9 % d) 1,6 ; 160 %
2. a) $\frac{15}{27}$ b) 55,6 %
3. Les réponses varieront. Par exemple :
   On exprime souvent les unités de mesures impériales sous la forme de fractions.
   On exprime souvent les statistiques sportives sous la forme de nombres décimaux.
   On utilise des pourcentages pour calculer les taxes et les rabais.

8.1 La probabilité dans nos vies, page 351

1. a), b), c) Les réponses varieront.
   d) Peu probable.
   e) Très probable.
2. a), b), c) Les réponses dépendront des réponses à l'exercice 1.
   d) Par exemple, 0,3.
   e) Par exemple, 0,9.
3. a) Oui, parce que chaque équipe a 50 % de chances de gagner.
   b) Les réponses varieront.
4. Steve Nash, parce que la probabilité qu'il marque un panier est plus forte.
5. Les réponses varieront.
6. a) $\frac{16}{25}$; 0,64 ; 64 %.
   b) 320 ; multiplier 500 par 0,64.
7. a) L'émission A, parce que c'est l'émission que les 18 à 24 ans ont regardée en plus grand nombre.
   b) L'émission B.
   c) 0,248 ou 24,8 %.
   d) L'émission A, parce que c'est l'émission que le plus de personnes de moins de 35 ans (qui sont les plus susceptibles d'acheter un lecteur MP3) regardent.
   e) Non, parce que l'émission A est regardée par un plus grand nombre de jeunes gens (qui s'intéressent aux jeux vidéo).
8. La probabilité qu'un emploi demande des études postsecondaires est de 70 %, tandis que la probabilité qu'un Canadien obtienne un diplôme collégial ou universitaire est de 53 %. Cela porte à croire que les Canadiens ne seront pas assez nombreux pour combler les postes.
   Toutefois, on a besoin de plus d'information pour bien répondre à la question. Par exemple : Combien de nouveaux emplois y a-t-il ? Combien de Canadiens font leur entrée sur le marché du travail ? Si les nombres ne sont pas comparables, les statistiques pourraient nous induire en erreur.

8.2 La probabilité théorique, page 357

1. a) Les résultats possibles sont 1, 2, 3, 4, 5 et 6. Ils sont équiprobables.
   b) $\frac{1}{6}$ c) $\frac{1}{2}$
   d) 0
2. a) Les résultats possibles sont 1, 2, 3 et 4. Ils sont équiprobables.
   b) $\frac{1}{4}$ c) $\frac{1}{2}$
   d) $\frac{3}{4}$
3. a) Le dernier cadran, parce que le bleu y occupe une plus grande place.
   b) Le premier cadran, parce que le bleu y occupe une plus petite place.
   c) $\frac{1}{4} = 0{,}25$; $\frac{1}{3} = 0{,}333$; $\frac{1}{2} = 0{,}5$.
4.

	1	2	3	4	5	6
1	2	3	4	5	6	7
2	3	4	5	6	7	8
3	4	5	6	7	8	9
4	5	6	7	8	9	10
5	6	7	8	9	10	11
6	7	8	9	10	11	12

   a) $\frac{1}{36}$ b) $\frac{1}{6}$
   c) $\frac{5}{12}$ d) $\frac{5}{18}$
5. a) $\frac{2}{5}$ b) $\frac{3}{5}$
   c) $\frac{1}{5} = \frac{5}{25}$, donc cinq prix.

6. a) Un côté face et deux côtés pile, parce qu'il n'y a qu'une façon d'obtenir trois côtés face mais davantage de façons d'obtenir un côté face et deux côtés pile.

b) 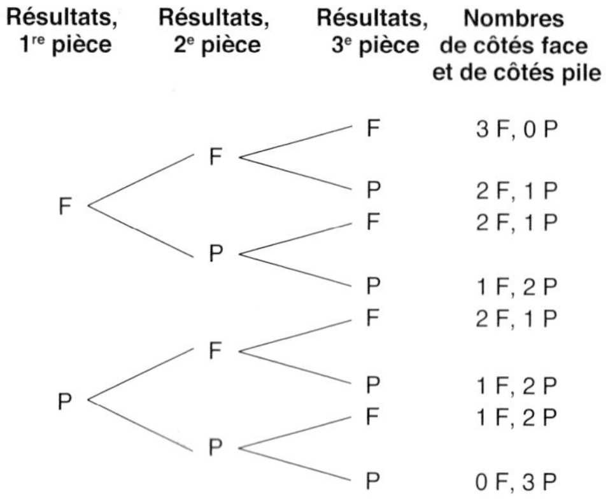

Les résultats ne sont pas équiprobables : certains se produisent plus souvent que d'autres.

c) I) $\frac{1}{8}$ II) $\frac{1}{8}$

III) $\frac{3}{8}$

7. a)

	Avancer les deux pions	Avancer le pion d'un joueur	Avancer le pion de l'adversaire
1	de 1 case	de 1 case	de 1 case
2	de 2 cases	de 2 cases	de 2 cases
3	de 3 cases	de 3 cases	de 3 cases
4	de 4 cases	de 4 cases	de 4 cases
5	de 5 cases	de 5 cases	de 5 cases
6	de 6 cases	de 6 cases	de 6 cases

Les résultats sont équiprobables.

b) I) $\frac{1}{18}$ II) $\frac{1}{6}$

III) $\frac{1}{3}$

8. a) $\frac{1}{6}$ b) $\frac{5}{12}$

c) $\frac{1}{30}$ d) $\frac{1}{4} = \frac{15}{60}$

Une boule mauve, parce qu'il y a 15 boules mauves.

9. La seule combinaison des sept pièces qui totalise 2,39 \$ est la suivante : une pièce de 2 \$, une pièce de 25 ¢, une pièce de 10 ¢ et quatre pièces de 1 ¢. Ainsi, la probabilité que la pièce qui tombe en soit une de 1 ¢ est de $\frac{4}{7}$.

Chapitre 8 – Révision de mi-chapitre, page 361

1. Les réponses varieront. Au choix, trois des termes suivants :

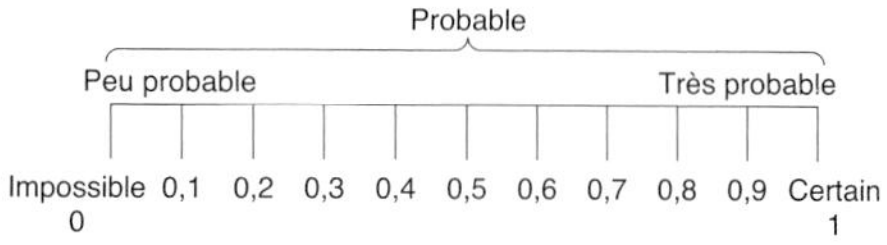

2. a) 0,55

b) 11

3. a) Les résultats possibles sont 1, 2, 3, 4, 5, 6, 7, 8, 9 et 10. Ils sont équiprobables.

b) I) $\frac{1}{2}$ II) $\frac{3}{10}$

III) $\frac{1}{10}$ IV) 0

4. a) As, trèfle, rouge ; parce qu'il n'y a que quatre as, que le quart des cartes sont des trèfles et que la moitié des cartes sont rouges.

b) Trèfle : 0,25 ; rouge : 0,5 ; as : 0,077.

c) 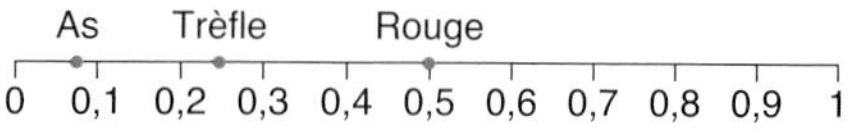

5. a)

		Produit de deux cadrans — Cadran 1		
		1	2	3
Cadran 2	4	4	8	12
	5	5	10	15
	6	6	12	18

b) $\frac{2}{9}$ ou 0,22.

8.3 La probabilité expérimentale, page 365

1. a) Céline : 0,333.
Audrey : 0,250.
Luce : 0,346.

b) Luce, parce qu'elle a la moyenne au bâton la plus élevée.

c) Parce que les moyennes au bâton ne sont que des probabilités.

2. a) Les réponses dépendront de l'expérience.

b) 0,5

c) Les réponses varieront.

d) Si la probabilité expérimentale n'est pas proche de 0,5, elle devrait s'en rapprocher.

e) Les réponses varieront.

3. a) $\frac{1}{4}$; 0,25 ; ou 25 %, parce que 13 des 52 cartes sont des cœurs, et $\frac{13}{52} = \frac{1}{4}$.

b), c) Les réponses dépendront de l'expérience.

d) Si la probabilité expérimentale n'est pas proche de 0,25, elle devrait s'en rapprocher.

e) Les réponses varieront.

4. La probabilité d'obtenir le côté face au prochain lancer est toujours de 0,5. Chaque lancer est indépendant des autres.

5. a) Vert : 15 ; autre : 3. Il y a 18 essais en tout.

b) $\frac{5}{6}$ ou 83,3 %.

c) La probabilité expérimentale est proche de la probabilité théorique. Cependant, les deux résultats sont également valables, et il n'y a pas de raison de croire que l'un a mieux réalisé l'expérience que l'autre.

6. a) Les réponses varieront. Il est improbable que de nombreuses familles comptent trois filles ou trois garçons.

b)

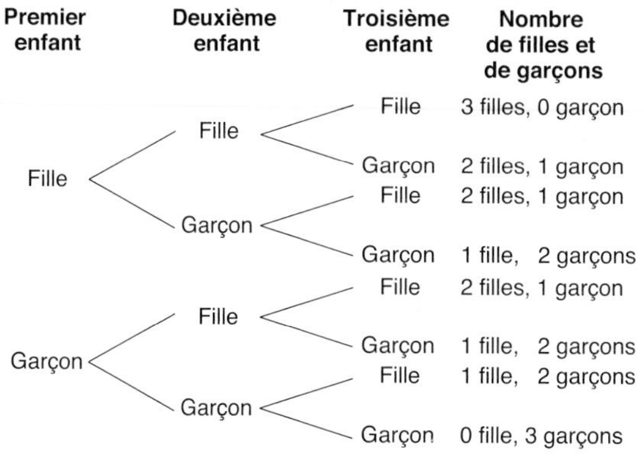

La probabilité que les trois enfants soient du même sexe est de 0,25.

c), d) Les réponses dépendront de l'expérience.

e) Le diagramme devrait approcher de la probabilité théorique de $\frac{1}{4}$ à mesure que le nombre d'essais augmente.

7. a) 0,25. Pour modéliser cette situation, on peut fabriquer un cadran divisé en quatre secteurs égaux nommés A, B, C et D. À chaque essai, on fait tourner l'aiguille et on note les résultats dans un tableau des effectifs. Plus les essais seront nombreux, plus la probabilité expérimentale devrait être proche de 0,25.

b) $\frac{1}{6}$. Pour modéliser cette situation, on peut lancer un dé. Disons que 1 représente VOUS GAGNEZ. À chaque lancer du dé, on note si l'on gagne ou perd. Plus les essais seront nombreux, plus la probabilité expérimentale devrait être proche de $\frac{1}{6}$.

8. a) e, n, s, i, r.

b) Les fréquences semblent désigner l'allemand. Le texte n'est probablement pas écrit en suédois, parce qu'il n'y a pas assez de « a ». Il n'est probablement pas écrit en italien non plus, parce qu'il n'y a pas assez de « o » ni de « a » et il y a trop de « n ».

9. a) Le nombre de balles dans la boîte.

b) $\frac{96}{539}$; 17,8 % ; 0,178.

c) D'après la probabilité expérimentale,
$\frac{1}{\text{nombre de balles}} = \frac{96}{539} = 0{,}178.$
$\frac{1}{5} = 0{,}2$ et $\frac{1}{6} = 0{,}167$. Donc la boîte contient probablement 6 balles, dont 5 sont blanches.

Chapitre 8 – Révision, page 380

1. a) Le Nouveau-Brunswick.

b) Le Nunavut, parce que 71 % de la population a une langue maternelle autre que l'anglais et le français.

c) Les réponses varieront. Par exemple : Dans quelle province ou quel territoire l'anglais est-il la langue maternelle des deux tiers de la population environ ? *Réponse :* Le Nouveau-Brunswick.

2. a) Italien.

b) Mexicain.

c) Asiatique et indien.

3. $\frac{19}{25}$; 76% ; 0,76

4. a) $\frac{6}{7} = 0{,}857$ **b)** $\frac{2}{7} = 0{,}286$

c) $\frac{5}{14} = 0{,}357$ **d)** $\frac{1}{7} = 0{,}143$

a), c), b), d) ; j'ai exprimé chaque probabilité sous la forme d'un nombre décimal.

5. a) 0,28 **b)** 0

c) 0,43

7. a) J'ai employé un diagramme en arbre.

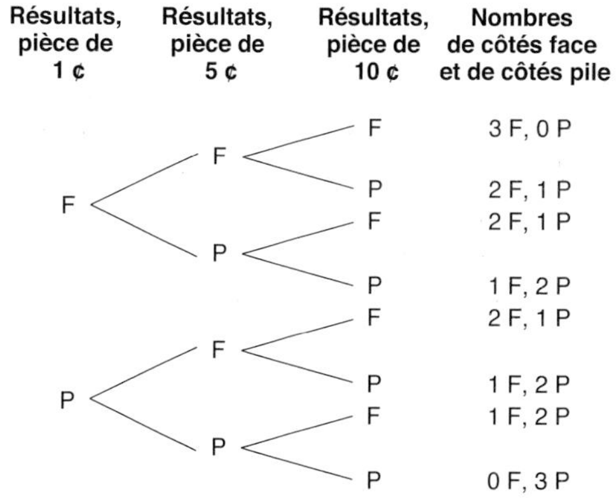

b) $\frac{3}{8} = 0{,}375$

c) Les réponses dépendront de l'expérience.

d) Si la probabilité expérimentale n'est pas proche de 0,375, elle devrait s'en rapprocher.

8. **a)** $\frac{1}{6}$

b) La probabilité serait la même. Chaque essai est indépendant des autres.

c), d) Les réponses dépendront de l'expérience.

9. **a)** 0,25

b) Les réponses varieront. Par exemple : La probabilité d'obtenir deux côtés face en lançant deux pièces de monnaie.

c) Au départ, la probabilité expérimentale était supérieure à la probabilité théorique. Elle est ensuite devenue inférieure à la probabilité théorique puis s'en est rapprochée lentement à mesure que le nombre d'essais a augmenté.

10. Je pourrais lancer chaque dé 100 fois et noter les résultats. Avec le dé régulier, la probabilité expérimentale d'obtenir chaque nombre devrait être proche de $\frac{1}{6}$.

Chapitre 8 – Test, page 382

1. C. Les quatre résultats possibles sont les suivants : un côté face et un côté pile à deux reprises, deux côtés face une fois et deux côtés pile une fois.

2. C. Dans chaque simulation, la probabilité d'obtenir le jus de canneberge est de $\frac{1}{6}$.

3. Non. La probabilité théorique indique la probabilité d'un résultat d'un seul essai. Elle indique aussi la proportion de chaque résultat auquel on peut s'attendre sur un grand nombre d'essais. On s'attendrait à ce que le nombre de côtés face soit proche de 50, mais aucun résultat particulier n'est certain.

4. **a)** $\frac{1}{3}$

b) Les réponses dépendront de l'expérience. Le cadran serait divisé en six secteurs égaux, dont trois seraient verts, deux seraient jaunes et un, blanc.

5. Le gardien A arrête 87,1 % des tirs au but. Le gardien B arrête 91,5 % des tirs au but. Je commencerais par le gardien B, parce qu'il est plus susceptible d'arrêter chaque tir au but.

6. **a)** Le candidat A.

b) La candidate B obtiendrait jusqu'à 52 % des votes et pourrait l'emporter.

Chapitres 1 à 8 – Révision cumulative, page 388

1. **a)** Utiliser la tangente, parce que le rapport $\frac{2,7}{d}$ correspond à tan 36°.
$d = 3,7$ m

b) Utiliser la touche COS^{-1} de la calculatrice, parce que le rapport $\frac{2,7}{5,0}$ correspond à cos x.
$x = 57°$

2. **a)** Utiliser la loi du cosinus, parce qu'on connaît les longueurs de tous les côtés.

b) 84°

3. Les réponses varieront.

4. Les réponses varieront.

5. **a)** Les réponses varieront.

b) La superficie, les électroménagers, l'espace pour ouvrir les portes de ces appareils, le mobilier et l'optimisation de l'efficacité de la cuisine sont des contraintes possibles.

6. **a)**

Longueur de côté (cm)	Aire (cm²)
0	0
1	1
2	4
3	9
4	16
5	25
6	36

b)

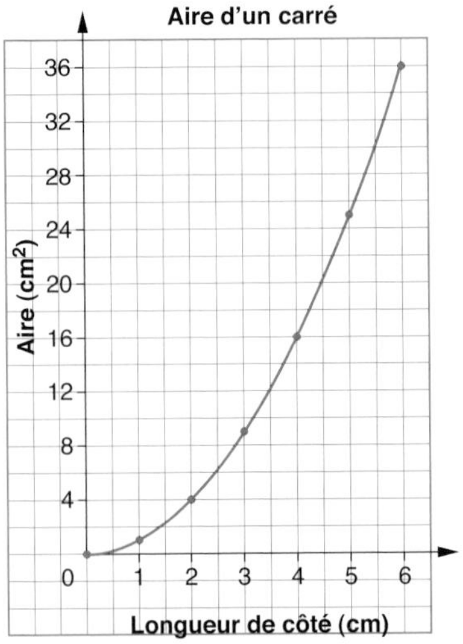

Non, elle n'est pas significative.

c) Pour trouver l'aire, A, d'un carré, il faut multiplier la longueur d'un de ses côtés par lui-même.

d) Oui, parce qu'elle est exprimée sous la forme $y = ax^2 + bx + c$, où $b = c = 0$, $a = 1$, $x = c$ et $A = y$.

7. **a)** $(x - 5)(x + 3)$
b) $3(x - 1)(x - 2)$
c) $2(x + 2)^2$

8. **a)** $y = -3(x + 4)^2 + 5$
$a = -3, h = -4, k = 5$
b) Le graphique subit une élongation verticale de facteur 3, une réflexion dans l'axe des x et une translation de 4 unités vers la gauche et de 5 unités vers le haut.

9. **a)** 27 m
b) $h = -3d^2 + 12d + 15$
c) $h = -3(d - 5)(d + 1)$
d) 3 m ; il s'agit de la moitié de la distance entre les abscisses à l'origine.
e) 6 m ; il s'agit de la distance entre les deux abscisses à l'origine.

10. **a)** $V = 10\ 000 \times (0,9)^n$
b) Environ 5904,90 $.
c)

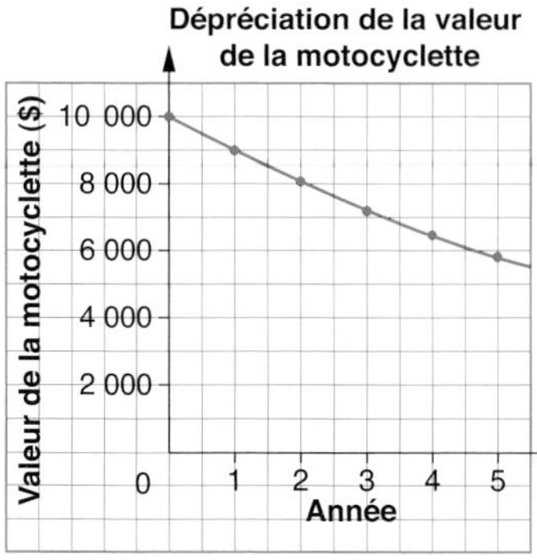

d) La valeur initiale de la motocyclette correspond à l'ordonnée à l'origine de la courbe.
e) La valeur à la fin de l'année n correspond à l'ordonnée du point d'intersection de la courbe et de la droite verticale représentant l'année n.

11. **a)** $7^{-2} = \frac{1}{49}$ **b)** $(1,05)^2 = 1,1025$

12. **a)** 50 millions. **b)** 86 millions.
c) 179 millions.

13. **a)** Oui. Le facteur de croissance est d'environ 1,6.
b) Environ 1,5.

14. 5116,67 $

15. **a)** Le placement au taux d'intérêt de 3 % composé mensuellement, parce que les intérêts sont réinvestis plus tôt.
b) Le montant de l'investissement n'a aucune importance.

16. Utiliser la formule de calcul de l'intérêt composé $M = C(1 + i)^n$. Pour le placement offrant un taux d'intérêt de 3 % composé annuellement pendant 5 ans, $i = 0,03$ et $n = 5$, donc $M = 500(1,03)^5 = 579,64$. Pour le placement offrant un taux d'intérêt de 2,5 % composé mensuellement pendant 5 ans, $i \doteq 0,0021$ et $n = 60$, donc $M = 500(1,0021)^{60} \doteq 567,00$. Par conséquent, le premier placement est plus avantageux.

17. Utiliser la formule de calcul de l'intérêt composé $M = C(1 + i)^n$. Pour le placement offrant un taux d'intérêt de 6 % composé annuellement pendant 20 ans, $i = 0,06$ et $n = 20$, donc $M = 500(1,06)^{20} = 1603,57$. Pour le placement offrant un taux d'intérêt de 5,9 % composé mensuellement pendant 20 ans, $i \doteq 0,0049$ et $n = 240$, donc $M = 500(1,0049)^{240} \doteq 1616$. Par conséquent, le second placement est plus avantageux.

18. **a)** 1161,47 $ **b)** 161,47 $

19. **a)** Environ 4,19 ans.
b) Environ 11,9 %.

20. Mika rembourserait 11 429,67 $ à la banque ou 11 025,00 $ à ses parents.

21. **a)** 374,84 $ **b)** 29,84 $

22. Le coût du véhicule et les paiements d'intérêt s'élèveraient à 33 455,64 $.
Étalé sur 5 ans, le coût de la prime d'assurance serait de 8 100 $.
En supposant que Minh travaille 48 semaines sur une possibilité de 52, ses dépenses liées à l'achat d'essence totaliseraient 7080 $.
Le coût des transports en commun de Minh diminuerait de 12 000 $.
Les heures supplémentaires qu'elle ferait lui rapporteraient 30 000 $ de plus.
Si l'on se fie à ces calculs, l'achat d'un véhicule coûterait 6635,64 $ de plus au bout de 5 ans.

23. **a)** Les réponses varieront. Par exemple : Les frais liés à l'assurance, à l'immatriculation et au prêt de l'auto sont tous des coûts fixes, parce qu'ils sont indépendants du nombre de kilomètres parcourus, de l'entretien et des réparations du véhicule.
b) Les réponses varieront. Par exemple : Les frais liés à l'entretien, aux réparations et à l'essence sont tous des coûts variables, parce que le montant de ces charges varie en fonction de l'utilisation du véhicule.

24. **a)** Continue. **b)** Distribution bimodale.

c) Utiliser un histogramme, parce que les données sont continues.

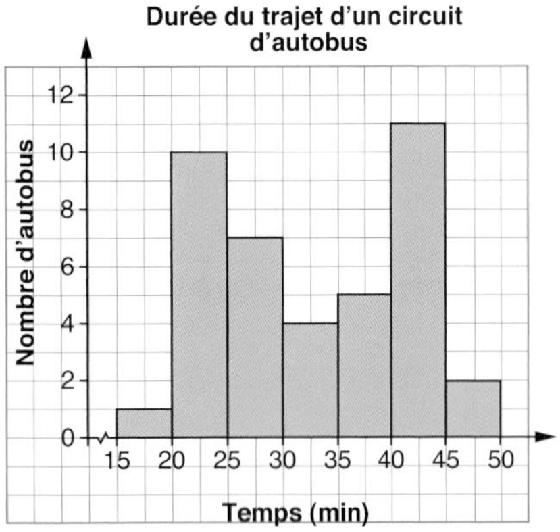

d) Les réponses varieront.

e) Les réponses varieront.

f) Les réponses varieront. Par exemple : La durée du trajet peut être plus longue pendant l'heure de pointe.

25. a) Les réponses varieront. Par exemple : L'échantillonnage doit être aléatoire et chaque enfant doit être soumis à des textes ayant un même niveau de difficulté.

b) Les réponses varieront.

26. a)
- Échantillonnage accidentel ou échantillonnage en grappes – la classe d'Antoine peut ne pas être représentative.
- Échantillonnage stratifié – échantillonnage non biaisé.
- Échantillonnage systématique – échantillonnage non biaisé.
- Échantillonnage à participation volontaire – seuls les élèves qui s'intéressent aux élections participent au sondage.

b) Les réponses varieront.

27. a) Moyenne : 26,89 $; médiane : 26,19 $; mode : aucun ; étendue : 16,95 $; écart type : 6,49 $.

b) La médiane, parce que les prix varient de façon considérable.

c) Les réponses varieront. Par exemple : Utiliser un moteur de recherche pour comparer les prix.

28. a) $\frac{4}{5}$; 0,8 ; 80 %.

b) Les réponses varieront selon le nombre d'élèves inscrits à ce cours. La bonne réponse devrait être : 0,8 × (nombre d'élèves).

29.

P = pile F = face			Résultat
1re pièce	2e pièce	3e pièce	
F	F	F	3 F, 0 P
F	F	P	2 F, 1 P
F	P	F	2 F, 1 P
F	P	P	1 F, 2 P
P	F	F	2 F, 1 P
P	F	P	1 F, 2 P
P	P	F	1 F, 2 P
P	P	P	0 F, 3 P

a) Voici les résultats possibles : 3 côtés face ; 2 côtés face et 1 côté pile ; 1 côté face et 2 côtés pile ; 3 côtés pile. Les résultats ne sont pas équiprobables.

b) $\frac{1}{8} = 0{,}125$ **c)** $\frac{3}{8} = 0{,}375$

d) Les réponses varieront.

Index technologique

Cybergéomètre

TI-89 Logiciel de calcul formel

TI-83 ou TI-84

Calculatrice scientifique

Microsoft Word

Microsoft Excel

Internet

Index

Y

Sources

(h) haut (b) bas (g) gauche
(d) droite (m) milieu

L'Éditeur souhaite remercier la Monnaie royale canadienne pour l'utilisation des pièces de monnaie dans ce manuel ainsi que toutes les personnes qui ont aimablement permis la reproduction des documents visuels.

Photographies

Couverture : First Light/Photoalto ; p. I : Ian Crysler ; p. 1 : Steve Mansfield-Devine / Alamy ; p. 13, 17 : Ian Crysler ; p. 27 : David Young-Wolff / Photo Edit ; p. 30 : It Stock Int. Ltd. / First Light ; p. 33 : prettyfoto / Alamy ; p. 38 : A.G.E. Foto Stock / First Light ; p. 49 : Andy Sacks / Photographer's Choice / Getty Images ; p. 53 : (g) Jen Weih, (d) Susan Point et Kelly Cannell, Programme d'art public de la ville de Vancouver, 2004 ; p. 54 : Animals Animals/MaXx Images ; p. 55 : (h, g) PhotoObjects.net / Jupiter Images Unlimited ; (b, g) Martin Barraud / Riser / Getty Images ; (h, d et b, d) Musée d'art métropolitain de New York, Achat, Cadeau de Theodore R. Gamble Jr., en l'honneur de sa mère, Mme Theodore Robert Gamble, 1987 (1987.98.1a-d) Photographie © 1989 Musée d'art métropolitain de New York ; p. 57 : Ian Crysler ; p. 60 : Judith Miller / Dorling Kindersley / Nigel Benson ; p. 61-63, 65 : Ian Crysler ; p. 68 : Skip Nall / Digital Vision / Getty Images ; p. 69 : Ian Crysler ; Photothèque ERPI ; p. 81 : Ian Crysler ; p. 86 : Gracieuseté de la NASA, Johnson Space Center ; p. 93 : Ablestock.com / Jupiterimages Unlimited ; p. 99 : Christine Strover / Alamy ; p. 105 : Greg Eymundson / Insight Photography / First Light ; p. 110 : Thomas Fricke / First Light ; p. 120 : Eric Nathan / Alamy ; p. 121 : Corbis / MaXx Images ; p. 122 : Ian Crysler ; p. 124 : David Harper, © 2004 ; p. 133, 135 : Ian Crysler ; p. 147 : PHOTOTAKE Inc. / Alamy ; p. 153 : Juniors Bildarchiv / Alamy ; p. 157 : Ian Crysler ; p. 165 : © CORBIS ; p. 170 : Medical-on-Line / Alamy ; p. 175 : Ian Crysler ; p. 179 : Jim et Janie Dutcher / National Geographic Images / Getty Images ; p. 182 : Thinkstock / Alamy ; p. 188-190 : Ian Crysler ; p. 194 : Image Source Black / Getty Images ; p. 198 : Gracieuseté du Service des photos du Toronto Star ; p. 203 : (fond) Corbis Premium Collection / Alamy ; (b, d) Ian Crysler ; p. 204-205 : (fond) PHOTOTAKE Inc. / Alamy ; p. 204 : (médaillon) image 100 / Corbis ; p. 205 (b), 206, 207 (b) : Ian Crysler ; p. 207 : (fond) Nancy Ney / Digital Vision / Getty Images ; p. 211 : Bill Aron / Photo Edit ; p. 218 : Gracieuseté du gouvernement du Canada ; p. 220 : Ian Crysler ; p. 235 : Manfred Rutz / Taxi / Getty Images ; p. 236 : Brand X Pictures / Alamy ; p. 239 : Ian Crysler ; p. 255 : Robert Llewellyn / Workbook Stock / Jupiter Images ; p. 261 : Ian Crysler ; p. 262 : (h) Steve Cole / Photographer's Choice / Getty Images ; (m) TNT MAGAZINE / Alamy ; (b) D. Hurst / Alamy ; p. 263 : Ian Crysler ; p. 272 : Digital Vision / Getty Images ; p. 275 : (h) Remy Haynes / Alamy ; (b) Jacobs Stock Photography / Digital Vision / Getty Images ; p. 276 : Barry Austin Photography / Photodisc / Getty Images ; p. 279 : Tom Stewart / CORBIS ; p. 289 : Joel W. Rogers / CORBIS ; p. 295 : Ken Walsh / Pixtel / MaXx Images ; p. 299 : MLB Photos / Getty Images ; p. 305 : Jose Carillo / Photo Edit ; p. 306 : Ian Crysler ; p. 307 : Bill Brooks / Alamy ; p. 309, 317 : Ian Crysler ; p. 328 : Presse canadienne ; p. 329 : PhotoResearchers / First Light ; p. 333, 334 : Ian Crysler ; p. 337 : Toronto Star / First Light ; p. 345 : John-Marshall Mantel / CORBIS ; p. 356, 357, 362, 377, 383 (b, d) : Ian Crysler ; p. 383 : (fond) Jacobs Stock Photography / Digital Vision / Getty Images ; p. 384-385 : (fond) Jacobs Stock Photography / Digital Vision / Getty Images ; p. 384 : (b, g) Ron Fehling / Masterfile ; p. 384 (h, g), 386, 387, 392 : Ian Crysler.

Illustrations

Steve Attoe, Deborah Crowle, Philippe Germain, Brian Hughes, Dusan Petricic, Neil Stewart, NSV Productions et Rose Zgodzinski.

Reproduits avec autorisation

- *The Geometer's Sketchpad*, Key Curriculum Press, 1150 65th Street, Emeryville, CA 94608, 1-800-995-MATH, [www.keypress.com/Sketchpad].

- La société Microsoft pour les images produites à l'aide des logiciels Microsoft Excel et Microsoft Word.

- Les images de Texas Instruments.